KB156485

MARINO'S

The Little ICU Book

한글판

Second Edition

Paul L. Marino

역자 박명재 · 고성민

Philadelphia·Baltimore·New York·London
Buenos Aries·Hong Kong·Sydney·Tokyo

MARINO'S
The Little ICU Book

둘째판 1 쇄 인쇄 | 2019년 1월 21일
둘째판 1 쇄 발행 | 2019년 1월 31일
둘째판 2 쇄 발행 | 2021년 1월 25일
둘째판 3 쇄 발행 | 2022년 3월 4일
둘째판 4 쇄 발행 | 2023년 10월 18일

지 은 이 Paul L. Marino
역 자 박명재·고성민
발 행 인 장주연
출판기획 김도성
책임편집 배혜주
편집디자인 조원배
표지디자인 김재욱
제작담당 신상현
발 행 처 군자출판사(주)
등록 제4-139호(1991. 6. 24)
본사 (10881) **파주출판단지** 경기도 파주시 회동길 338(서패동 474-1)
전화 (031) 943-1888 팩스 (031) 955-9545
홈페이지 | www.koonja.co.kr

ISBN 979-11-5955-401-8
정가 40,000원

29살의 멋진
어른이 되었지만,
여전히 소년의 모습을
간직하고 있는
내 아들 다니엘 요셉 마리노에게.

단순함을 추구하되 항상 그것에 대해
의구심을 가져라.

알프레드 노스 화이트헤드
자연의 개념, 1919

이 책의 모든 삽화, 표, 페이지 레이아웃을 책임지고 있는 Patricia Gast의 뛰어난 재능으로 외양과 여러 요소의 조화가 이루어 졌습니다. 이 책은 우리가 함께 한 4번째 책인데, 그녀의 재능과 직업윤리에 대해 나는 계속 감탄하지 않을 수 없었습니다. 또한 Wolters Kluwer의 내 편집자인 Keith Donnellan에게; 그는 저자와 원고 사이에서 발생하는 긴급상황을 이해할 수 있는 드문 능력의 소유자입니다. 그는 진정한 전문가이고, 또 그것을 보여 주었습니다. 그리고 마지막으로, 프로젝트개발 편집자인 Kate Heaney에게; 그녀의 확고한 의지 때문에 이 책이 탄생할 수 있었습니다.

중환자진료의 핵심을 간결하고 검색하기 쉬운 형태로 제시했던 모책(母冊)인 ICU book의 축소판을 만들고자 했던 Little ICU book 1판의 의도를 개정판인 2판에도 그대로 담았습니다. "little book"의 구성(構成)과 장(章)의 제목은 "big book"과 비슷하지만, 근거기반 임상진료지침의 권고사항을 중심으로 모든 장들을 갱신하여 다시 썼습니다. 또한 이번 판은 Sam Galvagno 박사와 협업의 결과로 그의 지혜와 백과사전적인 지식을 여러 장의 본문에 포함시켰습니다. Little ICU book이 크기는 좀 작지만, 성인중환자를 치료하는 어떤 ICU에서도 필요한 지식을 꽉 채워 넣은 포괄적인 자료가 될 것입니다.

역자소개

박 명 재 경희의료원 호흡기내과
고 성 민 경희의료원 교육협력 중앙병원 흉부외과

역자서문

영어, 일본어 의학서적을 우리말로 출판한 경험이 있습니다. 분에 넘치게 몇 권의 번역서들을 출판하게 된 계기는 젊었던 전임강사 시절 단기연수 중 만났던 일본의학서적 때문입니다. 당시 우리말로 번역된 의학서적이 많지 않았던 것에 비해 일본의사들은 의학의 거의 모든 분야를 번역된 책들로 공부하고 있었습니다. 京都大学 泉 孝英교수님은 '일본의사들이 일본어 의학서적으로 공부하기 때문에 영어발표 등에 어려움이 있어서 갖고 있는 실력에 비해 국제학술활동에 어려움이 있다'는 탄식조의 이야기를 하셨으나 제 마음 한구석에는 모국어로 공부 하는 것에 대한 부러움이 있었습니다. 그런데 최근 많은 일본의학자들 (2012: 야마나카 신야, 2015: 오무라 사토시, 2016: 오스미 요시노리, 2018: 혼조 다스쿠)이 노벨의학상을 받는 것을 보면서 '모국어로 공부 하는 것이 국제경쟁력을 약화시키는 것이 아니고 오히려 필요한 요소는 아닐까?'라는 상상도 해봤습니다.

번역은 시작할 때는 의욕이 넘치지만 조금 해보면 후회하게 되는 지루한 과정입니다. 영어책인 경우 더욱 그러합니다. 요즘 학생, 전공의들이 영어를 얼마나 잘하는데 내가 왜 굳이 "이런 일"을 해야 하지? 라는 생각도 몰려옵니다. 또 '시간과 노력은 많이 들고 학문적 평가와 금전적 보상은 미미한 상황에서 활발한 번역을 기대하는 것은 무리다.' 라고 쓴 어느 신문의 기고문을 읽고 공감한 적도 있었습니다. 그런데 타 대학의 아는 교수님에게서 "해외파 전공의가 제가 번역한 책으로 열심히 공부하더라" 라는 이야기를 들은 후부터 번역에 대해 다시 생각하게 되었습니다.

"Little ICU book 1판"을 6년 전에 경희의대내과 교수님들과 공동번역하였기 때문에 2판 번역도 군자출판사로부터 재 의뢰 받았습니다. 원고를 준비하려고 보니 공역자 중 사직, 전직하신 교수님들도 계시고 또 1판 출판 시에도 제가 모든 원고를 다 읽고 수정해야 했기 때문에 바쁜 교수님들에게 부담을 주는 것보다는 차라리 혼자 하는 것이 '편하고 효율적이겠다'라는 생각을 하였고 또 한편으로는 '1판을 조금 수정하면 될 것이니 어렵지 않겠지'라는 계산도 있었습니다. 그런데 2판책을 받아보니 연로하신 Marino 교수님 (아마도 70대 중반, 1963년에 Saugus 고등학교 졸업, 참고*: http://saugushighschool1963.blogspot.com/p/reunion-attendees.html)의 의욕이 넘치셔서 2판 본문을 대부분 새롭게 다시 쓰신 것을 알게 되면서 집중력이 떨어지고 있었습니다. 그러고 있던 중 출판사로부터 "경희의료원 교육협력 중앙병원 흉부외과 고성민 선생님이 2판 번역에 관심을 갖고 있으니 공동번역으로 진행하면 어떻겠냐?"는 제안을 받았습니다. 신속한 출판을 위해 공동번역을 결정하였고 제가 1-10장, 16-22장, 나머지 부분은 고 선생님이 담당하기로 하였으며 원고전체의 통일성 등은 제가 검토하기로 하였습니다. 공동번역을 결정하시고 또 많은 부분을 번역하느라 수고하신 고 선생님께 진심으로 감사를 드립니다. 향후 3판이 나오게 되면 3판의 대표역자는 고 선생님이 되실 것으로 기대합니다. 고 선생님께서 이 책을 통해 의학서적 번역을 시작하게 되셨으니 앞으로도 후배의사들에게 필요한 좋은 책을 많이 내게 되시기를 뜨거운 마음으로 격려합니다.

마지막으로 Little ICU book 2판이 널리 활용되어서 삶과 죽음의 경계선에서 고통 가운데 있는 많은 중환자들이 최적의 진료를 받는데 조금이라도 도움이 된다면 더 이상의 바람이 없겠습니다.

경희대병원 호흡기내과 박 명 재

---

*Marino 교수님의 고교시절 사진을 볼 수 있습니다.

목차

Chapter 1

중심정맥 접근법

Central Venous Access

중환자의 혈관접근을 위해 흉부 또는 복부로 들어가는 큰 정맥에 종종 길고 유연한 카테터를 삽입해야 한다. 이번 장의 주된 내용은 이와 같은 중심정맥 접근법들이다.

I. 감염관리(INFECTION CONTROL)

중심정맥삽입에 권장되는 감염관리방법은 표 1.1 (1,2)에 나와 있다. 아래의 5가지 방법은 ("일괄, bundle"적으로) 함께 사용하면 카테터 관련 혈류감염의 발생률을 감소시키는데 효과적이다 (3). 다음은 이러한 예방조치에 대한 간략한 설명이다.

A. 피부소독(Skin Antisepsis)

1. 손씻기는 카테터 삽입부위를 촉지하기 전, 후에, 그리고 장갑 착용 전, 후에 하는 것이 좋다 (1). 가능하면 알코올 기반의 손소독제가 좋다 (1,4); 그 외 비누(일반 또는 항균비누)와 물로 손씻기를 할 수 있다 (4).
2. 카테터 삽입부위의 주변피부는 삽입 직전 오염제거가 필요하며, 바람직한 살균제는 chlorhexidine이다 (1).

a. chlorhexidine의 장점은 장기간 항균작용이 유지된다는 것인데, 한 번 도포하면 최소 6시간 동안 항균작용이 지속된다.
b. chlorhexidine이 피부에서 최소 2분 동안 공기 건조되도록 기다리면 항균작용이 극대화된다.

표 1.1 중심정맥 삽입번들

구성요소	권장 사항
손 위생	카테터 삽입 및 조작 전후로 알코올 소독제를 사용하거나 물과 비누로 손 위생을 시행한다.
장벽 예방책	카테터 삽입 혹은 가이드 와이어를 이용한 카테터 교체 시 모자, 마스크, 멸균 장갑, 멸균 가운, 멸균 전신 대공포를 사용하여 최대 장벽 예방책을 시행한다.
피부 소독	삽입부위 주변으로 chlorhexidine을 도포하고 2분간 자연 건조시킨다.
삽관 위치	가능하면, 대퇴정맥은 피한다.
카테터 제거	중심정맥관을 유지할 필요가 없다면 가능한 빨리 제거한다.

Institute for Healthcare Improvement 발췌(2).

B. 무균장벽 (Sterile Barriers)

모든 중심정맥 (및 동맥)삽관 시술 중에는 모자, 마스크, 살균장갑, 살균가운 및 머리에서 발끝까지 덮을 수 있는 살균포를 준비하여 완전 무균장벽 예방조치를 하면서 시행해야 한다 (1).

C. 삽관부위선택 (Site Selection)

발표된 지침들에 따르면 대퇴정맥 삽관은 카테터 관련 패혈증의 위험을 줄이기 위해 피해야 한다 (1). 그러나 임상연구결과에 따르면 대퇴정맥카테터

(1,000 카테터/일당 2-3 건)와 쇄골하정맥 (subclavian vein) 또는 내경정맥 (internal jugular vein) 카테터의 패혈증 발병률이 다르지 않다 (5,6).

II. 카테터들 (CATHETERS)

A. 카테터 크기 (Catheter Size)

1. 혈관 카테터의 크기는 외경으로 표시된다. 크기는 미터법을 기반으로 한 'French size' 또는 와이어 크기를 기반으로 한 'gauge size'로 표현된다.
   a. 프렌치사이즈 (French size)는 0.33 mm 단위로 증가하는 일련의 정수이다 (예: 1 French=0.33 mm, 2 French=0.66 mm).
   b. 게이지크기 (Gauge size; 원래는 속이 차 있는 전선-solid wire-용으로 개발됨)는 다른 측정단위로 정의할 수 있는 관계가 없으며 기준치 표 (table of reference values)가 필요하다 (부록 3에 있는 것과 같은 것).

B. 중심정맥관 (Central Venous Catheters, CVC)

1. 중심정맥관 (CVC)라는 용어는 내경정맥, 쇄골하 또는 대퇴정맥 등에 삽입 된 카테터를 말하며 대정맥 (vena cava) 중 하나에 위치한다.

2. 최근의 중심정맥관 (CVC)으로 널리 쓰이는 삼중내강카테터 (tripple lumen catheter, **그림 1.1 참고**)는 여러 개의 주입채널을 가지고 있다. 이 카테터는 바깥지름이 2.3 mm (French size 7)이며 길이는 16 cm (6 인치), 20 cm (8 인치) 및 30 cm (12 인치)이다(치수는 제조업체에 따라 다를 수 있다).

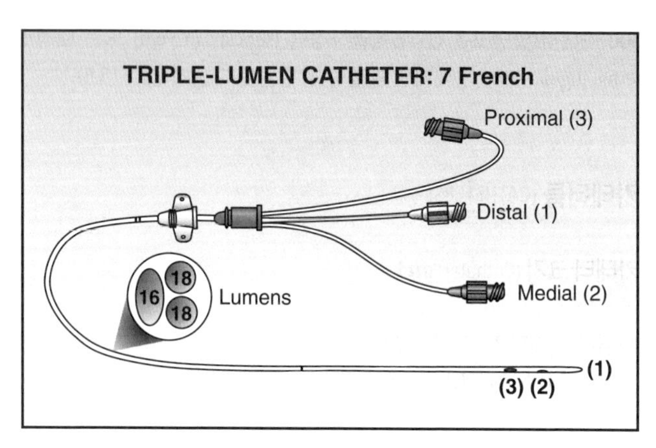

■ 그림 1.1 삼중내강중심정맥관 (Triple lumen central venous catheter). 각 내강 (lumen)의 게이지 및 주입 포트 별 카테터 끝 부분의 유출 부위를 확인할 수 있다.

C. 항균제코팅 (Antimicrobial Coating)

1. CVCs는 두 종류의 항균제코팅, 즉 (a) chlorhexidine과 silver sulfadiazine (Arrow International에서 구입 가능), (b) minocylcine과 rifampin (Cook Critical Care에서 구입 가능)이 있다. 이러한 각 코팅제는 카테터 관련 혈류감염의 위험을 줄일 수 있다 (7).
2. 발표된 지침에 따르면, 카테터 삽입기간이 5일 이상 예상되고 ICU에서 카테터 관련 감염의 발생률이 허용할 수 없을 만큼 높은 경우에는 항균제 코팅 카테터의 사용을 고려해야 한다 (1).

D. 말초삽입중심정맥카테터 (Peripherally-Inserted Central Catheter, PICC)

1. 말초삽입중심정맥카테터 (peripheralally-inserted central catheter, PICC)란 팔의 전주와 (antecubital fossa) 바로 위쪽의 척골측피부정맥 (basilic vein) 또는 요골측피부정맥 (cephalic vein)에 삽입되어 상대정

맥 (superior vena cava)으로 삽입되는 긴 카테터를 말한다.

2. PICCs에는 CVCs와 같이 사용 가능한 여러 개의 주입채널을 있지만 일반적으로 5 French 또는 직경 1.65 mm인 CVCs보다는 가늘며 CVCs보다는 상당히 길다. 50 cm (19.5 인치) 및 70 cm (27.5 인치)인 PICCS도 사용 가능하다.
3. PICC의 직경은 가늘고 길이가 길기 때문에 PICCs를 통과하는 흐름은 CVCs를 통과하는 흐름에 비해 상당히 느리다(부록 3에 PICCs 및 CVCs를 통한 유량을 보여주는 표를 참조한다) .

Ⅲ. 중심정맥관 삽입부위 (CANNULATION SITES)

다음은 4개의 서로 다른 혈관접근 부위, 즉 내경정맥, 쇄골하정맥, 대퇴정맥 및 전주와 (antecubital fossa)에서 보이는 정맥에서 중심정맥관 삽입부위에 대한 간략한 설명이다.

A. 내경정맥 (Internal Jugular Vein)

1. 해부학 (Anatomy)

a. 내경정맥 (internal jugular vein, IJV)은 흉쇄유돌근 (sternocleidomastoid muscle) 아래에 위치하며 (그림 1.2 참고) 귓바퀴에서 흉쇄관절 (sternoclavicular joint)까지 그려진 선을 따라 목 아래로 비스듬히 내려간다. 목 아래 쪽에서 내경정맥은 종종 경동맥의 앞쪽과 옆쪽에 위치하지만 해부학 적인 관계는 환자마다 다를 수 있다 (16).

b. 목 아래 쪽에 있는 내경정맥 (IJV)은 쇄골하정맥과 결합하여 무명정맥 (innominate veins)을 형성하며, 오른쪽과 왼쪽의 무명정맥 (innominate veins)이 합쳐져 상행대정맥 (SVC)이 된다.

c. 우측 내경정맥이 우심방쪽으로 직진하기 때문에 목의 오른쪽 내경

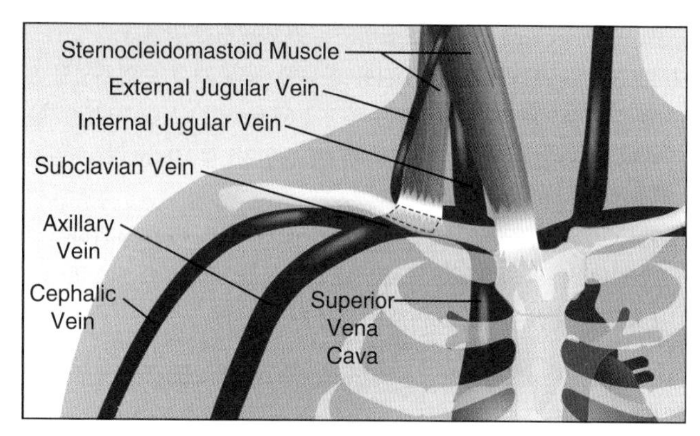

■ 그림 1.2 흉부로 주행하는 정맥들

정맥 (IJV)에 삽관하는 것을 더 선호한다. 우측에 삽입하는 경우 삽입부위에서 우심방까지의 거리는 약 15 cm이므로 가장 짧은 CVC (~ 15 cm)를 정맥 주사에 사용해야 한다(카테터 끝이 우심방에 들어가지 않도록 하기 위함이다).

2. 자세 (Positioning)

a. 머리를 수평에서 15° 아래쪽 (Trendelenburg position)이 되도록 몸을 기울이면 내경정맥 (IJV)의 지름은 20~25% 증가한다 (8). 그러나 몸의 기울기를 더 증가시키더라도 내경정맥 (IJV)지름이 추가적으로 넓어지는 효과는 없다 (8).
b. 특히 혈량저하증 환자에서 내경정맥 (IJV)에 쉽게 삽입하기 위해 15 °정도 머리를 아래쪽으로 기울이는 자세를 사용할 수 있지만 정맥울혈 (venous congestion) 상태인 환자에서는 이런 자세가 필요하지 않으며 두개내압상승 환자에게는 권장하지 않는다.
c. 정맥의 경로를 직선화하기 위해 머리를 반대 방향으로 약간 돌려야

하지만 머리를 정중선에서 30° 이상 돌리면 정맥이 신전 (stretching) 되면서 직경이 오히려 줄어들기 때문에 역효과가 나타난다 (16).

3. 정맥찾기 (Locating the Vein)

a. 초음파영상은 내경정맥 (IJV)을 찾고 카테터를 삽입하는데 표준방법으로 권장된다 (9). 초음파유도는 성공률이 높아 삽관술 시도 횟수가 적어지며, 삽관술 시간이 짧아지고, 경동맥 천자의 위험이 감소된다 (9-11).
b. IJV와 경동맥의 단층영상을 얻으려면 좌, 우 흉쇄유돌근의 두부 (sternal and clavicular head)가 만든 삼각형을 가로 질러 초음파탐침을 놓는다 (그림 1.2 참조). 이렇게 하면 그림 1.3과 같은 영상을 관찰할 수 있다. 왼쪽 영상은 경동맥 앞쪽과 옆쪽에 위치한 내경정맥 (IJV)를 보여준다. 오른쪽 영상은 탐침으로 아래쪽 피부에 압력을 가했을 때 압박 (compression)되는 내경정맥 (IJV)을 보여준다 (동

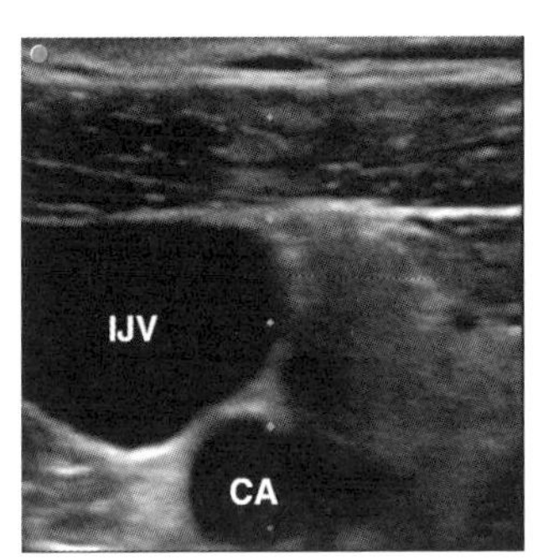

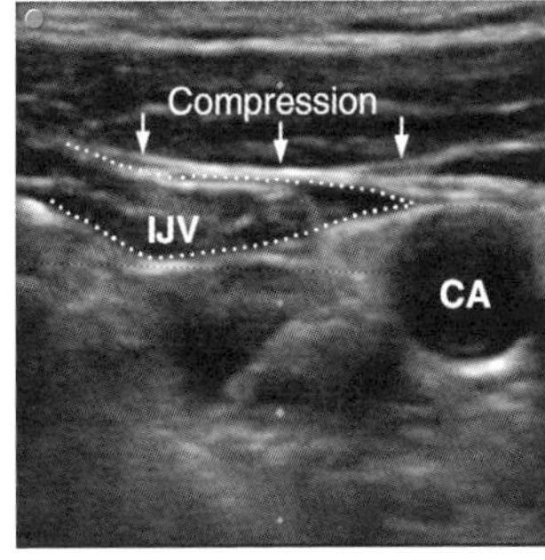

■ 그림 1.3 오른쪽 목의 내경정맥 (IJV)과 경동맥 (CA)의 초음파 영상. 오른쪽의 영상에서는 바로 위의 피부를 눌렀을 때 내경정맥 (IJV)이 허탈되는 것을 볼 수 있나. 녹색 점은 각 영상의 외측면 (lateral side)를 나타낸다. 영상 제공 Cynthia Sullivan, RN & Shaun Newvine, RN. IJV=Internal jugular vein, CA=carotid artery

맥과 정맥을 구별하기 위한 간단한 조작임).

4. 합병증 (Complication)

a. 내경정맥 (IJV)삽관술의 가장 무서운 합병증은 경동맥천자이다. 보고 된 발생률은 피부표면의 기준점을 사용할 때 0.5-11% (10-12)이고 초음파가이드 방법을 사용할 때는 1% 정도이다 (10).
b. 내경정맥 (IJV)삽관부위(목에 위치하기 때문에)에서 기흉이 예상되지 않지만, 피부표면 기준점 (landmark)를 의지하여 삽관을 하는 경우 내경정맥 (IJV)삽관 1.3%에서 이러한 합병증이 보고된다 (10).

B. 쇄골하정맥 (Subclavian vein, SCV)

1. 해부학 (Anatomy)

a. 액와정맥 (axillary vein)에서 연속되어 첫 번째 늑골의 위쪽을 따라 지나는 혈관이 쇄골하정맥 (subclavian vein, SCV) **(그림 1.2 참조)**이다. 쇄골하정맥은 쇄골의 아래를 통해 흉곽입구 (thoracic inlet)로 이어지고 여기서 내경정맥 (IJV)과 합쳐서 무명정맥 (innominate veins) 형성한다.
b. 횡격막신경 (phrenic nerve)이 전사각근 (anterior scalene muscle)과 함께 쇄골하정맥의 아래쪽에 위치하고 쇄골하정맥의 후하방에서 만나게 된다. 전사각근 (anterior scalene muscle)의 아래쪽에는 쇄골하동맥 (subclavian artery)과 상완신경총 (brachial plexus)이 있다.
C. 내경정맥 (IJV)과 다르게 쇄골하정맥 (subclavian vein)의 직경 (앙와위 자세에서 7-12 mm)은 호흡에 따라 변하지 않는다. 이는 정맥을 주변 구조물에 고정시키고 이를 개방된 상태로 유지하게 하는 강력한 근막이 부착되었기 때문이다. 이것은 쇄골하정맥이 순환혈액량 부족 (volume depletion)에 의해 허탈 (collapse)되지 않는다는

주장의 근거이기도 하지만 (14) 아직 증명된 바는 없다.

2. 자세 (Positioning)

a. 머리를 수평에서 아래쪽으로 몸을 기울이면 쇄골하정맥이 8-10%까지 팽창되며 (13), 이렇게 하면 삽관을 쉽게 할 수 있다.
b. 어깨를 아치모양으로 만들거나 어깨 밑에 둘둘 말은 수건을 놓는 것과 같은 방법이 삽관을 용이하게 하는 방법으로 믿어지고 있지만, 실제로는 쇄골하정맥의 단면적을 감소시킨다 (13,15).

3. 혈관위치 찾기 (Locating the vessel)

a. 쇄골하정맥은 위에 있는 쇄골이 초음파의 투과를 차단하기 때문에 초음파영상으로 위치를 확인하기가 어렵다. 그래서 피부표면의 기준점 (landmark)을 참고하여 쇄골하정맥을 삽관하는 것이 표준적 방법이다.
b. 쇄골하정맥은 흉쇄유돌근 (sternocleidomastoid muscle)의 쇄골두 (clavicular head)를 확인하여 찾을 수 있다 (그림 1.2 참조). 쇄골하정맥은 쇄골의 이 지점 바로 아래에 있으며 쇄골 위 또는 아래를 통해 삽관을 시행 할 수 있다. 쇄골에서 이 부분을 그림 1.2에서와 같이 탐침바늘의 삽입위치를 알려주기 위해 작은 직사각형으로 표시할 수 있다.

4. 합병증(Complication)

a. 쇄골하정맥 삽입술의 합병증 (피부표면의 기준점을 참고하여 삽관할 때)은 쇄골하동맥 천자 (≤5%), 기흉 (≤5%), 상완신경총 손상 (≤3%) 및 횡격막신경 손상 (≤1.5%)이 발생할 수 있다 (11,14).
b. 쇄골하정맥의 협착은 카테터 제거 후 수 일 또는 수개월 후에 나타

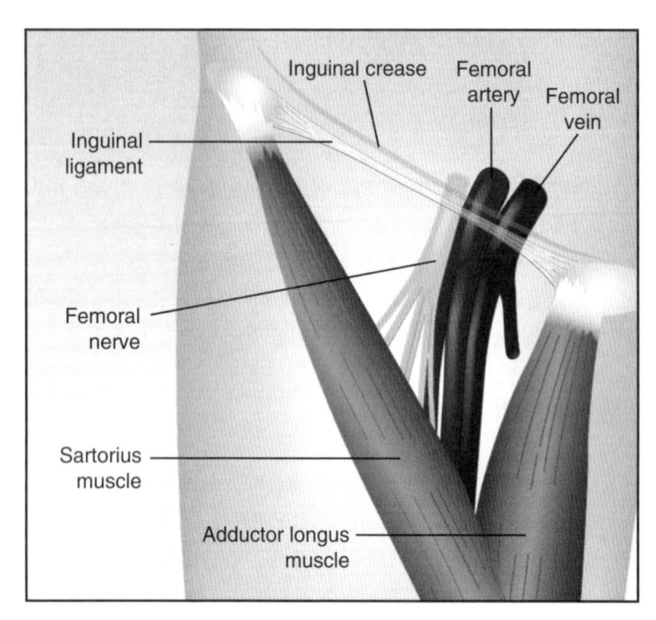

■ 그림 1.4 대퇴삼각 (femoral triangle)의 구조

날 수 있으며 보고 된 발생률은 15-50%이다. 이러한 합병증의 가능성 때문에 혈액투석을 위한 삽관 (동-정맥루를 통한)이 필요할 수 있는 환자에서 같은 쪽 팔에 쇄골하정맥의 삽관을 피하는 주된 이유가 된다 (16).

C. 대퇴정맥 (Femoral Vein, FV)

1. 해부학(Anatomy)

대퇴정맥은 사타구니에 있는 장복재정맥 (long saphenous vein)의 연속적인 혈관으로, 그림 1.4에서 보는 바와 같이 대퇴동맥과 대퇴신경과 같이 대퇴삼각형 (femoral triangle) 안에 위치한다. 사타구니 주름 근처에서, 정맥은 동맥의 내측에 위치하며 피부에서 겨우 몇 센티미터 떨어져 있다. 다리를 외전 (abduction)시키면 대퇴정맥으로 삽관이 더욱 쉬워진다.

2. 정맥 찾기 (Locating the Vein)

a. 대퇴정맥을 찾는 것은 대퇴동맥의 맥박을 확인하는 것부터 시작한다. 전형적으로 대퇴동맥의 맥박은 사타구니 주름의 중간지점 바로 안쪽, 아래에 위치한다.
b. 초음파 사용이 가능하면, 대퇴동맥 맥박이 촉지된 지점에 탐침을 위치하여 혈관의 단면영상을 얻을 수 있어야 한다. 대퇴정맥은 그림 1.3에서와 같이 압축성 (compressibility)을 보이는지에 여부에 의해 확인할 수 있다.
c. 초음파영상을 사용할 수 없는 경우에는 먼저 대퇴동맥 맥박을 촉지하고 맥박으로부터 1-2 cm 내측에 탐침바늘 (probe needle)의 사면 (bevel)을 12시 방향으로 향하게 하면서 삽입한다. 대퇴정맥은 피부로부터 2-4 cm 깊이에 위치한다.

3. 합병증(Complications)

a. 대퇴정맥 삽관의 주요합병증은 대퇴동맥천자, 대퇴정맥혈전증 및 카테터 관련 패혈증이다.
b. 카테터 관련 혈전증은 의심되는 것보다 더 흔하게 발생하지만 대부분 임상적으로 무증상이다. 대퇴정맥 유치카테터 (indwelling catheter) 환자를 대상으로 시행된 하나의 연구에서 초음파검사로 10%의 환자에서 혈전증이 확인되었지만 임상증상이 명백한 혈선증은 1% 미만의 환자에서 발생하였다 (17).

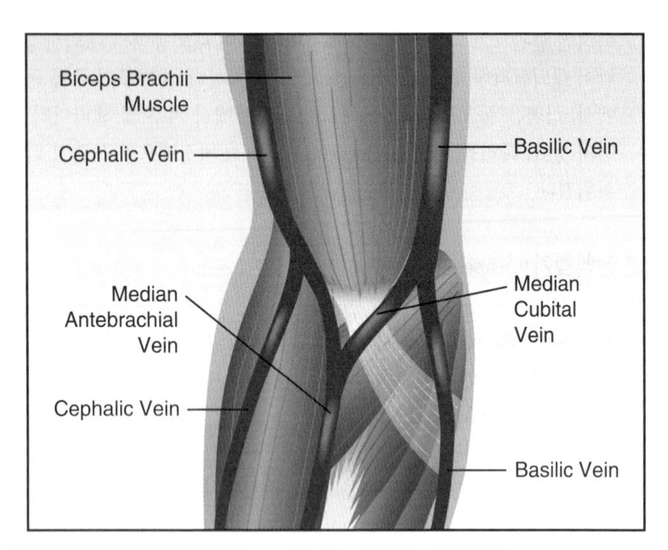

■ 그림 1.5 오른쪽 팔의 전주와 (antecubital fossa)에 있는 주요 정맥들.

c. 앞에서 언급했듯이 (I절 C), 대퇴정맥삽관으로 인한 패혈증의 위험은 다른 부위의 중심정맥삽관 시 패혈증의 위험과 다르지 않다 (5,6).

D. 말초삽입중심정맥카테터 (Peripherally-Inserted Central Catheter, PICC)

1. PICC (Peripheral-inserted central catheters)는 팔의 척골측피부정맥 (basilica vein) 또는 요골측피부정맥 (cephalic vein)에 삽입된 긴 카테터 (50~70 cm)로 상행대정맥으로 진행된다 **(그림 1.5 참조)**. 팔의 내 측면을 주행하는 척골측피부정맥 (basilica vein)에 PICC를 더 자주 시행하게 되는데, 이는 척골측피부정맥 (basilica vein)이 요골측피부정맥 (cephalic vein)보다 직경이 크고 혈관이 팔에서 직선경로로 주행하기 때문이다.

2. PICC는 CVC에 비해 환자의 편안함과 이동성 향상, CVC 삽관과 관련된 특정위험 (예: 기흉)을 배제할 수 있기 때문이다.
3. PICC의 가장 흔한 합병증은 액와쇄골하정맥의 카테터 유발 혈전증이다. 팔뚝부종을 동반 한 폐색성혈전증은 PICC가 있는 환자의 2.11%에서 보고되었다 (18,19). 정맥혈전증의 병력이 있는 환자 (18 명)와 암 환자 (19 명)에서 가장 많다.
4. PICC로 인한 패혈증은 1,000 카테터/일당 1건의 (20) 감염률로 발생하는데, 이는 CVC의 감염률과 유사하다.

Ⅳ. 긴급한 현안들 (IMMEDIATE CONCERNS)

A. 정맥공기색전증 (Venous Air Embolism)

중심정맥으로의 공기유입은 중심정맥주사의 치명적인 합병증이다 (21,22).

1. 병태생리 (Pathophysiology)

a. 혈관카테터가 흉부로 들어갈 때 카테터허브 (hub)가 대기 중에 열려 있으면 자발호흡 중 흡기 시 발생하는 흉강내 음압으로 인해 정맥순환 (venous circulation)에 공기가 유입 될 수 있다.
b. 공기유입량과 속도 모두 정맥공기색전증의 경과를 결정한다. 공기유입량이 수 초에 걸쳐 200-300 mL (3-5 mL/kg)에 도달하면 치명적인 결과를 나타낼 수 있다 (22).
c. 정맥공기색전증의 부작용으로는 급성우심실부전 (우심실의 air lock에 의해), 폐모세혈관의 투과도 항진에 의한 폐부종 및 급성뇌졸증 (난원공개존증; patent formen ovale를 통과한 공기방울이 뇌혈관을 막음)이 있다 (22).

2. 예방 조치들 (Preventive Measures)

양압환기는 정맥공기색전증을 억제할 수 있는데, 이는 흉강내압이 호흡주기전부에서 양압인 경우 정맥순환에 공기가 유입되는 문제를 없앨 수 있다. 자발호흡하는 환자의 경우 머리를 수평에서 15° 아래쪽 (Trendelenburg position)이 되도록 몸을 기울이면 내경정맥 및 쇄골하정맥 삽관 시 공기의 유입 위험을 줄일 수 있다. 적절히 주의하면 증상이 있는 정맥공기색전증의 위험은 1% 미만이다 (21).

3. 임상증상 (Clinical Presentation)

a. 정맥공기색전증은 임상적으로 무증상일 수 있다 (21).
b. 증상이 있는 경우에는 초기증상으로 갑작스런 호흡곤란, 심한 기침이 동반될 수 있다.
c. 심한 경우에는 저혈압 (hypotension), 핍뇨 (oliguria) 및 의식의 저하 등 급속하게 진행될 수 있다 (심장성쇼크로 인해). 진행되어 심장혈관허탈 (cardiovascular collapse) 발생 직전에는 우심실에서 공기와 혈액의 혼합에 의해 드럼 치는 소리 (constant machine like sound) 같은 "mill wheel murmur"가 청진될 수 있다 (22).

4. 진단 (Diagnosis)

a. 정맥공기색전증은 대개 임상진단이다.
b. 시간이 허락되면 경흉부도플러초음파 검사는 심장의 공기를 확인하는데 예민한 방법이다 (22). (도플러 초음파는 유속을 소리로 변환하는데 심실 내 공기는 특징적인 고음의 소리를 발생시킨다.)

5. 치료 (Management)

정맥공기색전증의 치료는 주로 심폐소생술 시행을 포함한다. 다음의 방법은 언급할 필요는 있지만 각각의 방법의 검증된 효과는 없다 (22).

a. 유치카테터안으로 공기유입 (air entrainment)이 의심되는 경우, 카테터의 허브 (hub)에 주사기를 부착하고 혈류에서 공기를 흡인하려고 시도해 볼 수 있다.
b. 100% 산소호흡은 폐순환에서 공기의 양을 감소시켜 폐모세혈관에서 질소배출을 촉진시킬 수 있다.
c. 환자를 왼쪽 모로누운자세 (left lateral decubitus)로 하는 방법은 우심실의 유출로 (outflow)에 있는 공기막힘 (air lock)을 완화시키는 것을 목표로 한 전통적인 방법이다.
d. 흉부압박은 공기가 강제로 폐유출로 (pulmonary outflow)를 통해 폐순환 (pulmonary circulation)으로 빠져나가도록 도와준다.

B. 기흉 (Pneumothorax)

1. 기흉은 쇄골하정맥카테터삽입술 시행 시 일차적으로 생각해야 한다. 보고 된 발생률은 ≤5% (11,14)이다.
2. 이동식 엑스선장치에 의한 흉부엑스선 사진은 흉막 공기를 확인하는데 민감하지 못하며, 특히 환자가 앙와위 자세로 있는 경우 공기가 폐의 앞쪽으로 모여 있기 때문에 확인하기 어렵다 (23).
3. 초음파검사는 이동식 엑스선장치에 의한 흉부엑스선 사진과 비교할 때 흉막 공기를 확인하는 데는 훨씬 더 민감한 방법이다 (24). 즉시 이용 가능한 경우, 초음파가 ICU 환자의 흉막 공기 탐지를 위한 최선의 방법이다.

C. 카테터의 위치 (Catheter Location)

CVC와 PICC 시행 시 5-25%에서 잘못된 위치로 카테터가 삽입되기 때문에 (11,20) 카테터 위치를 확인하기 위해 시술 후 흉부엑스선 사진을 기본적으로 촬영한다.

1. 적절한 위치 (Proper Placement)

적절하게 삽입된 CVC 또는 PICC는 상대정맥 안에 위치해야 하고, 카테터 팁이 우심방의 1-2 cm 위쪽에 있어야 한다. 기관용골 (tracheal carina 좌, 우 주기관지로 나뉘기 전 기관의 분지부분)은 상대정맥과 우심방이 만나는 지점 바로 위에 위치하고 있어서 카테터 팁의 위치를 확인하는 데 유용한 기준점이 된다 (26). CVC의 적절한 위치가 그림 1.6에 나와 있다. 카테터 팁이 기관용골 바로 위에서 관찰된다.

2. 우심방의 카테터 팁 (Catheter Tip in Right Atrium)

이동X선 장치에 의한 흉부엑스선 사진에서 기관용골 아래쪽에서 카테터 팁이 관찰되는 경우는 카테터 팁이 우심방에 있을 가능성이 높다. 이런 경우 우심방천공 (right atrial perforation)과 심장 눌림증 (cardiac tamponade)의 위험을 초래할 수 있으므로 (27) 일반적으로 카테터를 조금 빼내는 것이 적절하다. 그러나 한 연구에서 CVC 카테터팁의 25% 정도는 우심방에 위치한다고 보고될 정도로 흔한 일이지만 (28), 우심방천공이 CVC 삽입에서 보기 드문 합병증이므로 (27), 우심방에 들어간 카테터의 위치를 재조정해야 할 필요성에 대해서는 의문의 여지가 있다.

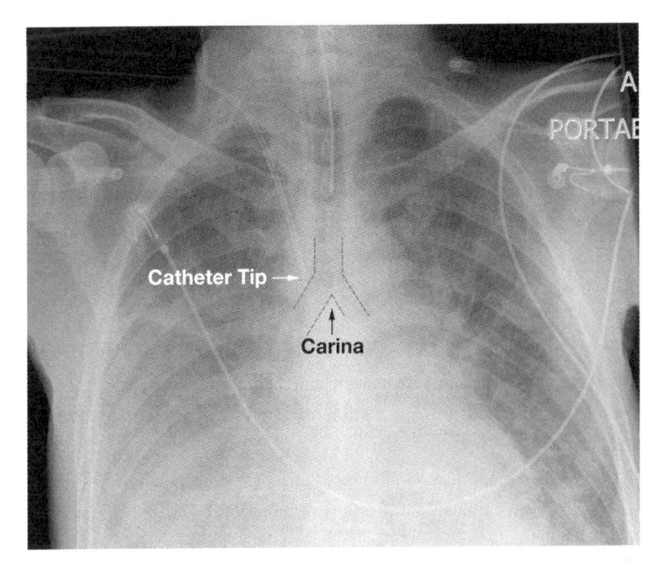

■ 그림 1.6 이동식 흉부엑스선 사진에서 중심정맥관의 팁이 기관용골 (tracheal carina) 상방에 적절하게 위치하고 있는 것을 볼 수 있다.

참고문헌

1. O'Grady NP, Alexander M, Burns LA, et al. and the Healthcare Infection Control Practices Advisory Committee (HICPAC). Guidelines for the Prevention of Intravascular Catheter-related Infections. Clin Infect Dis 2011; 52:e1-e32.
2. Institute for Healthcare Improvement. Implement the central line bundle. Available at www.ihi.org/resources/Pages/Changes/ ImplementtheCentralLineBundle.aspx (Accessed July 11, 2014).
3. Furuya EY, Dick A, Perencevich EN, et al. Central line bundle implementation in U.S. intensive care units and impact on bloodstream infection. PLoS ONE 2011; 6(1):e15452. (Open access journal available at www.plosone.org (Accessed November 5, 2011).)
4. Tschudin-Sutter S, Pargger H, and Widmer AF. Hand hygiene in the intensive

care unit. Crit Care Med 2010; 38(Suppl):S299 - S305.

5. Deshpande K, Hatem C, Ulrich H, et al. The incidence of infectious complications of central venous catheters at the subclavian, internal jugular, and femoral sites in an intensive care unit population. Crit Care Med 2005; 33:13 - 20.
6. Parienti J-J, Thirion M, Megarbane B, et al. Femoral vs jugular venous catheterization and risk of nosocomial events in adults requiring acute renal replacement therapy. JAMA 2008; 299:2413 - 2422.
7. Casey AL, Mermel LA, Nightingale P, Elliott TSJ. Antimicrobial central venous catheters in adults: a systematic review and metaanalysis. Lancet Infect Dis 2008; 8:763 - 776.
8. Clenaghan S, McLaughlin RE, Martyn C, et al. Relationship between Trendelenburg tilt and internal jugular vein diameter. Emerg Med J 2005; 22:867 - 868.
9. Feller-Kopman D. Ultrasound-guided internal jugular access. Chest 2007; 132:302 - 309.
10. Hayashi H, Amano M. Does ultrasound imaging before puncture facilitate internal jugular vein cannulation? Prospective, randomized comparison with landmark-guided puncture in ventilated patients. J Cardiothorac Vasc Anesth 2002; 16:572 - 575.
11. Ruesch S, Walder B, Tramer M. Complications of central venous catheters: internal jugular versus subclavian access - A systematic review. Crit Care Med 2002; 30:454 - 460.
12. Reuber M, Dunkley LA, Turton EP, et al. Stroke after internal jugular venous cannulation. Acta Neurol Scand 2002; 105:235 - 239.
13. Fortune JB, Feustel. Effect of patient position on size and location of the subclavian vein for percutaneous puncture. Arch Surg 2003; 138:996 - 1000.
14. Fragou M, Gravvanis A, Dimitriou V, et al. Real-time ultrasoundguided subclavian vein cannulation versus the landmark method in critical care patients: A prospective randomized study. Crit Care Med 2011; 39:1607 - 1612.
15. Rodriguez CJ, Bolanowski A, Patel K, et al. Classic positioning decreases cross-sectional area of the subclavian vein. Am J Surg 2006; 192:135 - 137.
16. Hernandez D, Diaz F, Rufino M, et al. Subclavian vascular access stenosis in dialysis patients: Natural history and risk factors. J Am Soc Nephrol 1998; 9:1507 - 1510.
17. Parienti J-J, Thirion M, Megarbane B, et al. Femoral vs jugular venous catheter-

ization and risk of nosocomial events in adults requiring acute renal replacement therapy. JAMA 2008; 299:2413-2422.
18. Evans RS, Sharp JH, Linford LH, et al. Risk of symptomatic DVT associated with peripherally inserted central catheters. Chest 2010; 138:803-810.
19. Hughes ME. PICC-related thrombosis: pathophysiology, incidence, morbidity, and the effect of ultrasound guided placement technique on occurrence in cancer patients. JAVA 2011; 16:8-18.
20. Ng P, Ault M, Ellrodt AG, Maldonado L. Peripherally inserted central catheters in general medicine. Mayo Clin Proc 1997; 72:225-233.
21. Vesely TM. Air embolism during insertion of central venous catheters. J Vasc Interv Radiol 2001; 12:1291-1295.
22. Mirski MA, Lele AV, Fitzsimmons L, Toung TJK. Diagnosis and treatment of vascular air embolism. Anesthesiology 2007; 106:164-177.
23. Tocino IM, Miller MH, Fairfax WR. Distribution of pneumothorax in the supine and semirecumbent critically ill adult. Am J Radiol 1985; 144:901-905.
24. Collin GR, Clarke LE. Delayed pneumothorax: a complication of central venous catheterization. Surg Rounds 1994; 17:589-594.
25. Xirouchaki N, Magkanas E, Vaporidi K, et al. Lung ultrasound in critically ill patients: comparison with bedside chest radiography. Intensive Care Med 2011; 37:1488-1493.
26. Stonelake PA, Bodenham AR. The carina as a radiological landmark for central venous catheter tip position. Br J Anesthesia 2006; 96:335-340.
27. Booth SA, Norton B, Mulvey DA. Central venous catheterization and fatal cardiac tamponade. Br J Anesth 2001; 87:298-302.
28. Vezzani A, Brusasco C, Palermo S, et al. Ultrasound localization of central vein catheter and detection of postprocedural pneumothorax: an alternative to chest radiography. Crit Care Med 2010; 38:533-538.

Chapter 2

혈관유치 카테터

The Indwelling Vascular Catheter

이 장에서는 중심정맥카테터를 중심으로 혈관유치카테터의 일상적인 관리 및 부작용에 대해 설명한다.

I. 일상적인 카테터 관리 (ROUTINE CATHETER CARE)

카테터 관리의 일상적인 권장 사항은 표 2.1에 요약되어 있다.

A. 카테터 부위 드레싱 (Catheter Site Dressing)

1. 카테터 삽입부위는 카테터 사용하는 동안에는 무균드레싱으로 보호되어야 한다. 이는 멸균거즈 패드 또는 접착성 투명플라스틱막 (폐쇄드레싱; *occlusive dressing이라고 함*)을 덮어줌으로 가능하다.
2. 폐쇄드레싱 (occlusive dressings)의 투명막은 반투과막 (semipermeable)이므로 막 아래쪽 피부로부터 수증기는 빠져나올 수 있지만 액체 분비물은 빠져나올 수 없다. 이를 통해 피부의 과도한 건조를 방지하여 드레싱막 아래 덮인 상처의 치유를 촉진하게 된다.
3. 투명막을 통해 카테터 삽입부위를 매일 확인 할 수 있기 때문에 폐쇄드레싱이 선호된다. 멸균거즈 드레싱은 카테터 삽입부위를 건조하게 유지하기가 어려울 때 선호된다 (1).

4. 멸균거즈드레싱과 폐쇄드레싱을 비교할 때 두 방법 모두 카테터의 세균집락 형성과 감염을 억제하는 능력은 거의 같다 (1,2). 그러나 폐쇄드레싱 아래쪽에 습기가 높아지면 (moisture accumulation) 오히려 세균집락형성을 촉진할 수 있으므로 (2) 투명막 아래에 액체가 고이면 폐쇄드레싱을 교체해야 한다.

표 2.1 일반적인 카테터 관리 시 권장사항

	권장 사항
멸균드레싱	투명막을 통한 카테터 삽입부위의 지속 관찰이 가능하기 때문에 밀봉드레싱을 많이 사용한다. 카테터 삽입부위를 건조하게 유지하기 힘들 경우 멸균거즈드레싱을 사용한다. 멸균거즈드레싱과 밀봉드레싱은 카테터 감염 및 균주증식을 억제하는 능력이 거의 동일하다.
항균제젤	혈액투석 카테터를 제외한 중심정맥관의 삽입 부위에 항균젤을 도포하지 않는다.
카테터 교체	일상적인 중심정맥관 교환은 권장하지 않는다.
카테터 내부세척	카테터 세척액으로 헤파린은 가능한 사용하지 않는다.

참고문헌1의 임상술기 진료지침 (clinical practice guidelines)에서 발췌

B. 항균제젤 (Antimicrobial Gels)

혈액투석카테터를 제외하고는 (3) 삽입 부위에 항균제 젤을 도포하더라도 카테터 관련 감염의 발생률이 감소하지 않는다 (1). 따라서 국소적인 항균제 젤은 혈액투석카테터에서만 권장되며 (1) 매번 투석 후에 도포해야 한다.

C. 카테터 세척 (Flushing Catheters)

1. 혈관카테터는 혈전성 폐쇄를 방지하기 위해 일정한 간격으로 세척 (flushing)해야 한다.
2. 표준세척용액 (standard flush solution)은 헤파린 섞은 식염수 (10-1,000 units/mL)이지만 헤파린유발혈소판감소 (12장 참조)의 위험 때문에 헤파린 세척은 피하는 것이 좋다.
3. 정맥카테터는 식염수만으로 세척 하더라도 헤파린 섞은 식염수만큼 효과적이지만 (4) 동맥카테터에서는 그렇지 못하다 (5). 동맥카테터의 경우에는 1.4% 구연산나트륨 (sodium citrate)을 사용하는 것이 카테터의 개통상태 (patency)를 유지하는 데 적절한 대안이다 (6).

D. 카테터 교체 (Replacing Catheters)

1. 일정한 간격으로 (가이드 와이어를 이용한 카테터의 교환 또는 새로운 위치에 정맥천자를 시행하여 교환) 중심정맥카테터를 교체하더라도 카테터 관련 감염의 발생률을 감소시키지 못하며 (7) 오히려 합병증 (기계적 및 감염에 의한)을 실제적으로 증가시킬 수 있다 (8). 결론적으로 *중심정맥카테터의 일상적인 교체 (routine replacement)는 권장되지 않는다 (1).* 이런 사실은 말초삽입중심정맥카테터 (peripherally-inserted central catheters, PICC), 혈액투석카테터 및 폐동맥카테터에도 적용된다 (1).
2. 홍반 (erythema)만으로는 감염의 증거라고 판단할 수 없으므로 카테터삽입부위 주변에 홍반이 보여도 중심정맥카테터를 교체할 필요는 없다 (9).
3. 카테터 삽입 부위에서 화농성 배출액이 나오는 경우는 반드시 카테터를 교체해야 하는 적응증이며, 새로운 위치에 정맥천자를 시행하여 다른 대체 카테터를 삽입해야 한다.

II. 비 감염성 합병증 (NONINFECTIOUS COMPLICATIONS)

A. 카테터 폐쇄 (Occluded Catheters)

중심정맥카테터의 폐쇄는 혈전증 또는 주입약물 (infuates)의 불용성 침전물에 의한 결과일 수 있다. 가이드 와이어를 카테터에 삽입하여 카테터를 막고 있는 덩어리를 밀어내는 방법은 색전증을 유발할 수 있으므로 추천되지 않는다. 대신에 카테터를 막고 있는 덩어리 (다음에 설명함)를 화학적으로 용해시키는 것이 적절한 방법이다.

1. 혈전성폐쇄 (Thrombotic Occlusion)

혈전증 (카테터로 혈액을 빼낼 때 남은 혈액에 의한)은 카테터패쇄의 가장 흔한 원인이다. 혈전용해제인 alteplase (재조합 조직 플라스미노겐 활성제)를 주입하면 폐쇄된 카테터의 80-90%에서 개통을 회복 할 수 있다 (11,12). Cathflo Activase™ (Genentech, Inc.)는 폐쇄된 카테터에 널리 사용되는 alteplase 제제이다 (12).

2. 비-혈전성폐쇄 (Non-Thrombotic Occlusion)

a. 불용성 침전물에 의한 폐쇄는 수불용성약물 (water-insoluble drug, 예: diazepam, digoxin, phenytoin, trimethoprim-sulfa 또는 음이온-양이온 복합체 (anion-cation complex, 예: 인산칼슘)가 원인인 경우가 있다 (13). 희석된 산 (0.1N HCL)을 주입하면 이런 침전물의 용해를 촉진 시킬 수 있다 (14).

b. 지질잔류물 (lipid residue, 예: TPN에 사용되는 지질유탁액-lipid emulsion-이나 propofol의 주입) 때문에 폐쇄가 발생할 수 있다. 이런 경우에는 70% 에탄올을 주입하면 카테터를 재개할 수 있다 (13).

B. 정맥혈전증 (Venous Thrombosis)

카테터 팁 주변의 혈전증은 혈관유치정맥카테터의 40-65%에서 (일상적인 초음파검사 또는 정맥 조영촬영으로) 입증되며 (15,16) 암 환자에서 가장 많이 발생한다 (16). 그러나 증상이 있는 (폐쇄성) 혈전증은 흔하지 않으며 (15-17), 대퇴정맥카테터 (3.4%)와 말초삽입중심정맥카테터 (PICC) (3%)에서 가장 흔하게 발생한다 (17,18).

1. 상지혈전증 (Upper Extremity Thrombosis)

a. 액와 또는 쇄골하정맥의 혈전성폐쇄는 팔의 부종을 일으키며, 이는 감각이상과 상지쇠약을 동반 할 수 있다 (19). 상지의 혈전이 상대정맥 쪽으로 전파되어 *상대정맥증후군 (superior vena cava syndrome* 즉, 얼굴부종 등)으로 진행되는 경우는 드물다(20).
b. 폐쇄성 상지혈전증이 있는 경우 10% 미만에서 증상이 있는 폐색전증이 발생한다 (19).
c. 압박초음파 (compression ultrasonography)는 95%를 이상의 민감도와 특이도를 보이는 상지혈전증 (이 방법의 예는 그림 1.3 참조)의 검사법이다 (19).
d. 항응고치료는 하지혈전증 (제4장 참조)과 동일한 치료약을 사용하여 상지혈전증을 치료하는것을 추천한다 (19). 혈전의 원인인 카테터의 제거는 필수적인 것은 아니지만 상지의 부종이 심하거나 통증이 있거나 또는 항응고제 치료가 금기인 경우 권고된다 (19).

C. 혈관천공 (Vascular Perforation)

1. 상대정맥천공 (Superior Vena Cava Perforation)

a. 상대정맥천공은 주로 왼쪽 중심정맥카테터에서 흔히 발생하며, 이

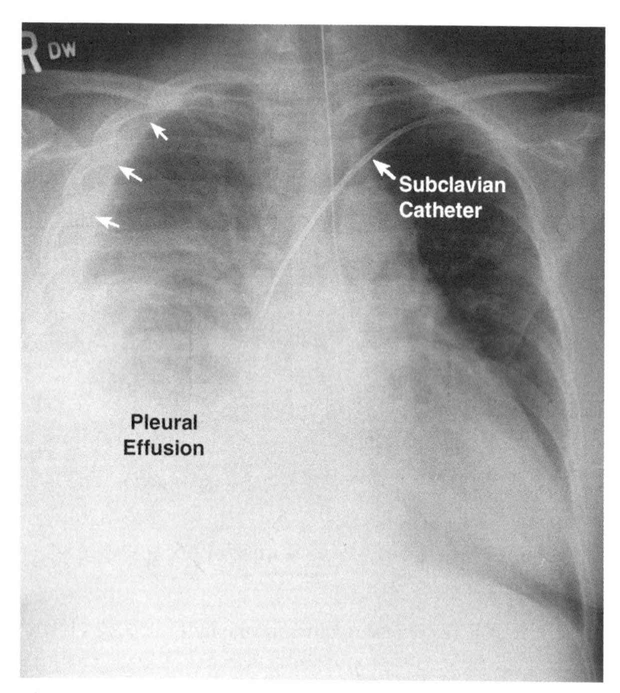

■ 그림 2.1 왼쪽 중심정맥관의 말단부가 상대정맥 (superior vena cava)을 천공하여 다량의 우측 흉수 (pleural effusion)가 생긴 흉부엑스선 사진. 영상 제공 John E. Heffner, MD. 참고문헌 21 발췌.

는 상대정맥의 외측벽 (lateral wall)과 카테터가 직각으로 만나기 때문이다.

b. 임상증상은 비특이적이며 천공을 의심할 수 있는 소견은 흉부엑스선 사진에서 갑작스러운 종격동의 확대 또는 흉막삼출이다. (그림 2.1) (21).

c. 대정맥천공이 의심되면 중심정맥카테터를 통한 주입을 즉시 중지해야 한다. 진단은 흉수천자로 확인할 수 있으며, 흉수는 주입한 주

사액과 유사한 조성을 보인다. 진단은 카테터를 통해 방사선 조영제를 주입하거나 종격동에서 조영제의 존재를 확인하면 된다.

d. 진단이 확정되면 카테터를 즉시 제거해야 한다 (이로 인해 종격동 출혈이 유발되지는 않는다) (21). 흉막액에 감염의 증거가 없으면 항생제 치료는 필요없다 (21).

2. 우심방천공 (Right Atrial Perforation)

a. 우심방천공은 중심정맥삽입 (cannulation)시 발생할 수 있는 매우 보기 드문 합병증이지만 종종 간과되기도 하는데 사망률은 40-100%이다 (22).

b. 심장 눌림증 (tamponade)의 첫 징후는 보통 호흡곤란이 시작되며 1시간 이내에 심혈관허탈 (cardiovascular collapse)로 진행될 수 있다. 진단은 우심방의 확장기허탈 (diastolic collapse)과 더불어 심낭삼출소견을 심초음파를 통해 확인한다.

c. 즉각적인 심낭천자 (pericardiocentesis)가 필요하며 재발하는 혈심낭 (hemopericardium)의 치료에 응급개흉술이 필요할 수 있다.

d. 이런 상황에 대한 가장 효과적인 접근법은 카테터의 팁을 기관용골 레벨 아래쪽까지 깊게 삽입하지 않도록 카테터의 위치를 적절하게 조절해서 천공이 발생하지 않도록 예방하는 것이다 (그림 1.6 참조).

III. 카테터 연관 패혈증 (CATHETER-RELATED SEPTICEMIA)

(참고: 이 절의 내용는 카테터 연관 혈류감염의 발생과 관계 없는 말초정맥 카테터와는 관계 없다.) 병원성균은 혈관 안에 들어가 있는 중심정맥카테터에 군집화된 후 혈류를 따라 파종 (dissemination)될 수 있다. ICUs의 종류에 따라 이와 같은 혈류감염의 형태가 달라질 수 있는데 표 2.2 (23)에 정리되어 있다. 감염의 빈도는 카테터-일 수 (number of catheter-days)로 표시한다 (카

테터가 유치되어 있는 경우 각각의 날마다 감염위험이 있기 때문).

표 2.2 2010년 미국 카테터 연관 혈류감염률

ICU 형태	1000 카테터-일 (catheter-day) 당 감염수	
	통합 평균 (Pooled Mean)	범주 (Range, 10-90%)
화상 ICU	3.5	0 – 8.0
외상 ICU	1.9	0 – 4.0
내과 ICU	1.8	0 – 3.5
외과 ICU	1.4	0 – 3.2
내/외과 ICU	1.4	0 – 3.1
심혈관 ICU	1.3	0 – 2.7
뇌혈관 ICU	1.3	0 – 2.7
심흉부 ICU	0.9	0 – 2.0

National Healthcare Safety Network(23) 발췌. major teaching hospitals의 ICU만 포함.

A. 정의 (Definitions)

다음 정의는 중심정맥카테터에 의한 한 감염을 확인하는 데 사용된다.

1. 카테터 연관 혈류감염 (Catheter-Associated Bloodstream Infections, CABI)은 혈관카테터 이외에는 명확한 원인이 없는 혈류감염이다. 이것은 임상조사 (clinical survey, 표 2.2의 정의와 같은)에서 사용되는 정의이며 의심되는 카테터에서 미생물배양의 증거가 필요하지 않다.
2. 카테터 관련 혈류감염 (Catheter-Related Bloodstream Infections, CRBIs)은 말초 혈액에서 확인 된 병원체가 카테터 끝이나 카테터를

통해 채취 된 혈액샘플에서 상당한 양으로 존재하는 혈류감염이다 (상당한 양의 기준은 다음에 제시된다). 이것은 임상진료에 사용되는 정의이며 말초혈액에 있는 동일한 병원체의 존재에 카테터가 관여한다는 증거 (배양검사결과)를 필요로 한다.

3. 임상조사 (clinical survey)에서 사용되는 CABIs에 대한 진단기준은 임상진료 (clinical practice)에서 사용되는 CRBI에 대한 진단기준보다 훨씬 덜 엄격하기 때문에 임상진료의 CRBI 발병률에 비해 임상조사 CRBI 발병률은 과대 평가된다 (24).

표 2.3 카테터 관련 혈류감염의 진단을 위한 배양방법

배양 방법	CRBI 진단 기준 †
카테터 팁 반정량적 배양	카테터 팁과 말초혈액에서 동일한 병원균, 카테터 팁에서 24시간 이내에 15CFU 초과 배양
감별 정량 혈액배양	카테터 혈액과 말초혈액에서 동일한 병원균, 카테터 혈액의 병원균 수가 말초혈액 병원균 수의 3배 이상

†참고문헌 25 발췌. CFU=colony forming units

B. 임상소견 (Clinical Features)

1. CRBIs는 카테터 삽입 후 처음 48시간 내에는 나타나지 않는다.
2. CRBIs의 임상소견은 비특이적이다 (예: 발열, 백혈구증다증).
3. 카테터 삽입부위의 염증은 패혈증의 존재 유무를 예측할 만한 근거가 없으며 (12), 카테터 삽입 부위에서 화농성배출이 관찰되는 경우 혈류 침입이 동반되지 않은 출구부위 (exit-site) 감염의 증거가 될 수 있다 (2).
4. CRBIs를 임상적으로 진단하는 것은 불가능하며 다음에 설명하는 배양방법 중 하나를 통해 진단을 확인하거나 배제해야 한다 (**표 2.3 참조**).

C. 카테터 팁 배양

의심되는 CRBIs에 대한 전통적인 접근법은 말초정맥에서 얻은 혈액배양과 카테터 팁 배양을 종합하는 것이다. 이 방법은 사용하기 위해서는 혈관유치 카테터를 제거해야 한다.

1. 멸균방법을 사용하여 카테터를 제거하고 5 cm (2인치) 길이로 카테터의 말단을 절단하여 멸균 배양튜브에 넣는다.
2. 카테터 팁은 반 정량적 "롤 - 플레이트 (roll-plate)"방법을 사용하는데 이는 카테터 팁을 혈액한천배지 (blood agar plate) 표면 위로 직접 굴린 후 배양하는 것이며, 균성장 결과는 24시간 후에 집락형성단위 (colony-forming unit, CFU)의 수로 측정한다.
3. CRBIs의 진단은 배양편팡 (culture plate)에서 적어도 15 CFU가 자라야 하고 혈액배양으로부터 동일한 병원체가 동정되어야 한다 (25).
4. 이것이 CRBIs의 진단을 위한 '표준검사법 (gold standard)'이지만 다음과 같은 약점이 있다.
   a. 혈관유치카테터의 제거가 필요하며, 의심되는 CRBIs를 확인하려고 제거한 카테터의 2/3 이상이 배양검사에서 균이 자라지 않는다 (26).
   b. 카테터의 관 안쪽표면 (미생물이 카테터의 허브를 통해 유입되는 경우 관계된 표면)에 국한된 감염은 확인하기 어렵다.

D. 감별혈액배양 (Differential Blood Cultures)

이 방법에서 카테터 제거는 필요하지 않으며, 카테터가 패혈증의 원인인 경우, 카테터를 통해 채취한 혈액에서 말초정맥을 통해 채취한 혈액보다 더 높은 미생물밀도를 보이게 될 것이라는 예상에 기반한다. 이 방법에서는 배양결과가 mL당 집락형성단위 (CFU/mL)로 표현되는 혈액 내 미생물밀도의 정량적 평가가 필요하다.

1. 혈액샘플은 세포 내 병원체를 방출시키기 위해 세포를 용해시키는 물질을 포함한 특수튜브 (Isolator Culture System, Dupont, Wilmington, DE)를 이용 채혈해야 한다.
2. 배양을 위해 두 개의 혈액샘플을 얻는다. 하나의 샘플은 혈관유치카테터를 통해 채혈하고 (multilumen catheter에서는 distal lumen을 사용) 또 다른 샘플은 말초정맥에서 채혈한다.
3. 동일한 병원체가 두 가지 혈액샘플 모두에서 분리되고 카테터혈액의 집락형성단위 (CFU / mL)가 말초혈액의 집락형성단위보다 최소 3배 이상 크면 CRBIs가 확진된다. CRBIs의 증례에서 볼 수 있는 비교성장밀도 (comparative growth density)의 예가 그림 2.2 (27)에 나와 있다.
4. 이 방법은 카테터의 외부표면의 감염을 확인하지는 못하지만 '표준검사법 (gold standard)'으로 알려진 카테터 팁 배양법 (24)과 비교할 때 진단정확도가 94%이다.

E. 미생물 스펙트럼 (The Microbial Spectrum)

1. CRBIs와 관련된 병원체는 Coagulase-negative staphylococci, Gram-negative aerobic bacilli (Pseudomonas aeruginosa 등), Enterococci, Staph aureus, Candida species다 (28).
2. Coagulase-negative staphylococci (주로 staph epidermidis)가 CRBIs의 약 1/3의 원인이지만, 장내병원균 (즉, Enterococci와 Gram-negative aerobic bacilli)이 CRBIs감염의 약 절반에 관여한다.
3. Candida CRBIs가 점점 많아지고 있다. 예를 들어 North American ICU에 대한 최근의 조사에 따르면 candida species은 CRBsI의 세 번째로 흔한 원인이다 (29).

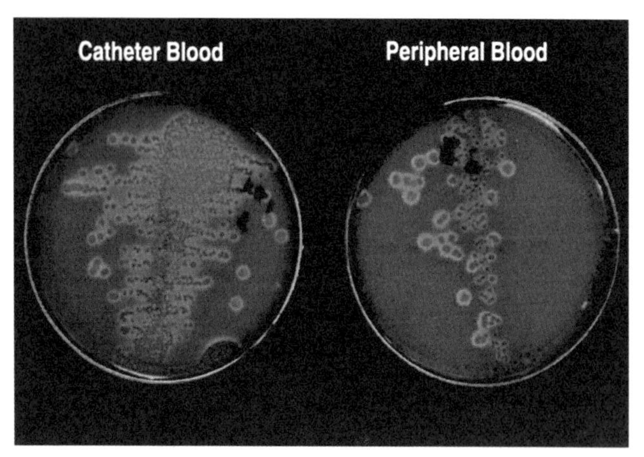

■ 그림 2.2 카테터 혈액과 말초혈액에서 채취한 혈액의 배양 결과. "카테터 혈액" 배양의 밀도가 높은 것은 카테터-유발성 패혈증의 단서가 된다. 참고문헌27. 디지털 보정 사진.

F. 경험적 항생제 (Empiric Antibiotic Coverage)

경험적 항생제 치료는 CRBI가 의심되는 모든 환자에게 권장되며 배양을 위한 검체채취가 완료된 직후에 시작되어야 한다. 경험적 항생제 치료범위(25)에 대한 권장사항은 표 2.4에 나와 있다.

1. Vancomycin은 staphylococci (coagulase-negative와 methicillin-resistant 균주를 포함) 및 enterococci (카테터 관련 감염의 약 50%를 차지함)에 대한 가장 효과인 약제이기 때문에 경험적 항생제의 주요한 약제이다(28). Vancomycin-resistant enterococci(VRE)에 감염될 위험이 있는 경우 vancomycin을 daptomycin으로 대체할 수 있다.
2. Enteric gram-negative bacilli에 대한 경험적 치료는 CRBI가 동반된 ICU 환자에서 이 균주가 두 번째로 흔한 원인균이기 때문에 권장된다 (28). 그람음성균 감염에 가장 적합한 경험적 항생제는 carbapenem

(예: meropenem), 4세대 cephalosporin (예: cefepime) 및 β-락탐/β-락탐분해효소 억제제 조합제(예, Piperacillin/tazobactam)를 포함한다.

표 2.4 카테터 연관 감염의 원인 균주에 따른 경험적 항생제

균주	권장 사항
Staphylococci	항생제: Vancomycin 해설: MIC>2mg/mL이상의 MRSA가 우세한 경우 Daptomycin을 사용
Enterococci	항생제: Vancomycin 해설: Vancomycin 내성이 의심된다면 Daptomycin을 사용
Gram-negative bacilli	항생제: Piperacillin/tazobactam, Cefepime, Carbapenems[1] 해설: 다제내성 (multidrug-resistant)균의 위험이 높거나 호중구 감소증 (neutropenia)이 있을 경우 Aminoglycoside를 추가
Candida spp.	항생제: Echinocandins[2] 해설: 칸디다혈증 (candidemia)의 위험요소로는 최근의 복부수술, 최근의 이식, 면역억제제, 광범위 항생제사용, 여러 곳의 Candida spp. 감염 등이 있음

참고문헌 25에서 발췌. 항생제 용법은 44장을 참고

1. Carbapenems에는 Imipenem, Meropenem, Doripenem이 있다.
2. Echinocandins에는 Caspofungin, Micafungin, Anidulafungin이 있다.

3. 표 2.4에서 언급된 고위험 환자, 특히 경험적 항생제 투여 후 72시간 이내에 효과가 없을 때는 칸디다혈증에 대한 경험적 치료를 고려해야 한다. 일부 칸디다균종 (즉, Candida krusei 및 Candida glabrata)은 azoles계 항진균제 (예: fluconazole)에 내성이기 때문에 echinocandins계 항진균제 (예: caspofungin)가 경험적 항진균제 처방 시 선호된다.
4. 설명한 항생제에 대한 투여 권장용법은 제44장에서 확인할 수 있다.

G. 배양결과 확진 된 감염 (Culture-Confirmed Infections)

1. 배양결과로 CRBI의 진단이 확인되면 추가적인 항생제 치료는 확인된 병원체와 항생제 감수성에 의해 결정된다.
2. CRBI가 확진된 상태에서 원인 병원체가 Coagulase-negative staphylococcus 또는 Enterococcus이거나 또는 경험적 항균요법에 좋은 치료반응을 보인 경우가 아니라면 남아 있는 카테터 또는 가이드와이어로 교체 한 카테터를 제거하고 새로운 부위에 정맥천자를 시행 새로운 카테터를 다시 삽입해야 한다 (25).
3. 일부 전문가는 모든 Staph aureus 균혈증의 환자에서 균혈증이 발병한지 5-7 일 후에 심내막염(경식도 초음파검사를 통해)을 확인할 것을 권장한다.

4. 치료기간

항생제 치료기간은 원인 병원균, 카테터의 상태 (즉, 교체되거나 유지됨) 및 치료반응에 따라 결정된다. 전신 항생제 투여 후 첫 72시간 이내에 좋은 치료반응을 보이는 환자의 경우 권장 치료기간은 다음과 같다 (25):

a. Coagulase-negative staphylococci 감염의 경우 항생제 치료는 카테터를 제거한 경우 5-7 일, 카테터를 그대로 둔 상태의 경우 10-14 일 동안 지속한다.
b. S. aureus가 원인균이라면 카테터를 제거하고 환자가 면역억제상태가 아니며 또 심내막염의 증거가 없는 경우에는 항생제 치료를 14 일로 제한 할 수 있다 (25). 그러나 면역억제상태이거나 심내막염이 있는 경우 4-6 주간의 항생제 치료를 권장한다.
c. Enterococci 혹은 Gram-negative bacilli에 의한 감염의 경우 카테터 대체 또는 유지 여부와 관계없이 7-14 일간의 항생제 치료를 권장한다 (25).
d. 합병증이 없는 candida 감염의 경우에는 혈액배양 결과가 첫 번째로 음전된 때부터 14 일 동안 항진균제 치료를 계속해야 한다 (25).

H. 지속적 인 패혈증 (Persistent Sepsis)

72시간의 항균요법 후에도 폐혈증 (sepsis, septicemia)이 지속된다면 다음 조건에 대한 평가가 이루어져야 한다.

1. 퇴행성 혈전 정맥염 (Suppurative Thrombophlebitis)

앞에서 언급했듯이, 혈관유치카테터에서 혈전이 발생하는 것은 흔하며, 혈전이 감염되면 혈관 내 농양으로 전환될 수 있다. 가장 흔한 병원균은 *Staph aureus*이다 (25).

a. 임상증상은 흔히 보이지 않지만 카테터 삽입부위의 화농성배액, 혈전성 정맥폐쇄로 인한 사지부종, 패혈증성 색전증에 의한 폐의 공동 (cavity)을 포함할 수 있다.
b. 패혈증성 혈전정맥염의 진단은 카테터가 삽입된 혈관에 혈전이 확인 (예를 들어, 초음파에 의해)되고 기타 다른 명백한 원인이 없이 지속적으로 패혈증의 증거가 있으면 된다(혈관유치카테터 삽입부위에서 화농성배액이 배출되면 이는 화농성정맥염; suppurative phlebitis보다는 카테터 출구부위 감염; exit-site infection을 의미할 수 있다).
c. 치료에는 카테터 제거와 4-6주간 전신 항생제 치료를 해야 된다 (25). 일반적으로 감염된 혈전 (infected thrombus)의 수술적 절제는 불필요하며 불응성 패혈증의 경우 고려해 볼 수 있다.
d. 이런 상태에서 항응고제인 헤파린 사용에 대한 합의는 이루어지지 않았다. 그러나 최근 CRBI에 대한 지침에서는 위의 환자는 헤파린 치료를 고려할 대상임을 명시하고 있다 (25).

2. 심내막염 (Endocarditis)

a. 병원성 심내막염 (nosocomial endocarditis)의 30-50%는 CRBIs가

원인이며 포도상구균 (주로 S. aureus)이 75%까지 증례의 원인병원체다 (30,31). 일부 보고에서는 S. aureus의 메티실린 내성균주 (MRSA)가 더 우월하다 (32).

b. 심내막염의 전형적인 징후 (예: 새롭거나 변화하는 심잡음)가 S. aureus가 원인인 병원성 심내막염 환자의 2/3에서 없을 수 있다 (31). 따라서, 항균요법에 반응하는 것으로 보이는 환자를 포함하여 S. aureus 균혈증의 모든 환자에서 심내막염을 고려해야 한다 (25).

c. 심내막염에 진단에 가장 추천되는 방법은 경흉 (transthoracic)이 아닌 경식도 (tranesophageal) 심초음파 검사이다.

d. 심내막염의 경우 4-6 주 동안 항균요법을 권장하지만 환자의 약 30%는 사망하게 된다 (30-32).

3. 파종성칸디다증 (Disseminated Candidiasis)

a. Candida spp.은 혈액배양에서 잘 자라지 않기 때문에 경험적 항균요법에 대한 반응이 없으면서 혈액 배양결과 음성소견인 CRBI의 경우 파종성칸디다증을 고려해야 한다. 칸디다혈증의 발생위험요소가 있는 환자(표 2.4 참조)는 특히 주의해야 한다.

b. 파종성칸디다증의 진단은 어렵기 때문에 candida spp.의 세포벽 구성성분인 (1,3)-β-D-glucan과 같은 혈청표지자가 침습성 칸디다 감염의 발견에 점차 인기를 끌고 있다 (33).

c. Echinocandin (예: caspofungin)을 사용한 항진균치료는 칸디다 혈증의 경우에 더 적합하나 Amphotericin B는 내부장기감염 (endorgan infection, 예: 심내막염)에 더 적절할 수 있다.

참고문헌

1. O'Grady NP, Alexander M, Burns LA, et al. and the Healthcare Infection Control

Practices Advisory Committee (HICPAC). Guidelines for the Prevention of Intravascular Catheter-related Infections. Clin Infect Dis 2011; 52:e1 – e32.

2. Maki DG, Stolz SS, Wheeler S, Mermi LA. A prospective, randomized trial of gauze and two polyurethane dressings for site care of pulmonary artery catheters: implications for catheter management. Crit Care Med 1994; 22:1729 – 1737.
3. Lok CE, Stanle KE, Hux JE, et al. Hemodialysis infection prevention with polysporin ointment. J Am Soc Nephrol 2003; 14:169 – 179.
4. Peterson FY, Kirchhoff KT. Analysis of research about heparinized versus nonheparinized intravascular lines. Heart Lung 1991; 20:631 – 642.
5. American Association of Critical Care Nurses. Evaluation of the effects of heparinized and nonheparinized flush solutions on the patency of arterial pressure monitoring lines: the AACN Thunder Project. Am J Crit Care 1993; 2:3 – 15.
6. Branson PK, McCoy RA, Phillips BA, Clifton GD. Efficacy of 1.4% sodium citrate in maintaining arterial catheter patency in patients in a medical ICU. Chest 1993; 103:882 – 885.
7. Cook D, Randolph A, Kernerman P, et al. Central venous replacement strategies: a systematic review of the literature. Crit Care Med 1997; 25:1417 – 1424.
8. Cobb DK, High KP, Sawyer RP, et al. A controlled trial of scheduled replacement of central venous and pulmonary artery catheters. N Engl J Med 1992; 327:1062 – 1068.
9. Safdar N, Maki D. Inflammation at the insertion site is not predictive of catheter-related bloodstream infection with short-term, noncuffed central venous catheters. Crit Care Med 2002; 30:2632 – 2635.
10. Jacobs BR. Central venous catheter occlusion and thrombosis. Crit Care Clin 2003; 19:489 – 514.
11. Deitcher SR, Fesen MR, Kiproff PM, et al. Safety and efficacy of alteplase for restoring function in occluded central venous catheters: results of the cardiovascular thrombolytic to open occluded lines trial. J Clin Oncol 2002; 20:317 – 324.
12. Cathflo Activase (Alteplase) Drug Monograph. San Francisco, CA: Genentech, Inc, 2005.
13. Trissel LA. Drug stability and compatibility issues in drug delivery. Cancer Bull 1990; 42:393 – 398.
14. Shulman RJ, Reed T, Pitre D, Laine L. Use of hydrochloric acid to clear obstructed central venous catheters. J Parent Ent Nutr 1988;12:509 – 510.

15. Timsit J-F, Farkas J-C, Boyer J-M, et al. Central vein catheter-related thrombosis in intensive care patients. Chest 1998; 114:207–213.
16. Verso M, Agnelli G. Venous thromboembolism associated with long-term use of central venous cathters in cancer patients. J Clin Oncol 2003; 21:3665–3675.
17. Evans RS, Sharp JH, Linford LH, et al. Risk of symptomatic DVT associated with peripherally inserted central catheters. Chest 2010; 138:803–810.
18. Joynt GM, Kew J, Gomersall CD, et al. Deep venous thrombosis caused by femoral venous catheters in critically ill adult patients. Chest 2000; 117:178–183.
19. Kucher N. Deep-vein thrombosis of the upper extremities. N Engl J Med 2011; 364:861–869.
20. Otten TR, Stein PD, Patel KC, et al. Thromboembolic disease involving the superior vena cava and brachiocephalic veins. Chest 2003; 123:809–812.
21. Heffner JE. A 49-year-old man with tachypnea and a rapidly enlarging pleural effusion. J Crit Illness 1994; 9:101–109.
22. Booth SA, Norton B, Mulvey DA. Central venous catheterization and fatal cardiac tamponade. Br J Anesth 2001; 87:298–302.
23. Dudeck MA, Horan TC, Peterson KD, et al. National Healthcare Safety Network (NHSN) Report, data summary for 2010, deviceassociated module. Am J Infect Control 2011; 39:798–816.
24. Bouza E, Alvaredo N, Alcela L, et al. A randomized and prospective study of 3 procedures for the diagnosis of catheter-related bloodstream infection without catheter withdrawal. Clin Infect Dis 2007; 44:820–826.
25. Mermel LA, Allon M, Bouza E, et al. Clinical practice guidelines for the diagnosis and management of intravascular catheterrelated infection: 2009 update by the Infectious Diseases Society of America. Clin Infect Dis 2009; 49:1–45.
26. Mermel LA, Farr BM, Sherertz RJ, et al. Guidelines for the management of intravascular catheter-related infections. Clin Infect Dis 2001; 32:1249–1272.
27. Curtas S, Tramposch K. Culture methods to evaluate central venous catheter sepsis. Nutr Clin Pract 1991;6:43–51.
28. Richards M, Edwards J, Culver D, Gaynes R. Nosocomial infections in medical intensive care units in the United States. Crit Care Med 1999; 27:887–892.
29. Vincent JL, Rello J, Marshall J, et al. International study of the prevalence and outcomes of infection in intensive care units. JAMA 2009; 302:2323–2329.
30. Martin-Davila P, Fortun J, Navas E, et al. Nosocomial endocarditis in a tertiary

hospital. Chest 2005; 128:772–779.
31. Gouello JP, Asfar P, Brenet O, et al. Nosocomial endocarditis in the intensive care unit: an analysis of 22 cases. Crit Care Med 2000; 28:377–382.
32. Fowler VG, Miro JM, Hoen B, et al. Staphylococcus aureus endocarditis: a consequence of medical progress. JAMA 2005;293:3012–3021.
33. Leon C, Ostrosky-Zeichner L, Schuster M. What's new in the clinical and diagnostic management of invasive candidiasis in critically ill patients. Intensive Care Med 2014; 40:808–819.

Chapter 3

소화관 예방

Alimentary Prophylaxis

이 장에서는 소화관 (입에서 직장으로 이어지는)의 다음과 같은 예방적 조치에 대해 설명한다.

1. 스트레스 성 궤양으로 인한 출혈을 예방하기 위한 위산억제.
2. 구강 내 오염제거를 통한 병원내폐렴 예방.
3. 장내 병원균의 전신 확산을 예방하기 위한 위장관의 오염제거.

I. 스트레스 유발성 점막손상 (STRESS-RELATED MUCOSAL INJURY)

A. 서론 (Introduction)

1. 위점막 표면의 미란 (erosion)은 ICU입원 24시간 이내에 75-100% 환자에서 볼 수 있다 (1). 이러한 미란 (스트레스성 궤양)은 대개 위점막에 국한되어 임상증상은 없다. 그러나 미란이 점막하조직으로 진행되면 눈에 보이는 출혈을 일으킬 수 있다.
2. 스트레스성 궤양 때문에 임상적으로 명백한 출혈은 ICU환자의 15%까지 보고되지만 (2), 임상적으로 유의한 출혈 (즉, 수혈이 필요한)은 환자의 3-4%에서만 발생한다 (3).
3. 다음에 설명하는 모든 예방조치는 스트레스성 궤양출혈의 발생률을 감소시키는 것으로 나타났지만 (2), 이런 효과의 대부분은 출혈은 명

백하지만 임상적으로 나쁜 결과를 일으키지 않는 경우에 대한 것이다.

B. 위험 요인 (Risk Factors)

1. 조사에 따르면 ICU환자의 약 90%가 스트레스성 궤양의 출혈에 대한 예방조치를 받는다고 한다 (4). 그러나 이는 과도한 조치이다. 예방적 조치는 스트레스성 궤양출혈 발생이 확실한 위험요소가 있는 환자에게만 적용해야 된다.
2. 스트레스성 궤양의 출혈의 위험인자는 표 3.1에 정리되어 있다 (5,6). 독립적인 위험요소 (즉, 출혈을 촉진시키는 다른 위험요소가 필요없는 경우)는 48시간 이상의 기계환기, 중대한 응고병증 및 중증화상이다.
3. 예방적 조치는 독립적인 위험요인 중 하나와 표 3.1에 있는 다른 위험요인 중 2개 이상을 가진 환자에게 적용해야 된다.

표 3.1 스트레스성 궤양출혈의 위험요소들

독립적 위험요소	기타 위험요소
1. 48시간 이상의 기계 환기	1. 순환쇼크 (circulatory shock)
2. 응고장애	2. 중증 패혈증
a. 혈소판 〈 50,000 혹은	3. 다발성 외상
b. INR 〉 1.5 혹은	4. 외상성 뇌 & 척수손상
c. PTT 〉 정상의 2배	5. 신부전
3. 체표면 30% 이상의 화상	6. 스테로이드요법

C. 위산억제 (Gastric Acid Suppression)

스트레스성 궤양출혈에 대한 주요 예방조치는 히스타민2형수용체길항제 (Histamine H2-Receptor Antagonists) 또는 프로톤펌프억제제 (Proton Pump Inhibitor)로 위산분비를 억제하는 것이다. 목표는 위액의 pH> 4 이지만, 거의 측정하지 않는다.

1. 히스타민H_2-수용체길항제 (Histamine H_2-Receptor Antagonists)

a. 히스타민H_2수용체길항제 (H_2RAs)는 스트레스성 궤양예방에 가장 많이 사용되는 약물이다 (4).

b. Ranitidine과 famotidine은 스트레스성 궤양예방에 가장 많이 사용되는 H_2RA 이다. 두 가지 약물 모두 표 3.2에 나와있는 투여방법을 사용하여 정맥 내 투여할 수 있다 (7,8). Ranitidine은 famotidine보다 작용지속기간이 짧기 때문에 더 자주 투여한다. 두 약물 모두 스트레스성 궤양출혈을 예방하는데 똑같이 효과적이라고 여겨진다.

c. H_2RA는 지속적으로 사용하면 위의 산성을 감소시키는 효과가 줄어들지만 그렇다고 해서 스트레스성 궤양출혈을 예방하는 효과가 감소되지는 않는다 (9).

d. H_2RA는 신기능부전 시 축적되어 혼동 (confusion), 초조 (agitation) 그리고 발작 (seizures) 등으로 특징 지어지는 신경독성증후군 (neurotoxic syndrome)을 일으킬 수 있다 (10). 그러므로 신부전증에서 용량감소가 필요하다. 이것은 투여간격을 늘림으로써 달성될 수 있다 (ranitidine의 경우 24시간 간격, famotidine의 경우 36-48시간 간격) (10).

2. 프로톤펌프억제제 (Proton Pump Inhibitor, PPI)

a. PPI는 스트레스성 궤양의 예방을 위해 사용되며 위산분비를 보다 완벽하게 억제하고 지속적인 사용에도 반응감소가 나타나지 않기 때문에 H_2RA를 대체하고 있다 (11).

b. 약물학적인 이점에도 불구하고 *PPI가 H_2RA보다 스트레스성 궤양출혈을 예방하는데 더 효과적이지는 않다 (2,12).*

c. 2 개의 PPI에 대한 예방적 투여방법이 표 3.2에 나와 있다. 두 약제

모두 정맥내로 투여되는데 스트레스성 궤양예방에 권장되는 투여 경로이다 (11). 약물 중 하나인 lansoprazole은 미립자물질을 거르기 위한 인라인 (in-line) 필터가 필요하며 천천히 (30 분 이상) 투여해야 한다 (11). 다른 약물인 pantoprazol에는 이러한 제한이 없으므로 스트레스성 궤양예방에 선호되는 PPI 이다.

d. PPI의 부작용은 주로 위산의 감소와 관련되어 있다 (다음 절 참조). PPI는 간에서 clopidogrel (항혈소판제)의 활성화를 방해한다 (13). 이 상호작용의 중요성은 불분명하지만 현재의 의견은 clopidogrel을 사용하여 항혈소판제를 투여하는 경우 가능한 PPI를 피하는 것이 좋다.

표 3.2 스트레스성 궤양출혈 예방을 위한 약물요법

약제	분류	추천 용법
Famotidine	H_2RA	12시간[1] 간격으로 20 mg IV
Ranitidine	H_2RA	8시간[2] 간격으로 50 mg IV
Lansoprazole	PPI	하루 한번 30 mg IV
Pantoprazole	PPI	하루 한번 40 mg IV
Sucralfate	세포 보호제 (Cytoprotective Agent)	6시간 간격으로 1 g 경구투여/위내투여(IG)

약자 : H_2RA = H_2-receptor antagonist; PPI= proton pump inhibitor; IG = intragastric.

[1] 신부전의 경우 투여간격을 36-48시간으로 증량

[2] 신부전의 경우 투여간격을 24시간으로 증량

3. 감염위험 (Infectious Risks)

a. 위장은 그림 3.1에서 보는 것과 같이 위산의 살균작용으로 비교적 무균상태의 환경이다 (14). 이 경우 병원성 살모넬라균은 위산 pH가 4에서 2로 감소했을 때 1시간 안에 완전히 사라졌다.

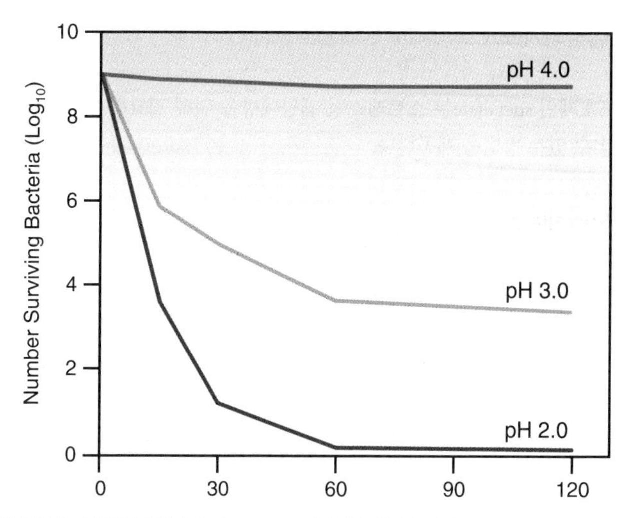

■ 그림 3.1 감염성 장염 (infectious enteritis)의 흔한 원인 중 하나인 Salmonella typhimurium의 성장에 위 pH가 미치는 영향. 참고문헌 14 발췌.

b. 그림 3.1과 같은 결과에 따르면 *위산은 음식에 포함되어 먹게 되거나 또는 배설-구강경로를 통해 전염되는 병원체에 대한 항균방어 시스템이라는 개념*을 갖게 된다.

c. 폐렴 (미생물이 많은 위분비물을 기도로 흡인 한 경우) (8,15,16), 자발적인 세균성 복막염 (10) 및 clostridium difficile 장염 (17-20)과 같은 3가지 감염은 위산억제와 관련이 있다. 따라서 PPI는 H_2RA보다 감염위험을 훨씬 증가시킨다 (16,18).

d. PPI는 스트레스성 궤양출혈의 예방을 위해 H_2RA보다 이점이 없기 때문에 (2,12) *스트레스성 궤양출혈의 예방을 위해 PPI를 쓰지 않도록 하여* 이들 약제와 관련된 감염위험을 피하는 것이 좋다.

D. 위점막의 세포보호 (Gastric Cytoprotection)

세포보호제인 sucralfate는 스트레스성 궤양예방을 위해 필요한 위산억제를 대체할 수 있는 방법을 제공한다.

1. Sucralfate

a. Sucralfate는 수크로즈 황산염 (sucrose sulfate)의 알루미늄염으로 위점막의 손상된 부위에 달라붙게 된다. 이를 통해 손상된 위점막에 가해지는 펩신과 위산의 공격을 방어할 수 있는 보호덮개 (protective covering)를 형성한다.
b. *Sucralfate는 위산분비를 억제하지 않으므로 감염의 위험이 높아지지 않는다.*
c. Sucralfate 제제 중 선호되는 것은 영양공급관을 통해 위장에 주입할 수 있는 현탁액 (1 g / 10 mL)이다. Sucralfate의 1회 복용량 (1 g)은 위점막에 약 6시간 동안 붙어 있으므로 6시간 간격의 투여 권장한다 **(표 3.2 참조)**.
d. Sucralfate는 장내에서 여러 약제와 결합하여 생체이용률을 감소시킨다 (21). 이러한 약물에는 ciprofloxacin, norfloxacin, digoxin, ketoconazole, phenytoin, ranitidine, thyroxin, 그리고 warfarin이 포함된다. 이 약물들이 구강이나 영양공급관을 통해 투여될 때, 약물상호작용을 최소화하기 위해서는 최소한 2시간의 간격을 두고 sucralfate를 투여해야 한다.
e. Sucralfate의 알루미늄은 장에서 인산염과 결합할 수 있지만 저인산혈증이 흔히 발생하지는 않는다 (22). 또 장기간 sucralfate를 투여하더라도 혈장 알루미늄농도를 상승시키지 않는다 (23).

2. Sucralfate vs. Ranitidine

스트레스성 궤양의 예방효과에 대해서 sucralfate와 ranitidine을 비교한 여러 개의 임상시험이 있으며, 이들 연구를 종합한 결과는 다음과 같이 요약할 수 있다 (9).

a. 임상적으로 유의한 스트레스성 궤양출혈은 sucralfate보다 ranitidine 투여 시 그 빈도가 적지만 그 차이는 작다 (2%).

b. 스트레스성 궤양출혈에 대한 ranitidine의 이점은 ranitidine과 관련된 원내폐렴 (nosocomial pneumonia)의 높은 발생률에 의해 상쇄된다.

c. 원내폐렴은 스트레스성 궤양출혈 (50% 대 10%)보다 사망률이 높으므로 스트레스성 궤양출혈의 위험은 조금 높지만 폐렴발생률이 낮기 때문에 ranitidine보다 sucralfate를 선호할 수 있다.

d. 위의 관찰결과에 따르면 어떤 약제도 다른 약제보다 확실한 이점이 없으며 조사에 따르면 스트레스성 궤양예방 약품의 선택은 개인의 선호에 의해 결정된다는 것을 보여준다 (4).

II. 구강오염제거 (ORAL DECONTAMINATION)

구강분비물이 상부기도로 흡인되는 것은 인공호흡기관련폐렴의 대부분에서 발생하는 것이다 (24,25).

A. 구강점막의 집락화 (Colonization of Oral Mucosa)

1. 건강인에서 구강인두는 정상적으로 무해한 부패균 (saphrophytic organism)이지만 중환자의 구강인두는 pseudomonas aeruginosa와 같은 주로 그람음성균인 병원균으로 집락화된다 (24,26).
2. 입안의 미생물스펙트럼의 변화는 환경적으로 바뀌지는 않지만 질

병의 존재와 중증도에 따른 함수관계 (function)이다. 이것은 그림 3.2 (26)에서 볼 수 있다.

3. 상피세포에 대한 세균부착성의 변화가 미생물총 (microflora)의 변화 기전으로 밝혀졌다. 상피세포는 특정 박테리아와 결합하는 표면수용체를 특화 시켜주는데 숙주의 심각한 질병은 어떻게 든 상피세포에서 다른 표면수용체의 발현을 유도하여 건강상태와는 다른 미생물이 구강점막에 집락을 형성하게 된다.
4. 그람음성균은 인공호흡기관련 폐렴의 가장 흔한 원인이기 때문에 (제 16장 참조) 그람음성균의 구강점막내 집락은 폐렴의 위험이 높아지는 신호로 볼 수 있다. 이것이 인공호흡기치료를 받고 있는 환자의 구강오염제거 (oral decontamination)에 대한 이론적 근거이다.

B. Chlorhexidine

Chlorhexidine은 장기간 (6시간) 효과가 유지되므로 피부에 가장 많이 사용되는 소독제이다. 또한 구강오염 제거에 채택되어 인공호흡기치료 중인 환자의 구강오염 제거의 표준법이다.

1. 방법 (Regimen)

장갑을 낀 손을 사용하여 0.12%의 chlorhexidine 용액 15 mL를 4시간마다 구강점막에 도포하고 기계환기치료 중 계속한다.

2. 효능 (Efficacy)

a. Chlorhexidine의 효과는 다양한 결과를 보인다. Chlorhexidine의 구강치료 효과를 연구한 현재까지의 7개 연구 중 4개만이 인공호흡기관련폐렴 발생의 유의한 감소를 보였다 (27).
b. 이런 제한적인 치료효과에 대한 한 가지 설명은 *chlorhexidine의 제*

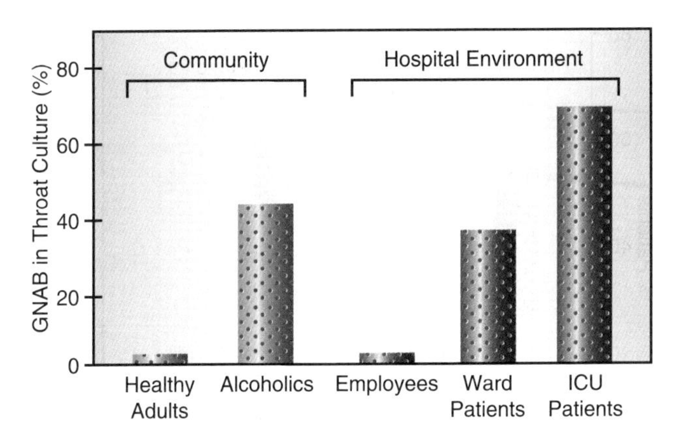

■ 그림 3.2 병의 위중함에 따른 Gram-negative aerobic bacilli(GNAB)의 구강 내 집락형성 정도. 참고문헌 26 발췌.

한적인 항균스펙트럼과 관련이 있다. Chlorhexidine은 그람양성균에 대해서는 효과적이지만 (28) 중환자의 구강에 주로 상재하는 균은 그람음성균이기 때문이다(그림 3.2) (26). 이 문제는 관심을 갖고 있을 가치가 있다.

C. 비 흡수성 항생제 (Nonabsorbable Antibiotics)

1. 구강오염 제거의 전통적인 방법으로는 비 흡수성 항생제의 국소도포가 있다. 복합항생제의 사용은 광범위한 항균효과로 인해 chlorhexidine보다 장점이 있다.
2. 임상시험에서 여러 종류의 비 흡수성 항생제를 구강 내 오염제거에 사용하면 인공호흡기관련 폐렴발생의 일관된 감소를 보여주었다 (뒷부분 참조). 효과적인 항생제 처방의 예가 다음에 제시된다 (29).

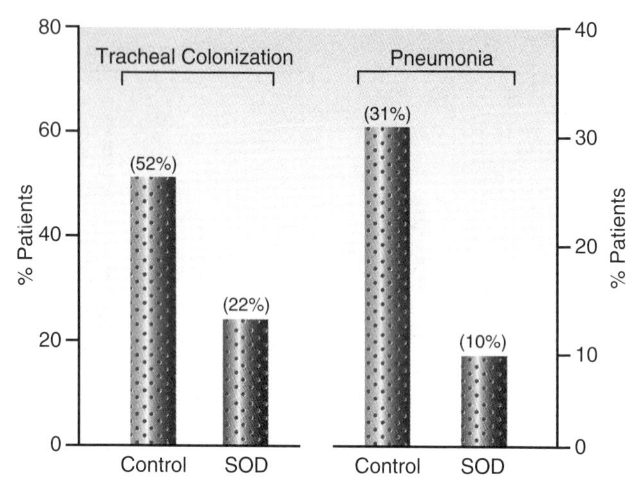

■ 그림 3.3 인공호흡기환자에서 기관의 집락형성 및 폐렴발생률에 선택적 구강오염제거 (selective oral decontamination, SOD)가 미치는 효과. 참고문헌 29 발췌.

3. 처방 (Regimen)

병원약사에게 orabase gel에 2% gentamicin, 2% colistin, 2% vancomycin를 섞은 복합항생제를 준비하도록 한다. 이 복합항생제 젤을 기관삽관이 끝날 때까지 6시간마다 구강점막에 도포한다.

a. 이 복합항생제은 staphylococci, gram-negative aerobic bacilli 및 candida spp.에 효과적이다. 정상적인 구강 내 세균에 미치는 영향은 거의 없으므로 구강 내 정상미생물 세균총의 빠른 회복을 돕게 된다.
b. 항균범위가 선택적 특성을 보이기 때문에, 이 요법은 *선택적구강오염제거 (selective oral decontamination, SOD)*로 알려져 있다.

4. 효능 (Efficacy)

폐의 균집락화와 감염에 대한 SOD (방금 설명한 것과 동일한 처방)의 영향이 그림 3.3에 나와있다. 이 경우 기관집락화 (tracheal colonization) 발생이 SOD를 통해 상대적으로 57% 감소하고 또 인공호흡기관련폐렴 발병률은 상대적으로 67% 감소되는 결과를 보여 준다. 다른 연구에서도 이와 비슷한 결과가 보고되었다 (30).

III. 선택적위장관오염제거 (SELECTIVE DIGESTIVE DECOTAMINATION, SDD)

SDD는 선택적구강오염제거 (SOD)와 비슷한 원리이다. 즉, SDD의 목적은 병원균을 근절하고 정상적인 미생물총은 그대로 남겨 두는 것이다. SDD의 목표는 구강에서 직장까지의 전체소화관이다. SDD는 ICU에 72시간 이상 치료해야 하는 모든 환자를 대상으로 하며 ICU 체류기간 동안 계속한다.

A. 용법 (Regimen)

1. 입증된 효능을 보이는 보편적인 SDD요법이 표 3.3에 설명되어 있다. SOD요법과 마찬가지로 SDD요법은 staphylococci, gram-negative aerobic bacilli, candida species를 근절시키기 위해 다수의 비 흡수성 항생제를 사용한다. Clostridium difficile과 같은 기회주의적 병원균이 정착하는 것을 방지하기 위해 정상 장세균총(예, 혐기성 균)은 남겨두게 된다.
2. 오염제거가 완전히 끝나지 않는 사이에 장내병원균의 파종 (dissemination)을 막기 위해 SDD 시작 처음 수 일간은 전신적인 항생제를 투여한다.
3. 장의 완전오염제거에는 약 7일이 소요된다.

B. 효능 (Efficacy)

1. 수많은 연구에서 ICU에서 감염발생의 빈도를 줄이는 SDD의 효과는 입증되었으며 (31-33), 이러한 연구결과 중 하나가 그림 3.4에 나와 있다(32). 이 연구는 그람음성균를 포함하여 ICU획득 균혈증의 빈도에 미치는 SDD의 영향을 평가하였다. 발병빈도를 나타내는 두 가지 평가방법 (incidence density, cumulative incidence)이 그림에 표현되어 있으며, 두 가지 방법 모두에서 SDD군에서 70% 감소되는 결과를 보여준다. 비록 표현되어 있지는 않았지만, 이 연구에서 균혈증의 감소는 사망률의 감소를 동반하였다.
2. SDD에 대한 초기연구에서는 생존율에 차이를 보여 주지 못했지만, 더 최근의 대규모 임상시험결과에서 명백한 생존율 향상을 보여주었다 (33,34).

표 3.3	선택적위장관오염제거 (SDD)
목표	용법
구강	Orabase Gel + 2% tobramycin + 2% amphotericin + 2% polymyxin 매 4시간마다 구강점막에 도포. ICU 입실 기간 동안 지속
소화관	등장성식염수 (Isotonic Saline) 10 mL + 80 mg tobramycin + 500 mg amphotericin + 100 mg polymyxin 매 6시간마다 비위관 (nasogastric tube)으로 주입. ICU 입실 기간 동안 지속
전신 순환	첫 4일간 매 8시간마다 cefuroxime 1.5 g IV

참고문헌 31 발췌

C. 항생제내성 (Antibiotic Resistance)

SDD가 적용하는 경우 항생제에 장기간 노출되므로 항생제 내성균의 출

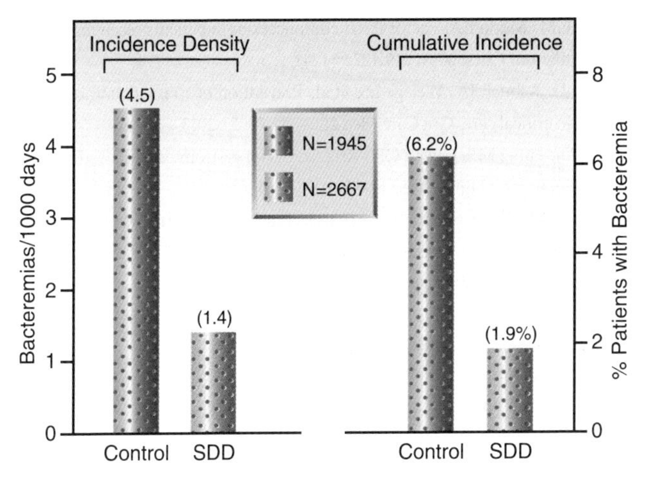

■ 그림 3.4 ICU 획득성 그람음성균혈증 (ICU-acquired gram-negative bacteremia)의 발생률에 선택적소화관오염제거 (SDD)가 미치는 효과. 1,000일당 균혈증 수 (incidence density)와 균혈증 환자의 비율 (cumulative Incidence)로 표시. N은 투약군과 대조군의 환자 수를 표시. 참고문헌 32 발췌.

현에 대한 우려가 커지고 있다. 그러나 SDD에 대한 수많은 임상연구에서 항생제내성이 발생했다는 증거는 없다 (30-35). 특히 관계 있는 약 5년간의 연구에서 SDD를 장기간 사용하더라도 항생제내성이 증가되지 않았다 (35).

참고문헌

1. Fennerty MB. Pathophysiology of the upper gastrointestinal tract in the critically ill patient: rationale for the therapeutic benefits of acid suppression. Crit Care Med 2002; 30(Suppl):S351–S355.
2. Krag M, Perner A, Wetterslev J, et al. Stress ulcer prophylaxis versus placebo or no prophylaxis in critically ill patients. Intensive Care Med 2014; 40:11–22.

3. Mutlu GM, Mutlu EA, Factor P. GI complications in patients receiving mechanical ventilation. Chest 2001; 119:1222–1241.
4. Daley RJ, Rebuck JA, Welage LS, et al. Prevention of stress ulceration: current trends in critical care. Crit Care Med 2004; 32:2008–2013.
5. Cook DJ, Fuller MB, Guyatt GH. Risk factors for gastrointestinal bleeding in critically ill patients. N Engl J Med 1994; 330:377–381.
6. Steinberg KP. Stress-related mucosal disease in the critically ill patient: Risk factors and strategies to prevent stress-related bleeding in the intensive care unit. Crit Care Med 2002;30(Suppl):S362–S364.
7. Ranitidine. AHFS Drug Information, 2011. Bethesda, MD: American Society of Health System Pharmacists, 2011:2983–2990.
8. Famotidine. AHFS Drug Information, 2011. Bethesda, MD: American Society of Health System Pharmacists, 2011:2977–2983.
9. Huang J, Cao Y, Liao C, et al. Effect of histamine-2-receptor antagonists versus sucralfate on stress ulcer prophylaxis in mechanically ventilated patients: A meta-analysis of 10 randomized controlled trials. Crit Care 2010; 14:R194–R204.
10. Self TH. Mental confusion induced by H2-receptor antagonists. How to avoid. J Crit Illness 2000; 15:47–48.
11. Pang SH, Graham DY. A clinical guide to using intravenous proton pump inhibitors in reflux and peptic ulcers. Ther Adv Gastroenterol 2010; 3:11–22.
12. Lin P-C, Chang C-H, Hsu P-I, et al. The efficacy and safety of proton pump inhibitors vs histamine-2 receptor antagonists for stress ulcer bleeding prophylaxis among critical care patients: A meta-analysis. Crit Care Med 2010; 38:1197–1205.
13. Egred M. Clopidogrel and proton-pump inhibitor interaction. Br J Cardiol 2011; 18:84–87.
14. Gianella RA, Broitman SA, Zamcheck N. Gastric acid barrier to ingested microorganisms in man: studies in vivo and in vitro. Gut 1972; 13:251–256.
15. Gulmez SE, Holm A, Frederiksen H, et al. Use of proton pump inhibitors and the risk of community-acquired pneumonia. Arch Intern Med 2007; 167:950–955.
16. Herzig SJ, Howell MD, Ngo LH, Marcantonio ER. Acid-suppressive medication use and the risk for hospital-acquired pneumonia. JAMA 2009; 301:2120–2128.
17. Dial S, Delaney JAC, Barkun AN, Suissa S. Use of gastric acid-suppressing agents and the risk of community-acquired Clostridium difficile-associated disease. JAMA 2005; 294:2989–2994.

18. Dial S, Alrasadi K, Manoukian C, et al. Risk of Clostridium-difficile diarrhea among hospitalized patients prescribed proton pump inhibitors: cohort and case-control studies. Canad Med Assoc J 2004; 171:33–38.
19. Lowe DO, Mamdani MM, Kopp A, et al. Proton pump inhibitors and hospitalization for Clostridium difficile-associated disease: a population-based study. Clin Infect Dis 2006; 43:1272–1276.
20. Aseri M, Schroeder T, Kramer J, Kackula R. Gastric acid suppression by proton pump inhibitors as a risk factor for Clostridium difficile- associated diarrhea in hospitalized patients. Am J Gastroenterol 2008; 103:2308–2313.
21. Sucralfate. AHFS Drug Information, 2011. Bethesda, MD: American Society of Health System Pharmacists, 2011:2996–2998.
22. Miller SJ, Simpson J. Medication–nutrient interactions: hypophosphatemia associated with sucralfate in the intensive care unit. Nutr Clin Pract 1991; 6:199–201.
23. Tryba M, Kurz-Muller K, Donner B. Plasma aluminum concentrations in long-term mechanically ventilated patients receiving stress ulcer prophylaxis with sucralfate. Crit Care Med 1994;22:1769–1773.
24. Estes RJ, Meduri GU. The pathogenesis of ventilator-associated pneumonia: I. Mechanisms of bacterial transcolonization and airway inoculation. Intensive Care Med 1995; 21:365–383.
25. Higuchi JH, Johanson WG. Colonization and bronchopulmonary infection. Clin Chest Med 1982; 3:133–142.
26. Johanson WG, Pierce AK, Sanford JP. Changing pharyngeal bacterial flora of hospitalized patients. Emergence of gram-negative bacilli. N Engl J Med 1969; 281:1137–1140.
27. Chlebicki MP, Safdar N. Topical chlorhexidine for prevention of ventilator-associated pneumonia: a meta-analysis. Crit Care Med 2007; 35:595–602.
28. Emilson CG. Susceptibility of various microorganisms to chlorhexidine. Scand J Dent Res 1977; 85:255–265
29. Bergmans C, Bonten M, Gaillard C, et al. Prevention of ventilator- associated pneumonia by oral decontamination. Am J Respir Crit Care Med 2001; 164:382–388.
30. van Nieuwenhoven CA, Buskens E, Bergmans DC, et al. Oral decontamination is cost-saving in the prevention of ventilator associated pneumonia in intensive care units. Crit Care Med 2004; 32:126–130.

31. Stoutenbeek CP, van Saene HKF, Miranda DR, Zandstra DF. The effect of selective decontamination of the digestive tract on colonization and infection rate in multiple trauma patients. Intensive Care Med 1984; 10:185-192.
32. Oostdijk EA, de Smet AM, Kesecioglu J, et al. The role of intestinal colonization with Gram-negative bacteria as a source for intensive care unit-acquired bacteremia. Crit Care Med 2011; 39:961-966.
33. de Smet AMGA, Kluytmans JAJW, Cooper BS, et al. Decontamination of the digestive tract and oropharynx in ICU patients. N Engl J Med 2009; 360:20-31.
34. de Jonge E, Schultz MJ, Spanjaard L, et al. Effects of selective decontamination of digestive tract on mortality and acquisition of resistant bacteria in intensive care: a randomized controlled trial. Lancet 2003; 362:1011-1016.
35. Ochoa-Ardila ME, Garcia-Canas A, Gomez-Mediavilla K, et al. Long-term use of selective decontamination of the digestive tract does not increase antibiotic resistance: a 5-year prospective cohort study. Intensive Care Med 2011; 37:1458-1465.

정맥 혈전색전증

Venous Thromboembolism, VTE

이 장에서는 정맥혈전증 (venous thrombosis)과 폐색전증 (pulmonary embolism) (*정맥혈전색전증, venous thromboembolism, VTE*)의 예방, 진단 및 치료에 대한 최신지견을 소개한다. 입원환자들에서 예방 가능한 사망의 주요 원인이 정맥혈전색전증 (VTE)으로 알려져 있기 때문에 예방에 강조점을 둔다 (1).

I. 위험요소 (RISK FACTORS)

A. 대수술 (Major Surgery)

1. 대수술 (즉, 전신 또는 척추 마취하에 30분 이상 수행되는)은 입원환자에서 VTE의 주요 원인이다 (2-4). 유발인자에는 수술과정 중 발생하는 혈관손상과 트롬보플라스틴 (thromboplastin)의 분비가 있다.
2. 수술 후 VTE 발병하는 경우 중 가장 높은 빈도는 고관절과 무릎을 포함한 대수술 후에 발생한다 (3,4).

B. 주요외상 (Major Trauma)

1. 주요 외상환자는 VTE 발생 확률이 50% 이상이며(3) 외상 첫날 생존

한 환자 중에서 세 번째 주요 사망원인이 폐색전증이다. 외상과 관련된 VTE에 기여하는 유발인자는 혈관손상 및 손상된 조직에서의 트롬보플라스틴 방출 (수술연관 VTE와 유사)이다.

2. VTE 위험이 가장 높은 외상에는 척추손상과 척추, 고관절 및 골반골절이 포함된다 (3,4).

C. 급성내과질환 (Acute Medical Illness)

1. 급성내과질환으로 입원한 경우 VTE의 위험이 8배 정도 증가되는 것과 관련이 있다 (5).
2. VTE의 위험이 가장 높은 상태는 급성뇌졸중, 신경근약화증후군 (neuromuscular weakness), 중증 패혈증, 암 및 우심부전이 포함된다.
3. 급성내과질환에서 VTE의 위험은 대수술이나 주요외상보다는 더 낮지만 (2-4), VTE로 인한 사망의 대부분 (70-80%)은 급성내과환자에서 발생한다 (3).

D. ICU와 관련된 위험 (ICU-Related Risks)

1. VTE에 대한 ICU와 관련된 위험인자에는 장기간의 기계환기 (> 48 시간), 중심정맥카테터, 승압제투여, 약물에 의한 마비 및 장기간의 부동 (immobility)이 포함된다.
2. ICU 환자는 VTE에 대한 ICU와 관련된 위험요인 외에도 앞서 언급한 것처럼 위험도가 높은 조건을 중 하나를 흔히 갖고 있다. 결과적으로 *모든 ICU 환자는 VTE의 높은 위험성을 가진 것으로 간주되므로 혈전예방요법의 대상이 된다 (3)* (다음 참조).

II. 혈전예방요법 (THROMBOPROPHYLAXIS)

VTE 예방법은 모든 ICU 환자 (완전히 항 응고 된 환자 제외)에 대해 시행하는 표준적인 치료이며 입원한 날부터 시작해야 한다. 적절한 예방대책은 표 4.1에 제시된 바와 같이 고위험 상황에 따라 달라질 수 있다.

표 4.1 위험상황에 따른 혈전예방

위험상황	용법
급성 내과질환	LDUH or LMWH
복부 대수술	(LDUH or LMWH) + (GCS or IPC)
흉부수술	(LDUH or LMWH) + (GCS or IPC)
합병증을 동반한 심장수술	(LDUH or LMWH) + IPC
개두술	IPC
고관절 혹은 슬관절수술	LMWH
중증외상	LDUH or LMWH or IPC
두부 혹은 척추손상	(LDUH or LMWH) + IPC
상기 사항 중 하나 + 활동성출혈 혹은 출혈고위험상황	IPC

참고문헌3 발췌. 약자: LUDH=low-dose unfractionated heparin; LMWH=low-molecular weight heparin; GCS=graded compression stockings; IPC=intermittent pneumatic compression.

A. 미분획 헤파린 (Unfractionated Heparin, UH)

표준 또는 미분획 헤파린은 다양한 크기와 항응고 인자활성을 보이는 뮤코다당류분자의 이종혼합 (heterogeneous mix)이다.

1. 작용 (Action)

a. 헤파린은 간접적으로 작용하는 약물로 항응고작용을 일으키기 위해 보조인자 (항트롬빈 III 또는 AT)에 결합해야 한다. 헤파린-AT 복합체는 몇 가지 응고인자를 불활성화시키고, IIa 인자의 비활성화 (안티트롬빈 효과)는 다른 항응고제의 반응보다 10배 더 민감하다 (6).

b. 헤파린은 또한 혈소판의 특정단백질과 결합하여 항원성복합체 (antigenic complex)를 형성하여 IgG 항체의 형성을 유도한다. 이 항체는 혈소판 결합부위와 교차반응하여 혈소판을 활성화시켜 혈전증 (thrombosis)과 소모성혈소판감소증 (consumptive thrombocytopenia)을 촉진한다. 이것이 *헤파린유도혈소판감소증 (heparin-induced thrombocytopenia)*의 기전이며 제12장에서 보다 자세히 설명된다.

2. 예방적 투여 (Prophylactic Dosing)

헤파린-AT 복합체 (heparin-AT complex)의 강력한 안티트롬빈효과는 저용량헤파린으로 전신적인 항응고 효과 없이 혈전생성 (thrombogenesis)을 억제할 수 있게 한다.

a. *저용량미분획헤파린 (low dose unfractionated heparin, LDUH)*의 표준요법은 피하주사로 헤파린 5,000단위를 12시간마다 투여하는 것이다. 좀더 자주 투여하는 방법 (헤파린 5,000단위를 8시간마다)이 있지만 1일 2회 투여방법보다 우월하다는 증거는 없다 (2,7).

b. ICU 환자에 대한 연구 (8)와 수술 후 환자에 대한 연구 (9)에서 LDUH로 하지정맥혈전의 발생률을 50-60% 감소시켰다.

c. 비만환자에서는 LDUH 표준요법이 덜 효과적인데 이는 비만에서 약물이 분포해야 할 양이 증가하기 때문이다. 비만환자에서 LDUH를 위한 헤파린 권장용량은 표 4.2에 정리되어 있다 (10).

3. 합병증 (Complications)

a. LDUH로 인한 주요 출혈 (major bleeding)의 위험은 <1%이며 항응고 모니터링은 필요하지 않다 (7).
b. 헤파린유도혈소판감소증 (Heparin-induced thrombocytopenia, HIT)은 LDUH를 투여 받은 환자의 2.6%에서 보고된다 (11).

4. 적응증 (Indications)

LDUH는 고관절 및 무릎 수술을 제외한 모든 고위험 상태에서 혈전예방요법 (thromboprophylaxis)으로 적절하다 **(표 4.1 참조)** (3).

표 4.2	혈전예방을 위한 항응고제 용법
분획 헤파린(Unfractionated Heparin)	
표준 용량	12시간 간격 5,000 Unit SC
고위험 용량	8시간 간격 5,000 Unit SC
비만	8시간 간격 5,000 Unit SC (BMI>50) 8시간 간격 7,500 Unit SC (BMI≥50)
Enoxaparin(LMWH)	
표준 용량	하루 한번 40 mg SC
고위험 용량	하루 두번 30 mg SC
비만	하루 한번 0.5 mg/kg SC (BMI>40)
신부전	하루 한번 30 mg SC (CrCL <30 mL/min)
Dalteparin(LMWH)	
표준 용량	하루 한번 2,500 Unit SC
고위험 용량	하루 한번 5,000 Unit SC
신부전	권장용량 없음

참고문헌 2, 10 13-16 발췌. CrCL=Creatinine clearance

B. 저분자량 헤파린 (Low-Molecular-Weight Heparin, LMWH)

저분자량 헤파린 (LMWH)은 헤파린분자를 효소처리로 절단해 보다 균일하고 더 작은 분자로 만든 것이다. 저분자량 헤파린 (LMWH)은 미분획 헤파린보다 더 강력하고 예측 가능한 항 응고작용을 한다. LMWH 역시 항트롬빈 III와 결합하여 작용하며, 주된 항응고효과는 Factor Xa을 불활성화 시키는 것을 통해 나타난다.

1. 장점 (Advantages)

LMWH는 LDUH에 비해 다음과 같은 이점이 있다:

a: 더 예측 가능한 용량-반응관계를 보여 일상적으로 항응고제활성를 확인 할 필요가 없다 (5).

b. 더 긴 작용시간으로 인해 투여 횟수가 줄어 든다.

c. 헤파린유도혈소판감소증 발생 위험이 훨씬 낮다 (LMWH의 경우 0.2% vs. LDUH의 경우 2.6%) (11).

2. 단점 (Disadvantages)

LMWH의 주요 단점은 콩팥을 통해 배출되므로 신기능장애 환자에서는 용량조절이 필요하다는 것이다. 그러나, 신부전증에서 축적되는 정도는 개별 LMWH 제재에 따라 다르다 (다음에 설명).

3. 상대적 효능 (Relative Efficacy)

LMWH는 ICU에서 발생할 수 있는 모든 고위험 상황에 대해 LDUH와 같은 효과를 보이고 (11), 고관절과 무릎수술에서 LDUH보다 VTE의 예방효과가 우수하다 (3,4).

4. 예방적 투여 (Prophylactic Dosing)

혈전예방요법 (thromboprophylaxis)에서 가장 광범위하게 연구된 LMWH제제는 enoxaparin(Lovenox) 및 dalteparin(Fragmin)이다. 이 약제의 예방적 투여용법은 표 4.2에 요약되어 있다.

a. ENOXAPARIN: 혈전예방요법을 위해 사용되는 에녹사파린의 표준적인 용량은 40 mg을 1일 1회 피하주사 한다 (13). VTE의 위험이 매우 높은 경우 (예: 심각한 외상, 고관절 및 무릎 수술)에는 30 mg 1일 2회 피하주사 한다 (13). 신부전 (13)과 병적비만 (14)에 대한 용량조절은 표 4.2에 나와 있다.
b. DALTEPARIN: Dalteparin은 enoxaparin에 비해 두 가지 장점이 있다: (a) 하루 한 번 투여하면 되고 (15), 신부전환자에서도 용량감소 없이 안전하게 처방할 수 있다 (16). 그러나 병적비만에서 dalteparin의 적절한 용량은 알려져 있지 않다.

C. 신경침범 진통제 (Neuraxial Analgesia)

혈전예방요법 시행 중 척수강 내 및 경막 외 카테터 삽입 및 제거 시 혈종형성을 촉진시킬 수 있다. 이러한 위험을 감소시키기 위해, 척수강 내 및 경막 외 카테터 삽입과 제거 시 항응고효과가 가장 적을 때 한번에 하나씩 시술해야 하고, 항응고제를 투여하기 전 이런 시술을 시행하고 최소한 2시간은 경과한 이후 항응고제를 투여한다 (2).

D. 기계 보조기구 (Mechanical Aids)

하지의 외부압박 (external compression)은 하지에서 정맥의 유출을 촉진시키고 VTE의 위험을 감소시킬 수 있다. 이런 방법은 일반적으로 출혈이나 출혈의 위험이 높은 환자에서 항응고제 약물을 대체하기 위해 사용되지만, 일부 환자에서 혈전예방요법의 보조적인 방법으로 사용할 수도 있다 (표

4.2 참조). 하지의 외부압박에는 다음과 같은 두 가지 방법이 있다.

1. 단계적인 압박스타킹 (Graded Compression Stockings, GCS)

단계적인 압박스타킹 (GCS)은 발목에서 18 mm Hg의 외부압력을, 허벅지에서 8 mm Hg의 외부압력을 가하도록 설계 되었다 (17). 결과적으로 10 mm Hg의 압력 차이가 하지에서 정맥유출을 위한 추진력으로 작용한다.

a. 이러한 스타킹은 대수술 후 단독으로 사용될 때 VTE 발생률을 감소시키는 것으로 나타났으나 (18), ICU 환자에서 스타킹만 유일한 혈전예방요법으로 권장하는 것은 아니다 (3).

2. 간헐적 공기압압축 (Intermittent Pneumatic Compression, IPC)

간헐적 공기압압축 (IPC)은 공기펌프에 연결된 팽창식 주머니로 하지를 감싸서 압축을 가한다. 공기주머니의 팽창은 발목에서 35 mm Hg로 외부압박을 하고 대퇴부에서 20 mm Hg로 외부압박을 가하며, 공기주머니의 팽창 및 수축을 반복하여 하지로부터 정맥유출을 증가시키는 펌프작용이 일어나도록 한다 (17).

a. IPC는 등급이 매겨진 압축스타킹보다 효과적이며 (3,4) 개두술 후 혈전증 예방에 단독으로 사용할 수 있다 (3).

III. 진단적 평가 (DIAGNOSTIC EVALUATION)

하지의 심부정맥혈전증은 종종 임상적으로 증상이 없으며, 증상이 있는 폐색전이 나타날 때나 VTE를 의심하게 된다. 따라서 여기에 설명된 진단적 평가는 의심 가능한 폐색전증에 대한 것이다.

A. 초기평가 (Initial Evaluation)

폐색전증 (pulmonary embolism, PE)은 의심스러운 환자 중 단지 10%에서만 확진 되는데, 이는 폐색전증의 특징적인 임상소견이 없다는 것을 의미한다.

1. 폐색전증이 의심되는 환자에서 임상 및 검사결과의 예측치는 표 4.3에 정리되어 있다 (20). 이런 소견 중 어떤 것도 폐색전증의 존재를 확인하거나 또는 배제하는 데 믿을 만하지 못하다는 점에 유의한다.
2. 혈장 D-dimer 결과 (섬유소용해를 반영)는 VTE 환자에서 흔히 증가한다. 그러나 몇 가지 다른 상황에서도 혈장 D-dimer (예: 패혈증, 심부전 및 신부전)가 증가할 수 있으며 ICU 환자의 대다수 (최대 80%)는 VTE가 없는데도 혈장 D-dimer 수치가 상승한다 (21). 따라서 D-dimer 검사결과는 ICU 상황에서 신뢰할 만한 검사는 아니다.

표 4.3 폐색전증을 의심해볼만한 임상 및 검사실 수치

항목	양성 예측치[†]	음성 예측치[‡]
호흡곤란	37%	75%
빈맥	47%	86%
빈호흡	48%	75%
늑막성 흉통	39%	71%
객혈	32%	67%
폐 침윤	33%	71%
흉수	40%	69%
저산소증	34%	70%

† 양성 예측치는 PE이 있는 환자의 비율을 나타낸다.
‡ 음성 예측치는 PE이 없는 환자의 비율을 나타낸다.
참고문헌 20 발췌

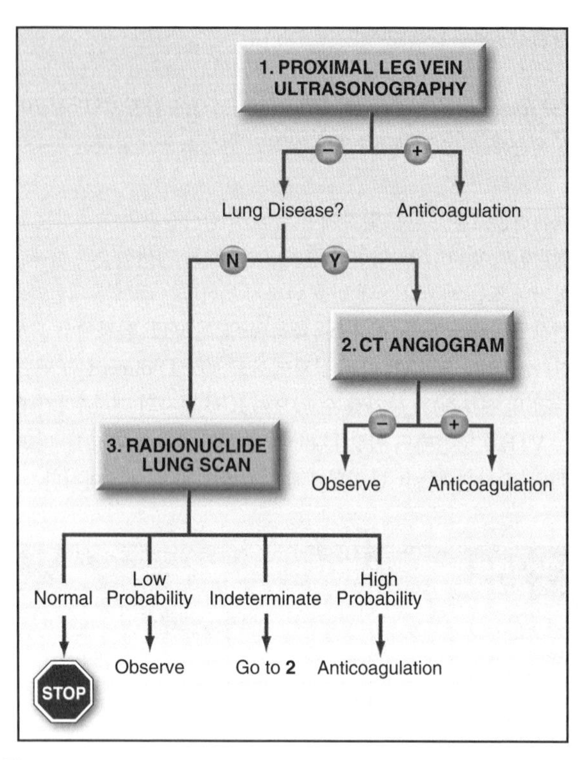

■ 그림 4.1 폐색전증 의심 환자의 평가 흐름도

3. 임상증상이나 검사실검사만으로는 폐색전증의 진단이 불가능하므로 다음에 설명하는 검사 중 하나 이상이 진단을 위해 필요하다. 이 검사의 적용은 **그림 4.1**의 흐름도와 같이 진행할 수 있다.

B. 혈관초음파 (Vascular Ultrasound)

폐색전은 주로 근위하지정맥 (proximal leg veins)의 혈전에서 유래하기 때문에 (22), 폐색전증이 의심스러운 경우 이 검사를 사용하여 근위하지정맥의 혈전을 확인해 보는 것으로 시작할 수 있다. 혈관초음파는 2가지 장점이 있다. 환자의 침대 옆에서 검사 (bedside procedure)할 수 있으며 방사선 조영제가 필요하지 않다.

1. 다리의 심부정맥혈전증 (proximal DVT)을 발견하기 위해 시행하는 혈관초음파의 민감도는 95% 이상이고 특이도는 97% 이상이다 (23). 이는 진단검사로서 혈관초음파의 신뢰성이 높다는 것을 보여준다.
2. 혈관초음파를 시행해보면 폐색전증이 확진된 환자의 45%에서 하지의 심부정맥혈전증 (proximal DVT)이 관찰된다 (24). 이 환자들에서, (DVT와 폐색전증의 치료가 본질적으로 동일하므로) 폐색전증에 대한 추가적인 검사는 필요하지 않는다.
3. 혈관초음파검사로 폐색전증을 판단하기 어려울 때 다음 단계의 진단적 평가는 폐질환의 유무에 따라 결정된다 **(그림 4.1 참조)**.

C. CT혈관조영술 (Computed Tomographic Angiography, CTA)

폐질환환자 (즉, ICU의 대부분의 환자)의 경우, 폐색전증 진단에 대한 가장 신뢰할 만한 검사는 CT혈관조영술 (computed tomographic angiography, CTA)이다. 이 검사는 나선형CT스캔 (스캐너가 환자주위를 회전하여 체적, 2차원의 폐영상을 촬영함)과 조영제 주입을 결합하여 주폐동맥들 (central pulmonary artery)을 보여 준다.

1. CTA는 폐색전증의 진단에서 83%의 민감도, 96%의 특이도, 86%의 양성 예측도 및 95%의 음성 예측도를 나타낸다 (25).
2. CTA는 더 작은, 세분절혈관 (subsegmental vessel)의 혈전을 놓칠 수 있으므로 CTA 음성에 근거해서 항응고제 치료를 시행하지 않는 경우 임상결과에 악영향을 줄 수 있다.
3. CTA는 특히 신기능장애, 당뇨병 또는 용량감소 (volume depletion)환자에서 방사선 조영제에 의한 신독성의 위험이 있다. 이러한 위험요소는 CTA검사 결정 시 고려해야 한다(조영제 유발신손상에 대해서는 제26장을 참조한다).

D. 방사성핵종폐스캔, 관류폐스캔 (Radionuclide Lung Scan)

환기-관류폐스캔 (ventilation-perfusion lung scan)은 폐질환 (특히 침윤성폐질환)이 있는 경우에는 문제가 많은데 이 같은 경우 약 90%에서 이상소견을 보인다 (27). 폐스캔은 기저폐질환이 없는 환자 (대부분의 ICU 환자에는 포함되지 않음)에서 가장 신뢰할 수 있다. 폐스캔 검사를 하기로 결정한 경우 결과는 다음과 같이 사용할 수 있다 (27).

1. 정상적인 폐스캔은 폐색전증의 존재를 배제할 수 있고, 폐스캔 결과 확률이 높은 (high probability) 경우 폐색전증이 존재할 확률은 90%이다.
2. 폐스캔 결과 낮은 확률 (low probability)인 경우 폐색전증의 존재를 확실하게 배제하지 못한다. 그러나, 하지초음파검사 결과가 음성이면서 낮은 확률의 폐스캔 결과를 보이면 폐색전증 진단과정을 중단하고 환자를 관찰할 수 있다.
3. 폐스캔 결과가 중간 확률 (intermediate-probability) 또는 불확정 (indeterminate)인 경우 폐색전증 존재 유무를 예측하는데 가치가 없다. 이 경우 해볼 수 있는 검사방법은 나선형 CT 혈관조영술 또는 기존의 폐동맥조영술 (다음 참조)이다.

E. 혈관조영술 (Angiography)

전통적인 폐동맥조영술은 폐색전증의 진단을 위한 '표준검사법 (gold standard)'이지만 다른 진단적인 검사결과로 충분하지 않으나 폐색전증이 임상적으로 많이 의심되는 극소수의 환자에서만 시행한다.

Ⅳ. 치료 (MANAGEMENT)

A. 항응고제 (Anticoagulation)

즉각적으로 생명을 위협하지 않는 VTE의 초기치료는 헤파린에 의한 항응고이다.

1. 미분획헤파린 (Unfractionated Heparin, UH)

헤파린정맥주사 (bolus 주사 후 지속주입으로 유지)는 신속한 항 응고효과를 보이고 모니터링이 쉽기 때문에 항응고 치료목표를 확실이 달성할 수 있으므로 초기치료에 선호된다.

a. 표 4.4의 요법과 같이 체중에 따른 헤파린투여는 고정용량요법 (fixed-dosing regimen)보다 더 빠른 항응고효과를 달성한다 (28).
b. 항응고효과는 active partial thromboplastin time (aPTT)으로 감시된다. 목표 aPTT는 46-70 초 또는 INR은 1.5-2.5이다 (6).

표 4.4 체중 기반 헤파린 용법

1. 초기용량으로 80 IU/Kg를 IV bolus 후 18 IU/Kg/hr의 속도로 지속주입한다. 이때 실제 체중을 사용한다.			
2. 6시간 후 aPTT를 확인하며, 아래의 지침에 따라 헤파린 용량을 조절한다.			
aPTT(sec)	**INR**	**Bolus 용량**	**지속주입**
〈 35	〈 1.2	80 IU/Kg	4 IU/Kg/hr 증량
35-45	1.3- .5	40 IU/Kg	2 IU/Kg/hr 증량
46-70	1.5-2.3	-	-
71-90	2.3-3.0	-	2 IU/Kg/hr 감량
〉90	〉3	-	1시간 주입 중지 후 3 IU/Kg/hr 감량
3. 용량조절 6시간 후 aPTT를 확인. 목표범위인 46-70초가 유지된다면, 검사를 하루 한번 시행한다.			

참고문헌 28 발췌

2. 저분자량헤파린 (Low-Molecular-Weight Heparin, LMWH)

VTE 치료 시 LMWH는 미분획헤파린의 효과적인 대안이지만 (29) 이전에 언급된 이유로 초기치료제로는 선호되지 않는다.

a. Enoxaparin은 급성폐색전증에서 가장 광범위하게 연구된 LMWH 이기 때문에 선호된다. 폐색전치료를 위한 항응고제 투여량은 12 시간마다 1 ㎎/㎏이다. 크레아티닌 청소율이 30 mL/min 미만인 경우에는 이 용량의 절반을 권장한다 (6).

b. LMWH에 대한 항응고인자 모니터링이 필요한 경우 (예: 신부전증 환자), 선택되는 검사는 혈장 내 heparin-Xa (anti-Xa) 수치이다. 이것은 LMWH 투여 4시간 후에 측정해야 하며, 원하는 anti-Xa 수준은 1일 2회 enoxaparin을 주사하는 경우 0.6-1.0 units/mL이고 일일 1 회 enoxaparin을 주사하는 경우 1 unit/mL이다 (6).

3. Warfarin

a. 헤파린으로 항응고치료를 시작한 첫날부터 경구용 항응고제인 warfarin을 투여해야 한다. 초기 용량은 일반적으로 5 mg 매일 투여하며, 이후 용량은 국제표준화율 (INR)에 맞게 조정하면 된다.

b. 목표 INR은 2-3이다. 이것이 목표에 도달하면 헤파린을 중단할 수 있다.

B. 혈전용해요법 (Thrombolytic Therapy)

1. VTE에서 혈전용해요법의 일반적인 특징들은 표 4.5에 요약되어 있다.
2. 혈전용해요법의 일반적인 적응증은 혈류역학적 악화 또는 우심실기능장애가 있는 급성폐색전증이다. 두 가지 상태 모두에서 혈전용해요법으로 혈류역학은 호전되나, 생존율의 향상은 없다 (29,30).

표 4.5	급성폐색전증의 혈전용해 요법

적응증
1. 혈류역학적으로 불안정한 폐색전증
2. 우심실 부전을 동반한 폐색전증

치료용량
1. 헤파린 지속주입과 혈전용해요법을 동시에 사용
2. 표준 혈전용해 용량
   Alteplase : 2시간에 걸쳐 100 mg 지속주입
3. 혈전용해 촉진 용량
   Alteplase : 15분에 걸쳐 0.6 mg/kg 지속주입
   Reteplase : 10U IV bolus, 30분 후 반복

합병증
1. 주요출혈 : 10–12%
2. 뇌출혈 : 1–2%

참고문헌 29-32 발췌

3. 표준혈전용해요법은 alteplase (재조합 조직 플라스미노겐 활성제)를 2시간에 걸쳐 주입하는 것이다 (29). 그러나 다른 약제는 보다 빠른 혈전용해를 목표를 달성할 수 있으며 표 4.5에 포함되어 있다 (31,32).
4. 지속적인 헤파린 주입은 혈전용해요법과 함께 사용된다. 헤파린은 혈전용해 이후에 특히 도움이 되는데 혈전용해 중 트롬빈이 방출되기 때문이며, 트롬빈으로 인해 색전이 있었던 혈관이 혈전에 의해 다시 막힐 (thrombotic reocculusion) 수 있기 때문이다. .
5. 혈전용해요법 후에 약 10-12%의 환자가 주요 출혈 (major bleeding)을 경험하고 1-2%에서 두개내출혈이 발생한다 (29,30).

C. 색전제거술 (Embolectomy)

즉시 시행 가능한 경우, 생명을 위협하는 폐색전증에서 색전제거술 (수

술 또는 카테터 기반)을 고려해야 한다. 응급 색전제거술로 83%의 생존율이 보고되었다 (33).

D. 대정맥필터 (Vena Cava Filter)

경피적으로 필터를 하대정맥에 삽입하여 하지정맥에서 떨어져 나온 혈전을 막아서 폐로 이동하는 것을 방지할 수 있다 (34).

1. 대정맥필터의 적응증은 다음과 같다.
   a. 항응고치료에도 불구하고 발생한 급성폐색전증
   b. 항응고치료에 절대금기 사항의 증거가 있는 VTE
   c. 하지근위부 DVT로 자유롭게 떠돌아 다니는 혈전 (즉, 혈전의 선두부분이 혈관벽에 부착되있지 않는)이 있거나 또는 심폐예비력이 많이 저하되어 있는 환자 (즉, 폐색전증을 견디지 못할 환자)

참고문헌

1. Shojania KG, Duncan BW, McDonald KM, et al, eds. Making healthcare safer: a critical analysis of patient safety practices. Evidence report/technology assessment No. 43. AHRQ Publication No. 01-E058. Rockville, MD: Agency for Healthcare Research and Quality, July, 2001.
2. Geerts WH, Bergqvist D, Pineo GF, et al. Prevention of venous thromboembolism. American College of Chest Physicians evidence-based clinical practice guideline (8th edition). Chest 2008; 133(Suppl):381S–453S.
3. Guyatt GH, Aki EA, Crowther M, et al. Executive summary: Antithrombotic Therapy and Prevention of Thrombosis, 9th ed: American College of Chest Physicians Evidence-Based Clinical Practice Guidelines. Chest 2012; 141(Suppl):7S–47S.
4. McLeod AG, Geerts W. Venous thromboembolism prophylaxis in critically ill patients. Crit Care Clin 2011; 27:765–780.
5. Heit JA, Silverstein MD, Mohr DM, et al. Risk factors for deep vein thrombosis

and pulmonary embolism: a population-based case-control study. Arch Intern Med 2000; 160:809 - 815.

6. Garcia DA, Baglin TP, Weitz JI, Samama MM. Parenteral anticoagulants. Antithrombotic Therapy and Prevention of Thrombosis, 9th ed: American College of Chest Physicians Evidence-Based Clinical Practice Guidelines. Chest 2012; 141(Suppl):e24S - e43S.
7. King CS, Holley AB, Jackson JL, et al. Twice vs three times daily heparin dosing for thromboembolism prophylaxis in the general medical population. A meta-analysis. Chest 2007; 131:507 - 516.
8. Cade JF. High risk of the critically ill for venous thromboembolism. Crit Care Med 1982; 10:448 - 450.
9. Collins R, Scrimgeour A, Yusuf S. Reduction in fatal pulmonary embolism and venous thrombosis by perioperative administration of subcutaneous heparin: overview of results of randomized trials in general, orthopedic, and urologic surgery. N Engl J Med 1988; 318:1162 - 1173.
10. Medico CJ, Walsh P. Pharmacotherapy in the critically ill obese patient. Crit Care Clin 2010; 26:679 - 688.
11. Martel N, Lee J, Wells PS. The risk of heparin-induced thrombocytopenia with unfractionated and low-molecular-weight heparin thromboprophylaxis: a meta-analysis. Blood 2005; 106:2710 - 2715.
12. The PROTECT Investigators. Dalteparin versus unfractionated heparin in critically ill patients. N Engl J Med 2011; 364:1304 - 1314.
13. Enoxaparin. AHFS Drug Information, 2012. Bethesda, MD: American Society of Health System Pharmacists, 2012:1491 - 1501.
14. Rondina MT, Wheeler M, Rodgers GM, et al. Weight-based dosing of enoxaparin for VTE prophylaxis in morbidly obese medical patients. Thromb Res 2010; 125:220 - 223.
15. Dalteparin. AHFS Drug Information, 2012. Bethesda, MD: American Society of Health System Pharmacists, 2012:1482 - 1491.
16. Douketis J, Cook D, Meade M, et al. Prophylaxis against deep vein thrombosis in critically ill patients with severe renal insufficiency with the low-molecular-weight heparin dalteparin: an assessment of safety and pharmacokinetics. Arch Intern Med 2008; 168:1805 - 1812.
17. Goldhaber SZ, Marpurgo M, for the WHO/ISFC Task Force on Pulmonary Em-

bolism. Diagnosis, treatment and prevention of pulmonary embolism. JAMA 1992; 268:1727–1733.
18. Sachdeva A, Dalton M, Amarigiri SV, Lees T. Graduated compression stockings for prevention of deep vein thrombosis. Cochrane Database Syst Rev 2010; 7: CD001484
19. Kabrhel C, Camargo CA, Goldhaber SZ. Clinical gestalt and the diagnosis of pulmonary embolism. Chest 2005; 127:1627–1630.
20. Hoellerich VL, Wigton RS. Diagnosing pulmonary embolism using clinical findings. Arch Intern Med 1986; 146:1699–1704.
21. Kollef MH, Zahid M, Eisenberg PR. Predictive value of a rapid semiquantitative D-dimer assay in critically ill patients with suspected thromboembolism. Crit Care Med 2000; 28:414–420.
22. Hyers TM. Venous thromboembolism. Am J resp Crit Care Med 1999; 159:1–14.
23. Tracey JA, Edlow JA. Ultrasound diagnosis of deep venous thrombosis. Emerg Med Clin N Am 2004; 22:775–796.
24. Girard P, Sanchez O, Leroyer C, et al. Deep venous thrombosis in patients with acute pulmonary embolism. Prevalence, risk factors, and clinical significance. Chest 2005; 128:1593–1600.
25. Stein PD, Fowler SE, Goodman LR, et al. Multidetector computed tomography for acute pulmonary embolism. N Engl J Med 2006; 354:2317–2327.
26. Quiroz R, Kucher N, Zou KH, et al. Clinical validity of a negative computed tomography scan in patients with suspected pulmonary embolism. JAMA 2005; 293:2012–2017.
27. The PIOPED Investigators. Value of the ventilation/perfusion scan in acute pulmonary embolism. Results of the prospective investigation of pulmonary embolism diagnosis (PIOPED). JAMA 1990; 263:2753–2759.
28. Raschke RA, Reilly BM, Guidry JR, et al. The weight-based heparin dosing nomogram compared with a "standard care" nomogram. Ann Intern Med 1993; 119:874–881.
29. Tapson VF. Treatment of pulmonary embolism: anticoagulation, thrombolytic therapy, and complications of therapy. Crit Care Clin 2011; 27: 825–839.
30. Meyer G, Vicaut E, Danays T, et al. Fibrinolysis for patients with intermediate-risk pulmonary embolism. N Engl J Med 2014; 370:1402–1411.
31. Goldhaber SZ, Agnelli G, Levine MN. Reduced-dose bolus alteplase vs. conven-

tional alteplase infusion for pulmonary embolism thrombolysis: an international multicenter randomized trial: the Bolus Alteplase Pulmonary Embolism Group. Chest 1994; 106:718-724.
32. Tebbe U, Graf A, Kamke W, et al. Hemodynamic effects of double bolus reteplase versus alteplase infusion in massive pulmonary embolism. Am Heart J 1999; 138:39-44.
33. Sareyyupoglu B, Greason KL, Suri RM, et al. A more aggressive approach to emergency embolectomy for acute pulmonary embolism. Mayo Clin Proc 2010; 85:785-790.
34. Fairfax LM, Sing RF. Vena cava interruption. Crit Care Clin 2011;27:781-804.

Chapter 5

폐동맥 카테터

The Pulmonary Artery Catheter

이 장에서는 폐동맥카테터로 감시 할 수 있는 혈류역학적 지표 (hemodynamic parameter)의 정상범위를 설명한다. 이런 지표의 임상적인 적용은 다음 장에서 설명한다.

I. 카테터 기본 (CATHERS BASICS)

A. 원리 (The Principle)

폐동맥카테터에는 말단부에 팽창시킬 수 있는 작은 풍선이 달려 있다. 풍선이 팽창되면 돛단배의 돛과 같은 역할을 하여 정맥혈의 흐름을 따라 우측심장을 통과하여 폐동맥 중 한쪽으로 카테터를 이동시키게 된다. 이 *풍선부양 (balloon flotation) 원리* 때문에 투시유도 (fluoroscopic guidance) 없이도 우측심장과 폐동맥에 카테터를 삽입할 수 있다.

B. 카테터 (The Catheter)

1. 폐동맥카테터는 길이 110 cm (중심정맥카테터의 약 5-6 배)이며 외경은 2.3 mm (약 7 French)이다.
2. 내부채널은 두 개이다. 하나의 채널은 카테터 끝에 있고 다른 채널은

카테터 끝에서 30 cm 떨어진 곳에 있다 (카테터가 제위치에 있으면 이 채널은 우심방에 위치해야 한다).

3. 카테터 끝에는 카테터를 최종목적지까지 운반하는데 도움이 되는 팽창 가능한 풍선 (1.5 mL 용량)이 있다.
4. 작은 온도 센서 (thermistor)가 카테터 끝의 근처에 위치하며, 이를 사용해 심장박출량 측정을 열희석법으로 하게 된다 (다음에 설명).

C. 설치 (Placement)

폐동맥카테터는 쇄골하정맥이나 내경정맥에 삽입된 대구경 (8-9 French)의 유도관 (introducer sheath)을 통해 삽입한다. 카테터의 말단내강은 카테터의 위치를 확인하기 위해 압력변환기 (pressure transducer)에 부착된다. 카테터가 유도관 (introducer sheath)에서 나와 상행대정맥에 들어갈 때, 정맥압력파형이 나타난다. 이후에 풍선을 팽창시키고 **그림 5.1**에서와 같이 카테터 팁의 위치를 결정하기 위해 압력변화를 추적하면서 카테터를 전진시킨다.

1. 상대정맥의 압력은 작은 진폭의 진동을 보여준다. 카테터팁이 우심방으로 들어갈 때, 이 압력은 변하지 않는다.
2. 카테터 끝이 삼첨판막과 우심실로 진행하면 박동파형 (pulsatile waveform)이 나타난다. 최고 (수축기) 압력은 우심실 수축의 강도를 반영하고 최저 (확장기) 압력은 우심방압과 같다.
3. 카테터가 폐동맥판을 가로질러 주 폐동맥으로 들어가면 수축기 압력은 변화 없는데 확장기 혈압이 갑자기 상승한다. 확장기 혈압의 상승은 폐동맥 순환의 저항에 의해 유발된다.

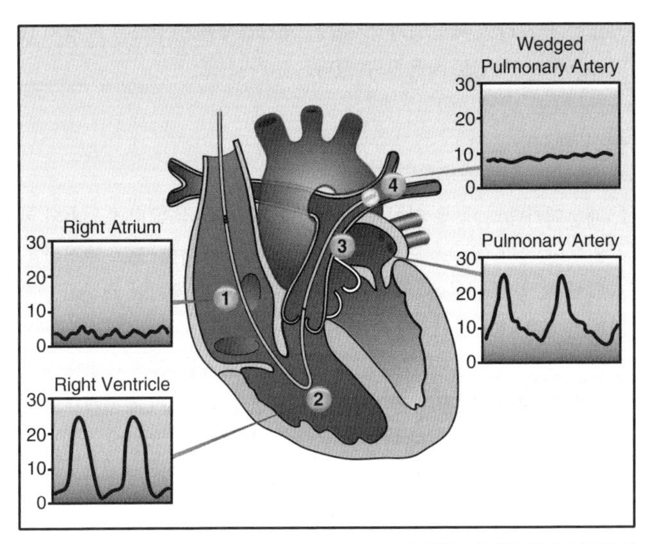

■ 그림 5.1 폐동맥카테터를 위치시키는 동안 나타나는 압력파형들. 자세한 내용은 본문을 참고

4. 카테터가 폐동맥을 따라 전진함에 따라 박동파형 (pulsatile waveform)은 결국 사라지고 비박동성 압력 (nonpulsatile pressure, 박동파형의 확장기혈압과 동일한 수준)이 유지된다. 이것을 *쐐기압력 (wedge pressure)*이라고도 부르는 *폐동맥폐색압력 (pulmonary artery occlusion pressure)*이며 외쪽심장의 충만압이 반영된 것이다 (다음 절 참조).
5. 쐐기압에 의한 파형이 처음으로 관찰되면 카테터를 그 위치에 고정한다 (더 이상 진행하지 않음). 그런 다음에 풍선을 수축시키면 박동압력파형이 다시 관찰되어야 한다. 이것이 확인되면 카테터를 그 자리에 확실히 고정한다.
6. 그러나 폐동맥카테터를 최대한 전진시키더라도 폐동맥의 박동성압력이 사라지지 않는 경우가 약 25%에서 관찰된다 (1). 이런 상황인 경우 폐동맥고혈압 (이때는 쐐기압력이 폐동맥의 확장기혈압보다 낮음)이

없는 환자라면 폐동맥확장기압을 쐐기압력을 반영하는 측정치 (surrogate measure)로 사용할 수 있다.

D. 풍선 (The Balloon)

1. 폐동맥카테터가 제 위치에 있는 동안 풍선은 수축 (deflated)된 채로 있어야 한다 (지속적인 풍선의 팽창은 폐동맥파열 또는 폐경색을 유발할 수 있기 때문에). 풍선을 팽창시키는 것은 쐐기압 측정이 필요할 때만 허용된다.
2. 쐐기압을 측정할 때 한꺼번에 1.5 mL의 공기를 전부 주입해 풍선을 완전히 팽창시키면 안된다 (카테터는 종종 더 작은 폐동맥으로 이동할 수 있으므로 완전히 팽창된 풍선이 혈관파열을 유발할 수 있음). 그러므로 쐐기압의 압력파형 (wedge pressure tracing)이 얻어질 때까지 풍선을 천천히 팽창시켜야 한다.
3. 쐐기압을 측정한 후 풍선을 완전히 수축시켜야 한다. 풍선주입구 (balloon injection port)에서 주사기를 분리해 놓으면 카테터가 제자리에 있는 동안 우발적인 풍선의 팽창을 방지할 수 있다.

II. 쐐기압 (THE WEDGE PRESSURE)

A. 원리 (The Principle)

쐐기압 측정원리는 그림 5.2에 나와 있다.

1. 폐동맥카테터에서 풍선을 팽창시키면 폐동맥의 혈액흐름 (Q)을 멈추게 하고, 이로 인해 카테터 끝과 좌심방 사이의 혈액의 정적기둥 (static column of blood)을 만든다. 이때 카테터 끝에서 측정되는 "쐐기압" (P_W)은 폐모세혈관압 (P_C) 및 좌심방압 (P_{LA})과 같다.
   즉, $Q = 0$ 이면, $P_W = P_C = P_{LA}$ 이다.

2. 쐐기압은 폐모세혈관압이 폐포압 (P_C>P_A)보다 큰 경우에만 좌심방압을 반영한다. 이와 같은 상태는 쐐기압이 호흡주기에 따라 달라지는 경우에는 해당하지 않는다 (나중에 설명) (2).
3. 승모판 (mitral valve)이 정상적으로 움직이는 경우, 좌심방압 (쐐기압)은 좌심실의 확장기말압 (end-diastolic pressure, 충만압; the filling pressure)과 동일하다. 따라서 승모판막 질환이 없는 경우 쐐기압은 좌심실충만압을 측정 (measure)하게 되는 것이다.

B. 쐐기 대 폐모세혈관압 (Wedge vs. Pulmonary Capillary Pressure)

1. 쐐기압은 종종 폐모세혈관의 생리적 압력 (physiological pressure in the pulmonary capillaries)을 측정하는 것으로 잘못 생각되지만, 실제로 쐐기압은 혈류가 정지된 상태에서 측정되기 때문에 그렇지는 않다 (3,4). *풍선이 수축시켜서 혈류흐름이 재개될 때 폐모세혈관압은 좌심*

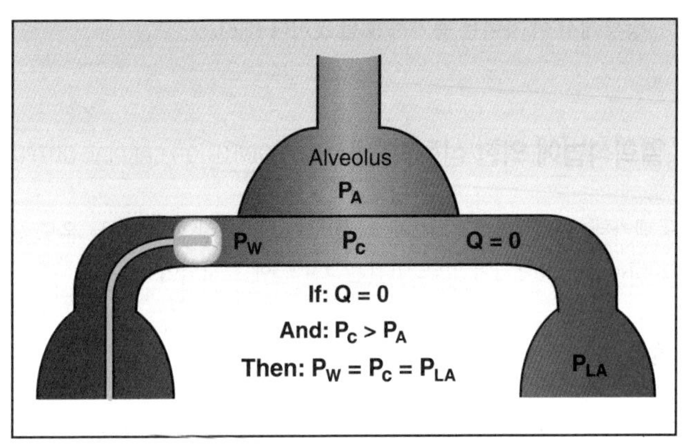

■ 그림 5.2 쐐기압 측정의 원리. 풍선을 팽창시켜 혈류의 흐름이 없어지면 (Q=0), 쐐기압 (P_W)은 폐모세혈관압 (P_C), 좌심방압 (P_{LA})과 같다. 단, 이 관계는 폐모세혈관압 (P_C)이 폐포압 (P_A)보다 높을 경우만 성립한다 ($P_C > P_A$).

방압(쐐기압)보다 높아야 한다. 그렇지 않다면 폐정맥의 혈류를 일으키는 압력차가 없어지기 때문이다.

2. 폐모세혈관압 (P_C)과 좌심방압 (P_{LA})의 차이는 혈류속도 (Q)와 폐정맥류의 저항 (R_V)에 의해 결정된다. 즉,

$$P_C - P_{LA} = Q \times R_V \tag{5.1}$$

쐐기압 (P_W)은 좌심방압과 같기 때문에 식 5.1은 다음과 같이 다시 쓸 수 있다.

$$P_C - P_W = Q \times R_V \tag{5.2}$$

3. *그러므로 혈류가 있으면 쐐기압은 폐모세혈관압보다 항상 낮게 (underestimate) 측정된다.* R_V를 측정할 수 없으므로 개개인 환자에서 P_C-P_W의 차이의 결정하는 것은 불가능하다. 그러나 저산소혈증, 내독소혈증, 급성호흡곤란증후군 (ARDS)과 같은 폐정맥수축을 촉진시키는 상황에서 이 차이는 증가하게 될 것이다 (5,6).

III. 열희석법에 의한 심장박출량 (THEMODILUTION CARDIAC OUTPUT)

폐동맥카테터에는 열희석법으로 심장박출량을 측정 할 수 있는 온도 센서 (thermistor)가 장착되어 있다. 이것은 **그림 5.3**에 표시되어 있다.

A. 방법 (The Method)

1. 혈액보다 차가운 포도당 또는 식염수용액을 폐동맥카테터 (일반적으로 우심방에 위치하는)의 근위포트 (proximal port)를 통해 주입한다. 그러면 주입된 차가운 용액이 우측심장의 혈액을 냉각시키고 폐동맥카테터의 팁에 있는 온도 센서를 지나서 냉각된 혈액이 흐르게 된다.

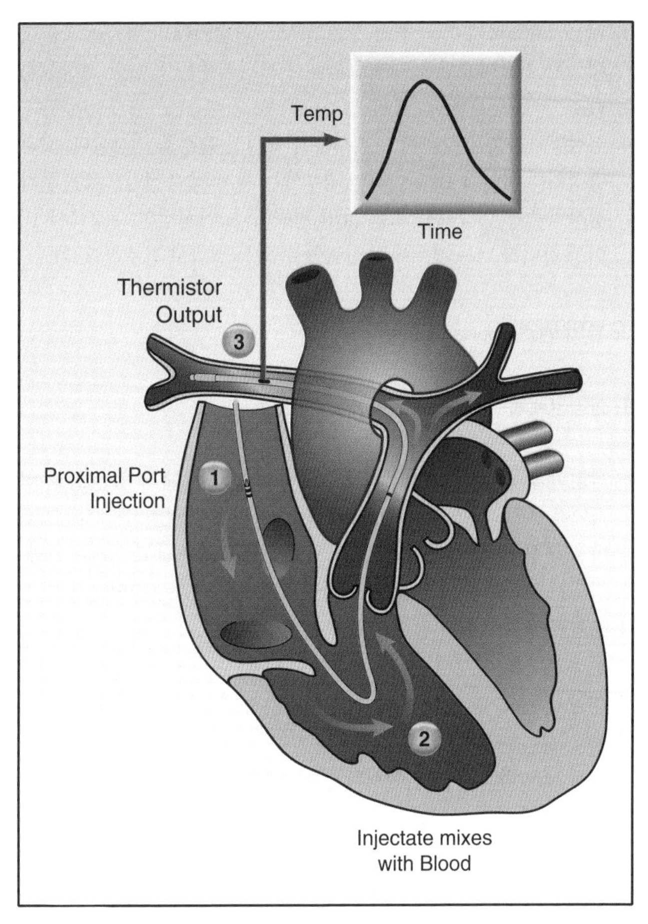

■ **그림 5.3** 심장박출량 측정을 위한 열희석법. 상세한 내용은 본문을 참고.

2. 온도 센서는 시간에 따른 혈액온도의 변화를 기록한다. 온도-시간 곡선 아래 영역은 폐동맥의 유속에 반비례하며 유속은 심장박출량과 같다.

3. 폐동맥카테터의 온도 센서는 온도-시간 곡선아래의 영역을 통합하고 계산된 심장박출량을 디지털화해서 표시해주는 특수한 전자장치이다.
4. 심장박출량을 결정하기 위해서는 연속적인 측정을 권장한다. 각각의 측정치의 차이가 10% 이하인 경우에는 세 번의 측정만으로 충분하며 심장박출량은 측정한 보는 값의 평균이다. 연속적인 측정에서 10% 이상 차이가 나는 경우에는 신뢰할 수 없는 결과로 간주한다 (7).

B. 오류의 원인 (Source of Error)

1. 삼첨판폐쇄부전증 (Tricuspid Regurgitation)

삼첨판을 통한 역류 (양압기계환기 중 흔히 발생할 수 있는)는 주입된 차가운 지표액 (indicator fluid)이 재순환되므로 열희석곡선이 저심장박출량 상태에서 관찰되는 것과 비슷하게 진폭이 낮고 시간이 오래 지속되는 그래프를 보이게 된다. 따라서, 삼첨판폐쇄부전인 경우 심장박출량 결과는 실제와 달리 낮게 측정된다 (8).

2. 심장 내 단락 (Intracardiac shunts)

심장 내 단락으로 인해 실제와 달리 심장박출량이 높은 것처럼 측정된다.

a. 우좌단락 (right to left shunts)에서 차가운 주사용액의 일부분이 단락을 통과하면서 고심장박출량 (high-cardiac output) 상태와 비슷하게 짧은 열희석커브를 생성한다.
b. 좌우단락 (left to right shunts)에서, 짧은 열희석커브를 보이는데 단락된 혈액에 의해 우측심장의 혈액량을 증가되는 상태이므로 차가운 주사용액 의해 발생되는 혈액온도의 변화를 적게 한다.

Ⅳ. 심혈관계 지표들 (CARDIOVASCULAR PARAMETERS)

폐동맥카테터는 심혈관 기능 및 전신산소전달에 대해 풍부한 정보를 제공한다. 다음 지표들은 심기능 및 저혈압의 혈류역학적 원인에 대한 정보를 제공한다. 이 지표들은 각 지표의 정상범위와 함께 표 5.1에 정리되어 있다.

표 5.1 심혈관 및 산소이동변수

변수	약자	정상 범위
중심정맥압 폐동맥쐐기압	CVP PAWP	0 – 5 mmHg 6 – 12 mmHg
심지수 (cardiac index) 박출량지수 (stroke index)	CI SI	2.4 – 4.0 L/min/m² 20 – 40 mL/m²
전신혈관저항지수 (Systemic Vascular Resistance Index) 폐혈관저항지수 (Pulmonary Vascular Resistance Index)	SVRI PVRI	25 – 30 Wood Units† 1 – 2 Wood Units†
산소공급 (Oxygen Delivery) 산소소모 (Oxygen Uptake) 산소추출율 (Oxygen Extraction Ration)	DO_2 VO_2 O_2ER	520–570 mL/min/ m² 110–160 mL/min/ m² 0.2–0.3

† mmHg per L/min per m^2

A. 심장충만압 (Cardiac Filling Pressures)

1. 중심정맥압 (Central Venous Pressure)

폐동맥카테터가 적절하게 위치하면 카테터의 근위포트 (proximal port)가 우심방에 위치하게 되며 이 포트에서 측정된 압력이 중심정맥압 (CVP)라고 불리는 평균우심방압 (RA pressure)이다. 삼첨판막 기능이 정상이라면 이 압력은 우심실확장기말압력 (RVEDP, right ventricular end-diastolic pressure)과 동일하다.

$$CVP = RVEDP \tag{5.3}$$

CVP는 보통 낮은 압력 (0-5 mmHg)으로 우측심장으로 들어오는 정맥환류 (venous return)를 촉진한다.

2. 폐동맥쐐기압 (Pulmonary Artery Wedge Pressure)

폐동맥쐐기압 (PAWP)은 이 장의 앞부분에서 설명되었고 승모판기능이 정상이라면 좌심실확장말 기압 (LVEDP, left ventricular end-diastolic pressure)과 동일하다.

$$PAWP = LVEDP \tag{5.4}$$

정상적인 PAWP는 CVP보다 약간 높으며 (6-12 mmHg), 이 압력의 차이로 난원공 (formen ovale)이 막힌 상태를 유지한다 (심장 내 우→좌 단락을 방지한다).

가변성 (VARIABILITY): 대부분의 환자에서 쐐기압은 4 mmHg를 범위 안에서 고유한 가변성 (inherent variability)이 있다 (10). 따라서 *확인된 쐐기압의 변화가 임상적으로 의미 있는 변화라고 판단하기 위해서는 4 mmHg 이상 변해야 한다.*

3. 호흡에 의한 변동 (Respiratory Fluctuations)

흉곽내압의 변화는 흉곽 안의 혈관으로 전달될 수 있으며, 이는 호흡에 따라 CVP 또는 쐐기압의변동을 유발할 수 있다 **(그림 5.4 참조)**. *경벽압 (transmural pressure 즉, 생리학적으로 중요한 압력)*은 변하지 않기 때문에, 이러한 흉곽내압의 변화는 오해를 불러 일으킬 수 있다. 따

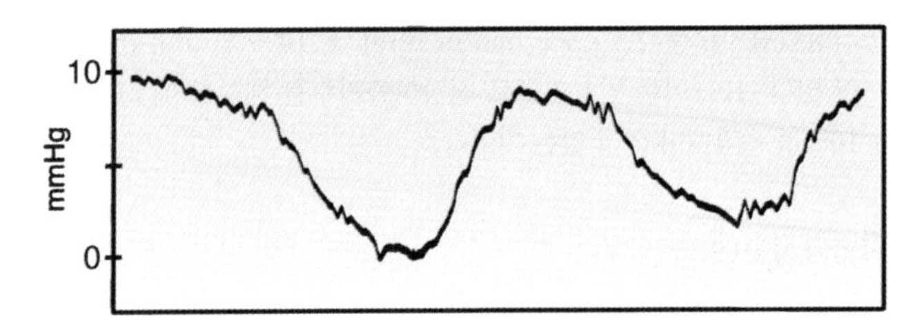

■ 그림 5.4 중심정맥압의 호흡 변동

라서 CVP 또는 쐐기압이 호흡에 따라 분명하게 변동하면 흉강내압이 대기압 (zero reference)에 가장 가까울 때인 호기말 (end of expiration)에 측정해야 한다.

B. 심장박출지수 (Cardiac Index)

열희석 심장박출량 (CO)을 체표면적 (BSA)으로 나누어 체구 (body size)를 기준으로 표현한다. 체구에 따라 보정된 심장박출량을 심장박출지수 (Cardiac Index, CI)라고 한다.

$$CI = CO / BSA \tag{5.5}$$

(몸의 크기에 따라 보정된 혈류역학적인 지표에 일반적으로 '지수 (index)'란 용어에 포함 시킨다.)

1. 폐동맥카테터의 온도 센서를 환자의 키와 체중을 기반으로 BSA를 자동으로 계산하는 심장박출량 모니터에 연결한다. BSA는 다음과 같은 간단한 공식 (11)으로 계산한다.

$$BSA\ (m) = \frac{Ht\ (cm) + Wt\ (kg) - 60}{100} \tag{5.6}$$

(평균 크기의 성인의 BSA는 1.7 m^2 이다.)

2. 심장박출지수는 2.4 - 4 L/min/m^2 이며 ± 10% 의 고유한 가변성이 있다 (10). 이는 임상지표로 심장박출지수를 해석할 때 그 변화가 10%를 초과해야 의미 있는 것이다.

C. 박출량지수 (Stroke Index)

일회박출량 (stroke volume, 수축기 동안 심실에 의해 박출되는 혈액량)은 심장박출량 (CO, cardiac output)보다 내인성 심기능을 직접적으로 측정한 수치이다. 박출량지수 (SI)는 심장박출량 (CO) 대신 심장박출지수 (CI)를 심박수로 나눈 값으로 계산하며 심장박출량의 표현이다.

$$SI = CI / HR \tag{5.7}$$

(HR은 심박수).

D. 혈관저항 (Vascular Resistance)

전신순환과 폐순환의 저항은 혈관이 단단하지 않아 압박될 수 있고, 또 저항은 혈류의존적이므로 임상적으로 측정이 가능한 수치가 아니다. 다음에 표시한 혈관저항의 지표는 평균유량 (심장박출량)과 혈관 내 압력구배 (intravascular pressure gradient) 사이의 관계를 단순하게 표시한 것이다.

1. 전신혈관저항지수 (Systemic Vascular Resistance Index)

전신혈관저항지수 (SVRI)는 평균동맥압 (MAP)과 중심정맥압 (CVP)의 차이를 심장박출지수 (CI)로 나눠 계산한다.

$$SVRI = (MAP - CVP) / CI \tag{5.8}$$

SVRI는 Wood 단위 (mmHg/L/min/m^2)로 표현되며, 80을 곱하여 기존의 저항단위 (dynes · sec^{-1} · cm^{-5}/m^2) (12)로 변환할 수 있다. 그러나

이 변환으로 얻을 수 있는 이점은 없다.

2. 폐혈관저항지수 (Pulmonary Vascular Resistance Index)

폐혈관저항지수 (PVRI)는 평균폐동맥압 (MPAP)과 평균좌심방압의 차이로 계산된다. 또는 폐동맥쐐기압 (PAWP)을 심장박출지수 (CI)로 나눈 값.

$$PVRI = (MPAP - PAWP) / CI \quad (5.9)$$

PVRI는 SVRI와 동일한 단위 ($mmHg/L/min/m^2$)를 가지며 SVRI에 대해 설명한 것과 동일한 제한이 있다.

V. 산소운반지표들 (OXYGEN TRANSPORT PARAMETERS)

산소운반지표들은 전신 산소공급과 산소소모에 대한 전반적인 측정이며 조직의 산소화 (tissue oxygenation) 상태를 간접적으로 평가할 수 있게 한다 (다음 장에서 설명). 이 지표들은 체구 (body size)와 관련하여 표시되며 각 지표들의 정상범위는 표 5.1에 나와 있다.

A. 산소공급 (Oxygen Delivery)

동맥혈의 산소전달속도는 산소공급 (oxygen delivery, DO_2)으로 알려져 있으며 심장박출지수 (CI)와 동맥혈의 산소함유량 (CaO_2)의 곱과 같다.

$$DO_2 = CI \times CaO_2 \times 10 \quad (5.10)$$

1. CaO_2는 혈액 100 mL (mL/100 mL)당 mL O_2로 표시되며, 배율 10은 mL/L로 단위를 변환하기 위해 곱한다.
2. CaO_2는 헤모글로빈농도 [Hb] (g/100 mL), Hb의 산소결합능 (1.34

mL/g/100 mL) 및 동맥혈에서 Hb의 산소포화도 (SaO_2)를 곱한 것과 같다. 따라서 식 5.10은 다음과 같이 새롭게 표현할 수 있다.

$$DO_2 = CI \times (1.34 \times [Hb] \times SaO_2) \times 10 \qquad (5.11)$$

3. DO_2는 $mL/min/m^2$로 표시되며 정상범위는 520-600 $mL/min/m^2$ 이다.

B. 산소섭취 (Oxygen Uptake)

산소섭취 (VO_2)는 전신의 모세혈관에서 산소가 조직으로 흡수되는 속도다. 산소는 조직에 저장되지 않기 때문에 *VO_2는 산소소모량과 같다*. VO_2는 심장박출지수 (CI)와 동맥과 정맥혈 사이의 산소함량 (CaO_2- CvO_2)의 차이로 계산된다.

$$VO_2 = CI \times (CaO_2 - CvO_2) \times 10 \qquad (5.12)$$

(10을 곱하는 이유는 DO_2에 대한 설명과 동일하다.) 이 공식은 심장박출량 계산을 위한 픽방정식 (Fick equation, $CO = VO_2 / (CaO_2 - CvO_2)$)을 변형한 것이다.

1. 만약 CaO_2와 CvO_2가 각각 구성된 부분으로 분해하면, 식 5.12는 다음과 같이 다시 쓸 수 있다:

$$VO_2 = CI \times 1.34 \times [Hb] \times (SaO_2 - SvO_2) \times 10 \qquad (5.13)$$

여기서 SaO_2와 SvO_2는 각각 동맥혈과 정맥혈의 옥시헤모글로빈 포화도 (oxyhemoglobin saturation)이다(이 경우의 정맥혈은 폐동맥의 "혼합" 정맥혈이다).

2. VO_2는 $mL/min/m^2$로 표시되며 정상범위는 110-160 $mL/min/m^2$이다. 중환자 (대사율이 낮은 경우가 매우 드문)에서 비정상으로 낮은

VO_2는 조직 내 산소공급이 장애를 받고 있는 상태임을 의미하는 합리적인 증거이다.

3. 계산 된 VO_2의 내재적 변동성은 4가지 요소의 측정치를 합친 변동성을 나타내기 때문에 높다 (± 18%) (10,13,14).
4. 변형 픽방정식 (modified Fick equation)으로 계산된 VO_2는 폐의 산소소비를 포함하지 않기 때문에 전신 VO_2가 아니다. 일반적으로 폐의 VO_2는 전신 VO_2의 5% 미만을 차지하지만 (1), 폐의 염증이 있을 때 폐의 VO_2는 전신 VO_2의 20%까지 차지할 수 있다 (ICU 환자에서 흔한 일이다).

C. 산소추출율 (Oxygen Extraction Ratio, O_2ER)

O_2공급 (DO_2) 및 O_2섭취 (VO_2) 사이의 균형은 VO_2/DO_2 비율 (대개 100을 곱해 %로 표현)에 해당 산소추출율 (O_2ER)로 표현된다.

$$O_2ER = VO_2 / DO_2 \quad (5.14)$$

1. 정상 O_2ER는 0.2-0.3이며, 이는 전신 모세혈관으로 공급된 산소의 20 - 30% 정도만 조직으로 흡수된다는 것을 의미한다. 산소공급량이 감소하면 O_2ER는 0.5-0.6까지 증가 할 수 있으며 이는 산소공급이 감소하더라도 조직에 산소공급을 유지하는 데 도움이 된다.
2. 다음 장에서는 O_2ER를 사용하여 조직의 산소공급을 평가하는 방법을 설명한다.

참고문헌

1. Swan HJ. The pulmonary artery catheter. Dis Mon 1991; 37:473 - 543.
2. O'Quin R, Marini JJ. Pulmonary artery occlusion pressure: clinical physiology, measurement, and interpretation. Am Rev Respir Dis 1983; 128:319 - 326.
3. Cope DK, Grimbert F, Downey JM, et al. Pulmonary capillary pressure: a review.

Crit Care Med 1992; 20:1043-1056.

4. Pinsky MR. Hemodynamic monitoring in the intensive care unit. Clin Chest Med 2003; 24:549-560.
5. Tracey WR, Hamilton JT, Craig ID, Paterson NAM. Effect of endothelial injury on the responses of isolated guinea pig pulmonary venules to reduced oxygen tension. J Appl Physiol 1989; 67:2147-2153.
6. Kloess T, Birkenhauer U, Kottler B. Pulmonary pressure-flow relationship and peripheral oxygen supply in ARDS due to bacterial sepsis. Second Vienna Shock Forum, 1989:175-18.
7. Nadeau S, Noble WH. Limitations of cardiac output measurement by thermodilution. Can J Anesth 1986; 33:780-784.
8. Konishi T, Nakamura Y, Morii I, et al. Comparison of thermodilution and Fick methods for measurement of cardiac output in tricuspid regurgitation. Am J Cardiol 1992; 70:538-540.
9. Nemens EJ, Woods SL. Normal fluctuations in pulmonary artery and pulmonary capillary wedge pressures in acutely ill patients. Heart Lung 1982; 11:393-398.
10. Sasse SA, Chen PA, Berry RB, et al. Variability of cardiac output over time in medical intensive care unit patients. Chest 1994; 22:225-232.
11. Mattar JA. A simple calculation to estimate body surface area in adults and its correlation with the Dubois formula. Crit Care Med 1989; 846-847.
12. Bartlett RH. Critical Care Physiology. New York: Little, Brown & Co, 1996:36.
13. Schneeweiss B, Druml W, Graninger W, et al. Assessment of oxygen- consumption by use of reverse Fick-principle and indirect calorimetry in critically ill patients. Clin Nutr 1989; 8:89-93.
14. Bartlett RH, Dechert RE. Oxygen kinetics: Pitfalls in clinical research. J Crit Care 1990; 5:77-80.
15. Nunn JF. Non respiratory functions of the lung. In: Nunn JF (ed). Applied Respiratory Physiology. Butterworth, London, 1993:306-317.
16. Jolliet P, Thorens JB, Nicod L, et al. Relationship between pulmonary oxygen consumption, lung inflammation, and calculated venous admixture in patients with acute lung injury. Intensive Care Med 1996; 22:277-285.

Chapter 6

전신산소화

Systemic Oxygenation

중환자치료의 근본적인 목표 중 하나는 조직산소화를 촉진하는 것이지만 임상상황에서 조직산소상태를 감시 (monitor)하는 것은 불가능하다. 이 장에서는 사용 가능한 "전신"산소화 측정법과 이것이 어떻게 조직산소화를 평가하는 데 사용될 수 있는지에 대해 설명한다.

I. 전신산소화 측정법 (MEASURES OF SYSTEMIC OXYGENATION)

A. 혈액의 산소함유량 (Oxygen Content of Blood)

혈중의 O_2 농도 (O_2 content, O_2 함유량이라고 함)는 혈장에 용해되어 있는 용존산소 (dissolved O_2)와 헤모글로빈 (Hb)에 결합된 산소를 합친 것이다.

1. 헤모글로빈에 결합된 O_2 (Hemoglobin-Bound O_2)

헤모글로빈에 결합된 O_2 (HbO_2)의 농도는 다음과 같이 결정된다 (1).

$$HbO_2 = 1.34 \times Hb \times SO_2 \ (mL / dL) \tag{6.1}$$

여기서 Hb은 헤모글로빈농도 (g/dL), 1.34는 헤모글로빈과 결합하는 O_2결합능력 (O_2 binding capacity, mL / g), SO_2는 비율로 표시되는 Hb

의 O_2포화도 (HbO_2/ Total Hb).

a. 공식 6.1은 Hb가 산소로 완전히 포화되면 (SO_2 = 1), Hb 1 gram 당 O_2 1.34 mL가 결합됨을 의미한다.

2. 용존산소 (Dissolved O_2)

혈장 (plasma)에 용해 된 O_2의 농도는 다음과 같이 결정된다 (2).

$$\text{용존산소 (Dissilved } O_2) = 0.003 \times PO_2 \text{ (mL/dL)} \qquad (6.2)$$

여기서 PO_2는 혈액 중의 O_2분압 (mm Hg)이고, 0.003은 정상체온에서 혈장의 O_2의 용해도계수 (mL/dL/mmHg)이다.

a. 공식 6.2에서는 정상체온 (37 ℃)에서 PO_2가 1 mm Hg 증가하면 용존산소농도는 0.003 mL/dL (또는 0.03 mL/L) 증가됨을 의미한다 (2). 이것은 *혈장에 산소가 잘 용해되지 않는다*는 것을 보여준다 (따라서 산소운반체로 헤모글로빈이 필요한 이유이다).

3. 총산소함유량 (Total O_2 content)

혈액 내의 총산소함유량 (mL/dL)는 공식 6.1과 6.2를 결합하여 결정한다.

$$\text{산소함유량 (} O_2 \text{ Content)} = (1.34 \times Hb \times SaO_2) + (0.003 \times PaO_2) \qquad (6.3)$$

표 6.1은 동맥혈 및 정맥혈에서 O_2 (결합과 용해된 총 산소)의 정상농도를 보여준다. 여기서 용존산소의 기여도는 매우 작다. 따라서 *혈액의 O_2 함량은 헤모글로빈에 결합된 분획과 같은 것으로 간주된다.*

$$\text{산소함유량 (} O_2 \text{ Content)} = 1.34 \times Hb \times SO_2 \text{ (mL/dL)} \qquad (6.4)$$

B. 산소공급 (Oxygen Delivery, DO_2)

1. 산소공급 (DO_2)이라고도 알려진 동맥혈에서의 산소공급율은 심장박출량 (CO)과 동맥혈의 산소함유량 (CaO_2)을 곱한 것이다(3).

$$DO_2 = CO \times CaO_2 \times 10 \text{ (mL/min)} \quad (6.5)$$

(10을 곱한 이유는 CaO_2를 mL / dL에서 mL/L로 변환해야 하기 때문이다.) 만약 CaO_2를 각각의 구성요소로 분해하면 식 6.5는 다음과 같이 다시 쓸 수 있다.

$$DO_2 = CO \times (1.34 \times Hb \times SaO_2) \times 10 \quad (6.6)$$

참고: 산소포화도 (SaO_2)는 맥박산소측정기를 사용하여 지속적으로 감시하며 심장박출량은 폐동맥도관 (pulmonary artery catheter, 88-91 페이지 참조)을 통해 측정하거나 참고 4에 설명된 기술을 사용하여 비침습적으로 측정할 수 있다.

표 6.1 혈액 산소화지표의 정상범위

지표	동맥혈	정맥혈
산소 부분압 (Partial Pressure of O_2)	90 mmHg	40 mmHg
산소화 헤모글로빈 비율 (% oxygenated Hb)	98%	73%
헤모글로빈 결합산소 (Hb-Bound O_2)	19.7 mL/dL	14.7 mL/dL
용존산소 (Dissolved O_2)	0.3 mL/dL	0.1 mL/dL
총산소함유량 (Total O_2 Content)	20 mL/dL	14.8 mL/dL
혈액량 (Blood Volume)†	1.25 L	3.75 L
산소의 총 용량 (Total Volume of O_2)	250 mL	555 mL

기재된 수치들은 체온 37℃, 헤모글로빈 15g/dL을 기준으로 작성되었다.
† 용량은 총 혈액량을 5L로, 동맥혈액량을 총 혈액량의 25%, 정맥혈액량을 75%로 가정했을 때의 수치다.
약자: Hb=hemoglobin; dL = deciliter (100 mL).

2. 산소공급 (DO_2)의 일반적인 정상치는 표 6.2에 나와 있다. DO_2 (와 VO_2)는 절대 및 체구 (body size)로 보정한 수치로 표현된다. 체구에 따른 조정은 체표면적을 평방미터 (m^2) 단위의 기준으로 계산 한다.

표 6.2 전신산소화 비율의 지표

지표	정상	조직 저산소증
DO_2	900–1100 mL/min 혹은 520–600 mL/min/m^2	다양함
VO_2	200–270 mL/min 혹은 110–160 mL/min/m^2	〈200 mL/min 혹은 〈110 mL/min/m^2
O_2ER	20–30%	≥50%
SvO_2	65–70%	≤50%
$ScvO_2$	70–80%	?
젖산 (lactate)	1–2.2 mmol/L[1]	〉1–2.2 mmol/L[1]

[1]젖산의 정상수치는 연구기관에 따라 1.0 mmol/L 에서 2.2 mmol/L 까지 다양하다.
약자: DO_2=산소공급 (O_2 delivery); VO_2=산소소모 (O_2 consumption); O_2ER=산소추출률 (O_2 extraction ratio); SvO_2=혼합정맥산소포화도 (mixed venous O_2 saturation); $ScvO_2$=중심정맥산소포화도 (central venous O_2 saturation)

C. 산소소모 (Oxygen Consumption)

산소는 조직에 저장되지 않기 때문에 조직으로의 산소흡수율 (rate of O_2 uptake)은 산소소모량 (VO_2)과 동일하다. VO_2를 결정하는 두 가지 방법이 있다.

1. 계산 된 산소섭취율 (Calculated VO_2)

VO_2는 심장박출량 (CO)과 동맥과 정맥의 산소함유량 (CaO_2- CvO_2)의 차이로 곱하여 계산할 수 있다.

$$VO_2 = CO \times (CaO_2 - CvO_2) \times 10 \text{ (mL/min)} \qquad (6.7)$$

(10을 곱한 것은 DO_2에서 설명했다.) CaO_2와 CvO_2는 공통항인 (1.34 × Hb)을 공유하므로 식 6.7은 다음과 같이 다시 쓸 수 있다.

$$VO_2 = CO \times 1.34 \times Hb \times (SaO_2 - SvO_2) \times 10 \qquad (6.8)$$

참고: VO_2를 계산하는 데 사용된 4 가지 측정치 중 3 가지가 DO_2를 계산하는 데에도 사용된다. 사용하는 추가적인 측정치 한 가지는 SvO_2이며 이 장의 뒷부분에서 설명한다.

a. VO_2 값의 정상범위는 표 6.2에 나와 있다. VO_2는 DO_2보다 훨씬 작다. 두 수치가 다른 임상적 의미는 뒤에 설명한다.
b. VO_2를 계산하는데 사용된 각각의 측정치에는 내재적인 변동성이 있으며 4가지 측정치의 합계 변동성은 ± 18%이다 (5-7). 따라서 *VO_2 변화가 임상적 의미가 있다고 간주되기 위해서는 계산된 VO_2가 적어도 18% 이상 변해야 한다.*

2. 계산된 VO_2 대 전신 VO_2 (Calculated vs. Whole Body VO_2)

계산 된 VO_2는 폐의 산소소비를 포함하지 않기 때문에 전신 VO_2가 아니다. 일반적으로 폐의 VO_2는 전신 VO_2의 5% 미만을 차지하지만 (8) 폐에 염증이 있을 때 폐의 VO_2는 전신 VO_2의 20%까지 차지할 수 있다 (9).

3. 측정 된 VO_2 (Measured VO_2)

전신 VO_2 (whole body VO_2)는 흡입 및 배출 가스의 O_2 분율농도 (fractional concentration)를 측정하는 O_2 분석기 (O_2 analyzer)로 측정할 수 있다. VO_2는 다음과 같이 계산된다.

$$VO_2 = V_E \times (F_IO_2 - F_EO_2) \qquad (6.9)$$

여기서 F_IO_2와 F_EO_2는 흡입 및 배출 가스의 O_2 분율농도 (fractional

concentration), V_E는 분당 배출되는 호기가스의 양이다.

a. 영양관리서비스 (nutrition support service) 시 사용되는 간접휴식대사량 측정기 (metabolic cart)로 환자 옆에서 전신 VO_2를 측정할 수 있다 (36장 I-B 절 참고).

b. 측정 된 VO_2의 내재적 변동성은 ± 5%이며 (5,7) 계산 된 VO_2의 내재적 번동성 (± 18%)보다 훨씬 적다.

D. 산소추출 (Oxygen Extraction)

1. 산소공급 (Oxygen Delivery, DO_2)과 산소소모 (Oxygen Consumption, VO_2)과 사이의 관계는 산소추출율 (Oxygen Extraction Ratio, O_2ER)로 표현한다. 즉,

$$O_2ER = VO_2 / DO_2 \tag{6.10}$$

(이 비율에는 일반적으로 100을 곱하여 백분율로 표시한다.) 산소추출율 (O_2ER)은 조직으로 공급된 산소 중 호기성대사에 의해 사용된 비율을 나타낸다.

2. 산소추출율 (O_2ER)의 정상범위는 0.2-0.3 (20-30%)이며 이는 *건강한 성인의 경우 안정상태에서 조직으로 공급되는 O_2의 20-30%만 호기성대사에 사용함을 의미한다*.

3. 식 6.10의 VO_2와 DO_2는 공통항인 (Q × 1.34 × Hb × 10)을 공유하므로 방정식을 다음과 같이 줄 일 수 있다:

$$O_2ER = (SaO_2 - SvO_2) / SaO_2 \tag{6.11}$$

지금까지의 전통적인 진료는 SaO_2를 90% 이상으로 유지하는 것이기 때문에 (SaO_2 = 1에 가깝다), 식 6.11은 다음과 같이 다시 쓸 수 있다.

$$O_2ER = SaO_2 - SvO_2 \tag{6.12}$$

또는

$$O_2ER = 1 - SvO_2 \qquad (6.13)$$

따라서 *산소공급 (Oxygen Delivery, DO_2)과 산소소모 (Oxygen Consumption, VO_2) 사이의 균형은 단일변수인 정맥산소포화도 (SvO_2)를 사용하여 감시 할 수 있다*. 이에 대해서는 차후에 설명하겠다.

E. 혼합정맥산소포화도 (Mixed Venous O_2 Saturation)

1. 정맥혈산소포화도 (SvO_2)의 전체(전신, whole-body)적인 측정치는 폐동맥의 정맥혈에서 얻어지며 혼합정맥혈산소포화도 (mixed venous O_2 saturation)라고 한다. 혼합정맥혈산소포화도의 측정을 위해서는 폐동맥카테터 (제5장에서 설명)가 필요하며 일상적으로 측정하는 것은 어렵다.
2. SvO_2의 결정요인은 식 6.8의 항을 재정렬함으로써 식별할 수 있다. 즉,

$$SvO_2 = SaO_2 - (VO_2 / CO \times 1.34 \times Hb) \qquad (6.14)$$

만일 동맥혈의 완전한 산소화가 이뤄지면 ($SaO_2 \sim 1$), 괄호 안의 분모는 DO_2와 같다 (식 6.6 참조). 따라서 식 6.14을 다음과 같이 다시 쓸 수 있다:

$$SvO_2 = 1 - VO_2 / DO_2 \qquad (6.15)$$

(이것은 식 6.13과 같은 의미이며, 용어만 바꾼 것이다.)

3. 식 6.15를 보면 VO_2가 증가 (신진대사율의 증가)하거나 또는 DO_2가 감소 (예를 들어, 빈혈 또는 낮은 심장박출량)하면 SvO_2가 감소하는 것을 예측할 수 있다.
4. 정상 SvO_2는 65-75%이다 (10).

F. 중심정맥산소포화도 (Central Venous O_2 Saturation)

1. 상행대정맥의 산소포화도를 중심정맥산소포화도 ($ScvO_2$)라고 하는데 보다 쉽게 일상적으로 측정 가능하기 때문에 측정이 어려운 SvO_2를 대체해서 널리 쓰이고 있다.
2. $ScvO_2$는 중심정맥가테터를 통해 채취한 혈액샘플로 측정하거나 섬유광학카테터 (fiberoptic catheter: PreSep Catheters, Edwards Life Sciences, Irvine, CA)를 이용하여 지속적으로 측정할 수 있다.
3. 중환자들에서 $ScvO_2$는 SvO_2보다 평균 5% 높으며 (11), 이는 정상 $ScvO_2$가 70 - 80% (즉, SvO_2의 정상범위보다 5% 높음)로 변환된다. 그러나 혈류역학적으로 불안정한 환자들에서는 $ScvO_2$와 SvO_2의 차이가 클 수 있다
4. $ScvO_2$와 SvO_2의 변화는 밀접한 상관관계가 있다 (11, 12). 결과적으로 $ScvO_2$의 변화추세 (trends)는 단일측정치 (single measurements)보다 더 신뢰할 수 있는 것으로 간주된다.

II. 전신산소균형 (SYSTEMIC OXYGEN BALANCE)

A. VO_2 조절 (Control of VO_2)

1. 호기성유지시스템 (aerobic support system)은 산소공급 (oxygen delivery, DO_2)에 변동이 있더라도 호기성대사 (aerobic metabolism, VO_2)가 일정하게 유지되도록 작동한다. 이것은 DO_2와 산소추출 (O_2ER)의 관계가 상호변화 (reciprocal changes)를 보이기 때문에 가능하다. 이러한 관계는 식 6.10에 재배열하여 나타낸다. 즉,

$$VO_2 = DO_2 \times O_2ER \tag{6.16}$$

2. 식 6.16은 DO_2의 변화가 같은 양 그리고 반대방향인 O_2ER의 변화

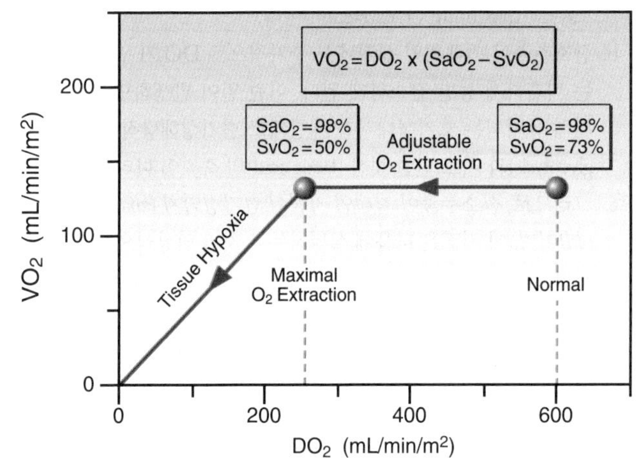

■ **그림 6.1** 산소공급 (DO_2)이 점차적으로 줄어들 때 산소공급 (DO_2), 소모 (VO_2), 추출률 (O2ER) 사이의 관계를 보여주는 그래프. 자세한 내용은 본문을 참고.

를 동반하면 VO_2가 일정하게 유지 될 것이라고 예측할 수 있다. 그러나 O_2ER가 고정되어 변하지 않는 상태에서 DO_2가 변경되면 VO_2도 동일하게 변경된다. 그러므로, *O_2 추출 (O_2 extraction)의 조정가능성 (adjustability)은 O_2 공급의 변화와 관계없이 VO_2가 독립적인 상태를 유지하게 한다.*

B. DO_2-VO_2 곡선 (The DO_2-VO_2 Curve)

1. 점진적인 산소공급의 감소에 대한 반응은 **그림 6.1**에 나와 있다 (13). 그림의 상단에 있는 수식은 수식 6.16과 유사하지만 O_2 추출은 수식 6.12에서와 같이 SaO_2 - SvO_2로 표시된다.
   a. DO_2가 감소함에 따라 (그래프를 따라 왼쪽으로 이동하는 화살표), SvO_2가 73%에서 50%로 감소하고 이에 대응하는 O_2 추출 (SaO_2 - SvO_2)이 25-48% 증가하므로, 이 지점까지의 VO_2는 일정하게 유지된다. 이 지점이 O_2 공급감소에 대한 반응으로 나올 수 있는 최대산

소추출 (maximum O_2 extraction)이다.

b. 산소추출이 최대치인 상황에서 추가적으로 DO_2가 감소하면 VO_2는 비슷하게 동반 감소하게 된다. 이런 일이 발생하면 산소공급에 의해 유지되는 호기성대사가 제한되고 혐기성해당작용 (anaerobic glycolysis)과 이로 인한 젖산 (lactic acid)의 축적이 나타난다.

c. 그러므로, *산소추출이 최대인 지점이 혐기성역치 (anaerobic threshold)이며,* 이 지점은 다음에 설명하는 것처럼 임상적으로 확인할 수 있다.

III. 조직저산소증 발견 (DETECTING TISSUE HYPOXIA)

산소의 공급이 호기성대사에 요구되는 양보다 부족하게 공급될 때 조직저산소증이 발생하고, **표 6.2**는 이 상태에서 산소화 (oxygenation)관련 지표 중 예상되는 임상적측정치의 변화를 보여준다.

A. 산소공급 (O_2 Delivery)

1. 산소추출 (DO_2)이 가장 높은 상태의 DO_2를 산소공급임계치 (critical DO_2)라고 하며, 완전한 호기성대사가 가능한 가장 낮은 DO_2이다.
2. 중환자를 대상으로 한 연구에서 산소공급임계치는 범위가 넓게 나타났으며 (13,14), 개별환자에서 산소공급임계치를 확인하는 것은 불가능하다.

B. 산소소모 (O_2 consumption)

1. 비정상적인 VO_2는 저대사증 (hypometamolism) 또는 조직저산소증 (tissue hypoxia)의 결과일 수 있다.
2. 저대사증 (hypometamolism)은 중환자에서는 흔하지 않으므로 낮은 산소소비 (VO_2 <200 mL/min 또는 <110 mL/min/m^2)는 조직저산소증의 증거로 사용할 수 있다.

C. 산소추출 (O_2Extraction, SaO_2 - SvO_2)

1. 그림 6.1에 보는 바와 같이, (SaO_2 - SvO_2)를 약 50%까지 증가시킨 상태는 최대산소추출 (maximum O_2 extraction: 즉, 무산소역치; anaerobic threshold)을 나타낸다.
2. 그러므로, (SaO_2 - SvO_2) ≥50%는 조직산소화의 절박 또는 장애 (threatened or impaired)의 증거로 사용될 수 있다.

D. 정맥내산소포화도 (Venous O_2 Saturation: SvO_2, $ScvO_2$)

1. 그림 6.1의 그래프는 혼합정맥산소포화도 (SvO_2)가 50%로 감소한 지점 (즉, 무산소역치, anaerobic threshold)에서 산소추출이 최고인 상태임을 보여준다.
2. 그러므로 SvO_2 ≤50%는 조직의 산소공급이 절박 또는 장애 (threatened or impaired)인 증거로 사용될 수 있다.
3. 중심정맥산소포화도 ($ScvO_2$)는 70% 미만은 비정상으로 간주되고 있으며 산소공급증가를 목표로 하여 $ScvO_2$> 70%를 치료목표 (goal of therapy)로 추천하고 있다 (15,16). 그러나, 조직 저산소증을 확진 가능한 $ScvO_2$는 결정되지 않았다.

E. 혈중젖산 (Blood Lactate)

참고: 혈중젖산의 축적을 촉진하나 조직산소화와 관계없는 여러 가지 조건이 있으며, 제24장에서 설명한다. 다음은 조직산소화장애에 의한 고혈중젖산증 (hyperlactatemia)에 관한 것이다.

1. 젖산은 혐기성분해작용의 최종생성물이며 혈액 내 젖산의 축적은 조직저산소증에서 가장 많이 사용되는 지표이다.
2. 젖산농도는 정맥 또는 동맥혈에서 측정 할 수 있으며, 같은 결과를 보인다 (17).

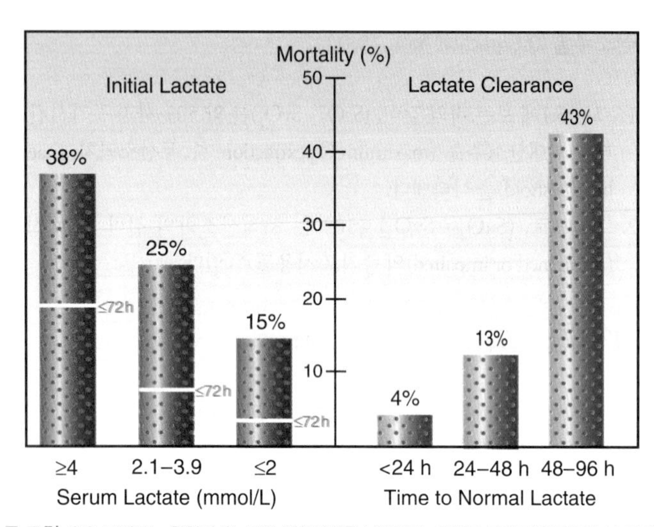

■ 그림 6.2 그래프는 혈청젖산농도의 예후가치를 나타낸다. 왼쪽의 그래프(참고문헌 18 발췌)는 초기 젖산 농도와 첫 3일 동안의 사망률을 포함한 병원 내 사망률 사이의 관계를 나타내고 있다. 오른쪽의 그래프(참고문헌 20 발췌)는 증가한 젖산 농도가 정상으로 돌아가는데 걸리는 시간, 즉 젖산 제거율 (lactate clearance)과 병원 내 사망률 사이의 관계를 보여준다.

3. 혈청젖산농도에 대한 정상상한치는 개별검사실에 따라 1.0~2.2 mmol/L로 다양하지만 (17), 일반적으로 2 mmol/L이 공통적으로 흔히 쓰는 기준치인 것으로 보인다.
4. 혈청젖산농도는 진단검사항목뿐만 아니고 예측에도 가치가 있다. 즉, *첫 번째 젖산농도 (치료 전) 및 젖산농도가 정상화되는데 걸리는 시간 (젖산제거율, lactate clearance) 모두 생존확률과 관련이 있다*. 이러한 관계는 그림 6.2에서 볼 수 있다.
   a. 그림 6.2의 왼쪽에 있는 그래프는 패혈증환자를 대상으로 한 연구결과이며 (18) 초기젖산농도와 병원 내 사망률 간에 직접적인 관계가 있음을 보여준다. 또한 초기젖산농도가 4 mmol/L를 초과하면 처음 72시간 동안의 사망률이 급격히 증가 함을 보여준다. 또 *다른 연구들은 혈청젖산농도가 증가하여 4 mmol/L 이상이 되면 ICU*

사망률이 가장 크게 높아진다는 것을 보여주었다.

b. 그림 6.2의 오른쪽 그래프는 혈류역학적으로 불안정한 환자를 대상으로 한 연구결과로 (20), 48시간 후에도 젖산농도가 높아져 있으면 사망률이 급격히 증가하지만 24시간 이내에 정상화되면 사망률이 가장 낮았음을 보여준다.

5. 패혈성쇼크환자에 대한 연구에서 *젖산제거율이 초기 젖산농도보다 더 큰 예후를 연관성을 보였다* (20,21). 결과적으로, 내원 시 환자의 젖산농도가 높은 모든 환자에 대해 연속적인 젖산측정이 권고된다.

F. 세포변성저산소증 (Cytopathic Hypoxia)

산소제한호기성대사 (Oxygen-restricted aerobic metabolism)는 또한 미토콘드리아에서 산소를 이용하는데 장애가 있기 때문일 수 있다. 이 상태는 세포변성저산소증 (cytopathic hypoxia)으로 알려져 있으며, *패혈성쇼크에서 세포기능장애를 일으키는 기전*으로 추정된다. *세포장애저산소증 (cytopathic hypoxia, 즉 패혈성쇼크)*은 다음과 같은 이유로 조직저산소증 (tissue hypoxia)과 다르다.

1. 조직의 산소수치는 세포변성저산소증 환자에서는 감소하지 않을 수 있다. 이것은 조직 PO_2가 전신패혈증 환자에서 높아져 있고 (23), 패혈성쇼크 환자의 대다수가 정상 (감소가 아닌) $ScvO_2$를 나타내고 있음을 보여주는 연구에 의해 뒷받침된다 (24).
2. 젖산의 상승은 패혈성쇼크에서 진단 및 예후에 대해 비슷한 의미가 있다 (18, 21). 그러나 패혈증에서 젖산이 축적되는 것은 부적절한 산소공급의 때문만이 아닐 수 있고, 그대신 피루브산탈수소효소 (pyruvate dehydrogenase; 피루브산을 아세틸 조효소 A로 전환시키는 효소)의 억제와 관련이 있을 수 있다 (25).
3. 세포변성저산소증 (패혈성쇼크) 환자에서 조직의 산소농도 (O_2 level)가 부족하지 않다는 개념은 이들 환자의 치료에 있어서 중요한 영향을 주게 된다 (이것은 9장에서 설명).

참고문헌

1. Zander R. Calculation of oxygen concentration. In: Zander R, Mertzlufft F, eds. The oxygen status of arterial blood. Basel: S. Karger, 1991:203-209.
2. Christoforides C, Laasberg L, Hedley-Whyte J. Effect of temperature on solubility of O2 in plasma. J. Appl Physiol 1969; 26: 56-60.
3. Hameed S, Aird W, Cohn S. Oxygen delivery. Crit Care Med 2003; 31(Suppl): S658-S667.
4. Mohammed I, Phillips C. Techniques for determining cardiac output in the intensive care unit. Crit Care Clin 2010; 26:353-364.
5. Schneeweiss B, Druml W, Graninger W, et al. Assessment of oxygen- consumption by use of reverse Fick-principle and indirect calorimetry in critically ill patients. Clin Nutr 1989; 8:89-93.
6. Sasse SA, Chen PA, Berry RB, et al. Variability of cardiac output over time in medical intensive care unit patients. Chest 1994; 22:225-232.
7. Bartlett RH, Dechert RE. Oxygen kinetics: Pitfalls in clinical research. J Crit Care 1990; 5:77-80.
8. Nunn JF. Non respiratory functions of the lung. In Nunn JF (ed). Applied Respiratory Physiology. Butterworth, London, 1993:306-317.
9. Jolliet P, Thorens JB, Nicod L, et al. Relationship between pulmonary oxygen consumption, lung inflammation, and calculated venous admixture in patients with acute lung injury. Intensive Care Med 1996; 22:277-285.
10. Maddirala S, Khan A. Optimizing hemodynamic support in septic shock using central venous and mixed venous oxygen saturation. Crit Care Clin 2010; 26:323-333.
11. Reinhart K, Kuhn H-J, Hartog C, Bredle DL. Continuous central venous and pulmonary artery oxygen saturation monitoring in the critically ill. Intensive Care Med 2004; 30: 1572-1578.
12. Dueck MH, Kilmek M, Appenrodt S, et al. Trends but not individual values of central venous oxygen saturation agree with mixed venous oxygen saturation during varying hemodynamic conditions. Anesthesiology 2005; 103:249-257.
13. Leach RM, Treacher DF. Relationship between oxygen delivery and consumption. Disease-a-Month 1994; 30:301-368.
14. Ronco J, Fenwick J, Tweedale M, et al. Identification of the critical oxygen deliv-

ery for anaerobic metabolism in critically ill septic and nonseptic humans. JAMA 1993; 270:1724–1730.
15. Vallet B, Robin E, Lebuffe G. Venous oxygen saturation as a transfusion trigger. Crit Care 2010; 14:213–217.
16. Dellinger RP, Levy MM, Rhodes A, et al. Surviving sepsis campaign: international guidelines for management of severe sepsis and septic shock: 2012. Intensive Care Med 2013; 39:165–228.
17. Kraut JA, Madias NE. Lactic acidosis. N Engl J Med 2014; 371:2309–2319.
18. Trzeciak S, Dellinger RP, Chansky ME, et al. Serum lactate as a predictor of mortality in patients with infection. Intensive Care Med 2007; 33:970–977.
19. Aduen J, Bernstein WK, Khastgir T, et al. The use and clinical importance of a substrate-specific electrode for rapid determination of blood lactate concentrations. JAMA 1994; 272:1678–1685.
20. McNelis J, Marini CP, Jurkiewicz A, et al. Prolonged lactate clearance is associated with increased mortality in the surgical intensive care unit. Am J Surg 2001; 182:481–485.
21. Okorie ON, Dellinger P. Lactate: biomarker and potential therapeutic target. Crit Care Clin 2011; 27:299–326.
22. Fink MP. Cytopathic hypoxia. Mitochondrial dysfunction as a mechanism contributing to organ dysfunction in sepsis. Crit Care Clin 2001; 17:219–237.
23. Sair M, Etherington PJ, Winlove CP, Evans TW. Tissue oxygenation and perfusion in patients with systemic sepsis. Crit Care Med 2001; 29:1343–1349.
24. Vallee F, Vallet B, Mathe O, et al. Central venous-to-arterial carbon dioxide difference: an additional target for goal-directed therapy in septic shock? Intensive Care Med 2008; 34:2218–2225.
25. Thomas GW, Mains CW, Slone DS, et al. Potential dysregulation of the pyruvate dehydrogenase complex by bacterial toxins and insulin. J Trauma 2009; 67:628–633.

Chapter 7

출혈과 혈량저하증

Hemorrhage and Hypovolemia

순환계 (circulatory system)는 비교적 적은양의 혈액과 용적반응형 펌프 (volume-responsive pump)로 작동한다. 이는 에너지 효율적인 설계이지만 혈액량이 줄어드는 경우 빠른 속도로 불안정해진다. 폐, 간, 콩팥과 같은 대부분의 내장기관은 기능 (functional mass)의 75%가 소실되어도 생명을 위협하는 상황이 발생하지 않지만 혈액량은 50% 미만의 손실로도 치명적인 결과가 발생할 수 있다. 출혈환자에서는 혈액손실에 대한 이와 같은 부적응 (intolerance)이 주된 문제이다.

I. 체액과 혈액손실 (BODY FLUIDS & BLOOD LOSS)

A. 체액분포 (Distribution of Body Fluids)

성인의 여러 체액의 부피는 표 7.1에 나와 있다. 다음 사항들은 언급할 필요가 있다 (1).

1. 총체액 (toal body fluid, 리터)은 남성의 제지방체중 (lean body weight)의 약 60% (600 mL/kg), 여성의 제지방체중 (lean body weight)의 50% (500 mL/kg)를 차지한다.
2. 혈액량은 총체액의 11-12%에 불과하다.
3. 혈장량 (plasma volume)은 간질액 (interstitial fluid)의 약 25%이다. 이

관계는 고농도 나트륨 결정질수액 (sodium-rich crystalloid fluids)의 부피효과 (volume effects)를 이해하는데 중요하며, 이에 대해서 이 장의 뒷부분에서 설명한다.

표 7.1 성인의 체액 종류에 따른 용량

체액분류	남자		여자	
	mL/kg	75 Kg†	mL/kg	60 kg†
총체액 (Total body fluid)	600	45 L	500	30 L
간질액 (Interstitial fluid)	150	11.3 L	125	7.5 L
전혈 (Whole blood)	66	5 L	60	3.6 L
적혈구 (Red blood cells)	26	2 L	24	1.4 L
혈장 (Plasma)	40	3 L	36	2.2 L

† 평균적인 성인 남녀의 지방을 뺀 체중. 혈액량, 적혈구, 혈장은 참고문헌1 발췌

B. 혈액손실의 중증도 (Severity of Blood Loss)

American College of Surgeons에서는 급성출혈에 대한 다음과 같은 분류체계를 제안했다 (2).

1. I급 (Class I)

a. 혈액량의 15% 미만 손실 (또는 <10 mL/kg).
b. 이 정도의 혈액손실은 대개 간질액의 이동 (transcapillary refill)에 의해 완전히 보충되므로 혈액량은 유지되고 임상소견이 약간 있거나 거의 없다.

2. II급 (Class II)

a. 혈액량의 15-30% (또는 10-20 mL/kg)의 손실.
b. 이 상태의 혈량저하증 (hypovolemia)은 전신의 혈관수축에 의해 혈압이 유지되는 상태 (compensated state)이다. 체위변화에 따라 혈압과 맥박수의 변화는 분명하지만, 이러한 변화가 모든 환자에서 보이지 않는다.
c. 이 단계에서 사지는 차가워지고 소변배출량은 줄어들지만 핍뇨 (oliguria) 수준 (<0.5 mL/kg/ hr)에 도달하지 않는다.

3. III급 (Class III)

a. 혈액량의 30-40% (또는 20-30 mL/kg)의 손실.
b. 이 단계는 혈관수축반응으로는 더 이상 혈압과 장기관류 (organ perfusion)를 유지할 수 없어서 혈압이 떨어지는 출혈 (decompensated blood loss)이나 출혈쇼크가 시작된다.
c. 임상소견으로는 앙와위저혈압 (supine hypotension), 사지저체온증, 혼돈, 핍뇨 (소변배출량 = 0.5 mL/kg/hr) 및 혈중 젖산농도 상승이 있다.

4. IV급 (Class IV)

a. 혈액량의 40% 이상 손실 (또는> 30 mL/kg).
b. 이 정도의 혈액손실은 악화되는 출혈쇼크로 진행하며 3시간 안에 50% 이상의 혈액량이 감소하는 대량혈액소실 (massive blood loss)을 포함한다.
c. 임상소견으로는 사지청색증, 다발장기부전 (예 : 혼수, 핍뇨, 간효소 증가 등) 및 진행성 젖산 산증이 있다.

II. 임상평가 (CLINICAL EVALUATION)

임상적으로 혈량저하증의 진단하는 것은 '실수연발 (comedy of errors)'이라고 여겨질 정도로 잘못하는 경우가 많다 (3).

A. 활력징후 (Vital Signs)

급성혈액손실을 발견할 때 활력징후의 신뢰성은 표 7.2에 나와 있다 (4,5). 다음 사항에 유의하자.

1. 최대 1.1 L (즉, 보통체격의 남자에서 혈액량의 25% 정도의 손실)까지 혈액량이 줄어든 대다수의 환자에서 앙와위빈맥 (supine tachycardia) 및 앙와위저혈압 (supine hypotension)은 관찰되지 않는다 (즉, 낮은 민감도).
2. 출혈량이 630 mL 미만인 경우 체위맥박증가 (postural pulse increments: ≥30 박동 / 분) 및 체위저혈압 (postural hypotension: 수축기혈압 ≥20 mm Hg 감소)은 흔하지 않지만 출혈량이 많을 때 체위맥박증가는 혈량저하증에 대해 민감도와 특이도를 보이는 지표이다.

표 7.2 혈량저하증을 진단할 때 활력징후의 정확성

비정상 소견	민감도/특이도	
	실혈량 (450–630 mL)†	실혈량 (630–1150 mL)‡
앙와위빈맥[1] (supine tachycardia)	0 / 96%	12% / 96%
앙와위저혈압[2] (supine hypotension)	13% / 97%	33% / 97%
체위맥박증가[3] (postural pulse increment)	22% / 98%	97% / 98%
체위저혈압[4] (postural hypotension)		
나이 <65세	9% / 94%	연구결과 없음
나이 ≥65세	27% / 86%	연구결과 없음

[1]맥박>100회/분. [2]수축기압<95 mm Hg. [3]맥박수 증가>30회/분. [4]수축기압 감소>20 mm Hg.
†평균 남성의 실혈량 10-12%와 동일. ‡평균 남성의 실혈량 12-25%와 동일,
참고문헌 4와5에서 발췌.

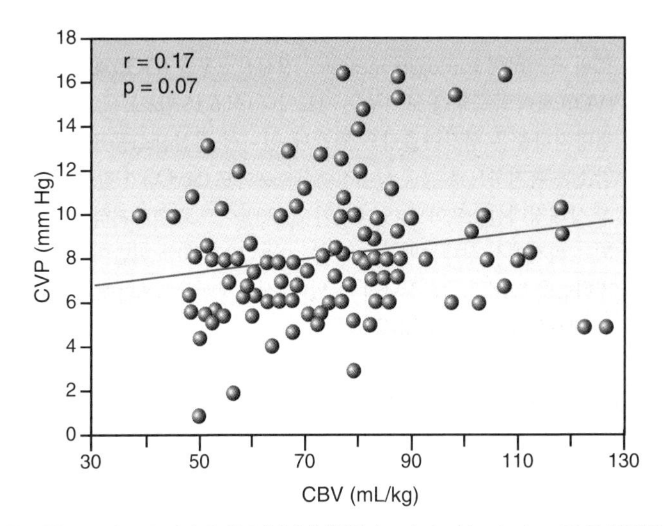

■ 그림 7.1 산포도는 수술 후 환자에서 순환혈액량 (circulating blood volume)과 중심정맥압 (central venous pressure)사이의 관계를 보여준다. 상관계수 (correlation coefficient) r과 P치 (p value) p는 두 표지 사이에 중대한 관계가 없다는 것을 의미한다. 참고문헌7에서 변형.

B. 중심정맥압 (Central Venous Pressure, CVP)

1. 중심정맥압 (CVP)은 전통적으로 혈관 내 용적을 평가하는데 중요한 역할을 해 왔다. 그러나 임상연구결과에서 CVP와 객관적인 혈액량측정 결과는 지속적으로 낮은 상관관계 (poor correlation)를 보여주었다 (6). 이것은 그림 7.1에 나와 있다 (7).
2. CVP와 혈액량 측정 사이에 상관관계가 일관성이 없으므로 *혈액량을 평가하는데 절대로 CVP를 사용할 수 없다는 권고*를 촉구하게 되었다 (6).

C. 정맥산소포화도 (Venous O_2 Saturation)

1. 상대정맥 (superior vena caca)의 산소포화도 ($ScvO_2$)는 폐동맥의 혼합

정맥산소포화도 (mixed venous O_2 saturation, SvO_2)을 반영하는 검사로써 측정하며 (surrogate measure), 전신산소공급 (DO_2)과 산소소비 (VO_2) 사이의 균형을 보여주는 지표이다 (식 6.15 참조).

2. 혈량저하증은 심장박출량의 감소에 이어서 전신산소공급 (DO_2)의 감소를 촉진하므로 결국 상대정맥산소포화도 ($ScvO_2$)가 감소한다. 정상 상대정맥산소포화도 ($ScvO_2$)가 70-80%이므로 혈량저하증이 의심되는 환자에서 상대정맥산소포화도 ($ScvO_2$)가 70% 미만이라면 혈량저하증을 확정적으로 진단할 수 있다 (상대정맥산소포화에 대한 자세한 내용은 6 장, I-F 및 III-D 절 참조).

D. 헤모글로빈 / 적혈구용적률 (Hemoglobin/Hematocrit)

1. 급성출혈은 전혈의 손실이 일어나므로 헤모글로빈농도 또는 적혈구용적률 (hematocrit)의 변화가 일어나지 않을 것으로 예상된다. 이는 급성출혈 시 적혈구용적률 (hematocrit)과 혈액량부족 (blood volume deficit, 또는 erythrocyte deficits) 사이의 낮은 상관관계를 보인 연구결과들에 의해 확인된다 (8).
2. 급성출혈에서 헤모글로빈 또는 적혈구용적률 (hematocrit)이 감소하는 것은 혈구가 포함되어 있지 않은 수액 (asanguinous fluid, 예: 생리식염수)에 의한 순환혈액량 소생 (volume resuscitation)에 의해 혈장이 팽창되고 헤모글로빈 및 적혈구용적률 (hematocrit)이 감소하게 된 상태를 반영하는 것이다.
3. 위에서 언급한 이유로 헤모글로빈과 적혈구용적률 (hematocrit)의 변화를 통해 급성출혈의 정도를 평가하면 안된다 (2).

E. 혈청젖산 (Serum Lactate)

1. 급성출혈 상태에서, 혈청젖산농도가 증가 (일반적으로> 2 mmol/L)하는 경우 저혈압이 관찰되지 않더라도 출혈쇼크의 증거가 된다. (6 장,

III-E에 조직저산소증의 지표로서 젖산의 역할에 대한 설명을 참고하자.)

2. 젖산농도도 예후를 반영하는 지표이다. 즉,
   a. 젖산농도의 상승정도는 사망위험율 (fatal outcome)과 밀접한 상관관계가 있다 (10).
   b. 젖산농도의 감소정도 (젖산제거율; lactate clearance)도 예후 (outcome)와 관련이 있다 (6 장, 그림 6.2 참조).
   출혈쇼크를 동반한 외상피해자 (trauma victims)를 대상으로 한 연구에서, 젖산농도가 24시간 이내에 정상으로 회복된 경우 사망환자는 없었으나, 48시간 후 젖산농도가 오히려 상승한 환자는 86%가 사망하였다 (11). 그러므로, *출혈쇼크환자에서 24 시간 이내에 젖산농도가 정상화되면 출혈쇼크에 대한 보충치료 (resuscitation)를 중지할 수 있는 기준으로 사용될 수 있다* (다음 내용을 참고 하자).

F. 동맥혈 염기결핍 (Arterial Base Deficit)

1. 염기결핍 (base deficit)은 전혈 1 L의 pH를 7.40 (PCO_2 40 mm Hg)로 적정 (titrate)하는데 필요한 염기량(단위, millimoles)이다. 염기결핍 (base deficit)은 대사산증에서 혈청중탄산염 (serum bicarbonate)보다 조금 더 특이적인 지표로 여겨진다 (12).
2. 염기결핍 (base deficit)의 정상범위는 +2에서 -2 mmol/L이다. 염기결핍 (base deficit)의 증가는 경도 (-3 to -5 mmol/L), 중도 (-6 to -14 mmol/L) 또는 고도 (15 mmol/L 이상)로 분류된다.
3. 출혈환자의 경우, 염기결핍 (base deficit)의 중증도와 출혈량 사이에는 직접적인 상관관계가 있으며, 염기결핍 (base deficit)을 신속하게 교정하면 더 좋은 임상결과를 보이게 된다 (13).
4. 염기결핍 (base deficit)을 관찰하는 것은 외상소생치료 (trauma resuscitation)에서 널리 사용되는 방법이지만, 본질적으로 염기결핍 (base deficit)은 젖산산증 (lactic acidosis)에 대한 대리측정 (surrogate mea-

sure)이며 외상환자에서 혈청젖산치보다 예측적인 가치는 낮다 (14). 최근에는 젖산농도를 쉽게 측정할 수 있기 때문에 염기결핍 (base deficit)을 관찰할 이유가 없다.

G. 혈액량 측정 (Measuring Blood Volume)

1. 혈액량 측정은 전통적으로 너무 손이 많이 가며 임상상황에서 유용하게 되기까지 많은 시간이 걸렸지만 1시간 안에 혈액량 측정하는 반자동 혈액량분석기 (Daxor Corporation, New York, NY)의 도입으로 많은 변화가 있다.
2. 수술환자 쇼크치료 시 혈액량을 측정했던 환자의 53%에서 수액치료 방법의 변화를 가져왔고 또 이를 통해 사망률이 현저하게 감소(24%에서 8%까지)된 것을 보고했던 연구를 보면 이 새로운 기술의 잠재적인 가치를 설명할 수 있다 (15).

III. 수액에 대한 반응 (FLUID RESPONSIVENESS)

수액에 대한 반응성의 평가는 기능적 혈량저하증 (functional hypovolemia)의 원인을 알기 위해 고안되었으며, 혈류역학적으로 불안정하거나 소변량이 감소하는 환자를 대상으로 평가한다. 이 방법의 목적은 순환혈액량 소생 (volume resuscitation)을 제한하면 유익할 가능성이 있는 환자들에게 혈액량 과다 (volume overloading)의 위험을 줄임으로써 중환자치료 결과를 좋게 하는 것이다 (16).

A. 시험적 수액투여 (Fluid Challenge)

1. 시험적 수액투여 (fluid challenge)의 목표는 심실의 확장기용적 (end-diastolic volume)을 증가시키는 것이며, *빠른 주입 (rapid infusion)*은

이 목표를 달성하는데 있어서 가장 중요한 요소이다 (17).

2. 널리 사용하는 시험적 수액투여 (fluid challenge)의 표준방법은 없으며 추천하는 방법은 *5-10 분간에 콜로이드용액 (colloid fluid) 200 mL 또는 3 mL/kg이나, 결정질수액 (crystalloid fluid) 500 mL를 주입하는 방법*이다 (17,18).
3. 수액에 대한 반응 (fluid responsiveness)은 일회박출량 (stroke volume) 또는 심장박출량의 변화를 (침습적 또는 비침습적으로) 관찰함으로써 평가한다.
   a. 일회박출량 또는 심장박출량이 적어도 10% 증가하면 수액에 대한 반응이 있다고 판단한다 (18).
   b. 수액에 대한 반응시간은 짧으며, 시험적 수액투여 후 30 분 후에 사라질 수 있다 (18).
4. 심장박출량보다 더 쉽게 측정할 수 있는 변수가 수액에 대한 반응과 관련하여 연구되었으며, 다음과 같은 반응은 긍정적인 심장박출량의 반응 (positive cardiac output response)과 좋은 상관관계를 보여준다.
   a. 침습적인 방법으로 측정한 혈압의 변화에서 맥박압력 (pulse pressure)의 증가가 23% 이상이다 (19).
   b. 중심정맥산소포화도 (central venous O_2 saturation, $ScvO_2$)가 4% 이상 증가한다 (20).
   c. 호기말 PCO_2 ($EtCO_2$)가 ≥5% 이상 증가한다 (21).

B. 수동적 다리들기 (Passive Leg Raising)

1. 앙와위에 있는 상태에서 수평면에서 45 °로 다리를 들어 올리면 150-750 mL의 혈액이 다리에서 심장쪽으로 이동하는 (22) "내인성"시험적 수액투여 (intrinsic fluid challenge)를 할 수 있다 (22). 환자의 머리 위치를 반좌위 (semirecumbent position, 수평면 위 45 °)에서 시작하여 자가수혈의 (autotransfusion) 효과를 증가시킬 수 있다. 다리를 올린 상태에서 머리를 눕히면 혈액을 장간막순환 (mesenteric circulation)에

서 심장 쪽으로 움직일 수 있다 (23).

2. 21개의 연구결과를 종합해보면 수동적 다리들기 (passive leg raising)에 대한 양성반응 (즉, 10% 이상 심장박출량이 증가)을 보이는 것과 시험적 수액투여 (fluid challenge)에 대해 양성반응을 보이는 것과는 매우 좋은 연관관계를 보여주고 있다 (23).
3. 수동적 다리들기 (passive leg raising)는 신뢰할 수 있는 시험적 수액투여 (fluid challenge)의 대체방법이므로 수액제한 (fluid restriction)이 바람직한 상황에서는 우선적으로 사용해 볼 수 있다. 그러나 복강 내압이 증가한 환자에서는 수동적 다리들기의 혈류역학적 효과가 줄거나 없어지기 때문에 추천하지 않는다 (25).

C. 수액에 대한 반응성 예측 (Predicting Fluid Responsiveness)

몇 가지 선택된 호흡변수 (respiratory parameter)가 시험적 수액투여 (fluid challenge)을 시행해보지 않은 상황에서 수액에 대한 반응성 (fluid responsiveness)을 예측하는 방법으로 제안되었다. 여러 가지 중대한 약점이 있음에도 불구하고, 현재 이 방법들이 많이 사용되고 있으므로 여기서 간단히 설명한다.

1. 하대정맥직경 (Inferior Vena Cava Diameter)

a. 하대정맥의 직경 (IVCD)은 늑골하 (subcostal) 위치에서 장축초음파 이미지 (long-axis ultrasound image)를 이용하여 하대정맥이 우심방과 만나는 지점의 약 2 cm 앞에서 측정한다. (일부는 IVCD 측정을 위해 M 모드를 선호한다.)
b. 자발호흡환자에서 흡기 중 하대정맥 (IVC)이 허탈 (collapse)될 가능성은 중심정맥압 (CVP)과 밀접한 상관관계가 있다. 즉 흡기로 인해 IVCD의 허탈상태가 심해질수록 CVP는 낮은 상태이다 (26). 이와 같은 관찰결과는 호흡에 따른 IVCD의 변화가 수액에 대한

반응성 (fluid responsiveness)을 확인하는 데 사용될 수 있다는 주장의 근거가 되었다. 그러나 표 7.3에서 보는 바와 같이 호흡에 따른 IVCD의 변화와 수액에 대한 반응성 (fluid responsiveness)간에는 일관성 있는 관계는 없다.

2. 일회박출량변이 (Stroke Volume Variation, SVV)

양압환기 (positive ventilation) 중, 폐가 팽창 (흡기)시 좌심실 일회박출량 (LV stroke volume)이 증가하며 (부분적으로는 폐정맥혈이 양압에 의해 좌심방으로 밀려들어 LV preload가 증가해서), 또 폐가 축소 (호기)시 좌심실 일회박출량 (LV stroke volume)이 감소 (이는 폐정맥 안에 혈류가 남아있지 않아 LV preload가 감소되므로)한다. 이와 같은 *일회박출량변이 (SVV)가 좌심실의 수액에 대한 반응성 (preload, fluid responsiveness)의 척도 (measure)이다.*

a. 12 개의 임상연구결과를 종합해보면 SVV> 12%인 경우 72%의 확실성으로 수액에 대한 반응성 (fluid responsiveness)을 예측하는 것을 알 수 있다 (27).
b. 일회박출량변이 (SVV) 감시에는 다음과 같은 것이 모두 필요하다.
   1) 침습성 혈압모니터링.
   2) 동맥압파형 (FloTrac sensor 및 Vigileo monitor, Edwards Lifesciences)에서 일회박출량 (stroke volume)을 계산하는 전자시스템.
   3) 자발적 호흡노력이 없고 예측체중 8 mL/Kg 이상의 일회호흡량 (tidal volume)을 공급하는 용적조절기계환기 (volume-cycled mechanical ventilation, 일회박출량 (stroke volume)의 변이를 더 크게 하기 위해).
   4) 규칙적인 심장리듬.

표 7.3	하대정맥 직경의 호흡변화로 수액에 대한 반응성 예측시의 일관성 부족
상태	연구 결과
자발호흡	1. ΔIVCD ≥ 40–42%는 수액에 대한 반응성을 예측하지만 ΔIVCD <40–42%는 수액에 대한 반응성을 배제할 수 없다. *(Crit Care 2012; 16:R188;2015;19:400)* 2. ΔIVCD와 수액에 대한 반응성과 상관이 없다. *(Emerg Med Australas 2012;24:534)*
기계환기[†]	1. ΔIVCD > 12%는 수액에 대한 반응성을 예측한다 *(Intensive Care Med 2004;30:1834)* 2. ΔIVCD >12%는 수액에 대한 반응성에 비특이적이다. *(J Intensive Care Med 2011; 26:116)* 3. ΔIVCD >18%는 수액에 대한 반응성을 예측한다. *(Intensive Care Med 2004;30:1740)* 4. ΔIVCD와 수액에 대한 반응성과는 상관이 없다. *(J Cardiothorac Vasc Anesth 2015; 29:663)*

[†] 자발호흡이 없는 용적 순환 기계환기, 일회호흡량은 8 mL/kg 이상. 이때 체중은 예측 체중.

c. 일회박출량변이 (SVV) 모니터링은 이에 필요한 여러 가지 요구사항 및 비용으로 인해 적용하는데 어려움이 있다. 더구나 동맥압 파형 (arterial pressure waveforms)을 이용하여 일회박출량 (stroke volume)을 결정할 때 부정확한 점 (예를 들어, 동맥유순도의 변화)도 있다.

3. 맥박압력변화 (Pulse Pressure Variation, PPV)

양압환기 중 호흡변화에 따른 일회박출량 (stroke volume)의 변화는 맥박압력의 변화와 유사한 소견을 동반한다. 결과적으로, *맥박압력변화 (PPV)는 수액반응성 (preload, fluid responsiveness)의 또 하나의 척도 (measure)이다.*

a. 22개의 임상연구결과를 종합해보면 PPV가 13%를 넘으면 수액반응성 (fluid responsiveness)이 있다는 것을 78%의 확실성을 갖고 예

측할 수 있다 (일회박출량의 변화보다 크다) (27). 그러나 우심실기능장애인 경우 위양성의 결과가 보고되었다 (28).

b. 맥박압력변화 (PPV)를 감시하려면 일회박출량을 측정하기 위한 전자시스템은 물론 SVV를 측정할 때 사용했던 모든 것이 필요하다. 맥박압력은 동맥압파형에서 직접 측정할 수 있다.

c. 맥박압력변화 (PPV)감시를 위해 (SVV 감시와 같은) 필요한 여러 가지 요구사항 때문에 적용가능성이 떨어진다. 예를 들어 한 연구에서 ICU 환자 2%만이 맥박압력변화 (PPV) 감시기준을 충족시켰다 (29). 그러나 적절하게 감시가 가능하다면 수액에 대한 반응성을 평가하기 위해서는 일회박출량변이 (SVV)보다는 맥박압력변화 (PPV)를 사용해야 한다 (보다 정확하고 쉽게 얻을 수 있음).

Ⅳ. 주입액 (INFUSING FLUIDS)

가늘고 단단한 튜브를 통해 흐르는 수액의 안정적인 흐름 (steady flow)은 아래에 나와있는 Hagen-Poiseuille 방정식 (30)에 설명되어 있다.

$$Q = \Delta P\ (\pi r^4/8\mu L) \qquad (7.1)$$

이 방정식은 단단한 도관을 통해 흐르는 안정적인 흐름 (steady flow, Q)은 유동의 구동압력 (driving pressure, ΔP)과 튜브의 내부반경 (r)의 4 승에 직접 비례관계이며 도관의 길이 (L)와 주입하는 수액의 점도 (μ)에 반비례함을 알 수 있다. 혈관카테터를 통해 주입되는 보충수액 (resuscitation fluid)에서도 이러한 관계가 설명된다.

A. 중심 대 말초카테터 (Central vs Peripheral Catheters)

1. Hagen-Poiseuille 방정식은 짧고 굵은 카테터에서 주입률이 가장 높을 것으로 예측한다. 이는 중력에 의한 물의 흐름이 굵기는 같지만 길이

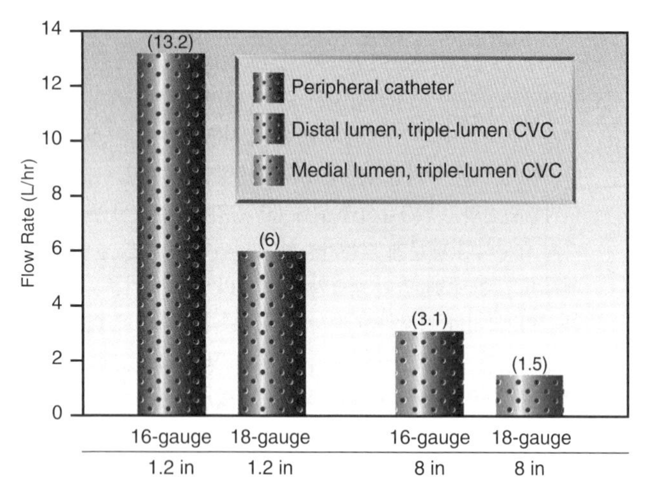

■ **그림 7.2** 짧은 말초카테터와 긴 삼중내강 중심정맥관의 중력에 의한 유속. 말초카테터의 유속은 Ann Emer Med 198;12:149 및 Emergency Medicine Update (www.emupdates.com)을 참고하였으며, 삼중내강중심정맥관의 유속은 제조사 (Arrow International)에서 제공하였다.

가 더긴 중심정맥카테터 (8 인치)보다 짧은 말초카테터 (1.2 인치)에서 훨씬 더 크다는 것을 **그림 7.2**에서 보여주고 있다.

2. 그림 7.2는 *적극적인 용량소생술 (aggressive volume resuscitation)을 위해 중심정맥카테터보다 굵고 짧은 말초카테터를 선호하는 이유를 보여준다.*

B. 안내관 (Introducer Sheaths)

외상환자의 치료 (trauma resuscitation)시 초기 1시간 이내 5 L 이상의 수액주입이 필요할 수 있으며 1시간 내 50 L 이상 주입했던 경우도 보고되었다 (31).

1. 대구경유도관 (large bore introducer sheaths) (일반적으로 폐동맥카테

터용 유도관으로 사용됨)를 사용하여 매우 빠른 유속으로 수액공급이 가능하므로 이 유도관을 단독 주입장치로써 사용할 수 있으며 8.5 및 9 French (각각 2.7 및 3 mm 외경) 크기의 유도관을 사용할 수 있다.

2. 유도관 (introducer sheaths)을 통해 주입할 수 있는 유량은 최대 15 mL/sec (54 L/hr) 정도 인데 이는 표준정맥주사관 (standard intravenous tubing, 직경 3 mm) (32)을 통해 최대유량 (18 mL/sec 또는 65 L/hr)보다 약간 적다.
3. 일부 유도관 (introducer sheaths)에는 허브의 측면주입포트 (side infusion port)가 있는데 이 포트를 통한 유량의 최대치는 유도관 (introducer sheaths)을 통한 전체 유량의 약 25%이다 (32). 따라서 측면주입포트 (side infusion port)는 빠른 수액주입이 필요할 때 사용하면 안 된다.

C. 농축적혈구 수혈 (Infusing Packed Red Blood Cell)

1. 출혈 시 전혈을 수혈하는 것이 가능하지 않으므로, 적혈구손실은 농축적혈구 (Packed Red Blood Cell, PRBC)라고 불리는 농축해서 저장되어 있는 적혈구로 보충하게 된다.
2. PRBC의 각각 단위 (each unit)는 55-60%의 적혈구용적률 (hematocrit)이며 물보다 약 6 배의 점도를 나타낸다(33). 결과적으로, PRBC는 카테터 (Hagen-Poiseuille 방정식에 의해 예측 됨)를 통해 느리게 흐르기 때문에, 종종 결정질수액으로 희석해 주입하는 것이 필요하다.
3. 다음은 18G 말초카테터를 통해 농축적혈구를 중력의 힘으로 주입할 때 유속에 미치는 희석의 영향을 보여준다 (34).
   a. 단독주입 시 PRBC의 유속은 5 mL/min (또는 약 350 mL의 부피를 갖는 PRBC 1 단위 수혈의 경우 1시간)이다.
   b. 1 단위의 PRBC를 100 mL 식염수로 희석하면 유속이 39 mL/min으로 증가한다 (약 8 배 증가).
   c. 1 단위의 PRBC를 250 mL의 등장성식염수 (isotonic saline)로 희석하면 유속은 60 mL/min (희석되지 않은 유속보다 12 배 증가)이다.

이 속도로는 1 단위의 PRBC를 5-6 분 이내에 주입할 수 있다.

d. 압력을 가해 PRBC를 주입하는 경우 중력에 의한 주입속도보다 2 배 정도 증가된다 (34).

4. 링거용액에는 칼슘이 포함되어 있기 때문에 절대로 PRBC를 희석하는데 사용하면 안 된다. PRBC에 들어 있는 구연산항응고제 (citrate anticoagulant)와 칼슘이 결합하여 응집을 촉진시킬 수 있기 때문이다 (링거용액에 대한 자세한 내용은 10장 참조).

V. 소생술 진료 (RESUSCITATION PRACTICES)

활동성 출혈이나 출혈쇼크의 소생술에 다음과 같은 진료가 포함된다. 일반적인 목적과 최종목표 (end-points)는 **그림 7.3**에 요약하였다.

A. 표준소생술 진료 (Standard Resuscitation Practices)

1. 혈장량을 확장시키는데 결정질수액 (crystalloid fluids)보다 콜로이드수액 (colloid fluids)이 우월함에도 불구하고 **(그림 10.1 참조)**, 순환혈액량 소생 (volume resuscitation)에 결정질수액 (crystalloid fluids)이 더 많이 사용된다.
2. 활동성 출혈이나 저혈압이 있는 외상환자의 표준진료는 15 분에 걸쳐 2 L의 결정질수액을 주입하는 것이다 (35).
3. 저혈압이나 출혈이 계속되면 다음과 같은 목표에 달성하기 위해 PRBC를 결정질수액과 함께 주입한다.
   a. 평균동맥압 ≥ 65 mm Hg.
   b. 소변배출량 > 0.5 mL/kg/hr.
   c. 건강했던 환자에서는 헤모글로빈 농도가 7 g/dl 이상 또는, 관상동맥질환이 있는 환자에서는 헤모글로빈 농도가 9 g/dL 이상 (36).
   d. 중심정맥 산소포화도 ($ScvO_2$) > 70%.

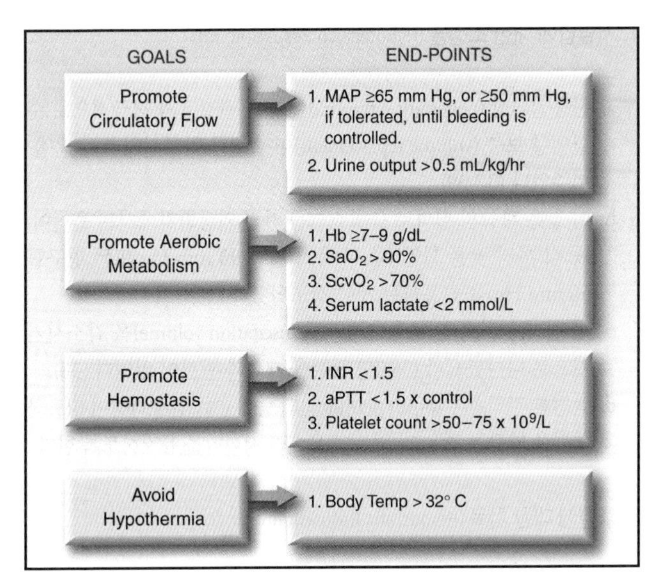

■ 그림 7.3 출혈성 쇼크의 일반적인 목표 및 종료시점. MAP=mean arterial pressure, Hb=hemoglobin concentration in blood, SaO_2=arterial O_2 saturation, $ScvO_2$=central venous O_2 saturation, INR=international normalized ration, aPTT=activated partial thromboplastin time

e. 정상적인 혈액젖산농도 (일반적으로 <2 mmol/L).

B. 손상방지소생술 (Damage Control Resuscitation)

통제되지 않는 출혈이 출혈쇼크의 주된 사망원인이기 때문에 대량출혈 (24시간 이내에 총혈액량 한번의 손실로 정의)의 경우 출혈양을 억제하기 위해 다음과 같은 치료가 시행되고 있다. 이러한 치료를 총괄적으로 손상방지소생술 (damage control resuscitation)로 알려져 있다 (37).

1. 저혈압에 대한 소생술 (Hypotensive Resuscitation)

a. 관통성외상 (penetrating trauma)에 대한 관찰결과 적극적으로 순환혈액량 보충 (volume replacement)이 출혈을 악화시킬 수 있음을 보여주었다 (37-39).
b. 이 같은 관찰의 결과로 출혈쇼크를 가진 외상환자에서는 출혈이 멈출 때 까지 낮은 혈압 (즉, 수축기 혈압 90 mm Hg 또는 평균혈압 50 mm Hg)을 허용하는 것이 강조되었다 (37).
c. 이 전략은 치료 중 보충수액량 (resuscitation volume)을 감소시키는 것으로 나타났으나 (38,39) 생존율 개선과 관련이 있었다 (38).
d. 적절한 장기관류 (organ perfusion)의 증거 (예 : 환자의식이 명료하고 명령을 따르는 경우)가 있는 경우에만 저혈압을 유지하도록 한다

2. 출혈에 대한 치료 (Hemostatic Resuscitation)

a. 신선동결혈장 (FRESH FROZEN PLASMA): 대량혈액손실의 치료를 위해 주입하는 농축적혈구 (packed RBCs) 6단위마다 신선동결혈장 (FFP) 1단위를 제공하는 것이 희석응고병증 (dilutional coagulopathy)를 예방하기 위해 시행하는 전통적인 치료법이다. 그러나 중증외상환자 (severely injured trauma victim)가 대부분 응고장애문제를 동반한 상태로 응급실에 도착한다는 관찰결과에 따라 *PRBC 1-2단위마다 FFP 1단위를 투여하는 치료법의 변화를* 가져왔으며 여러 연구결과에 의하면 이로 인하여 생존율이 개선 된 것으로 나타났다 (34,37,41). FFP의 수혈은 INR <1.5 및 정상 PTT <1.5 배 (42)를 유지하는 것을 목표로 한다.
b. 한랭침강물 (CRYOPRECIPITATE): FFP가 피브리노겐 (2-5 g/L)의 좋은 공급원이기는 하지만, 한랭침강물 (cryoprecipitate)은 FFP와 같은 양의 피브리노겐 (150-200 mL의 한랭침강물에 3.2-4.0 grams의 피브리노겐이 포함되어 있음)을 아주 적은 볼륨을 통해

서 공급할 수 있다 (42). 한랭침강물 (cryoprecipitate)는 용적제한 (volume control)이 필요하면서 혈청 피브리노겐 수치> 1 g / L을 유지해야 할 때 사용할 수 있다.

c. 혈소판 (PLATELETS): PRBC 10단위를 수혈할 때마다 1단위의 혈소판을 수혈하는 표준적인 치료방법에 의문이 있었고 PRBC 2-5단위마다 1단위의 혈소판을 수혈하면 생존율이 상승한다는 보고가 있다 (34). PRBC 수혈 시 혈소판 수혈의 가장 적절한 비율은 아직 정해진 것이 없으며 CBC 검사의 혈소판수에 따라 혈소판 수혈여부를 결정할 수 있다. 표준적인 목표는 활동성 출혈이 있는 경우 > 50,000/μL 이상의 혈소판 수를 유지하는 것이지만 어떤 의사는 출혈이 멈출 때까지 혈소판 수를 75,000/μL 이상으로 유지해야 한다고 주장한다 (42).

3. 저체온증 예방 (Avoid Hypothermia)

a. 심한외상은 온도조절능력의 상실을 동반하며, 외상관련 저체온증 (trauma-related hypothermia; temp <32℃)은 사망률의 증가와 관계 있고, 이는 응고인자 및 혈소판의 활동 감소에 의한 것일 수 있다 (37).

b. 혈액제제의 주입 (4℃에서 저장된)이 저체온을 촉진하기 때문에 대량혈액손실의 치료 시 수액라인가온기 (in-line fluid warmers)를 통상적으로 사용한다.

c. 가온담요 (warming blankets)와 수액라인가온기 (in-line fluid warmers)를 사용하면 이동전개형의무시설 (combat-support hospital)에서 저체온의 발생률을 1% 미만으로 줄일 수 있다 (37).

VI. 소생술후손상 (POSTRESUSCITATION INJURY)

출혈쇼크에서의 혈압 및 헤모글로빈 수치를 회복시키더라도 48-72시간 이내에 진행성 다발 장기부전으로 진행될 수 있기 때문에 만족스러운 결과를 보장하지는 못한다 (43).

A. 특징 (Features)

1. 소생술후손상 (postresuscitation injury)는 허혈성내장순환 (splanchnic circulation)이 재관류 되었을 때 발생하는 장기의 재관류손상 (reperfusion injury)으로 방출된 염증유발 사이토카인이 전신순환계로 들어와 발생한 것이다 (44).
2. 가장 초기증상은 급성호흡곤란증후군 (ARDS, 17장에서 설명됨)에 의한 진행성 호흡부전이며, 콩팥, 간, 심장 및 중추 신경계를 포함하는 진행성 기능부전이 뒤따른다.
3. 사망률은 손상이 일어난 장기의 수에 따라 결정되며 평균 50-60%이다 (43).

B. 선행요인 (Predisposing Factors)

1. 소생술후손상 (postresuscitation injury)이 흔히 발생할 수 있는 선행요인으로는 조직허혈을 회복시키는 데 걸리는 시간 (예: 젖산제거율; lactate clearance 24시간 이상), 수혈된 PRBC 단위 수 (12시간 이내 6단위 이상) 및 수혈된 혈액의 채혈 후 보관기간 (> 3주)이 있다 (43).
2. 소생술 (Resuscitation) 시행 후 3일 이상 지난 다음 발생하는 경우 감염발생이 관련되어 있을 수 있다 (43).

C. 치료 (Management)

1. 치료는 일반적인 보조요법를 포함하지만, 급성조직허혈을 회복시키는데 (즉, 젖산제거율; lactate clearance <24시간) 주의를 기울이면 소생 후 소생술후손상 (postresuscitation injury)의 위험을 줄일 수 있다.
2. 후기발생 (late-onset, > 72 hrs) 소생술후손상 (postresuscitation injury)

에서, 잠재되어 있는 감염의 즉각적인 인지와 치료는 필수적이다.

참고문헌

1. Walker RH (ed). Technical Manual of the American Association of Blood Banks. 10th ed., Arlington, VA: American Association of Blood Banks, 1990:650.
2. American College of Surgeons. Advanced Trauma Life Support for Doctors (ATLS): Student Course Manual. 8th ed. Chicago, IL: American College of Surgeons, 2008.
3. Marik PE. Assessment of intravascular volume: A comedy of errors. Crit Care Med 2001; 29:1635.
4. McGee S, Abernathy WB, Simel DL. Is this patient hypovolemic. JAMA 1999; 281:1022-1029.
5. Sinert R, Spektor M. Clinical assessment of hypovolemia. Ann Emerg Med 2005; 45:327-329.
6. Marik PE, Baram M, Vahid B. Does central venous pressure predict fluid responsiveness? Chest 2008; 134:172-178.
7. Oohashi S, Endoh H. Does central venous pressure or pulmonary capillary wedge pressure reflect the status of circulating blood volume in patients after extended transthoracic esophagectomy? J Anesth 2005; 19:21-25.
8. Cordts PR, LaMorte WW, Fisher JB, et al. Poor predictive value of hematocrit and hemodynamic parameters for erythrocyte deficits after extensive vascular operations. Surg Gynecol Obstet 1992; 175:243-248.
9. Stamler KD. Effect of crystalloid infusion on hematocrit in nonbleeding patients, with applications to clinical traumatology. Ann Emerg Med 1989; 18:747-749.
10. Okorie ON, Dellinger P. Lactate: biomarker and potential therapeutic agent. Crit Care Clin 2011; 27:299-326.
11. Abramson D, Scalea TM, Hitchcock R, et al. Lactate clearance and survival following injury. J Trauma 1993; 35:584-589.
12. Severinghaus JW. Case for standard-base excess as the measure of non-respiratory acid-base imbalance. J Clin Monit 1991; 7:276-277.
13. Davis JW, Shackford SR, Mackersie RC, Hoyt DB. Base deficit as a guide to vol-

ume resuscitation. J Trauma 1998; 28:1464–1467.
14. Martin MJ, Fitzsullivan E, Salim A, et al. Discordance between lactate and base deficit in the surgical intensive care unit: which one do you trust? Am J Surg 2006; 191:625–630.
15. Yu M, Pei K, Moran S, et al. A prospective randomized trial using blood volume analysis in addition to pulmonary artery catheter, compared with pulmonary artery catheter alone to guide shock resuscitation in critically ill surgical patients. Shock 2011;35:220–228.
16. Boyd JH, Forbes J, Nakada TA, et al. Fluid resuscitation in septic shock: A positive fluid balance and elevated central venous pressure are associated with increased mortality. Crit Care Med 2011;39:259–265.
17. Cecconi M, Parsons A, Rhodes A. What is a fluid challenge? Curr Opin Crit Care 2011; 17:290–295.
18. Marik PE. Fluid responsiveness and the six guiding principles of fluid resuscitation. Crit Care Med 2016; DOI 10.1097/CCM.0000000000001483.
19. Lakhal K, Ehrmann S, Perrotin S, et al. Fluid challenge: tracking changes in cardiac output with blood pressure monitoring (invasive or non-invasive). Intensive Care Med 2013; 39:1953–1962.
20. Giraud R, Siegenthaler N, Gayet-Ageron A, et al. ScvO(2) as a marker to define fluid responsiveness. J Trauma 2011; 70:802–807.
21. Monnet X, Bataille A, Magalhaes E, et al. End-tidal carbon dioxide is better than arterial pressure for predicting volume responsiveness by the passive leg raising test. Intensive Care Med 2013; 39:93–100.
22. Enomoto TM, Harder L. Dynamic indices of preload. Crit Care Clin 2010; 26:307–321.
23. Monnet X, Teboul JL. Passive leg raising: five rules, not a drop of fluid. Crit Care 2015, Jan 14 (Epub). Free article available on PubMed (PMID 25658678).
24. Monnet X, Marok P, Teboul JL. Passive leg raising for predicting fluid responsiveness: a systematic review and meta-analysis. Intensive Care Med 2016, Jan 29 (Epub ahead of print). Abstract available at PubMed (PMID: 26825952).
25. Mahjoub Y, Touzeau J, Airapetian N, et al. The passive leg-raising maneuver cannot accurately predict fluid responsiveness in patients with intra-abdominal hypertension. Crit Care Med 2010;36:1824–1829.
26. Rudski LG, Lai WW, Afialo J, et al. Guidelines for the echocardiographic assess-

ment of the right heart in adults: A report from the American Society of Echocardiography. J Am Soc Echocardiogr 2010; 23:685-687.
27. Marik PE, Cavallazzi R, Vasu T, Hirani A. Dynamic changes in arterial waveform derived variables and fluid responsiveness in mechanically ventilated patients: A systematic review of the literature. Crit Care Med 2009; 37:2642-2647.
28. Mahjoub Y, Pila C, Frigerri A, et al. Assessing fluid responsiveness in critically ill patients: False-positive pulse pressure variation is detected by Doppler echocardiographic evaluation of the right ventricle. Crit Care Med 2009; 37:2570-2575.
29. Mahjoub Y, Lejeune V, Muller L, et al. Evaluation of pulse pressure variation validity criteria in critically ill patients: a prospective, observational multicentre point-prevalence study. Br J Anesth 2014; 112:681-685.
30. Chien S, Usami S, Skalak R. Blood flow in small tubes. In Renkin EM, Michel CC (eds). Handbook of Physiology. Section 2: The cardiovascular system. Volume IV. The microcirculation. Bethesda: American Physiological Society, 1984:217-249.
31. Barcelona SL, Vilich F, Cote CJ. A comparison of flow rates and warming capabilities of the Level 1 and Rapid Infusion Systems with various-size intravenous catheters. Anesth Analg 2003;97:358-363.
32. Hyman SA, Smith DW, England R, et al. Pulmonary artery catheter introducers: Do the component parts affect flow rate? Anesth Analg 1991; 73:573-575.
33. Documenta Geigy Scientific Tables, 7th ed. Basel: Documenta Geigy, 1966:557.
34. de la Roche MRP, Gauthier L. Rapid transfusion of packed red blood cells: effects of dilution, pressure, and catheter size. Ann Emerg Med 1993; 22:1551-1555.
35. American College of Surgeons. Shock. In Advanced Trauma Life Support Manual, 7th ed. Chicago: American College of Surgeons, 2004: 87-107.
36. Napolitano LM, Kurek S, Luchette FA, et al. Clinical practice guideline: red blood cell transfusion in adult trauma and critical care. Crit Care Med 2009; 37:3124-3157.
37. Beekley AC. Damage control resuscitation: a sensible approach to the exsanguinating surgical patient. Crit Care Med 2008;36:S267-S274.
38. Bickell WH, Wall MJ Jr, Pepe PE, et al. Immediate versus delayed fluid resuscitation for hypotensive patients with penetrating torso injuries. N Engl J Med 1994; 331:1105-1109.
39. Morrison CA, Carrick M, Norman MA, et al. Hypotensive resuscitation strategy

reduces transfusion requirements and severe postoperative coagulopathy in trauma patients with hemorrhagic shock: preliminary results of a randomized controlled trial. J Trauma 2011; 70:652-663.
40. Brohi K, Singh J, Heron M, Coats T. Acute traumatic coagulopathy. J Trauma 2003; 54:1127-1130.
41. Magnotti LJ, Zarzaur BL, Fischer PE, et al. Improved survival after hemostatic resuscitation: does the emperor have no clothes? J Trauma 2011; 70:97-102.
42. Stainsby D, MacLennan S, Thomas D, et al, for the British Committee for Standards in Hematology. Guidelines on the management of massive blood loss. Br J Haematol 2006; 135:634-641.
43. Dewar D, Moore FA, Moore EE, Balogh Z. Postinjury multiorgan failure. Injury 2009; 40:912-918.
44. Eltzschig HK, Collard CD. Vascular ischaemia and reperfusion injury. Br Med Bull 2004; 70:71-86.

Chapter 8

급성 심부전

Acute Heart Failures

심부전은 단일질환이 아니며 영향을 받는 심장주기 (수축기 또는 확장기심부전)와 관련된 심장의 부위 (우심 또는 좌심부전)에 따라 분류한다. 이 장에서는 다양한 종류의 심부전에 대해 설명하고 ICU에서 치료해야 하는 진행된 심부전을 중심으로 기술한다.

I. 심부전의 종류 (TYPES OF HEART FAILURE)

A. 수축기 vs 확장기심부전 (Systolic vs Diastolic Heart Failure)

심부전에 대한 초기의 설명은 대부분 수축기 (수축기심부전)동안의 수축기능부전에 의한 것이었다. 그러나 심부전으로 입원하는 환자의 약 50%는 이완기 기능장애 (확장기심부전)환자들이다 (1).

1. 압력 – 용적 관계 (Pressure-Volume Relationship)

그림 8.1에서 압력-용적 곡선이 수축기 및 확장기심부전의 유사점과 차이점을 보여준다.

a. 그림 8.1의 상단에 있는 *심실기능곡선 (일명, ventricular function*

*curve라고 함)*은 심부전이 일회박출량 (stroke volume)의 감소 및 확장기말압 (end-diastolic pressure, EDP)의 증가와 관련이 있음을 보여준다. 이러한 변화는 두 가지 유형의 심부전 모두에서 발생한다.

b. **그림 8.1**의 하단에 있는 *심실유순도곡선 (일명, ventricular compliance curve라고 함)*은 수축기 심부전에서는 EDP의 증가가 확장기말 용적 (end-diastolic volume)의 증가와 관련되어있고 확장기 심부전에서는 EDP의 증가는 확장기말 용적 (end-diastolic volume)의 감소와 관련된다는 것을 보여준다.

c. 수축기, 확장기심부전에서의 확장기말수축량 (end-diastolic volume, EDV)의 차이는 다음 관계로 정의되는 심실팽창성 (ventricular distensibility) 또는 순응도 (compliance, C)의 차이에 따른 결과이다.

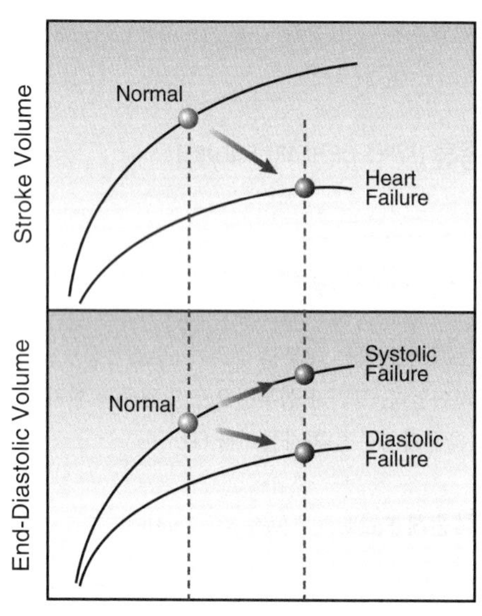

■ **그림 8.1** 압력-용적 곡선을 통해 수축기부전과 확장기부전이 심기능의 측정에 미치는 영향을 알 수 있다. 위쪽 패널은 심실 기능 곡선이며, 아래쪽 패널은 확장기 유순도곡선이다. 자세한 설명은 본문을 참고한다.

$$C = \Delta EDV / \Delta EDP \quad (8.1)$$

그림 8.1에서 아래쪽 곡선의 기울기는 심실 유순도를 반영하며, 확장기 심부전에서 기울기 감소는 유순도 감소를 의미한다. 따라서, 확장기 심부전에서 기능성 장애 (functional dysfunction)란 심실 확장성이 감소하여 확장기 동안 심실 충만에 문제가 발생하는 것을 의미한다.

d. 그림 8.1은 EDV가 (EDP가 아니고) 수축기와 확장기심부전을 감별하는데 도움이 되는 소견임을 보여준다 (표 8.1 참조). 그럼에도 EDV를 쉽게 측정 할 수 없으므로 박출률 (ejection fraction) (다음에 설명 됨)을 사용하여 심부전의 유형을 감별한다.

표 8.1 수축기 및 확장기 심부전에서 좌심실 기능의 지표들

지표	수축기 심부전	확장기 심부전
확장기말 압력	증가	증가
확장기말 용적	증가	감소
박출률 †	≤40%	≥50%

†참고문헌 1 발췌

2. 박출률 (Ejection Fraction)

확장기말용적 (end-diastolic volume) 중 수축기 동안에 배출되는 부분은 박출률 (EF)로 알려져 있고 일회박출량 (stroke volume, SV)/ 확장기말용적 (end-diastolic volume, EDV)의 비율과 같다:

$$EF = SV / EDV \quad (8.2)$$

박출률은 심실수축의 강도와 직접 관계가 있으며 수축기 기능의 척도로도 사용된다. 경흉부심초음파 (transthoracic echocardiography)는 박출률을 측정할 때 가장 빈번하게 사용되는 방법이다 (1).

a. 기준 : 좌심실박출률 (LVEF)가 40% 이하인 심부전은 수축기심부전이고 좌심실박출률 (LVEF)이 50% 이상인 심부전은 확장기심부전이다 **(표 8.1 참조)** (1). 좌심실박출률 (LVEF)가 41-49% 인 심부전은 중간범주이긴 하지만 이같은 유형의 심부전은 대부분 확장기심부전과 매우 유사하다 (1).

3. 용어 (Terminology)

많은 심부전환자에서는 수축기 및 확장기 기능장애가 어느 정도는 한 환자에 동시에 존재하므로 여러가지 유형의 심부전 (1)에 대해 다음 용어가 제안되었다 (1).

a. 수축기 기능부전에 의한 심부전을 *'감소된 심박출률에 동반된 심부전 (heart failure with reduced ejection fraction)'*이라고 한다.

b. 확장기 기능부전에 의한 심부전을 *'정상적 심박출률에 동반된 심부전 (heart failure with preserved ejection fraction)'*이라고 한다.

이 용어들은 길기 때문에 심실기능의 일차적인 문제를 구별하는데 도움이 되지 못해서 대신에 '수축기심부전 (systolic heart failure)'과 '확장기심부전 (diastolic heart failure)' 이라는 용어를 이 장과 이 책 전반에 걸쳐 사용한다.

4. 원인 (Etiologies)

a. 수축기심부전의 원인은 크게 허혈성 및 확장성 심근증으로 분류된다. 후자에는 독성 (예를 들어, 에탄올 (ETOH)), 대사성 (예를 들어, 티아민 결핍) 및 감염성 (예, HIV) 질환을 포함하는 다양한 원인질환을 포함한다 (1).

b. 확장기심부전의 가장 흔한 원인은 좌심실비대를 동반 한 고혈압으로, 90%까지 원인이 된다 (1).

B. 우심부전 (Right Heart Failure)

ICU 환자에서 우심부전은 의심되는 경우보다 더 많이 발생한다 (2,3). 대부분의 경우는 폐동맥고혈압 (예: 폐색전, 급성호흡곤란증후군 또는 만성폐쇄성폐질환) 및 하벽심근경색 (inferior wall myocardial infarction)에 의해 발생한다.

1. 우심실기능 (Right Ventricular Function)

a. 우심부전은 수축 (수축기)장애로 우심실 확장기말 용적 (right ventricular end-diastolic volume, RVEDV)이 증가한다.
b. 우심실 확장기말 용적 (RVEDV)이 증가함에도 불구하고 우심실 확장기말 용적 (RVEDV)를 반영하는 중심정맥압 (CVP)은 우심실부전 환자 약 3 분의 1에서 정상이다 (2).
c. CVP는 우심실 확장기말 용적 (RVEDV)의 증가가 심낭에 의해 제한을 받을 때까지는 상승하지 않는다 (심낭제한; pericardial constraint). 이와 같이 정맥압 상승이 지연되므로 우심실부전의 임상적 진단이 어렵다.

2. 심초음파검사 (Echocardiography)

심초음파검사는 ICU에서 우심부전을 발견하는 데 매우 중요한 방법이다. 경식도 검사법이 우심실을 관찰하는데 더 좋은 시야를 제공하지만, 경흉부심초음파검사는 다음과 같은 중요한 결과를 제공할 수 있다 (표 8.2 참조) (3).

a. 우심실 : 좌심실면적비 (RV : LV area ratio)는 확장기말에 두 공간 (chamber)의 면적을 추적하여 측정한다. 비율> 0.6은 RV이 확장 된 것을 의미한다.
b. 우심실부분면적변화 (right ventricular fractional area change, RV-FAC)는 수축기 동안의 우심실면적의 변화를 우심실확장기말 우심실면적으로 나눈 비율이며, 우심실박출율 (RV ejection fraction)을

대신하는 지표 (surrogate measure)이다. RVFAC <32%는 우심실수축기 기능장애를 의미한다. 우심실의 심초음파 검사에 대한보다 포괄적인 설명은 참고문헌 3과 4를 읽어 보자.

표 8.2 TTE를 이용한 우심부전 측정

지표	영상	비정상 수치
RV/LV 면적비	Apical 4 chamber	>0.6
우심실 부분 면적 변화 (RVFAC)	Apical 4 chamber	<32%

참고문헌3 발췌. TTE=transthoracic echocardiography

C. 급성심부전 (Acute Heart Failure)

1. 급성심부전은 대부분 (80-85%)의 환자에서 만성심부전의 악화에 의하며 이는 만성심부전 치료약 중단 등 순응도 저하, 조절되지 않는 고혈압 또는 급성심방세동의 결과로 종종 발생한다 (5).
2. 급성심부전 환자의 약 15-20%는 새롭게 시작된 심부전인데 주 원인은 급성관상동맥증후군 (acute coronary syndrome)이다 (5).
3. 스트레스유발심근병증 (stress-induced cardiomyopathy)은 급성심부전의 새로운 원인으로 대두되고 있다. 이 같은 상태는 카테콜아민의 과다분비에 기인하며 전형적으로 정서적 스트레스가 심한 폐경기 여성과 지주막하출혈 (subarachnoid hemorrhage) 및 외상성뇌손상과 같은 급성신경손상환자에서 발생한다 (6).
   a. 임상증상은 호흡곤란 및 흉통을 포함하며 종종 급성관상동맥증후군으로 오인된다. 심전도변화는 ST 분절변화 (ST segment change)와 T파 역전 (T-wave inversion)이 포함될 수 있다(6).
   b. 심초음파는 전형적으로 좌심실첨부 (apex of the left ventricle)를 침범하는 첨부확장 (apical ballooning) 또는 운동저하 (hypokinesis)를 보여준다.
   c. 이와 동반된 심부전은 심하면 혈류역학적인 불안정성을 동반할 수

있지만 이로 인한 증상은 수일에서 수주 안에 호전된다 (6).

d. 혈류역학적 불안정성을 치료하는데 카테콜아민제 (예를 들어 도부타민)는 추천되지 않는다.

II. 임상적평가 (CLINAL EVALUATION)

급성심부전은 환자의 병력, 부종 (폐 및 / 또는 말초)의 존재 및 심부전의 증거 (심전도 및 심초음파 검사에 의한)에 기반하여 임상적으로 진단한다. 그리고 다음의 검사도 유용하다.

A. B형 나트륨이뇨펩티드 (B-Type Natriuretic Peptide)

1. 심방 및 심실 벽이 신전 (stretch)되면 심장근육세포에서 네 가지 나트륨이뇨펩티드 (natriuretic peptides)가 방출된다. 이러한 펩티드는 소변에서 나트륨 배설을 촉진 (이를 통해 ventricular preload를 감소시킴) 하고 전신혈관을 확장시킴으로써 (이를 통해 ventricular afterload를 감소 시킴) 심실에 걸리는 부담을 줄여준다.
2. 나트륨이뇨펩티드 중 하나는 brain-type 또는 B형 나트륨이뇨펩티드 (B-Type Natriuretic Peptide, BNP)인데 이는 전구체 (precursor) 또는 프로 호르몬 (prohormone, proBNP)으로 방출 된 다음 활성 호르몬인 BNP와 대사적으로는 비활성형인 N-terminal(NT)-proBNP로 분리된다.
3. NT-proBNP는 BNP보다 긴 반감기를 가지므로 혈장 농도는 BNP 수준보다 3-5 배 높다.

4 임상적 이용 (Clinical Use)

a. BNP와 NT-proBNP의 혈장농도는 심부전 유무와 중증도를 평가

하는 데 사용된다. 이러한 펩티드 수치의 예측 값은 표 8.3에 나와 있다 (7-9).

b. 고령 및 진행된 신부전 환자에서 펩티드 수치가 높아질 수 있다. 펩티드 수치가 상승할 수 있는 다른 상태로는 치명적인 질병, 세균성 패혈증, 빈혈, 폐쇄성수면무호흡증 및 심한 폐렴이 있다 (1).

c. 심부전증 이외에도 ICU 환자 (중증질환을 포함해서)에서는 펩티드 수치가 높아질 수 있는 상태가 거의 대부분이기 때문에 ICU 환자에서 펩티드 수치의 임상적 유용성은 의문시 된다.

표 8.3 급성심부전에서 BNP

펩티드 분석	급성심부전의 가능성		
	낮음	불확실	가능
BNP (pg/mL)			
Age ≥18 yrs	<100	100–500	>500
GFR <60 mL/min	<200	200–500	>500
NT-proBNP (pg/mL)			
Age 18–49 yrs	<300	300–450	>450
Age 50–75 yrs	<300	300–900	>900
Age >75 yrs	<300	300–1800	>1800

참고문헌 7-9. BNP=brain natriuretic peptide

B. 혈액량 측정 (Measuring Blood Volume)

혈액량을 측정하기 위해 방사성동위원소를 표지한 알부민 (Daxor Corp, New York, NY)을 이용한, 임상적으로 유용한 기술의 도입은 급성심부전의 진단 및 치료에 중요한 의미를 갖고 있다. 이 기술을 이용하여 심부전환자에서 시행한 예비연구에서 모든 심부전환자가 혈량증가증 (hypervolemic) 소견을 보이지 않으며 또 이뇨제를 투여하여 체중이 현저하게 감소되더라도 혈액량은 현저하게 감소하지 않는다는 사실이 밝혀졌다. 이 결과는 심부전의 진단 및 치료에 있어서 혈액량 측정의 잠재적 가치를 보여준다.

Ⅲ. 치료전략 (MANAGEMENT STRATEGIES)

여기에 설명된 치료는 주로 보상되지 않은 (decompensated), 좌측 (left-sided), 수축기심부전 (systolic heart failure)과 IV제제 (경구투여가 아닌)를 포함 한다. 환자가 내원할 당시 혈압에 따라 치료방법을 정리했다.

A. 높은혈압 (High Blood Pressure)

내원 당시 급성 심부전 환자의 약 25%는 혈압이 높은 상태이다 (5).

1. 권장치료법 (Recommendation)

치료에는 혈액량 과다 (volume overloading)의 증거가 있는 경우 이뇨제 (furosemide 투여)와 함께 nitroglycerin 또는 nitroprusside를 포함한 혈관확장요법 (vasodilator therapy)이 포함 되어야 한다 (1). Nitroglycerin 과 nitroprusside는 제45장에 상세히 기술되어 있으며 (V, VI절 참조), 이들 약물에 대한 투여 권장사항은 표 8.4에 나와 있다. Furosemide 투약에 대해서는 이 장의 뒷부분에서 설명한다.

2. 어떤 혈관 확장제를 선호합니까? (Which Vasodilator is Preferred?)

Nitroglycerin이 더 안전한 선택이다. Nitroprusside는 시안화물 (cyanide) 및 티오시안산염독성 (thiocyanate toxicity)의 위험을 초래할 뿐만 아니라 (제45장에서 설명), 심근허혈부위의 비확장혈관 (non-dilating blood vessel) 내 혈류를 오히려 다른 혈관으로 전환 (diverting)

시켜 급성관상동맥증후군 (acute coronary syndrome)에서 심장혈류전환증후군 (coronary steal syndrome)을 일으킬 수 있다 (11).

3. 경고 (Caveat)

이뇨제로 급성심부전치료를 시작하는 것이 표준적인 치료이지만 furosemide IV는 레닌 (renin) 방출을 자극하여 급성혈관수축반응을 일으키게 되고 (12) 강력한 혈압상승제인 안지오텐신 II가 형성된다. 이 같은 반응에 의해 고혈압이 악화될 수 있으므로, furosemide를 공격적인 용량 (aggressive dosing)으로 투여하는 것은 가능하면 혈관확장제 투여로 혈압이 조절 될 때까지 늦춰야 한다.

B. 정상혈압 (Normal Blood Pressure)

급성 심부전환자 절반 이상이 정상적인 혈압을 가지고 있다 (5).

1. 권장치료법 (Recommendation)

a. 혈액량 과다 (volume overloading)의 증거가 있는 경우 nitroglycerin 또는 nitroprusside를 포함한 혈관확장요법 (vasodilator therapy)과 furosemide를 사용하는 이뇨요법을 병행해야 한다.
b. 혈관확장제내성 (vasodilator intolerance 즉, 저혈압) 또는 전신저관류증상 (systemic hypoperfusion 예를 들어, 핍뇨)의 징후의 경우, dobutamine, milrinone, 혹은 levosimendan을 이용한 심장수축혈관확장제 (inodilator) 치료가 적절하다.
c. 폐부종을 동반한 급성심부전의 경우, 양압기계환기를 보조적인 치료방법으로 사용할 수 있다.

2. Nesiritide

Nesiritide(Natrecor)는 혈관확장뿐만 아니라 이뇨작용을 촉진하여 다른 혈관 확장제보다 잠재적인 이점이 있는 재조합인간 B형 나트륨이뇨펩티드 (recombinant human B-type natriuretic peptide)이다 (권장투여량 등에 대해서는 표 8.4 참조). 그러나 임상연구에 따르면 nesiritide는 이뇨효과가 거의 없고 치료결과를 향상시키지 못한다는 사실이 밝혀졌다 (13). 현재까지는 nitroglycerin보다 nesiritide를 선호 할 이유가 없다.

표 8.4 급성심부전에서 혈관확장제 정주 치료법

혈관확장제	권장 용량
Nitroglycerin	1. PVC 수액 세트로 주입하지 말 것. PVC 수액 세트에 결합 2. 5–10 μg/min 속도로 시작하여, 원하는 효과가 나타날 때까지 5분 간격으로 5–10 μg/min 증량. 대부분 ≤100 μg/min에서 효과가 나타남 3. 질산염 (nitrate) 내성은 24시간 후에 발생
Nitroprusside	1. Nitroprusside에서 떨어져 나오는 시안화물 (cyanide)과 결합시키기 위해 티오시안산염 (thiocyanate)을 첨가. 50 mg 당 550 mg 2. 0.2–0.3 μg/kg/min 속도로 시작하여, 원하는 효과가 나타날 때까지 증량. 대부분 2–5 μg/kg/min에서 효과가 나타남. 3 μg/kg/min 이하로 사용하면 시안화물 중독을 줄일 수 있음. 3. 신부전 환자는 티오시안산염 중독을 줄이기 위해 사용을 피할 것.
Nesiritide	1. 헤파린 코팅 수액 세트를 사용하지 말 것. 헤파린과 결합 2. 2 μg/kg을 IV bolus 후 0.01 μg/kg/min 속도로 주입. 필요한 경우, 추가로 1 μg/kg을 IV bolus 후 0.005 μg/kg/min 속도로 증량. 추가 IV bolus 및 용량조절은 3시간마다 가능하며, 최대용량은 0.03 μg/kg/min

PVC= polyvinlychloride

3. 심장수축혈관확장제 (inodilators)

심장수축혈관확장제 (inodilators)는 양성수축력 (positive inotropic) 및 혈관확장효과 (vasodilator effect)가 있는 약제이다. 이 부류의 약제에는 dobutamine, milrinone, 또는 levosimendan이 포함되며, 이들 약물에 대한 권장 투여량은 표 8.5에 나와 있다.

표 8.5 급성심부전에서 IV Inodilator 요법

Inodilator	권장 용량
Dobutamine	1. 알칼리성 용액 (alkaline solutions)과 동시에 주입하지 말 것 2. 5 μg/kg/min 속도로 시작하여 필요한 경우 3-5 μg/kg/min 단위로 증량. 일반적인 용량은 5-20 μg/kg/min
Milrinone	1. 10분에 걸쳐 12 μg/kg/ 주입 후 0.1 μg/kg/min로 지속 정주. 필요한 경우, 1시간 후에 0.1 μg/kg/min로 증량 2. 지속작용 대사물이 최소 7일 이상 효과를 나타내기 때문에 대부분 24시간 이내로 사용.
Levosimendan	1. 10분에 걸쳐 50 μg/kg/ 주입 후 0.375-0.07 μg/kg/min로 지속 정주. 1일 용량 1.13 mg/kg 이하로 사용 2. 크레아티닌 청소율 (creatinine clearance, CrCl)이 50 mL/min 이하인 경우 용량을 조절할 것. CrCl(mL/min): 50 / 40 / 30 / 20 / 10 / 5 Dose(μg/kg/min): 0.43 / 0.38 / 0.33 / 0.28 / 0.23 / 0.20

DOBUTAMINE: Dobutamine은 양성수축력효과 (positive inotropic effect, β1- 수용체 자극) 및 경미한 혈관확장효과 (vasodilator effect, β2-수용체 자극)를 갖는 합성 카테콜아민이다. 이 약제에 대해서는 제45장 1절에 자세히 기술되어 있다. Dobutamine은 카테콜아민이기 때문에 허혈성심근 (ischemic myocardium, 산소공급에 장애가 있는 심근)

과 부전에 빠진 심근 (failing myocardium, 산소소비가 이미 증가한 심근) 모두에게 악영향을 주는 심근산소소비량의 증가를 포함하여 바람직하지 않는 심장자극 (cardiac stimulation)을 일으킬 수 있다 (14).

MILRINONE: Milrinone은 dobutamine과 동일한 경로를 통해 작용하는 포스포디에스테라제억제제 (phosphodiesterase inhibitor 즉, c-AMP 매개에 의한 심근세포로의 칼슘유입)이다. Dobutamine과 비교했을 때, milrinone은 원치 않는 심장자극을 유발하지는 않지만 저혈압을 일으킬 가능성은 더 크다 (15). 크레아티닌 청소율이 ≤50 mL/min 인 경우에는 표 8.5와 같이 용량 감소를 권고한다 (14).

LEVOSIMENDAN: Levosimendan(Simdax)은 (a) 심근섬유 (cardiac myofilaments)를 칼슘에 민감하게 하여 수축성을 높이고, (b) 혈관평활근 (vascular smooth muscle)으로의 칼륨유입 (potassium influx)을 촉진하여 혈관확장을 촉진하며, (c) 심장보호효과 (cardioprotective effects, 세포자멸사를 감소시켜서)를 갖는다 (16). *Levosimendan은 심근의 산소소비량을 증가시키지 않으며 (16), 생존율 향상이 입증된 유일한 수축촉진제 (inotropic agent)이다 (17).* Levosimendan의 주입은 대개 24시간까지로 제한되는데 이는 이 약제의 반감기가 길어서 활성대사산물이 치료시작 72시간 후 최대가 되기 때문이다. 부작용으로는 빈맥과 저혈압이 있으며 오래 지속되는 활성대사산물이 때문에 장기간 지속될 수 있다. Levosimendan의 요청에도 불구하고 미국에서는 사용승인을 받지 못했다.

4. 주의 (Caveat)

확장기심부전 (diastolic failure)에서 혈관확장제는 신중히 사용해야 하며 (저혈압의 위험 때문에) 양성수축력 약물 (positive inotropic agents)은 전혀 사용하지 않아야 한다 (수축기 기능이 비정상이 아니기 때문에).

5. 양압호흡 (Positive Pressure Breathing)

a. 양압호흡 (Positive Pressure Breathing, PPB)은 수축기 동안 전층벽압 (transmural wall pressure)을 감소시켜 좌심실의 후부하 (afterload)를 감소시키며 (18), 이로 인해 좌심실의 일회박출량 (stroke output)이 증가된다 (19).
b. 심장성폐부종 (cardiogenic pulmonary edema)환자에 대한 임상연구결과는 통상적인 치료에 양압호흡 (PPB)을 추가했을 때 임상적 호전을 촉진하였음을 보여주었다 (20,21)
c. 연구에 사용된 양압호흡 (PPB)은 지속성기도양압 (continuous positive airway pressure, CPAP)과 비침습성보조환기 (noninvasive pressure-support ventilation)을 포함한다. (이에 대한 설명은 제20장을 참조하자.)

C. 낮은 혈압- 심장성쇼크 (Low Blood Pressure, Cardiogenic Shock)

저혈압을 동반한 급성심부전 (전체 급성심부전의 약 10%)은 전신성 저관류 (예를 들면, 소변량 감소) 및 혈중유산농도의 상승이 동반되는 심장성쇼크를 흔히 이야기하며 생명을 위협하는 상태이다. 이 상태는 대부분 급성심근경색의 결과로 나타난다. 덜 흔한 원인으로는 심낭 눌림증 (pericardial tamponade), 대량폐색전증 (massive pulmonary embolism), 급성승모판막역류 또는 급성대동맥판역류가 있다.

1. 권장치료법 (Recommendation)

a. 심초음파검사는 적절한 치료방법을 선택하는데 필수적이다 (예: 심낭 눌림증; pericardial tamponade이 확인 된 경우에는 심낭천자 ; pericardiocentesis가 가장 적절하다).

b. 심근수축실패 (contractile failure)가 문제가 되는 경우에는 dobutamine과 norepinephrine의 조합을 사용하여 평균동맥압 (MAP)이 ≥ 65 mm Hg 이상 유지되도록 하고(22) 선택적으로 *기계적 순환보조장치 (mechanical circulatory support)*를 추가로 적용한다.

2. 약물치료 (Pharmacologic Support)

a. 심장성쇼크에는 두 가지 혈류역학적 목표가 있다: (a) 심실의 일회박출량 (SV) 증가, (b) 평균 동맥압 (MAP) 증가.
b. Dobutamine은 수축촉진효과 (inotropic effect)를 통해 일회박출량 (SV)을 증가시키기지만 동시에 dobutamine의 혈관확장효과로 인하여 종종 평균동맥압 (MAP)의 유의한 상승을 억제하므로 norepinephrine을 추가하여 혈관수축을 촉진하여 평균동맥압 (MAP)을 높여준다.
c. Norepinephrine은 부하용량을 주입하지 않고 지속주입 (continuous infusion)으로 시작한다. 초기주입속도는 2-3 μg/min이고 일반적인 용량범위는 2-20 μg/min이다. Norepinephrine에 대한 더 자세한 정보는 제45장 VII 절을 참고하자.)

3. 기계적순환보조장치 (Mechanical Circulatory Support)

기계적순환보조장치는 급성심근경색환자 중 계획된 관상동맥혈관재개통 (planned coronary revascularization)을 시행하는 환자에서 일차적으로 사용된다. 기계적순환보조장치에 대해서는 이번 장의 뒷부분에서 설명한다.

D. 이뇨제치료 (Diuretic Therapy)

1. 이뇨제 및 심장박출량 (Diuresis and Cardiac Output)

이뇨제가 체액저류 (fluid retention)에 대한 치료의 기본이지만 다음과 같은 단점이 있다.

a. 급성심부전 환자의 여러 연구에서 이뇨제 (IV furosemide) 투여로 정맥환류 (venous return)가 감소하게 되어 결과적으로 심장박출량이 감소 된다는 사실이 밝혀졌다 (23-25). 이런 이유로, 급성심부전의 치료에서 이뇨제의 단독투여는 절대로 안되며, 항상 혈관확장제 또는 심장수축혈관확장제 (inodilators)와 동시에 투여해야 한다.

b. 확장기심부전 (diastolic heart failure) 환자에서 심장충만 (cardiac filling)이 부적절한 경우 이뇨제가 심장박출량의 감소를 확대시키는 경향을 보일 수 있다. 그러므로 이뇨제는 확장기심부전 (diastolic heart failure) 환자 (예: 고혈압성심부전환자; hypertensive heart failure)에서 조심스럽게 사용해야 한다.

2. Furosemide의 대량주입 (Bolus Dosing of Furosemide)

a. Furosemide IV bolus 후, 이뇨 (diuresis)는 보통 15분 이내에 시작되고, 1시간에 최대치가 되며 2시간 지속된다 (26).

b. 정상적인 신기능을 가진 환자의 경우, furosemide의 초기용량은 40 mg IV 이어야 한다. 2시간 후에 이뇨가 적절하지 않으면 (적어도 1 L), 용량을 2 배로 증량한다 (80 mg). 만족스러운 이뇨가 이뤄지는 용량을 1일 2회 투여한다. IV 용량 80 mg에 반응하지 않는 경우 이뇨제저항 (diuretic resistance)의 증거이며 치료방법은 다음 절에서 기술한다.

c. 신기능 장애 환자의 경우 초기 furosemide 용량은 100 mg IV 이어야 하며, 필요할 경우 200 mg까지 증가시킬 수 있다. 만족스러운 이뇨가 이뤄지는 용량을 1일 2회 투여한다. IV 용량 200 mg에 반

응하지 않는 경우 이뇨제저항 (diuretic resistance)의 증거이다.

d. 이뇨제 치료의 목표는 최소한 체중의 5-10%를 감량하는 것이다 (27).

3. 이뇨제저항 (diuretic resistance)

Furosemide에 대한 반응이 감소하는 것은 진행된 심부전에서 흔히 볼 수 있으며, 나트륨보류반동 (rebound sodium retension), 감소된 콩팥 혈류 또는 이뇨제제동 (diuretic braking; 예를 들면 혈량과다증이 해소됨에 따라 이뇨제에 대한 반응성이 감소되는)의 결과일 수 있다 (28). 다음과 같은 조치들은 furosemide 반응성을 향상시킬 수 있다.

a. THIAZIDE 추가 : Thiazide 이뇨제는 말초세뇨관에서 나트륨재흡수 (sodium reabsorption)를 차단하여 furosemide에 대한 이뇨반응을 높일 수 있다 (콩팥세관고리- loop of Henle에서 나트륨 재흡수를 차단함). 선호되는 thiazide는 metolazone이며, 이는 신부전에서도 효능을 유지한다 (28). Metolazone은 2.5-10 mg을 1일 1회 경구투여 한다; 이뇨반응은 복용 후 1시간부터 시작되고 9시간이 최고점이므로, furosemide를 투여하지 수 시간 전에 미리 투여해야 한다.

b. FUROSEMIDE의 지속주입 (CONTINUOUS INFUSION FUROSEMIDE): Furosemide의 이뇨작용은 furosemide의 혈장농도가 아닌 요로배설률 에 영향을 받으므로 (function of its urinary excrection), 간헐적인 대량주입 (bolus doses)보다 약물의 지속적인 주입이 더 강력한 이뇨작용을 나타낸다 (29). Furosemide의 지속주입을 위한 치료용량은 신기능에 따라 조정한다 (27,28):

크레아티닌 청소율	부하용량	초기 주입률
〉75 mL/min	100 mg	10 mg/hr
25–75 mL/min	100–200 mg	10–20 mg/hr
〈 25 mL/min	200 mg	20–40 mg/hr

원하는 소변량(예: ≥100 mL/hr)에 도달할 수 있도록 주입률을 조절

한다.
최대권장주입률은 240-360 mg/hr이고 (28), 고령 환자에서는 170 mL/hr 이다 (30).

IV. 기계적 순환보조장치 (MECHANICAL CIRCULATORY SUPPORT)

기계적 순환보조에는 3가지 유형이 있다: (a) 좌심실에 걸리는 압력을 줄이는 방법 (대동맥내풍선펌프, intra-aortic balloon pump), (b) 좌심실에 걸리는 용적을 줄이는 방법 (좌심실 보조장치, left-ventricular assist device), 및 (c) 양심실에 걸리는 용적을 줄이면서 체외막산소화 (ECMO)를 시행하는 방법. 불행하게도, *이런 3가지 방법 중 어떤 것도 생존율 향상을 보여주지 못했다 (31,32).* 가장 흔히 사용되는 기계적 순환보조장치인 대동맥내풍선펌프 (intra-aortic balloon pump)에 중심을 두고 설명하겠다.

A. 대동맥내풍선역박동 (Intra-aortic Balloon Counterpulsation)

심인성 쇼크 (cardiogenic shock)를 동반한 급성심근경색환자에서 관상동맥혈관재개통술 (경피적 또는 수술적)을 계획할 때 대동맥내풍선펌프 (IABP)를 일시적으로 사용한다 (31). 그러나 대동맥판막 폐쇄부전 (aortic valve insufficiency)이나 대동맥박리 (aortic dissection)가 있는 경우에는 금기이다.

1. 방법 (Method)

a. 대동맥풍선은 경피적으로 대퇴동맥을 통해 삽입되고 카테터팁이 좌측쇄골하동맥의 시작점 바로 아래에 위치할 때까지 대동맥 안으로 진행시키는 긴 폴리우레탄풍선 (elongated polyurethane balloon)이다 **(그림 8.2 참조)**.
b. 풍선에 연결된 펌프는 헬륨(저밀도 가스)을 사용하여 풍선을 급격

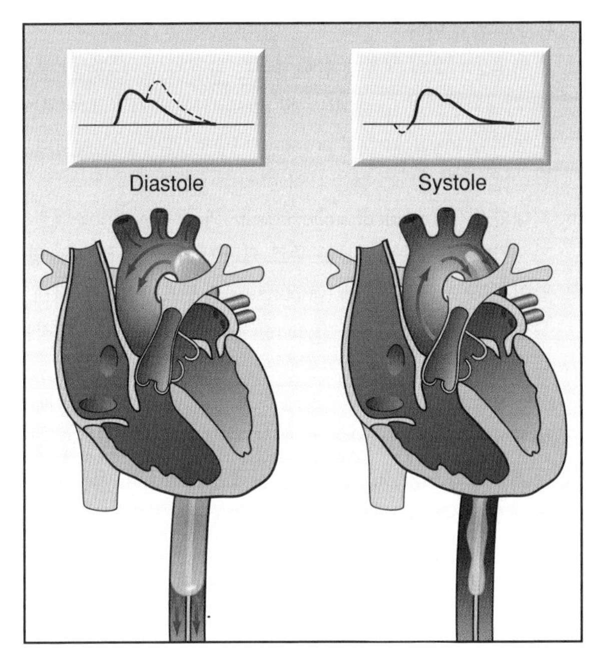

■ 그림 8.2 대동맥내풍선역박동 (IABP)은 좌측 패널처럼 확장기에는 풍선이 부풀어오르고, 수축기에는 우측 패널처럼 풍선이 작아진다. 화살표는 혈류의 방향을 나타낸다. 대동맥압력파형 (aortic pressure waveform)에 대한 효과는 점선으로 표시되어 있다.

하게 팽창시키고 수축시킨다. 팽창 (inflation)의 시작은 확장기 시작 더불어 대동맥밸브가 닫힌 직후 (ECG의 R 파를 유발신호로 사용) 바로 시작되며, 수축 (deflation)의 시작은 대동맥 판막이 열리기 직전, 즉 심실수축이 시작될 때이다.

2. 효과 (Effects)

대동맥내풍선펌프 (IABP)를 사용했을 때 혈류역학의 효과를 **그림 8.2**

에서 보여주고 있다.

a. 그림 8.2 왼쪽의 대동맥 압력파형은 확장기에 팽창시킨 풍선에 의해 최대확장기압 (peak diastolic pressure)이 증가되고, 이로 인해 평균동맥압 (mean arterial pressure, 대동맥 압력곡선 아래의 면적과 같음)을 증가시키는 것을 보여준다.

b. 최대확장기압 (peak diastolic pressure)의 증가는 관상동맥혈류를 증가시킨다 (관상동맥혈류는 주로 확장기 중에 공급된다). 평균동맥압이 증가로 혈압상승제 (vasopressor)의 필요성이 없어지게 되지만 그렇다고 해서 전신혈류 (systemic blood flow)가 증가되지는 않는다 (31).

c. 그림 8.2 오른쪽의 대동맥 압력파형은 풍선을 수축시킬 때에 대동맥판막 (aortic valve)이 열려 있는 상태에서 대동맥압을 감소시키는 흡인효과 (suction effect)가 발생함을 보여준다. 이는 좌심실로부터의 혈류 (즉, 후부하)에 대한 임피던스를 감소시키고 심실박출량 (ventricular stroke output)을 증가시킨다. 좌심실 후부하의 감소는 심작업량 (cardiac work) 및 심근산소소비 (myocardial O_2 consumption)의 감소를 동반한다.

d. 요약하면, 대동맥내풍선펌프 (IABP)는 심근산소공급 (myocardial O_2 delivery, 심근혈류증가를 통해)을 증가시켜 심장일회박출량 (cardiac stroke output)을 증가시키고 또 심근산소소비 (myocardial O_2 consumption)를 감소시킨다. 이와 같은 대동맥내풍선펌프 (IABP)치료의 유익한 효과들에도 *불구하고 수많은 연구에서 대동맥내풍선펌프 (IABP)치료에 의한 일관된 생존이익 (survival benefit)은 없었다 (31,32).*

3. 합병증 (Complications)

a. 사지허혈 (limb ischemia)은 3-20%의 환자에서 보고되며 (33,34), IABP가 설치되어 있거나 제거된 직후에 나타날 수 있다. 대부분의

경우는 풍선삽입부위에서 발생한 혈전증의 결과이다.

b. 하지맥박 (distal pulse)이 만져지지 않더라도 다리의 감각운동기능이 손상되지 않는 한 IABP를 제거할 필요는 없다 (35). 만일 다리의 감각운동기능이 없어지면 언제든지 IABP장치를 즉시 제거해야 한다.

c. 사지허혈 (limb ischemia)이 발생한 환자 30-50%에서 외과적 중재가 필요하다 (35).

d. IABP치료 환자 50%에서 발열이 보고되지만, 단지 15%의 환자에서만 균혈증이 보고된다 (36).

참고문헌

1. Yancy CW, Jessup MJ, Bozkurt B, et al. 2013 ACCF/AHA guideline for the management of heart failure. Report of the American College of Cardiology Foundation /American Heart Association Task Force on Practice Guidelines. Circulation 2013; 128:e240–e327.
2. Isner JM. Right ventricular myocardial infarction. JAMA 1988;259:712–718.
3. Acute right ventricular dysfunction. Real-time management with echocardiography. Chest 2015; 147:835–846.
4. Rudski LG, Lai WW, Afilalo J, et al. Guidelines for the echocardiographic assessment of the right heart in adults: A report from the American Society of Echocardiography. J Am Soc Echocardiogr 2010; 23:685–713.
5. Gheorghiade M, Pang PS. Acute heart failure syndromes. JACC 2009; 53:557–573.
6. Boland TA, Lee VH, Bleck TP. Stress-induced cardiomyopathy. Crit Care Med 2015; 43:686–693.
7. Maisel AS, Krishnaswamy P, Nomak RM, et al. Rapid measurement of B-type natriuretic peptide in the emergency diagnosis of heart failure. N Engl J Med 2002; 347:161–167.
8. Maisel AS, McCord J, Nowak J, et al. Bedside B-type natriuretic peptide in the emergency diagnosis of heart failure with reduced or preserved ejection fraction.

JACC 2003; 41:2010-2017.

9. Januzzi JL, van Kimmenade R, Lainchbury J, et al. NT-proBNP testing for diagnosis and short-term prognosis in acute destabilized heart failure: an international pooled analysis of 1256 patients. Europ Heart J 2006; 27:330-337.
10. Miller WL, Mullan BP. Understanding the heterogeneity in volume overload and fluid distribution in decompensated heart failure is key to optimal volume management. JACC Heart Fail 2014; 2:298-305.
11. Mann T, Cohn PF, Holman LB, et al. Effect of nitroprusside on regional myocardial blood flow in coronary artery disease. Results in 25 patients and comparison with nitroglycerin. Circulation 1978; 57:732-738.
12. Francis GS, Siegel RM, Goldsmith SR, et al. Acute vasoconstrictor response to intravenous furosemide in patients with chronic congestive heart failure. Ann Intern Med 1986; 103:1-6.
13. O'Connor CM, Starling RC, Hernanadez PW, et al. Effect of nesiritide in patients with acute decompensated heart failure. N Engl J Med 2011; 365:32-43.
14. Milrinone Lactate. In: McEvoy GK, ed. AHFS Drug Information,2014.Bethesda, MD: American Society of Health System Pharmacists, 2014:1753-55.
15. Bayram M, De Luca L, Massie B, Gheorghiade M. Reassessment of dobutamine, dopamine, and milrinone in the management of acute heart failure syndromes. Am J Cardiol 2005; 96(Suppl): 47G-58G.
16. Nieminem MS, Fruhwald S, Heunks LMA, et al. Levosimendan: current data, clinical use and future development. Heart Lung Vessel 2013; 5:227-245.
17. Belletti A, Castro ML, Silvetti S, et al. The effects of inotropes and vasopressors on mortality. A meta-analysis of randomized clinical trials. Br J Anaesth 2015; 115: 656-675.
18. Naughton MT, Raman MK, Hara K, et al. Effect of continuous positive airway pressure on intrathoracic and left ventricular transmural pressures in patients with congestive heart failure. Circulation 1995; 91:1725-1731.
19. Bradley TD, Holloway BM, McLaughlin PR, et al. Cardiac output response to continuous positive airway pressure in congestive heart failure. Am Rev Respir Crit Care Med 1992; 145:377-382.
20. Nouira S, Boukef R, Bouida W, et al. Non-invasive pressure support ventilation and CPAP in cardiogenic pulmonary edema: a multicenter randomized study in the emergency department. Intensive Care Med 2011; 37:249-256.

21. Ducros L, Logeart D, Vicaut E, et al. CPAP for acute cardiogenic pulmonary edema from out-of-hospital to cardiac intensive care unit: a randomized multicenter study. Intensive Care Med 2011;37:1501-1509.
22. Levy P, Perez P, Perny J, et al. Comparison of norepinephrine-dobutamine to epinephrine for hemodynamics, lactate metabolism, and organ function variables in cardiogenic shock. A prospective, randomized pilot study. Crit Care Med 2011; 39:450-455.
23. Kiely J, Kelly DT, Taylor DR, Pitt B. The role of furosemide in the treatment of left ventricular dysfunction associated with acute myocardial infarction. Circulation 1973; 58:581-587.
24. Mond H, Hunt D, Sloman G. Haemodynamic effects of frusemide in patients suspected of having acute myocardial infarction. Br Heart J 1974; 36:44-53.
25. Nelson GIC, Ahuja RC, Silke B, et al. Haemodynamic advantages of isosorbide dinitrate over frusemide in acute heart failure following myocardial infarction. Lancet 1983a; i:730-733.
26. Furosemide. In: McEvoy GK, ed. AHFS Drug Information, 2014. Bethesda, MD: American Society of Health System Pharmacists, 2014:2822-2825.
27. Jenkins PG. Diuretic strategies in acute heart failure. N Engl J Med 2011; 364:21
28. Asare K, Lindsey K. Management of loop diuretic resistance in the intensive care unit. Am J Health Syst Pharm 2009; 66:1635-1640.
29. Amer M, Adomaityte J, Qayyum R. Continuous infusion versus intermittent bolus furosemide in ADHF: an updated meta-analysis of randomized control trials. J Hosp Med 2012; 7:270-275.
30. Howard PA, Dunn MI. Aggressive diuresis for severe heart failure in the elderly. Chest 2001; 119:807-810.
31. Werden K, Gielen S, Ebelt H, Hochman JS. Mechanical circulatory support in cardiogenic shock. Eur Heart J 2014; 35:156-167.
32. Ahmad Y, Sen S, Shun-Sin MJ, et al. Intra-aortic balloon pump therapy for acute myocardial infarction. A meta-analysis. JAMA Intern Med 2015; 175:931-939.
33. Boehner JP, Popjes E. Cardiac failure: mechanical support strategies. Crit Care Med 2006; 34(Suppl):S268-S277.
34. Arafa OE, Pedersen TH, Svennevig JL, et al. Vascular complications of the intraaortic balloon pump in patients undergoing open heart operations: 15-year experience. Ann Thorac Surg 1999; 67:645-651.

35. Baldyga AP. Complications of intra-aortic balloon pump therapy. In Maccioli GA, ed. Intra-aortic balloon pump therapy. Philadelphia: Williams & Wilkins, 1997, 127-162.
36. Crystal E, Borer A, Gilad J, et al. Incidence and clinical significance of bacteremia and sepsis among cardiac patients treated with intra-aortic balloon counterpulsation pump. Am J Cardiol 2000; 86:1281-1284.

전신감염 및 염증

Systemic Infection and Inflammation

지난 20-30년간 중환자치료에서 가장 중요한 발견은 중환자에서 다장기기능장애 (multiorgan dysfunction)의 병인으로 염증이 중요한 역할을 하고 있다는 것이다. 이 장에서는 주요장기에서 염증손상 (inflammatory injury)과 연관된 4가지 장애- 패혈증 (sepsis), 패혈성쇼크 (septic shock), 아나필락시스 (anaphylaxis) 및 아나필락시스쇼크 (anaphylactic shock)에 대해 설명한다:

I. 임상증후군 (CLINICAL SYNDROME)

A. 전신염증반응증후군 (Systemic Inflammatory Response Syndrome, SIRS)

1. 염증반응은 숙주 (host)의 기능적 완전성 (functional integrity)을 위협하는 상황에 의해 유발되는 복잡한 과정이다. 이와 같은 상황의 예로써 물리적 손상 (외상), 화학적 손상 (예를 들면, 위산흡인), 산화에 의한 손상 (예를 들면, 방사선), 열손상 (화상) 및 미생물의 침입 등이 포함된다.
2. 염증반응의 임상증상은 표 9.1에 나열되어 있다. 이 소견 중 적어도 두 가지 이상이 있는 경우 *전신염증반응증후군 (Systemic Inflammatory Response Syndrome, SIRS)*이라고 불려왔다 (1).
3. SIRS진단에는 강조해야 할 두 가지 한계점이 있다.

a. *SIRS가 있다고 해서 감염이 존재하는 것을 의미하지 않는다.* 즉, SIRS 환자의 25-50%에서만 감염이 확인된다 (2,3).

b. SIRS가 있다고 해서 항상 염증이 존재하는 것을 의미하지 않는다. 예를 들어 불안은 염증반응이 없더라도 SIRS의 진단에 적합한 빈맥 및 빈호흡을 유발할 수 있다.

4. SIRS는 기본적으로 가능성이 있는 상태 (우선적으로 감염)의 원인을 찾아보도록 알려주는 신호이다.

표 9.1	전신염증반응증후군 (SIRS)

아래 내용 중 최소 2개 이상이 있을 때 SIRS 를 진단 가능

1. 체온 〉38℃ 혹은 〈36℃
2. 맥박 〉90회/분
3. 호흡수 〉20회/분 혹은 $PaCO_2$ 〈32 mm Hg (〈4.3kPa)
4. WBC 〉12,000/mm^3 혹은 〈4,000/mm^3 혹은 10% 미숙호중구 (band form neutrophils)

참고문헌 2 발췌

B. 패혈증 (Sepsis)

*패혈증은 감염에 대한 숙주반응의 조절장애에 의해 발생하는 생명을 위협하는 기관기능장애 (life-threatening organ dysfunction)로 정의*된다 (4). 기관기능장애 (organ dysfunction)는 통제되지 않은 염증 및/또는 염증성상해에 대한 부적절한 숙주의 방어의 결과로 나타나는 염증성손상 (inflammatory injury)에 기인한다.

1. SOFA 점수

감염이 의심되거나 확인된 환자의 경우 기관기능장애 (organ dysfunction)를 확인하기 위해 *패혈증관련 기관기능상실평가 (Sepsis-related Organ Failure Assessment, SOFA)*를 권장한다 (4,5). (SOFA 점수 계산 방법에 대해서는 부록 4 참조).

a. SOFA 점수가 기준치에서 2 점 이상 증가하는 경우 기관기능장애 (organ dysfunction) 발생의 증거이며, 이런 경우 합병증이 없는 감염의 사망률보다 2~25 배 높은 사망률을 보인다 (4).
b. 기존에 기관기능장애 (organ dysfunction)가 없었던 환자의 경우 기준 SOFA 점수를 0으로 가정한다.

2. Quick SOFA 기준

SOFA 점수를 계산하는데 임상검사결과가 필요하므로 기관기능장애 (organ dysfunction)의 상태 파악을 지연시키는 경우가 있으나 표 9.2 (4)에 나와있는 것과 같이 Quick SOFA (qSOFA) 기준을 사용하면 신속하게 기관기능장애 (organ dysfunction)를 파악할 수 있다.

a. qSOFA 기준 3가지 중 2개가 있는 경우 기관기능장애 (organ dysfunction)가 있다는 것을 추정할 수 있는 근거이다 (4).
b. qSOFA 기준은 선별도구로 사용해야 하며, 양성의 결과를 보이는 경우 즉시 기관기능장애를 확인하기 위한 추가적인 평가 (예: full SOFA score를 포함)를 시행해야 한다.

표 9.2 Quick SOFA Criteia

감염이 있을 때 아래 내용 중 2개 이상이 있다면 패혈증 가능성이 있다.

1. 호흡수 ≥22회/분
2. 의식상태 변화 [글래스고 혼수척도 (Glasgow Coma Score) ≤13]
3. 수축기 혈압 ≤100 mm Hg

참고문헌 4 발췌

C. 패혈성쇼크 (Septic Shock)

1. 패혈성쇼크는 다음과 같은 상태를 특징으로 하는 패혈증의 일부분 (subset)이다 (4).
   a. 순환혈액량 소생 (volume resuscitation)으로도 교정되지 않는 저혈압.
   b. 평균동맥압 ≥65 mmHg를 유지하기 위해서 지속적으로 혈압상승제가 필요한 경우.
   c. 혈청젖산농도> 2 mmol/L.
2. 패혈성쇼크의 사망률은 35-55%로 패혈증의 사망률 10-20%보다 훨씬 높다 (4).

II. 패혈성쇼크의 치료 (MANAGEMENT OF SEPTIC SHOCK)

패혈성쇼크를 치료하려면 다음에 설명하는 혈류역학 및 에너지 대사와 연결된 변화를 이해해야 한다.

A. 병태생리학 (Pathophysiology)

1. 혈류역학적인 변화 (Hemodynamic Alternation)

a. 패혈성쇼크는 심실전부하 (정맥혈관확장에 의한) 및 심실후부하 (동맥혈관확장에 의한)를 감소시키는 동맥과 정맥을 모두 포함하는 전신적인 혈관확장 (vasodilation)이 특징이다. 이러한 혈관의 변화는 혈관내피세포에서 산화질소 (vasodilator로서 작용)의 생산증가에 의한 것이다 (6).
b. 혈관내피손상 (호중구부착 및 탈과립에 의한)은 체액의 혈관외유출 (fluid extravasations) 및 혈량감소증 (hypovolemia)을 유발하며 이와 더불어 정맥혈관확장 (venodilation)으로 인해 심장충만 (cardiac filling)이 감소된다.

c. 향염증사이토카인 (proinflammatory cytokine)은 심기능장애 (수축기 및 확장기 모두에서 기능장애)가 심화되지만, 심박수의 증가 및 후부하 감소로 인해 심장박출량은 오히려 증가한다 (7).
d. 심장박출량의 증가에도 불구하고, 내장기관혈류 (splanchnic blood flow)는 패혈성쇼크에서 전형적으로 감소한다 (6). 이로 인해 장점막파괴 그리고 손상된 장점막을 통해 장내병원균 및 내독소 (endotoxins)가 전신순환계로 "전좌 (translocation)"될 수 있다. 그러면 이것이 결국 점차 진행되고 조절되지 않는 전신염증의 원인이 될 수 있다 (패혈증 및 패혈성쇼크에서 기관기능장애의 원인임).
e. 패혈성쇼크가 많이 진행되면 (advanced stage), 결국 심장박출량이 감소하기 시작하며 궁극적으로는 심인성 쇼크 (cardiogenic shock, 예를 들면 심장충전압력의 상승, 심장박출량의 저하 및 전신혈관저항의 증가)와 유사한 혈류역학적인 형태의 변화가 발생한다.

2. 세포변성저산소증 (Cytopathic Hypoxia)

a. 6장 끝부분 (III-F절을 참조)에서 언급했듯이 패혈성쇼크의 에너지 대사장애는 미토콘드리아의 산소이용장애에 의한 것이며 (8) 이것은 세포변성저산소증 (cytopathic hypoxia)으로 알려진 상태이다 (9). 조직 내 산소수준 (tissue O_2 level)은 감소되지 않은 상태이고 실제로는 증가되어 있을 수 있다 (10).
b. 패혈성쇼크에서 조직 내 산소수준 (tissue O_2 level)은 감소되지 않기 때문에, *조직 내 산소공급 (tissue oxygenation)을 증가시키기 위한 노력들은 (예 : 수혈을 통해) 타당하지 못하다.*

B. 초기치료 (Early Management)

이 책에서 설명하는 패혈성쇼크의 치료는 Surviving Sepsis Campaign의 최신지침을 기반으로 한다 (11). 초기치료 (진단 후 처음 6시간 이내의 치료)는 **표 9.3**에 요약되어 있다.

1. 수액보충 (Volume Resuscitation)

(a) 정맥혈관확장 (venodilation)과 (b) "모세혈관투과도증가 (leaky capillary)"를 통한 체액의 혈관외 유출로 인해 혈관내 유효혈액량 (intravascular volume)이 감소하여 심장충만압 (cardiac filling pressure)이 감소 될 것으로 예상되기 때문에 패혈성쇼크에서는 수액주입 (volume infusion)이 최우선 순위이다.

a. 결정질수액 (crystalloid fluids)은 낮은 비용으로 인해서 우선적으로 선택된다. (콜로이드-결정질에 관한 논쟁에 대해서는 10 장, IV절을 참조하자).
b. 권장주입량은 30 mL/kg 이며 3시간 이내에 투여해야 한다 (11).
c. 초기 순환혈액량 소생 (initial volume resuscitation) 후에, 불필요한 수액의 과다투여를 피하기 위해서는 유지하는 수액 (maintenance fluid)의 주입속도를 조절해야 한다. 왜냐하면 과다한 수액이 투여되면 (positive fluid balance) 패혈성쇼크 사망률이 증가하기 때문이다 (12).

표 9.3 패혈성쇼크의 초기 (첫 6시간) 치료

분류	내 용
중재	1. 결정질 수액을 30 mL/kg 투여 2. 저혈압이 지속되면, 혈압상승제를 추가 (Norepinephrine을 많이 사용) 3. CVP 및 $ScvO_2$ 감시를 위해 중심정맥관을 삽입 4. 혈액배양을 시행하고, 광범위 항생제를 투여
목표	1. 자발호흡 시 CVP 8 mm Hg, 기계환기 시 12–15 mm Hg 2. MAP ≥65 mm Hg 3. 소변배출량 ≥0.5 mL/kg/hr 4. ScvO2 ≥70% 5. 혈청젖산농도의 정상화 혹은 감소

참고문헌11에서 적용. CVP=central venous pressure, $ScvO_2$=central venous O_2 saturation, MAP=mean arterial pressure.

2. 혈압상승제 치료 (Vasopressor Therapy)

순환혈액량 소생 (volume resuscitation)은 패혈성쇼크에서 저혈압을 교정하지 못하며 평균동맥압 (MAP)이 65 mm Hg 이상 유지되도록 하려면 혈압상승제 치료가 필요하다.

a. Norepinephrine은 패혈성쇼크에서 우선적으로 선택되는 혈압상승제이다 (11). 일반적인 용량범위는 2-20 μg/min이다. (norepinephrine에 대한 더 자세한 정보는 제45장, VII 절을 참조하자.)
b. Norepinephrine 투여에도 반응이 없는 저항성 또는 불응성 저혈압을 교정하기 위해 추가적으로 vasopressin을 투여할 수 있지만, 혈압상승제로써 vasopressin을 단독으로 투여해서는 안된다. 이런 상황에서 권장투여량은 0.03-0.04 U/min이다 (11). Vasopressin은 혈압상승에는 도움이 될 수 있지만, 그 동안 축적된 경험에서 볼 때 vasopressin은 패혈성쇼크의 치료결과 (outcomes)에 아무런 영향을 주지 못한다 (28).
c. Epinephrine은 불응성저혈압인 경우에 추가적인 혈압상승제로 추천되지만 (11), epinephrine과 관련된 젖산생성증가는 젖산제거 (초기치료의 목표)를 방해 할 수 있으므로 적절치 못한 권장사항인 것 같다. (epinephrine 투여용량 및 부작용에 대한 정보는 45장, III 절을 참조하자.)
d. 빈맥성부정맥 (tachyarrhythmias)의 위험성 때문에 dopamine은 절대 또는 상대적서맥이 있는 환자에서만 선택적으로 투여하는 혈압상승제로 권장된다 (11). (dopamine 투여용량 및 부작용에 대한 정보는 제45장, II 절을 참조하자.)

3. 수축촉진제치료 (Inotropic Therapy)

혈압상승제로 혈압을 교정했음에도 중심정맥산소포화도 ($ScvO_2$)가 낮으면 (70% 미만) 조직으로의 산소전달이 부적절하므로 이런 경우가 양성수축촉진제인 dobutamine 투여의 적응증이 된다 (dobutamine에 대한 정보는 제45장, I 절을 참조하자.). 이 경우 심장박출량 (침습적 또는 비 침습적 방법으로)을 관찰하는 것이 좋다.

4. 항생제치료 (Antimicrobial Therapy)

적절한 항생제치료의 시작이 지연되면 패혈성쇼크의 치료결과 (outcomes)에 악영향을 미칠 수 있다. *그러므로 패혈성쇼크 진단 후 1시간 이내에 항생제치료를 시작해야 하는 것이 기본적인 권고사항이다 (11).* 그러나 실제적으로 혈액배양을 시행하고 항생제를 오더, 조제 및 주사하는 데 시간이 걸리는 때문에 이 권고사항을 따르기 어렵다. 그럼에도 불구하고 가능한 한 빨리 항생제치료를 시작해야 한다 (패혈증이 의심되는 경우의 경험적 항생제 사용에 대한 권장사항은 35장을 참조하자.).

5. 혈액배양 (Blood Culture)

항생제를 정맥 내로 한번만 투여하더라도 수 시간 안에 혈액배양을 멸균 할 수 있으므로 반드시 항생제를 투여하기 전에 혈액배양을 시행해야 한다.

a. 적어도 2 세트의 혈액배양을 권장한다. 하나는 경피 (percutaneously)로, 다른 하나는 혈관통로장치 (Vascular Access Device, VAD)를 통해 채취한다 (11).
b. 중심정맥카테터가 48시간 이상 삽입된 상태라면 카테터의 각각의 내강 (lumen)을 통해 한번씩 혈액배양이 시행되어야 하며 정량적 배양방법 (2장, III-D 절에서 설명 됨)을 사용한 경피적 혈액 배양과 비교되어야 한다.
c. 혈액배양 양성률은 배양에 들어가는 혈액의 양에 영향을 받으므로 각각의 배양병 (culture bottle)당 10 mL의 양을 채취하도록 권장하

고 있다.

C. 초기치료의 목표 (Goal of Early Management)

Surviving Sepsis Campaign은 패혈성쇼크의 진단 후 6시간 이내에 표 9.3에 나열된 목표를 성취할 것을 권장한다. 그러나 이러한 목표와 연관된 한계점을 이야기할 필요가 있다.

1. 중심정맥압 (Central Venous Pressure, CVP)

중앙정맥압 (CVP)을 치료목표로 사용하는 것은 CVP가 순환되는 혈액량을 정확하게 반영하지 못하여 **(그림 7.1 참조)** 수액치료를 조절하는 지표로 사용되어서는 안 된다는 근거에 반하는 것이다.

2. 중심정맥산소포화도 (Central Venous O2 Saturation)

중심정맥산소포화도 ($ScvO_2$)를 치료목표로 사용하는 것은 패혈성쇼크에서 조직산소수준이 감소한다는 가정에 근거한다. 이는 패혈성쇼크에서 조직산소수준이 감소하지 않으며 (10), 패혈성쇼크 환자의 대다수가 정상 $ScvO_2$ (14)를 보여준 연구결과와는 상반된다 (14).

3. 생존율 (Survival Value)

세 나라(미국, 영국 및 호주)에서 개별적으로 실시한 3 건의 대규모 무작위 연구결과 즉 초기치료목표를 달성하더라고 생존이득 (survival benefit)과 무관하다는 결과로 인해서 표 9.3의 초기치료목표의 가치가 도전받고 있다 (15).

D. 코르티코스테로이드 (Corticosteroids)

스테로이드가 패혈성쇼크의 치료결과를 향상시키지 못한다는 수많은 증거 (16)가 있음에도 불구하고, 선택된 패혈성쇼크 증례에서는 스테로이드가 계속 추천되었다. 다음은 현재 권장사항을 기술하였다 (11).

1. 승압제를 투여함에도 저혈압이 반응이 없을 때 스테로이드를 반듯이 고려해야 한다. 이런 상황에서 스테로이드를 투여할 때는 신속 ACTH자극검사 (rapid ACTH stimulation test)를 통한 부신기능부전의 증거가 필요하지 않는다.
2. 권장되는 스테로이드용량은 *1일 200 mg의 hydrocortisone을 IV로 지속적으로 주입* (bolus dose투여에 의한 고혈당 발생의 위험을 낮추기 위해)하는 것을 추천하고 있다.
3. 승압제 투여가 필요하는 상태에서는 계속 스테로이드를 사용해야 한다.

E. 지지요법 (Supportive Care)

1. 앞서 언급한 바와 같이 수액과다 (fluid accumulation)를 피하기 위해 세심한 주의를 기울이는 것이 중요한데 이는 양성체액평형 (positive fluid balance)은 패혈성쇼크 시 사망률 증가에 관계가 있다는 증거가 있기 때문이다 (12). 이런 면에 있어서 수액균형을 매일 확인하는 것이 필수적이다.
2. 혈당치는 혈당조절에 사용되는 표준상한치인 110 mg/dL보다 높은 ≤ 180 mg/dL 이어야 한다 (11). 이 권고안은 혈당 조절을 110 mg/dL 대신에 ≤180 mg/dL을 상한선으로 했을 때 사망률이 더 낮은 것을 보여주는 대규모 연구에 기반을 두고 있다 (17). 이 권장사항에서 혈당의 하한선은 없지만 저혈당은 중증환자의 경우 고혈당보다 위험할 수 있으므로 (18) 저혈당을 예방하는 데 주의를 기울여야 한다.
3. 적혈구수혈은 면역억제효과가 있으므로 (11장 V-E 절을 참고) 패혈성

쇼크 환자에게 불필요한 적혈구수혈을 피하는 것이 중요하다. 활동성 출혈 (active bleeding)이 없는 경우, RBC 수혈은 Hb가 7g/dL 이하로 내려갈 때까지는 권고되지 않는다 (11).

III. 아나필락시스 (ANAPHYLAXIS)

아나필락시스는 면역반응의 자극에 의해 호염구 및 비만세포로부터 염증 매개체가 분비되어 발생하는 급성다기관기능장애증후군 (acute multiorgan dysfunction syndrome)이다. 특징은 외부항원에 대해 과장된 면역글로불린 E (IgE) 반응이다. 즉, 과민반응이다. 일반적인 유발요인으로는 식품, 항생제 및 곤충에 물리는 것이 포함된다.

A. 임상소견 (Clinical Features)

1. 아나필락시스 반응은 전형적으로 갑자기 증상이 시작되며 외부유발인자에 노출된 후 수 분 안에 나타난다. 그러나 일부 반응은 노출 후 72시간만에 나타날 수 있다 (19).
2. 아나필락시스 반응의 특징적인 소견은 증가된 혈관투과성 및 체액의 혈관외유출 (extravasation)로 인해 발생한 연관된 장기의 부종 (edema)과 종창 (swelling)이다.
3. 아나필락시스의 임상증상은 표 9.4와 같다.
   a. 가장 흔한 증상은 두드러기 (urticarial) 및 피하혈관부종 (subcutaneous angioedema, 전형적으로 얼굴이 포함됨)이다.
   b. 문제가 되는 증상은 상부기도의 혈관부종 (예를 들어, 후두부종), 기관지경련 (bronchospasm) 및 저혈압이 포함된다.
   c. 가장 무서운 증상은 아나필락시스 쇼크를 나타내는 전신성 저관류 (systemic hypoperfusion, 예: 의식저하)의 소견을 보이는 저혈압이다.

표 9.4	아나필락시스의 임상양상
양상	**발생 빈도**
두드러기 (urticaria)	85-90%
피하혈관부종 (subcutaneous angioedema)	85-90%
상기도혈관부종 (upper airway angioedema)	50-60%
기관지경련 및 천명 (bronchospasm and wheezing)	45-50%
저혈압 (hypotension)	30-35%
복부경련, 설사 (abdominal cramping, diarrhea)	25-30%
흉골 하 흉통 (substernal chest pain)	4-6%
발진 없는 소양감 (pruritus without rash)	2-5%

참고문헌 19 발췌

B. 아나필락시스의 치료 (Management of Anaphylaxis)

1. Epinephrine

Epinephrine은 감작된 호염구 및 비만세포에서 염증 매개체의 방출을 차단하며 심한 아나필락시 반응에 가장 좋은 약물 (drug of choice)이다. 이 약물은 (혼란스러울 정도로) 다양한 수용액 (aqueous solution) 형태로 사용가능하며 있으며 이를 표 9.5에 정리하였다.

a. 아나필락시스 반응에 대한 통상적인 치료는 외측대퇴부에 심부근육주사 (deep intramuscular injection, IM)로 0.3-0.5 mg의 epinephrine (즉 1 : 1,000의 epinephrine 용액으로 0.3-0.5 mL) 투여하는 것이며 필요에 따라 5 분마다 반복한다 (19).

b. Epinephrine은 표 9.5의 투약방법에 따라 후두부종 시 분무투여 (nebulized) 할 수 있지만 이 방법의 효능은 불분명하다.

표 9.5	Epinephrine 수용액 및 임상 용도	
수용액	상황	용법
1:100 (10 mg/mL)	후두부종	0.25 mL (2.5 mg)을 2 mL 생리식염수와 혼합하여 분무 (nebulizer)
1:1,000 (1 mg/mL)	아나필락시스	0.3–0.5 mL (mg) 허벅지에 5분 간격으로 IM
1:10,000 (0.1 mg/mL)	무수축 혹은 무맥성 전기활동 (asystole or PEA)	10 mL (1 mg)을 3–5분 간격으로 IV
1:100,00 (0.01 mg/mL)	아나필락시스 쇼크	1:1,000 용액 1 mL를 식염수 100 mL에 혼합(1 mg/100 mL = 10 μg/ mL)하여 30–100 mL/hr 속도로 지속주입 (5–15 μg/min)

참고문헌19 발췌. PEA=pulseless electrical activity, IM=intramuscular injection, IV=intravenous injection.

c. Glucagon: Epinephrine은 β- 아드레날린수용체를 자극하여 염증세포의 탈과립을 억제하며 지속적인 치료 시 β-수용체 길항제의 작용에 의해 치료반응이 약화되거나 없어질 수 있다. 이런 상황에서 Glucagon은 epinephrine 반응성을 회복시킬 수 있다 (기전에 대해서는 46장, III-B 참조). Glucagon의 투여량은 1-5 mg을 천천히 IV 하고, 이어서 5-15 μg/min의 속도로 지속적으로 주입 (continuous infusion)한다 (19). 글루카곤은 구토를 유발할 수 있기 때문에, 흡인 위험성을 줄이기 위해 의식저하 소견을 보이는 환자는 옆으로 뉘여 놓은 상태로 치료해야 한다.

2. 이차치료약물 (Second-Line Agents)

다음 약제는 아나필락시스의 증상을 치료하는 데 사용되나 근본적인 병태생리의 소실을 빠르게 하지는 못한다.

a. 항히스타민 (ANTIHISTAMINES): 히스타민수용체 길항제는 피부반응에서 가려움증을 완화시키는데 사용될 수 있다. Histamine-H_1 차단제인 diphenhydramine (25-50 mg 경구투여, IM, 또는 IV)과 histamine-H_2 blocker인 ranitidine (50 mg IV 또는 150 mg 경구투여)은 병용투여 시 더 효과적이므로 함께 투여해야 한다.

b. 기관지확장제 (BRONCHODILATORS): Albuterol과 같은 흡입제 β-2 수용체작용제는 기관지경련 완화시키기 위해 사용되며, 네뷸라이져 (2.5 mL 또는 0.5% 용액을)나 계량흡입기 (metered-dose inhaler)를 통해 투여할 수 있다.

c. 스테로이드 사용 금지 (NO STEROIDS): 일반적으로 스테로이드가 과민반응에 대해 많이 처방되고 있음에도 불구하고 스테로이드가 아나필락시 반응의 회복, 완화 또는 재발을 예방하는데 효과적이라는 증거는 없다 (19). 따라서, 아나필락시치료에 대한 최신 진료지침에서는 스테로이드 요법에 대한 권장사항이 포함되어 있지 않다 (19).

C. 아나필락시스 쇼크의 치료 (Management of Anaohylactic Shock)

아나필락시스 쇼크는 전신적인 혈관확장과 투과도가 증가된 모세혈관을 통한 수액손실로 인한 심한 저혈압으로 즉각적으로 생명을 위협한다. 혈류역학적인 변화는 패혈성쇼크와 유사하지만 이것보다는 심각하다.

1. Epinephrine

아나필락시스 쇼크에는 epinephrine의 표준처방용량이 없지만 **표 9.5** (5-15 μg/min)의 정맥요법이 유효한 것으로 인용된다 (19). 일회투여용량 (bolus dose) (5-10 μg)을 연속주입 (continuous infusion)에 앞서 수행 할 수 있다 (20 회).

2. 순환 혈액량 소생 (Volume Resuscitation)

아나필락시 쇼크에서는 적극적인 순환혈액량 소생 (aggressive volume resuscitation)이 필수적이다. *이는 투가도가 증가된 모세혈관을 통해 혈관 내 부피의 35%가 손실될 수 있기 때문*이다 (19). 초기 순환혈액량 소생은 5-10 분 동안에 1-2 L의 결정질수액 (또는 20 mL/kg) 이나 500 mL의 5% 알부민을 투여해야 한다(19). 이후, 수액의 주입속도는 환자의 혈류역학적 상태에 맞춰 조정해야 한다.

3. 불응성 저혈압 (Refractory Hypotension)

Epinephrine 주입 및 순환혈액량 소생에도 불구하고 저혈압이 지속되는 경우 glucagon 또는 다른 혈압상승제 (예 : norepinephrine)를 추가하여 치료할 수 있다.

참고문헌

1. American College of Chest Physicians/Society of Critical Care Medicine Consensus Conference Committee. Definitions of sepsis and organ failure and guidelines for the use of innovative therapies in sepsis. Chest 1992; 101:1644-1655.
2. Pittet D, Range-Frausto S, Li N, et al. Systemic inflammatory response syndrome, sepsis, severe sepsis, and septic shock: incidence, morbidities and outcomes in surgical ICU patients. Intensive Care Med 1995; 21:302-309.
3. Rangel-Frausto MS, Pittet D, Costigan M, et al. Natural history of the systemic inflammatory response syndrome (SIRS). JAMA 1995; 273:117-123.
4. Singer M, Deutschman CS, Seymore CW, et al. The Third International Consensus Definitions for Sepsis and Septic Shock (Sepsis-3). JAMA 2016; 315:801-810.
5. Vincent JL, de Moreno R, Takala J, et al. The SOFA (Sepsis-related Organ Failure Assessment) score to describe organ dysfunction/ failure. Intensive Care Med 1996; 22:707-710.
6. Abraham E, Singer M. Mechanisms of sepsis-induced organ dysfunction. Crit

Care Med 2007; 35:2409–2416.

7. Snell RJ, Parillo JE. Cardiovascular dysfunction in septic shock. Chest 1991; 99:1000–1009.
8. Ruggieri AJ, Levy RJ, Deutschman CS. Mitochondrial dysfunction and resuscitation in sepsis. Crit Care Clin 2010; 26:567–575.
9. Fink MP. Cytopathic hypoxia. Mitochondrial dysfunction as mechanism contributing to organ dysfunction in sepsis. Crit Care Clin 2001; 17:219–237.
10. Sair M, Etherington PJ, Winlove CP, Evans TW. Tissue oxygenation and perfusion in patients with systemic sepsis. Crit Care Med 2001; 29:1343–1349.
11. Dellinger RP, Levy MM, Rhodes A, et al. Surviving Sepsis Campaign: International guidelines for management of severe sepsis and septic shock, 2012. Intensive Care Med 2013; 39:165–228.
12. Boyd JH, Forbes J, Nakada T-A, et al. Fluid resuscitation in septic shock: a positive fluid balance and elevated central venous pressure are associated with increased mortality. Crit Care Med 2011; 39:259–265.
13. Polito A, Parisini E, Ricci Z, et al. Vasopressin for treatment of vasodilatory shock: an ESICM systematic review and metaanalysis. Intensive Care Med 2012; 38:9–19.
14. Vallee F, Vallet B, Mathe O, et al. Central venous-to-arterial carbon dioxide difference: an additional target for goal-directed therapy[y in septic shock? Intensive Care Med 2008; 34:2218–2225.
15. Angus DC, Barnato AE, Bell D, et al. A systematic review and meta-analysis of early goal-directed therapy for septic shock: the ARISE, ProCESS, and ProMISe Investigators. Intensive Care Med 2015; 41:1549–1560.
16. Volbeda M, Wetterslev J, Gluud C, et al. Glucocorticoids for sepsis: systematic review with meta-analysis and trial sequential analysis. Intensive Care Med 2015; 41:1220–1234.
17. NICE-SUGAR Study Investigators. Intensive versus conventional glucose control in critically ill patients. N Engl J Med 2009;360:1283–1297.
18. Marik PE, Preiser J-C. Toward understanding tight glycemic control in the ICU. Chest 2010; 137:544–551.
19. Lieberman P, Nicklas RA, Oppenheimer J, et al. The diagnosis and management of anaphylaxis practice parameter: 2010 update. J Allergy Clin Immunol 2010; 126:480.e1–480.e42.
20. Sampson HA, Munoz-Furlong A, Campbell RL, et al. Second symposium on the definition and management of anaphylaxis: summary report. Ann Emerg Med 2006; 47:373–380.

Chapter 10

콜로이드 및 결정질 수액의 보충

Colloid and Crystalloid Resuscitation

이 장에서는 사용 가능한 다양한 결정질 및 콜로이드수액들을 설명하고, 각각 개별적으로나 또 그룹별로 이러한 수액의 핵심적인 특징을 설명한다.

I. 결정질수액 (CRYSTALLOID FLUIDS)

결정질수액은 혈장 (plasma)에서 간질액 (intersititial fluid)으로 자유롭게 움직일 수 있는 전해질용액 (electrolyte solutions)이다. 결정질수액의 주성분은 무기질염 (inorganic salt)과 소금 (sodium chloride)이다.

A. 용적분포 (Volume Distribution)

결정질수액 (crystalloid fluids)은 세포외액 (extracellular fluid), 즉 혈장과 간질액에 균일하게 분포한다. 혈장용적 (plasma volume)이 간질액용적 (interstitial fluid volume)의 25%이므로 (표 7.1 참조), 주입된 결정질수액의 25%는 혈장용적 (plasma volume)을 증가시키고, 나머지 75%는 간질액 (interstitial fluid)을 팽창시킨다 (1). 그러므로 *결정질수액 주입의 주된 효과는 혈장용적 (plasma volume)의 증가보다는 간질액용적 (interstitial fluid volume)을 증가시키는 것*이다.

B. 등장성식염수 (Isotonic Saline)

가장 널리 사용되는 결정질수액은 생리식염수 (잘못된 이름인데 다음에 설명한다.)로 더 잘 알려져 있는 0.9% 염화나트륨 (0.9% NaCL)이다.

1. 특징 (Features)

0.9% NaCL의 주목할 만한 구성은 **표 10.1**과 같다(2). 혈장 (**표 10.1에 포함되어 있음**)과 비교해 볼 때 0.9% NaCL은 나트륨 (Na) 농도가 높고 (154 vs. 141 mEq/L) 또 염화물 (CL) 농도는 훨씬 높으며 (154 vs 103 mEq/L) pH는 낮다 (5.7 vs 7.4). 혈장과 0.9% NaCL이 일치하는 유일한 특성은 측정된 오스몰농도 (osmolarity)이다. 이와 같은 비교를 통해 생리식염수 (normal saline)가 화학적으로 똑같은 정상 (normal)이지 않으며 혈장과는 단지 오스몰농도 (osmolarity)가 같다는 것을 알 수 있다. 따라서 이 수액에 대한 적절한 이름은 "생리식염수 (normal saline)"가 아니라 "등장성식염수 (isotonic saline)"이다.
참고: **표 10.1**의 빙점강하법으로 측정된 오스몰농도 (osmolarity)가 수액 내 존재하여 삼투활성도 (osmotically active)에 관여하는 모든 물질의 농도의 합으로 계산된 오스몰농도보다 더 정확하게 생체 내 삼투활성도 (in vivo osmotic activities)를 반영한다. 측정된 삼투활성도 (osmotic activities)는 계산된(예측된) 삼투활성도보다 낮다. 이와 같은 차이는 수액 내의 이온들 (ions) 간의 정전기상호작용 (electrostatic interactions) 때문에 발생하는데, 정전기상호작용으로 삼투활성도 (osmotically active)에 관여하는 입자의 수가 감소되기 때문이다. 결정질수액의 제조업체는 계산된 오스몰농도 (osmolarity)를 사용하여 수액의 생체 내 작용을 설명하기 때문에 이것은 언급할 필요가 있다.

2. 용적효과 (Volume Effects)

혈장 (plasma) 및 간질액 (intersititial fluid)에서 0.9% NaCL의 용적효

과는 **그림 10.1**에 설명되어 있다.

a. 0.9% NaCL 1 L를 주입하면 혈장에 275 mL, 간질액에 825 mL의 부피가 증가한다 (1). 이것은 결정질수액 (crystalloid fluids) 투여 시 예상되는 부피의 분포이다.

b. **그림 10.1**을 보면 세포 외 부피 (extracellular volume)의 총 증가량 (1,100 mL)이 투여한 용량보다 약간 큰 것에 주의하기 바란다. 세포 외 부피 (extracellular volume)가 100 mL를 추가로 증가된 것은 0.9% NaCL용액의 Na^+ 과다에 의해 세포 내 부피 (intracellular volume)에서 세포 외 부피 (extracellular volume)로 수액이 이동한 결과이다.

표 10.1 결정질수액과 혈장의 비교

구성요소	혈장	0.9% NaCL	링거 유산액	Normosol, Plasma-Lyte
Na^+ (mEq/L)	135–145	154	130	140
CL^- (mEq/L)	98–106	154	109	98
K^+ (mEq/L)	3.5–5.0	—	4	5
Ca^{++} (mg/dL)	3.0–4.5	—	4	—
Mg^{++} (mg/dL)	1.8–3.0	—	—	3
완충제 (mmol/L)	HCO_3^- (22–28)	—	Lactate (28)	Acetate(27) Gluconate(23)
pH	7.36–7.44	5.7	6.5	7.4
계산 오스몰농도 (mosm/L)	291	308	273	295
측정 삼투질농도† (mosm/kg H2O)	287	286	256	271

† 생체 내 삼투압을 더 정확하게 반영. 자세한 설명은 본문 참고. 참고문헌 2 발췌

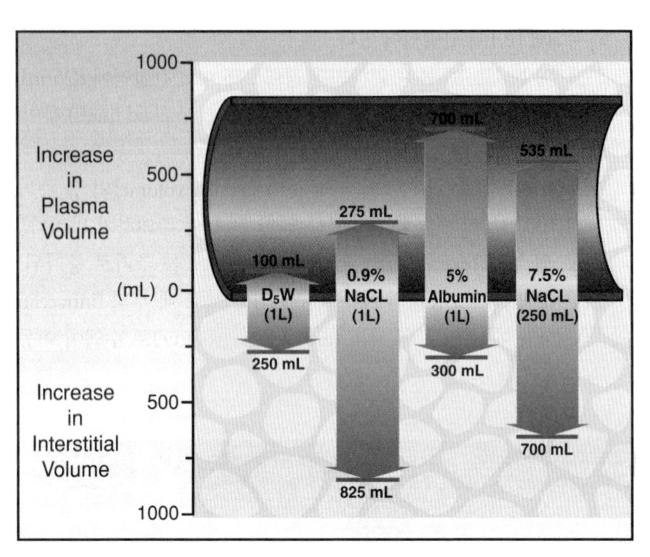

■ **그림** 10.1 수액에 따른 혈장량과 간질액량 사이의 분포 효과. 각 수액의 주입 용량은 개별로 표기되어 있다. 참고문헌1 발췌 자료.

3. 부작용 (Adverse Effects)

a. 간질성부종 (interstitial edema)은 모든 결정성수액 투여에 따른 위험이지만, 생리식염수에서 Na^+의 부하가 다른 결정성수액에 비해 가장 크기 때문에 (Na^+이 세포 외 체적의 주된 결정요소이므로) 간질성부종 (interstitial edema)의 위험이 가장 크다 (3).

b. 등장성식염수를 급속 또는 대량 주입하는 경우 종종 *고염소혈증성 대사산증 (hyperchloremic metabolic acidosisis)*이 동반되는데 이는 등장성식염수에 포함된 CL^-가 과도하게 투여되기는 상황이 되기 때문이다. 이런 상태의 병태리학적 중요성에 대해서는 논란이 있지만, 중환자에서 고염소혈증이 사망률 증가와 관련되어 있다는 증거가 있다 (5).

c. 등장성식염수를 주입하는 경우 아마도 염소매개신혈관수축

(chloride-mediated renal vasoconstriction)이 발생하여 콩팥관류의 감소를 동반한다 (6). 이 때문에 등장성식염수가 급성신손상 (acute kidney injury, AKI)을 촉진할 수 있다는 가능성에 대한 우려가 있다. 그러나 적어도 12 건의 임상시험에서 등장성식염수와 AKI 사이의 인과관계에 대한 증거는 관찰되지 않았다 (4,6).

C. 링거젖산용액 (Ringer's lactate)

링거용액 (영국의사 Sydney Ringer에 의해 1880년에 도입됨)은 K^+과 Ca^{++} (링거박사의 연구 분야였던 개구리심장실험에서 생존력을 증가시키기 위해 추가 되었던)을 함유한 0.9% NaCL 용액이다. 후일 미국 소아과의사 인 Alexis Hartmann이 젖산 (lactate)을 완충용액으로 추가하여 링거젖산용액 (Hartmann's solution으로도 알려져 있음)을 만들었다.

1. 특징 (Features)

링거젖산용액 (Ringer's lactate)의 화학적 특성은 **표 10.1**에 설명되어 있다. 0.9% NaCL과 비교할 때 다음과 같은 차이가 있다.

a. K^+과 Ca^{++} (혈장에 유리 또는 이온화 되어 있는 것과 비슷한 농도로)을 추가함으로써 전기중립성 (electrical neutrality)을 유지하기 위해 필요한 Na^+의 농도를 130 mEq/L까지 줄여도 균형을 맞출 수 있다.

b. 젖산은 완충제로서 (sodium lactate로서) 추가되고, 간에서 중탄산염 (bicarbonate)으로 대사된다. 화학반응은 다음과 같다.

$$CH_2\text{-}CHOH\text{-}COO^- + 3O_2 \rightarrow 2CO_2 + 2H_2O + HCO_2^- \quad (10.1)$$

이 화학반응에는 산소가 필요하며, 이는 *조직저산소증이 발생할 때 (즉, 순환쇼크 circulatory shock같은 상황) 젖산이 완충원 (buffer source) 역할을 할 수 없음을 의미*한다 (2).

c. 젖산첨가는 전기적중성을 유지하기 위해 필요한 CL^-농도의 감소를 필요로 한다. *링거젖산용액 의 CL^-농도는 혈장 내 농도와 비슷하여 고염소혈증성 대사산증 (hyperchloremic metabolic acidosisis) 의 위험을 최소화*한다.

d. 링거젖산용액의 삼투압은 혈장보다 현저히 낮으며 또 결정질수액 중에서 가장 낮다. 이와같이 저삼투압인 링거젖산용액 (Ringer's lactate)은 뇌부종 환자 또는 뇌부종의 위험이 있는 환자 (예: 외상성 두부손상)에서 가장 바람직하지 못한 결정질수액이다.

2. 부작용 (Adverse Effects)

a. 링거젖산용액의 Ca^{++}은 혈액제제의 구연산 항응고제와 결합할 수 있다. 이런 이유로 *링거젖산용액은 농축적혈구 (packed RBC) 의 수혈을 위한 희석수액으로써 금기*다 (2). 그러나 링거젖산용액 (Ringer's lactate) 부피가 농축적혈구 (packed RBC)의 부피의 50%를 초과하지 않거나 용액을 급속하게 주입하는 경우에는 응고형성이 일어나지 않는다 (7).

b. 링거젖산용액에 포함된 젖산함량 (28 mmol/L)은 특히 젖산대사에 장애가 발생하는 경우 (즉, 간기능부전 또는 순환쇼크), 고젖산혈증 (hyperlactatemia)의 위험이 발생한다. 이와 같은 위험성은 화상 환자를 대상으로 한 연구에서 링거젖산용액을 수액치료 (fluid management)시 사용하였을 때 젖산이 없는 링거액이 사용하였을 때와 달리 고젖산혈증 (hyperlactatemia)의 위험이 명백해짐이 입증되었다 (8).

c. 고젖산혈증 (hyperlactatemia)의 위험과 또 혈청젖산농도가 중환자의 진단 및 예후와 미치는 관계를 고려할 때 **(그림 6.2 참조)**, *고젖산혈증 (hyperlactatemia) 환자, 간기능 장애 또는 순환계 쇼크가 있는 환자에게 링거젖산용액을 투여하지 않는 것이 좋다.*

d. 참고: 링거젖산용액의 주입에 사용되는 카테터를 통해 혈액샘플을 채취하면 실제와는 다른 높은 젖산농도가 잘못 측정될 수 있다 (9).

D. pH가 정상인 수액

정상적인 생리학적 범위내의 pH를 보이는 결정질수액은 Normosol과 Plasma-Lyte 2종류가 있다. 이 수액의 성분은 동일하며 표 10.1에 나와 있다.

1. 특징 (Features)

a. 이 같은 수액에서 CL^-농도 (98 mEq/L)는 정상, 생리학적 범위 안에 있으며 Ca^{++} 대신 Mg^{++} (3 mg / dL)을 포함하고 있다.

b. 이 수액은 아세트산염 (acetate) (27 mmol/L)와 글루콘산염 (gluconate) (23 mmol/L)을 완충액으로 포함하고 있다. 글루콘산염은 약한 알칼리화제 (alkalinizing agent)로서 완충능력 (buffer capacity)을 거의 보충하지 못하지만 (2) 아세트산염은 골격근에서 다음과 같은 산화반응 (oxidation reaction)을 통해 신속하게 중탄산염으로 대사된다.

$$CH_3\text{-}COO^- + 2O_2 \rightarrow CO_2 + H_2O + HCO_3^- \qquad (10.2)$$

이 반응에는 O_2가 필요하며, 젖산과 유사하게 조직이 저산소상태 (예: 순환쇼크)에서는 완충제 공급원 (buffer source)으로 작용하지 못할 수 있음을 유의해야 한다 (식 10.1 참조).

c. 이 같은 수액의 삼투압측정치 (271 mosm/kg H_2O)를 혈장과 비교할 때 삼투압은 낮지만 링거젖산용액 (256 mosm/kg H_2O)과 같은 정도로 삼투압 낮지는 않다.

2. 장점 (Advantages)

이 같은 수액은 다른 결정질수액에 비해 다음과 같은 장점이 있다.

a. 생리적인 수준의 염소농도는 고염소혈증성 대사산증 (hyperchloremic metabolic acidosisis)의 위험성을 없애준다.

b. 젖산이 포함되어 있지 않으므로 간부전이나 순환쇼크 상태의 환자에서 의사고젖산혈증 (spurious hyperlactatemia)의 발생위험을 없애준다. 게다가 아세트산염은 젖산 (lactate)보다 신속하게 중탄산염으로 전환되기 때문에 (2) 완충액 공급원으로서 아세트산염은 젖산보다 우수하다고 여겨지고 있다.
c. Ca^{++}이 없으며 수혈과 함께 사용하기에 적합한 수액이다.
d. 등장성 생리식염수와 Plasma-Lyte를 비교 한 연구에서 Plasma-Lyte는 간질부종발생 경향이 적었고 치료효과의 향상과 관계 있는 것으로 나타났다 (3,10).

E. 고장식염수 (Hypertonic saline)

농축 NaCL (고장식염수, hypertonic saline) 용액은 외상성쇼크, 외상성 뇌손상 및 증상이 동반된 저 나트륨혈증의 치료에 사용되고 있다. 가장 널리 사용되는 고장식염수 (hypertonic saline)는 표 10.2에 정리되어 있다.

표 10.2 고장식염수

용액	Na^+ (mEq/L)	CL^- (mEq/L)	오스몰농도[†] (mosm/L)	pH
3% NaCL	513	513	1026	5
5% NaCL	856	856	1712	5
7.5% NaCL	1283	1283	2566	5.7

3%와 5% NaCL은 Baxter International에서 제조한 500 mL 제품이 있다.
7.5%는 제품은 없지만 병원 내 약국에 조제 의뢰 시 사용 가능하다.
[†] Na^+과 CL^- 농도의 합으로 계산

1. 용적효과 (Volume Effects)

a. 혈장을 팽창 시키는데 소량의 고장식염수 (hypertonic saline)이 대량의 등장성식염수 (isotonic Saline)보다 효과적이다. 이것은 그

림 10.1에 설명되어 있다. 7.5% NaCL 250 mL을 투여하면 혈장용적 535 mL와 간질액 700 mL가 증가하는데 비해 (총 용적증가량 = 1,235 mL), 0.9% NaCL 1 L를 투여하면 혈장용적이 275 mL 증가하는 것에 불과하다.

b. 세포안으로 수액이 이동 (intracellular fluid shift)하면 세포외용적 확장 (extracelluar volume expansion)에 기여하고 RBC와 내피세포는 혈장용적을 증가시키는데 관여한다.

2. 외상성쇽크 (Traumatic Shock)

수 많은 생리학적인 장점 (11)에도 불구하고 외상과 관련 출혈성 쇼크를 고장식염수 (5% 식염수 500 mL 또는 7.5% 식염수 250 mL)로 치료하는 것이 등장성식염수 (isotonic saline)를 이용한 치료에 비해 일관성 있는 생존이득 (survival benefit)을 보이지 못했다. 그럼에도 불구하고, 적은 용적의 고장식염수 (hypertonic saline)을 투여하는 방법은 전투현장 (즉시 대량의 수액을 이용하여 수액소생을 진행할 수 없음)에서 전투로 인한 부상을 조기에 치료할 수 있는 수액소생 방법으로 계속 설득력이 있다

3. 외상성 뇌 손상 (Traumatic Brain Injury)

a. 외상 후 두개내압 항진 (post-traumatic intracranial hypertension)이 발생한 경우, 고장식염수 (hypertonic saline)은 두개내압 (ICP, intracranial pressure)을 감소시키는데 효과적이며, mannitol을 이용한 고식적 치료에 비해 몇 가지 장점(즉, ICP 감소 정도가 더 크고, 감소효과 지속시간이 더 길며, 또 반동현상에 의한 ICP의 재상승이 없음)을 제공한다 (13).

b. 효과적인 고장식염수 (hypertonic saline) 요법은 다음과 같다 (14) :
1) ICP를 20-25 mm Hg 유지하기 위해 필요에 따라 3% 또는 5%

식염수 250 mL를 주입한다.

2) 3% 식염수를 1 mL/kg/hr의 속도로 연속 주입한다.

3) 혈장 Na^+ 농도가 160 mEq/L를 넘지 않도록 감시해야 한다.

II. 5% 포도당 용액 (5% DEXTROSE SOLUTIONS)

A. 단백질 보존효과 (Protein-Sparing Effect)

1. 먹을 수 없는 환자에서 표준적인 튜브영양 및 총정맥영양 (TPN)을 시행하기 전에는 5% 포도당 용액을 칼로리 공급을 위해 사용한다.
2. 포도당 1 그램은 완전히 대사 되면 3.4 킬로칼로리 (kcal)의 열량을 제공하므로 5% 포도당 용액 (50 g/L)은 리터당 170 kcal을 제공한다.
3. 매일 3 L의 5% 포도당 (D_5) 용액을 주입하면 하루에 필요한 열량공급을 위해 내적인 단백질 분해작용이 일어나지 않는 상태에서 비단백질 칼로리로서 필요한 하루 약 500 kcal씩 열량을 공급할 수 있다. 이와 같은 단백보존효과 때문에 포도당이 포함된 용액들이 수액개발초기에 많이 사용된 것과 관계가 있다.
4. 장관 및 주사제영양법들이 현재 가능하기 때문에 포도당이 포함된 용액의 필요성이 사라졌다.

B. 용적효과 (Volume Effects)

1. 포도당을 정맥 내로 투여하면 삼투압이 증가된다. 즉, 50 g 의 포도당은 정맥 내 용액에 278 mosm / L의 삼투압을 추가하게 된다.
2. 5% 포도당 (D_5W)용액의 경우, 첨가된 포도당에 의해 혈장농도에 비슷하게 삼투압이 생성된다. 그러나 포도당은 세포에 흡수되어 대사되기 때문에 이 삼투압 효과는 신속히 소실되고 추가된 물은 세포로 이동한다. 이것은 그림 10.1에 화살표로 표시된 것과 같이 D_5W는 혈장

용적 (100 mL)과 간질체액용적 (250 mL)을 합친 용적의 증가량은 주입 된 용적 (1,000 mL)보다 훨씬 적다. 이 차이 (650 mL)는 세포 내로의 용액이 이동한 결과로 나타나고 따라서 *D_5W는 주로 세포 내 용적을 확장시키기 때문에 혈장용적의 확장제로 사용해서는 절대 안된다는 것을 의미*한다.

C. 부작용 (Adverse Effects)

1. 증가된 젖산 생산 (Enhanced Lactate Production)

a. 건강한 사람에서 주입된 포도당의 5%만 젖산으로 대사되지만, 조직저관류 (tissue hypoperfusion)를 동반한 중환자의 경우 포도당대사의 85%가 젖산생산으로 변환된다 (15).

b. 순환장애 환자를 대상으로 한 연구에 따르면 5% 포도당 용액을 주입하면 혈청 젖산농도가 유의하게 증가한다 (16).

2. 고혈당증 (Hyperglycemia)

D_5W를 주입하면 고혈당의 위험이 증가하는데 고혈당은 면역억제 (17), 허혈성 뇌 손상의 악화 (42장 참조), 사망률 증가 (18)와 같은 중환자에게 여러 가지 바람직하지 않은 영향을 주게 된다.

D. 권장사항 (Recommendation)

포도당을 포함한 용액은 별다른 이익은 없는데 반해 해로울 수 있기 때문에, *일상적으로 포도당용액을 사용하는 것은 피해야 한다*.

Ⅲ. 콜로이드용액 (COLLOID FLUIDS)

콜로이드용액 특성은 다음에서 간략하게 설명되는 힘에 의해 결정된다.

A. 콜로이드 삼투압 (Colloid Osmotic Pressure)

1. 콜로이드용액에는 혈관구역 (vascular compartment) 밖으로 쉽게 빠져나올 수 없는 큰 분자가 들어 있다. 이 분자들은 콜로이드 삼투압 (또는 oncotic pressure)이라고 불리는 삼투압 (osmotic pressure)을 생성하여 혈관구역 안에 물의 체류 (retention of water)를 촉진한다.
2. 다음의 관계는 모세혈관내 수액교환에서 콜로이드 삼투압의 역할을 알게 해준다.

$$Q \sim (P_c - COP) \tag{10.3}$$

   a. Q는 모세혈관을 가로 지르는 유량 (flow rate)이다.
   b. Pc는 모세혈관의 정수압 (hydrostatic pressure)이다.
   c. COP는 혈장의 콜로이드 삼투압이다. COP의 약 80%는 혈장 내의 알부민 농도에 기인한다.
3. 두 가지 압력 (Pc와 COP)은 반대방향으로 작용한다. Pc는 모세혈관 안에서 밖으로 체액을 이동시키고 COP는 모세혈관 쪽으로 체액을 이동시키려 한다.
4. 앙와위자세 (supine position)에서 정상 Pc는 평균 25 mm Hg이고 정상 COP는 약 28 mm Hg 이므로 두 힘이 대략 비슷하다 (19).
5. 결정질 및 콜로이드용액의 체적분포 (volume distribution)는 혈장의 COP에 미치는 영향으로 설명할 수 있다.
   a. 결정질용액은 혈장 COP (희석효과)를 감소시켜 혈류 (bloodstream) 밖으로 용액이 이동하는 방향으로 작용한다.
   b. 콜로이드용액은 혈장 COP를 유지하려는 경향이 있어서 혈류 (bloodstream) 안에 용액이 남아 있는 방향으로 작용한다.

B. 용적효과 (Volume Effects)

1. 콜로이드용액 소생 (resuscitation)이 혈장 및 간질액량 (interstitial fluid volumes)에 미치는 영향은 그림 10.1에 설명되어 있다. 이때 콜로이드용액은 5% 알부민 용액이다. 5% 알부민 용액 1 L를 주입하면 혈장에 700 mL, 간질 액에 300 mL가 추가된다. 따라서, 주입된 콜로이드용액의 70%는 혈관구역 (vascular compartment)에 유지된다.
2. 그림 10.1에서 혈장부피에 미치는 콜로이드와 결정질용액의 효과를 비교해보면 *콜로이드용액이 결정질용액보다 혈장부피를 증가시키는 데 약 3배 정도 더 효과적이라는 것을 알 수 있다* (1,20,21).

C. 알부민용액 (Albumin Solutions)

알부민용액은 0.9% NaCL에 열처리 인간 혈청알부민 5% 용액 (50g/L)과 25% 용액 (250g/L)로 준비된 용액으로 중요한 특징은 표 10.3에 나와 있다.

1. 용적효과 (Volume Effects)

a. 5% 알부민용액은 낮은 삼투성 (hypooncotic)용액이다 (즉, COP는 20 mm Hg로 이는 혈장의 COP보다 낮다). 한번에 250 mL을 주입하며 용적효과 [표 10.3에 보이는 대로 혈장 내 최소한 70% 이상 남음]는 주입 6시간 후부터 감소하기 시작하고 12시간 후에 없어진다 (1,20).
b. 25% 알부민용액은 높은 삼투성 (hyperoncotic)용액이다 (즉, COP는 70 mm Hg으로 이는 혈장의 약 2.5 배임)이다. 한번에 50 또는 100 mL를 주입하며 혈장용적의 증가량은 표 10.3에 보이는 바와 같이 주입된 부피의 약 3-4 배이다. (이 부피는 간질액에서 빠져온 것이다.) 효과의 지속 기간은 5% 알부민과 비슷하다.
c. 25% 알부민은 감소된 체액을 대체하지 못하고 체액를 한 구획에서 다른 구획으로 이동시키는작용을 하기 때문에 *급성혈액손실*

(acute blood loss)에서 순환혈액량 소생 (volume resuscitation) 목적으로 사용해서는 안된다. 25% 알부민의 주된 역할은 저알부민혈증 (hypoalbuminemia)를 보이는 부종환자 중에서 저혈압이나 또 이뇨제 치료에 반응이 없는 환자들에게 있다 (두 경우 모두, 25% 알부민은 비교적 많은 양의 등장성 결정질용액을 주입하지 않으면서 문제를 해결하기 위해 필요한 혈장용적을 증가시킬 수 있다.).

2. 안전성 (Safety)

a. 알부민용액에 의해 사망률이 증가한다는 초기 주장은 최근의 연구에서 확인되지 않았다 (22,23).

b. 현재 일치된 견해는 외상성 두부손상 환자를 제외하고는 5% 알부민용액을 수액보충치료에 안전하게 사용할 수 있다는 것이다. 이는, 한 대규모 연구에서 외상성 두부손상 환자에게 등장성식염수 대신 알부민으로 수액보충치료 한 경우 높은 사망률을 보였기 때문이다 (24).

표 10.3 콜로이드수액 비교

수액	COP (mm Hg)	ΔPlasma / Infusate Volume	작용 기간
5% 알부민	20	0.7–1.3	12시간
6% Hetastarch	30	1.0–1.3	24시간
10% Dextran-40	40	1.0–1.5	6시간
25% 알부민	70	3.0–4.0	12시간

참고문헌 1, 20, 21, 25 발췌

D. Hetastarch

Hydroxyethyl starch (hetastarch)는 화학적으로 변화된 전분중합체 (stach

polymer)를 등장성 생리식염수에 6%의 용액이다.

1. 특징 (Features)

Hetastarch는 5% 알부민보다 더 높은 COP를 가지고 있으며 혈장팽창제로서 약간 더 효과적이다 **(표 10.3 참조)** (20,25). 또한 hetastarch의 용적증가효과는 5% 알부민 보다 오래 지속된다 (최대 24시간) (25).

2. 안전 (Safety)

a. Hetastarch를 투여한 중환자에게 혈액투석을 필요한 신부전발생 위험 및 사망률 증가에 대한 확실한 근거가 있다 (26,27). Hetastarch투여 시 출혈위험이 증가하는데 특히 심폐우회술 후 높다 (28).
b. *좋지 못한 안전성문제 때문에 FDA는 중환자에서 hetastarch의 사용에 대해 반대하는 권고를 2013년에 발표했다* (29).

E. Dextrans

Dextran은 1940년대 혈장팽창제로 처음 도입된 포도당 중합체 (glucose polymers)이다. 가장 일반적인 두 가지 dextran제제는 10% dextran-40과 6% dextran-70이다.

1. 특징 (Features)

두 가지 Dextran 제제 모두 40 mm Hg의 COP (높은 삼투성; hyperoncotic 용액)를 보이며 5% 알부민 또는 6% hetastarch **(표 10.3 참조)**보다 혈장용적이 더 많이 증가한다. Dextran-70의 작용시간 (12시간)이 dextran-40 (6 시간) 보다 길기 때문에 dextran-70이 바람직할 수 있다(20).

2. 단점 (Disadvantages)

a. Dextran은 혈소판 응집장애, Factor VIII 및 von Willebrand 인자의 감소, 섬유소용해를 증가시켜 용량에 증가에 따라 악화되는 출혈경향을 유발한다 (30,31). 지혈장애는 하루 dextran 투여양을 20 mL / kg로 제한함으로써 최소화할 수 있다.
b. Dextran은 적혈구의 표면을 코팅하여 혈액의 교차시험 (cross-match)능력을 방해할 수 있다. 이 문제를 해결하려면 적혈구 제제는 반드시 세척해야 한다. 이 같은 적혈구와의 상호작용결과로 적혈구 침강속도 (ESR)가 증가하게 된다 (30).
c. Dextran은 hetastarch에서 보고된 것과 유사한 고삼투압에 의한 신손상 (hyperoncotic renal injury)과 연관이 있다 (32). 그러나 이것은 드물게 발생한다.
d. 한때 Dextran에서 아나필락시스 반응을 흔히 볼 수 있었지만 지금은 단지 0.03%의 주입에서 보고되고 있다 (30).

IV. 콜로이드 – 결정질논란 (COLLOID-CRYSTALLOID DEBATE)

A. 논란 (The Debate)

혈량저하증 (hypovolemia)를 치료하는데 가장 적합한 용액의 유형 (콜로이드 또는 결정체)에 대한 오랜 논란이 있다. 중요한 주장은 다음과 같다:

1. 결정질 소생술 (crystalloid resuscitation)의 지지자는 콜로이드 소생술 (33)을 통해 생존이득이 입증되지 못한 점과 결정질용액의 저렴한 비용을 주장하고 있다.
2. 콜로이드 소생술 (colloid resuscitation)의 지지자는 혈장용적을 늘리기 위해 (콜로이드 체액의 최소 3 배 이상) 비교적 큰 부피의 결정질용

액이 필요하며 이에 따라 부종형성, 양성체액균형 (positive fluid balance)을 촉진되므로 이로 인한 중환자의 이환율 (morbidity)과 사망률 (mortality)의 증가와 관련이 있다 (10,34). 모든 오래된 논쟁주제와 마찬가지로, 진실은 중간 어딘가에 있다.

B. 해결책 (A Resolution)

콜로이드-결정질 논란의 큰 오류는 혈액량 감소와 관련된 모든 조건에 한 유형의 용액이 가장 적합할 것이라는 가정이다. 다음의 예는 *혈량저하증의 특정 원인에 대한 수액소생술에 사용하는 용액을 개별적으로 맞추어 (tailoring) 치료하는 것이 모든 혈량저하증에 대해 동일한 유형의 용액를 사용하는 것보다 논리적인 접근방법이라는 것*을 보여준다.

1. 혈량저하성 쇽크 (hypovolemic shock, 혈관 내 용적의 신속한 회복이 우선 순위인 경우)의 경우, 5% 알부민과 같은 콜로이드용액 (결정질 용액보다 혈장용적을 증가시키는 데 훨씬 더 효과적임)이 생리학적으로 가장 좋다.
2. 탈수로 인한 혈량저하증인 경우 (hypovolemia due to dehydaration, 간질액와 혈장이 모두 균일하게 감소한 경우), 링거젖산용액 (세포외액 전체에 균일하게 분포하는)과 같은 결정질용액이 가장 적합하다.
3. 저혈량증이 저알부민혈증이 관련되어있는 경우 (hypoveolemia with hypoalbuminemia, 혈장에서 간질액로 체액의 이동이 일어남), 25% 알부민과 같은 높은 삼투성 콜로이드용액 (간질에서 혈장으로 다시 체액을 이동시키는)을 소량 투여하는 것이 적절한 선택이다.

참고문헌

1. Imm A, Carlson RW. Fluid resuscitation in circulatory shock. Crit Care Clin 1993; 9:313-333.
2. Reddy S, Weinberg L, Young P. Crystalloid fluid therapy. Crit Care 2016; 20:59.

3. Chowdhury AH, Cox EF, Francis ST, Lobo DN. A randomized, controlled, double-blind crossover study on the effects of 2-L infusions of 0.9% saline and Plasma-Lyte 148 on renal blood flow and renal cortical tissue perfusion in healthy volunteers. Ann Surg 2012; 256:18–24.
4. Orbegozo Cortes D, Rayo Bonor A, Vincent JL. Isotonic crystalloid solutions: a structured review of the literature. Br J Anesth 2014; 112:968–981.
5. Neyra JA, Canepa-Escaro F, Li X, et al. Association of hyperchloremia with hospital mortality in critically ill septic patients. Crit Care Med 2015; 43:1938–1944.
6. Young P, Bailey M, Beasely R, et al. Effect of buffered crystalloid solution vs saline on acute kidney injury among patients in the intensive care unit. The SPLIT randomized clinical trial. JAMA 2015; 314:1701–1710.
7. King WH, Patten ED, Bee DE. An in vitro evaluation of ionized calcium levels and clotting in red blood cells diluted with lactated Ringer's solution. Anesthesiology 1988; 68:115–121.
8. Klezcewski GJ, Malcharek M, Raff T, et al. Safety of resuscitation with Ringer's acetate solution in severe burn (VolTRAB) – an observational trial. Burns 2014; 40:871–880.
9. Jackson EV Jr, Wiese J, Sigal B, et al. Effects of crystalloid solutions on circulating lactate concentrations. Part 1. Implications for the proper handling of blood specimens obtained from critically ill patients. Crit Care Med 1997; 25:1840–1846.
10. Shaw AD, Bagshaw SM, Goldstein SL, et al. Major complications, mortality, and resource utilization after open abdominal surgery:0.9% saline compared to Plasma-Lyte. Ann Surg 2012; 255:821–829.
11. Galvagno SM, Mackenzie CF. New and future resuscitation fluids for trauma patients using hemoglobin and hypertonic saline. Anesthesiology Clin 2013; 31: 1–19.
12. Bunn F, Roberts I, Tasker R, et al. Hypertonic versus near isotonic crystalloid for fluid resuscitation in critically ill patients. Cochrane Database Syst Rev 2004; 3:CD002045.
13. Mangat HS, Hartl R. Hypertonic saline for the management of raised intracranial pressure after severe traumatic brain injury. Ann NY Acad Sci 2015; 1345:83–88.
14. Patanwala AE, Amini A, Erstad BL. Use of hypertonic saline injection in trauma. Am J Health Sys Pharm 2010; 67:1920–1928.
15. Gunther B, Jauch W, Hartl W, et al. Low-dose glucose infusion in patients who

have undergone surgery. Arch Surg 1987; 122:765–771.
16. DeGoute CS, Ray MJ, Manchon M, et al. Intraoperative glucose infusion and blood lactate: endocrine and metabolic relationships during abdominal aortic surgery. Anesthesiology 1989;71;355–361.
17. Turina M, Fry D, Polk HC, Jr. Acute hyperglycemia and the innate immune system: Clinical, cellular, and molecular aspects. Crit Care Med 2005; 33:1624–1633.
18. Van Den Berghe G, Wouters P, Weekers F, et al. Intensive insulin therapy in critically ill patients. New Engl J Med 2001;345:1359–1367.
19. Guyton AC, Hall JE. Textbook of Medical Physiology. 10th ed., Philadelphia: W.B. Saunders, Co, 2000, pp. 169–170.
20. Griffel MI, Kaufman BS. Pharmacology of colloids and crystalloids. Crit Care Clin 1992; 8:235–254.
21. Kaminski MV, Haase TJ. Albumin and colloid osmotic pressure: implications for fluid resuscitation. Crit Care Clin 1992;8:311–322.
22. Wilkes MN, Navickis RJ. Patient survival after human albumin administration: A meta-analysis of randomized, controlled trials. Ann Intern Med 2001; 135:149–164.
23. SAFE Study Investigators. A comparison of albumin and saline for fluid resuscitation in the Intensive Care Unit. N Engl J Med 2004; 350:2247–2256.
24. The SAFE Study Investigators. Saline or albumin for fluid resuscitation in patients with severe head injury. N Engl J Med 2007;357:874–884.
25. Treib J, Baron JF, Grauer MT, Strauss RG. An international view of hydroxyethyl starches. Intensive Care Med 1999; 25:258–268.
26. Gattas DJ, Dan A, Myburgh J, et al. Fluid resuscitation with 6% hydroxyethyl starch (130/0.4 and 130/0.42) in acutely ill patients: systemic review of effects on mortality and treatment with renal replacement therapy. Intensive Care Med 2013;39:558–568.
27. Zarychanski R, Abou-Setta AM, Turgeon AF, et al. Association of hydroxyethyl starch administration with mortality and acute kidney injury in critically ill patients requiring volume resuscitation: a systemic review and meta-analysis. JAMA 2013;309:678–688.
28. Navickis RJ, Haynes GR, Wilkes MM. Effect of hydroxyethyl starch on bleeding after cardiopulmonary bypass: a meta-analysis of randomized trials. J Thorac Cardiovasc Surg 2012:144:223–30.

29. U.S. Food and Drug Administration. FDA Safety Communication: Boxed Warning on increased mortality and severe renal injury, and additional warning on risk of bleeding, for use of hydroxyethyl starch solutions in some settings. Available at www.fda.gov/BiologicsBloodVaccines/SafetyAvailability/ucm 358271.htm#professionals. Accessed 3/2016.
30. Nearman HS, Herman ML. Toxic effects of colloids in the intensive care unit. Crit Care Clin 1991; 7:713–723.
31. de Jonge E, Levi M. Effects of different plasma substitutes on blood coagulation: A comparative review. Crit Care Med 2001;29:1261–1267.
32. Drumi W, Polzleitner D, Laggner AN, et al. Dextran-40, acute renal failure, and elevated plasma oncotic pressure. N Engl J Med 1988; 318:252–254.
33. Annane D, Siami S, Jaber S, et al. Effects of fluid resuscitation with colloids vs crystalloids on mortality in critically ill patients presenting with hypovolemic shock. The CRISTAL randomized trial. JAMA 2013; 310:1809–1817.
34. Boyd JH, Forbes J, Nakada TA, et al. Fluid resuscitation in septic shock: A positive fluid balance and elevated central venous pressure are associated with increased mortality. Crit Care Med 2011;39:259–265.

Chapter 11

빈혈과 적혈구 수혈

Anemia and Erythrocyte Transfusions

빈혈은 ICU에 며칠간 입원한 환자에서 흔히 볼 수 있으며 (1), ICU 환자 중 50%는 빈혈 교정을 위해 적혈구 수혈을 받고 있다 (1-3). 수혈은 생리학적 필요성이나 장점 없이 시행할 경우 환자에게 해를 끼치기도 한다.

Ⅰ. ICU의 빈혈 (ANEMIA IN THE ICU)

A. 정의 (Definition)

1. 빈혈은 *혈액의 산소 운반능력이 감소한 상태*로 정의한다. 가장 정확한 빈혈 측정법은 적혈구총량 측정이지만, 측정하기 어렵다. 따라서 헤모글로빈 (hemoglobin, Hb)과 헤마토크리트 (hematocrit, Hct)를 혈액의 산소 운반능력을 측정하는 대체 지표로 사용하고 있다. Hb, Hct, 그리고 다른 적혈구 관련 지표들의 참고 범위는 표 11.1에 나와 있다.

2. 산소 운반능력의 지표로 Hb과 Hct를 사용하기에는 한 가지 문제점이 있다. 즉, 이 수치들이 혈장량 (plasma volume)에 영향을 받는다는 점이다. 예를 들어 혈장량이 증가하면 Hb과 Hct는 희석효과로 감소하기 때문에 가성빈혈 (pseudoanemia)과 같이 혈액의 산소 운반능력이 감소했다는 잘못된 진단을 내리게 된다. 임상연구들에서 *Hb과 Hct는*

중환자에서 빈혈의 지표로는 신뢰성이 떨어진다고 결론지었다 (4-6).

표 11.1 성인의 적혈구 지표의 참고범위

적혈구 수 (Red Cell Count) 남 : 4.6×10^{12}/L 여 : 4.2×10^{12}/L	평균적혈구용적 (Mean Cellular Volume, MCV) 남 : $80–100 \times 10^{-15}$/L 여 : 동일
망상적혈구 수 (Reticulocyte Count) 남 : $25–75 \times 10^{9}$/L 여 : 동일	헤마토크리트 (Hematocrit) 남 : 40–54% 여 : 38–47%
적혈구용적 (Red Cell Volume) 남 : 26 mL/kg 여 : 24 mL/kg	헤모글로빈 (Hemoglobin) 남 : 14–18 g/dL 여 : 12–16 g/dL

출처 : (1) Walker RH(ed.). Technical Manual of the American Association of Blood Banks, 10th ed., VA: American Association of Blood Banks, 1990:649-650;(2) Billman RS, Finch CA. Red cell manual. 6th ed. Philadelphia, PA: Davis, 1994:46

B. 관련요인 (Contributing Factors)

ICU 환자에서 빈혈은 전신염증, 그리고 검사를 위한 반복적인 채혈, 이 두 가지 상황 때문에 생긴다.

1. 염증 (Inflammation)

a. 염증은 *만성질환의 빈혈과 관련이 있으며, 현재는 염증성 빈혈 (Anemia of Inflammation)이라고 한다* (3-6).

b. 염증의 혈액학적 효과에는 콩팥에서 적혈구생성소 (erythropoietin) 분비 억제, 적혈구생성소에 대한 골수 (bone marrow)의 반응성 감소, 대식세포 (macrophage)의 철분격리 (sequestration), 적혈구파괴 증가 등이 있다 (3,7).

c. 이 결과로 유발되는 빈혈은 혈장철분 (iron) 감소를 동반한 혈색소

감소성 (hypochromic) 소구성 (microcytic)이다. 염증성 빈혈은 철결핍빈혈 (Iron-deficiency anemia)과 혼동되기도 한다. 하지만, 염증성 빈혈에서는 조직의 철분 함유량 지표인 혈장 페리틴 (ferritin) 농도가 증가하고, 철결핍 빈혈에서는 이 농도가 감소한다.

2. 채혈 (Phlebotomy)

a. ICU 환자는 검사를 위해 하루에 평균 40-70 mL정도 채혈을 하며 (8), 일주일간 누적되면 전혈 1 unit에 달하는 500 mL정도를 채취하게 된다.
b. 검사로 인한 실혈의 상당한 부분은 기술과 연관 있다. 즉, 혈관 카테터 (catheter)를 통해 혈액을 채취할 때 카테터 내의 수액으로 인한 간섭을 없애기 위해 처음 일부는 채취한 후 버린다. 버리는 용량은 검사 한 번당 약 5 mL로, 이 혈액만 다시 환자에게 주입해도 하루 채혈로 인한 손실의 50%를 줄일 수 있다 (9).

C. 빈혈의 생리학적 효과 (Physiological Effect of Anemia)

빈혈은 조직산소화를 유지하기 위해서 두 가지 반응, (a) 심장박출량 (cardiac output) 증가와 (b) 말초혈액의 산소추출률 증가를 촉진한다.

1. 심장박출량 (cardiac output)

빈혈이 심장박출량에 미치는 영향은 수액의 유속은 점성과 반비례한다는 것을 보여주는 하겐-푸아죄유 공식 (Hagen-Poiseuille equation, 7장 공식 7.1 참고)으로 설명 할 수 있다. 혈액의 점성은 Hct가 결정하기 때문에, Hct가 감소하면 혈액의 점성이 떨어지고, 이는 혈류 증가 즉, 심장박출량 증가로 이어진다.

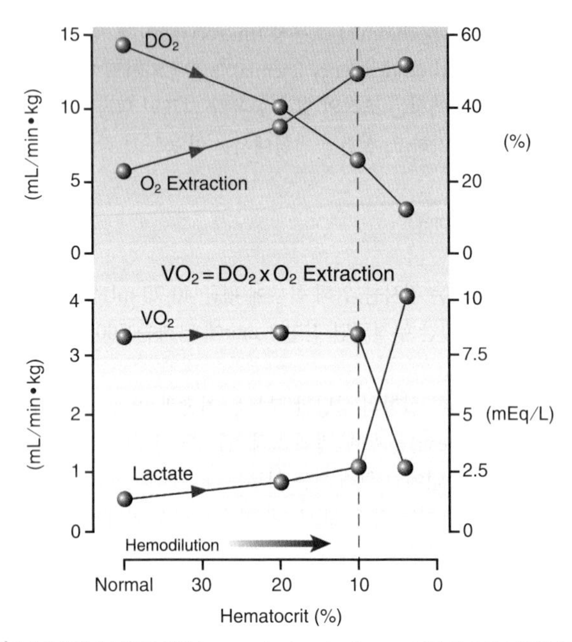

■ **그림 11.1** 진행성 등용성 빈혈 (progressive isovolemic anemia)이 전신 산소화지표에 미치는 영향. DO_2=산소공급, VO_2=산소소모. 참고문헌 10 발췌.

2. 산소추출 (O_2 Extraction)

6장 Ⅰ-D절에서 언급했듯이, 산소추출은 산소소모 (VO_2)에 대한 산소공급 (DO_2)의 비율이다. 즉,

$$O_2 \text{ Extraction} = VO_2 / DO_2 \tag{11.1}$$

이 공식을 다시 재배열하면 아래의 공식을 유도할 수 있다.

$$VO_2 = DO_2 \times O_2 \text{ Extraction} \tag{11.2}$$

이 공식에 따르면 빈혈 등으로 인해 산소공급이 줄어들어도 산소추출이 이에 비례해서 증가한다면 호기성 대사 (aerobic metabolism, VO_2)에 지장이 없다는 점을 추측할 수 있다. 이 반응은 **그림 11.1**에 나와있다 (10). 즉,

a. Hct가 계속해서 감소하면 산소 공급 또한 감소한다. 하지만, 처음에는 산소공급이 감소해도 산소추출이 증가하기 때문에 산소소모를 일정하게 유시할 수 있다.
b. Hct가 10% 이하로 떨어지면, 산소추출이 증가해도 더는 산소공급 감소를 따라가지 못하기 때문에 산소소모도 감소하기 시작한다. 이 지점이 *혐기성 임계점 (anaerobic threshold)*이다.
c. 따라서, 호기성 대사 (aerobic metabolism)는 산소추출 증가 덕분에 진행성 빈혈에서도 유지되며 호기성 대사에 문제가 발생하려면 Hct와 Hb이 극도로 낮은 수치까지 떨어져야 한다.

3. 빈혈내성 (Tolerance to Anemia)

한 동물연구 결과, 혈관내 순환혈액량이 유지된다면 Hct가 5-10% 혹은 Hb이 1.5-3 g/dL까지 떨어져도 호기성 대사에는 영향을 미치지 않았다. 달리 말하면, *혈관내 순환혈액량이 유지된다면, 중증 빈혈도 견딜 수 있다*는 의미다.

II. 수혈기준 (TRANSFUSION TRIGGERS)

A. 헤모글로빈 (Hemoglobin)

연구결과 ICU 한자에서 적혈구수혈 중 90%는 빈혈치료가 목적이며 (13), 따라서 헤모글로빈 (Hemoglobin, Hb) 농도를 기준으로 삼고 있다.

1. 1942년에 처음 만들어진 수혈 기준은 Hb 10 g/dL, 상응하는 Hct은 30%였다 (14). 이 "10/30" 규칙은 반세기 이상 표준 기준이였다.
2. 최근의 임상연구에 따르면 수혈기준을 Hb 7 g/dL 미만으로 낮게 잡아도 부작용이 없고, 오히려 수혈부담을 덜어준다 (13,15)
3. 하지만, *Hb 농도를 수혈기준으로 삼으면 두 가지 측면에서 문제가 있다.*
   a. Hb 농도는 조직산소화 (tissue oxygenation)에 대한 어떤 정보도 제공하지 못한다.
   b. Hb 농도는 혈장량에 영향을 받으며, 이는 Hb 농도 변화가 항상 혈액의 산소운반능력 변화를 반영하는 것은 아니라는 의미다.
4. 중환자의 적혈구 수혈에 대한 최신 지침은 *Hb 농도를 수혈 기준으로 사용하는 것은 피하라*고 기술하고 있다 (4). 이 내용에도 불구하고, 지침에서는 중환자는 *Hb 농도가 7 g/dL 미만이면 수혈을 고려*하고, *급성 관동맥 증후군 (acute coronary syndrome) 환자는 8 g/dL미만인 경우 수혈을 고려*하라고 권장한다 (4).

B. 산소추출 (Oxygen Extraction)

1. 앞서 **그림 11.1**과 관련하여 언급했듯이, 빈혈은 모세혈관에서 보상성 산소추출 증가를 유발하고, 이로 인해 호기성 대사를 유지할 수 있다. 하지만, 산소추출이 최대치인 50%까지 증가한 뒤에는 Hb이 감소하면 산소소모 역시 비례하여 감소하게 된다.
2. 따라서, *산소추출 50%는 혐기성 임계점 (anaerobic threshold)을 나타내며, 생리적인 수혈기준이 될 수 있다* (16,17).
3. **중심 정맥 산소 포화도 (CENTRAL VENOUS O² SATURATION)** : 동맥 산소포화도가 100%에 근접하면, 산소추출은 대략 동맥과 중심정맥의 산소포화도 차이 (SaO_2-$ScvO_2$)와 비슷해진다.

$$O_2 \text{ Extraction} = SaO_2 - ScvO_2 \qquad (11.3)$$

6장, Ⅰ-D 절에 이 공식을 도출하는 방법이 나와있다. 혹은 다음과 같이 간략화할 수 있다.

$$O_2 \text{ Extraction} = 1 - ScvO_2 \quad (11.4)$$

50%에 근접하는 낮은 $ScvO_2$가 혐기성 임계점을 더 잘 반영함에도 불구하고, $ScvO_2$<70%가 수혈 기준으로 제시되었다 (20).

Ⅲ. 적혈구 제제 (ERYTHROCYTE PRODUCTS)

수혈에 사용 가능한 적혈구 (red blood cell, RBC) 제제는 표 11.2에 나와있다.

A. 농축 적혈구 (Packed RBCs, PRBC)

1. 기증 받은 혈액 중 적혈구 부분 (RBC fraction)은 보존액에 넣어 1-6℃에서 보관한다. 최신 보존액은 아데닌 (adenine)을 함유하고 있어 보존 RBC의 ATP 수치를 유지할 수 있도록 해주며, 최대 42일 동안 보관할 수 있도록 도와준다 (18).
2. PRBC라고 하는 기증 받은 RBC 1 unit는 헤마토크리트 (hematocrit, Hct)가 60%이며 용량은 350 mL다.
3. PRBC에는 30-50 mL 정도의 잔류혈장 (residual plasma)과 1 unit 당 10-30억개 상당의 백혈구가 들어있다 (18).

표 11.2	적혈구수혈 제제
제제	**특징**
농축적혈구 (Packed RBCs)	1. Unit당 용량은 350 mL이며 Hct는 60% 2. 백혈구 및 잔류 혈장 (15–30 mL)을 포함 3. 적절한 첨가제를 추가하면 42일 동안 보관 가능
백혈구감량 적혈구 (Leukocyte-poor RBCs)	1. 기증받은 RBC를 특수 필터에 통과시켜 대부분의 백혈구를 제거. 이는 적혈구 수혈로 인한 열성반응 (febrile reaction)의 위험을 낮춤 2. 적응증은 열성 수혈반응 (febrile transfusion reaction)의 과거력이 있는 환자
세척 적혈구 (Washed-RBCs)	1. 농축적혈구를 식염수로 세척하여 잔류 혈장을 제거. 이는 과민성반응 (hypersensitivity reaction)의 위험을 낮춤 2. 적응증은 수혈 관련 알레르기 반응 (allergic reaction)의 과거력이 있는 환자 및 수혈 관련 아나필락시스 위험이 높은 IgA 결핍 (IgA deficiency) 환자

참고문헌 20 발췌.

B. 백혈구감량 적혈구 (Leukocyte-Reduced RBCs)

1. PRBC 내의 백혈구는 수혈이 반복되면 수혜자 (recipient)에게 항체반응 (antibody reaction)을 유발할 수 있으며, 이로 인해 *열성 비용혈성 수혈반응 (febrile non-hemolytic transfusion reaction)*이 생긴다.
2. 이 반응을 감소시키기 위해서, 기증 받은 RBC를 백혈구 대부분을 제거할 수 있는 특수한 필터에 통과시킨다. 많은 혈액 은행에서 이를 일상적으로 행하고 있지만, 보편적인 백혈구 감량 (universal leukocyte reduction)은 미국에서 아직 채택되지 않았다.
3. 백혈구감량 적혈구는 이전에 열성 비용혈성 수혈반응이 있었던 환자에게 권장한다 (18).

C. 세척 적혈구 (Washed RBCs)

1. 기증받은 RBC는 등장성 식염수 (isotonic saline)로 세척해 잔류혈장을 제거할 수 있다. 이는 기증자의 혈장 단백질에 감작 (sensitization)되어 발생하는 과민성반응 (hypersensitivity reaction)의 위험을 줄일 수 있다.
2. 세척 RBC는 수혈로 인한 과민성반응의 과거력이 있는 환자와 수혈 관련 아나필락시스 (anaphylaxis)의 위험이 높은 면역글로불린A 결핍 (Immunoglobulin A deficiency) 환자에게 권장한다.
3. 식염수 세척으로는 백혈구를 효과적으로 제거할 수 없다.

Ⅳ. 적혈구 수혈 (ERYTHROCYTE TRANSFUSIONS)

A. RBC 적합성 (RBC Compatibility)

1. 혈액형 (Blood Groups)

a. 주요 혈액형은 4가지가 있으며, 적혈구 표면에 항체 A와 B의 존재 유무에 따라 분류한다. 즉, A, B, AB, 그리고 항체가 없는 O로 분류한다. 각 혈액형은 다른 표면항체인 *Rh인자 (Rhesus factor)*의 존재 유무로 다시 분류한다.
b. 혈장은 RBC에 없는 항원에 대한 항체를 지니고 있다. 예를 들어, O형은 RBC 표면에 A 혹은 B 항원이 없으며, 혈장에는 항-A (anti-A) 와 항-B (anti-B) 항체가 있다.

2. 만능공혈자 (Universal Donor RBCs)

a. 치명적인 용혈성 수혈반응 (hemolytic transfusion reaction)은 수혜

자의 항-A, 항-B 혹은 항-Rh (anti-Rh) 항체가 기증자의 대응하는 항원들과 반응해서 생긴다.

b. O형, Rh-형 같이 항원이 없는 RBC를 수혈하면 용혈성 수혈반응의 위험이 없다. 따라서, Rh- O형을 *만능공혈자*라고 한다.

c. 급성 출혈에서는 흔히 교차시험을 거치지 않고 (uncrossmatched) Rh+, O형 적혈구를 수혈한다. Rh+ O형의 수혈 500건 이상을 연구한 결과, 단 한 명의 Rh-형 환자만 수혈 후 항-Rh 항체가 생겼다 (18).

3. Rh 면역글로불린 (Rh Immunoglobulin)

a. Rh-형 여성이 Rh+ 적혈구를 수혈 받으면, 항-Rh 항체가 발생할 수 있고 이 항체는 임신 중 태반 (placenta)을 지나 Rh+ 태아에게 용혈을 일으킬 수 있다. Rh 면역글로불린 (RhoGAM, Kedrion Biopharma, Fort Lee, NJ)은 Rh+ 수혈로 인한 항-Rh 항체 생성을 방지할 수 있다.

B. 혈액필터 (Blood Filter)

세공 (pore)의 크기가 170-260μ (micron)인 표준 혈액필터는 모든 혈액제제의 수혈에 필요하다 (20). 이 필터는 혈전 및 다른 부유물은 걸러주지만, 백혈구는 거르지 못하기 때문에 백혈구감량에는 효과가 없다 (20). 이 필터는 부유물들을 거르다 보면 혈류에 장애를 일으키기도 한다. 주입 속도가 너무 느리다면, 필터를 교체한다.

C. 생리학적 효과 (Physiological Effects)

1. 평균 체구의 성인은 PRBC 1 unit를 수혈하면 Hb 농도가 1 g/dL, Hct가 3% 정도 증가한다 (20).

2. RBC수혈이 전신산소화 지표에 미치는 영향은 **그림 11.2**에 나와 있다. 이 자료는 Hb 농도를 7 g/dL 이상으로 올리기 위해서 PRBC 1-2 unit를 수혈한, Hb 농도가 7 g/dL 미만인 중증 정상혈량성 빈혈 (sever normovolemic anemia)이 있는 수술 후 환자를 대상으로 하였다. RBC수혈로 인해 Hb 농도는 6.4 g/dL에서 8 g/dL로 25% 증가했고, 산소공급 (DO_2) 또한 비슷한 수준으로 증가했다. 하지만 전신 산소소모 (VO_2)는 변하지 않았고, 이는 RBC수혈은 조직산소화 (tissue oxygenation)를 개선하지 못한다는 점을 시사한다.
3. RBC 수혈이 조직산소화를 개선하지 못한다는 내용은 많은 임상연구에서 확인되었고 (21-23), RBC를 장기간 보관하게 되면 오히려 수혈 후 조직산소화를 악화시킨다 (24). 이 연구들로 인해 RBC수혈에 대한 지침에 다음과 같은 문구가 추가되었다 (4). "*RBC수혈을 중환자의 조직산소화를 개선하는 절대적인 방법이라 여겨서는 안 된다.*"

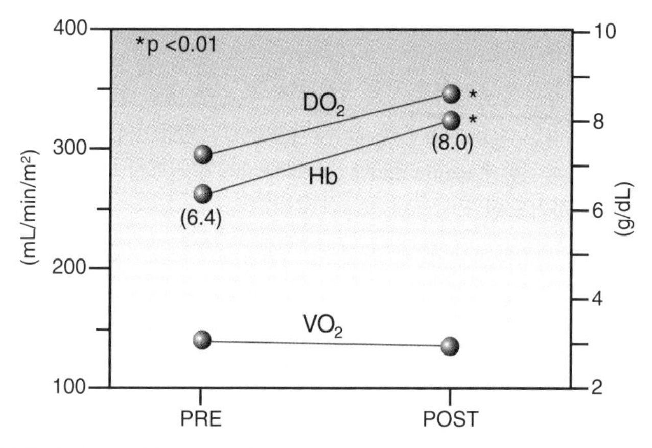

■ **그림 11.2** 중증빈혈 (Hb<7)이 있는 수술 후 환자 11명에서 PRBC 1-2 unit 수혈이 Hb농도, 산소공급 (DO_2), 산소소모 (VO_2)에 미치는 효과. 데이터 포인트는 각 지표의 평균값을 나타낸다. 괄호 안의 숫자는 수혈 전후의 Hb 농도를 의미한다. 개인 관찰 자료.

V. 수혈 위험성 (TRANSFUSION RISK)

수혈과 연관된 부작용들은 표 11.3에 나와 있으며, 그 빈도는 몇 번의 수혈마다 나타나는지로 기재했다 (20,25-27). 끔찍한 HIV나 B형 간염 전염보다 수혈 실수의 빈도가 훨씬 높다는 것을 주목한다. 아래는 주요 수혈반응에 대한 간략한 설명이다.

A. 급성 용혈성 반응 (Acute Hemolytic Reactions)

급성 용혈성 반응은 수혜자와 ABO형이 맞지 않는 RBC를 수혈할 때 생긴다. 이 반응이 발생하면 수혜자의 혈액에 있는 항체가 기증받은 RBC의 ABO 항원과 결합하게 되고 이로 인한 RBC 용해는 전신 염증 반응을 유발하여 저혈압이나 다장기 부전 (multiorgan failure)을 유발할 수 있다. 이는 대부분 사람의 실수 때문이다.

1. 임상양상 (Clinical Features)

급성 용혈성 반응의 특징은 수혈 시작 후 수분 내로 나타나는 갑작스러운 발열, 호흡곤란, 흉통, 요통, 저혈압이다. 반응이 심각한 경우, 소모성 응고장애 (consumptive coagulopathy)와 진행성 다장기 부전이 발생하기도 한다.

표 11.3 RBC수혈과 관련된 부작용 (수혈당 발생률)	
면역 반응	기타 위험요소
비용혈성 발열 (1 in 200) 과민 반응 두드러기 (1 in 100) 아나필락시스 (anaphylaxis) (1 in 1,000) 아나필락시스 쇼크 (1 in 50,000) 급성 폐손상 (1 in 12,000) 병원내 감염 (?) 급성 용혈성 반응 (1 in 35,000) 치명적 용혈성 반응 (1 in 1,000,000)	감염전파 박테리아 (1 in 500,000) B형 간염 바이러스 (1 in 220,000) C형 간염 바이러스 (1 in 1,600,000) HIV (1 in 1,600,000) 수혈 실수 다른 사람 수혈 (1 in 15,000) 부적합 수혈 (1 in 33,000)

참고문헌 20, 25-27 발췌

2. 치료 (Management)

a. 용혈성 반응이 의심된다면, 즉시 수혈을 중단하고 올바른 혈액을 올바른 사람에게 수혈했는지 확인한다. 용혈성 반응의 중증도는 수혈 받은 혈액량에 따라 결정되기 때문에, 가능한 빠른 수혈 중단이 중요하다 (25).

b. 기증받은 혈액이 환자와 적합하면 급성 용혈성 반응은 가능성이 낮아진다. 하지만, 반드시 혈액은행에 보고하며, 혈액은행으로 혈액 샘플을 보내 혈관내 용혈 (intravascular hemolysis)의 단서인 혈장 유리 헤모글로빈 (plasma free hemoglobin) 수치와 항-ABO 항체의 단서인 직접 쿰스검사 (direct coomb's test)를 진행한다.

c. 급성 용혈성 반응이 확진 되면, 필요한 경우 혈압과 호흡을 보조한다. 중증 용혈성 반응의 치료는 패혈성쇼크 (septic shock)와 유사하다. 즉 순환혈액량 소생 (volume resuscitation)과 필요한 경우 혈압 상승제 (vasopressor)를 투여한다. 대부분의 환자는 회복된다.

B. 열성 비용혈성 반응 (Febrile Nonhemolytic Reactions)

1. 임상양상 (Clinical Features)

a. 열성 비용혈성 수혈반응은 다른 원인 없이 수혈 중 혹은 수혈 후 6시간 내에 체온이 1℃이상 (1.8°F이상) 증가하는 것으로 정의한다 (20).
b. 열은 급성 용혈성 반응과는 다르게 대체로 수혈 후 첫 1시간 내에는 잘 나타나지 않지만, 증상이 심각할 수도 있다.
c. 원인은 수혜자의 혈액에 있는 항백혈구항체 (antileukocyte antibody)로 기증자의 백혈구에 있는 항원과 반응을 일으킨다. 이 반응은 포식세포 (phagocyte)에서 열의 근원이 되는 내인성 발열원 (endogenous pyrogen) 배출을 촉발한다.
d. 이 반응은 RBC수혈의 0.5% 정도에서 발생한다고 알려져 있으며, 이전에 수혈을 받은 사람과 출산경험이 많은 여성에서 생긴다.
e. 백혈구감소 적혈구 (leukocyte-reduced RBCs)를 수혈하면 반응을 완전히 없애지는 못하지만 반응이 발생할 위험은 낮출 수 있다.

2. 치료 (Management)

수혈 관련성 발열에 대한 초기 접근은 용혈성 수혈반응의 접근과 동일하다. 앞서 말한 검사를 통해 용혈성 반응을 배제하면 확진할 수 있다.
a. 혈액은행은 기증받은 혈액에 대해서 그람염색 (gram stain)을 시행하고, 수혜자에 대해 혈액 배양을 의뢰할 수 있다. 보존혈액이 미생물에 오염될 가능성은 5백만 분의 1로 희박하기 때문에 이 검사는 대부분 의미가 없다.

3. 추후 수혈 (Future Transfusion)

a. 비용혈성 발열을 경험한 환자 중 75% 이상은 추후 수혈에서 동일

한 반응이 발생하지 않는다 (27). 따라서, 추후 수혈에서 별도의 예방책은 필요 없다.

b. 두 번째 열성 반응이 나타나면, 앞으로의 수혈은 항상 백혈구감소 적혈구 수혈을 추천한다.

C. 과민성 반응 (Hypersensitivity Reactions)

과민성 반응은 이전의 수혈로 인해 기증받은 혈액의 혈장 단백질에 감작 (sensitization)되어 생긴다. 면역글로불린A결핍 (IgA deficiency) 환자는 혈장 제제 (plasma product)에 노출되지 않아도 과민성 수혈반응이 발생하기 쉽다.

1. 임상양상 (Clinical Features)

a. 가장 흔한 과민성 반응은 두드러기 (urticaria)이며, 100 unit 수혈당 1명 비율로 발생하며 (27), 수혈 동안에 나타난다.

b. 수혈 중 갑작스러운 호흡곤란이 생겼다면 아나필락시스 (anaphylaxis)로 인한 후두부종 (laryngeal edema) 혹은 기관지경련 (bronchospasm)을 시사하며, 아나필락시스 쇼크 (anaphylactic shock)로 인한 저혈압을 급성 용혈성 반응 (acute hemolytic reaction)으로 오인하기도 한다.

2. 치료 (Management)

a. 발열이 없는 경도의 두드러기로 수혈을 중단할 필요는 없다. 하지만, 흔히 사용하는 방법은 수혈을 일시적으로 중단하고 *diphenhydramine* (25-50 mg IM, IV 혹은 경구투여)같은 항히스타민을 투여해 증상을 완화하는 것이다.

b. 아나필락시스 반응은 9장 Ⅲ절에서 기술한 대로 치료한다. 아나필

락시스가 의심된다면 즉시 수혈을 중단한다.

c. 과민성 반응이 나타난 환자는 앞으로 수혈할 경우가 발생하면 항상 세척 RBC를 사용할 수도 있다. 하지만, 아나필락시스 반응이 있었던 환자에게 향후 수혈 시 세척 RBC를 사용한다고 해도 위험하기 때문에 절대적으로 필요한 경우가 아니면 가능한 피해야 한다.

d. 과민성 반응이 나타난 환자는 잠재적인 면역글로불린 A 결핍에 대한 검사를 해야 한다.

D. 급성 폐손상 (Acute Lung Injury)

수혈 관련성 급성 폐손상 (Transfusion-related acute lung injury, TRALI)은 RBC 및 혈소판 수혈과 관련 있는 염증성 폐손상 (inflammatory lung injury)으로 (28) 급성 호흡부전 증후군 (acute respiratory distress syndrome, ARDS)과 유사한 양상을 띈다. ARDS에 관해서는 17장에서 다루고 있다. 발생률은 12,000 수혈당 1건이며 (28), 사망률은 6%다 (26,28). *TRALI는 수혈 관련성 사망의 주원인이다* (28).

1. 병인 (Etiology)

TRALI는 기증받은 혈액 (donor blood)의 항백혈구 항체 (antileukocyte antibody)가 수혈자의 순환 호중구 (circulating neutrophil) 표면의 항원과 결합해서 생긴다고 여겨진다. 이는 호중구를 활성화하며, 활성 호중구는 폐모세혈관에 격리되고 (sequestered), 폐로 이동하여 염증손상 (inflammatory injury)을 일으킨다.

2. 임상양상 (Clinical Feature)

a. 호흡부전, 빠른 호흡, 저산소증 등의 호흡 억제 증상은 수혈 시작

후 최대 6시간이 지나서도 나타날 수 있지만, 대부분은 수혈 시작 후 1시간 내에 나타난다 (28).

b. 발열이 흔하며, 흉부엑스선 사진에서는 특징적인 양폐야의 광범위한 침윤 (diffuse infiltrate in both lung)이 나타난다.
c. TRALI는 시작부터 심각할 수 있으며, 보통 기계환기 (mechanical ventilation)가 필요하지만 대개 1주일 내로 호전을 보인다 (28).

3. 치료 (Management)

a. 수혈이 종료되지 않았다면, 호흡이 어렵다는 증상이 나타난 즉시 수혈을 중단한다. 혈액은행에 모든 종류의 TRALI에 대해 보고해야 한다. 항백혈구 항체에 대한 분석이 가능하지만, 현재는 TRALI의 진단적 평가에서 사용되지 않는다.
b. TRALI의 치료는 지지요법이며, 17장 Ⅱ, Ⅲ절에서 다루고 있는 ARDS와 거의 비슷하다.

4. 추후 수혈 (Future Transfusion)

TRALI가 있었던 환자는 추후 수혈에 대한 확실한 권장 사항이 없다. 일부는 기증받은 혈액에서 항체를 제거하기 위해서 세척RBC를 권장하기도 하지만, 이 방법의 유효성은 알려지지 않았다.

E. 병원내 감염 (Nosocomial infections)

RBC수혈은 면역억제 효과가 있으며 (29), 많은 연구 결과, 수혈을 받은 환자는 병원내 감염이 발생할 확률이 높다 (30,31). 게다가, 최소 22개의 연구 결과, 수혈 자체가 병원내 감염의 독립적인 위험인자였다 (32).

F. 혜택보다 많은 위험 (More Risk than Benefit)

272,596명의 환자가 포함된, 중환자의 RBC수혈에 대한 45개 임상연구에 대한 분석으로 다음과 같은 결과를 밝혀냈다 (32).

1. 45개 중 42개 연구에서 RBC수혈의 단점이 장점보다 많았다.
2. 45개 중 단 하나의 연구에서 만 RBC수혈의 장점이 단점을 상쇄했다.
3. 18개의 연구는 RBC수혈과 생존의 상관관계에 대해 연구했으며, 이 중 17개의 연구가 RBC는 사망의 독립적인 위험요소라는 것을 보여 주었다. RBC수혈을 받은 환자는 치명적인 결과를 맞이할 가능성이 평균적으로 70% 이상 높았다.

참고문헌

1. Hebert PC, Tinmouth A, Corwin HL. Controversies in RBC transfusions in the critically ill. Chest 2007; 131:1583-1590.
2. Hayden SJ, Albert TJ, Watkins TR, Swenson ER. Anemia in critical illness. Am J Respir Crit Care Med 2012; 185(10):1049-1057.
3. Vincent JL, Baron JF, Reinhart K, et al. Anemia and blood transfusion in critically ill patients. JAMA 2002; 288:1499-1507.
4. Napolitano LM, Kurek S, Luchette FA, et al. Clinical practice guideline: Red blood cell transfusion in adult trauma and critical care. Crit Care Med 2009; 37:3124-3157.
5. Ferraris VA, Ferraris SP, Saha SP, et al. Perioperative blood transfusion and blood conservation in cardiac surgery; the Society of Thoracic Surgeons and the Society of Cardiovascular Anesthesiologists Clinical Practice Guideline. Ann Thorac Surg 2007; 83(Suppl):S27-S86.
6. Jones JG, Holland BM, Wardrop CAJ. Total circulating red cells versus hematocrit as a primary descriptor of oxygen transport by the blood. Br J Hematol 1990; 76:228-232.
7. Hebert PC, Van der Linden P, Biro G, Hu LQ. Physiologic aspects of anemia. Crit Care Clin 2004; 20:187-212.

8. Smoller BR, Kruskall MS. Phlebotomy for diagnostic laboratory tests in adults: Pattern of use and effect on transfusion requirements. N Engl J Med 1986; 314:1233-1235.
9. Silver MJ, Li Y-H, Gragg LA, et al. Reduction of blood loss from diagnostic sampling in critically ill patients using a blood-conserving arterial line system. Chest 1993; 104:1711-1715.
10. Wilkerson DK, Rosen AL, Gould SA, et al. Oxygen extraction ratio: a valid indicator of myocardial metabolism in anemia. J Surg Res 1987; 42:629-634.
11. Levine E, Rosen A, Sehgal L, et al. Physiologic effects of acute anemia: implications for a reduced transfusion trigger. Transfusion 1990; 30:11-14.
12. Weiskopf RB, Viele M, Feiner J, et al. Human cardiovascular and metabolic response to acute, severe, isovolemic anemia. JAMA 1998; 279:217-221.
13. Hebert PC, Yetisir E, Martin C, et al. Is a low transfusion threshold safe in critically ill patients with cardiovascular disease. Crit Care Med 2001; 29:227-234.
14. Adam RC, Lundy JS. Anesthesia in cases of poor risk: Some suggestions for decreasing the risk. Surg Gynecol Obstet 1942: 74:1011-1101.
15. Hebert PC, Wells G, Blajchman MA, et al. A multicenter, randomized, controlled clinical trial of transfusion requirements in critical care. N Engl J Med 1999; 340:409-417.
16. Levy PS, Chavez RP, Crystal GJ, et al. Oxygen extraction ratio: a valid indicator of transfusion need in limited coronary vascular reserve? J Trauma 1992; 32:769-774.
17. Vallet B, Robin E, Lebuffe G. Venous oxygen saturation as a physiologic transfusion trigger. Crit Care 2010; 14:213-217.
18. Dutton RP, Shih D, Edelman BB, Hess J, Scalea TM. Safety of uncrossmatched type-O cells for resuscitation from hemorrhagic shock. J Trauma 2005; 59:1445-1449.
19. Qureshi H, Massey E, Kirwan D, Davies T, Robson S, White J, Jones J, Allard S. BCSH guideline for the use of anti-D immunoglobulin for the prevention of haemolytic disease of the fetus and newborn. Transfusion Medicine 2014; 24:8-20.
20. King KE (ed). Blood Transfusion Therapy: A Physician's Handbook. 9th ed. Bethesda, MD: American Association of Blood Banks, 2008:1-18.
21. Conrad SA, Dietrich KA, Hebert CA, Romero MD. Effects of red cell transfusion on oxygen consumption following fluid resuscitation in septic shock. Circ Shock

1990; 31:419 - 429.

22. Dietrich KA, Conrad SA, Hebert CA, et al. Cardiovascular and metabolic response to red blood cell transfusion in critically ill volume-resuscitated nonsurgical patients. Crit Care Med 1990;18:940 - 944.
23. Marik PE, Sibbald W. Effect of stored-blood transfusion on oxygen delivery in patients with sepsis. JAMA 1993; 269:3024 - 3029.
24. Kiraly LN, Underwood S, Differding JA, Schreiber MA. Transfusion of aged packed red blood cells results in decreased tissue oxygenation in critically ill trauma patients. J Trauma 2009;67:29 - 32.
25. Kuriyan M, Carson JL. Blood transfusion risks in the intensive care unit. Crit Care Clin 2004; 237 - 253.
26. Goodnough LT. Risks of blood transfusion. Crit Care Med 2003;31:S678 - 686.
27. Sayah DM, Looney MR, Toy P. Transfusion reactions: newer concepts on the pathophysiology, incidence, treatment, and prevention of transfusion-related acute lung injury. Crit Care Clin 2012;28:363 - 372.
28. Toy P, Gajic O, Bachetti P, et al. Transfusion-related acute lung injury: incidence and risk factors. Blood 2012; 119:1757 - 1767.
29. Vamvakas EC, Blajchman MA. Transfusion-related immunomodulation(TRIM): an update. Blood Rev 2007; 21:327 - 348.
30. Agarwal N, Murphy JG, Cayten CG, Stahl WM. Blood transfusion increases the risk of infection after trauma. Arch Surg 1993;128:171 - 177.
31. Taylor RW, O'Brien J, Trottier SJ, et al. Red blood cell transfusions and nosocomial infections in critically ill patients. Crit Care Med 2006; 34:2302 - 2308.
32. Marik PE, Corwin HL. Efficacy of red blood cell transfusion in the critically ill: A systematic review of the literature. Crit Care Med 2008; 36:2667 - 2674.

Chapter 12

혈소판과 혈장

Platelets and Plasma

이번 장은 혈소판감소증 (thrombocytopenia)에 대한 설명으로 시작하여, 중환자에서 혈소판요법 (platelet therapy), 그리고 warfarin 항응고요법의 급속반전 (rapid reversal)에 대한 권장사항을 비롯한 혈장제제 (plasma product)의 수혈에 중점을 맞추고 있다.

I. 혈소판감소증 (THROMBOCYTOPENIA)

혈소판감소증은 중환자에서 가장 흔한 지혈장애 (hemostatic disorder)로, 발생률은 60% 이상이다 (1,2). 혈소판 수치<150,000/μL를 혈소판감소증이라 정의하지만, 지혈마개 (hemostatic plug)를 형성하는 능력은 혈소판 수치가 100,000/μL 이하로 떨어지기 전까지는 유지되기 때문에 (2), 혈소판 수치 <100,000/μL가 임상적으로 중요한 혈소판감소증 기준에 더 적합하다.

A. 출혈위험 (Bleeding Risk)

1. 주요출혈 (major bleeding)의 위험은 혈소판 만으로 결정되는 것이 아니라, 출혈을 일으키기 쉬운 구조적 병변 (structural lesion)이 필요하다.
2. 구조적 병변이 없다면, 혈소판 수치가 5,000/μL 정도로 낮아도 주요출혈은 발생하지 않는다 (3)

3. 혈소판 수치<10,000/μL 일때 주된 위험은 자발성 뇌내출혈 (spontaneous intracerebral hemorrhage)인데, 흔하게 발생하지는 않는다 (2).

B. 병인 (Etiology)

1. ICU에서 가능성 높은 혈소판감소증의 원인은 표 12.1에 나와있다.
2. *ICU 환자에서 혈소판감소증의 가장 흔한 원인은 패혈증 (sepsis)*이며 (4), 이는 대식세포 (macrophage)에서 혈소판 파괴가 증가한 결과다.

표 12.1 ICU에서 혈소판감소증을 유발하는 잠재적 원인

비약물학적	약물학적
Cardiopulmonary Bypass	Anticonvulsants
Disseminated Intravascular Coagulation (DIC)	Phenytoin
HELLP Syndrome	Valproic Acid
Hymolytic-Uremic Syndrome	Antimicrobial Agents
HIV Infection	β-Lactams
Intra-aortic Ballon Pump	Linezolid
Liver Disease/Hypersplenism	TMP/SMX
Massive Transfusion	Vancomycin
Renal Replacement Therapy	Antineoplastic Agents
Sepsis	Antithrombotic Agents
Thrombotic thrombocytopenia purpura (TTP)	Heparin
	II b/ III a Inhibitors
	Histamine H_2 Blockers
	Miscellaneous Drugs
	Amiodarone
	Furosemide
	Thiazides
	Morphine

C. 가성 혈소판감소증 (Pseudothrombocytopenia)

1. 가성 혈소판감소증은 혈액채취 시험관 내의 항응고제인 EDTA에 대한 항체가 시험관 내에서 혈소판을 응집시키고 그 결과 혈소판 수치가 실제보다 낮게 측정되는 상태를 말한다.
2. 이 현상은 병원 검사실에서 진행하는 혈소판 수치검사의 2% 정도에서 보고된다.
3. 예를 들어 갑작스런 혹은 예상치 못한 혈소판감소증 등으로 가성 혈소판감소증이 의심 된다면, 항응고제로 헤파린 (heparin)이나 구연산 (citrate)을 사용하는 혈액채취 튜브를 이용해 혈소판 수치를 다시 확인한다.

II. 헤파린과 혈소판감소증 (HEPARIN AND THROMBOCYTOPENIA)

헤파린과 연관 있는 혈소판감소증에는 두 종류가 있다.

1. 첫 번째는 비면역성 반응으로 헤파린을 투여하고 수 일 내로 나타나는 경한 혈소판 감소증이다. 혈소판 수치는 대개 100,000-150,000/μL으로 측정된다. 이 반응은 헤파린을 투여한 환자 중 10-30%에서 발생하며 (6), 헤파린을 중단하지 않아도 합병증을 남기지 않고 자연히 사라진다.
2. 두 번째, 헤파린 유발성 혈소판감소증 (heparin induced thrombocytopenia, HIT)은 면역 매게 반응으로, 헤파린을 투여하고 5-10일 후에 나타나는 특징이 있다 (6). 이 반응은 1-3% 정도로 드물게 발생하지만 심각한 상태로 이어질 수 있고, 진단을 놓치면 사망률이 30%에 육박한다 (6).
3. HIT는 다음과 같은 과정을 거쳐 생긴다. 헤파린은 혈소판의 혈소판 제4인자라는 단백질과 결합하여 항원복합체를 형성하게 되고 이 항

원복합체는 IgG항체가 발생하도록 유도하며, IgG항체는 항원복합체와 결합해 근처의 혈소판 사이에 교차결합 (cross-bridge)을 만든다. 이는 혈소판응집 (platelet aggregation)을 촉진하고 이로 인해 증상이 있는 혈전증 (symptomatic thrombosis)과 소모성 혈소판감소증 (consumptive thrombocytopenia)이 발생하기도 한다. 헤파린과 연관된 항체들은 대부분 헤파린을 중단하면 3개월 내로 사라진다 (5).

A. 위험요소 (Risk Factors)

1. *HIT는 용량-의존반응 (dose-dependent reaction)이 아니며*, 정맥 내 카테터 세척을 위해 사용하는 소량의 헤파린으로도 유발 가능하다. 심지어는 헤파린으로 코팅한 폐동맥 카테터 때문에도 발생할 수 있다 (7).
2. 헤파린 제제의 종류에 따라 HIT가 발생할 위험이 다르다. 즉, *비분획 헤파린 (unfractionated heparin)은 저분자량 헤파린 (low-molecular-weight heparin)에 비해 HIT가 발생할 위험이 10배 이상 높다* (8).
3. HIT가 발생할 위험은 환자군에 따라서도 달라진다. 정형외과나 심장수술환자는 발생률이 높지만, 내과환자는 낮은 편이다 (6,8).

B. 임상양상 (Clinical Features)

1. HIT는 헤파린 투여 5-10일 후에 나타나는 특징이 있지만, 이전에 헤파린에 노출된 적이 있고 아직 3개월이 지나지 않은 환자는 24시간 이내에도 발생할 수 있다 (8).
2. 혈소판 수치는 대부분 50,000-150,00/μL로 측정되고 20,000/μL 밑으로 떨어지는 일은 거의 없다 (6,8).
3. HIT의 주요 합병증은 *혈전증 (thrombosis)*으로, 환자 중 25% 이상에서 *혈소판감소증 보다 먼저 나타난다* (8).
   a. 동맥 혈전증보다 정맥 혈전증이 더 흔하게 나타난다. HIT 환자 중 55% 이상은 하지의 심부 정맥 혈전증 (deep vein thrombosis)과 폐색

전증 (pulmonary embolism) 양쪽 모두 혹은 한쪽을 가지고 있지만, 동맥 혈전증이 발생하는 환자는 1-3%에 불과하다. 동맥 혈전증은 사지허혈 (limb ischemia), 허혈성뇌졸중 (ischemic stroke) 혹은 급성 관동맥 증후군 (acute coronary syndrome)을 유발할 수도 있다 (8).

C. 진단 (Diagnosis)

1. HIT 항체를 검출하기 위한 다양한 검사법이 있다. 가장 흔히 사용하는 검사법은 혈소판 제4인자-헤파린 복합체 (platelet factor 4-heparin complex)에 대한 항체를 측정하는 효소결합 면역흡착검사 (enzyme-linked immunosorbent assay, ELISA)다.
2. 항체 검사가 음성이라면 HIT를 배제할 수 있지만, HIT 항체가 항상 혈소판감소증이나 혈전증을 유발하지는 않기 때문에 검사가 양성이어도 HIT는 확진할 수 없다 (8).
3. HIT를 진단하기 위해서는 항체검사가 양성이어야 하며, 임상적으로 충분히 의심할 만한 상황이 동반되어야 한다.

D. 급성기 치료 (Acute Management)

헤파린을 즉시 중단한다. 헤파린 코팅 카테터 제거 및 향후 헤파린 세척 중단도 잊지 않도록 한다. *HIT가 혈전증을 동반하지 않은 경우라도,* **표 12.2**에 나와있는 직접 트롬빈 억제제 (direct thrombin inhibitor) 중 하나를 선택해 치료적 항응고요법 (therapeutic anticoagulation)을 즉시 시작해야 한다 (8).

1. Argatroban

Argatroban은 L-아르기닌 (L-arginine)의 합성 유사체로 트롬빈의 활성 부위에 가역적으로 결합한다. 작용이 빠르며, **표 12.2**에 나와있는 용법에 따라 지속주입한다. 치료목표는 활성화 부분트롬보플라스틴 시간

(activated partial thromboplastin time, aPTT)을 정상치 (control value)의 1.5-3배로 유지하는 것이다.

a. 이 약은 주로 간에서 대사되기 때문에, 간부전 환자에서는 용량조절이 필요하다

b. *Argatroban은 콩팥부전 환자에게 권장*하는데 (8), 별도의 용량조절이 필요하지 않기 때문이다.

<table>
<tr><th colspan="2">표 12.2 HIT의 항응고요법에 사용되는 직접트롬빈억제제</th></tr>
<tr><th>약물</th><th>권장 용법</th></tr>
<tr><td>Argatroban</td><td>정상 : 2 μg/kg/min으로 시작하여 aPTT가 정상치의 1.5–3배가 되도록 용량조절. 최대용량은 10 μg/kg/min
간부전 : 0.5 μg/kg/min으로 시작</td></tr>
<tr><td>Lepirudin</td><td>정상 : 치명적인 혈전증은 0.4 mg IV bolus로 시작
0.15 mg/kg/h 속도로 주입을 시작하며, aPTT가 정상치의 1.5–3배가 되도록 용량조절
콩팥부전 : 필요한 경우 IV bolus를 0.2 mg으로 감량
아래와 같이 주입속도 감량<table><tr><td>혈청 크레아티닌 (mg/dL)</td><td>1.6–2.0</td><td>2.1–3.0</td><td>3.1–6.0</td><td>>6.0</td></tr><tr><td>주입 속도 감량 %비율</td><td>50%</td><td>70%</td><td>85%</td><td>사용금지</td></tr></table></td></tr>
</table>

참고문헌 10, 11, 14 발췌. HIT=Heparin-induced thrombocytopenia

2. Lepirudin

Lepirudin은 히루딘 (hirudin)의 재조합 제제 (recombinant form)로, 트롬빈에 비가역적으로 결합하는 항응고제다. Lepirudin은 지속주입하며 치명적인 혈전증이 있는 경우 IV bolus를 먼저 투여하기도 한다. 치료목표는 argatroban과 동일하게 aPTT를 정상치의 1.5-3배로 유지하는 것이다.

a. Lepirudin은 콩팥에서 대사되기 때문에 콩팥기능에 문제가 있다면 용량을 조절해야 한다 **(표 12.2 참고)**

b. Lepirudin을 재투여하면 (re-exposure) 치명적인 아나필락시스반응 (anaphylaxis reaction)이 발생할 수 있다 (8). 따라서, lepirudin 치료는 단 한번만 가능하다.

3. 치료기간 (Duration of Treatment)

Argatroban 혹은 lepirudin을 이용한 항응고요법은 혈소판 수치가 150,000/μL 이상이 될 때까지 지속하기를 권장한다(8). 그 후, HIT가 혈전증을 동반했다면 장기간 항응고치료를 위해 coumadin을 사용할 수 있지만, 여기에는 두 가지 주의점이 있다. 먼저 coumadin은 혈소판 수치가 150,000/μL 이상이 되기 전에는 절대로 사용하지 말아야 하며, 다음으로 최초의 coumadin 용량은 5 mg을 넘지 않아야 한다 (8). HIT의 활성기에 coumadin을 사용하면 사지 괴저 콩팥부전 (limb gangrene)이 생길 수 있는데, 이 주의점들은 그 위험을 줄이기 위함이다. Coumadin 항응고 요법이 완전해지기 전까지는 항트롬빈 제제를 계속 사용하는 것이 좋다.

Ⅲ. 혈전성 미세혈관병증 (THROMBOTIC MICROANGIOPATHIES)

다음에 나오는 질환들은 미세혈관 혈전증 (microvascular thrombosis)을 동반한 "소모성" 혈소판감소증 (consumptive thrombocytopenia)과 하나 이상의 필수장기 (vital organ) 기능부전이 특징이다. 이 질환들의 혈액학적 특징은 표 12.3에 나와있다.

A. 파종성혈관내응고 (Disseminated Intravascular Coagulation, DIC)

DIC는 다발성외상 (multisystem trauma) 같은 광범위한 조직손상 혹은 산과응급 (obstetric emergency)으로 인해 발생하는 2차질환 (secondary disorder)이다. 산과응급에는 양수색전 (amniotic fluid embolism), 태반 조기박리

(abruptio placentae), 자간 (eclampsia), 잔류태아 증후군 (retained fetus syndrome) 등이 있다. 이 질환들은 내피세포에서 조직인자 분비를 촉진하고, 이는 혈류 속에 있는 일련의 응고인자를 활성화시켜 최종적으로는 섬유소를 형성하게 된다. 이 때문에 광범위한 미세혈관 혈전증이 발생하게 되며, 2차적으로 응고인자와 혈소판을 소모하게 되어 *소모성 응고병 (consumptive coagulopathy)*으로 이어진다 (9).

1. 임상양상 (Clinical Feature)

a. DIC의 미세혈관 혈전증은 다장기부전 (multiorgan failure)으로 이어지기도 하며, 주로 폐, 콩팥, 중추신경계를 침범하는 반면 혈소판과 응고 인자의 고갈은 출혈, 특히 위장관 출혈을 유발하기도 한다.
b. 또한 DIC에서는 사지에 대칭적 괴사 (symmetrical necrosis)와 반상출혈 (ecchymosis)이 발생하기도 한다. *전격성 자반 (purpura fulminans)*이라고 하는 이 상황은 치명적인 패혈증 (overwhelming sepsis), 그 중에서도 특히 수막구균혈증 (meningococcemia)에서 자주 보인다 (4).

2. 검사실 검사 (Laboratory Studies)

a. 혈소판감소증에 더해서, DIC에서는 항상은 아니지만 대부분 프로트롬빈 시간 (prothrombin time, PT)과 활성화 부분트롬보플라스틴 시간 (activated partial thromboplastin time, aPTT)이 연장된다. 이 두 가지 수치가 이상을 보이는 이유는 혈액 내의 응고인자가 고갈되었기 때문이다 (10-11).
b. 광범위 혈전증은 섬유소용해 (fibrinolysis)를 증가시키고, 피브린 분해산물 (fibrin degradation product, FDP), 즉 혈장 d-이합체 (d-dimer)를 증가시킨다 (10-11).
c. 말초 혈액도말 (peripheral blood smear)에 *분열적혈구 (schistocytes)*가 있을 때 확인 가능한 *미세혈관병증 용혈성 빈혈 (microangio-*

*pathic hemolytic anemia)*도 있다.

3. 치료 (Management)

DIC의 치료는 지지요법 이외에 특별한 방법이 없다 (10).

a. 혈소판, 항응고인자 (혈장제제)를 사용한 보충 요법은 거의 도움이 되지 않으며, 오히려 미세혈관혈전증에 "기름을 붓는" 양상이 되어 위험할 수 있다.

b. 다장기 부전을 동반한 고도 (severe) DIC는 사망률이 80%에 육박한다.

B. 혈전성 혈소판감소성 자반 (Thrombotic Thrombocytopenic Purpura, TTP)

TTP는 혈소판이 미세혈관 내피세포에 있는 비정상 폰 빌레브란트인자 (von willebrand factor)에 결합하여 발생하는 혈전성 미세혈관병증이다 (2). 이는 발생 24시간 이내에 사망할 수도 있는 재앙적인 질환이다. 대부분은 선행요소가 없지만, 일부는 비특이적 바이러스질환을 앓은 후에 발병하기도 한다.

표 12.3 혈전성 미세혈관병증의 혈액학적 특징

특징	DIC	TTP	HELLP
분열적혈구 (schistocyte)	있음	있음	있음
혈소판	↓	↓	↓
INR, aPTT	↑	정상	정상
섬유소원 (fibrinogen)	↓	정상	정상
혈장 D-dimer	↑	정상	정상

참고문헌4 발췌. DIC=disseminated intravascular coagulation; TTP=thrombotic thrombocytopenia purpura; HELLP=hemolysis, elevated liver enzyme, low platelets.

1. 임상양상 (Clinical Features)

TTP는 발열, 의식 수준 변화, 급성 신부전, 혈소판감소증, 미세혈관병증 용혈성 빈혈이라는 특징적인 5가지 임상 양상이 있다. TTP를 진단하기 위해 5가지 상황이 모두 필요하지는 않지만, 진단을 위해서는 혈소판감소증과 미세혈관병증 용혈성 빈혈의 단서가 있어야 한다. 즉, 말초 혈액 도말에 분열적혈구가 존재해야 한다.

a. TTP는 DIC와 구별할 수 있는데, TTP에서는 응고인자가 소모되지 않기 때문에 INR, aPTT 그리고 섬유소원 (fibrinogen) 수치가 정상이다 (표 12.3 참고)

2. 치료 (Management)

a. TTP에서 혈소판 수혈은 기존의 혈전증을 악화시킬 수 있기 때문에 금기다.
b. TTP의 가장 좋은 치료법은 혈장교환 (plasma exchange)이다 (12). 혈장교환은 환자의 혈액에서 혈장을 분리해서 폐기하고 건강한 기증자의 혈장을 주입해주는 장치를 사용해 시행한다. 이는 정상 혈장량의 1.5배가 교환될 때까지 지속하며, 3-7일 동안 매일 시행한다.
c. 급성, 전격성 (fulminant) TTP는 치료하지 않으면 대부분 사망하지만, 혈장교환을 증상이 나타나고 48시간 이내에 빠르게 시작하면 90% 이상이 생존할 수 있다 (12).

C. HELLP증후군 (HELLP syndrome)

HELLP (Hemolysis, Elevated Liver enzyme, Low Platelets) 증후군은 임신말기 혹은 산후초기에 나타나는 혈전성 미세혈관병증이다 (13). HELLP증후군의 장본인은 혈소판과 응고인자가 원인을 알 수 없는 이유로 활성화되는 것이며, 이는 소모성 혈소판감소증, 미세혈관 혈전증 그리고 미세혈관병증 용혈성 빈혈을 유발한다.

1. 임상양상 (Clinical Features)

a. HELLP는 용혈, 혈소판감소증 그리고 간효소 증가라는 3가지 특징이 있다.
b. 가장 흔한 임상양상은 복통이다.
c. HELLP와 선행요소가 동일한 DIC를 혼동할 수 있는데, HELLP에서는 INR, aPTT 그리고 섬유소원 수치가 대부분 정상이다 (표 12.3 참고)

2. 치료 (Management)

HELLP증후군은 산과응급상황이며, 치료에 대한 세부적인 설명은 본문의 범위에서 벗어난다. 이에 대한 더 자세한 정보가 필요하면, 이번 장 마지막 부분의 참고문헌에 적절한 리뷰가 실려 있으니 참고한다 (13,14)

Ⅳ. 혈소판 수혈 (PLATELET TRANSFUSIONS)

A. 적응증 (Indication)

1. 활동성 출혈 (Active Bleeding)

반상출혈 (ecchymosis) 혹은 점상출혈 (petechiae)이 아닌 활동성 출혈에서 혈소판수치가 50,000/ μL미만이라면 혈소판 수혈을 권장한다 (15). 두개내 출혈 (intracranial hemorrhage)이 있다면 혈소판 수치를

100,000/μL 이상으로 높게 유지한다 (15).

2. 활동성 출혈이 없을 때 (No Active Bleeding)

약물유발 저증식성 혈소판감소증 (drug-induced hypoproliferative thrombocytopenia)의 경우, 혈소판 수치가 10,000/μL 아래로 떨어지면 혈소판 수혈을 권장한다 (16).

3. 시술 (Procedures)

다음과 같은 경우 혈소판 수혈을 권장한다 (16):

a. 혈소판 수치가 20,000/μL 미만인 상황에서 중심정맥관 삽입 일정이 잡혀 있을 때
b. 혈소판 수치가 50,000/μL 미만인 상황에서 요추천자 (lumbar puncture) 일정이 잡혀 있을 때
c. 혈소판 수치가 50,000/μL 미만인 상황에서 주요, 비신경축 (major, nonneuraxial) 수술일정이 잡혀 있을 때.

B. 혈소판 제제 (Platelet Products)

1. 혼합 혈소판 (Pooled Platelets)

a. 혈소판은 분별 원심분리법 (differential centrifugation)으로 신선전혈 (fresh whole blood)에서 분리되고, 5명의 기증자에게서 모은 농축 혈소판을 혼합해서 저장한다.
b. "혼합" 농축 혈소판은 혈장 260 mL에 38×10^{10}개의 혈소판이 있으며 이는 정상 혈소판수치 $150\text{-}400 \times 10^3$/μL보다 10^6배 높은 혈소판 수치인 약 130×10^9/μL와 동일하다.

2. 성분채집 혈소판 (Apheresis Platelets)

a. 성분채집 혈소판은 한 명의 기증자에게서 모으며, 5명의 기증자에게서 모은 혼합 농축 혈소판과 동일한 수준의 혈소판 수치와 용량을 가진다.

b. 1인 기증자 혈소판 수혈은 감염전파, 그리고 기증자 혈소판에 대한 항체가 생성되어 혈소판 수혈의 효과를 떨어뜨리는 혈소판 동종면역 (alloimmunization)의 위험이 낮다는 장점이 있다.

3. 백혈구 감량 (Leukoreduction)

a. 농축혈소판에는 백혈구도 같이 들어있으며, 백혈구 감량은 다음과 같은 장점이 있다 (17). 백혈구를 통해 전파되는 cytomegalovirus의 전파 가능성이 낮으며, 열성반응이 줄어들고, 혈소판 동종면역이 발생할 확률이 줄어든다.

b. 이러한 장점 때문에, 백혈구 감량은 혈소판 수혈에서 일상적인 과정이 되었다.

C. 수혈한 혈소판에 대한 반응 (Response to Transfused Platelets)

1. 더 이상 실혈이 없는 평균체구의 성인에게 *전혈 1unit에서 추출한 농축 혈소판을 수혈하면 1시간 뒤 순환 혈소판 수치를 7,000/μL에서 10,000/μL 정도 증가*시킬 수 있다 (17). 농축 혈소판은 평균적으로 5개를 혼합하여 수혈하기 때문에, 수혈 1시간 후의 예상 혹은 이상적인 혈소판 수치 증가는 35,000/μL에서 50,000/μL 사이가 된다.
2. 여러 번 수혈을 하게 되면 혈소판 수치 증가비율이 점차 낮아진다 (18). 이는 기증자 혈소판의 ABO 항원에 대한 항혈소판 항체가 생성되기 때문이다. ABO형이 일치하는 혈소판을 수혈하면 이 효과를 완화시킬 수 있다.

D. 부작용 (Adverse Effect)

혈소판 수혈과 연관된 부작용은 **표 12.4**에 나와있다 (16).

표 12.4 혈소판 수혈과 연관된 부작용

부작용	수혈 당 확률
열성 반응	1 in 14
알레르기 반응	1 in 50
세균성 패혈증	1 in 75,000
급성 폐 손상	1 in 138,000
HBV 감염	1 in 2,652,580
HCV 감염	1 in 3,315,729
HIV 감염	0–1 in 1,461,888

참고문헌 16 발췌.

1. 비용혈성 발열 (Nonhemolytic Fever)

혈소판 수혈과 연관된 부작용 중 가장 흔한 것은 열성 비용혈성 반응 (febrile nonhemolytic reaction)이며, 적혈구 수혈보다 훨씬 흔하게 발생한다 (11장과 표 11.3참고). 백혈구 감량으로 이 반응이 발생할 위험을 낮출 수 있다.

2. 알레르기 반응 (Allergic Reactions)

두드러기, 아나필락시스, 아나필락시스 쇼크 같은 알레르기 반응도 적혈구 수혈보다 혈소판 수혈에서 더 흔하게 나타난다 **(표 11.3참고)**. 이는 기증자 혈장의 단백질에 반응하는 것이기 때문에, 농축 혈소판에서 혈장을 제거하면 이 반응이 발생할 위험을 낮출 수 있다.

3. 세균전파 (Bacterial Transmission)

농축 적혈구 (PRBC)는 4℃에서 냉장 보관하지만, 농축 혈소판은 22℃정도의 실온에서 보관하기 때문에, 세균은 PRBC보다 농축 혈소판에서 훨씬 잘 자란다.

4. 급성 폐손상 (Acute Lung Injury)

수혈 관련성 급성 폐손상은 11장 Ⅴ-D절에서 설명하고 있다. 이 상황은 대개는 적혈구 수혈에서 발생하지만, 혈소판 수혈에서도 발생할 수 있다 (16,19).

Ⅴ. 혈장 제제 (PLASMA PRODUCT)

A. 신선 동결 혈장 (Fresh Frozen Plasma, FFP)

혈장은 기증자 혈액에서 분리하여 채혈 8시간 이내에 -18℃로 동결시킨다. 이 FFP는 용량이 230 mL이며, 1년 간 보존 가능하다. FFP는 녹인 후에 1-6℃에서 5일간 보관 가능하다.

1. 적응증 (Indications)

FFP는 응고인자를 보충하기 위해 사용하며, *절대로 혈액량 소생 (volume resuscitation) 목적으로 사용하지 말아야 한다*. FFP 수혈의 주요 적응증은 아래와 같다.

a. 대량 실혈 (MASSIVE BLOOD LOSS) : 7장 Ⅴ-B절에서 설명했듯이, 대량실혈의 소생은 PRBCs 1-2 unit를 수혈 할 때마다 FFP 1 unit를 수혈하면서 INR을 1.5 미만으로 유지하는 것이 최상의 방법이

다 (20).

b. WARFARIN 반전 : FFP (10-15 mL/kg)는 warfarin 항응고치료와 연관해서 생긴 주요 출혈 (major bleeding)에서 비타민K 의존성 응고인자를 보충해주기 위해 사용했다 (21). 하지만, FFP는 더 이상 이 용도로 사용하지 않는데 (22,23), 그 이유는 1차적으로 프로트롬빈 시간 (prothrombin time)을 교정하는데 12시간 이상이 걸리며 (24), 필요한 수액량이 출혈을 악화시키거나 폐부종을 야기할 수 있기 때문이다. Warfarin 항응고치료를 급속 반전 시킬 수 있는 방법은 B 절을 참고한다.

c. 간부전 (LIVER FAILURE) : FFP는 간부전 환자의 프로트롬빈 시간을 교정하고 지혈이 어려운 출혈 (uncontrolled bleeding)을 조절하기 위해 사용할 수 있다. 치료는 프로트롬빈 시간을 기준으로 진행하며, 반응은 각양각색이다 (22).

표 12.5 신선 동결 혈장과 연관된 부작용

부작용	수혈 당 확률
두드러기	1 in 30-100
아나필락시스	1 in 20,000
급성 폐 손상	1 in 5,000
HIV 감염	1 in 10,000,000
HBV 감염	1 in 12,000,000
HCV 감염	1 in 50,000,000

참고문헌 22, 23, 25 발췌

2. 부작용 (Adverse Effects)

FFP와 연관된 부작용은 **표 12.5**에 나와있다.

a. 두드러기는 FFP 수혈의 가장 흔한 합병증이다 (22). 아나필락시스는 드물다.
b. 동결로 인해 세균오염의 위험이 사라지지만 (22), 간염과 인간 면역결핍 바이러스 (human immunodeficiency virus)가 전파될 위험은 남아있다. 하지만 표 12.5에서 보듯이 이 바이러스가 전파될 확률은 매우 낮다.

B. 프로트롬빈 복합 농축액 (Prothrombin Complex Concentrate, PCC)

PCC (Kcentra, CSL Behring)는 비타민 K 의존성응고인자 4가지, 즉 Ⅱ, Ⅶ, Ⅸ, Ⅹ를 모두 가지고 있으며, 치명적인 출혈이 있는 환자에서 warfarin 항응고화를 급속 반전하기 위해 FFP보다 더 흔히 사용한다 (22,23). PCC가 FFP보다 나은 점은 아래와 같다.

1. PCC는 동결 건조분말 (lyophilized powder)로 150 mL이하의 상대적으로 작은 IV 수액에서도 빠르게 재구성된다. 이 때문에 FFP를 녹이는데 걸리는 시간을 줄일 수 있으며, 주입하는 수액량 또한 큰 폭으로 줄일 수 있다.
2. PCC는 FFP에 필요한 시간의 반 이하로도 warfarin 항응고효과를 반전시킬 수 있으며 (24), 이는 PCC 투여 30분 만에 나타날 수도 있다 (26).
3. 빠른 효과와 적은 용량으로 인해 PCC는 warfarin 연관 두개내출혈 (intracranial hemorrhage)에 가장 적합한 제제이다.
4. PCC의 권장용량은 표 12.6에 나와있다 (26). 용량은 PCC 제제마다 다른 인자Ⅸ 역가 (factor Ⅸ potency, unit)에 따라 달라지는 것을 주목한다 (26).
5. PCC는 FFP 4 unit를 수혈하는데 $300이 드는 것에 비하여 80 kg 성인에게 50 unit/kg를 투여하기 위해서는 약 $5,000가 들어, 매우 비싸기 때문에 (26) warfarin 항응고치료와 연관된 출혈이 대량이거나 치명적인 경우, 특히 두개내 출혈인 경우에만 사용을 고려해야 한다.

표 12.6 Warfarine 항응고화의 급속 반전

치명적인 출혈에서만 사용할 것

1. 비타민 K : 10 mg을 50 mL 수액에 희석하여 10분에 걸쳐 IV

그리고

2. 프로트롬빈 복합 농축액 (PCC) : 인자IX 역가 (unit), 체중, 치료 전 INR에 따른 용법

INR	2.0-3.9	4.0-6.0	〉6.0
IV 용량	25 unit/kg	35 unit/kg	50 unit/kg
Max 용량	2,500 unit	3,500 unit	5,000 unit

참고문헌 23, 26 발췌

C. 한랭침강물 (Cryoprecipitate)

1. 제제 (Preparation)

FFP를 4℃에서 해동할 때, 섬유소원 (fibrinogen), 폰 빌레브란트인자 (von Willebrand factor) 그리고 인자Ⅷ (factor Ⅷ)같은 한랭 불용 단백질 (cold-insoluble proteins), 즉 한랭글로불린 (cryoglobulin)이 풍부한 유백색 잔류물이 형성된다. 이 한랭침강물은 혈장에서 분리한 뒤 -18℃에서 1년간 보관 할 수 있다. 보관용량은 10-15 mL이다.

2. 적응증 (Indications)

ICU에서 한랭침강물 사용은 일반적으로 혈청 섬유소원 수치가 100 mg/dL 미만인 저섬유소원 혈증 (hypofibrinogenemia)과 연관된, 지혈이 어려운 출혈 (uncontrolled bleeding)을 대비해 보류한다. 이러한 출혈은 대부분의 경우 대량출혈 혹은 간부전과 연관된 출혈이다.

a. 한랭침강물 1 unit는 섬유소원 200 mg을 함유하고 있으며, 10 unit를 투여하면 섬유소원 2 g을 투여하게 되어 평균적인 체구의 성인에서 혈청 섬유소원 농도를 70 mg/dL 가량 증가시킨다 (27). 목표

는 혈청 섬유소원 농도 100 mg/dL이상이다.

VI. 지혈보조제 (HEMOSTATIC ADJUNCTS)

A. Desmopressin

Desmopressin (deamino-arginine vasopressin DDAVP)은 vasopressin 유사체로 vasopressin의 혈관 수축작용 (vasoconstrictor)과 항이뇨효과 (antidiuretic effect)는 없지만 폰 빌레브란트인자 (von Willebrand factor)의 혈장수치를 증가시키고, 신부전이 있는 환자 중 75%에서 비정상적인 출혈시간 (abnormal bleeding time)을 교정할 수 있었다 (28). 하지만, 요독성출혈 (uremic bleeding)에 대한 효과는 아직 불확실하다.

1. 용량 (Dosing)

권장용량은 IV 혹은 SC로 0.3 μg/kg 혹은 비강내 스프레이 (intranasal spray)로 30 μg/kg 투여다. 효과는 6시간에서 8시간 정도 지속되며, 반복 투여하면 속성내성 (tachyphylaxis)을 유발한다.

B. 항섬유소용해 제제 (Antifibrinolytic Agents)

Tranexamic acid과 aminocaproic acid같은 항섬유소용해 제제는 플라스미노겐 (plasminogen)이 플라스민 (plasmin)이 되는 과정을 차단하여 섬유소용해를 방해한다.

1. 적응증 (Indications)

항섬유소용해 제제는 섬유소용해 (fibrinolysis)와 연관된 출혈에 선택적으로 사용한다. 섬유소용해는 보편적인 TEG (thromboelastography)를 이용해 30분째에 용해가 3% 이상이면 확인할 수 있다. 심장수술, 외상, 정형외과수술 그리고 간수술을 대상으로 시행한 연구결과, 혈전색전성 합병증은 증가시키지 않으면서 실혈은 감소했다 (29).

2. 용량 (Dosing)

a. Tranexamic acid : 10분에 걸쳐 1 g IV. 그 후 8시간에 걸쳐 1 g 주입 (27).
b. Aminocaproic acid : 부하용량 (loading dose)으로 50 mg/kg IV. 그 후 출혈 혹은 섬유소용해가 진정될 때까지 25 mg/kg/hr 속도로 주입 (27).

3. 부작용 (Adverse Effect)

이 제제들은 권장용량으로 사용하면 상대적으로 안전한 편이다. Tranexamic acid 용량이 1 g을 초과하면 발작 (seizure)이 생긴다는 보고가 있다 (27).

참고문헌

1. Parker RI. Etiology and significance of thrombocytopenia in critically ill patients. Crit Care Clin 2012; 28:399-411.
2. Rice TR, Wheeler RP. Coagulopathy in critically ill patients. Part1: Platelet disorders. Chest 2009; 136:1622-1630.
3. Slichter SJ, Harker LA. Thrombocytopenia: mechanisms and management of defects in platelet production. Clin Haematol 1978; 7:523-527.
4. DeLoughery TG. Critical care clotting catastrophies. Crit Care Clin 2005; 21:531-562.

5. Payne BA, Pierre RV. Pseudothrombocytopenia: a laboratory artifact with potentially serious consequences. Mayo Clin Proc 1984; 59:123-125.
6. Shantsila E, Lip GYH, Chong BH. Heparin-induced thrombocytopenia: a contemporary clinical approach to diagnosis and management. Chest 2009; 135:1651-1664.
7. Laster J, Silver D. Heparin-coated catheters and heparin-induced thrombocytopenia. J Vasc Surg 1988; 7:667-672.
8. Linkins L-A, Dans AL, Moores LK, et al. Treatment and prevention of heparin-induced thrombocytopenia. Antithrombotic Therapy and Prevention of Thrombosis, 9th ed: American College of Chest Physicians Evidence-Based Clinical Practice Guidelines. Chest 2012; 141(Suppl):495S-530S.
9. Senno SL, Pechet L, Bick RL. Disseminated intravascular coagulation (DIC). Pathophysiology, laboratory diagnosis, and management. J Intensive Care Med 2000; 15:144-158.
10. Levy M. Disseminated intravascular coagulation. Crit Care Med 2007; 35:2191-2195.
11. Taylor FBJ, Toh CH, Hoots WK, et al. Towards definition, clinical and laboratory criteria, and a scoring system for disseminated intravascular coagulation. Thromb Haemost 2001; 86:1327-1330.
12. Rock GA, Shumack KH, Buskard NA, et al. Comparison of plasma exchange with plasma infusion in the treatment of thrombotic thrombocytopenia purpura. N Engl J Med 1991; 325:393-397.
13. Kirkpatrick CA. The HELLP syndrome. Acta Clin Belg 2010; 65:91-97.
14. Sibai BM. Diagnosis, controversies, and management of the syndrome of hemolysis, elevated liver enzymes, and low platelet count. Obstet Gynecol 2004; 103:981.
15. Slichter SJ. Evidence-based platelet transfusion guidelines. Hematol 2007; 2007:172-178.
16. Kaufman RM, Djulbegovic B, Gernsheimer T, et al. Platelet transfusion: A clinical practice guideline from the AABB. Ann Intern Med 2015; 162:205-213.
17. Slichter SJ. Platelet transfusion therapy. Hematol Oncol Clin N Am 2007; 21:697-729.
18. Slichter SJ, Davis K, Enright H, et al. Factors affecting post transfusion platelet increments, platelet refractoriness, and platelet transfusion intervals in thrombocytopenic patients. Blood 2005;105:4106-4114.

19. Sayah DM. Looney MR, Toy P. Transfusion reactions. Newer concepts on the pathophysiology, incidence, treatment, and prevention of transfusion-related acute lung injury. Crit Care Clin 2012; 28:363–372.
20. Holcomb JB, Tilley BC, Baraniuk S, Fox EE, et al. for the PROPPR Study Group. Transfusion of plasma, platelets, and red blood cells in a 1:1:1 vs. a 1:1:2 ratio and mortality in patients with severe trauma: the PROPPR randomized clinical trial. JAMA 2015; 313(5):471–82.
21. Zareh M, Davis A, Henderson S. Reversal of warfarin-induced hemorrhage in the emergency department. West J Emerg Med 2011; 12:386–392.
22. British Committee for Standards in Haematology, Blood Transfusion Task Force. Guidelines for the use of fresh-frozen plasma, cryoprecipitate, and cryosupernatant. Br J Haematol 2004; 126:11–28.
23. Ageno W, Gallus AS, Wittkowsky A, et al. Oral anticoagulant therapy: antithrombotic therapy and prevention of thrombosis, 9th ed: American College of Chest Physicians evidence-based clinical practice guidelines. Chest 2012; 141(Suppl 2):e44S–e88S.
24. Hickey M, Gatien M, Taljaard M, et al. Outcomes of urgent warfarin reversal with fresh frozen plasma versus prothrombin complex concentrate in the emergency department. Circulation 2013;128:360–364.
25. Popovsky MA. Transfusion-Related Acute Lung Injury: Incidence, pathogenesis and the role of multicomponent apheresis in its prevention. Transfus Med Hemother. 2008; 35:76–79.
26. Kcentra package insert. CSL Behring GmbH, Marburg, Germany.
27. Callum JL, Karkouti K, Lin Y. Cryoprecipitate: the current state of knowledge. Transfus Med Rev 2009; 23:177–184.
28. Salman S. Uremic bleeding: pathophysiology, diagnosis, and management. Hosp Physician 2001; 37:45–76.
29. Ortmann E, Besser MW, Klein AA. Antifibrinolytic agents in current anaesthetic practice. Br J Anaesth 2013; 111: 549–563.

빈맥성 부정맥

Tachyarrhythmia

중환자의 빠른 심박수 혹은 빈맥 (tachycardia)은 대개는 어딘가에 문제가 있다는 의미지만, 동성빈맥 (sinus tachycardia)처럼 정상일 수도 있다. 이번 장에서는 빈맥성 부정맥 같이 문제가 있기 때문에 적절한 인식과 치료가 필요한 빈맥에 대해 설명한다. 이번 장에 나오는 권장사항들은 대부분 최신 임상진료지침을 근간으로 하고 있다 (1,2)

Ⅰ. 인지 (RECOGNITION)

빈맥 (심박수 >100 bpm)의 진단 평가는 3가지 ECG 단서 즉, (a) QRS complex의 기간, (b) R-R 간격의 동일성 그리고 (c) 심방활동성 (atrial activity)의 특징을 기초로 한다. 이는 **그림 13.1**에 나와있다.

A. Narrow-QRS-Complex 빈맥 (Narrow-QRS-Complex Tachycardia)

0.12초 이하의 Narrow-QRS-complex를 동반한 빈맥은 방실 전도계 (AV conduction system)보다 윗부분에서 발생하기 때문에 흔히들 *상심실성 빈맥 (supraventricular tachycardia)*이라고 한다. 여기에는 동성 빈맥 (sinus tachycardia), 심방성 빈맥 (atrial tachycardia), 발작성 상심실성 빈맥 (paroxismal supraventricular tachycardia, PSVT)이라고도 하는 방실결절 회귀성 빈맥 (AV nodal re-

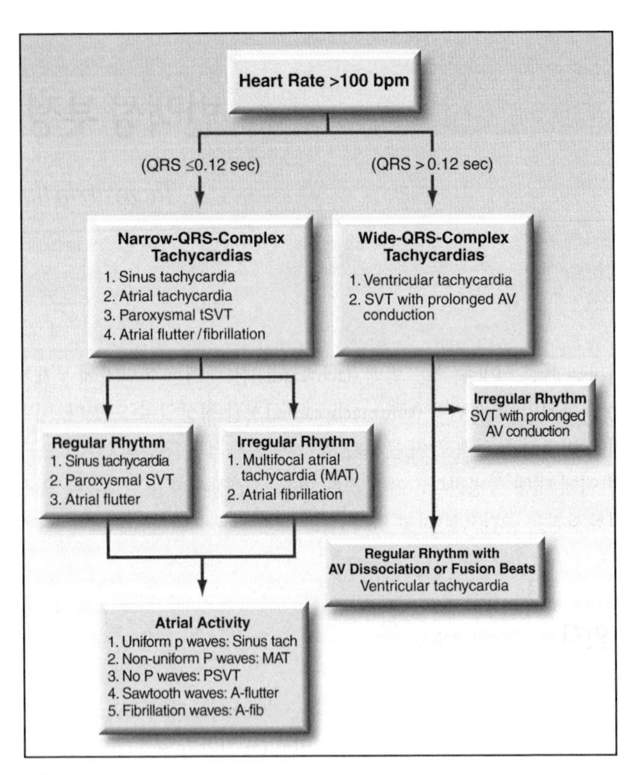

■ **그림 13.1** 빈맥 평가 흐름도

entrant tachycardia), 심방조동 (atrial flutter) 그리고 심방세동 (atrial fibrillation)이 있다. R-R 간격의 균일성 즉, 리듬의 규칙성과 앞으로 설명할 심방활동성의 특징을 이용하면 특정 부정맥 (specific arrhythmia)을 판별할 수 있다.

1. 규칙적 리듬 (Regular Rhythm)

R-R 간격의 길이가 같다면, 이는 규칙적 리듬을 의미하며 이때 가능한 부정맥은 동성 빈맥, 방실결절 회귀성 빈맥 혹은 2:1이나 3:1 같이 비

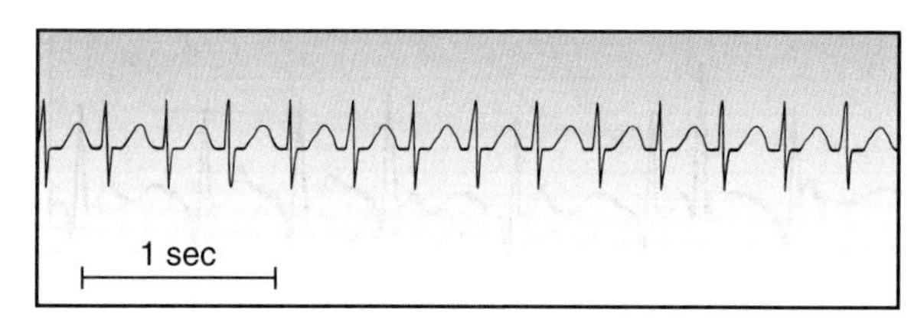

■ 그림 13.2 리듬이 규칙적인 narrow-QRS-complex 빈맥. P파가 QRS complex 사이에 숨어 보이지 않는 것을 주목한다. 이는 방실결절회귀성빈맥이며, 갑작스럽게 발생하기 때문에 발작성상심실성빈맥 (PSVT)이라고도 한다.

율이 고정된 방실차단을 동반한 심방조동 (atrial flutter with a fixed 2:1 or 3:1 AV block)이다. 아래의 기준에 따라 ECG의 심방 활동성을 적용하면 이 리듬들을 구분할 수 있다.

a. 동일한 P파와 P-R 간격은 동성 빈맥의 단서가 된다.
b. P파가 없다면, 방실결절 회귀성 빈맥을 시사한다 (그림 13.2참고).
c. 톱니 모양의 파형은 심방조동의 단서가 된다.

2. 불규칙적 리듬 (Irregular Rhythm)

R-R 간격의 길이가 다르다면, 이는 불규칙 리듬을 의미하며 가장 가능성 높은 부정맥은 다병소성 심방성 빈맥 (multifocal atrial tachycardia, MAT)과 심방세동이다. 여기서 또 한번 ECG상의 심방 활동성을 이용하면 각 리듬을 구분하는데 도움이 된다.

a. P파 형태와 PR 간격의 다양성은 다병소성 심방성 빈맥 (multifocal atrial tachycardia, MAT)의 단서가 된다. (그림 13.3 A패널 참고)
b. P파가 없고 심방 활동성이 전혀 체계적이지 못하다면 심방세동의 단서가 된다 (그림 13.3 B패널 참고)

B. Wide-QRS-Complex 빈맥 (Wide-QRS-Complex Tachycardia)

0.12초 이상의 Wide-QRS-complex를 동반한 빈맥은 방실 전도계 아래에서

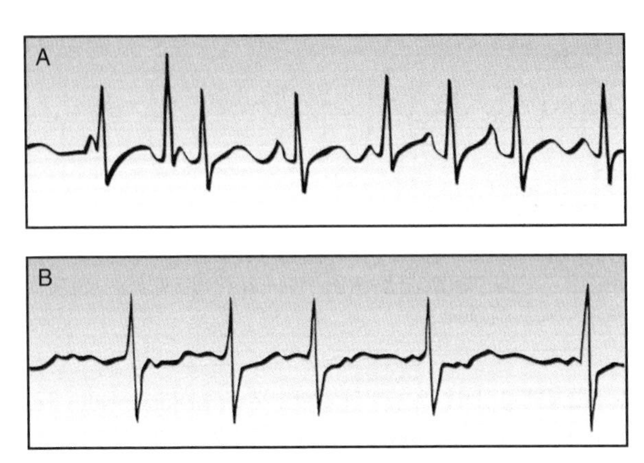

■ 그림 13.3 리듬이 불규칙한 Narrow-QRS-Complex 빈맥. 패널A는 다양한 P파 형태와 PR 간격으로 확인 가능한 다병소성 심방성 빈맥이며, 패널B는 전혀 체계적이지 못한 심방 활동성을 통해 심방세동임을 알 수 있다.

발생하기 때문에 흔히들 심실성 빈맥 (ventricular tachycardia)이라고 하는데, 간혹 상심실성 빈맥 (SVT)에서 각차단 (bundle branch block) 등으로 인해 방실 전도가 연장되어 Wide-QRS-complex 빈맥으로 보이기도 한다. 이 두 부정맥의 차이는 이번 장 마지막에 서술한다.

II. 심방세동 (ATRIAL FIBRILLATION, AF)

AF은 흔한 부정맥으로 보고에 따르면 65세 미만에서는 유병률이 2%이지만, 65세 이상에서는 9%로 나이가 듦에 따라 유병률이 증가한다 (1).

A. 병인 (Etiology)

1. AF 환자는 대부분 판막 질환을 비롯한 기저 심장질환이 있다.
2. 가역적인 AF의 원인에는 과도한 음주, 대수술 (major surgery), 심근경

색 (myocardial infarction), 심근염 (myocarditis), 심막염 (pericarditis), 폐색전증 (pulmonary embolism), 갑상샘과다증 (hyperthyroidism) 등이 있다.

3. 수술 후 AF은 심장수술의 45%, 심장 이외의 흉부수술의 30%, 그리고 다른 대수술의 8%에서 보고되었다 (3).

B. 합병증 (Adverse Consequences)

AF의 합병증은 심기능 저하와 혈전색전증이다.

1. 심기능 (Cardiac Performance)

AF의 주된 문제는 정상인 경우 심실 확장기말 용량 (ventricular end-diastolic volume)의 25%를 담당하는 심방 수축 (atrial contraction)이 소실되며, 또한 빠른 심박수 때문에 확장기 충만시간 (diastolic filling time)이 줄어들어, 심실충만 (ventricular filling)이 감소하는 점이다. 승모판 협착증 (mitral stenosis)과 심실비대로 인한 심실 유순도 (ventricular compliance) 감소는 이 문제를 더 심각하게 만든다. 심장박출량 (cardiac output)에 미치는 영향은 심박수와 기존 심질환의 종류 및 중증도에 따라 달라진다.

2. 혈전 색전증 (Thromboembolism)

a. AF가 있으면 좌심방 혈전이 발생할 가능성이 높으며, 혈전이 떨어져나가 뇌순환 (cerebral circulation)을 폐색시키면 급성 허혈성 뇌졸중 (acute ischemic stroke)이 발생할 수 있다.
b. 혈전 색전성 뇌졸중 (thromboembolic stroke)이 발생할 위험은 심부전, 고령 같은 특정 위험인자가 있는 AF에서 증가한다. 뇌졸중의 위험을 측정하는 방법은 이번 장 후반에 기술한다.
c. 48시간 이내에 사라진 생애 첫 AF (first episode of AF)를 제외한 모

든 종류의 AF에서 색전성 뇌졸중의 위험이 증가한다 (1).

C. 급성기 심박수조절 (Acute Rate Control)

혈류역학적으로 안정적인 환자에게 빠른 AF가 있다면, 최우선 목표는 방실전도를 연장하는 약제를 사용해 심실 박동수≤80회로 줄이는 것이다. 이 약제들과 각 약제의 IV 및 경구투여용법은 표 13.1에 나와있다. 참고: 이 약들은 부전도로 (accessory pathway)를 통한 자극회귀 (impulse re-entry)에 의한 AF에서는 사용하지 말아야 한다. 이유는 다음에 기술한다

표 13.1 AF의 심박수조절 약물용법

제제	용법
Diltiazem	IV : 2분에 걸쳐 0.25 mg/kg 투여 후 5-15 mg/hr 속도로 지속주입. 15분 후에도 심박수>90 bpm이라면 0.35 mg/kg IV bolus 경구 : 매일 120-360 mg 지속방출 (extended release)
Metoprolol	IV : 2분에 걸쳐 2.5-5 mg, 필요한 경우 5-10분 간격으로 최대 3번까지 반복. 경구 : 25-100 mg BID
Esmolol	IV : 500 μg/kg bolus 후 50 μg/kg/min 속도로 지속주입. 필요한 경우 5분 간격으로 25 μg/kg/min 단위로 증량. 최대 200 μg/kg/min까지 증량가능. 경구 : N/A
Amioda-rone	IV : 10분에 걸쳐 150 mg 후 필요한 경우 반복. 그 후 6시간 동안 1 mg/min으로 투여 후 18시간 동안 0.5 mg/min으로 주입 총 용량은 24시간 동안 2.2 g를 초과하지 않도록 한다. 경구 : 매일 100-200 mg
Digoxin	IV : 2시간마다 0.25 mg. 총 용량은 24시간 동안 최대 1.5 mg 경구 : 매일 0.125-0.25 mg

참고문헌 1 발췌

1. Diltiazem

a. Diltiazem은 칼슘 수용체 길항제 (calcium receptor antagonist)로 *AF의 85%에서 만족할 만큼 심박수가 감소*했다 (1). IV bolus 이후에 지속주입 형태로 투여하며 (표 13.1 참고), IV amiodarone이나 digoxin에 비해 반응이 좋다 (4).

b. 부삭용은 저혈압과 심근 수축력 감소효과 (negative inotrophic effect)로 인한 심억제 (cardiac depression)다. 후자 때문에 diltiazem은 대상부전 수축기 심부전 (decompensated systolic heart failure) 환자에게 권장하지 않는다 (1).

2. β-수용체 길항제 (β-Receptor Antagonist)

a. β-차단제 (β-blocker)는 *급성 AF의 70%에서 심박수 조절에 성공*했으며 (11), AF가 급성 심근경색증, 심장수술 후 같은 교감신경 항진 (hyperadrenergic) 상태와 연관되었을 때 많이 사용한다 (1,3).

b. AF에서 효과가 증명된 β-차단제는 esmolol과 metoprolol이며, 이 약제의 용법은 표 13.1에 나와있다. Esmolol은 혈청반감기가 9분인 초속효성 (ultra-short-acting) 약제며 원하는 효과를 얻기 위한 용량을 빠르게 조절하기 위해 지속주입 형태로 투여한다. 이 점이 metoprolol과 다르다.

c. 부작용은 diltiazem과 유사하며, 이 약제도 대상부전 수축기 심부전 환자 (decompensated systolic heart failure)에게 추천하지 않는다 (1).

3. Amiodarone

a. Amiodarone은 방실 결절의 전도를 연장시키며, AF가 있는 중환자의 급성기 심박수조절에 효과적인 제제다 (1).

b. Amiodarone은 diltiazem에 비해 심억제가 덜하기 때문에 (6), 수축

성 심부전이 있는 환자의 심박수 조절에 많이 사용된다 (1,7). 하지만, 장기간 사용시 독성이 있기 때문에 대개는 다른 제제들로 심박수 조절이 되지 않는 AF를 위해 보류한다 (1).

c. Amiodarone의 용법은 표 13.1에 나와있다. IV 용법은 일반적으로 경구 유지용법으로 변경하기 전 24시간 동안만 사용한다.

d. Amiodarone은 Class Ⅲ 항부정맥 제제이기 때문에, *AF을 동율동 (sinus rhythm)으로 전환할 수도 있다*. 1년 이상 된 지속성 AF는 대개 전환되지 않지만 (1), 최근에 발생한 AF는 부하용량 (loading dose) IV 후에 지속주입하는 방법을 사용하고, 일일총량이 1500 mg을 초과했을 때, 전환 성공률이 55-95%였다(7). 환자가 충분한 항응고요법을 받지 못했다면, 예기치 못한 동율동전환술 (cardioversion) 시 문제가 발생할 수도 있다 (추후 기술).

e. 단기간 IV amiodarone으로 인한 부작용에는 저혈압 (15%), 서맥 (5%), 간수치 증가 (3%) 등이 있다 (8,9). 참고: IV amiodarone은 두 가지 제제가 있다. 하나는 폴리소르베이트80 (polysorbate80)을 용제로 사용해 저혈압을 유발하지만, 나머지는 캡티솔 (captisol)을 사용해 혈관작용이 없다.

f. Amiodarone은 간에서 시토크롬 P450 (cytochrome P450) 효소시스템을 통해 대사되기 때문에 많은 제제들과 약물 상호작용 (drug interaction)이 발생한다 (9). *Amiodarone은 digoxin과 warfarin 대사를 억제*하기 때문에, 경구 유지요법을 지속할 경우 주의해야 한다.

4. Digoxin

Digoxin은 방실 결절의 전도를 연장시키는 제제로, AF에서 장기간의 심박수 조절에 많이 사용된다. 하지만, IV digoxin은 반응이 느리며 최대효과가 나타나기까지 6시간 이상이 걸린다 (1). 반응이 느리기 때문에, AF의 급성기 심박수 조절을 위한 digoxin 단독투여는 권장하지 않으며, 대상성 심부전 (compensated heart failure) 환자에게 β-차단제와 조합해서 사용할 수 있다 (1).

D. 전기적 동율동전환술 (Electrical Cardioversion)

1. 직류 동율동전환술 (direct current carioversion)은 AF가 저혈압, 폐부종, 심근허혈과 연관되었거나, AF의 원인이 부전도로를 통한 회귀성 리듬인 경우 적응증이 된다 (추후 기술).
2. 이상성충격 (biphasic shock)을 권장한다. 이상성충격은 심실세동 (ventricular fibrillation)이 유발되지 않도록 ECG의 QRS complex와 동기화 (synchronized)한다. 이상성충격 사용 시 100 J이면 대부분은 성공적으로 전환되지만, 첫 충격은 일반적으로 200 J을 사용한다.
3. 동율동전환술이 즉시 필요하고, AF가 발생한지 48시간 이상 되었거나 또는 언제 발생했는지 모른다면, 헤파린을 통한 항응고요법을 가능한 빨리 시작하고 경구제제 등으로 최소 4주 이상 지속해야 한다 (1).

E. 항응고요법 (Anticoagulation)

아래에 나오는 혈전색전성 뇌졸중을 예방하기 위한 권장사항은 AF에 대한 최신 진료지침에서 발췌하였다 (1). 이 권장사항들은 48시간 이내에 발생한 생애 첫 AF를 제외한 모든 종류의 AF에서 유지해야 한다.

1. 적응증 (Indications)

a. 류마티스성 승모판협착증 (rheumatic mitral stenosis)이 있거나 조직판막 치환술 (bioprostethic valve replacement), 기계판막 치환술 (mechanical valve replacement) 혹은 승모판 재건술 (mitral valve repair)을 받은 모든 AF 환자에게 장기간 항응고요법을 권장한다.
b. 비판막성 (nonvalvular) AF 환자는 CH_2DS_2-VASC 점수 시스템으로 뇌졸중의 연간 위험률 측정을 권장한다 (부록4 참고). 이전의 뇌졸중, 일과성 뇌허혈증 (TIA), 혹은 CH_2DS_2-VASC 점수가 2점 이상인 환자는 장기간 항응고요법이 필요하다.

2. 경구 항응고제 (Oral Anticoagulants)

a. 조직판막이 있는 환자는 warfarin을 권장하며, INR 목표는 2.0-3.0 이다.

b. 비판막성 AF 환자의 경구 항응고제에는 warfarin, 직접 트롬빈 억제제 (direct thrombin inhibitor)인 *dabigatran* (Pradaxa), 제Ⅹa인자 억제제 (Factor Ⅹa inhibitor)인 *rivaroxaban* (Xarelto)와 *apixaban* (Eliquis) 등이 있다.

c. Dabigatran, rivaroxaban, apixaban 같은 최신 경구 항응고제는 표 13.2에서 보듯이 콩팥기능에 영향을 받는다. *Dabigatran과 rivaroxaban은 크레아티닌 청소율 (creatinine clearance)이 15 mL/min 미만인 콩팥부전에서 금기*임을 주목하자. 콩팥부전에서 apixaban 용량에 대한 권장사항은 없다. Warfarin 용량은 콩팥기능에 영향을 받지 않는다.

표 13.2 경구 항응고제의 콩팥 용량

Cr CL	Dabigatran	Rivaroxaban	Apixaban
>50	150 mg BID	20 mg QD	2.5–5 mg BID†
31–50	150 mg BID	15 mg QD	2.5–5 mg BID†
15–30	75 mg	15 mg QD	?
<15	Do Not Use	Do Not Use	?

† 다음 중 두 가지가 있는 환자는 2.5 mg BID를 투여한다: CrCL≥1.5 mg/dL, Age≥80 yrs, Weighti≤60 kg. CrCL= creatinine clearance. 물음표는 아직 권장사항이 없다는 의미다. 참고문헌1 발췌.

F. WPW증후군 (Wolff-Parkinson-White Syndrome)

1. 짧은 P-R 간격과 QRS 직전의 델타파 (delta wave)를 보이는 WPW증후군은 방실결절에 있는 부전도로를 통한 회귀성 자극으로 발생하는

재발성 상심실성 빈맥 (recurrent supraventricular tachycardia)이 특징이다.

2. AF가 상기 기전을 통해 발생했다면, 부전도로는 차단되지 않기 때문에 방실결절의 전도를 차단하는 제제로는 심실박동수가 느려지지 않는다. 게다가, 방실결절을 선택적으로 차단하면 심실세동이 발생할 수도 있다. 따라서, 앞서도 언급했듯이 방실결절을 차단하는 CCB (calcium channel blocker), BB (β-blocker) 같은 제제는 AF가 회귀성 빈맥인 경우 사용하지 말아야 한다.

Ⅲ. 다병소성 심방 빈맥 (MULTIFOCAL ATRIAL TACHYCARDIA, MAT)

MAT는 불규칙적인 상심실성 빈맥으로, 3가지 이상의 다양한 P파 형태와 불규칙적인 심방활동성 패턴을 동반한다 (그림 13.1의 A패널 참고).

A. 병인 (Etiologies)

1. MAT는 고령층의 질환이며, 반 이상이 만성폐 질환과 폐동맥 고혈압이 있는 환자에서 발생한다 (10).
2. 다른 원인으로는 Mg^{++}과 K^{+}소모, theophylline중독, 관상동맥 질환 등이 있다 (1,11).

B. 급성기 치료 (Acute Management)

MAT는 통제하기 어렵다.

1. 저마그네슘혈증 (hypomagnesemia)과 저칼륨혈증 (hypokalemia)이 있다면 확인해서 교정한다.
2. 전신 Mg^{++}이 소모되었음에도 불구하고 혈청 Mg^{++}수치는 정상인 경우도 있기 때문에 (29장 참고), 혈청 Mg^{++}이 정상이라도 IV Mg^{++}을 투여

할 수 있다.

a. 먼저 *$MgSO_4$ 2 g을 50 mL 식염수에 희석하여 15분에 걸쳐 투여한다. 그 후 $MgSO_4$ 6 g을 500 mL 식염수에 희석하여 6시간에 걸쳐* 투여한다.

b. 한 연구에 따르면 이 방법으로 MAT의 88%가 동율동으로 전환되었고, 이 효과는 혈청 Mg^{++} 농도에 영향을 받지 않았다 (11).

3. 앞의 방법이 실패했다면, 비록 대상부전 수축기 심부전환자에게는 권장할 수 없지만, 다음 두 제제가 효과가 있을 수도 있다.

a. Metoprolol을 표 13.1의 용법에 따라 투여하면 *89%의 성공률로 MAT을 느리게 하거나 동율동으로 전환*할 수 있다고 한다 (12).

b. 환자가 기관지경련성 (bronchospastic) COPD를 앓고 있어 metoprolol을 사용하기 꺼려진다면, CCB중 verapamil을 투여하면 44% *의 성공률로 MAT을 느리게 하거나 동율동으로 전환*할 수 있다고 한다 (12). 용량은 2분에 걸쳐 0.25-5 mg을 IV 하며, 필요한 경우 15-30분 간격으로 반복하며 최대 20 mg까지 투여한다 (4). Verapamil의 주요 부작용은 심억제와 저혈압이다.

Ⅳ. 발작성 상심실성 빈맥

(PAROXISMAL SUPRAVENTRICULAR TACHYCARDIA, PSVT)

PSVT는 narrow-QRS-complex 빈맥이며 흔한 부정맥 중 심방세동 다음으로 많이 발생한다.

A. 기전 (Mechanism)

이 부정맥은 방실 전도계의 한쪽 방향에서 신호전달이 느려지면 발생한다. 이 때문에 정상과 비정상 전도로 (conduction pathway)의 신호전달 불응기 (refractory period)가 달라지며, 신호가 한쪽으로 내려갔다가 다른 쪽을 타고 반대로 올라오게 된다. 신호가 반대로 흐르는 것을 회귀라고 하며, 결과적으로 신호전달이 원형이 되어 계속 반복된다. 회귀는 전도로 둘 중 하나에 발생한 이소성 심방자극 (ectopic atrial impulse)으로 인해 *갑자기* 시작되며, 이는 *회귀성 빈맥의 특징*이다.

1. 방실결절 회귀성 빈맥 (AV Nodal Re-Entrant Tachycardia, AVNRT)

PSVT는 회귀 경로의 위치에 따라 5가지로 나뉜다. 가장 흔한 PSVT는 AVNRT로 회귀 경로가 방실 결절에 있다. AVNRT은 PSVT의 50-60%를 차지하며 (13), 이번 절에서 중점적으로 다룰 내용이다.

B. 임상양상 (Clinical Features)

1. AVNRT는 심장에 구조적 문제가 없는 젊은 성인에서 주로 나타나며, 60% 이상이 여성에게 나타난다 (2).
2. 돌연히 시작하며, 심박수는 대개 180-200 bpm이지만, 환자 개인에 따라 110 bpm에서 250 bpm까지 다양하다 (2). 혈류역학적 문제는 잘 발생하지 않는다.
3. ECG에서 규칙적인 리듬의 narrow-QRS-complex 빈맥과 P파가 없는 것을 볼 수 있다 **(그림 13.2참고)**.

C. 미주신경자극법 (Vagal Maneuver)

1. AVNRT을 종료하기 위해 먼저 경동맥동 마사지 (carotid sinus massage)와 발살바 조작 (valsalva maneuver) 같이 미주신경 긴장도 (vagal tone)를 증가시키는 술기를 권장한다. 이는 환자를 앙와위 (supine)로 하고 시행한다 (2).
2. 발살바 조작의 성공률은 18%이며, 경동맥동 마사지는 12%이다 (14).

D. Adenosine

1. 미주신경 자극법이 효과가 없다면, AVNRT의 치료는 adenosine이 최선이다 (2,15,16). Adenosine은 내인성 뉴클레오티드 (endogenous nucleotide)로 혈관 평활근 (vascular smooth muscle)을 이완시키고 방실결절의 전도를 느리게 한다.
2. Adenosine은 급속 IV로 투여하면 30초 내로 빠르게 작용하며, 일시적인 방실차단 (AV block)을 만들어 AVNRT를 종료시킨다. Adenosine은 혈액에서 빠르게 사라지며, 효과는 1-2분 동안만 지속된다.
3. Adenosine의 용법은 표 13.3에 나와있다. *이 방법으로 회귀성 빈맥의 90%를 성공적으로 종료시킬 수 있다* (2).
4. 제제를 말초혈관으로 투여해야 한다는 점을 주목한다. Adenosine 표준용량을 중심정맥관 (central venous catheter)으로 투여하면 심실 무수축 (ventricular asystole)을 유발할 수도 있기 때문에, 중심정맥관으로 투여할 때는 50% 감량해서 투여한다 (17).
5. Adenosine의 부작용은 금방 사라진다 (표 13.3 참고). 가장 흔한 부작용은 atropine에 반응하지 않는 방실차단을 비롯한 동율동 전환 후 서맥 (post-conversion bradycardia)이지만 대개는 60초 내로 사라진다 (16).
6. Dipyridamole은 adenosine으로 인한 방실차단을 증강시키지만, caffeine과 theophylline같은 methylxanthine 제제는 adenosine 수용체를 차단해 효과를 떨어뜨린다 (2,16).

E. 다른 치료법 (Other Therapies)

1. Adenosine이 금기이거나 효과가 없는 경우에 환자가 혈류역학적으로 안정적이라면 AVNRT를 종료하기 위해 IV β-차단제, diltiazem, 혹은 verapamil을 사용해 볼 수 있다 (2). Amiodarone은 다른 모든 약들이 듣지 않을 때 사용해 볼 수 있다 (2).

표 13.3	PSVT에서 IV adenosine
특징	권장 사항
용법	1. 말초혈관으로 투여한다. 2. 6 mg IV 후 식염수 20 mL로 씻어 보낸다. 3. 2분 후 반응이 없으면 용량을 두 배 (12 mg)로 늘린다. 4. 2분 후 여전히 반응이 없으면, 12 mg을 반복해서 줄 수 있다.
용량조절	다음의 경우에 50% 감량한다. 1. SVC에 투여할 경우 2. CCB, β-차단제, dipyridamole을 투여 중 일 때
약물 상호반응	1. Dipyridamole (adenosine 흡수를 차단) 2. Theophylline (adenosine 수용체를 차단)
금기	1. Asthma 2. 2nd or 3rd degree AV block 3. Sick sinus syndrome
부작용	1. 서맥, 방실 차단 (50%) 2. 안면홍조 (20%) 3. 호흡곤란 (12%) 4. 흉부 압박감 (7%)

참고문헌 15와 16 발췌. SVC=superior vena cava, CCB=calcium channel blocker

2. 혈류역학적으로 불안정 하거나, 약제들이 듣지 않는다면 동시성 동율동전환술 (synchronized cardioversion)을 권장한다 (2).

V. 심실빈맥 (VENTRICULAR TACHYCARDIA, VT)

VT는 wide-QRS-complex 빈맥이며, 갑작스럽게 발생하며, 리듬이 규칙적이며, 박동이 100 bpm 이상으로 대부분 140-200 bpm다 (18,19). 형태는 QRS complex가 균일한 단형성 (monomorphic)과 QRS complex가 다양한

모양을 갖는 다형성 (polymorphic)으로 나타날 수 있다. 구조적 심장질환이 없다면 단형성 VT는 드물다.

A. VT vs. SVT

단형성 VT는 방실전도가 연장된 SVT와 구별하기 어렵다. VT를 구별할 수 있는 두 가지 ECG 이상이 있다.

1. P파와 QRS complex사이에 일정한 관계가 없는 방실해리 (AV dissociation)가 있다면 VT의 단서가 된다. 단일유도 (single-lead)에서는 단서가 되지 못하지만, 12-유도 ECG에 있다면 가능성이 높아진다. P파는 하지 유도와 전면 전흉부 (anterior precordial) 유도에서 가장 잘 보인다.
2. **그림 13.4**와 같은 융합박동 (fusion beat)이 있다면 심실 이소성 활동 (ventricular ectopic activity)의 단서가 된다. 융합박동은 심실 이소성 자극 (ventricular ectopic impulse)이 역주행해서 동결절자극 같은 상심실성 자극과 충돌해서 발생한다. 그 결과는 정상 QRS complex와 심실 이소성 자극이 합쳐진 혼성 (hybrid) QRS complex다.

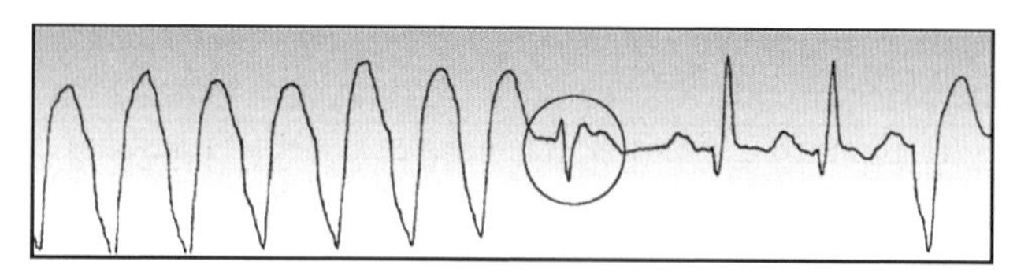

그림 13.4 융합박동의 예시 (붉은 원). 융합박동은 상심실성 자극과 심실 이소성 자극이 충돌해서 발생하는 혼성 QRS complex다. 융합박동의 존재는 심실 이소성 활동의 단서가 된다.

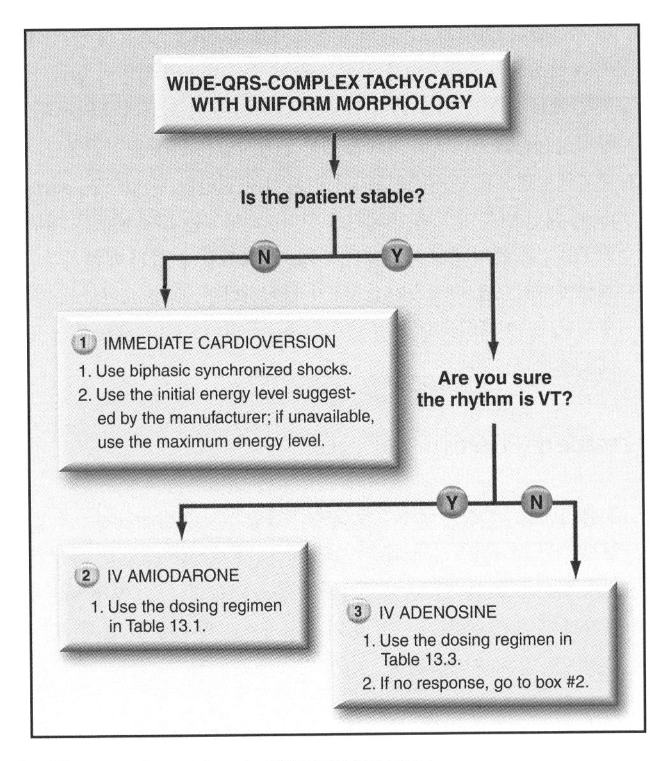

■ **그림 13.5** Wide-QRS-Complex 빈맥 환자의 치료 흐름도

B. 치료 (Management)

Wide-QRS-Complex 빈맥환자의 치료는 **그림 13.5**에 나와있다.

1. 혈류역학적으로 불안정하다는 단서가 있으면, 리듬이 VT이거나 혹은 전도에 문제가 있는 SVT에 상관없이 *전기적 동율동전환술 (electrical cardioversion)*이 가장 적합한 방법이다. 충격 (shock)은 동시성으로 시행하며, 낮은 에너지로도 효과적인 이상성충격 (biphasic shock)을 많

이 사용한다 (20). ACLS의 최신 진료지침에 따르면 (20), 첫 충격 에너지는 제조사의 권장사항을 따르는 것이 좋으며 만약 확인이 힘들다면, 최대 에너지충격, 예를 들어 이상성의 경우 200 J을 고려해 봐야 한다. 무맥성 (pulseless) VT의 치료에 대한 권장사항은 15장을 참고한다.

2. 혈류역학적으로 안정적이고 VT를 확실히 진단할 수 없다면, adenosine에 대한 반응이 도움이 되기도 한다. 그 이유는 adenosine은 대부분의 PSVT를 즉시 종료시키지만, VT는 종료시킬 수 없기 때문이다.
3. 혈류역학적으로 안정적이고 VT가 확실하다면, IV *amiodarone이 단형성VT를 억제하는데 가장 많이 쓰이는 약이다* (20). 용법은 표 13.1에 나와있다.

C. Torsade de Pointes (TdP)

Torsade de Pointes ("점을 중심으로 구불구불함")은 QRS complex를 동반한 다형성VT이며, QRS complex는 그림 13.6에서 보듯이 ECG의 등전위선 (isoelectric line)을 중심으로 구불구불한 모양을 나타낸다. 이 부정맥은 QT 간격 연장과 관련 있으며, 선천적 혹은 후천적으로 발생할 수 있다. 후천적으로 발생하는 경우가 더 흔하다.

1. 선행요인 (Predisposing Factors)

후천적 TdP는 QT간격을 연장시키는 여러 가지 제제들 및 전해질 이상으로 인해 발생한다 (21,22).

a. TdP와 가장 흔하게 연루된 제제는 표 13.4에 나와있다 (22).
b. QT간격을 연장시키는 전해질 장애에는 저칼륨혈증 (hypokalemia), 저칼슘혈증 (hypocalcemia), 그리고 저마그네슘혈증 (hypomagnesemia)이 있다.

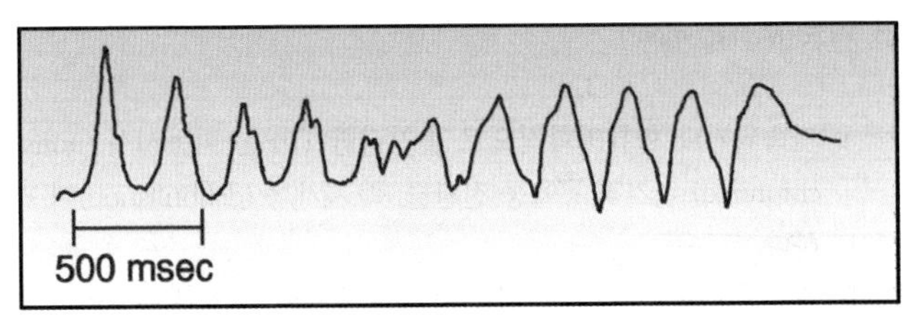

■ 그림 13.6 Torsade de Pointes, "등전위 (isoelectric) 점을 중심으로 구불구불한 모양"으로 묘사되는 다형성 심실빈맥. Dr. Richard M. Greenberg, M.**D.** 제공.

표 13.4 Torsade de Pointes를 유발할 수 있는 제제

Antiarrhythmic		Antimicrobials	Neuroleptics	Others
IA	Quinidine	Clarithromycin	Chlorpromazine	Cisapride
	Disopyramide	Erithromycin	Thioridazine	Methadone
	Procainamide	Pentamidine	Droperidol	
III	Ibutilide		Haloperidol	
	Sotalol			

참고문헌 22 발췌. 이 목록의 완전판은 www.torsades.org 참고

2. QT 간격측정 (Measuring QT interval)

QRS complex의 시작부터 T파의 끝까지를 의미하는 QT간격은 심박수에 반비례하여 다양해지기 때문에, 심박수-교정 QT간격 (rate-corrected QT interval, QTc)이 QT연장에 대한 정확한 접근법을 제공한다. QTc는 QT간격을 R-R 간격의 제곱근으로 나누면 구할 수 있다 (23, 24). 즉,

$$QTc = QT / \sqrt{R\text{-}R} \qquad (13.1)$$

정상 QTc는 0.44초 이하며, *QTc가 0.5초 이상이면 TdP의 위험이 증가한다는 의미다* (24).

3. 치료 (Management)

a. 지속되거나 혈류역학적으로 불안정한 TdP는 비동시성 (nonsynchronized) 전기적 동율동 전환술, 즉 제세동 (defibrillation)이 필요하다.
b. 혈류역학적으로 안정적인 TdP는 혈청 Mg^{++} 수치가 정상인 경우라도 IV Mg^{++}을 많이 사용한다. *권장용량은 1-2분에 걸쳐 MgSO4 2 g을 정주한 뒤 2-4 mg/min 속도로 주입*하는 것이다 (22).
c. IV K^{+}도 혈청 K^{+}농도가 정상이라도 사용할 수 있다. 목표는 혈청 K^{+} 농도 0.5 mEq/L 증가다 (22).
d. Mg^{++} 에 반응하지 않는 TdP는 QT 간격을 줄일 수 있도록 목표 심박수를 90-110으로 하는 경정맥 고박동 조율 (overdrive transvenous pacing)을 고려해 봐야 한다 (22).

참고문헌

1. January CT, Wann LS, Alpert JS, et al. 2014 AHA/ACC/HRS guideline for the management of patients with atrial fibrillation. Circulation 2014; 130:e199 - e267.
2. Page RL, Joglar JA, Al-Khatib SM, et al. 2015 ACC/AHA/HRS guideline for the management of adult patients with supraventricular tachycardia: executive summary. Circulation 2015;132:000-000 (available at www.acc.org, accessed 3/2/2016).
3. Mayson SE, Greenspon AJ, Adams S, et al. The changing face of postoperative atrial fibrillation: a review of current medical therapy. Cardiol Rev 2007; 15:231 - 241.
4. Siu C-W, Lau C-P, Lee W-L, et al. Intravenous diltiazem is superior to intravenous amiodarone or digoxin for achieving ventricular rate control in patients with acute uncomplicated atrial fibrillation. Crit Care Med 2009; 37:2174 - 2179.
5. Gray RJ. Managing critically ill patients with esmolol. An ultrashort- acting β-adrenergic blocker. Chest 1988; 93:398 - 404.

6. Karth GD, Geppert A, Neunteufl T, et al. Amiodarone versus diltiazem for rate control in critically ill patients with atrial tachyarrhythmias. Crit Care Med 2001; 29:1149-1153.
7. Khan IA, Mehta NJ, Gowda RM. Amiodarone for pharmacological cardioversion of recent-onset atrial fibrillation. Int J Cardiol 2003; 89:239-248.
8. VerNooy RA, Mounsey P. Antiarrhythmic drug therapy in atrial fibrillation. Cardiol Clin 2004; 22:21-34.
9. Chow MSS. Intravenous amiodarone: pharmacology, pharmacokinetics, and clinical use. Ann Pharmacother 1996; 30:637-643.
10. Kastor J. Multifocal atrial tachycardia. N Engl J Med 1990;322:1713-1720.
11. Iseri LT, Fairshter RD, Hardeman JL, Brodsky MA. Magnesium and potassium therapy in multifocal atrial tachycardia. Am Heart J 1985; 312:21-26.
12. Arsura E, Lefkin AS, Scher DL, et al. A randomized, double-blind, placebo-controlled study of verapamil and metoprolol in treatment of multifocal atrial tachycardia. Am J Med 1988; 85:519-524.
13. Trohman RG. Supraventricular tachycardia: implications for the internist. Crit Care Med 2000; 28 (Suppl):N129-N135.
14. Lim SH, Anantharaman V, Teo WS, et al. Comparison of treatment of supraventricular tachycardia by Valsalva maneuver and carotid sinus massage. Ann Emerg Med 1998; 31:30-35.
15. Rankin AC, Brooks R, Ruskin JM, McGovern BA. Adenosine and the treatment of supraventricular tachycardia. Am J Med 1992;92:655-664.
16. Chronister C. Clinical management of supraventricular tachycardia with adenosine. Am J Crit Care 1993; 2:41-47.
17. McCollam PL, Uber W, Van Bakel AB. Adenosine-related ventricular asystole. Ann Intern Med 1993; 118:315-316.
18. Gupta AK, Thakur RK. Wide QRS complex tachycardias. Med Clin N Am 2001; 85:245-266.
19. Akhtar M, Shenasa M, Jazayeri M, et al. Wide QRS complex tachycardia. Ann Intern Med 1988; 109:905-912.
20. Link MS, Berkow LC, Kudenchuk PJ, et al. Part 7: Adult advanced cardiovascular life support. 2015 American Heart Association Guidelines Update for Cardiopulmonary Resuscitation and Emergency Cardiovascular Care. Circulation 2015; 132 (Suppl 2):S444-S464.

21. Vukmir RB. Torsades de pointes: a review. Am J Emerg Med 1991; 9:250–262.
22. Nachimuthu S, Assar MD, Schussler JM. Drug-induced QT-interval prolongation: mechanisms and clinical management. Ther Adv Drug Saf 2012; 3:241–253.
23. Sadanaga T, Sadanaga F, Yoo H, et al. An evaluation of ECG leads used to assess QT prolongation. Cardiology 2006; 105:149–154.
24. Trinkley KE, Page RL 2nd, Lien H, et al. QT interval prolongation and the risk of torsades de pointes: essentials for clinicians. Curr Med Res Opin 2013; 29:1719–1726.

급성 관동맥 증후군

Acute Coronary Syndromes, ACS

이번 장은 급성, 폐색성 관상동맥 혈전증 (acute, occlusive coronary artery thrombosis), 즉 급성 관동맥 증후군 (ACS) 환자의 치료에 대해 다루고 있다. 이 질환의 중요성은 다음 문구에서 여실히 드러난다. *미국에서는 1분에 한 명 꼴로 치명적인 관상동맥 질환이 발생한다* (1). 이번 장은 ACS의 진단적 평가가 아닌 초기치료에 초점을 맞추고 있으며, 권장사항들은 American Heart Association의 임상술기 진료지침을 근거로 하고 있다 (2,3).

Ⅰ. 보호대책 (PROTECTIVE MEASURES)

다음 대책들은 허혈성 손상 (ischemic injury)에서 심근 (myocardium)을 보호하고, 심근손상 (myocardial damage)이 더 이상 확장되지 않도록 제한하는 것이 목적이다.

A. 산소치료 (Oxygen Therapy)

1. 적응증 : 산소치료는 동맥 산소포화도가 90% 미만이거나 호흡곤란 (respiratory distress)이 있는 환자에게 권장한다 (2,3).
2. 해설 : 산소는 관상동맥 혈관수축을 조장하고 (4), 독성 산소대사물 (toxic O_2 metabolite)로 인해 재관류 손상이 발생하기 때문에 (5), 추

가 산소는 ACS의 일상적인 치료로 더 이상 권장하지 않는다. 산소치료의 잠재적 유해성은 급성 심근경색이 있는 환자를 대상으로 한 무작위 연구에서 확인되었다. 이 연구에서 추가 산소를 받은 환자는 받지 않은 환자에 비해 경색이 더 커지고, 부정맥도 더 자주 발생했다 (6).

B. Nitroglycerin (NTG)

1. 적응증 : 설하 (sublingual) NTG는 허혈성 흉통을 즉시 완화시켜야 할 때 권장한다. ACS와 연관하여 흉통이 반복되거나, 고혈압, 혹은 대상부전 심부전 (decompensated heart failure)이 있다면 NTG를 지속주입하기도 한다.
2. 용량 : 설하 NTG 용량은 0.4 mg이며 필요한 경우 5분 간격으로 3번까지 투여할 수 있다. IV 투여는 지속주입 형태며, 5-10 μg/min으로 시작하여 원하는 효과를 얻을 때까지 증량한다. 대부분 100 μg/min 이상은 필요 없다.
3. 금기 : 우심실 경색 (right ventricular infarction)에서는 정맥확장 효과 (venodilator effect)가 오히려 역효과를 나타내기 때문에 NTG를 권장하지 않는다. 24시간 내에 발기부전으로 phosphodiesterase inhibitor를 복용한 환자도 저혈압이 발생할 수 있기 때문에 NTG를 권장하지 않는다 (2,3).
4. 참고 : 부작용과 내성을 포함한 NTG에 대한 더 많은 정보는 45장 V절에 나와있다.

C. Morphine

1. 적응증 : Morphine IV 투여는 NTG에 반응하지 않는 허혈성 흉통에 가장 좋은 약제며, 정맥확장 및 진정효과로 인해 정수압성 폐부종 (hydrostatic pulmonary edema)에도 사용할 수 있다.

2. 용량 : Morphine의 유효용량은 개개인에 따라 많은 차이가 있다. 초기용량은 일반적으로 4-8 mg을 IV bolus 투여하며, 그 후 필요한 경우 5-10분 간격으로 2-8 mg을 IV 한다 (2,3).
3. 참고 : 아편유사제 (opioids)의 부작용에 대한 더 많은 정보는 43장 I-C절에 나와있다.

D. Aspirin

1. 적응증 : Aspirin은 항혈소판제제 (antiplatelet agent)로 aspirin에 과민증이 없는 모든 ACS 환자에게 권장한다. Aspirin은 사망률을 감소시키고 재경색 (re-infarction) 비율을 줄이기 위해 가능한 빨리 투여한다 (2,3).
2. 용량 : 초기용량은 흡수를 높여주는 씹는 정제형태로 162-320 mg을 투여하며 유지용량은 하루에 한번 81 mg을 장용정 (enteric-coated tablet)으로 투여한다 (2,3).
3. 참고 : Aspirin 과민성이 있는 환자는 clopidogrel (plavix)이 적절한 대체약이다 (2,3). Clopidogrel의 용법은 이번 장 후반에 나와있다,

E. β-수용체 길항제 (β-Receptor Antagonist)

1. 적응증 : β-수용체 차단제는 금기가 없는 한 모든 ACS 환자에게 권장하며, 증상발현 후 24시간 이내에 투여해야 한다 (2,3). 대부분 경구 투여로 충분하다. IV 치료는 흉통이 지속되거나, 빈맥이 해결되지 않거나, 고혈압이 있을 경우를 대비해 보류한다.
2. 금기 : 고도 방실차단 (high-grade AV block), 대상부전 수축기 심부전, 저혈압, 반응성 기도질환 (reactive airway disease)이 있는 경우에는 금기이다 (2,3). 또한 cocaine 혹은 amphetamine 중독과 연관된 ACS에서도 α-수용체 (α-receptor) 활동이 아무런 방해도 받지 않아서 관상동맥 혈관경련 (vasospasm)을 악화시킬 위험이 있기 때문에 사용하지 말

아야 한다 (3).

3. **용법** : 선택적 β_1-길항제 (selective β_1-antagonist)인 metoprolol이 ACS에 흔히 사용되는 약제이다. 경구 용법은 첫 48시간은 6시간 간격으로 25-50 mg을 복용하며, 그 후 유지용량으로 하루 두 번 100 mg을 복용한다. 유지용량으로는 지속시간이 긴 metoprolol succinate을 하루 한 번 200 mg 복용할 수도 있다. IV 용법은 5 mg을 5분 간격으로 bolus 투여하며, 3번까지 사용할 수 있다 (2).

F. RAA Inhibitors

레닌-안지오텐신-알도스테론 (Renin-angiotensin-aldosterone, RAA) 체계를 방해하는 약제에는 안지오텐신 전환효소 (angiotensin-converting enzyme, ACE)억제제와 안지오텐신-수용체 차단제 (angiotensin-receptor blocker, ARB)가 있다.

1. **적응증** : ACE 억제제는 금기가 있지 않는 한 모든 ACS환자에게 권장한다. 특히 전벽경색 (anterior infarction)이나 박출률 (ejection fraction, EF)이 40% 미만인 수축성 기능부전이 있는 경우 효과가 좋으며, 이 경우 증상발현 후 24간 내에 투여를 권장한다 (2). ARB는 ACE 억제제를 복용할 수 없는 환자를 대비해 보류한다.
2. **금기** : 이 약제들은 저혈압, 양측성 콩팥동맥 협착 (bilateral renal artery stenosis), 콩팥부전 혹은 고칼륨혈증 (hyperkalemia) 환자에게 금기다.
3. **용법** : ACE 억제제는 IV로 줄 경우 저혈압의 위험성이 있기 때문에 경구로만 투여하며, 여러 가지 약제들이 있다. 유명한 ACE 억제제 중 하나인 *lisinopril*은 하루 한번 2.5-5 mg을 복용하며 점차적으로 10 mg까지 증량한다 (2). ACE 억제제를 복용할 수 없는 환자는 ARB 제제인 *valsartan*을 사용하면 급성 심근경색에서 동등한 효능을 보여준다 (7). 초기용량은 20mg BID로 경구투여하며, 점차적으로 160mg BID까지 증량한다.

G. Statins

1. 적응증 : 고용량 Statin 요법은 LDL 콜레스테롤 농도가 70 mg/dL미만인 환자를 포함해, 안정기에 접어든 모든 ACS환자에게 권장한다(2,3). 사용 가능한 Statins 중에서는 고용량 *atorvastatin*만이 ACS 환자의 생존에 장점이 있다고 확인되었다(8).
2. 용량 : Atorvastatin, 매일 80 mg 경구복용 (2,3)
3. 해설 : 근병증 (myopathy)과 간독성 같은 statin 계열의 성가신 부작용은 장기간 치료에서 나타나며, ACS에서 statin 요법을 시작 할 무렵에는 관심조차 없었던 부분이다. 주목할 만한 약물 상호작용이 있다. Statin 계열은 시토크롬 P450(cytochrome P450 system, CYP3A4)을 통해 대사되며, 이 효소를 억제하는 amiodarone이나 omeprazole 같은 제제는 독성 반응이 생길 위험을 높인다.

II. 재관류 (REPERFUSION)

A. 접근 (The Approach)

1. ACS치료의 핵심목표는 경색과 관련 있는 관상동맥에 발생한 폐색을 해결하고, 혈류를 재개하는 것이다. 이 목표를 달성하기 위한 3가지 방법이 있다. 먼저 경피적 관상동맥 중재술 (percutaneous coronary intervention, PCI)로 여기에는 관상동맥 조영술 (coronary angiography), 혈관 성형술 (angioplasty), 스텐트 삽입 (stent placement)이 포함된다. 두 번째는 혈전용해 요법 (thrombolytic therapy)이며 마지막으로 관상동맥 우회술 (coronary artery bypass surgery)이 있다.
2. 재관류에 대한 접근은 ECG에서 ST상승의 존재여부에 따라 결정한다. 이에 대해서는 추후 설명한다.

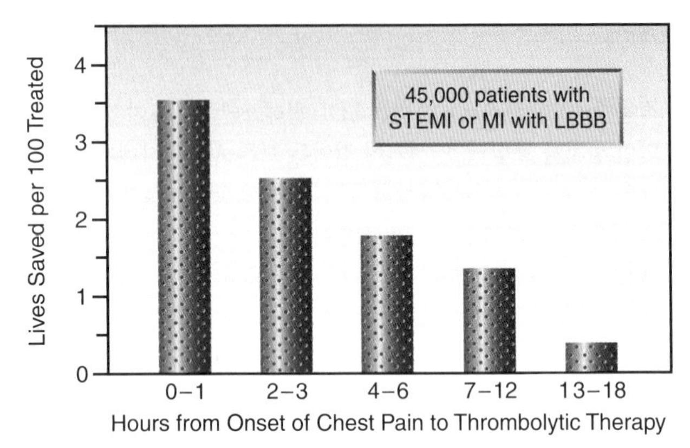

■ 그림 14.1 흉통이 발생한 시점부터 시간에 따른 혈전용해술의 생존상 장점. STEMI=ST-elevation myocardial infarction, LBBB=left bundle branch block. 참고문헌9 발췌.

B. ST상승을 동반한 ACS (ACS with ST Elevation)

심전도에서 적어도 2개 이상의 인접유도 (contiguous leads)에서 0.1mv 이상의 ST상승을 동반한 ACS는 대부분 경색과 관계된 동맥의 완전 폐색 (complete obstruction)으로 인한 경벽경색 (transmural infarction)을 시사한다. ST-상승 심근경색 (ST-elevation myocardial infarction) 혹은 STEMI라고 하는 이 상황은 응급중재가 필요하다.

1. 시간의존성 (Time-Dependence)

PCI나 혈전용해술을 통한 재관류는 막힌 혈관에 혈류를 제공하고, 사망률을 줄여준다는 확실한 증거가 있다 (2). 하지만, 재관류 치료로 인한 장점은 시간에 달려있으며, 흉통이 발생한 시점부터 시간이 흐름에 따라 점차 사라지게 된다. **그림 14.1**에 혈전용해술과 시간 사이의 관계가 잘 나와있다 (9). 증상이 시작되고 12시간이 지나면 생존에 장점이 거의 없다는 점을 주목한다.

2. 재관류 요법의 적응증 (Indication for Reperfusion Therapy)

STEMI 혹은 새로 발생한 LBBB 환자에 대한 재관류 요법의 주된 적응증은 다음과 같다 (2):

a. 증상발현부터 12시간 이내인 경우
b. 증상발현부터 12-24시간 사이에 허혈이 진행한다는 증거가 있는 경우
c. 증상발현부터 시간과 상관없이 급성, 고도 (severe) 심부전 혹은 심인성 쇼크 (cardiogenic shock)가 있는 경우

3. 경피적 관상동맥 중재술 (Percutaneous Coronary Intervention, PCI)

PCI는 막힌 혈관의 혈류를 복구하고 결과를 개선하는데 있어 혈전용해 요법보다 우수하다 **(그림 14.2 참고)** (10-12). 불행히도, PCI를 할 수

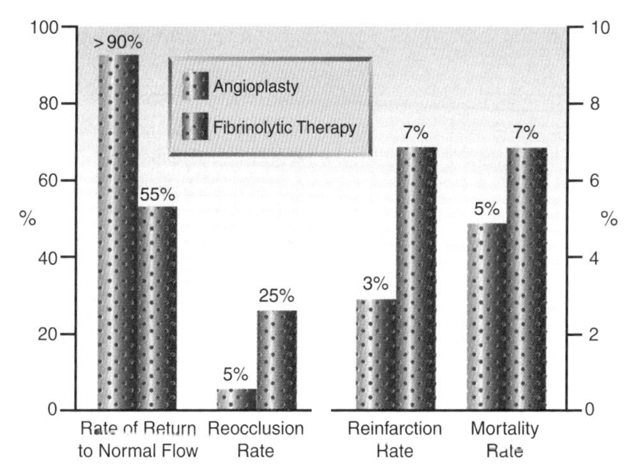

■ **그림 14.2** ST-상승 심근경색 환자에서 혈관사고 (vascular event) (좌측 그래프)와 임상결과 (우측 그래프)에 관상동맥 성형술과 혈전용해술이 미치는 영향비교. 참고문헌 10-12 발췌.

없는 병원이 많다. 증상발현으로부터 12시간 이내 같이 조건이 맞는 STEMI 환자에게 PCI를 시행할 때 권장사항은 다음과 같다 (2):

a. 환자가 PCI가 가능한 병원에 있다면, 현장에서 환자를 처음 접촉한 이후 90분 내로 시술에 들어가야 한다.
b. 환자가 PCI가 불가능한 병원에 있다면, 환자를 처음 접촉한 이후 2시간 내로 PCI가 시행될 수 있도록 PCI가 가능한 병원으로 전원을 권장한다.

4. 혈전용해 요법 (Thrombolytic Therapy)

혈전용해 요법은 PCI의 대안으로, 설비자체가 없어서 PCI를 못하거나, 설비가 있더라도 시기적절하게 진행할 수 없을 때 적용 가능하다. 최적의 결과를 위해서는 환자가 병원에 도착하고 나서 30분 이내로 치료를 시작해야 한다 (2). 혈전용해 요법의 금기사항은 표 14.1에 나와있다.

표 14.1 혈전용해 요법의 금기

절대적 금기	상대적 금기
생리 이외의 활동성 출혈 악성 두개내 종양 (원발성 혹은 전이성) 심혈관기형 (동정맥기형 등) 대동맥 박리가 의심될 때 3개월 내의 허혈성 뇌졸중 (4.5시간 이내는 제외) 두개내 출혈의 기왕력 3개월 내의 두부 혹은 안면손상	수축기 혈압 〉180 mm Hg 혹은 확장기 혈압 〉110 mm Hg 4주 내에 활동성 출혈 압박할 수 없는 혈관천자 3주 이내의 대수술 외상성 CPR 혹은 10분 이상 지속한 CPR 3개월 이상의 허혈성 뇌졸중 치매 활동성 위궤양질환 임신 Warfarin 치료 중

참고문헌 2 발췌

a. 용해제제 (LYTIC AGENTS) : 섬유소용해 (fibrinolytic)제제는 플라스미노겐 (plasminogen)을 플라스민 (plasmin)으로 변환시켜 섬유소가닥을 잘게 분해시킨다. 표 14.2의 제제들은 혈전특이성 섬유소용해 (clot-specific fibrinolysis)로 섬유소에 결합한 플라스미노겐에만 작용하기 때문에 전신 섬유소용해로 확장되는 것을 억제하고 출혈위험을 감소시킨다. 모든 섬유소용해 제제는 혈류 재개통률이 약 85%로 비슷하다 (2).

표 14.2 섬유소용해 제제

Drug	용법
Alteplase (tPA)	1. 최초로 15 mg IV, 그 후 2. 30분에 걸쳐 0.75 mg/kg (50 mg 초과하지 않도록), 그 후 3. 60분에 걸쳐 0.5 mg/kg (35 mg초과하지 않도록). 4. 최대용량은 90분간 100 mg
Reteplase (rPA)	10 Unit IV, 필요한 경우 30분 후 반복
Tenecteplase (TNK-tPA)	1. 1회 IV. 체중에 따라 용량 조절 체중 (kg): 〈60 / 60–69 / 70–79 / 80–89 / 〉90 용량 (mg): 30 / 35 / 40 / 45 / 50

참고문헌 2 발췌.

b. 출혈 위험성 (BLEEDING RISK) : 뇌내출혈 (intracerebral hemorrhage) (0.5-1%), 수혈이 필요한 두개강외 출혈 (extracranial hemorrhage) (5-15%)같은 주요출혈 (major bleeding)의 위험성은 모든 섬유소용해 제제가 비슷하다 (13,14)

c. 혈전용해 요법으로 인한 주요 출혈은 한랭침강물 (cryoprecipitate) 10-15 bag을 투여해서 치료하며 필요한 경우 6 unit 정도의 신선 동결 혈장 (fresh frozen plasma)을 추가로 주어 혈청 섬유소원 (fibrinogen)이 100 mg/dL 이상이 되도록 한다. Epsilon-aminocaproic acid (15-30분에 걸쳐 5 g IV) 같은 항섬유소용해 제제 (Antifibrinolytic agent)는 혈전증이 발생할 위험이 있기 때문에 반응하지 않는 출혈 (refractory bleeding)을 대비해 보류한다 (14).

C. ST상승이 없는 ACS (ACS without ST elevation)

ECG에 ST상승이 없다면 경벽 심근경색에 비해 심근손상 (myocardial injury)의 범위가 작다는 것을 시사하며, 혹은 절박 심근손상 (threatened myocardial injury)을 동반한 허혈을 의미할 수도 있다. 이 둘을 감별하는 데는 트로포닌 (troponin) 농도가 도움이 된다. 비ST-상승 심근경색 (non ST-elevation myocardial infarction) 혹은 nonSTEMI라고 하는 이 상황은 관상동맥 부분폐색 혹은 일시적인 완전폐색이 자연히 재개통 됨으로 인해 발생한다. 그렇기에, 응급 재관류는 필요하지 않을 수도 있다. 이 경우에 재관류 치료에 대한 접근은 다음과 같다.

1. nonSTEMI에서 PCI의 시기는 환자의 임상양상이 어떤지에 따라 결정한다 (3);
   a. 응급 PCI의 적응증에는 불응성 혹은 재발성 협심증 (refractory or recurrent angina), 고도 심부전, 혈류역학적 불안정, 그리고 심인성 쇼크가 있다.
   b. 임상적으로 안정적인 환자라면, 결과가 나쁠 가능성을 예측하기 위해 사용하는 임상점수평가 (clinical scoring system)를 이용해서 그 결과에 따라 PCI의 필요성과 시기를 결정한다 (3). 이 임상점수평가에는 TIMI Risk Score와 GRACE Risk Score가 있다.
2. nonSTEMI에는 혈전용해술을 사용하지 않는다.

Ⅲ. 추가 항혈전요법 (ADJUNCTIVE ANTITHROMBOTIC THERAPY)

항응고 요법 (anticoagulation) 및 이중 항혈소판 요법 (dual antiplatelet

therapy)은 ACS의 초기치료에서 표준지침이다. 아래에는 흔히 사용하는 제제들에 대한 간략한 설명과 용법이 나와있다.

A. 항응고 요법 (Anticoagulation)

1. PCI를 시행한 STEMI 환자는 항응고 요법을 위해 비분획 헤파린 (unfractionated heparin, UFH)을 많이 사용한다.
   a. 용법은 70-100Units/kg을 IV bolus 투여하며, 추후 설명할 당단백 수용체 길항제 (glycoprotein receptor antagonist)를 사용할 예정이라면 50-70 Unit/kg을 IV bolus 투여한다. 치료적 활성화 응고시간 (therapeutic activated clotting time) 250-350 sec 유지가 목표다 (2).
2. PCI 혹은 혈전용해 요법 후에 아래의 용법대로 UFH을 이용한 48 시간 내의 단기간 항응고 요법을 권장한다 (2).
   a. 60 Units/kg IV bolus (최대 4,000 Unit) 투여 후 12 Unit/kg/hr 속도로 지속주입 (최대 1,000 Unit/hr)하며 aPTT 수치가 정상의 1.5-2배가 되도록 조절한다 (2).
3. 저분자량 헤파린 (Low molecular weight heparin, LMWH)은 혈전용해 요법 후에 1주 간의 장기간 항응고 치료를 시행할 때 많이 사용한다. 권장하는 LMWH은 enoxaparin으로 다음과 같은 용법대로 사용한다 (2).
   a. 75세 미만에서는 초기용량으로 30 mg을 IV하며, 15분 뒤에 1 mg/kg을 SC로 투여하며 12시간마다 반복한다. 처음 2회의 최대용량은 100 mg이다.
   b. 75세 이상에서는 IV 부하용량 (loading dose)없이 12시간 간격으로 0.75 mg/kg을 SC로 투여한다. 처음 2회의 최대용량은 75 mg이다.
   c. 나이와 관계없이 크레아티닌 청소율 (creatinine clearance)이 30 ml/min 미만이면 24시간마다 1 mg/kg을 SC로 투여한다.
4. nonSTEMI에서는 enoxaparin (LMWH)을 입원기간 동안 사용하거나 혹은 PCI시행 전까지 사용할 수 있다.
   a. 이 경우에 권장용량은 12시간 간격으로 1 mg/kg을 SC하며 크레아

티닌 청소율이 30 mlL/min 미만이라면 24시간 간격으로 1 mg/kg을 SC로 투여한다 (3).

B. $P2Y_{12}$ 억제제 ($P2Y_{12}$ Inhibitors)

1. $P2Y_{12}$ 억제제는 경구 항혈소판 제제로 ADP 유발성 혈소판 응집에 관여하는 표면수용체 (surface receptor)를 차단한다. 이 기전은 aspirin과는 다르기 때문에 aspirin과 $P2Y_{12}$ 억제제의 항혈소판 효과는 합산된다.
2. ACS에 사용이 승인된 $P2Y_{12}$ 억제제는 clopidogrel, prasugrel, 그리고 ticagrelor로 3가지가 있다. Clopidogrel과 prasugrel은 전구약물로 간에서 활성화가 필요하며, 효과는 비가역적이다. Prasugrel은 가장 강력한 항혈소판 효과를 보이며, 출혈 위험성이 높다. *결과적으로 prasugrel은 뇌졸중 (stroke)이나 일과성 뇌허혈 (TIA)의 기왕력이 있는 경우에는 권장하지 않는다* (2,3).
3. $P2Y_{12}$ 억제제는 일상적으로 aspirin과 조합해서 사용하며, 용법은 표 14.3에 나와있다. PCI를 예정하고 있다면, $P2Y_{12}$ 억제제의 부하용량은 가능한 빨리 투여하거나 시술 직전에 투여한다.

C. 당단백 수용체 길항제 (Glycoprotein Receptor Antagonist)

혈소판이 활성화되면, 혈소판 표면의 당단백 수용체 Ⅱb와 Ⅲa는 결합할 섬유소원 (fibrinogen)을 찾기 시작하며, 섬유소원 분자는 인접한 혈소판에 다리를 형성하여 혈소판 응집을 유발한다.

1. 당단백 수용체 길항제 혹은 Ⅱb/Ⅲa억제제는 섬유소원이 활성화된 혈소판에 결합하는 것을 차단하여 혈소판 응집을 방해한다. 이 제제는 현존하는 가장 강력한 항혈소판 제제로 superaspirin이라고도 한다.
2. 사용 가능한 Ⅱb/Ⅲa 억제제는 *abciximab (ReoPro), eptifibatide (Inte-*

*grilin), tirofiban (Aggrastat)*이 있다. 3가지 약제는 모두 표 14.3에 나와 있는 용법에 따라 IV로 투여한다.

3. 이 제제들은 응급PCI를 시행한 고위험군 환자에게 사용하며, 시술직전 혹은 시작 시에 투여한다.
4. Abciximab이 가장 강력하며, 가장 비싸며, 가장 작용기간이 긴 Ⅱb/Ⅲa 억제제다. 이 제제를 중단하고 출혈 시간 (bleeding time)이 정상이 되는 데는 12시간이 걸린다 (15). Eptifibatide와 tirofiban은 작용 기간이 짧다. 이 제제는 중단하면 출혈 시간이 정상이 되기까지 eptifibatide는 15분이, tirofiban은 4시간이 걸린다 (15).

표 14.3 항혈소판 제제

제제	용법
$P2Y_{12}$ 억제제	
Clopidogrel	최초 300 mg (PCI시는 600 mg) 경구투여 후 매일 75 mg 경구투여
Prasugrel	최초 60 mg 경구투여 후, 매일 10 mg 경구투여
Ticagrelor	최초 60 mg 경구투여 후, 하루 두 번 90 mg 경구투여
Ⅱb/Ⅲa 억제제	
Abciximab	0.25 mg/kg IV bolus 투여 후 0.125 μg/kg/min (최대 10μg/min)로 12시간까지 지속주입
Eptifibatide	180 μg/kg IV bolus 투여 후 12-18시간에 동안 2 μg/kg/min 지속주입 STEMI에서 PCI를 시행할 경우, 콩팥 기능이 정상이라면 bolus 용량을 10분 후에 한번 더 투여. CrCL이 50 mL/min 미만이라면 주입속도를 50% 감량
Tirofiban	25 μg/kg IV bolus 투여 후 12-24시간에 동안 0.1 μg/kg/min 지속주입 CrCL이 30 mL/min 미만이라면 주입속도를 50% 감량

참고문헌 2, 3 발췌

Ⅳ 합병증 (COMPLICATIONS)

ACS의 합병증은 전기적 합병증과 기계적 합병증으로 분류한다. 전기적 합병증은 13장과 15장에서 다루고 있기 때문에, 여기서는 기계적 합병증을 간략하게 설명한다.

A. 구조적 결함 (Structural Defects)

구조적 결함은 경벽 (ST-상승) 경색의 결과다. 이 문제는 첫 일주일 안에 언제든지 발생할 수 있지만, 대부분은 첫 24시간 이내에 발생한다 (2). 진단은 대부분 경흉부 초음파로 한다. 종종 대동맥내 풍선펌프 (intra-aortic balloon pump, IABP) 보조가 필요할 수도 있으며, 대부분은 응급 재건수술 (surgical repair)이 필요하다.

1. 급성 승모판 폐쇄부전증 (ACUTE MITRAL REGURGITATION)은 유두근 파열 (papillary muscle rupture)이나 경색 후 좌심실재형성 (postinfarction LV remodeling)의 결과로 발생하며, 갑작스러운 폐부종과 특징적인 범수축기 잡음 (holosystolic murmur)이 들린다. 진단은 심초음파로 진행하며, 수술이 늦어지면 예후가 좋지 않기 때문에 외과 협진을 응급으로 진행해야 한다 (16). Hydralazine 같은 동맥 혈관 확장제나 IABP를 통한 일시적 보조를 수술까지의 연결다리로 사용할 수도 있다. 승모판 재건술 (mitral valve repair)은 사망률이 20%이지만 (2), 수술을 하지 않으면 사망률이 70%에 육박한다 (17).
2. 심실 중격 파열 (RUPTURE OF THE VENTRICULAR SEPTUM)은 24시간 이내에 종종 발생하며, 혈전용해 요법 후에 더 흔히 발생한다 (18). 임상양상은 급성 승모판 폐쇄부전증과 유사하며, 급성 심부전 양상을 띄며 수축기 잡음이 현저하게 들린다. 경흉부 심초음파를 통해 진단할 수 있다. 일부환자는 혈류역학적으로 안정적이지만, 상황은 진행할 수도 있기 때문에, 응급으로 외과적 복구를 시행해야 한다. 수술을

시행한 경우 사망률은 20-80%였으며, 쇼크 환자에서 사망률이 높았다 (2).

3. 좌심실 자유벽 파열 (LEFT VENTRICULAR FREE WALL RUPTURE)의 임상양상은 흉통이 다시 발생하며, ECG에서 새로운 ST-분절 이상이 나타난다. 심낭에 혈액이 축적되면 종종 심막 눌림증 (pericardial tamponade)을 일으켜 급속도로 상태가 나빠지기도 한다. 심초음파를 통해 진단하며, 심낭천자 (pericardiocentesis)로 급한 불을 끌 수 있다. 해야 할 일은 단 한가지, 응급수술이며 새로운 “patch and glue” 기법을 통한 수술 시 사망률은 12%까지 낮아진다 (19).

B. 심부전 (Cardiac Pump Failure)

1. ST-상승 심근경색의 약 10%에서 심부전과 심인성 쇼크 (cardiogenic shock)가 발생한다 (20). 이 중 약 15%는 발병 당시 발생하며, 나머지는 입원기간 중 발생한다 (2).
2. 치료는 응급PCI, PCI가 불가능할 경우 혈전용해술, 그리고 필요한 경우 관상동맥 우회술 (coronary artery bypass surgery)을 시행한다. 다기관 (multicenter) 연구에 따르면, 6시간 이내에 PCI나 우회술을 통해 혈관을 재개통 (revascularization)하면, 수술을 연기하고 내과적 치료를 했을 때에 비해 사망률의 절대치가 13% 감소한다 (21).
3. 심인성 쇼크의 혈류역학적 치료에 대해서는 8장 III-C절과 IV절에서 다루고 있다. 경색후 (postinfarction) 심인성 쇼크에서는 심근 산소소모 (myocardial O_2 consumption)를 증가시키지 않는 혈류역학적 보조가 가장 중요하다. **표 14.4**는 이점에서 약물보조에 비해 IABP보조가 우수하다는 것을 보여준다.

표 14.4	혈류역학적 지지 방법과 심근 산소소모량	
지표	IABP	Dobutamine / Norepinephrine
전부하	↓	↑
수축력	–	↑↑
후부하	↓	↑
심박수	–	↑↑
심근 VO_2에 대한 통합 효과	↓↓	↑↑↑↑↑↑

IABP=intra-aortic balloon pump, VO_2=산소 소모

V. 급성 대동맥 박리 (ACUTE AORTIC DISSECTION)

상행 대동맥 (ascending aorta)을 침범한 대동맥 박리는 ACS로 오인할 수 있으며, ACS의 원인이 될 수도 있다. 하지만 ACS와는 다르게, 대동맥 박리는 적절하게 치료하지 않으면 치명적이 될 수도 있는 외과적 응급상황이다.

A. 병태생리 (Pathophysiology)

대동맥 박리는 대동맥 내막 (intima)이 찢어져 혈액이 대동맥의 내막과 중막층 (medial layer)사이를 박리하고 가성내강 (false lumen)을 만드는 질환이다. 박리가 상행 대동맥을 침범하면 역행성 (retrograde) 진행으로 인해 관상동맥 순환부전증 (coronary insufficiency), 대동맥판막 폐쇄부전증 (aortic insufficiency), 그리고 심막 눌림증 (pericardial tamponade)이 발생할 수 있다 (22).

B. 임상양상 (Clinical Manifestations)

1. 가장 흔한 증상은 갑작스러운 흉통이며, 찌르는 듯한 느낌이 들 수도

있고, 상행 대동맥 박리의 경우 흉골하 (substernal)에, 하행 대동맥 박리의 경우 등 (back)뒤쪽에 증상이 발생할 수 있다. 흉통은 몇 시간 혹은 며칠이 지나면 자연히 사라질 수도 있다는 점이 가장 중요하며 (23, 24), 이는 진단을 놓치는 원인이 되기도 한다. 환자 중 약 5%는 통증이 없다 (22).

2. 가장 흔한 임상 양상은 환자 중 50%에서 볼 수 있는 고혈압과 대동맥판막 폐쇄부전증이다(23,24). 대동맥궁 (aortic arch)에서 기시하는 좌측 쇄골하 동맥 (left subclavian artery)이 막혀서 발생하는 좌, 우 상지의 맥박이 다른 (unequal pulses) 증상은 환자 중 15%에서만 나타난다 (24).
3. 흉부엑스선 사진에서 종격동 확장 (60%)이 있을 수도 있으며 (24), 정상 (20%)으로 보일 수도 있다 (22). ECG에서 허혈성 변화 (15%) 혹은 심근경색 (5%)의 단서가 나타날 수도 있지만, 환자 중 30%는 ECG가 정상이다 (22).

C. 영상검사 (Imaging Studies)

1. 대동맥 박리를 진단하기 위해서는 4가지 영상검사 중 하나가 필요하다. 여기에는 MRI (민감도와 특이도 98%), 경식도 심초음파 (transesophageal echocardiography, TEE) (민감도 98%, 특이도 77%), 조영증강CT (contrast-enhanced computed tomography) (민감도 94%, 특이도 87%), 대동맥 조영술 (aortography) (민감도 88%, 특이도 94%)이 있다 (25). 보다시피 대동맥 박리의 영상 검사 중 *MRI가 민감도와 특이도가 가장 높은 검사방법*이다.

D. 치료 (Management)

대동맥 박리의 치료목표는 고혈압 조절과 외과적 중재다.

1. 고혈압 치료 (Antihypertensive Therapy)

대동맥의 혈류가 빨라지면 전단력 (shear force)이 증가하여 추가 박리가 진행되기 때문에 고혈압 치료는 **절대로** 심장박출량 (cardiac output) 및 일회박출량 (stroke volume)을 증가시켜서는 안 된다. 이 때문에, 심실 수축력을 감소 (negative inotropic effect)시키는 β-수용체 길항제 (β-receptor antagonist)가 많이 사용된다. 대동맥 박리에서 혈압조절에 사용되는 약제의 용법은 표 14.5에 나와있다.

표 14.5	급성 대동맥 박리에 사용하는 항고혈압 약제
약제	**용법과 해설**
Esmolol	500 μg/kg IV bolus 투여 후 50 μg/kg/min으로 지속주입 SBP가 120 mm Hg이 되거나 혹은 HR가 60 bpm이 될 때까지 5분 간격으로 25 μg/kg/min 단위로 증량 가능. 최대용량은 200 μg/kg/min.
Labetalol	2분에 걸쳐 20 mg IV 후 필요한 경우 10분 간격으로 20–40 mg IV하거나 Esmolol과 동일한 종점까지 1–2 mg/min으로 지속주입. 최대 누적 용량은 300 mg

용법은 제조사의 권장사항이다.

a. 가장 많이 사용되는 β-차단제는 esmolol (Brevibloc)로, 작용기간이 9분으로 짧으며 원하는 종점에 달하기 위해 용량을 빠르게 조절할 수 있다.
b. 또 다른 약제는 혼합 α-β-차단제 (combined α-β-blocker)인 labetalol이며, IV bolus 투여 또는 지속주입으로 투여할 수 있다.

2. 결과 (Outcomes)

내과적 치료만 시행할 경우, 급성 대동맥 박리의 사망률은 증상발현으로부터 매 시간마다 1-2%씩 증가한다 (22). 외과적 복구를 24시간 이내에 시행하면 사망률이 10%로 감소하며, 48시간 내에 시행하면 12%로 감소한다 (22).

참고문헌

1. Roger V, Go AS, Lloyd-Jones D, et al. Heart disease and stroke statistics—2012 update: a report from the American Heart Association. Circulation 2012; 125:e2–e220.
2. Ogara PT, Kushner FG, Ascheim DD, et al. 2013 ACCF/AHA guideline for the management of ST-elevation myocardial infarction. J Am Coll Cardiol 2013; 61:e78–e140.
3. Amsterdam EA, Wenger NK, Brindis RG, et al. 2014 AHA/ACC guideline for the management of patients with non-ST-elevation myocardial acute coronary syndromes. Circulation 2014;130:e344–e426.
4. McNulty PH, King N, Scott S, et al. Effects of supplemental oxygen administration on coronary blood flow in patients undergoing cardiac catheterization. Am J Physiol Heart Circ Physiol. 2005; 288:H1057–1062.
5. Bulkley GB. Reactive oxygen metabolites and reperfusion injury: aberrant triggering of reticuloendothelial function. Lancet 1994;344:934–936.
6. Stub D, Smith K, Bernard S, et al; AVOID Investigators. Air versus oxygen in ST-segment elevation myocardial infarction. Circulation 2015; 131:2143–2150.
7. Pfeffer MA, McMurray JJV, Velazquez EJ, et al. Valsartan, captopril, or both in myocardial infarction complicated by heart failure, left ventricular dysfunction, or both. N Engl J Med. 2003;349:1893–96.
8. Cannon CP, Braunwald E, McCabe CH, et al. Intensive versus moderate lipid lowering with statins after acute coronary syndromes. N Engl J Med. 2004; 350:1495–504.
9. Fibrinolytic Therapy Trialists Collaborative Group. Indications for fibrinolytic therapy in suspected acute myocardial infarction: collaborative overview of early mortality and major morbidity results from all randomized trials of more than 1000 patients. Lancet 1994; 343:311–322.
10. The GUSTO IIb Angioplasty Substudy Investigators. A clinical trial comparing primary coronary angioplasty with tissue plasminogen activator for acute myocar-

dial infarction. New Engl J Med 1997; 336:1621-1628.
11. Keeley EC, Boura JA, Grines CL. Primary angioplasty versus intravenous thrombolytic therapy for acute myocardial infarction: a quantitative review of 23 randomized trials. Lancet 2003; 361:13-20.
12. Stone GW, Cox D, Garcia E, et al. Normal flow (TIMI-3) before mechanical reperfusion therapy is an independent determinant of survival in acute myocardial infarction. Circulation 2001; 104:636-641.
13. Llevadot J, Giugliano RP, Antman EM. Bolus fibrinolytic therapy in acute myocardial infarction. JAMA 2001; 286:442-449.
14. Young GP, Hoffman JR. Thrombolytic therapy. Emerg Med Clin 1995; 13:735-759.
15. Patrono C, Coller B, Fitzgerald G, et al. Platelet-active drugs: the relationship among dose, effectiveness, and side effects. Chest 2004; 126:234S-264S.
16. Tepe NA, Edmunds LH Jr. Operation for acute postinfarction mitral insufficiency and cardiogenic shock. J Thorac Cardiovasc Surg. 1985; 89:525-30.
17. Thompson CR, Buller CE, Sleeper LA, et al. Cardiogenic shock due to acute severe mitral regurgitation complicating acute myocardial infarction: a report from the SHOCK trial registry. J Am Coll Cardiol 2000; 36:1104-1109.
18. Prêtre R, Ye Q, Grünenfelder J, et al. Operative results of "repair" of ventricular septal rupture after acute myocardial infraction. Am J Cardiol. 1999; 84:785-8.
19. Haddadin S, Milano AD, Faggian G, et al. Surgical treatment of postinfarction left ventricular free wall rupture. J Card Surg 2009;24:624-631.
20. Samuels LF, Darze ES. Management of acute cardiogenic shock. Cardiol Clin 2003; 21:43-49.
21. Hochman JS, Sleeper LA, While HD, et al. One-year survival following early revascularization for cardiogenic shock. JAMA 2001; 285:190-192.
22. Tsai TT, Nienaber CA, Eagle KA. Acute aortic syndromes. Circulation 2005; 112:3802-3813.
23. Khan IA, Nair CK. Clinical, diagnostic, and management perspectives of aortic dissection. Chest 2002; 122:311-328.
24. Knaut AL, Cleveland JC. Aortic emergencies. Emerg Med Clin N Am 2003; 21:817-845.
25. Zegel HG, Chmielewski S, Freiman DB. The imaging evaluation of thoracic aortic dissection. Appl Radiol 1995; (June):15-25.

Chapter 15

심정지

Cardiac Arrest

이번 장은 심폐소생술 (cardiopulmonary resuscitation, CPR)과 심정지 이후에 나쁜 신경학적 결과를 예측하는 조건을 비롯한 심폐소생술 후 치료 (post-CPR care)의 필수 요소들을 다루고 있다. 이번 장에 나오는 내용들은 American Heart Association에서 발간한 CPR에 대한 최신 임상술기 진료지침을 근거로 하고 있다 (1-3).

Ⅰ. 기본 심폐소생술 (BASIC LIFE SUPPORT, BLS)

BLS의 필수 구성요소는 흉부압박 (chest compression), 기도개방 (airway opening), 즉 구강인두 (oropharynx) 개방성 확립, 그리고 주기적인 폐팽창 (lung inflation)이다.

A. 흉부압박 (Chest Compression)

1. BLS의 구성요소를 기억하기 위한 원래의 ABC (Airway, Breathing, Circulation)는 소생노력에서 우선 순위가 흉부압박으로 변한 것을 반영하여 CAB (Circulation, Airway, Breathing)로 재배치되었다. 심정지는 주로 환기문제가 아니라 순환문제라는 인식이 이러한 변화의 근거가 되었다.

2. BLS 지침에서 제시하는 흉부압박에 대한 권장사항은 표 15.1에 나와있다. 지침은 흉부압박을 일찍, 그리고 쉬지 않고 계속 할 것을 강조한다.

B. 기도개방 (Airway Opening)

기도개방은 의식이 없는 앙와위 (supine) 상태에서 축 늘어진 혀 때문에 막힐 수도 있는 구강인두를 개방한다는 의미다. 목을 과신전 (hyperextension)하고 턱을 앞으로 이동시키는 이른바 "Head tilt/chin up" 술기는 혀를 후부 (posterior) 구강인두에서 멀어지게 해서 늘어진 혀로 인한 막힘을 해소하기 위해 고안되었다.

표 15.1 흉부압박
BLS지침에서 발췌
1. 흉부압박은 흉골 하반부에서 100-120/min 속도로 시행해야 한다
2. 매 흉부압박의 깊이는 최소한 5 cm (2 inch)이 되어야 하지만 6 cm (2.4 inch)은 넘지 않도록 한다. 심장이 다음 압박 전에 충만될 수 있도록 흉부를 완전히 이완시킨다.
3. 첫 발견자는 CPR을 시작하며 흉부압박 30회 후에 압박을 잠시 중단하고 2회 숨을 불어넣는다. 이 압박-환기 비 (30:2)는 전문기도 (advanced airway)를 삽입할 때까지 지속한다.
4. 전문기도를 삽입했다면, 폐 팽창을 위해 멈출 필요 없이 흉부압박을 지속한다.
5. 흉부압박은 전기적 카운터쇼크 (electric countershock)시행 시처럼 절대적으로 필요한 경우에만 중단할 수 있다.

참고문헌1 발췌

C. 환기 (Ventilation)

1. 기관내 삽관 (endotracheal intubation) 전에는 산소로 가득 찬 Ambu Respirator 같은 자가팽창 환기백이 연결된 안면 마스크를 통해 환기시킬 수 있다. 백을 손으로 누르면 호흡을 시킬 수 있으며, 흉부압박

30회 마다 2회 호흡시킨다 (표 15.1 참고).

2. 기관내관 (endotracheal tube)을 삽입했다면, 폐팽창은 6초 간격 (분당 10회)으로 시행하며, 흉부 압박은 쉬지 않고 계속한다.

3. 호흡량 (Inflation Volume)

a. CPR중 호흡량이 큰 경우는 흔하며, 이 때문에 폐가 과팽창 (hyper-inflation)되어 (4), 심장 충만을 지연시키고 흉부 압박의 효과가 줄어든다

b. "백을 통한 호흡 (bagged breathing)" 중 권장하는 호흡량은 6-7 mL/kg (5) 혹은 평균 체구의 성인이라면 500 mL이다. 하지만, CPR 중에는 호흡량을 감시할 수 없기 때문에, 이 권장사항을 고수하기는 불가능해 보인다.

c. 호흡량이 커지는 것을 막기 위한 방법 중 하나는 대부분의 경우 1-2 L인 팽창백 (inflation bag)의 용량을 기반으로 한다. 예를 들어, 팽창백의 용량이 1 L라면, 백이 반으로 줄어들 때까지 누르면 500 mL를 제공할 수 있다. 다른 방법은 "한 손 백누르기 (bagging)"이다. 즉, 백을 한 손으로 누르면 600-800 mL가 나오며 심각한 과팽창은 발생하지 않는다.

4. 빠른 호흡 (Rapid Inflations)

CPR 중 호흡이 빠른 경우는 흔하며 (4,6), 한 연구에 따르면 평균적으로 분당 30회를 누르기도 한다 (6). 빠른 호흡 시에는 폐를 비울 충분한 시간이 없기 때문에, 호기 (expiration) 말에 폐에 남아 있는 공기가 양압 (positive pressure) 즉, 호기말 양압 (positive end-expiratory pressure, PEEP)을 생성하게 된다. 이 자발성 혹은 "내인성PEEP"은 흉강내 압력 (intra-thoracic pressure)을 증가시키고, 이는 심장으로 향하는 정맥환류 (venous return)를 감소시켜, 확장기 동안 심실 팽창을 제한하기도 한다. 두 가지

효과 모두 심장박출량 (cardiac output)을 증가시키기 위한 흉부압박 효과를 감소시킨다. 내인성PEEP은 21장에서 더 자세하게 다루고 있다.

II. 전문 심폐소생술 (ADVANCED CARDIOVASCULAR LIFE SUPPORT, ACLS)

ACLS에는 기도삽관 (airway intubation), 기계환기 (mechanical ventilation), 제세동 (defibrillation), 순환 보조약물 (circulatory-support drug) 투여 등 다양한 중재가 있다 (2). 이번 절에서는 제세동과 순환 보조약물, 그리고 이러한 중재술이 심실세동 (ventricular fibrillation, VF), 혹은 무맥성 심실빈맥 (pulseless ventricular tachycardia, VT)으로 인한 심정지와, 무수축 (asystole) 혹은 무맥성 전기 활동 (pulseless electrical activity, PEA)으로 인한 심정지에 어떻게 사용되는지에 중점을 둘 것이다.

A. 심실세동 혹은 무맥성 심실빈맥 (VF or Pulseless VT)

최초의 리듬이 "충격이 가능한 (shockable)" 부정맥인 VF 혹은 무맥성VT인 경우에 심정지의 결과가 가장 좋았다.

1. 제세동 (Defibrillation)

VF 혹은 무맥성VT와 관련된 심정지에서 가장 효과적인 소생방법은 제세동이라고 하는 비동시성 (asynchronous) 충격 즉, QRS complex와 일치시키지 않은 충격을 이용한 전기적 동율동전환술 (electrical cardioversion)이다. 하지만, 제세동의 생존상 장점은 **그림 15.1**에서 보듯이 시간에 달려있다(7).

a. 충격 에너지 (IMPULSE ENERGY) : 최신 제세동기는 충격전달을 위해 단상성파형 (monophasic waveform)보다 낮은 에너지 수치로도 효과적인 이상성 파형 (biphasic waveform)을 사용하지만, 여기

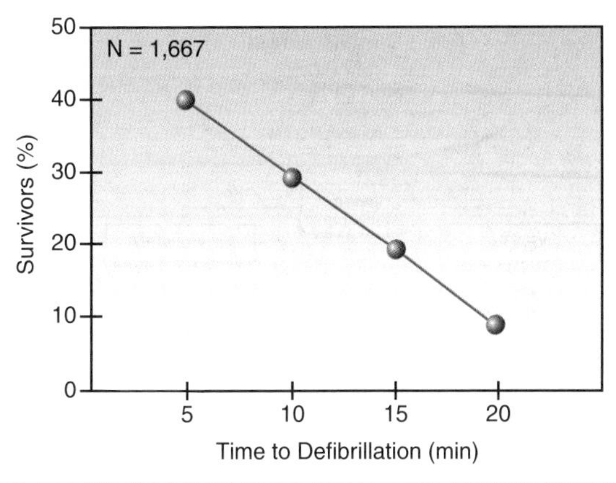

■ 그림 15.1 병원 밖에서 발생한 VF 혹은 무맥성VT로 인한 심정지에서 심정지로부터 최초 제세동을 시도하는데 걸린 시간과 생존 사이의 관계. N=연구한 사례 수. 참고문헌 7 발췌.

에는 3가지 다른 형태가 있고 각각은 에너지를 동일하게 맞춰도 서로 다른 전류 (current)를 전달한다. 이 때문에 제세동 시에 한 가지 에너지 수치를 권장하기 어렵다. 최신 ACLS지침은 첫 충격은 제조사가 추천하는 에너지 수치 사용을 권장한다 (2). 만약 여의치 않다면, 첫 충격은 최대 효과 에너지, 즉 이상성이라면 200J, 단상성이라면 360J을 사용해야 한다. 자동 체외 제세동기 (automated external defibrillator, AED)는 미리 설정된 에너지 수치를 사용한다.

2. 프로토콜 (Protocol)

그림 15.2의 흐름도는 성인의 심정지에 대한 ACLS 알고리즘이며, 무맥성VT 혹은 VF에 대한 제세동 프로토콜은 흐름도의 왼쪽에 나와있다.

a. 제세동은 필요한 경우 3번까지 가능하며, 에너지는 같은 수치를 적용한다.
b. 매번 충격을 가하고 나서, 충격 후 리듬 (post-shock rhythm)을 확인

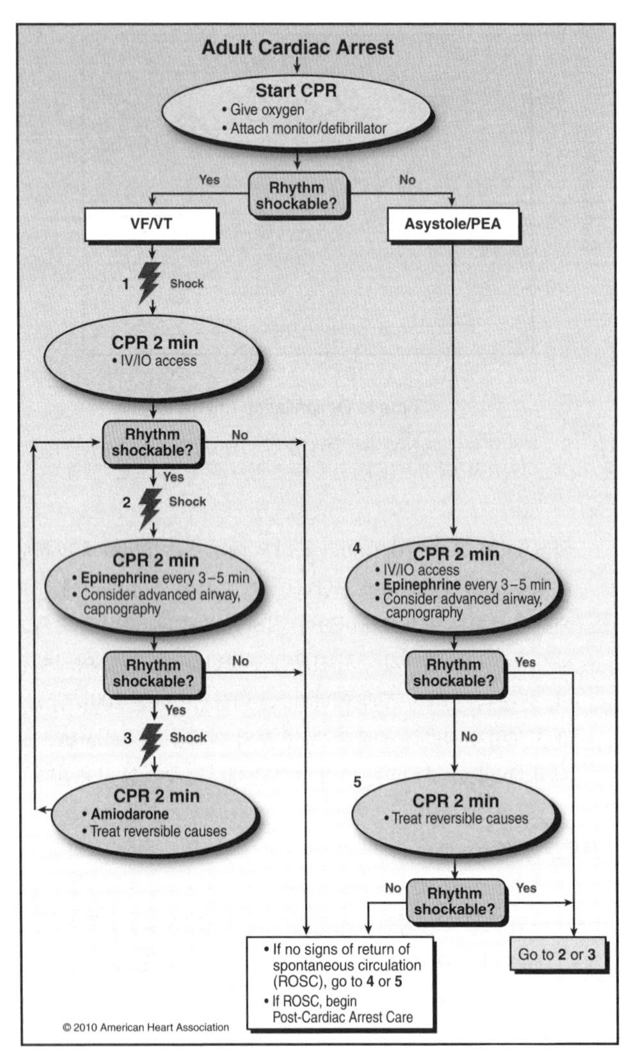

■ **그림 15.2** 성인의 심정지에 대한 ACLS 알고리즘. IO=intraosseous. 참고문헌2 발췌.

하기 전에 2분간 흉부압박을 중단하지 않고 진행할 것을 권장한다. 이는 반복 충격을 짧은 간격으로 진행하여 흉부압박 중단 기간이 연장되는 것을 방지한다 (2).

c. 두 번째 제세동이 필요하다면, epinephrine IV bolus를 시작한다. 소생술을 시행하는 동안 매 3-5분 간격으로 1 mg IV 혹은 골내주사 (intraosseous, IO) 한다.
d. 세 번째 제세동이 필요하다면, amiodarone 300 mg을 IV 혹은 IO하며, 필요한 경우 추가로 150 mg을 투여한다.
e. 두 번의 제세동으로 VF/VT를 종료시키지 못했다면, 예후가 나쁘다.

B. 무수축 혹은 무맥성 전기 활동 (Asystole or PEA)

"충격이 불가능한 (nonshockable)" 부정맥인 무수축 혹은 PEA와 연관된 심정지는 소생 시 악명 높은 실패율을 자랑한다. 소생 과정은 **그림 15.2**의 흐름도 우측에 나와있다. 주요 중재는 epinephrine 투여며, VF 및 무맥성VT와 동일한 용법을 적용하며, 리듬이 VF나 VT로 변하지 않는 한 제세동은 시도하지 않는다.

1. PEA의 가역적 원인 (Reversible Cause of PEA)

PEA의 가역적인 원인은 4 가지가 있으며, 각각은 문자 T를 공유한다. 즉, 긴장성 기흉 (Tension pneumothorax), 심막 눌림증 (pericardial Tamponade), 폐 혈전색전증 (pulmonary Thromboembolism), 그리고 관상동맥의 혈전성 폐색 (Thrombotic occlusion of the coronary arteries)이다. 이 중 심막 눌림증과 긴장성 기흉 두 가지는 대부분의 ICU와 ER에 구비되어있는 초음파 영상을 이용하면 침상에서 확인할 수 있다.

C. ACLS제제 (ACLS Drugs)

성인의 ACLS 알고리즘에는 몇 가지 제제만 있으며, 표 15.2에 나와있다. 이 제제들은 모두 심정지에서 생존에 장점이 있음을 증명하지 못했다 (2). 그런데 왜 사용할까?

표 15.2	ACLS제제
약제	**용법과 해설**
혈압상승제	
Epinephrine	용량 : 매3-5분 마다 1 mg IV/IO 해설 : 혈관수축 효과는 관상동맥 관류압 (perfusion pressure)을 증가시킬 수도 있지만, 심장자극이 반대작용을 한다.
항부정맥제	
Amiodarone	용량 : 300 mg IV/IO, 필요한 경우 150 mg 추가 해설 : 제세동과 혈압상승제에 반응하지 않는 VF/VT에 가장 좋은 항부정맥제
Lidocaine	용량 : 1-1.5 mg/kg IV/IO 그 후, 필요한 경우 5-10분 간격으로 0.5-0.75 mg/kg 지속 정주. 총합 3 mg/kg까지 투여가능. 유지는 1-4 mg/min 해설 : Amiodarone의 대체약이지만 효과가 약하다.

참고문헌 2 발췌. IO=intraosseous.

1. Epinephrine

Epinephrine은 순환쇼크 치료를 위해 사용하는 혈압상승제 (vasopressor)로 용량은 1-15 μg/min이다 (45장 Ⅲ절 참고). 3-5분 간격으로 1 mg IV bolus는 심정지 시에 사용하는 방법으로, epinephrine으로 인한 전신 혈관수축은 흉부압박 사이에 발생하는 대동맥압 (aortic pressure)과 우심방 확장기압 (right atrial relaxation pressure)의 차이인 관상동맥 관류압 (coronary perfusion pressure)이 증가할 정도로 강력하다 (8). 하지만, epinephrine은 동시에 β-수용체 매개성 심자극 (β-receptor mediated cardiac stimulation) 효과가 있기 때문에 증가한 관상동맥 관류의 장점을 사라지게 한다. Epinephrine을 사용하면 자발순환이 회복 (return to spontaneous circulation, ROSC)될 확률은 올라가지만, 사망률은 변화가 없다 (2,9).

a. 투여 : IV 혹은 IO가 불가능한 몇 안 되는 경우에 epinephrine은 기관내관 (endotracheal tube)을 통해 상기도 (upper airway)로 주입할 수도 있다. 기관내 투여용량은 IV 용량의 2-2.5배다.

2. Amiodarone

Amiodarone은 제세동과 epinephrine에 반응하지 않는 VF/VT에 많이 사용되는 항부정맥제다 (2). 많이 사용되는 이유는 한 임상연구의 결과 때문이다. 연구결과 위약 (placebo) (10), lidocaine (11)과 비교했을 때 amiodarone을 사용했을 때, 환자가 생존해서 입원할 확률이 증가했다. 하지만, 이 연구에서 환자가 생존해서 퇴원할 확률은 증가하지 않았다.

3. Lidocaine

Lidocaine은 충격 저항성 (shock-resistant) VF 혹은 무맥성VT에 사용하는 전통적인 항부정맥제였지만, 지금은 amiodarone의 대체제로만 권장한다.

D. 호기말CO_2분압 (End-Tidal PCO_2, $ETCO_2$)

호기중CO_2는 대사의 최종 산물로 폐동맥 혈류, 즉 심장박출량 (cardiac output)에 따라 기도까지 이동한다. 폐포환기 (alveolar ventilation)가 일정하다고 가정하면, 심장박출량 감소는 호기중CO_2분압 감소로 이어질 것이다. 측정을 호기말에 하기 때문에 $ETCO_2$라고 한다 (12). 이 관계가 심장박출량

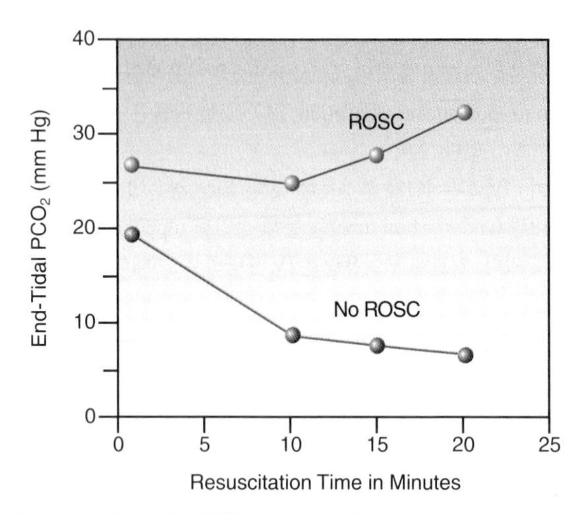

■ **그림 15.3** 20분간 CPR을 진행했을 때 $ETCO_2$의 변화와 ROSC 사이의 관계.

변화를 측정하는 비침습적 표지자로 $ETCO_2$를 사용하는 이유다 (13).

1. 예측치 (Predictive Value)

CPR 중 $ETCO_2$를 감시하면 소생과정의 유효성, 나아가서는 결과에 대한 중요한 정보를 얻을 수 있다. **그림 15.3**은 20분간 CPR을 진행했을 때 $ETCO_2$의 변화와 ROSC (return to spontaneous circulation) 사이의 관계를 보여준다 (14). ROSC가 된 환자들은 $ETCO_2$가 점차 증가하는 반면, 그렇지 못한 환자들은 $ETCO_2$가 점차 감소하는 것을 볼 수 있다.

a. CPR을 시작하고 20분이 지났을 때 $ETCO_2$가 10 mm Hg보다 낮으면 ROSC는 거의 불가능하다는 확실한 증거가 있다 (2,14-16).

III. 소생 후 기간 (POST-RESUSCITATION PERIOD)

자발순환 회복 (return of spontaneous circulation, ROSC) 자체가 만족할 만한 결과를 보장하는 것은 아니다. 즉, CPR이 성공해서 ICU에 입원한 24,000명을 대상으로 한 연구결과, 환자 중 71%는 살아서 퇴원하지 못했다 (17).

A. 심정지 후 증후군 (Post-Cardiac Arrest Syndrome)

심정지 후 증후군은 뇌손상, 심부전, 전신염증이라는 3가지 주요 특징이 있다 (18).

1. *뇌손상은 심정지에서 생존한 환자에서 사망과 장애의 주된 원인이며* (18), 허혈성 손상과 재관류 손상 모두로 인해 발생한다.
   a. *뇌손상은 저혈압, 고혈당증, 발열 때문에 악화될 수도 있기에*, 즉시 이와 같은 상태들을 해결해야 한다.
2. 심부전은 수축기와 확장기 모두에 문제가 있는 "기절 (stunned)" 심근을 의미하며, 혈류역학적 불안정을 유발할 수도 있다. 하지만, 보통은 회복되며 72시간 내에 해결되기도 한다 (18).
   a. 심정지의 최소 50% 이상은 급성 심근경색과 관계 있으며, 즉각적인 관상동맥 조영술과 혈관 성형술로 결과를 호전시킬 수 있다 (19).
3. 발열, 백혈구 증가증 등의 전신염증이 두드러지며, 재관류를 계기로 시작된다. 다장기 부전을 유발할 수도 있다.

B. 저체온 요법 (Targeted Temperature Management, TTM)

TTM은 일차적으로는 뇌의 재관류 손상이 확장되는 것을 막기 위해 미리 설정된 값으로 체온을 낮추는 방법이다. 적절하게 사용하면, TTM은 신경학적 손상의 확장을 감소시키고 생존율을 증가시킨다 (20). TTM의 일반적인 특징은 표 15.3에 나와있으며, 아래에 요약되어 있다.

1. TTM의 대상자는 심정지 부위 및 리듬에 관계없이, 심정지에서 살아남았지만 의식이 돌아오지 않은 환자다 (2).
2. TTM은 심정지 후에 가능한 빨리 시작한다.
3. 차가운 정맥수액으로 냉각을 시작하면 재정지 (re-arrest) 확률을 증가시킬 수도 있기 때문에 (21), 신중하게 생각해야 한다.
4. 냉각은 표면냉각 혹은 혈관내 냉각 (endovascular cooling)법이 적용된 자동기기를 이용하는 것이 가장 좋다. 후자의 경우 특수한 중심정맥관을 삽입해야 하지만, 피부의 저온 유발성 혈관수축 (cold-induced vasoconstriction) 때문에 발생하는 불규칙한 표면냉각을 피할 수 있다.
5. 권장 목표체온은 32℃에서 36℃ 사이지만 (2), 이 중 달성하기 쉬울 뿐 아니라 더 낮은 목표 체온과 비교해도 동등한 결과를 보장하는 *가장 높은 목표인 36℃를 추천한다* (22,23).
6. 목표체온은 24시간 유지한다
7. 체온은 0.25-0.5℃/hr 정도로 천천히 올릴 것을 권장하며 (24), 자동냉각시스템을 이용하여 관리한다.
8. TTM의 합병증에는 떨림 (shivering), 서맥, 심억제, 저혈압, 이뇨 (diuresis), 저칼륨혈증 (hypokalemia), 고혈당증, 응고장애 (impaired coagulation), 비경련성 간질중첩증 (nonconvulsive status epilepticus), 감염 등이 있다 (18,25)
9. 떨림은 냉각기 (cooling phase)에 흔히 발생하며, 체온을 올리기 때문에 역효과가 있다. 떨림은 propofol (0.1-0.2 mg/kg/min IV)이나 midazolam (0.02-0.1 mg/kg/hr IV)으로 조절할 수 있으며 Mg^{++} (5시간에 걸쳐 5 g IV)도 효과적이다 (18). 불응성 떨림 (refractory shivering)은 신경근차단제 (neuromuscular blockade)로 치료한다. 예를 들어, *cisatracurium*을 0.15-0.2 mg/kg IV bolus 후 필요한 경우 1-2 μg/kg/min 속도로 투여한다.

10. 환자 중 10%에서 비경련성 간질중첩증이 발생하였기 때문에, 가능하다면, TTM 동안 연속 EEG 감시를 권장한다.
11. 저체온은 진정제의 대사를 느리게 한다. 체온을 올리기 시작하면 환자의 의식수준 평가가 지연되지 않도록 가능한 빨리 진정제를 중단해야 한다.

표 15.3 저체온 요법

특징	내용
대상	심정지 후 혼수 (coma) 환자
금기	체온≤36℃, 주요출혈 (major bleeding), 한랭글로불린혈증 (cryoglobulinemia)
대상	32-36℃
기간	24 hr
재가열 속도	0.25-0.5℃/hr
합병증	떨림, 서맥, 심억제, 저혈압, 이뇨, 저칼륨혈증, 고혈당증, 응고장애, 비경련성 간질중첩증, 감염

C. 신경학적 예후예측 (Predicting Neurologic Outcome)

1. CPR 혹은 TTM 후에 환자의 의식이 돌아오지 않는다면, 의식회복 불가 혹은 자립생활 불가와 같은 나쁜 신경학적 예후의 가능성을 예측하기 전에 최소 3일이 지나야 한다.
2. CPR 후 TTM을 시행하지 않고 72시간이 지난 혼수환자나 혹은 TTM 후 72시간이 지난 혼수환자에서 아래의 상황이 하나라도 있다면 나쁜 신경학적 예후의 단서로 사용할 수 있다 (3).
   a. 동공 빛 반사 없음
   b. 안면, 몸통, 사지의 반복적이고 불규칙한 움직임을 특징으로 하는

간대성 근경련 중첩증 (status myoclonus)

c. EEG에 돌발 억제 (burst suppression)가 있거나, 외부 자극에 대해 EEG 반응이 없을 때.

3. 상기 a, b, c의 상태가 아닌 환자가 CPR 후 TTM을 시행하지 않고 7일간 혼수 상태가 지속된다면, 이는 나쁜 신경학적 예후의 단서가 된다 (26). TTM 후 7일 동안 혼수 상태 지속이 기지는 예측치는 아직 알려지지 않았지만, TTM은 CPR 후 TTM을 시행하지 않은 경우와 비교해서 각성 시간을 연장시키지 않는다는 단서가 있다 (27). 따라서, TTM 후 7일 동안 혼수 상태 지속을 나쁜 신경학적 예후의 단서로 상정하는 것은 합리적이다.
4. 통증 자극에 대한 이상 신전반응 (abnormal extensor response) 즉, 제뇌자세 (decerebrate posturing)는 CPR 혹은 TTM 후 나쁜 신경학적 예후의 단서로 여기지 않는다 (3).

참고문헌

1. Kleinman ME, Brennan EE, Goldberger ZD, et al. Part 5: Adult basic life support and cardiopulmonary resuscitation quality:2015 American Heart Association Guidelines Update for Cardiopulmonary Resuscitation and Emergency Cardiovascular Care. Circulation 2015; 132(Suppl 2):S414-S435.
2. Link MS, Berkow LC, Kudenchuk PJ, et al. Part 7: Adult advanced cardiovascular life support: 2015 American Heart Association Guidelines Update for Cardiopulmonary Resuscitation and Emergency Cardiovascular Care. Circulation 2015; 132 (Suppl 2):S444-S464.
3. Callaway CW, Donnino MW, Fink EL, et al. Part 8: Post-cardiac arrest care: 2015 American Heart Association Guidelines Update for Cardiopulmonary Resuscitation and Emergency Cardiovascular Care. Circulation 2015; 132 (Suppl 2):S465-S482.
4. Aufderheide TP, Lurie KG. Death by hyperventilation: A common and life-threatening problem during cardiopulmonary resuscitation. Crit Care Med 2004; 32

(Suppl):S345–S351.
5. Berg RA, Hemphill R, Abella BS, et al. Part 5: Adult basic life support:2010 American Heart Association Guidelines for Cardiopulmonary Resuscitation and Emergency Cardiovascular Care. Circulation 2010; 122 (Suppl 3):S685–S705.
6. Abella BS, Alvarado JP, Mykelbust H, et al. Quality of cardiopulmonary resuscitation during in-hospital cardiac arrest. JAMA 2005; 293:305–310.
7. Larsen MP, Eisenberg M, Cummins RO, Hallstrom AP. Predicting survival from out of hospital cardiac arrest: a graphic model. Ann Emerg Med 1993; 22:1652–1658.
8. Sun S, Tang W, Song F, et al. The effects of epinephrine on outcomes of normothermic and therapeutic hypothermic cardiopulmonary resuscitation. Crit Care Med 2010; 38:2175–2180.
9. Herlitz J, Ekstrom L, Wennerblom B, et al. Adrenaline in out-ofhospital ventricular fibrillation. Does it make any difference? Resuscitation 1995; 29:195–201.
10. Kudenchuk PJ, Cobb LA, Copass MK, et al. Amiodarone for outof- hospital cardiac arrest due to ventricular fibrillation. New Engl J Med 1999; 341:871–878.
11. Dorian P, Cass D, Schwartz B, et al. Amiodarone as compared to lidocaine for shock-resistant ventricular fibrillation. New Engl J Med 2002; 346:884–890.
12. Nassar BS, Schmidt GA. Capnography during critical illness. Chest 2016; 149:576–585.
13. Monnet X, Bataille A, Magalhaes E, et al. End-tidal carbon dioxide is better than arterial pressure for predicting volume responsiveness by the passive leg raising test. Intensive Care Med 2013; 39:93–100.
14. Kolar M, Krizmaric M, Klemen P, Grmec S. Partial pressure of endtidal carbon dioxide predicts successful cardiopulmonary resuscitation— a prospective observational study. Crit Care 2008; 12:R115.
15. Sanders AB, Kern KB, Otto CW, et al. End-tidal carbon dioxide monitoring during cardiopulmonary resuscitation. JAMA 1989;262:1347–1351.
16. Wayne MA, Levine RL, Miller CC. Use of end-tidal carbon dioxide to predict outcome in prehospital cardiac arrest. Ann Emerg Med 1995; 25:762–767.
17. Nolan JP, Laver SR, Welch CA, et al. Outcome following admission to UK intensive care units after cardiac arrest: a secondary analysis of the ICNARC Case Mix Programme Database. Anesthesia 2007; 62:1207–1216.
18. Nolan JP, Neumar RW, Adrie C, et al. Post-cardiac arrest syndrome: epidemiolo-

gy, pathophysiology, and prognostication. Resuscitation 2008; 79:350-379.
19. Sunde K, Pytte M, Jacobsen D, et al. Implementation of a standard treatment protocol for post-resuscitation care after out-ofhospital cardiac arrest. Resuscitation 2007; 73:29-39.
20. The Hypothermia After Cardiac Arrest Study group. Mild therapeutic hypothermia to improve the neurologic outcome after cardiac arrest. N Engl J Med 2002; 346: 549-556.
21. Kim F, Nichol G, Maynard C, et al. Effect of prehospital induction of mild hypothermia on survival and neurological status among adults with cardiac arrest: a randomized clinical trial. JAMA 2014; 311:45-52.
22. Nielsen N, Wettersley J, Cronberg T, et al. Targeted temperature management at 33° C versus 36° C after cardiac arrest. N Engl J Med 2013; 369:2197-2206.
23. Frydland, Kjaergaard J, Erlinge D, et al. Target temperature management of 33° C and 36° C in patients with out-of-hospital cardiac arrest with non-shockable rhythm—a TTM sub-study. Resuscitation 2015; 89:142-148.
24. Holzer M. Targeted temperature management for comatose survivors of cardiac arrest. N Engl J Med 2010; 363:1256-1264.
25. Rittenberger JC, Popescu A, Brenner RP, et al. Frequency and timing of nonconvulsive status epilepticus in comatose, post-cardiac arrest subjects treated with hypothermia. Neurocrit Care 2012; 16:114-122.
26. Levy DE, Caronna JJ, Singer BH, et al. Predicting outcome from hypoxicischemic coma. JAMA 1985; 253:1420-1426.
27. Fugate JE, Wijdicks EFM, White RD, Rabinstein AA. Does therapeutic hypothermia affect time to awakening in cardiac arrest survivors? Neurology 2011; 77:1346-1350.

인공호흡기 관련 폐렴

Ventilator-Associated Pneumonia, VAP

임상적으로 폐렴에 접근하는 과정을 한 단어로 특정한다면 다음과 같다. "문제덩어리 (problematic)." 근본적인 문제는 폐실질의 감염을 확인할 수 있는 능력이 제한적이며, 또 감염의 원인인 병원체를 식별할 수 있는 표준화 된 방법이 없다는 점이다. 이번 장에서는 기계환기를 시작한지 72시간의 이후에 발생하는 폐렴 (즉 인공호흡기 관련 폐렴)에 관련된 현안을 언급하고 임상진료지침 (1-3)의 권장사항 및 최근의 리뷰내용을 다루게 된다 (4,5).

I. 일반적인 정보 (GENERAL INFORMATION)

다음에 인공호흡기 관련 폐렴 (VAP)에 대해 관계된 몇 가지 관찰결과를 요약한다.

1. 폐렴은 중환자실 환자에서 발생하는 가장 흔한 원내감염이며 (6), 90% 이상의 폐렴은 기계환기를 시행하는 도중에 발생한다 (2). 그럼에도 VAP의 유병률이 과장된 것으로 판단되는데 이는 부검결과에서 VAP로 진단했던 환자의 1/2 정도가 실제로는 VAP가 아니었음이 밝혀졌기 때문이다 (7).
2. 지역사회폐렴의 주된 원인균이 폐렴구균, 비정형균 및 바이러스인 것과 달리 VAP 원인균의 3/4이 그람음성호기성간균 (gram-negative

aerobic bacilli) 및 포도상구균 (staphylococcus aureus)이다 (표 16.1 참조) (8).

3. VAP와 관련된 사망률은 0%에서 65%까지 다양하며(3,9), 따라서 VAP가 생명을 위협하는 질병은 아니라는 주장도 있다 (9). 그러나, VAP 연관된 사망률은 VAP가 잘못 과다하게 진단되는 경향 (앞에서 언급한 바와 같이)이 있기 때문에 조심스럽게 보아야 한다 (7).

표 16.1 VAP의 병원성 균주

개체	빈도
Gram-negative Bacilli	56.5%
Pseudomonas aeruginosa	18.9%
Escherichia coli	9.2%
Hemophilus spp	7.1%
Enterobacter spp	3.8%
Proteus	3.8%
Klebsiella pneumonia	3.2%
Others	10.5%
Gram-pasitive Cocci	42.1%
Staphylococcus aureus	18.9%
Streptococcus pneumoniae	13.2%
Hemophilus spp	1.4%
Others	8.6%
Fungal Isolates	1.3%

참고문헌8 발췌. VAP=ventilator-associated pneumonia.

II. 예방조치 (PREVENTIVE MEASURES)

구강인두에서 병원성균을 흡인하는 것이 대부분의 VAP의 시작점으로

여겨진다. ICU 환자의 구강 인두에서 가장 많이 집락형성 (colonization)되는 병원체는 그람음성호기성간균 (3 장, 그림 3.2 참조)이며 이 병원균들이 VAP의 원인균으로 가장 흔한 이유이다.

A. 구강오염제거 (Oral Decontamination)

1. 구강인두에 병원균집락이 형성되는 것부터 VAP가 시작된다는 것을 알게 된 이후 VAP에 대한 예방조치로서 구강인두의 오염제거 조치를 시행하게 되었다.
2. 구강오염제거 (즉, chlorhexidine 또는 국소항생제 사용)는 제3장, 섹션 II에 설명되어 있으며, 기관집락형성 (tracheal colonization) 및 VAP를 감소시키는 경구오염제거 효과는 그림 3.3에 나와 있다.
3. Chlorhexidine(하루에 2-3 회 사용되는 구강세정제 또는 젤 형태로)을 사용하는 일상적인 구강관리가 인공호흡기 치료 중인 환자의 표준적인 치료방법이 되었다.

B. 일상적인 기도관리 (Routine Airway Care)

인공기도 (기관내관 및 기관절개관)의 내부표면은 병원균의 집락형성이 발생할 수 있고, 튜브를 통과해 흡인카테터를 삽입할 때 이런 병원균이 떨어져나가 하부기도로 들어갈 수 있다 (10). 이러한 위험 때문에 기관 내 흡인은 일상적인 처치로는 권장되지 않으며 기도에서 분비물을 제거해야 하는 경우에만 시행해야 한다 (11).

C. 성문하 분비물의 제거 (Clearing Subglottic Secretions)

1. 일반적인 믿음과는 달리, *기관내관 (endotracheal tube)의 커프 (cuff)를 팽창시켜 커프와 기도사이를 밀봉하더라도 구강분비물이 하부기도로 흡인되는 것을 방지하지는 못한다.* 기관절개 환자의 50% 이상에서

타액 또는 튜브급식액의 흡인이 확인되나 대부분의 경우 임상적으로는 증상이 없다 (12).

2. 팽창 된 커프 주변에 고여있는 분비물의 흡인에 대한 우려 때문에 커프 바로 윗부분에 흡인포트 (suction port)가 있는 특수한 기관튜브 (Mallinckrodt TaperGuard Evac Tube)의 사용이 증가되었다. 흡입포트 (suction port)는 그림 16.1에 나와 있는 것처럼 성문하부 영역에 고이는 분비물을 제거하기 위해 지속적으로 흡인장치에 (일반적으로 -20 cm H_2O를 초과하지 않음) 연결된다.
3. 임상연구 결과에 따르면 이러한 특수한 기관튜브를 이용하여 성문하부 분비물을 제거했을 때 VAP 발생률이 크게 감소했다 (13).

III. 임상적 특징 (CLINICAL FEAURES)

A. 진단정확도 (Diagnostic Accuracy)

VAP 진단을 위한 전통적인 임상기준은 다음과 같다: (a) 발열이나 저체온, (b) 백혈구 증가 또는 백혈구 감소, (c) 호흡기 분비물의 증가 또는 분비물의 특성변화, 또는 흉부엑스선 사진에서 진행성 침윤 소견 등이 있다 (4).

1. 전통적인 임상기준에 따라 진단된 VAP환자에서 부검을 통해 폐렴이 확인된 경우는 30~40%이다 (7).
2. VAP 진단을 위한 임상기준의 정확성은 표 16.2에 나와 있다. 이 표에서 사망 전 임상소견을 근거로 VAP를 진단한 결과와 진단의 정확성을 비교하기 위해 폐렴의 증거를 부검을 통해 확인 비교했던 2개의 연구의 결과를 보여준다 (14,15). 2개 연구에서 폐렴이 있거나 없는 경우 모두에서 임상소견은 VAP와 유사하였다. 이 *연구결과들은 VAP의 진단이 임상기준만으로는 가능하지 않다는 것을 증명하였다.*

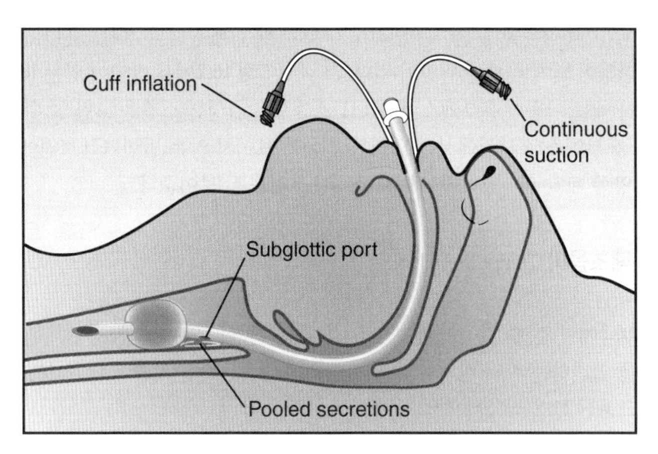

■ 그림 16.1 성문하 구역에 모인 분비물을 제거하기 위해 커프 바로 위에 흡인포트를 장착한 특수한 기관내관

표 16.2	VAP 확인을 위한 임상 기준의 예측치	
연구	임상 양상	부검에서 폐렴이 있을 가능비 †
Fagon et at.(14)	엑스선 사진의 침윤 + 화농성 객담 + 발열 혹은 백혈구증가증	1.03
Timset et al.(15)	엑스선 사진의 침윤 + 다음 중 2가지 : 발열, 백혈구증가증, 화농성 객담	0.96

† 가능비 (likelihood ratio)는 폐렴이 있는 환자에게 임상소견이 있을 가능성과 폐렴이 없는 환자에게 같은 임상소견이 있을 가능성을 비교한 것이다. 가능비 1.0은 임상소견에 근거하여 폐렴이 있을 수도 있고 없을 수도 있다는 의미다.

B. 흉부엑스선 사진 (Chest Radiography)

폐렴을 발견하는데 이동식 흉부엑스선 사진의 진단율은 표 16.3에 나와 있다 (16). 폐침윤을 발견하는 민감도가 낮기 때문에 진단의 정확도 (49%)가 형편없이 낮게 나오는 원인이 된다. 그 예로 **그림 16.2**에서 발열이 있는 ICU 환자 폐를 이동식 흉부엑스선 및 CT 스캔으로 촬영한 소견을 보면 알 수 있다. 흉부엑스선 사진에서는 명백한 침윤이 보이지 않는 반면, CT소견에서는 양쪽 폐의 후부영역에서 미세한 침윤소견을 잘 보여준다.

C. 폐초음파 (Lung Ultrasound)

표 16.3에서 알 수 있듯이 폐초음파 검사가 이동식 흉부엑스선 검사보다 폐렴을 발견하는데 더 신뢰할 수 있는 방법이다. (관련된 기술에 대한 설명은 참고문헌 17을 참조하시오.)

표 16.3 이동식 흉부엑스선 사진과 초음파의 진단능력

	민감도	특이도	정확도
폐포 경화 (Alveolar Consolidation)			
이동식 흉부엑스선 사진	38%	89%	49%
초음파	100%	78%	95%
흉수 (Pleural Effusions)			
이동식 흉부엑스선 사진	65%	81%	69%
초음파	100%	100%	100%

참고문헌 16 발췌.

D. 제안된 알고리즘 (Proposed Algorithm)

National Healthcare Safety Network는 최근 VAP 진단을 위해 흉부엑스선 소견을 포함하지 않겠다는 알고리즘을 발표했다 (1). 이 알고리즘은 **그림 16.3**에 나와 있다. "VAP가능성 있음"이란 진단은 임상적 기준에 근거한 것

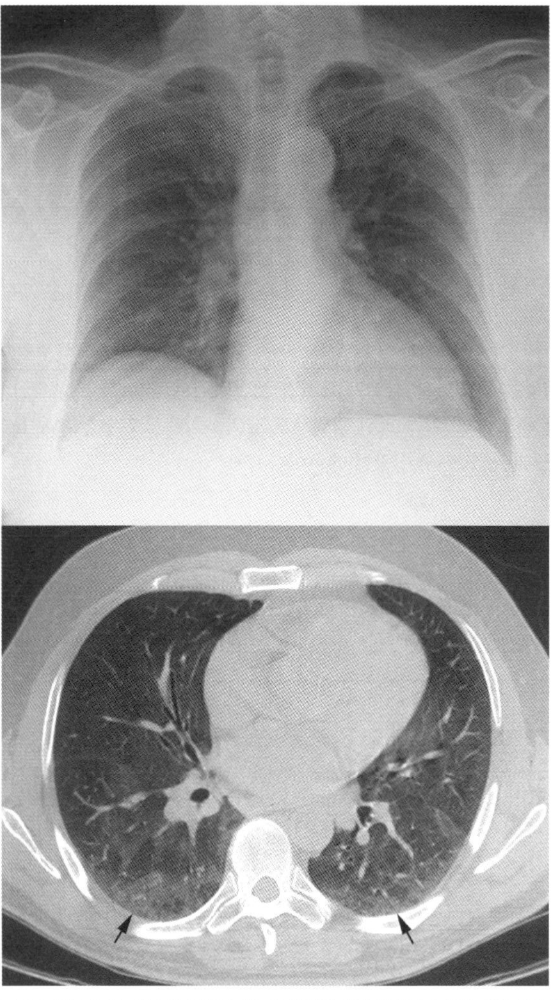

■ **그림 16.2** 이동식 흉부엑스선 사진이 폐침윤 발견에 대한 민감도가 낮은 증거. 열이 있는 환자의 이동식 흉부엑스선 사진에는 명확한 폐침윤이 보이지 않지만, 같은 환자의 CT영상에는 양 폐의 뒤쪽에 침윤이 있다(화살표가 가리키는 부분).

이 아니고 어떤 정도의 폐의 감염 증거가 필요함에 주목하자.

IV. 미생물학적 평가 (MICROBIOLOGICAL EVALUATION)

VAP의 진단은 원인되는 병원체를 증명하는데 크게 의존하며, 이 목적을 위해 사용되는 다양한 방법이 다음에 설명한다.

A. 혈액배양 (Blood Cultures)

혈액배양은 VAP진단에서 그 가치가 제한적이다. 왜냐하면 양성인 경우가 25%에 불과하고 (2) 분리된 병원체도 폐외부위에서 기인한 경우 (extrapulmonary site of origin)가 많기 때문이다 (7).

B. 기관흡인물 (Tracheal Aspirates)

VAP가 의심되는 경우 기관내관 또는 기관절개관을 통해 호흡기분비물을 흡인해 검사하는 것 전통적인 접근방법이다. 이런 검체는 구강분비물이 상부기도로 흡인되어 오염될 수 있으며 오염여부를 확인하기 위해 선별검사(다음에 설명)가 필요하다.

1. 현미경검사 (Microscopic Analysis)

a. 저배율시야 (× 100)에서 10개 이상의 편평상피세포가 발견되면 검체가 구강분비물로 오염되어, 배양에 적합한 표본이 아님을 나타낸다 (1).
b. 기관흡인물에서 호중구가 발견되더라도 감염의 증거가 되지 못하는데 그 이유는 일상적인 구강세척을 통해 회수된 세포의 20%까지도 호중구인 경우가 있기 때문이다 (18). 기관흡인물의 호중구가

감염을 의미하려면 충분한 수가 관찰되어야 한다. 즉 저배율시야 (× 100)에서 25개 이상의 호중구가 관찰되면 감염의 증거로 간주할 수 있다 (19).

I. Ventilator-Associated Condition (VAC)

After ≥2 days of stability or improvement on the ventilation, the patient has at least one of the following indications of worsening oxygenation:

1. Increase in daily minimum F_IO_2 ≥20% for at least 2 days.
2. Increase in daily minimum PEEP ≥3 cm H_2O for at least 2 days.

II. Infection-Related Ventilator-Associated Complication (IVAC)

After at least 3 days of mechanical ventilation, and within 2 days of worsening oxygenation, the patient has:

1. Body temperature ≥38° C or <36° OR
2. WBC count ≥12,000/mm^3 or ≤4,000/mm^3.

III. Probable Ventilator-Associated Pneumonia

After at least 3 days of mechanical ventilation, and within 2 days of worsening oxygenation, the patient has one of the following:

1. Purulent secretions (≥25 neutrophils and ≤10 squamous cells per low power field AND one of the following:
   a. Positive culture of endotracheal aspirate at 10^5 CFU/mL.†
   b. Positive culture of broncoalveolar lavage at ≥10^4 CFU/mL.†
   c. Positive culture of lung tissue at ≥10^4 CFU/mL.
   d. Positive culture of protected specimen brush at ≥10^4 CFU/mL.†

2. One of the following (with or without purulent secretions):
   a. Positive pleural fluid culture.
   b. Positive lung histopathology.
   c. Positive diagnostic test for *Legionella* spp.
   d. Positive diagnostic test on respiratory secretions for influenza virus, adenovirus, respiratory syncytial virus, rhinovirus, human metapneumovirus, or coronavirus.

†Excludes the following: (a) normal respiratory flora, (b) *Candida* species or yeast not otherwise specified, (c) coagulase-negative *Staphylococcus* spp., and (d) *Enterococcus* species.

■ **그림 16.3** VAP진단을 위한 National Health Safety Network 알고리즘. 참고문헌 1 발췌.

2. 정성배양검사 (Qualitative Cultures)

기관흡인물 (tracheal aspirates)의 표준배양방법으로 병원체의 존재 또는 부재에 대한 정성적 평가를 할 수 있다.

a. 정성배양검사는 VAP의 진단에는 높은 민감도 (보통> 90%)를 보이지만 매우 낮은 특이도 (15-40%)을 보이고 있다 (20).
b. 따라서 *정성배양검사 (Qualitative Cultures)에서 음성인 경우 VAP 진단을 배제하는 데 도움이 될 수 있지만, 배양검사 결과가 양성이라 해도 VAP의 존재를 신뢰성 있게 진단할 수 없다.*

3. 정량배양검사 (Quantitative Cultures)

a. 기관흡인물의 정량배양 (성장밀도가 보고 된 경우)에서 VAP 진단을 위한 성장역치 (threshold growth)는 mL당 10^5 콜로니-형성단위 (cfu/mL)이다. 이 역치는 VAP의 진단에 약 75%의 민감도와 특이도를 가지고 있다 (2,20).
b. 기관흡인물 (tracheal aspirates)에 대한 두 가지 배양법의 결과를 비교하면 정량배양이 (더 높은 특이성 때문에) VAP의 유무를 진단할 가능성이 더 높음을 보여준다**(표 16.4 참조)**.

C. 기관지폐포세척 (Bronchoalveolar Lavage)

기관지폐포세척 (BAL)은 원위기도에 기관지내시경을 꽉 끼도록 고정 (wedging)한 후 무균의 등장성식염수를 주입, 세척하여 시행한다. 폐구역 (lung segment)의 적절한 샘플링을 위해 최소 120 mL의 세척액 주입을 권장한다 (21).

1. 정량배양검사 (Quantitative Cultures)

a. BAL 샘플배양검사의 양성역치는 10^4 cfu/mL이다 (1).

b. BAL 샘플배양검사의 보고된 민감도와 특이도는 표 16.4에 정리되어 있다 (2,22). BAL샘플 배양결과는 가장 높은 특이도를 보이기 때문에 양성인 경우 VAP의 존재할 가능성이 가장 높다.

표 16.4 VAP 진단을 위한 배양 방법

	기관 흡인물		BAL
	정성	정량	
진단 역치	Any Growth	$\geq 10^5$ CFU/ml	$\geq 10^4$ CFU /ml
민감도	〉90%	~75%	~75%
특이도	〈40%	~75%	~80%

참고문헌 2, 20, 22 발췌. BAL=bronchoalveolar lavage

2. 세포 내 병원체 (Intracelluar Organism)

a. BAL샘플의 세포 내 병원체에 대한 검사를 통해 배양결과가 나오기 전까지 초기항생제 치료를 결정하는 데 도움이 될 수 있다.
b. *세척액의 세포에서 세포 내 병원체가 3% 이상 존재하면 폐렴의 가능성은 90% 이상이다* (23).
c. 이 검사에는 특수처리와 염색이 필요하며 미생물학 검사실에 이와 같은 검사를 수행하도록 특별요청을 해야 한다.

3. 기관지내시경 없는 BAL (BAL Without Bronchoscopy)

그림 16.4과 같은 카테터를 이용하여 기관지내시경 없이 BAL을 시행할 수 있다. 기관튜브를 통해 이 카테터 (COMBICATH, KOL Bio-Medical, Chantilly, VA)를 삽입한 후 카테터가 원위기도에 꽉 끼워질 때까지 "맹목 (blind)적으로" 진행한다. 카테터의 끝 부분에 있는 흡수

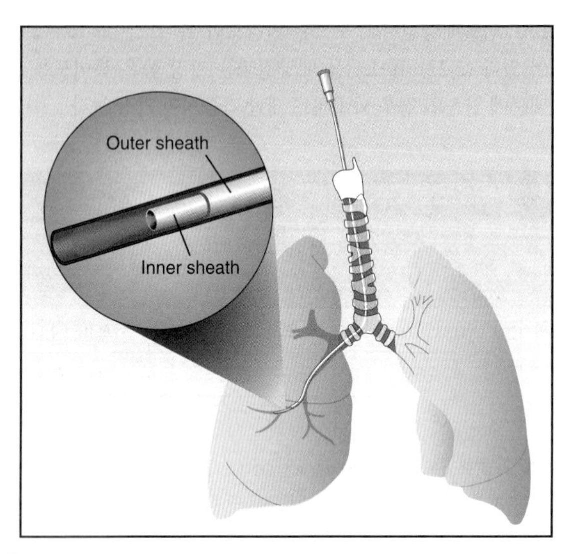

■ 그림 16.4 기관지 내시경 없이도 BAL을 시행할 수 있는 보호 카테터. 자세한 내용은 본문을 참고.

성 폴리에틸렌마개는 카테터가 진행하는 동안 오염을 방지한다. 일단 꽉 끼워지면 내부 캐뉼라를 전진시킨 후 20 mL의 멸균생리식염수를 주입해 BAL을 시행한다. 배양 및 현미경검사를 위해서는 단지 1 mL의 BAL 셈플이 필요하다

a. 비기관지경 BAL (Nonbronchoscopic BAL, mini-BAL이라고도 함)은 안전한 수기로 호흡치료사 (respiratory therapists)가 수행할 수 있다 (24).
b. 비록 감염이 의심되는 부위로 카테터를 유도할 수는 없지만 *mini-BAL의 정량배양의 수율 (yield)은 기관지내시경을 이용한 BAL의 수율과 같다* (2,25).

V. 부폐렴흉수 (PARAPNEUMONIC EFFUSIONS)

흉막삼출액은 세균성폐렴의 50%에서 까지 동반된다 (26). 부폐렴흉수 (parapneumonic effusions)은 이동식 흉부엑스선보다 초음파검사로 진단될 가능성이 더 크다 (표 16.3 참조).

A. 흉수천자 (Thoracentesis)

1. 흉수천자는 일반적으로 중증이 아니며 항균요법에 반응하는 환자, 소량의, 자유롭게 이동하는삼출액인 경우를 제외하고 모든 부폐렴 흉수이 있는 경우 시행한다.
2. 특히 기계환기 중인 환자에서는 흉수의 흡인을 위해 초음파안내 (ultrasound guidance)를 이용하는 것이 좋다.
3. 다음과 같은 흉수검사결과가 흉수배액 여부를 결정하는데 필요하다 (27).
    a. 그람염색 및 배양
    b. pH (혈액가스분석기로 측정)
    c. 포도당 농도 (pH 측정이 불가능할 경우)
4. 다른 흉수검사 (예: 세포수, 단백질, LDH)는 필요 없다.

B. 흉수배액 적응증 (Indication for Drainage)

다음 중 어떤 것이든지 부폐렴흉부 (parapneumonic effusion)의 배액 적응증이다 (27,28):

1. 대량의 흉수 (hemithorax의 절반이상) 또는 구획화 (loculated)된 경우.
2. 흉수천자액이 화농성인 경우.
3. 그람염색이나 배양검사에서 균양성인 경우.
4. 흉수의 pH <7.2.
5. 흉수의 포도당 <60 mg/dL (만약 pH 측정이 불가능한 경우).

C. 배액 (Drainage)

튜브 흉관삽입술 (tube thoracostomy)은 흉수배액에 사용된다 (적어도 처음에는). 소구경흉관 (small-bore chest tubes, 10-14 F)는 통증이 적고 대부분의 경우 대구경흉관 (large-bore tubes)만큼 효과적이다 (28).

1. 흉막강내 섬유소용해 (Intrapleural Fibrinolysis)

흉막삼출이나 농흉의 경우 섬유소용해제를 국소투여하면 흉관배액이 용이해지고 외과적배액이 필요하지 않을 수 있다 (29). 흉막강내 섬유소용해의 성공적인 결과에는 일관성이 없지만 다음과 같은 요법이 흉수배액을 촉진시키는 것으로 나타났다 (30):

a. 조직플라스미노겐활성제 (tissue plasminogen activator, 5 mg)와 재조합 DNase (recombinant DNase, 10 mg)를 흉관을 통해 하루 2회씩 3일간 투여하고 각각을 투여한 후 1시간 동안은 흉관을 클램프한다. (DNase는 흉수의 점성을 증가시키는 extracellular DNA를 분해시키는 작용을 한다.)
b. 성공을 보장하기 위해 위의 두 제재를 사용해야 한다 (30).

2. 외과적 배액 (Surgical Drainage)

다른 치료법 (항생제, 흉관배액술, 흉막강내 섬유소용해)을 시행한 후 5-7일이 지났는데도 치료가 실패한 경우 수술적배액술의 적응증이 된다 (27,28). VATS (Video-assisted thoracoscopic surgery)가 최소침습성 (minimally invasive)이기 때문에 선호되지만 때로는 개흉술 (thoracotomy)을 통한 늑막박피술 (pleural decortication)이 필요한 경우도 있다.

VI. 항균요법 (ANTIMICROBIAL THERAPY)

폐렴에 대한 항생제 처방이 ICU에서 사용하는 모든 항생제의 절반을 차지하며, 항생제가 사용된 60%에서는 미생물학적 검사결과에서 병원균이 확인되지 못하고 단지 임상적으로 의심되는 폐렴에 처방된 것이다 (31). 그렇지만 적절한 항생제 치료가 지연된 경우 VAP의 사망률이 증가함으로 (32), 경험적 항균요법을 신속하게 시행하는 필수적인 것으로 여겨지고 있다.

A. 경험적 항생제 요법 (Empiric Antibiotic Therapy)

1. VAP에 대한 경험적 항균요법은 표 16.1에 나열된 주요 병원체인 그람음성호기성간균 및 포도상구균 (특히 메티실린 내성균)을 치료할 수 있는 약제를 포함해야 한다.
2. 널리 사용되는 처방으로는 피페라실린/타조박탐 (piperacillin/tazobactam), cefepime 또는 carbapenem (예: meropenem)과 vancomycin (methicillin-resistant Staph aureus)이 있다. 이 항생제의 추천 용량요법에 대해서는 44장을 참조하시오.

B 병원균이 확인됐을 때 (When a Pathogen is Identified)

1. 원인병원체가 동정되면 항생제 치료는 해당병원의 병원균에 대한 항생제 감수성에 의해 결정된다.
2. 10-15일의 항생제 치료가 권고되는 비발효성그람음성간균 (non-fermenting gram-negative bacilli: 대부분 pseudomonas aeruginosa 및 acinetobacter baumannii가 해당됨)에 의한 경우를 제외하고는 대부분의 VAP 경우 1주간의 항생제치료가 적절하다 (33).

참고문헌

1. Centers for Disease Control. National Healthcare Safety Network. Device-associated Module: Ventilator-Associated Event Protocol. January, 2013. Available on the National Healthcare Safety Network website (www.cdc.gov/nhsn).
2. American Thoracic Society and Infectious Disease Society of America. Guidelines for the management of adults with hospital- acquired, ventilator-associated, and healthcare-associated pneumonia. Am J Respir Crit Care Med 2005; 171:388–416.
3. Muscedere J, Dodek P, Keenan S, et al. for the VAP Guidelines Committee and the Canadian Critical Care Trials Group. Comprehensive evidence-based clinical practice guidelines for ventilator- associated pneumonia: Prevention. J Crit Care 2008; 23:126–137.
4. Kollef MH. Ventilator-associated complications, including infectionrelated complications: The way forward. Crit Care Clin 2013; 29:33–50.
5. Nair GB. Niederman MS. Ventilator-associated pneumonia: present understanding and ongoing debates. Intensive Care Med 2015; 41:34-48.
6. Vincent J-L, Rello J, Marshall J, et al. International study of the prevalence and outcomes of infection in intensive care units. JAMA 2009; 302:2323–2329.
7. Wunderink RG. Clinical criteria in the diagnosis of ventilatorassociated pneumonia. Chest 2000; 117:191S–194S.
8. Chastre J, Wolff M, Fagon J-Y, et al. Comparison of 8 vs 15 days of antibiotic therapy for ventilator-associated pneumonia in adults. JAMA 2003; 290:2588–2598.
9. Bregeon F, Cias V, Carret V, et al. Is ventilator-associated pneumonia an independent risk factor for death? Anesthesiology 2001; 94:554–560.
10. Adair CC, Gorman SP, Feron BM, et al. Implications of endotracheal tube biofilm for ventilator-associated pneumonia. Intensive Care Med 1999; 25:1072–1076.
11. AARC Clinical Practice Guideline. Endotracheal suctioning of mechanically ventilated patients with artificial airways 2010. Respir Care 2010; 55:758–764.
12. Elpern EH, Scott MG, Petro L, Ries MH. Pulmonary aspiration in mechanically ventilated patients with tracheostomies. Chest 1994; 105:563–566.
13. Muscedere J, Rewa O, Mckechnie K, et al. Subglottic secretion drainage for the prevention of ventilator-associated pneumonia: a systematic review and meta-analysis. Crit Care Med 2011; 39:1985–1991.
14. Fagon JY, Chastre J, Hance AJ, et al. Detection of nosocomial lung infection in

ventilated patients: use of a protected specimen brush and quantitative culture techniques in 147 patients. Am Rev Respir Dis 1988; 138:110-116.
15. Timsit JF. Misset B, Goldstein FW, et al. Reappraisal of distal diagnostic testing in the diagnosis of ICU-acquired pneumonia. Chest 1995; 108:1632-1639.
16. Xirouchaki N, Magkanas E, Vaporidi K, et al. Lung ultrasound in critically ill patients: comparison with bedside chest radiography. Intensive Care Med 2011; 37:1488-1493.
17. Lichtenstein DA, Lascols N, Meziere G, Gepner G. Ultrasound diagnosis of alveolar consolidation in the critically ill. Intensive Care Med 2004; 30:276-281.
18. Rankin JA, Marcy T, Rochester CL, et al. Human airway macrophages. Am Rev Respir Dis 1992; 145:928-933.
19. Wong LK, Barry AL, Horgan S. Comparison of six different criteria for judging the acceptability of sputum specimens. J Clin Microbiol 1982; 16:627-631.
20. Cook D, Mandell L. Endotracheal aspiration in the diagnosis of ventilator-associated pneumonia. Chest 2000; 117:195S-197S.
21. Meduri GU, Chastre J. The standardization of bronchoscopic techniques for ventilator-associated pneumonia. Chest 1992; 102:557S-564S.
22. Torres A, El-Ebiary M. Bronchoscopic BAL in the diagnosis of ventilator-associated pneumonia. Chest 2000; 117:198S-202S.
23. Veber B, Souweine B, Gachot B, et al. Comparison of direct examination of three types of bronchoscopy specimens used to diagnose nosocomial pneumonia. Crit Care Med 2000; 28:962 -968.
24. Kollef MH, Bock KR, Richards RD, Hearns ML. The safety and diagnostic accuracy of minibronchoalveolar lavage in patients with suspected ventilator-associated pneumonia. Ann Intern Med 1995; 122:743-748.
25. Campbell CD, Jr. Blinded invasive diagnostic procedures in ventilator- associated pneumonia. Chest 2000; 117:207S-211S.
26. Light RW, Meyer RD, Sahn SA, et al. Parapneumonic effusions and empyema. Clin Chest Med 1985; 6:55-62.
27. Colice GL, Curtis A, Deslauriers J, et al. Medical and surgical treatment of parapneumonic effusions. An evidence-based guideline. Chest 2000; 18:1158-1171.
28. Ferreiro L, San Jose ME, Valdes L. Management of parapneumonic pleural effusion in adults. Arch Bronchoneumol 2015; 51:637-646.
29. Cameron R, Davies HR. Intra-pleural fibrinolytic therapy versus conservative

management in the treatment of adult parapneu-monic effusions and empyema. Cochrane Database Syst Rev 2008:CD002312.
30. Rahman NM, Maskell NA, West A, et al. Intrapleural use of tissue plasminogen activator and DNase in pleural infection. N Engl J Med 2011; 365:518–526.
31. Bergmanns DCJJ, Bonten MJM, Gaillard CA, et al. Indications for antibiotic use in ICU patients: a one-year prospective surveillance. J Antimicrob Chemother 1997; 111:676–685.
32. Iregui M, Ward S, Sherman G, et al. Clinical importance of delays in the initiation of appropriate antibiotic treatment for ventilatorassociated pneumonia. Chest 2002; 122:262–268.
33. Pugh R, Grant C, Cooke RP, Dempsey G. Short-course versus prolonged-course antibiotic therapy for hospital-acquired pneumonia in critically ill adults. Cochrane Database Syst Rev 2015:CD007577.

Chapter 17

급성 호흡곤란 증후군

Acute Respiratory Distress Syndrome

이번 장에서 다루게 되는 급성호흡곤란증후군 (Acute Respiratory Distress Syndrome, ARDS)은 ICU 입원의 10%, 전 세계적으로 장기간 기계환기치료하는 환자의 25%를 차지하는 미만성염증성폐손상을 말한다 (1).

I. 특징 (FEATURES)

A. 발병기전 (Pathogenesis)

ARDS는 순환하는 호중구의 활성화 (전신성 염증반응의 일부로서)로부터 시작된다. 활성화된 호중구는 폐모세혈관의 내피에 부착하고, 이어서 폐실질 (lung parenchyma)로 이동한다 (2). 호중구의 탈과립은 모세혈관내피세포의 손상을 일으켜 단백질이 풍부한 삼출액이 원위폐포공간 (distal air-space)을 채우고 폐포의 가스교환장애를 일으킨다.

B. 선행요인 (Predisposing Conditions)

1. ARDS는 1차적인 질환은 아니며 여러 가지 감염성 및 비 감염성 상태의 결과다.

2. ARDS에 취약한 상태는 표 17.1에 나와 있다. 가장 흔한 원인은 폐렴, 폐외원인에 의한 패혈증, 위액의 흡인 등이다 (1). 그러나 10% 미만의 환자에서는 선행요인이 없다.
3. 이러한 요인의 대부분 (그러나 전부는 아님)에서 공통적으로 보이는 한 가지 특징은 전신염증 반응 (systemic inflammatory response)을 유발하는 경향이 있다는 것이다.

표 17.1 ARDS의 선행요인

상태	유병률[1]
폐렴	59.4%
폐외 패혈증	16.0%
흡인	14.2%
비심인성 (Noncardiogenic) 쇼크	7.5%
외상	4.2%
수혈	3.9%
폐 타박상	3.2%
기타[2]	8.6%
선행 요인 없음	8.3%

[1]참고문헌 1 발췌. 50개국의 459개 ICU에서 3022명을 대상으로 함. 일부 환자가 한가지 이상의 상태를 가지고 있었기 때문에 총합은 100%을 초과.
[2]다른 선행요인에는 흡입손상 (inhalation injury), 약물과다복용 (drug overdose), 심폐우회술 (cardiopulmonary bypass), 괴사성 췌장염 (necrotizing pancreatitis), 그리고 두개내 출혈 (intracranial hemorrhage)이 있다.

C. 임상적 특징 (CLINICAL FEAURES)

ARDS의 임상적 특징은 표 17.2과 같다 (3). 주요한 특징은 급성 저산소성호흡부전 및 좌심실부전이나 순환혈액량 과다 (volume overloading)에 의해 발생하지 아니한 양측성, 미만성 폐침윤이다. 알려진 선행요인이 있는 대부분의 ARDS(> 90%)는 일주일 이내에 나타나며, 80%의 환자에서 기계환기가 필요하다 (1).

표 17.2 ARDS의 임상양상[1]

특성	필요 조건
시간	선행 상태가 있고 1주일 이내에 혹은 증상 발현에서 1주일 이내에 발생
영상	흉부엑스선 사진 혹은 CT에 보이는 폐포경화 (alveolar consolidation)와 일치하는 양측성혼탁 (bilateral opacities)
부종의 원인	좌심부전이나 순환혈액량 과다의 단서가 없다.
산소화[2] 경도 PaO_2/FiO_2 = 201–300 mm Hg* 중도 PaO_2/FiO_2 = 101–200 mm Hg 고도 $PaO_2/FiO_2 \leq$ 100 mm Hg *(PaO_2/FiO_2는 PEEP 혹은 CPAP ≥5 cm H_2O에서 측정)	

[1] 참고문헌3 발췌. ARDS의 'Berlin definition'과 일치.
[2] 고도 >1,000 m, PaO_2/FiO_2 X (기압/760).
PaO_2=동맥산소분압: FiO_2= 흡입산소의 분획농도: PEEP=호기말양압: CPAP=지속기도양압

1. 방사선소견 (Radiographic Appearance)

이동식 흉부엑스선 (portable chest x-rays)에 의한 ARDS의 특징적인 모습이 그림 17.1에 나와 있다. 폐침윤은 미세한 과립 (finely granular) 또는 젖빛유리모양 (ground-glass appearance) 소견을 보이고 양폐야 전반에 골고루 분포되어 있다. 또한 ARDS와 심장성폐부종을 구별하는데 도움이 될 수 있는 소견인 뚜렷한 흉막삼출액 소견이 ARDS에서는 보이지 않는다.

2. 산소화 (Oxygenation)

ARDS에서 산소화장애는 PEEP (Positive Endexpiratory Pressure) ≥ 5 cm H_2O의 상태에서 측정한 PaO_2/FIO_2 ratio를 사용하여 평가한다(인

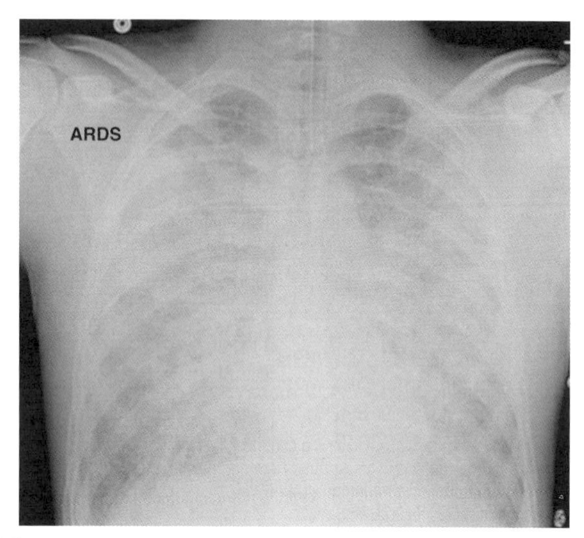

■ 그림 17.1 ARDS의 특징적인 형태를 보여주는 이동식 흉부엑스선 사진

공호흡기를 사용하지 않는 환자의 경우 지속적양성기도압력 CPAP을 PEEP 대신 사용한다).

a. PaO_2/FIO_2 ratio <300 mm Hg (PEEP 또는 CPAP ≥5 cm H_2O) 가 ARDS의 진단에 필요하다 (3).

b. 표 17.2는 사망할 가능성을 예측하기 위해 PaO_2 / FIO_2 ratio에 따른 ARDS 중증도 분류 (경증, 중등증 또는 중증)를 보여준다. 경증, 중등증 및 중증의 ARDS에서 보고된 사망률은 각각 27%, 32% 및 45% (평균값)이다 (3).

D. 진단의 문제점들 (Diagnostic Problems)

ARDS의 많은 임상적 특징은 비 특이적이며 저산소성호흡부전을 유발하는 다른 조건들과 비슷하다. 이것은 다음과 같은 관찰결과에 의해 확인된 것처

럼 오진의 경향을 유발하기도 한다:

1. ARDS의 방사선진단의 관찰자변동성 (interobserver variability)에 대한 연구에서, 21명의 ARDS 전문가집단 중에서 단지 43%에서만 진단 (또는 no ARDS)이 일치했다 (4).
2. 표 17.2의 임상기준에 따라 ARDS 환자를 진단하기 위해 고안된 대규모 후향적연구에서 40%의ARDS 증례는 임상적으로 ARDS라고 인정되지 않았다 (1).
3. 임상적 기준으로 ARDS 진단 후 사망한 환자에 대한 부검연구에서 환자의 50%에서만 ARDS의 사후증거 (postmortem evidence)를 확인할 수 있었다 (5). 이는 임상적 기준에 따라 판단할 때 ARDS를 진단할 가능성이 동전던지기에서 앞면 또는 뒷면을 예측하는 확율보다 낮다는 것을 의미한다.

4. 쐐기압 (The Wedge Pressure)

폐동맥폐쇄압 (pulmonary artery occlusion pressure, 쐐기압: wedge pressure)은 ARDS와 심장성 폐부종 (cardiogenic pulmonary edema)을 구분하는데 사용되기도 했다. 즉 쐐기압이 18 mm Hg 이하인 경우 ARDS의 증거로 간주된다 (6). 이것은 제5장의 II-B 절에서 설명한 것처럼 쐐기압이 모세관수압 (capillary hydrostatic pressure)을 측정하는 것이 아니기 때문에 문제가 된다. 쐐기압은 더 이상 ARDS의 진단에서 필요한 측정치는 아니지만 이 측정치의 한계에 대해서는 알아둘 필요가 있다.

II. 기계환기 (MECHANICAL VENTILATION)

앞서 언급한 것처럼, ARDS 환자의 약 80%는 기계환기치료가 필요하다 (1). ARDS 환자에서 기계환기치료 시 일반적인 목표 2가지가 있다: (a)

흡기 중 폐가 팽창될 때 원위폐포공간 (distal airspace)에 가해지는 신전 (stretch)을 제한하고, (b) 호기 중 폐가 수축할 때 원위폐포공간 (distal airspace)이 허탈 (collapse)되는 것을 제한하는 것이다.

A. 기계환기에 의한 폐손상 (Ventilator-Induced Lung Injury)

지난 25년 동안 중환자 치료에서 가장 중요한 발견 중 하나는 기계환기가 폐손상의 원인으로 작용 (특히 ARDS 환자에서는) 하는 것을 알게 된 것이다. 이 손상은 다음에 설명하는 것과 같이 원위폐포공간 (distal airspace)에 가해지는 과도한 신전 (excessive stretch)과 관련이 있다.

1. 불균질성 (Inhomogeneity)

이동식 흉부엑스선 사진 (portable chest x-rays)에서 ARDS의 뚜렷하게 균일한 패턴의 폐침윤을 보여주지만 CT소견에서는 *ARDS의 폐침윤이 아래쪽 폐영역 (dependent lung regions)에 국한되어 있음을 보여준다* (7). 이것은 그림 17.2의 CT소견에 나와 있다. 아래쪽 폐영역 (앙와위에서 아래쪽 폐영역)에서의 진한 폐침윤 (dense consolidation)소견에 주목하자. 폐병변이 발생하지 않은 흉부 전방부분의 폐가 기능적폐용적 (functional lung volume)이며 인공호흡기로부터 공급되는 팽창용적 (inflation volumes)을 수용하는 영역이다.

2. 용적손상 (Volutrauma)

ARDS에서 기능적폐용적 (functional lung volume)이 현저하게 줄어들기 때문에 기계환기로 공급되는 정상수준(10-15 mL/kg)의 팽창용적 (inflation volume)에 의해 *폐포의 과도한 팽창과 폐포-모세혈관 경계면에서의 스트레스-골절을 유발한다* (8). 이와 같이 용적과 관련된 폐손상은 용적손상 (volutrauma)으로 알려져 있다.

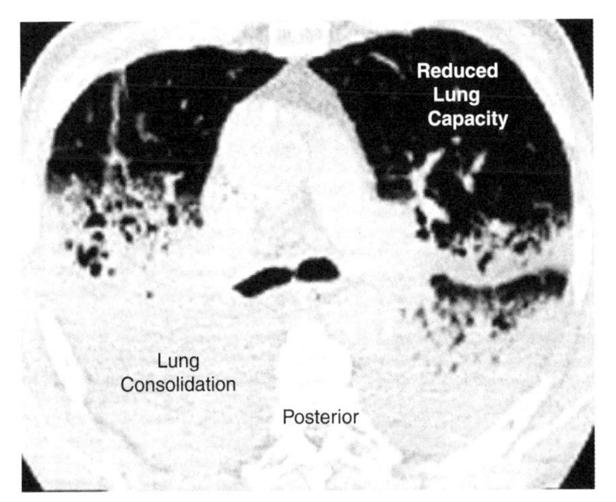

■ 그림 17.2 경화가 폐 뒤쪽에 국한되었음을 보여주는 ARDS의 폐CT영상. 흉강 앞쪽 1/3에 있는 침범되지 않은 폐는 기능성 부위를 의미한다. CT영상은 참고문헌7에서 발췌. 디지털방식으로 수정.

a. 용적손상 (volutrauma)은 염증세포와 단백질성 물질로 폐에 침투하여 ARDS와 매우 유사한 인공호흡기 폐손상으로 알려진 임상상태를 생성한다 (8,9).

3. 허탈손상 (Atelectrauma)

ARDS에서 폐팽창성의 감소는 만기가 끝날 때 소기도의 허탈 (collapse of small airways)을 초래할 수 있다. 이 경우 기계환기가 소기도의 주기적 개-폐 (opening and closing)와 연관될 수 있으며 이 과정은 폐손상의 원인이 될 수 있다 (10). 이러한 유형의 폐손상을 허탈손상 (atelectrauma, 9)이라고 하며, 이는 허탈된 기도가 열리면서 발생하는 빠른 속도의 전단력 (high-velocity shear forces)에 의한 결과일 수 있다.

B. 폐 보호환기 (Lung Protective Ventilation)

폐 보호환기는 용적손상 (volutrauma)의 위험을 줄이기 위해 작은 일회호흡량 (6 mL/kg)을 사용하고 허탈손상 (atelectrauma)의 위험을 줄이기 위해 PEEP (positive end expiratory pressure)를 사용한다 (11).

1. 프로토콜 (Protocol)

폐 보호환기를 위한 프로토콜은 ARDS Clinical Network (가능성이 있는 ARDS의 치료법을 평가하기 위해 정부가 만든 네트워크)에 의해 개발되었으며 이 프로토콜은 표 17.3에 나와 있다. 이 프로토콜의 일회호흡량(6 mL/kg)은 체중과 정상폐용적이 관계를 나타내는 예측체중 (predicted body weight)을 기준으로 한다.

2. "고원"압 (The "Plateau" Pressure)

폐 보호환기의 목표 중 하나는 흡기말"고원"압 (endinspiratory "plateau" pressure)≤30 cm H_2O이다. 이 압력은 흡기가 끝날 때 호흡튜브를 막음으로써 얻을 수 있다 (호흡량은 폐에 유지). 이것이 끝나면 기도압이 일정한 (고원) 수준으로 떨어지며 공기흐름이 없기 때문에 이 압력은 폐 팽창에 의해 발생한 폐포의 압력과 같다.

a. 따라서 고원압은 양압으로 팽창된 폐포의 응력 (alveolar stress)을 반영한다. 고원압이 30 H_2O 이상이면 폐포파열 (및 인공호흡기 유발 폐손상)을 초래할 수 있다.
b. 고원압은 19 장, 그림 19.2에 그림으로 설명하였다.

표 17.3	폐 보호환기 프로토콜

Ⅰ. 1단계
1. 환자의 예측체중 (PBW) 계산
   남 : PBW = 50 +[2.3 x (인치 단위의 키 – 60)]
   여 : PBW = 45.5 +[2.3 x (인치 단위의 키 – 60)]
2. 최초 일회호흡량 (V_T)을 8 mL/kg PBW로 설정
3. PEEP을 5cm H_2O 추가
4. SpO_2 88–95%가 되는 최소 FiO_2를 선택
5. V_T이 6 mL/Kg이 될 때까지 V_T을 2시간마다 1 mL/kg씩 감소.

Ⅱ. 2단계
1. V_T이 6 mL/kg라면, 흡기말고원 (폐포)압 (Ppl)을 측정
2. 만약 Ppl〉30 cm H_2O라면 Ppl〈30 cm H_2O되거나 V_T=4 mL/kg가 될 때까지 V_T을 1 mL/Kg씩 줄인다

Ⅲ. 3단계
1. 호흡성 산증을 확인하기 위해 동맥혈 가스검사를 감시한다.
2. pH=7.15–7.30이라면, pH〉7.30 혹은 RR=35 bpm이 될 때까지 호흡수 (RR)를 증가시킨다.
3. pH〈7.15라면, RR을 35로 증가시킨다. 여전히 pH〈7.15라면 pH〉7.15까지 V_T을 1 mL/kg단위로 증가시킨다.

Ⅳ. 최적의 목표
V_T=6 mL/kg, Ppl i ≤30 cm H_2O, SpO_2=88–95%, pH=7.30–7.45

www.ardsnet.org에서 구할 수 있는 ARDS Network의 프로토콜을 각색.

3. 호기말양압 (Positive End-Expiratory Pressure, PEEP)

(PEEP에 대한 더 상세한 설명은 제19장을 보자.)
폐 보호환기에서는 호기말 소기도의 허탈을 막기 위해 최소 5 cm H_2O의 호기말양압 (PEEP)을 사용한다. 목표는 주기적으로 소기도가 개,폐 (opening and closing)되는 것을 방지하는 것이다 (즉, 허탈손상; atelectrauma).

a. PEEP은 보통 산소공급문제가 없는 한 5-7.5 cm H_2O로 유지한다 (다음 참조). 일상적으로 높은 PEEP을 사용하더라도 ARDS의 결과

는 개선되지 않는다 (12).

b. 잠재적인 독성농도로 높은 흡입산소 (FIO_2> 60%)가 필요한 저산소혈증의 경우 점진적인 PEEP의 증가는 동맥산소를 개선하고 흡입된 산소농도를 저독 (무독)수준으로 감소시키는 데 도움이 될 수 있다.

c. PEEP이 증가되면 흡기말고원 (폐포)압 (end-inspiratory plateau (alveolar) pressure)도 증가하며 고원압이 30 cm H_2O에 정도일때 최대로 "안전한" 수준의 PEEP에 도달한다.

4. 허용적 고탄산혈증 (Permissive Hypercapnia)

저용적환기 (low-volume ventilation) 의 잠재적 문제 중 하나는 호흡기를 통한 CO_2제거가 감소됨으로 고탄산혈증 및 호흡성 산증이 유발된다. 이로 인한 손해의 증거가 없는 한 허용된다 (즉, 허용적 고탄산혈증, permissive hypercapnia) (13).

a. 고탄산혈증를 견딜 수 있는 한계는 불분명하지만 임상연구결과 동맥 PCO_2 60-70 mm Hg와 동맥 pH 7.2-7.25 정도에서는 대부분의 환자가 안전한 것으로 나타났다 (14).

5. 생존에 대한 영향 (Impact on Survival)

폐 보호환기는 일관된 결과는 아니지만(16) ARDS 의 생존율을 향상시키는 것으로 나타났다 (15). 이 인공호흡법의 성공 또는 실패를 좌우하는 주요인은 호기말고원압 (폐포압)을 30 cm H_2O 이하로 유지하는 능력이다.

III. 기타 조치 (OTHER MEASURES)

ARDS의 결과에 영향을 줄 수 있는 조치는 다음과 같다.

A. 수액치료 (Fluid Management)

1. 임상연구에 따르면 ARDS 환자에서 양성수액균형 (positive fluid balance)을 피하면 기계환기 기간이 단축되고 생존율이 향상될 수 있다 (18).
2. ARDS 네트워크에 의해 개발된 수액치료를 위한 간단한 프로토콜이 표 17.4에 나와 있다(19). 이 프로토콜은 혈관 내 혈액량 (intravascular volume)을 반영하는 지표로 중심정맥압을 사용하지만 (그림 7.1 과 같이 검증되지 않았지만) ARDS 환자에서 균형 잡힌 수액투여량과 소변량을 유지하는데 효과적이다 (19).

B. 코르티코스테로이드 요법 (Corticosteroid Therapy)

스테로이드요법은 중등도 - 중증 ARDS의 초기치료 및 해결되지 않는 ARDS의 치료를 위해 사용할 수 있다 (20). ARDS에서 스테로이드치료로 인한 일관성있는 생존율의 향상은 없지만 기계 환기 지속시간의 단축, 가스 교환의 개선 및 ICU 체류기간 단축 등과 같은 다른 잠재적인 이점이 있다.

표 17.4 수액 치료 프로토콜

중심 정맥압 (mmHg)	소변 배출량	
	〈 5 mL/kg/hr	≥ 5 mL/kg/hr
〉8	Furosemide[†]	Furosemide
4 - 8	수액 bolus	Furosemide
〉4	수액 bolus	중재 없음

Furosemide 용량:
20 mg IV bolus, 3 mg/hr 지속주입, 혹은 가장 최근에 효과적이었던 용량으로 시작한다. 목표에 달할 때까지 필요한 경우 매번 각각의 용량을 두 배로 늘린다. 최대 용량은 IV bolus는 160 mg, 지속주입은 24 mg/hr이다.

[†] 소변 배출량 감소가 혈중 크레아티닌>3mg/dL인 콩팥부전과 연관있다면 furosemide를 중단한다.
참고문헌 19 발췌.

1. 중도에서 고도 ARDS

10 cm H_2O의 PEEP을 적용하는 상황인데 $PaO_2/FIO_2<200$ mm Hg인 ARDS의 초기치료로는 다음과 같은 스테로이드 요법을 권장한다.

a. Methylprednisolone : 1 mg/kg (이상체중, IBW)을 30 분 이상에 걸쳐 한번 투여하고, 이후 14일 동안 1 mg/kg/일의 용량을 연속주입 (continuous infusion)한 후, 다음 14일 동안 점차적으로 감량한다.

b. 이 처방이 감염의 위험을 증가 시킨다는 어떠한 증거도 없다 (20).

2. 해결되지 않는 ARDS (Unresolving ARDS)

ARDS는 발병이 시작된 후 7-14일 결과하면 시작되는 섬유증증식단계 (fibrinoproliferative phase)가 관찰되면, 결국 비가역적 폐 섬유증을 유발한다 (21). 고용량스테로이드요법은 폐섬유증으로 진행하는 것을 멈출 수 있다. ARDS 치료시작 7일 후에도 해결되지 않으면 다음과 같은 스테로이드요법을 권장한다 (20):

a. Methylprednisolone : 2 mg/kg (이상체중, IBW)을 30분 이상에 걸쳐 한번 투여하고, 이후 14일 동안 2 mg/kg/일의 용량을 연속주입 (continuous infusion)한 후, 점차 감량하여 7일 동안 1 mg/kg/day 연속주입하고 발관 2주 후에는 종료한다.

b. 이 처방이 감염의 위험을 증가시킨다는 어떠한 증거도 없다 (20).

C. 복와위자세 (Prone Positioning)

복와위자세 (보통 매일 12-18시간)는 고도 또는 불응성저산소혈증 (refractory hypoxemia) 환자에게 장점이 있다.

1. 이 자세는 동맥산소공급을 향상시키고 (더 잘 환기가 되는 앞쪽 폐영역의 혈류를 증가시킴) 인공호흡기 유도 폐손상의 위험을 줄인다 (폐팽창이 보다 균일해 지기 때문에).

2. 심각한 저산소혈증 환자 (PaO_2/FIO_2 <100 mm Hg, PEEP≥5 cm H_2O)에서 초기 (48시간 이내)에 시작하는 경우 생존율을 높일 수 있다 (23). 장시간 "복와위자세 (prone positioning)"(하루 16시간 이상) 유지하는 것도 생존혜택을 볼 수 있다 (23).
3. 척추골절로 불안정한 상태는 복와위자세 (Prone Positioning)의 금기사항이다 (24). 상대적금기로는 골반골절, 최근의 안면외상 또는 안면수술, 두개 내 고혈압, 혈류역학적 불안정성, 대량객혈이 포함된다 (24).
4. 가장 흔한 합병증은 욕창 (pressure sores)과 기관내 튜브의 폐색이다 (23).

D. 효과가 없는 치료법들 (Things That Don't Work)

다음은 실패한 ARDS 치료법의 긴 목록이다. 기관내계면활성제 (intratracheal surfactant, 성인), 산화질소흡입 (inhaled nitric oxide), N- 아세틸시스테인 정맥주사 (intravenous N-acetylcysteine), 이부프로펜 (ibuprofen), 프로스타글란딘 E 주사 (prostaglandin E infusions), 심방나트륨이뇨펩타이드 (atrial natriuretic peptide), 단일클론 항내독소 항체 (monoclonal anti-endotoxin antibodies), 호중구 엘라스타제 억제제 (neutrophil elastase inhibitors), 그리고 면역조절 급식처방 (immune-modulating feeding formulas) 등이다 (25).

Ⅳ 불응성 저산소혈증 (REFRACTORY HYPOXEMIA)

ARDS 환자의 약 10~15%는 산소요법 및 기존의 기계환기에 반응이 없는 심한 저산소혈증을 일으킨다 (26). 불응성 저산소혈증은 즉시 생명을 위협하며, 다음과 같은 "구조요법 (rescue therapies)"을 사용하여 동맥혈산소화를 개선할 수 있다.

A. PEEP 증가 (Incremental PEEP)

PEEP을 폐보호환기에 사용되는 수준 이상으로 높이면 허탈상태의 폐포 (폐포모집, alveolar recruitment)가 재개방 (re-expand)되어 동맥산소화가 개선 될 수 있다.

1. 저용량기계환기 (low-volume ventilation, 6 mL/예상체중 kg)을 시행하면서 PEEP을 3-5 cm H_2O 간격으로 높여 인공호흡기 고원압력을 30 cm H_2O (인공호흡기 유발 폐손상 기준역치)에 도달할 때까지 증가시켜 볼 수 있다 (27). 이 방법은 인공호흡기가 유발하는 폐손상의 위험을 줄이면서 폐포모집을 촉진하여 동맥혈산소화를 개선시킨다.
2. 높은 PEEP의 단점은 정맥환류장애 (impaired venous return) 와 심장박출량의 감소위험이 있다. PEEP이 높아지고 혈압이 떨어지기 시작하면 심장충전 (cardiac filling)을 유지하기 위해 혈액량 주입 (volume infusions)이 필요하게 된다.

B. 기도압방출환기 (Airway Pressure Release Ventilation)

1. 기도압방출환기 (airway pressure release ventilation, APRV)는 비교적 높은 기도압 (허탈 된 폐포를 재개방시킬 수 있는)에서 자발적 호흡을 장시간 진행하고 가끔식 단시간 신속히 폐수축 (lung deflation, CO_2 제거를 촉진하기 위해)이 진행되게 한다 (28).
2. APRV에는 자발호흡이므로 PEEP 대신 높은 지속적 양압법 (continuous positive airway pressure, CPAP)을 사용한다.
3. APRV는 24시간에 걸쳐 서서히 동맥혈산소화를 개선하지만 (28), 생존이득은 없다 (25).
4. 이 환기모드는 제20장에 자세히 설명되어 있다.

C. 고주파 진동환기 (High Frequency Oscillations)

1. 고주파 진동환기 (HFOV)는 빠른 압력진동 (rapid pressure oscillations 300 사이클/분)을 사용하여 적은 일회호흡량 (1-2 mL/kg)을 공급한다. 적은 일회호흡량은 용적손상 (volutrauma)의 위험을 줄여주며, 빠른 압력진동이 평균기도압을 높여 소기도의 허탈을 예방하여 허탈손상 (atelectrauma)을 예방하게 된다 (29).
2. APRV와 마찬가지로 HFOV는 종종 동맥산소화는 개선하지만 생존이득에 대한 문서화된 결과는 없다 (25).
3. HFOV는 제20장에 자세히 설명되어 있다.

D. 체외막산소화 (Extracorporeal Membrane Oxygenation, ECMO)

1. 체외막산소화 (ECMO)는 정맥혈이 막형산소화장치를 지나 정맥혈 (venovenous ECMO)로 되돌아오는 환기보조 방식이다. 막형산소화장치는 기계환기를 보조하는 (기계환기를 대체하기 보다는)목적으로 사용되며 인공호흡기 유도 폐손상의 위험을 줄이기 위해 낮은 기도압력을 유지하면서 기계환기를 할 수 있다 (30).
2. ECMO는 최근 몇 년 동안 확산되었지만 ECMO의 생존이득을 평가한 무작위 연구가 결정적이지 못했다 (31).

참고문헌

1. Bellani G, Laffey JG, Pham T, et al. Epidemiology, patterns of care, and mortality for patients with acute respiratory distress syndrome in intensive care units in 50 countries. JAMA 2016;315:788–800.
2. Abraham E. Neutrophils and acute lung injury. Crit Care Med 2003; 31(Suppl): S195–S199.
3. The ARDS Definition Task Force. Acute respiratory distress syndrome. The Berlin

definition. JAMA 2012; 307:2526–2533.
4. Rubenfeld GD, Caldwell E, Granton J, et al. Interobserver variability in applying a radiographic definition for ARDS. Chest 1999; 116:1347–1353.
5. de Hemptinne Q, Remmelink M, Brimioulle S, et al. ARDS: a clinicopathological confrontation. Chest 2009; 135:944–949.
6. Bernard GR, Artigas A, Brigham KL, et al. The American– European Consensus Conference on ARDS: definitions, mechanisms, relevant outcomes, and clinical trial coordination. Am Rev Respir Crit Care Med 1994; 149:818–824.
7. Rouby J-J, Puybasset L, Nieszkowska A, Lu Q. Acute respiratory distress syndrome: Lessons from computed tomography of the whole lung. Crit Care Med 2003; 31(Suppl):S285–S295.
8. Dreyfuss D, Saumon G. Ventilator-induced lung injury: lessons from experimental studies. Am J Respir Crit Care Med 1998; 157:294–323.
9. Gattinoni L, Protti A, Caironi P, Carlesso E. Ventilator-induced lung injury: the anatomical and physiological framework. Crit Care Med 2010; 38(Suppl):S539–S548.
10. Muscedere JG, Mullen JBM, Gan K, et al. Tidal ventilation at low airway pressures can augment lung injury. Am J Respir Crit Care Med 1994; 149:1327–1334.
11. Brower RG, Rubenfeld GD. Lung-protective ventilation strategies in acute lung injury. Crit Care Med 2003; 31(Suppl):S312–S316.
12. Santa Cruz R, Rojas J, Nervi R, et al. High versus low positive end-expiratory pressure (PEEP) levels for mechanically ventilated adult patients with acute lung injury and acute respiratory distress syndrome. Cochrane Database Syst Rev 2013: CD009098.
13. BidaniA, Tzouanakis AE, Cardenas VJ, Zwischenberger JB. Permissive hypercapnia in acute respiratory failure. JAMA 1994; 272:957–962.
14. Hickling KG, Walsh J, Henderson S, et al. Low mortality rate in adult respiratory distress syndrome using low-volume, pressurelimited ventilation with permissive hypercapnia: A prospective study. Crit Care Med 1994; 22:1568–1578.
15. The Acute Respiratory Distress Syndrome Network. Ventilation with lower tidal volumes as compared with traditional tidal volumes for acute lung injury and the acute respiratory distress syndrome. New Engl J Med 2000; 342:1301–1308.
16. Fan E, Needham DM, Stewart TE. Ventilator management of acute lung injury and acute respiratory distress syndrome. JAMA 2005; 294:2889–2896.

17. The Acute Respiratory Distress Syndrome Network. Comparison of two fluid management strategies in acute lung injury. N Engl J Med 2006; 354:2564-2575.
18. Murphy CV, Schramm GE, Doherty JA, et al. The importance of fluid management in acute lung injury secondary to septic shock. Chest 2009; 136:102-109.
19. Grissom CK, Hirshberg EL, Dickerson JB, et al. Fluid management with a simplified conservative protocol for the acute respiratory distress syndrome. Crit Care Med 2015; 43:288-295.
20. Marik PE, Meduri GU, Rocco PRM, Annane D. Glucocorticoid treatment in acute lung injury and acute respiratory distress syndrome. Crit Care Clin 2011; 27:589-607.
21. Meduri GU, Chinn A. Fibrinoproliferation in late adult respiratory distress syndrome. Chest 1994; 105(Suppl):127S-129S.
22. Guerin C, Baboi L, Richard JC. Mechanisms of the effects of prone positioning in acute respiratory distress syndrome. Intensive Care Med 2014; 40:16344-1642.
23. Bloomfield R, Noble DW, Sudlow A. Prone position for acute respiratory failure in adults. Cochrane Database Syst Rev 2015;11:CD008095.
24. Berin T, Grasso S, Moerer O, et al. The standard of care of patients with ARDS: ventilatory settings and rescue therapies for refractory hypoxemia. Intensive Care Med 2016; 42:699-711.
25. Tonelli AR, Zein J, Adams J, Ioannidis JPA. Effects of interventions on survival in acute respiratory distress syndrome: an umbrella review of 159 published randomized trials and 29 meta-analyses. Intensive Care Med 2014; 40:769-787.
26. Pipeling MR, Fan E. Therapies for refractory hypoxemia in acute respiratory distress syndrome. JAMA 2010; 304:2521-2527.
27. Mercat A, Richard J-C, Vielle B, et al. Positive end-expiratory pressure setting in adults with acute lung injury and acute respiratory distress syndrome. JAMA 2008; 299:646-655.
28. Kallet RH. Patient-ventilator interaction during acute lung injury, and the role of spontaneous breathing: Part 2: airway pressure release ventilation. Respir Care 2011; 56:190-206.
29. Facchin F, Fan E. Airway pressure release ventilation and highfrequency oscillatory ventilation: potential strategies to treat severe hypoxemia and prevent ventilator-induced lung injury. Respir Care 2015; 60:1509-1521.
30. Ventetuolo CE, Muratore CS. Extracorporeal life support in critically ill adults.

Am Rev Respir Crit Care Med 2014; 190:497-508.
31. Tramm R, Ilic D, Davies AR, et al. Extracorporeal membrane oxygenation for critically ill adults. Cochrane Database Syst Rev 2015; 1:CD010381.

중환자실에서 천식과 만성 폐쇄성 폐질환

Asthma and COPD in the ICU

이 장에서는 천식 및 만성폐쇄성폐질환 (COPD)의 급성악화 치료에 대해 비 침습적 및 침습적 환기보조의 사용을 포함하여 설명한다. 이 장의 권장 사항은 임상진료지침과 관련된 문헌검토 (1-3)를 정리한 것이다.

I. 급성천식 (ACUTE ASTHMA)

그림 18.1의 흐름도는 National Asthma Education Program에서 성인 천식환자의 급성악화의 초기치료를 위한 권고상항을 정리한 것이다. 이 프로토콜은 기도폐쇄를 객관적으로 측정하는 방법 (FEV_1 및 최대호기유량)을 사용하지만 실제 급성악화환자의 경우 이러한 측정 값을 얻기가 어렵기 때문에 상태의 심각도에 대한 임상평가가 치료를 결정하는데 사용된다 (2,3). 급성천식에서 사용되는 약물 및 투약방법이 표 18.1에 나와 있다.

A. 속효성 베타작용제 (Short-Acting β_2 agonist)

속효성 β_2작용제는 천식의 급성악화에 우선적으로 사용되는 기관지확장제이며, IV 보다 효과적이며 부작용이 더 적은 흡입용 에어로졸로 투여한다 (4). 기관지확장제의 효과는 대개 2-3분이면 분명히 나타나고 30분 후에는 최고치에 도달하며 2-5시간 동안 지속된다 (5).

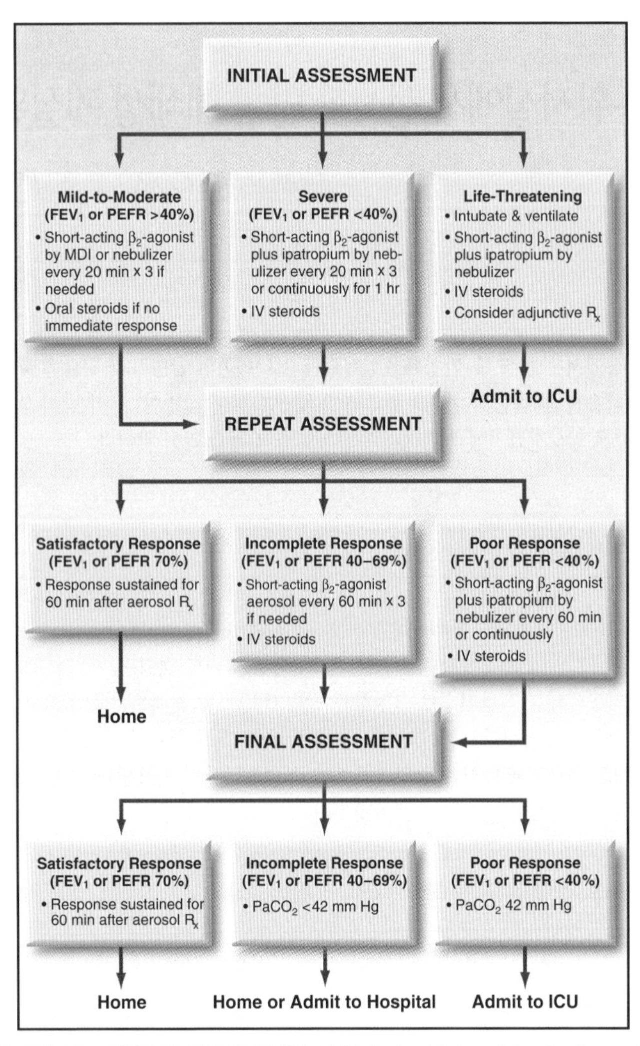

■ **그림 18.1** 천식의 급성악화 치료에 대한 흐름도. National Asthma Education Program에서 발췌(1). FEV1=forced expiratory volume in one second, PEFR=peak expiratory flow rate

표 18.1	급성천식의 흡입기관지확장제 치료
약제	**용법**
Albuterol	Neb : 20분마다 2.5–5 mg 총 3번까지 투여, 혹은 1시간 동안 지속흡입으로 10–15 mg, 그 후 필요한 경우 1–4시간 간격으로 2.5–10 mg MDI : 20분마다 4–8 puffs (90 μg/puff) , 최대 4시간까지. 그 후 필요한 경우 1–4시간 간격으로 투여. 흡입 시 흡입보조기 (holding chamber) 사용
Levalbuterol	Neb : Albuterol 간헐적 투여와 동일한 방법이지만, 용량은 반으로. 지속 흡입에 대해서는 연구되지 않음 MDI : Albuterol과 동일한 용량 (45 μg/puff)
Ipatropium	Neb : 20분마다 0.5 mg 총 3번까지 투여. 그 후 필요한 경우 투여 Albuterol이나 Levalbuterol Neb 용액에 추가로 사용 가능. MDI : 20분마다 8 puffs (18 μg/puff), 필요한 경우, 3시간까지. 흡입 시 흡입보조기 사용
Ipatropium with Albuterol	Neb : 20분마다 3 mL(0.5 mg Ipatropium + 2.5 mg Albuterol) 최대 3번까지. 그 후 필요한 경우 투여 MDI : 20분마다 8 puffs(18 μg Ipatropium + 90 μg Albuterol per puff), 필요한 경우, 최대 3시간까지. 흡입 시 흡입보조기 사용

참고문헌 1 발췌. Neb = nebulizer, MDI = metered dose inhaler.

1. 이 계열에서 가장 널리 사용되는 약물은 두 가지 이성질체 라쎄믹의 혼합물인 albuterol이며 단 한가지 이성질체 (R)-(–)-enantiomer만 활성성분이다. Levalbuterol은 albuterol의 활성이성질체이며 albuterol보다 더 강력한 기관지 확장제로 알려져 있다. 그러나 급성천식환자의 임상연구결과에서 levalbuterol의 장점들이 없다고 밝혀졌다 (6).
2. Albuterol에 대한 용량, 용법은 표 18.1과 같다. 치료는 보통 20분 간격으로 일련의 3회 연속 에어로졸 치료를 시작하며 중도에서 고도 기류 폐쇄인 경우에는 MDI보다 분무기 (nebulizers)를 사용하는 것이 좋다

(1).

3. Albuterol은 대용량 분무기 (large-volume nebulizer)를 이용하여 처음 한시간 동안 10-15 mg의 용량을 연속적 에어로졸 투여법으로 사용할 수 있다 (1). 이 방법은 널리 적용되며, 중증기류폐쇄에서 간헐적 에어로졸 투여법 보다 효과적이다 (7).
4. 급성천식발작이 해소되기 시작하면 병원체류기간동안 4-6시간마다 간헐적 albuterol 에어로졸 치료를 시행하면 된다.
5. β_2 작용제의 고용량 에어로졸 치료의 부작용으로는 빈맥, 미세진동, 고혈당, "저" 전해질들 (hypos, 저칼륨혈증, 저 마그네슘혈증, 저인혈증)이 있다 (8,9). 또한 albuterol은 천식급성악화 에서 관찰되는 혈청 젖산농도의 증가를 초래할 수 있다 (10).

B. 항콜린성 에어로졸 (Anticholinergic Aerosols)

1. 급성천식의 악화에서 항콜린성 에어로졸은 단지 약간의 효과만을 보이므로, 중도에서 고도 기류폐쇄환자에서 치료 첫 3-4시간 동안 속효성 β_2 작용제와의 병용요법으로 사용된다 (1,11).
2. 천식환자에서 미국 내 사용이 승인된 유일한 항콜린성약제는 ipatropium bromide이며 이는 기도 내에서 무스카린수용체를 차단하는 atropine유도체이다.
3. Ipatropium 에어로졸 투약요법은 표 18.1에 설명되어 있다. Ipatropium은 분무치료를 위해 albuterol과 혼합 될 수 있으며, albuterol과 Ipatropium을 미리 혼합해 놓아 분무기와 MDIs에서 사용 가능한 복합제가 있다 (표 18.1 참조).
4. Ipatropium은 전신흡수가 적고 항콜린성 부작용 (예: 빈맥, 구강건조, 시력저하, 요정체 - urinary retention)의 위험이 거의 없다.
5. Ipatropium은 치료시작 후 처음 몇 시간 동안 이후에는 입증된 이익이 없으며 천식의 일일 유지요법으로 사용해서는 안된다 (1).

C. 에어로졸 내성 (Aerosol Intolerance)

때때로 기관지확장제 에어로졸 흡입을 시행하지 못하는 환자(일반적으로는 과도한 기침 때문에)가 있는데 이런 경우에는 다음 처방 중 하나를 고려한다 (1).

1. Epinephrine: 0.3-0.5 mg을 20분마다 3번까지 SC 한다.
2. Terbutaline: 0.25 mg을 20분마다 3번까지 SC 한다.
3. 초기 기관지확장제 투여 후 반응이 있으면 환자들은 에어로졸 치료에 더 잘 견딘다.

D. 코르티코스테로이드 (Corticosteroid)

모든 연구결과에서 급성 천식의 악화에서 코르티코스테로이드 치료가 효과적인 것으로 나오지는 않았지만 코르티코스테로이드의 전신요법 (systemic therapy)은 빠른 증상호전과 재발위험을 줄여준다 (13, 14).

1. 관련된 관찰연구 결과 (Relevant Observations)

급성천식의 스테로이드 치료에 대해 다음과 같은 관찰연구 결과는 언급할 필요가 있다:

a. 경구스테로이드와 IV 스테로이드의 효능에는 차이가 없다 (12, 15).
b. 스테로이드의 유익한 효과는 치료가 시작된 지 12시간 후까지는 불분명하며 (19), 따라서 스테로이드 투여는 응급실에서 천식의 임상경과에 영향을 주지 않는다.
c. 급성천식에서 스테로이드의 용량-반응관계 (dose-response relationship)는 없다 (즉, 고용량의 스테로이드가 더 큰 효과를 나타낸다는 증거는 없다) (15).
d. 10일 내외의 스테로이드 투여를 한 경우는 점진적인 감량 (tapering

dose) 없이 스테로이드 치료를 바로 중단 할 수 있다 (12, 16).

2. 권장사항 (Recommendations)

급성천식에서의 전신스테로이드요법에 대한 권장사항은 표 18.2 (1)에 요약되어 있다. 급성 악화가 호전되기 시작하면 흡입형 코르티코스테로이드를 추가 할 수 있으며, 증상이 완화된 후에도 재발을 예방하기 위해서는 최소 몇 주 동안 지속적으로 흡입해야 한다 (3).

표 18.2 스테로이드 치료 시 권장사항

천식의 급성악화[1]	
적응증 :	1시간 후에도 만족할 만한 기관지확장 효과가 없을 때
경로 :	경구투여를 많이 사용
용량 :	하루에 40-80 mg, 1-2회 나누어서 투여. 경구투여는 prednisone IV는 methylprednisolone을 사용
기간 :	증상과 징후가 해결될 때까지 지속 10일 이내로 사용 시 용량 감량 없이 중단가능 (No tapering)
COPD의 급성악화[2]	
적응증 :	입원
경로 :	경구투여를 많이 사용
용량 :	하루에 30-40 mg, 1-2회 나누어서 투여. 경구투여는 prednisone IV는 methylprednisolone을 사용
기간 :	7-10일간 지속 용량 감량 없이 중단가능 (No tapering)

[1]참고문헌 1 발췌. [2]참고문헌 19 발췌.

E. 기타 고려 사항 (Other Considerations)

기관지확장제 치료에 대해 특히 기관지확장제 투여 후 1시간이 경과했는데

도 반응이 만족스럽지 않은 경우에 다음과 같은 추가 조치를 취할 수 있다.

1. Mg^{++} : IV Mg^{++}은 경증의 기관지확장 효과 ("천연의 칼슘채널 차단제")를 가지고 있으며, 황산마그네슘 (magnesium sulfate) 2 g IV 15-30분 이상에 걸쳐 투여하면 폐기능을 향상시키고 기관지확장제 치료에 좋지 못한 초기반응을 보이는 환자에서 입원율을 감소시키는 것으로 나타났다 (17).
2. 항생제 (ANTIBIOTICS): 천식악화는 종종 바이러스성 상기도 감염에 의해 유발되므로 항생제 투여는 치료 가능한 감염의 증거가 없는 경우 권장되지 않는다 (1,3).
3. 동맥혈가스검사 (ABGs): 동맥혈가스분석은 적극적인 기관지확장제 치료 후 1시간이 경과하는데도 임상적 호전이 거의 없거나 전혀 없는 환자에서 권장된다. 급성천식의 악화환자에서 PCO_2가 정상인 경우 오히려 호흡부전의 증거이며 (천식급성악화에서 호흡수의 증가 등으로 분당환기량이 높아지기 때문에 동맥혈 PCO_2는 낮은 것이 정상임), 고탄산혈증은 환기보조가 필요할 수 있다는 신호이다.

F. 비침습기계환기 (Noninvasive Ventilation)

1. 적극적인 기관지확장제 치료에도 불구하고 고탄산혈증을 보이는 환자의 경우, 비침습기계환기 (NIV)는 고탄산혈증을 교정하고 기관삽관과 침습적기계환기를 피하는 데 효과적일 수 있다 (18).
2. 비침습기계환기 (NIV)에 대한 자세한 내용은 20장, 2절을 참조하시오.

III. COPD의 급성악화 (ACUTE EXACERBATION OF COPD)

만성폐쇄성폐질환의 급성악화는 "COPD환자에서 기저상태의 호흡곤란, 기침 또는 객담생성이 일상적인 변화 (normal day-to-day variation)를 넘어서는 정도로 악화된 상태"로 설명된다 (23). 대부분의 경우는 폐감염(일반적으로 기도에만 국한 됨)에 의해 유발되며 약 30%의 경우에는 뚜렷한 유발인자가 없다 (19).

A. 기관지확장제 치료 (Bronchodilator Therapy)

1. COPD의 급성악화에 대한 기관지확장제 요법은 천식의 급성악화에서 사용되는 것과 동일한 에어로졸 약물을 포함하지만, 천식과 다른 투여법(참조 표 18.3)과 치료효과(즉 천식과 달리 COPD의 경우 기관지확장제에 좋은 반응을 보이지 못하는 것이 특징이므로 COPD의 치료효과에 기관지확장제 치료의 영향은 크지 못하다.)를 예상하면서 사용한다.
2. 속효성 β_2 작용제에 대한 반응이 만족스럽지 못한 경우 최소 세 가지 임상연구결과에서 비록 병합요법의 효과를 보여주지 못했지만 ipatropium을 병합하여 사용한다 (20).

표 18.3 COPD 악화시 흡입 기관지확장제 요법

제제	용법
Albuterol	Neb : 4–6시간마다 2.5–5 mg MDI : 4–6시간마다 2–8 puffs (90 μg/puff)
Levalbuterol	Neb : 4–6시간마다 1.25–2.5 mg MDI : 4–6시간마다 2–8 puffs (45 μg/puff)
Ipatropium	Neb : 4–6시간마다 0.5 mg MDI : 4–6시간마다 2–8 puffs (18 μg/puff)
Ipatropium with Albuterol	Neb : 4–6시간마다 3 mL (0.5 mg Ipatropium + 3 mg Albuterol) MDI : 4–6시간마다 2–8 puffs (18 μg Ipatropium + 90 μg Albuterol per puff)

참고문헌 19 발췌. Neb = nebulizer, MDI = metered dose inhaler.

B. 코르티코스테로이드 (Corticosteroids)

COPD의 급성악화로 모든 입원한 모든 환자에게 단기간의 부신피질호르몬 투여가 권장되며, 추천되는 용법은 표 18.2에 정리되어 있다 (19). 스테로이드는 COPD의 악화에서 부분적인 효과를 보였으며 이는 1명 정도의 환자에서 좋은 치료반응 얻으려면 적어도 10명의 환자를 스테로이드로 치료해야 함을 통해 알 수 있다 (20).

C. 항생제 요법 (Antibiotic Therapy)

세균성병원균은 COPD의 급성악화에서 대략 기도감염 원인의 50%를 담당한다 (2).

1. 적응증: 임상진료지침에서는 다음과 같은 조건들 중 하나에 해당할 때 항생제를 권고한다.
   a. 가래의 양 (volume)과 화농성 (purulence)이 증가한 경우.
   b. 비침습 또는 기계적환기 (Noninvasive or mechanical ventilation).
2. 항생제: 그람음성호기성간균 (Gram-negative aerobic bacilli)과 폐렴구균 (Strep pneumoniae)는 COPD 입원환자의 객담에서 가장 흔한 균주이며, pseudomonas aeruginosa는 인공호흡기 의존 환자에서 중요한 균이 될 수 있다 (22). 기계환기를 하고 있지 않은 환자에서 levofloxacin은 적절한 항균범위를 커버하게 되며 기계환기 환자에서는 cefepime이나 piperacillin-tazobactam이 적절하다. 항생제 치료기간은 일반적으로 5-7 일이다.

D. 산소요법 (Oxygen Therapy)

1. 만성고탄산혈증을 동반한 중증의 만성폐쇄성폐질환에서, 고농도의 산소를 흡입하는 경우 동맥혈 PCO_2를 더 증가시킬 수 있다. 이것은 호흡구동 (ventilation drive)의 감소 때문이 아니고 (23) 헤모글로빈에

서 CO_2가 배출되는 과정의 문제에 의한 것일 수 있다.

2. 이런 상황에서 가장 좋은 치료는 88-90%의 산소포화도 (SpO_2)를 유지할 수 있는 가장 낮은 FiO_2 (흡입된 O_2의 분획농도)를 사용하는 것이다.
3. 산소요법을 시작한 후 세심하게 의식변화를 관찰해야 하며 점차 진행되는 의식저하는 이산화탄소혼수 (CO_2 narcosis)를 나타내며 이런 경우에는 즉각적인 삽관과 기계환기가 필요하다.

E. 비침습기계환기 (Noninvasive Ventilation)

1. 비침습기계환기 (NIV)를 적용하여 COPD 악화에 인한 고탄산혈증 호흡부전 (hypercapnic respiratory failure)환자의 약 75 %에서 기관삽관을 피하는 데 성공했다 **(표 20.1 참조)** (24).
2. NIV에 대한 자세한 내용은 20 장, 2 절을 참조하자.

IV. 기계환기 (MECHANICAL VENTILATION)

급성천식환자의 5% 미만에서 기계환기가 필요하지만 (25) COPD 급성악화의 50% 이상에서 기계 환기가 필요한다 (26). 다음은 이와 같은 환자에서 양압환기와 관련된 중요한 고려사항 중 일부이다.

A. 동적과팽창 (Dynamic Hyperinflation)

1. 정상인의 경우 호기 (expiration)가 끝나기 전에 호기가스배출 (exhalation)이 끝나고 폐포의 호기말기도압은 대기압 (제로기준, zero reference)과 같다. 이것은 **그림 18.2**의 아래쪽에 있는 압력-용적고리 (pressure-volume loop)에서 설명된다.
2. 천식이나 만성폐쇄성폐질환으로 인해 기도폐쇄가 심한 환자에서는 호기가스배출 (exhalation)이 지연되어서 다음 번 흡기 (inhalation) 전까지 호기가스배출 (exhalation)이 끝나지 못한다. 그 결과 동적과팽창

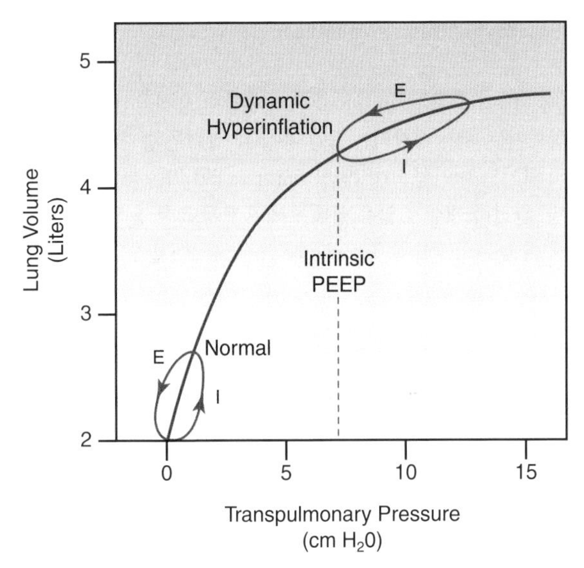

■ **그림 18.2** 동적과팽창의 효과를 보여주는 압력-용적 곡선. 이력곡선 (hysteresis loop)은 1회 호흡시의 압력과 용적의 변화를 보여준다. I=inspiration, E=expiration, 자세한 내용은 본문을 참고.

(dynamic hyperinflation)이 발생하며, 폐포가스걸림 (alveolar gas trapping)으로 인해 호기말양압 (PEEP, positive end-expiratory pressure)이 발생한다. 이 압력을 내인성호기말양압 (intrinsic PEEP)이라고 한다. 이는 **그림 18.2**의 위쪽에 있는 압력-용적고리 (pressure-volume loop)에서 설명된다.

3. 내인성호기말양압 (intrinsic PEEP)이 있는 경우 폐를 팽창시키기 위해 호흡근육은 더 높은 경폐압 (transpulmonary pressure)을 발생시켜야 한다 (이는 부분적으로 내인성호기말양압 (intrinsic PEEP)을 극복해야 하고 또 다른 부분적으로는 압력-볼륨곡선의 편평한 위치 (유순도가 낮은)에서 호흡이 진행되기 때문에 이다). 이로 인해 호흡일 (work of breathing)이 증가된다.

B. 양압환기 (Positive Pressure Ventilation)

동적과팽창 (dynamic hyperinflation)에 의해 압력-용적곡선이 이동하기 때문에, 양압환기는 폐가 팽창되는 동안 흉강 내 압력을 증가시키게 된다. 또한, 기계적 환기는 내인성호기말양압 (intrinsic PEEP)을 더 높일 수 있으며 (예를 들면, 완전히 내쉬지 않은 상태에서 흡기에 의한 용적이 전달됨으로써) 따라서 더 높은 흉강내압 (intrathoracic pressure)이 발생한다 (28).

1. 좋지 못한 결과들 (Adverse Consequences)

동적과팽창 (dynamic hyperinflation)으로 인한 높은 기도압은 다음과 같은 좋지 못한 결과를 초래할 수 있다.

a. 호기말의 폐포압이 높아지면 폐포-모세혈관의 경계면 (alveolar-capillary interface)에 스트레스성 골절 (stress fracture)이 발생하고 이로 인해 인공호흡기유발 폐손상 (ventilator-induced lung injury)이 발생한다 (17 장 II-A 절에서 설명함).
b. 폐포압의 증가는 폐포의 파열을 일으켜 폐실질 또는 흉막강으로의 공기의 빠져 나올 수 있다 (즉, 압력손상).
c. 평균흉강압이 상승하면 우심실후부하 (right ventricular afterload)는 증가되고 우심실충만 (right ventricular filling)은 감소시킴으로써 심장박출량을 감소시킬 수 있다.

C. 감시 (Monitoring)

1. 동적과팽창 (Dynamic Hyperinflation)

동적과팽창 (dynamic hyperinflation)의 존재는 기계환기 중에 호기류 (expiratory airflow)를 관찰함으로써 확인할 수 있다. 이것을 그림 18.3에 모식적으로 설명했다. 위쪽그래프의 정상적인 기류의 파형은 다음 호

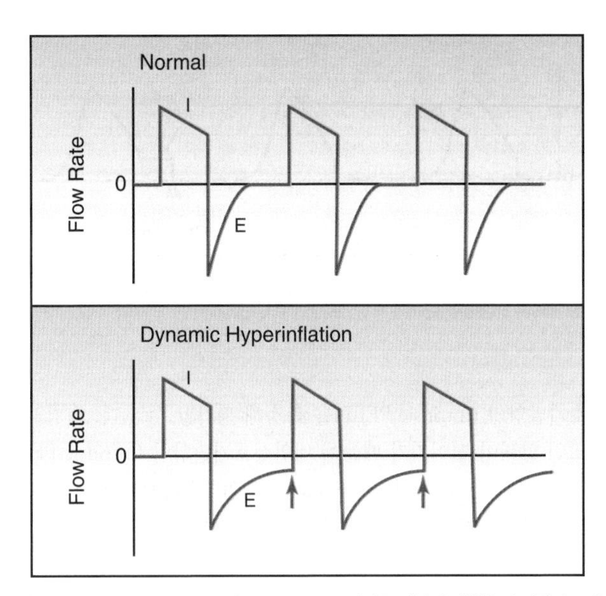

■ 그림 18.3 기계환기 중 흐름파형 (flow wave). 아래쪽 패널의 파형은 호기말에도 호기기류 (expiratory airflow)가 0이 되지 않는 것을 보여주며 (화살표로 표시), 이것은 동적과팽창 (dynamic hyperinflation)을 시사한다. I=inspiration, E=expiration

흡의 폐팽창 (lung inflation) 전 호기류 (expiratory flow)가 멈추는 것을 보여 주지만, 아래쪽그래프의 호기류 (expiratory airflow)는 다음 호흡의 폐팽창 (lung inflation)이 진행되고 있는데도 호기류 (expiratory airflow)가 계속 나오고 있음을 보여준다. 호기말에 호기류 (expiratory airflow)가 존재하는 것이 동적과팽창 (dynamic hyperinflation)의 증거가 된다.

2. 내인성호기말양압 (intrinsic PEEP)

기류파형 (flow waveforms)에 동적과팽창 (dynamic hyperinflation)이 있다는 증거가 있을 때, 이로 인해 발생하는 문제의 심각성은 내인성

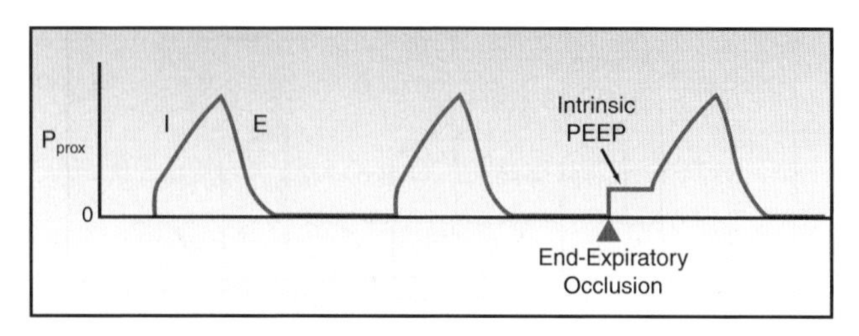

■ 그림 18.4 호기말에 호기관을 막은 후 나타난 내인성 PEEP과 기계환기 중 근위기도압 (Proximal airway pressure, Pprox). I=inspiration, E=expiration

호기말양압 (intrinsic PEEP)을 측정해 평가할 수 있다. 호기말에 기도의 압력이 떨어지기 때문에 내인성호기말양압 (intrinsic PEEP)은 근위기도압 (proximal airway pressure, 인공호흡기에 표시되는 압력)으로 알 수 없다. 그러나 내인성호기말양압는 호기 (expiration)가 끝난 후 호기관 (expiratory tubing)을 폐쇄하면 나타나게 된다. 호기관 (expiratory tubing)을 폐쇄하면 기도를 따라 움직이지 않는 공기의 기둥 (static column)이 발생하고, 호기말의 근위기도압과 폐포압(즉, 내인성호기말양압, intrinsic PEEP)이 동일한 상태가 된다. 이를 **그림 18.4**에서 모식적으로 설명했다. 내인성호기말양압 (intrinsic PEEP)의 정도는 기계 환기 중 기류폐쇄의 심각도 (severity of airway obstruction)를 나타낸다.

D. 기계환기 전략 (Ventilator Strategies)

다음의 대책은 기계환기 중 동적과팽창 (dynamic hyperinflation) 및 내인성호기말양압 (intrinsic PEEP)의 발생을 억제할 수 있는 전략이다.

1. 17 장, II-B절 **(표 17.3 참조)**에 설명된 바와 같이 폐보호환기법 (lung protective ventilation protocol)을 적용하여 저일회호흡량 (low tidal volume: 6 mL/kg predicted body weight)을 설정한다.

2. 다음과 같은 방법으로 호기시간을 최대로 늘린다:
   a. 빠른 호흡수를 피한다 (가능하면 진정제를 사용하고, 또 절대적으로 필요한 경우 일시적인 근이완제를 사용한다).
   b. 필요할 경우 흡기시간이 호흡주기의 3분의 1 (즉, 1 : 2의 I : E 비율)이 되도록 흡기유량을 증가시킨다.

참고문헌

1. National Asthma Education and Prevention Program Expert Panel Report 3: Guidelines for the diagnosis and management of asthma. Full Report 2007. NIH Publication No. 07-4051; August, 2007. (Available at www.nhlbi.nih.gov/guidelines/asthma)
2. Suau SJ, DeBlieux PMC. Management of acute exacerbation of asthma and chronic obstructive pulmonary disease in the emergency department. Emerg Med Clin N Am 2016; 34:15-37.
3. Lazarus SC. Emergency treatment of asthma. N Engl J Med 2010;363: 755-764.
4. Salmeron S, Brochard L. Mal H, et al. Nebulized versus intravenous albuterol in hypercapnic acute asthma. Am J Respir Crit Care Med 1994; 149:1466-1470.
5. Dutta EJ, Li JTC. β-agonists. Med Clin N Am 2002; 86:991-1008.
6. Jat KR, Khairwa A. Levalbuterol versus albuterol for acute asthma: A systematic review and meta-analysis. Pulm Pharmacol Ther 2013; 26:239-248.
7. Peters SG. Continuous bronchodilator therapy. Chest 2007; 131:286-289.
8. Truwit JD. Toxic effect of bronchodilators. Crit Care Clin 1991; 7:639-657.
9. Bodenhamer J, Bergstrom R, Brown D, et al. Frequently nebulized beta-agonists for asthma: effects on serum electrolytes. Ann Emerg Med 1992; 21:1337-1342.
10. Lewis LM, Ferguson I, House SL, et al. Albuterol administration is commonly associated with increases in serum lactate in patients with asthma treated for acute exacerbation of asthma. Chest 2014; 145:53-59.
11. Rodrigo G, Rodrigo C. The role of anticholinergics in acute asthma treatment. An evidence-based evaluation. Chest 2002; 121:1977-1987.
12. Krishnan JA, Davis SQ, Naureckas ET, et al. An umbrella review: corticosteroid therapy for adults with acute asthma. Am J Med 2009; 122:977-991.
13. Stein LM, Cole RP. Early administration of corticosteroids in emergency room treatment of asthma. Ann Intern Med 1990; 112:822-827.

14. Morrell F, Orriols R, de Gracia J, et al. Controlled trial of intravenous corticosteroids in severe acute asthma. Thorax 1992; 47:588-591.
15. Rodrigo G, Rodrigo C. Corticosteroids in the emergency department therapy of acute adult asthma. An evidence-based evaluation. Chest 1999; 116:285-295.
16. Cydulka RK, Emerman CL. A pilot study of steroid therapy after emergency department treatment of acute asthma: Is a taper needed? J Emerg Med 1998; 16:15-19.
17. Kew KM, Kirtchik L, Mitchell CI. Intravenous magnesium sulfate for treating adults with acute asthma in the emergency department. Cochrane Database Syst Rev 2014; 5:CD010909.
18. Murase K, Tomii K, Chin K, et al. The use of non-invasive ventilation for life-threatening asthma attacks. Respirology 2010; 15:714-720.
19. Rabe KF, Hurd S, Anzueto A, et al. Global strategy for the diagnosis, management, and prevention of chronic obstructive pulmonary disease. The GOLD executive summary. Am J Respir Crit Care Med 2007; 176:532-555.
20. Walters JAE, Gibson PG, Wood-Baker R, et al. Systemic corticosteroids for acute exacerbations of chronic obstructive pulmonary disease. Cochrane Database of Systematic Reviews, 2009; 1:CD001288.
21. Stolz D, Christ-Crain M, Bingisser R, et al. Antibiotic treatment of exacerbations of COPD. A randomized-controlled trial comparing procalcitonin-guidance with standard therapy.
22. Murphy TF. Pseudomonas aeruginosa in adults with chronic obstructive pulmonary disease. Curr Opin Pulm Med 2009; 15:138-142.
23. Aubier M, Murciano D, Fournier M, et al. Central respiratory drive in acute respiratory failure of patients with chronic obstructive pulmonary disease. Am Rev Respir Dis 1980; 122:191-199.
24. Boldrini R, Fasano L, Nava S. Noninvasive mechanical ventilation. Curr Opin Crit Care 2012; 18:48-53.
25. Leatherman J. Mechanical ventilation for severe asthma. Chest 2015; 147:1671-1680.
26. Soo Hoo GW, Hakimian N, Santiago SM. Hypercapnic respiratory failure in COPD patients response to therapy. Chest 2000; 117:169-177.
27. Blanch L, Bernabe F, Lucangelo U. Measurement of air trapping, intrinsic positive end-expiratory pressure, and dynamic hyperinflation in mechanically ventilated patients. Respir Care 2005; 50:110-123.
28. Pepe P, Marini JJ. Occult positive end-expiratory pressure in mechanically ventilated patients with airflow obstruction. The auto-PEEP effect. Am Rev Respir Dis 1982; 126:166-170.

Chapter 19

통상적 기계환기

Conventional Mechanical Ventilation

양압환기법이 도입된지 50여 년 이상 되었고 또 174종류의 양압환기법이 있지만 (1), 임상연구결과 생존률의 향상을 보인 유일한 방법은 전통적인 수준의 환기보조보다 적은 저일회호흡량 (low-volume)의 폐보호환기법 (lung protective ventilation, 이후 참조)이다 (2). 이것이 의미하는 바는 양압환기가 필요성에 비해 훨씬 더 복잡하며 "덜 사용할수록 좋다"라는 것이다 (3). 이 장에서는 6가지 기본적인 양압환기법을 설명한다 (volume control, pressure control, pressure support, assist-control, intermittent mandatory ventilation, and positive end-expiratory pressure 볼륨 제어, 압력 제어, 압력 지원, 보조 제어, 간헐적 강제 환기 및 양의 최종 호기 압력). 대부분의 환자에서 환기보조를 제공하는데 이 6가지 방법 정도면 충분하다.

I. 폐를 팽창시키는 방법들 (METHODS OF LUNG INFLATION)

A. 용적 대 압력조절환기 (Volume vs. Pressure Control)

폐를 팽창시키기 위해 사용 된 방법을 바탕으로 두 가지 기계환기의 기본모드가 있다. 이 두 가지 방법은 그림 19.1에 나와 있다.

1. 용적조절환기 (VCV)를 사용하면 미리 결정된 팽창용적 (일회환기량)

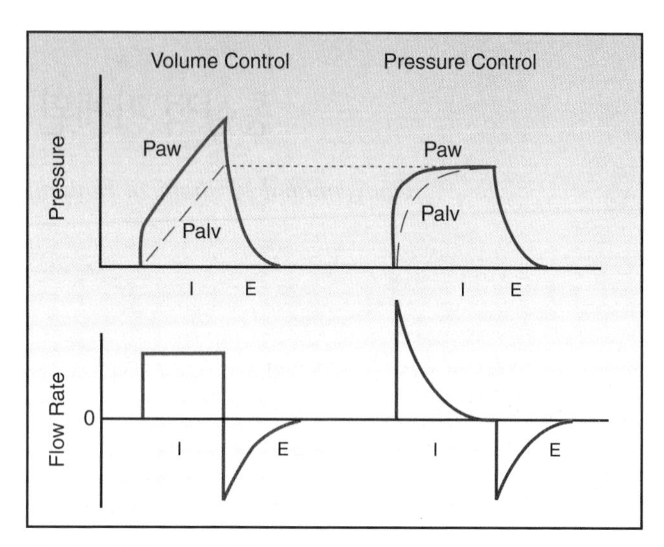

■ 그림 19.1 일회호흡량이 동일할 때, 용적조절 (VCV)과 압력조절 (PCV)환기에서 인공호흡 1회호흡 중의 압력 (pressure)과 흐름 (flow)의 변화. 기도압력 (Paw)의 변화 는 굵은선으로 표시하고 있으며, 폐포압력 (Palv)의 변화는 점선으로 표시하고 있다. I=inspiration, E=expiration.

에 도달될 때까지 일정한 유속으로 폐는 팽창된다. 흡기유량은 폐의 팽창시간이 호흡주기의 1/3 (즉, I:E 비율 = 1:2의)이 넘지 않도록 조절한다.

2. 압력조절환기 (PCV)에서는 미리 결정된 팽창압력이, 원하는 팽창압력에 빠르게 도달하기 위해 폐의 팽창이 시작될 때 빠른 유속이 사용된다. 폐가 팽창되면 유속이 감소하고, 흡기시간은 흡기가 끝날 때 유속이 0가 되도록 있도록 조정된다.

B. 기도압 (Airway Pressures)

그림 19.1을 보면 흡기말 기도압 (Paw)은 용적조절환기에서 더 높지만, 흡기

말 폐포압 (Palv)은 두 가지 환기법에서 동일하다. 그 이유는 다음과 같이 설명할 수 있다.

VCV의 경우 흡기말기도압 (최고흡기압, peak pressure)은 기도저항과 폐 및 흉벽의 탄성반동력을 전부 극복하는 데 필요한 압력이다. 이 두 가지 요소는 **그림 19.2**에서 볼 수 있는 것처럼 폐의 팽창용적을 잠시 멈춤으로써 분리할 수 있다.

a. "흡기홀드 (inflation hold)"모드 (전형적으로 1 초간 지속)동안 최고압이 일정하게 유지되는 "고원압 (plateau pressure)"으로 떨어진다. 최고흡기압과 고원압의 차이는 기도저항 (Ppeak, Pplateau = Pres)을 극복하는 데 필요한 압력이며, 고원압은 폐와 가슴 벽의 탄성반동압 (Pplateau = Pel)이다.

b. "흡기홀드 (inflation hold)"모드 중에는 기류가 0이므로 고원압은 흡기말폐포압과 같다 (Pplateau = Palv).

2. PCV를 사용하면 흡기말에 기류가 0이므로 흡기말기도압은 폐포압과 같다 (흡기말 Paw = Palv).

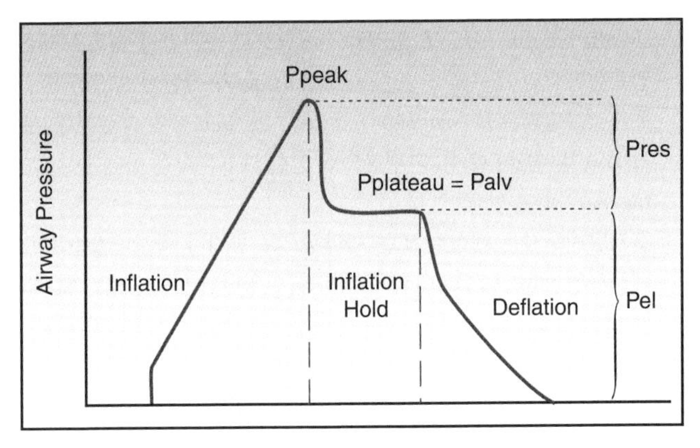

■ **그림 19.2** 용적조절환기에서 흡기홀드법 (inspiratory holding maneuver) 중의 기도압파형. 자세한 내용은 본문을 참고. Palv=alveolar pressure, Pres=기도저항을 극복하기 위해 필요한 압력, Pel=폐와 흉벽의 탄성반동압 (elastic recoil pressure).

C. 폐포압 (Alveolar Pressure)

흡기말폐포압은 다음과 같은 것을 의미한다:

1. 흡기말폐포압은 폐와 가슴 벽의 탄성반동압 (elastic recoil pressure)이다 (그림 19.2의 Pel). 따라서 어떤 특정 일회호흡량 (V_T)에서 흉부 (폐 및 흉벽)의 유순도 (C)를 계산하는 데 사용할 수 있다. 즉,

$$C = V_T / Palv\ (mL/cm\ H_2O) \qquad (19.1)$$

   a. 정상적인 흉부유순도는 약 50 mL/cm H_2O이다.
   b. 급성호흡곤란증후군 (17장에서 설명)과 같은 미만성침윤성 폐질환은 폐의 유순도 (예 : 20 mL/cm H_2O 미만)가 현저하게 감소하며, 유순도를 모니터링하는 것은 이러한 질환의 임상적 경과를 추적하는 데 유용할 수 있다.
2. 흡기말폐포압은 폐를 팽창시키는 용적 (일회호흡량)에 의해 폐포벽에 가해지는 스트레스를 반영한다. *흡기말폐포압 (end-inspiratory alveolar pressure)이> 30 cm H_2O 이상으로 증가하면 폐포-모세혈관 접촉면에서의 스트레스골절 (stress fracture)의 위험이 발생하여 인공호흡기유발폐손상 (ventilator-induced lung injury)이 발생한다* (제17장 II-A 절 참조) (2,4). 과팽창으로 인한 폐표손상을 용적손상 (volutrauma)이라고 한다.
3. 흡기말폐포압은 폐실질 또는 늑막강으로 공기가 빠져나가는 뚜렷한 폐포파열 (alveolar rupture)의 경향을 반영한다 (즉, 압력손상, barotruma).

D. 선호하는 환기법은 어떤 것인가? (Which Method is Preferred?)

두 가지 환기법을 모두 효과적으로 사용할 수는 있지만, 다음과 같은 점은 언급할 필요가 있다.

1. VCV의 한 가지 장점은 폐의 기계적 성질의 변화하더라도 일정 수준의 폐포환기를 유지할 수 있다는 것이다. PCV를 사용하면 기도저항성이 증가하거나 (예: 분비물) 또는 폐유순도가 감소하는 경우 (예: 무기폐 또는 침윤성폐질환의 악화) 폐포환기량이 감소한다.
2. VCV의 또 다른 장점은 폐보호환기법 (lung protective ventilation protocol)을 적용할 수 있다는 것이다 (나중에 참조하시오).
3. PCV의 가장 큰 장점은 환자의 호흡과 인공호흡기의 동기화를 촉진함으로 호흡일을 감소시켜 환자가 편안해 진다는 것이다 (5). 이것은 PCV에 사용되는 흡기 초기의 유속이 높고 (호흡부전환자가 빠르게 숨을 들이 마시고 싶어하는 즉 증가된 흡기량; high flow demands의 요구와 더 일치할 가능성이 높음) 또 흡기류가 감속패턴 (decelerating flow pattern, 말단부위 기류공간의 환기량을 더 높인다)을 보이는 것에 기인한다. 흡기류의 감속패턴은 VCV에서도 사용할 수 있으며 환자의 안락감을 향상시키는 것으로 나타났다 (6).
4. PCV의 또 다른 장점은 최고흡기압이 낮다는 것이다. 그러나 그림 19.1에서 볼 수 있듯이, 호기말기도압은 PCV 및 VCV (같은 일회호흡량에서는) 모두에서 동일하므로 낮은 최고흡기압과 PCV를 적용하더라도 폐포의 과잉팽창 및 폐손상의 위험이 줄어들지 않는다. 이는 PCV 상태에서 일회호흡량이 감소한 경우에만 발생한다.

II. 보조제어환기 (ASSIST-CONTROL VENTILATION, ACV)

보조제어환기 (ACV)을 적용하면 환자가 인공호흡기의 호흡을 시작할 수 있지만 만약 이것이 가능하지 않은 경우 인공호흡기가 미리 설정된 횟수로 호흡을 공급하게 된다. ACV 상태의 인공호흡기의 호흡은 용적제어 (volume-controlled) 또는 압력제어 (pressure-controlled)에서 모두 가능하다.

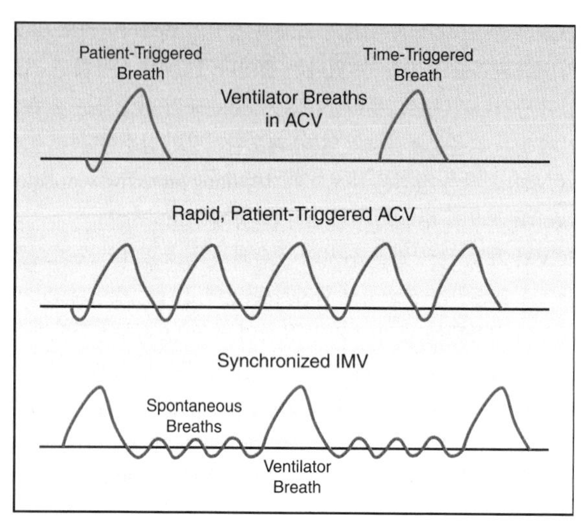

■ 그림 19.3 보조-조절 환기 (assist-control ventilation, ACV)와 동조간헐강제환기 (synchronized intermittent mandatory ventilation, SIMV)의 기도압 패턴. 자세한 내용은 본문 참고.

A. 유발 (Triggers)

ACV 환기모드를 시행 중인 기계환기 호흡의 두 가지 예가 **그림 19.3**의 위쪽 첫 번째 그래프에 제시된다.

1. 왼쪽의 기계환기 호흡은 환자의 자발적인 흡기 노력에 의해 기도압이 음성파형 (negative deflection)을 보이며 기계호흡이 시작된다. 이것이 환자에 의해 유발된 기계환기 호흡이다.
2. 오른쪽의 기계환기 호흡은 환자의 자발적인 흡기 노력이 없는 상태로 기계환기 호흡이 음성파형 (negative deflection)의 기도압의 변화로부터 시작되지 않는다. 이것은 미리 정해진 호흡수에 따라 전단된 시간유발 (time triggered) 기계환기 호흡이다.
3. 환자의 호흡유발 (Patient Triggers)
   a. 음압 (NEGATIVE PRESSURE) : 전통적인 유발신호 (trigger signal)

는 음의 기도압 (negative airway pressure, 보통 2-3 cm H_2O)에 의해 인공호흡기의 압력감지밸브 (pressure-sensitive valve)가 열린다.

b. 흡기유속 (INSPIRATORY FLOW RATE) : 흡기유속을 유발신호 사용하면 (flow triggering) 압력유발 (pressure triggering)방식보다 환자의 호흡일이 적어진다 (7). 이 같은 이유로 표준적인 유발방법으로 유속 (flow triggering)이 압력 (pressure triggering)을 대체했다. 인공호흡기의 기계호흡을 유발하는 데 필요한 유속은 각각의 인공호흡기 기종마다 다르다 (1-10 L/분). 기계환기 시스템에서의 누출 (system leaks)에 의해 (유속변화를 일으킴, flow changes) 유발되는 자동유발 (auto-triggering)은 유속유발 (flow triggering)과 관련된 주요한 문제이다.

B. 빠른호흡 (Rapid Breathing)

1. 각각의 호흡이 환자에 의해 유발된 기계환기 호흡인 경우 그림 19.3 (두 번째)에 표시된 것과 같은 빠른호흡은 두 가지 나쁜 결과를 초래할 수 있다.
   a. 심한 호흡성알칼리증 (pH> 7.56).
   b. 호기과정 중 불완전한 폐포 내 가스의 배출로 인하여 동적과팽창 (dynamic hyperinflation)의 발생 (제18장 IV-A 절 참조).
2. 조절되지 않은 빠른호흡에 의해 위와 같은 부작용이 발생할 때 적절한 환기양식은 간헐강제환기 (intermittent mandatory ventilation)이다.

III. 간헐강제환기 (INTERMITTENT MANDATORY VENTILATION)

A. 방법 (The Method)

1. 간헐강제환기 (Intermittent mandatory ventilation, IMV)는 인공호흡

기에 의한 기계호흡 중 환자가 자발호흡을 할 수 있도록 한다. 이는 기계환기회로 (ventilator circuit)와 자발호흡회로 (spontaneous breathing circuit)를 병렬로 배치하고 인공호흡기가 기계호흡을 공급하지 않을 때 단방향 밸브 (unidirectional valve)를 통해 자발호흡회로를 열어서 가능하게 된다.

2. IMV의 기계환기양식은 그림 19.3의 하단의 그래프에 나와 있다. 보시는 바와 같이 기계환기호흡은 환자의 자발호흡에 맞추어 (동기화) 하여 공급된다. 이를 동기화된 IMV (동조간헐강제환기; synchronized IMV, SIMV)라고 한다.
3. IMV 중 인공호흡기의 기계호흡은 용적조절 (volume-controlled) 또는 압력조절 (pressure-controlled) 모두 가능하다. 인공호흡기 호흡수는 분당 10회에서 시작하여 호흡성알칼리증의 중증도 및/또는 동적과팽창 (dynamic hyperinflation)의 존재에 따라 조정할 수 있다 (그림 18.3 참조).

B. 나쁜효과 (Adverse Effects)

1. 호흡일 (Work of Breathing)

IMV 중 자발호흡이 진행되는 동안 호흡일이 증가되며 이는 자발호흡 중 압력보조환기 (pressure-support ventilation, 다음 절에서 설명)를 통해 줄일 수 있다 (8).

2. 심장박출량 (Cardiac Output)

양압환기 (Positive pressure ventilation)는 좌심실의 후부하 (afterload)를 감소시키고 좌심실 기능부전환자에서 심장박출량을 증가시킨다 (9). 그러나 IMV는 이와 반대의 효과가 있다. 즉 좌심실 후부하 (afterload)를 (자발호흡 기간 중에 의한) 증가시키고 좌심실 기능부전 환자에서 심장박출량을 감소시킨다 (10).

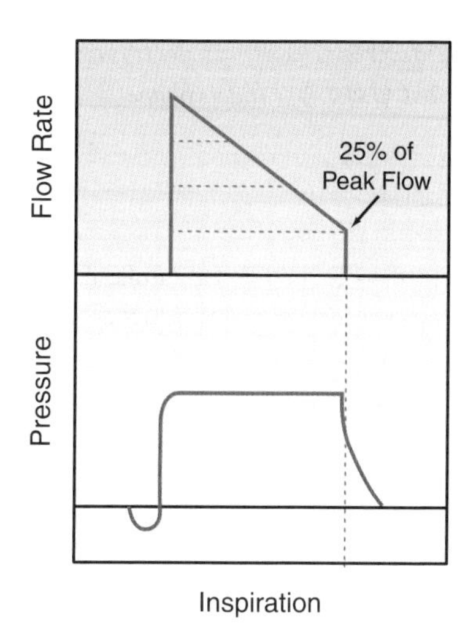

■ 그림 19.4 압력보조환기 (PSV)에서 1회 폐 팽창시 기도압과 흡기유속의 변화. 폐팽창은 유속 (flow rate)이 최대속도 (peak flow)의 25% 이하가 되면 종료되며, 이는 환자가 흡기시간과 일회 호흡량을 정할 수 있도록 해준다.

Ⅳ. 압력보조환기 (PRESSURE SUPPORT VENTILATION, PSV)

압력보조환기 (pressure support ventilation, PSV)는 자발호흡에 압력을 증가시키는 것 (pressure-augmented spontaneous breathing)이다. PSV에서는 환자가 흡기 (lung inflation)를 종료하고 PCV에서는 인공호흡기가 흡기 (lung inflation)를 종료시킨다는 점에서 PSV와 PCV가 다르다.

A. 압력보조호흡 (The Pressure-Supported Breath)

PSV가 적용된 흡기 동안의 압력과 유속의 변화를 그림 19.4에 볼 수 있다. PSV는 환자의 흡기유속을 감시하여 유속이 최대속도의 25% 이하로 떨어지면 흡기를 종료한다. 이를 통해 *환자는 흡기지속시간 (duration of lung inflation)과 결과적으로 일회호흡량 (tidal volume)을 결정할 수 있다*(11).

B. 임상적 적응증 (Clinical Uses)

1. 기계환기를 이탈하는 동안 인공기도 (artificial airway; intubation or tracheostomy tube) 및 인공호흡기의 튜브등에 의해 발생하는 기류저항을 극복하는데 낮은 압력의 PSV (5-10 cm H_2O)의 사용할 수 있다. 이 같은 상황에서 PSV의 목표는 일회호흡량을 증가 없이 호흡일을 줄이는 것이다 (12).
2. 더 높은 압력의 PSV (15-30 cm H_2O)는 일회호흡량을 증가시킬 수 있고 또 비침습적기계환기법 (noninvasive ventilation)을 통해 완전한 인공호흡보조 (full ventilator support)를 제공할 수 있다 (다음 장에서 설명 함) (13).

V. 호기말양압 (POSITIVE END-EXPIRATORY PRESSURE)

A. 폐포허탈 (Alveolar Collapse)

1. 기계환기 중 호기말에 의존적인 폐영역 (dependent lung regions)의 원위공간 (distal airspaces)이 허탈 (collapse)되는 경향이 있으며 (14), 이러한 경향은 폐쇄성기도질환 (예: COPD) 환자 및 폐의 팽창성 (distensibility)이 감소되는 침윤성폐질환 (예: 급성호흡곤란증후군, ARDS)에서 더 심해진다. 폐포허탈은 두 가지 나쁜 결과를 낳는다.
   a. 허탈된 폐포는 가스교환을 방해한다.
   b. 각각의 호흡주기에 따라 반복적으로 닫혔다가 열리는 원위공간 (distal airspaces)에서 기도상피에 손상을 일으키는 전단력 (shear forces)이 발생할 수 있다 (15). 이와 같은 형태의 폐손상을 허탈손

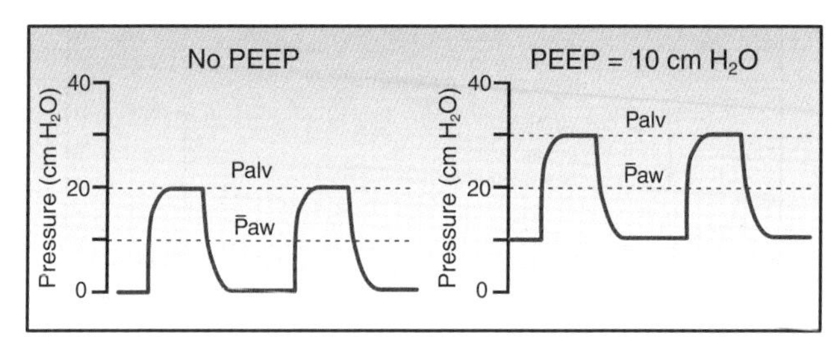

■ 그림 19.5 압력조절환기 (PCV) 동안에 호기말양압 (PEEP)이 호기말폐포압 (Palv)과 평균기도압 ($\bar{P}aw$)에 미치는 효과를 보여주는 기도압파형

상 (atelectrauma)이라고 한다 (16).

2. 호기말 폐포허탈을 막기 위해 특히 저호흡량환기 (low-volume ventilation)가 사용되는 경우에는 (나중을 참고) 기계환기 중 기도에 일상적으로 PEEP (보통 5 cm H_2O)을 적용한다. 이 압력은 인공호흡기회로의 호기부 (expiratory limb)에 있는 압력배출밸브 (pressure-relief valve)에 의해 발생되는데 이 밸브는 미리 설정된 압력에 도달할 때까지 호기상태를 유지 하며 이 압력 (PEEP)은 다음 호흡주기의 흡기 전까지 유지된다.

B. 기도압 (Airway Pressures)

기도압에 대한 PEEP의 영향은 **그림 19.5**에서 볼 수 있다. PEEP을 추가하면 흡기말폐포압 (endpiratory alveolar pressure)과 평균기도압 (mean airway pressure)이 높아진다.

1. 폐포압의 증가는 PEEP가 폐포환기 (및 그에 따른 동맥혈산소화)에 미치는 영향을 결정하고 인공호흡기유발 폐손상 (ventilator-induced lung injury) 및 압력손상 (barotruma)의 위험을 결정한다.
2. 평균기도압 (mean airway pressure)의 증가는 PEEP이 심장박출량을 감소시키는 경향을 정한다 (뒷부분 참조).

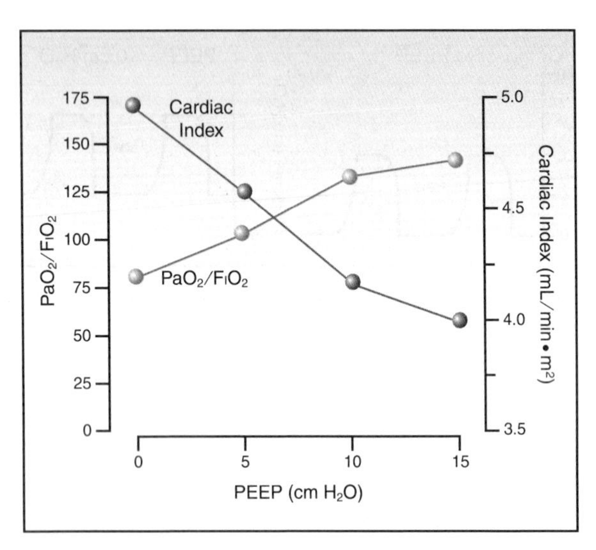

■ 그림 19.6 호기말양압 (PEEP)이 동맥혈산소화 (PaO_2/FiO_2)와 심장박출량에 미치는 상반되는 효과. 참고문헌 20에서 발췌.

C. 폐포동원술 (Alveolar Recruitment)

급성호흡곤란증후군 (ARDS)과 같은 미만성 침윤성 폐질환 (diffuse infiltrative lung diseases)에서 폐포허탈을 예방하는 수준보다 PEEP을 높이면 허탈된 폐포가 개방 (폐포동원술)되어, 동맥산소화가 좋아지는데 효과적일 수 있다.

1. 이와 같이 높은 PEEP의 적용은 일반적으로 흡입된 산소농도가 잠재적으로 독성수준 (> 60 %)인 환자를 위해 적용된다.
2. 만약 동맥산소화를 개선하는 데 이와 같은 높은 PEEP을 사용하는 경우 인공호흡기유발 폐손상 (ventilator induced lung injury) 및 압력손상 (barotrauma)의 위험을 줄이기 위해 흡기말폐포압 (end-inspiratory alveolar pressure)이 30 cm H_2O를 초과해서는 안된다 (17).

D. 혈류역학적 효과 (Hemodynamic Effects)

1. PEEP는 정맥환류 (venous return)장애, 우심실후부하 (right ventricle afterload) 증가 및 심실의 외부압박 등 여러 기전을 통해 심장박출량을 감소시킬 수 있다 (18,19). 이러한 효과는 혈량저하증 (hypovolemia)에 의해 악화되고 순환혈액량 주입 (volume infusion)으로 완화될 수 있다 (18).
2. PEEP에 의한 심장박출량 감소는 그림 19.6에서 볼 수 있듯이 동맥혈산소화 (arterial oxygenation)을 호전시키는데 작용하는 PEEP의 이점을 상쇄할 수 있다.
3. PEEP이 심장박출량을 감소시키는 경향을 나타내므로, 보통 수준보다 높은 PEEP (예: > 10 cm H_2O)을 사용할 때 어느 정도 심장박출량의 측정하는 것이 적절해 보인다. 중심정맥산소포화도 (central venous O_2 saturation, PEEP에 의해 심장박출량이 감소되는 경우 중심정맥산소포화도도 감소해야 함)는 이와 관련하여 유용할 수 있다 (6 장, I-E 및 I-F 절 참조).

VI. 폐보호환기법 (LUNG PROTECTIVE VENTILATION)

급성호흡부전환자에서 기계환기를 시작할 때는 표 19.1의 폐보호환기법 (lung protective ventilation protocol)을 사용하는 것이 좋다. 이 방법은 급성호흡곤란증후군 (ARDS)환자에서 인공호흡기유발 폐손상 (ventilator-induced lung injury) (제17장 II-A 절에서 설명)의 위험을 줄이기 위해 개발되었으며 이 환자들에서 생존율의 향상을 입증했다 (2). 그러나 non-ARDS 환자에서도 치료결과를 향상시켰다 (21).

A. 연구설계의 특징 (Design Features)

폐보호환기 (lung protective ventilation)는 용적조절환기 (volume-controlled ventilation)를 사용하며 다음을 수행하도록 설계되었다.

1. 상대적으로 낮은 일회호흡량 (표준적인 일회호흡량 10-12 mL/kg ideal body weight 대신 6 mL/kg predicted body weight)을 사용하고 흡기말폐포압 (end-inspiratory alveolar pressure)을 ≤30 cm H_2O로 유지함으로써 과팽창 (volutrauma)으로 인해 발생하는 폐포파열 (alveolar rupture)의 위험을 감소시킨다.
2. 폐포허탈을 방지하기 위해 적용하는 낮은 수준의 PEEP (5 cm H_2O)을 사용하여 말단부위 기류공간 이 반복적으로 열리고 닫힘 (opening and closing of distal airspaces, atelectrauma)에 의해 발생하는 전단력손상 (shear injury)의 위험을 줄인다.

표 19.1 폐 보호환기 프로토콜

Ⅰ. 1단계 1. 환자의 예측체중 (PBW) 계산 남 : PBW = 50 +[2.3 x (인치 단위의 키 – 60)] 여 : PBW = 45.5 +[2.3 x (인치 단위의 키 – 60)] 2. 최초 일회호흡량 (V_T)을 8 mL/kg PBW로 설정 3. PEEP을 5 cm H_2O 추가 4. SpO_2 88–95%가 되는 최소 FiO_2를 선택 5. V_T이 6 mL/Kg이 될 때까지 V_T을 2시간 마다 1 mL/kg씩 감소한다.
Ⅱ. 2단계 1. V_T이 6 mL/kg라면, 호기말고원압 (plateau pressure, Ppl)을 측정 2. 만약 Ppl〉30 cm H_2O라면 Ppl〈30 cm H_2O되거나 V_T=4 mL/kg가 될 때까지 V_T을 1 mL/Kg씩 줄인다
Ⅲ. 3단계 1. 호흡성산증을 확인하기 위해 동맥혈가스검사를 감시한다 2. pH=7.15–7.30이라면, pH〉7.30 혹은 RR=35bpm이 될 때까지 호흡수 (RR)를 증가시킨다. 3. pH〈7.15라면, RR을 35로 증가시킨다. 여전히 pH〈7.15라면 pH〉7.15까지 V_T을 1 mL/kg단위로 증가시킨다.
Ⅳ. 최적의 목표 V_T=6 mL/kg, Ppl≤30 cm H_2O, SpO_2=88–95%, pH=7.30–7.45

www.ardsnet.org에서 구할 수 있는 ARDS Network의 프로토콜을 각색.

Chapter 20

다른 기계환기 모드

Alternative Modes of Ventilation

이 장에서는 통상적인 기계환기로 불충분한 경우 또는 필요하지 않은 경우 사용되는 기계환기의 다른 모드들을 설명한다. 구제환기모드 (rescue modes of ventilation 즉, 고빈도진동환기; high-frequency oscillatory ventilation, HFOV 및 기도압이완환기; airway pressure release ventilation, APRV) 그리고 비침습적기계환기 (즉, 지속적양압법; continuous positive airway pressure, 2단압력양압법; bilevel positive airway pressure, 그리고 압력보조환기법; pressure support ventilation)가 포함된다.

I. 구제환기모드 (RESCUE MODES OF VENTILATION)

급성호흡곤란증후군 (ARDS) 환자 중 소수의 환자 (10-15%)는 산소요법 및 통상적인 기계환기 (CMV)에 반응하지 않는 저산소혈증이 발생하게 된다 (1). 다음의 환기방법들이 이런 환자들에게 도움이 될 수 있다.

A. 고빈도진동환기 (High Frequency Oscillatory)

고빈도진동환기 (HFOV)는 그림 20.1과 같은 고주파수, 저용적 진동을 사용한다. 이러한 진동은 높은 평균기도압을 만들어서 허탈상태의 폐포 (폐포모

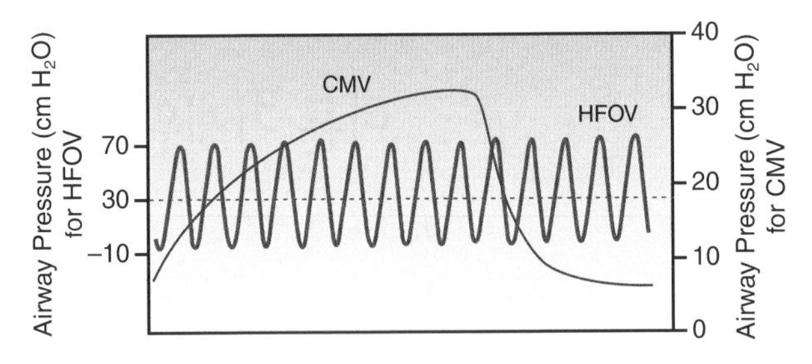

■ 그림 20.1 고빈도진동환기 (high frequency oscillatory, HFOV) 도중의 기도압진동 (airway pressure oscillations)과 통상적기계환기 (conventional mechanical ventilation) 도중의 폐팽창을 겹친 그림. 점선은 평균기도압을 나타낸다. 참고문헌3 발췌.

집)를 열고 더 이상의 폐포허탈를 막음으로써 가스 교환을 향상시킨다. 적은 일회호흡량 (일반적으로 1-2 mL/kg)은 과팽창 (volutrauma)에 의한 폐포 손상의 위험을 제한한다 (2).

1. 인공호흡기 설정 (Ventilator Settings)

HFOV는 다음과 같은 설정이 가능한 특수 인공호흡기 (Sensormedics 3100B, Viasys Healthcare, Yorba Linda, CA)가 필요하다: (a) 진동의 주파수와 진폭 (b) 평균기도압 (c) bias 유속(흡기유속과 비슷함) (d) 흡기시간 (bias 유속의 시간).

a. 진동 (oscillations)의 주파수 범위는 4-7 Hz (진동/초)이다. 주파수 선정은 동맥혈 pH에 의해 결정된다 (이는 CO_2 부하를 반영한다). 낮은 주파수는 더 높은 맥박진폭 (pulse amplitudes)을 가지고 있으며 CO_2 제거에 더 효과적이므로 호흡성산증의 위험을 감소시키게 된다.
b. 초기맥박진폭 (initial pulse amplitudes)은 70-90 cm H_2O로 설정된다.
c. 평균기도압은 일반적으로 CMV 설정시의 흡기말폐포압보다 약간 높게 설정된다 (19 장, 그림 19.1 및 19.2 참조) (3).

d. 바이어스유속 (bias flow rate)은 일반적으로 40 L/min로 설정된다.

2. 장점 (Advantages)

HFOV와 CMV를 비교하는 임상연구에서 HFOV군의 PaO_2/FIO_2 ratio가 16-24% 증가한 것으로 나타났다 (2). 그러나 HFOV 적용으로 생존율이 향상된다는 검증된 증거는 없다 (3,4).

3. 단점 (Disadvantages)

a. 장치를 작동시키는데 숙련된 인력과 함께 특수한 인공호흡기가 필요하다.
b. HFOV를 시행하는 동안 높은 평균기도압 (흉강내압) 때문에 심장박출량이 감소하는 경우가 많다 (3).

B. 기도압방출환기 (Airway Pressure Release Ventilation)

기도압방출환기 (APRV)는 지속적양압법 (continuous positive airway pressure, CPAP)의 변형된 형태이며, 높은 압력의 CPAP으로 자발호흡을 장기간 지속시키고 높은 압력을 잠시 대기압 (제로압)수준으로 방출함으로써 중단된다. 이를 그림 20.2의 중간 그래프에서 보여준다. 높은 압력의 CPAP은 허탈된 폐포 (폐포모집)를 열어 동맥산소화를 개선하며 압력방출 (pressure release)을 통해 CO_2가 용이하게 제거되도록 고안되었다 (5). 동맥산소화는 24시간에 걸쳐 서서히 증가한다 (6).

1. 인공호흡기 설정

대부분의 신형 중환자용 인공호흡기에서 APRV를 설정할 수 있다. APRV를 시작할 때 선택해야 하는 변수에는 높은, 낮은 기도압과 각각 압력레

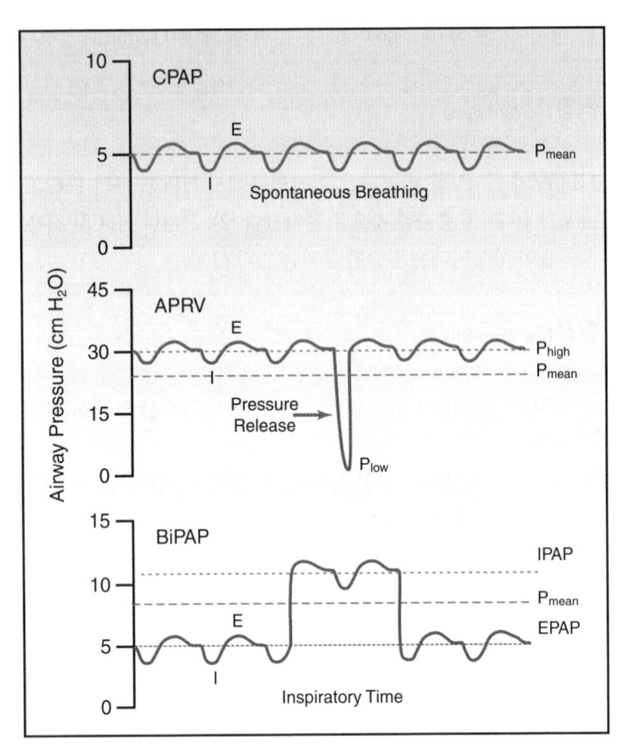

■ 그림 20.2 압력조절자발환기 (pressure-regulated spontaneous ventilation)와 관련된 방식. CPAP= 지속적양압법 (continuous positive airway pressure), APRV= 기도압방출환기 (airway pressure release ventilation), BiPAP= 이단압력양압법 (bilevel positive airway pressure), IPAP=흡기기도양압 (inspiratory positive airway pressure), EPAP=호기기도양압 (expiratory positive airway pressure), Pmean=평균기도압 (mean airway pressure), I=흡기 (inspiration), E=호기 (expiration). 자세한 내용은 본문 참고

벨을 유지하는 시간이 포함된다. 추천되는 설정은 다음과 같다 (3):

a. APRV의 높은 기도압 (high airway pressure)은 CMV를 시행할 때의 흡기말 폐포압 (end-inspiratory alveolar pressure)과 같아야 한다 (19장, 그림 19.1 및 19.2 참조).

b. APRV의 낮은 기도압 (low airway pressure)은 0으로 설정한다.
c. 높은 기도압을 유지하는 시간은 일반적으로 호흡주기 총시간 (total cycle time)의 85-90%이다. 권장되는 시간은 높은 기도압 (high airway pressure)에서는 4-6초, 낮은 기도압 (low airway pressure)에서는 0.6에서 0.8초이다.

2. 장점 (Advantages)

a. APRV는 허탈된 폐포를 HFOV 또는 높은 PEEP으로 모집 (recruitment) 하는 것 보다 더욱 잘할 수 있어 허탈된 폐포를 거의 완전하게 모집 (recruitment) 할 수 있다 (5). 그러나 동맥혈산소화 (arterial oxygenation)의 개선은 24시간에 걸쳐 서서히 발생한다 (6).
b. APRV는 높은 기도압이 사용됨에도 불구하고 심장박출량을 증가시킬 수 있다 (5). 이것은 APRV에서 발생하는 뚜렷한 폐포모집 (alveolar recruitment)에 기인한다. 이때 APRV는 폐포뿐만 아니라 혈관을 다시 개통하여 폐혈류를 증가시키기 때문이다.

3. 단점 (Disadvantages)

a. 환자의 자발호흡 노력이 없으면 APRV의 이점이 사라진다.
b. 심한 천식과 COPD는 압력방출단계 (pressure release phase)에서 빠르게 폐의 공기를 배출할 수 없기 때문에 기도압방출환기 (APRV) 적용의 상대적인 금기이다 (3).

II. 비침습성환기 (NONINVASIVE VENTILATION)

비침습성환기 (NIV)란 용어는 기관내 삽관 (endotracheal intubation) 대신 꽉 끼는 얼굴마스크를 통하여 자발호흡에 압력보조를 추가하는 것이다.

A. 비침습환기의 모드 (Modes of Noninvasive Ventilation)

NIV에는 세 가지 유형이 있다: (a) 지속적양압법; continuous positive airway pressure (CPAP), (b) 이단압력양압법; bilevel positive airway pressure (BiPAP), and (c) 압력보조환기법; pressure support ventilation (PSV).

1. 지속적양압법 (Continuous Positive Airway Pressure, CPAP)

지속적양압법 (Continuous Positive Airway Pressure, CPAP)은 그림 20.2의 위쪽 그래프에 보이는 것처럼 호기말양압 (positive end-expiratory pressure, PEEP)이 걸려있는 상태에서 이뤄지는 자발호흡이다. CPAP는 사용이 간편하며 O_2의 공급원과 압력배출밸브 (pressure-relief valve)가 있는 안면마스크 (CPAP mask)만 있으면 된다.

a. CPAP의 주된 효과는 기능잔기용량 (functional residual capacity, FRC; 호기말의 폐용적)이 증가되는 것이다. CPAP은 일회호흡량을 증가시키지 않아 급성호흡부전환자 (acute respiratory failure)에서 사용이 제한된다.
b. 설정 (SETTINGS): 일반적으로 CPAP은 5-10 cm H_2O를 설정한다.

2. 이단압력양압법 (Bilevel Positive Airway Pressure, BiPAP)

이단압력양압법 (bilevel positive airway pressure, BiPAP)은 그림 20.2의 아래쪽 그래프에 표시된 것처럼 두 수준의 기도압이 교대로 나타나는 CPAP이다. 높은 기도압을 흡기양압 (inspiratory positive airway pressure, IPAP)이라고 하며 낮은 기도압을 호기양압 (expiratory positive airway pressure, EPAP)이라고 한다.

a. BiPAP은 CPAP보다 평균기도압이 높으며, 이는 폐포모집을 촉진하는 데 도움이 된다. BIPAP은 직접 일회호흡량을 증가시키지 않지만 폐포모집이 촉진되면 폐유순도 (폐확장성)가 증가되어 일회

호흡량이 높아질 수 있다.

b. 설정: BiPAP을 시행하기 위해서 특별한 인공호흡기가 필요하며 초기설정은 IPAP = 10 cm H_2O, EPAP = 5 cm H_2O, 흡기시간 (IPAP의 지속시간) = 3초이다. 추가적인 압력조정은 혈액가스결과, 환자의 편안함 등을 기준으로 한다. 20 cm H_2O를 초과하는 흡기양압은 환자가 잘 견디지 못하고 또 얼굴마스크 주변으로 공기누출이 심해지므로 권장하지 않는다.

3. 압력보조환기법 (Pressure Support Ventilation, PSV).

압력보조환기법 (pressure support ventilation, PSV)은 19 장, IV절에 설명되어 있다.

a. PSV는 일회호흡량을 증가시키고 보통 CPAP과 같이 사용하여 기능잔기용량 (functional residual capacity, FRC)을 증가시킨다. PSV와 CPAP을 같이 사용하는 것 (PSV with CPAP)은 비침습적 기계환기에서 선호되는 방법이다 (몇 가지 예외는 있음).

b. 설정: PSV의 초기설정은 보통 10 cm H_2O의 팽창압력 (inflation pressure)과 CPAP 5 cm H_2O이다. 추가적인 압력조정은 혈액가스결과, 환자의 편안함 등을 기준으로 한다. 최고기도압이 20 cm H_2O를 넘어가면 환자가 잘 견디지 못하고 또 얼굴마스크 주변으로 공기누출이 심해지므로 권장하지 않는다.

B. 대상환자 선택 (Patient Selection)

환자선택은 NIV의 성공 또는 실패를 결정하는 가장 중요한 요인 중 하나이다 (7,8).

1. 첫 단계는 기계환기보조가 필요한 환자인지 확인하는 것이다. 심한 저산소혈증 (PaO_2/FIO_2 <200 mm Hg) 또는 중증 또는 진행성 고탄산혈증 호흡부전환자 (persistent or progressive respiratory distress)를 치

료할 때 효과적이다.

2. 다음 단계는 이 환자들 중 누가 NIV의 대상인지를 결정하는 것이다. 급성호흡부전의 원인 중 일부는 다른 것보다 NIV로 성공적으로 치료되지만 (다음에 기술) 모든 급성호흡부전 환자 중 다음과 같은 조건이 모두 충족 될 경우 NIV의 대상이 된다.
   a. 호흡부전이 생명에 즉각적인 위협은 아니다.
   b. 생명을 위협하는 순환장애 (예: 순환쇼크, circulatory shock)가 없다.
   c. 환자는 의식이 명료하거나 쉽게 깨울 수 있고 (easily aroused) 협조적이다.
   d. 환자에게 조절되지 않는 심한 기침이나 분비물이 없다.
   e. 꼭 맞는 얼굴마스크를 사용할 수 없게 하는 안면외상 (facial trauma)은 없다.
   f. 환자에게 토혈 (hematemesis)이나 반복적인 구토가 없다.
   g. 환자에게 조절되지 않는 심한 발작이 없다.
3. 호흡부전이 진행하면 성공적인 NIV를 제한할 수 있으므로 (7,8) 적절한 대상환자에게 NIV를 시작하는데 늦어지는 일이 거의 없어야 한다.

C. 성공률

표 20.1은 급성호흡부전의 원인에 따라 기관 내 삽관을 피하게 되는 NIV의 성공률을 보여준다.

표 20.1 NIV의 성공률

상황	성공률
심인성 폐부종	90%
COPD의 급성악화	76%
지역사회 획득폐렴	50%
ARDS	40%

참고문헌 9와 10에서 발췌

1. COPD의 급성악화 (Acute Exacerbations of COPD):

급성호흡부전에서 NIV의 가장 큰 이점은 일반적으로 COPD의 급성악화로 인해 고탄산혈증 호흡부전환자 (persistent or progressive respiratory distress)환자에서 확인되었다 (9). 결과적으로 NIV는 COPD의 급성악화에 대한 일차치료 (first-line therapy)로 여겨진다 (7,8). 이 상태에서 우선적으로 고려되는 기계환기양식은 PSV에 CPAP을 추가한 (PSV with CPAP) 것이다.

2. 저산소증 호흡부전 (Hypoxemic Respiratory Failure)

심장성폐부종을 제외하고 NIV는 저산소성호흡부전 (예: 급성호흡곤란증후군, ARDS)이 발생한 상황에서 기관삽관을 줄이는데 덜 성공적이였다 (10).

a. 심장성폐부종 (CARDIOGENIC EDEMA) : NIV는 대다수의 심장성폐부종환자에서 기관삽관을 막을 수 있었다 (11,12). 이 같은 상태의 대부분의 경험은 CPAP (10 cmH_2O)을 적용한 경우이지만 BiPAP도 동일한 결과를 보인다 (13). 이 같은 좋은 결과는 심기능 향상에 의해 발생하는데 (13) NIV가 수축기심부전 (systolic heart failure)환자의 심장박출량을 증가시키기 때문이다. 이는 아마도 흉강내압이 양압으로 증가되어 좌심실 후부하를 감소시킨 결과일 수 있다 (14).

b. ARDS: NIV는 ARDS환자에서 제한적인 성공을 거두었으며, ARDS의 원인이 폐외원인 (extrapulmonary origin)일 때 더욱 성공적이었다 (10). ARDS환자에서 NIV를 적용하는 경우 추천되는 환기법은 CPAP를 사용한 PSV (PSV with CPAP)이며 반드시 CPAP 단독사용은 피해야 한다 (8).

D. 환자감시 (Monitoring)

1. 각각 환자에서 NIV의 성공 또는 실패여부는 NIV 시작한 후 초기에 (1시간) 결정해야 한다(10,15).
2. *NIV 시작 1시간 후에 가스교환상태를 뚜렷하게 개선하지 못하면 NIV는 호흡보조 방법으로는 실패한 근거로 판단하고* 즉각적인 기관삽관 및 기계환기로 진행해야 할 대상으로 판단하고 치료해야 한다.
3. NIV시행하고 있는 환자에서 호흡부전의 악화를 뒤늦게 인지하면 임박한 호흡정지 (impending respiratory arrest)와 위험한 기관삽관을 초래할 수 있다.

E. 이상반응 (Adverse Events)

NIV 시행 중 주목할만한 부작용으로는 위 팽창, 콧등 (bridge of nose)의 압력궤양 (꽉 맞게 착용한 마스크 때문에) 및 원내폐렴이 있다.

1. 위팽창 (Gastric Distension)

주입되는 가스 (insufflated gas)에 의한 위팽창은 NIV 시행 중 모두의 관심사이지만 팽창압 (inflation pressures)이 30 cm H_2O 미만일 때 흔히 발생하지는 않는다 (16). NIV 시행 중 비위관 (nasogastric tubes)을 이용하여 위의 감압 (gastric decompression)을 시행하는 것이 항상 필요한 것은 아니지만 NIV 시행 중 복부팽만이 발생하는 환자에서는 위의 감압을 시행하면 된다 (17).

2. 병원내폐렴 (Nosocomial Pneumonia)

양압환기는 기도의 점액섬모청소 (점액섬모청소)를 지연시킬 수 있고 병원내폐렴의 선행요인이 된다. NIV와 기관삽관 및 기계환기를 비교한 연구에서 NIV 시행 중 원내감염의 빈도는 8-10 % 였지만 기관삽관 및 기계환기 시행 중에는 훨씬 (19-22 %) 높았다 (18,19).

참고문헌

1. Pipeling MR, Fan E. Therapies for refractory hypoxemia in acute respiratory distress syndrome. JAMA 2010; 304:2521-2527.
2. Ali S, Ferguson ND. High-frequency oscillatory ventilation in ALI/ARDS. Crit Care Clin 2011; 27:487-499.
3. Stawicki SP, Goyal M, Sarini B. High-frequency oscillatory ventilation (HFOV) and airway pressure release ventilation (APRV): a practical guide. J Intensive Care Med 2009; 24:215-229.
4. Sud S, Sud M, Freiedrich JO, et al. High-frequency oscillatory ventilation versus conventional ventilation for acute respiratory distress syndrome. Cochrane Database Syst Rev 2016; 4:CD004085.
5. Muang AA, Kaplan LJ. Airway pressure release ventilation in acute respiratory distress syndrome. Crit Care Clin 2011; 27:501-509.
6. Sydow M, Burchardi H, Ephraim E, et al. Long-term effects of two different ventilatory modes on oxygenation in acute lung injury. Comparison of airway pressure release ventilation and volume-controlled inverse ratio ventilation. Crit Care Med 1994;149:1550-1556.
7. Hill NS, Brennan J, Garpestad E, Nava S. Noninvasive ventilation in acute respiratory failure. Crit Care Med 2007; 35:2402-2407.
8. Keenan SP, Sinuff T, Burns KEA, et al, as the Canadian Critical Care Trials Group/Canadian Critical Care Society Noninvasive Ventilation Guidelines Group. Clinical practice guidelines for the use of noninvasive positive-pressure ventilation and noninvasive continuous positive airway pressure in the acute care setting. Canad Med Assoc J 2011; 183:E195-E214.
9. Ram FSF, Picot J, Lightowler J, Wedzicha JA. Non-invasive positive pressure ventilation for treatment of respiratory failure due to exacerbations of COPD. Cochrane Database Syst Rev 2009; July 8:CD004104
10. Antonelli M, Conti G, Moro ML, et al. Predictors of failure of noninvasive posi-

tive pressure ventilation in patients with acute hypoxemic respiratory failure: a multi-center study. Intensive Care Med 2001; 27:1718-1728.

11. Masip J, Roque M, Sanchez B, et al. Noninvasive ventilation in cardiogenic pulmonary edema: systematic review and metaanalysis. JAMA 2005; 294:3124-3130.
12. Vital FM, Saconato H, Ladeira MT, et al. Non-invasive positive pressure ventilation (CPAP or bilevel NPPV) for cardiogenic pulmonary edema. Cochrane Database Syst Rev 2008; July 16:CD005351.
13. Acosta B, DiBenedetto R, Rahimi A, et al. Hemodynamic effects of noninvasive bilevel positive airway pressure on patients with chronic congestive heart failure with systolic dysfunction. Chest 2000; 118:1004-1009.
14. Singh I, Pinsky MR. Heart-lung interactions. In Papadakos PJ, Lachmann B, eds. Mechanical ventilation: clinical applications and pathophysiology. Philadelphia: Saunders Elsevier, 2008:173-184.
15. Anton A, Guell R, Gomez J, et al. Predicting the result of noninvasive ventilation in severe acute exacerbations of patients with chronic airflow limitation. Chest 2000; 117:828-833.
16. Wenans CS. The pharyngoesophageal closure mechanism: a manometric study. Gastroenterology 1972; 63:769-777.
17. Meduri GU, Fox RC, Abou-Shala N, et al. Noninvasive mechanical ventilation via face mask in patients with acute respiratory failure who refused endotracheal intubation. Crit Care Med 1994;22:1584-1590.
18. Girou E, Schotgen F, Delclaux C, et al. Association of noninvasive ventilation with nosocomial infections and survival in critically ill patients. JAMA 2000; 284:2361-2367.
19. Carlucci A, Richard J-C, Wysocki M, et al. Noninvasive versus conventional mechanical ventilation: an epidemiological study. Am J Respir Crit Care Med 2001; 163:874-880.

인공호흡기 의존 환자

The Ventilator-Dependent Patient

이 장에서는 인공기도(기관내 튜브; endotracheal tubes 및 기관절개관; tracheostomy tubes)와 양압환기의 기계적 합병증에 중점을 두고 일상적관리와 인공호흡기 의존환자에 대한 우려에 대해 설명한다. 기계환기의 전염성 합병증 (infectious complications)은 16장에서 설명하였다.

I. 인공기도 (ARTIFICIAL AIRWAYS)

A. 기관내 튜브 (Endotracheal Tubes)

기관내 튜브 (Endotracheal Tubes, ET)는 길이가 25 에서 35 cm까지 다양하며, 5 mm에서 10 mm까지의 내경 (internal diameter, ID)에 따라 분류하게 된다 (예: “7번”의 기관내 튜브는 내경이 7 mm인 것을 나타냄). 성인용 표준 기관내 튜브는 8 ET 튜브 (ID = 8 mm)이다 (1).

1. 성문하배출관 (Subglottic Drainage Tube)

인공호흡기 관련 폐렴에서 구강분비물 흡인이 중요한 역할을 하므로 팽창된 커프 바로 윗부분에 고이는 구강분비물을 배출할 수 있도록 특수 설계된 기관내 튜브가 점차 소개되고 있다 (16장, 그림 16.1 참조).

이 튜브는 인공호흡기 관련 폐렴의 발생을 줄일 수 있으며 (2) 48시간 이상 기계환기보조가 필요한 환자의 삽관을 시행 할 때 사용여부를 고려해야 한다.

2. 튜브위치 (Tube Position)

기관삽관 후 튜브의 위치를 반드시 평가해야 하며 그림 21.1은 적절한 튜브의 위치를 보여준다. 머리가 중립위치 (neutral position)에 있을 때 *기관내 튜브의 끝이 용골 (carina) 위쪽 3-5 cm 또는 용골 (carina)과 성대 사이 중간에 있어야 한다* (만일 안 보이는 경우, 일반적으로 용골 (main carina)은 T4-T5 사이에 있게 된다.).

a. 기관내 튜브 (Endotracheal Tubes)는 우측 주기관지 (main stem bronchus, 기관에서 아래쪽으로 우측 주기관지 쪽이 직선경로이

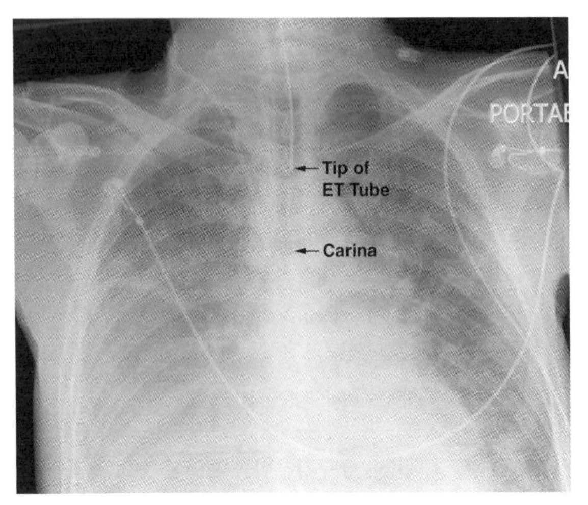

■ 그림 21.1 이동식 흉부엑스선 사진에서 기관내 튜브의 끝이 흉곽 입구 (thoracic inlet)와 기관분기부 중간에 자리잡고 있으며, 관이 적절한 위치에 있음을 확인할 수 있다.

다)로 이동할 수 있다. 이러한 합병증의 위험을 줄이려면 여성은 치아에서부터 21 cm 또는 남성의 경우 23 cm 이상 들어가지 않도록 기관내 튜브의 끝을 유지한다 (3).

3. 후두손상 (Laryngeal Injury)

기관내 튜브 (ET tube)로 인한 후두손상의 위험은 중요한 관심사이며, 장기간 삽관이 예상되는 경우 기관절제술 (tracheostomies)을 시행하는 이유 중 하나이다. 후두손상의 범위는 궤양, 육아종, 성대마비 및 후두부종이 포함된다.

a. 후두손상은 24시간 이상 삽관을 시행한 환자의 3/4에서 보고되지만 대부분의 경우 임상적으로 의미가 없으며 영구적 손상이 발생하지 않는다 (5).
b. 후두부종에 의한 기도폐쇄는 튜브를 제거한 후 13%에서 보고된다 (4). (이 문제에 대한 치료는 22장에서 설명한다.)

B. 기관절개술 (Tracheostomy)

기관절개는 장기간(1-2주 이상)의 기계환기가 필요한 환자에서 선호된다. 기관절개술은 환자의 편안함, 분비물 제거나 기관지확장제 투여 시 기도접근성, 호흡저항 감소 및 후두손상 위험감소 등 여러 가지 장점이 있다.

1. 시행시기 (Timing)

기관절개술 (Tracheostomy)을 시행하는 최적의 시기에 대해서 수년간 논란이 있었다. 조기 기관절개술 (기관삽관 일주일 후)과 후기기관절개술 (기관삽관 2주일 후)을 비교 한 최근의 연구결과에 따르면 *조기기관절제술은 진정제 사용을 줄이고 환자의 빠른 거동 (early mobilization)을 촉진하지만 인공호흡기 관련 폐렴의 발생률이나 사망률을*

낮추지는 못한다 (6,7).

a. 폐렴이나 사망률 결과를 바탕으로 기관삽관 2주 후 기관절제술을 시행하는 것이 좋다 (8). 그러나 환자의 편안함을 고려하면 *기관삽관 7일이 지났고 수 일 이내 발관의 가능성이 거의 없다면 기관삽관 7일 후에 기관절개술을 고려하는 것이 합리적이다.*

2. 합병증 (Complications)

a. 경피적 확장 기관절개술 (Percutaneous dilatational tracheostomy)은 외과적 기관절제술보다 출혈량이 적고 국소감염이 적다 (9).
b. 외과적 및 경피적 기관절개술을 병행하면 사망률은 1% 미만이며, 초기합병증 (출혈 및 감염)은 5% 미만인 경우에서 발생한다 (9,10).
c. 기관협착 (TRACHEAL STENOSIS): 기관협착은 기관절개술튜브 (tracheostomy tube)를 제거한 후 첫 6개월 이내에 나타나는 후기합병증 (late complication)이다. 기관협착의 대부분은 기관절개 부위에서 발생하며, 절개구 (stoma)가 닫히면서 기관이 좁아지면서 나타나는 결과이다. 기관협착의 빈도는 0-15% 사이지만 (10) 대부분의 경우 무증상이다. 기관협착의 위험은 외과적 기관절개술과 경피적 기관절개술 모두 동일하다 (8).

C. 커프관리 (Cuff Management)

인공기도에는 기관 (trachea)을 밀봉하고 폐를 팽창시키는 흡기가스가 후두를 통해 빠져 나오는 것을 방지하는 팽창 가능한 풍선 (커프, cuff라고 불림)이 달려 있다. 팽창된 커프가 있는 기관 절개튜브가 **그림 21.2**에 나와 있다. 커프의 길쭉한 디자인은 압력을 광범위하게 분산시켜 상대적으로 낮은 압력으로 기관밀봉 (tracheal seal)이 가능하도록 한다.

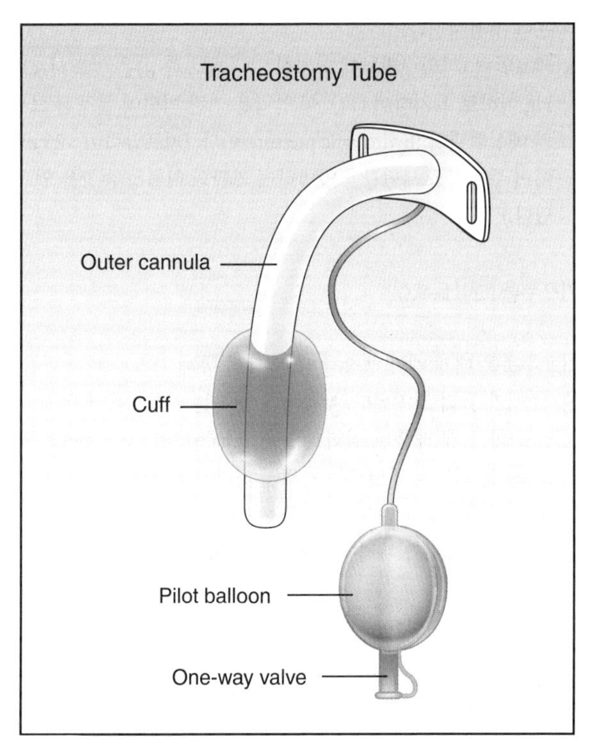

■ 그림 21.2 팽창된 커프가 있는 기관절개 관. 자세한 내용은 본문 참고.

1. 커프팽창 (Cuff Inflation)

커프에는 일방향 밸브 (one-way valve)가 있는 파일럿풍선 (pilot balloon)이 부착된다. 커프를 팽창시키기 위해 주사기를 파일럿풍선에 연결하여 파일럿 풍선 (커프가 팽창할 때 같이 팽창됨)을 통해 공기를 커프로 주입한다.

a. 커프주위에서 공기누출 (air leak)의 소리가 들리지 않을 때까지 커

프를 팽창시킨다.

b. 커프압력 (파일럿벌룬에 연결한 압력계로 측정)은 반드시 <25 mm Hg 이하로 유지하며 (11), 이 압력은 기관 벽면에 분포된 모세혈관의 예상혈관압 (hydrostatic pressure)이다. (커프압력이 >25 mm Hg 이면 주변의 모세혈관을 압박하여 기관의 허혈성 손상을 일으킬 수 있다.)

2. 커프누출 (Cuff Leaks)

커프누출은 대개 폐가 팽창될 때 (성대를 통해 가스가 빠져 나올 때 발생) 소리가 들려 감지된다. 누출량은 원하는 일회호흡량 (desired tidal volume)과 실제 배출된 일회호흡량 (exhaled tidal volume)의 차이다. 커프누출은 커프의 파열로는 거의 발생하지 않으며 (12), 대개 커프와 기관 벽 사이의 불균일 한 접촉 또는 파일럿 풍선의 밸브에서 누출이 발생, 커프의 공기가 빠져나가서 발생한다.

3. 커프 누출 문제 해결 (Troubleshooting a Cuff Leak)

커프 누출 (cuff leaks)의 소리가 들리면 인공호흡기에서 환자를 분리하고 마취백 (anesthesia bag)을 이용 수동적으로 폐를 팽창시켜본다 (호기말 PCO_2를 초기수준으로 유지). 그런 다음 파일럿풍선 (pilot balloon)을 확인하고 다음과 같이 진행한다.

a. 파일럿 풍선의 공기가 빠지면 커프가 찢어졌거나 파일럿 풍선에서 일방향 밸브의 고장이 문제가 된다. 파일럿 풍선을 팽창시키고 주사기를 연결된 상태로 유지한다. 만일 파일럿 풍선에 주사기가 부착 된 상태인데도 공기가 빠져 나가면 문제는 커프가 찢어진 것이며 (즉, 기관내 튜브를 즉시 교체해야 한다.) 그리고 파일럿 풍선의 팽창된 상태가 유지되면서 누출이 사라지면 원인은 파일럿 풍선의 밸브가 고장난 것이다 (이때는 기관내 튜브가 교체될 때까지 파일

럿 풍선과 커프 사이의 가는 관을 클램프로 막음으로써 신속하게 치료할 수 있다).

b. 누출 상태인데 파일럿 풍선이 팽창된 상태이면 기관 내 튜브의 위치가 잘못 된것이다. 만일 누출이 기관내 튜브 (ET tube)와 관련되었다면, 커프에서 공기를 뺀 다음, 기관내 튜브를 1 cm 정도 전진시킨 다음, 커프를 재팽창시킨다. 누출이 지속되면 기관내 튜브 (ET tube)를 큰 튜브 사이즈로 교체한다. 누출이 기관절개관 (tracheostomy tube)을 포함하는 경우, 더 크거나 더 긴 기관절개관로 교체한다.

II. 기도관리 (AIRWAYS CARE)

A. 흡인 (Suctioning)

기관내 튜브 (ET tube)와 기관절개튜브 (tracheostomy tube)의 내부표면이 병원균 (pathogenic organisms)을 포함한 균막 (biofilms)으로 군집화 (colonize)되므로, 이들 튜브를 통해 흡인카테터 (suction catheter)를 통과시키면 이런 균막 (biofilms)들이 떨어져 나가 폐에 병원균을 접종 (inoculate)할 수 있다 (13). 결과적으로 *기관 내 흡인은 일상적인 절차로 더 이상 권장되지 않고호흡기분비물을 제거해야 하는 경우에만 시행해야 한다* (14).

B. 생리식염수 점적의 함정 (Pitfalls of Saline Instillation)

식염수는 종종 분비물 제거를 돕기 위해 기관에 점적되지만 이런 관행은 다음 두 가지 *이유로 일상적인 수기 (routine procedure)로 더이상 권고하지 않는다* (14): (a) 식염수는 호흡기분비물의 점도 (viscosity)를 액화 (liquefy) 또는 감소시키지 않는다 (다음에 설명 함) (b) 식염수 섬적은 기관절개튜브 (tracheostomy tube)의 내부표면에 군집화된 병원균이 떨어져 나가게 할 수 있다.

1. 객담의 점도 (Sputum Viscosity)

호흡기 분비물은 기도점막 표면을 덮는 막층 (blanket)을 만든다. 이 막층 (blanket)에는 친수성 (hydrophilic, 수용성) 층과 소수성 (hydrophobic, 불수용성) 층이 있다. 친수성층은 안쪽을 향하며 점막표면을 촉촉하게 유지한다. 바깥측을 향한 소수성층은 기도 내의 입자 및 파편을 포획하는 점액단백질 가닥 (mucoprotein strands)의 그물로 구성되며, 점액단백질 가닥과 포획된 파편 (debris)의 조합은 호흡기 분비물의 점탄성 (viscoelastic behavior)을 결정한다.

a. 호흡기 분비물의 점도에 영향을 미치는 층은 수용성이 아니기 때문에 *식염수가 호흡기분비물의 점도를 감소시키지 못한다*. (호흡기 분비물에 식염수를 더하는 것은 기름 (grease) 위에 물을 붓는 것과 같다.)

C. 점액용해요법 (Mucolytic Therapy)

1. 호흡기 분비물의 점액단백질 가닥 (mucoprotein strands)은 이황화결합 (disulfide bridge)유지되는데 이는 acetaminophen 과다복용 시 해독제로 더 잘 알려진 설프하이드릴기를 포함하는 트리펩타이드 (sulfhydryl-containing tripeptide) 인 N-Acetylcysteine (NAC) (19)에 의해 끊어진다.
2. NAC는 흡입 투여하거나 또는 기도에 직접 주입할 수 있는 액체제제 (10 또는 20 % 용액)가 사용 가능하다 **(표 21.1 참조)**. 에어로졸화 된 NAC는 자극적일 수 있으며 기침과 기관지경련을 유발(특히 천식 환자에서)할 수 있다. 기관내 튜브에 NAC를 직접 주입하는 것이 더 선호되는 방법이다.
3. NAC 주입은 48시간 이상 지속되지 않아야 한다. 왜냐하면 약물이 고장액 (hypertonic)이므로 지속적으로 투여하면 기관지루 (bronchorrhea)를 유발할 수 있기 때문이다.

표 21.1	NAC 점액용해 요법
에어로졸 요법	• 10% NAC 용액을 사용 • 2.5 mL NAC를 2.5 mL 식염수와 혼합하여 혼합물을 분무기 (nebulizer)를 통해 에어로졸로 만들어 흡입한다. • *주의* : 기관지경련 (bronchospasm)을 유발 할 수 있으며, 천식에는 사용하지 않는다.
기관내 점적	• 20% NAC 용액을 사용 • 2 mL NAC를 2 mL 식염수와 혼합하여 혼합물을 2 mL 단위로 기관에 주입한다. • *주의* : 양이 많아지면 기관지루 (bronchorrhea)를 유발할 수 있다.

III. 폐포파열 (ALVEOLAR RUPTURE)

인공호흡기유도폐손상 (ventilator-induced lung injury)의 증상 중 하나는 폐실질 또는 흉강으로 공기가 빠져 나가는 폐포의 명백한 파열이다. 이 형태의 손상은 용적손상 (volutrauma 즉, 폐포의 과다팽창)의 증상이지만, 압력손상 (barotrauma)이라고 한다.

A. 임상증상 (Clinical Manifestations)

폐포에서 공기가 빠져 나오면 다음과 같은 결과가 발생할 수 있다.

1. 폐포가스는 조직면을 따라 박리 (dissect)하여 간질성폐기종 (pulmonary interstitial emphysema)으로 진행할 수 있으며 종격동으로 이동하여 종격동기종 (pneumomediastinum)이 발생할 수 있다.
2. 종격동의 공기는 목으로 이동하여 피하기종이 될 수 있으며, 또는 횡격막 아래를 통과하여 기복증 (pneumoperitoneum)이 발생할 수 있다.

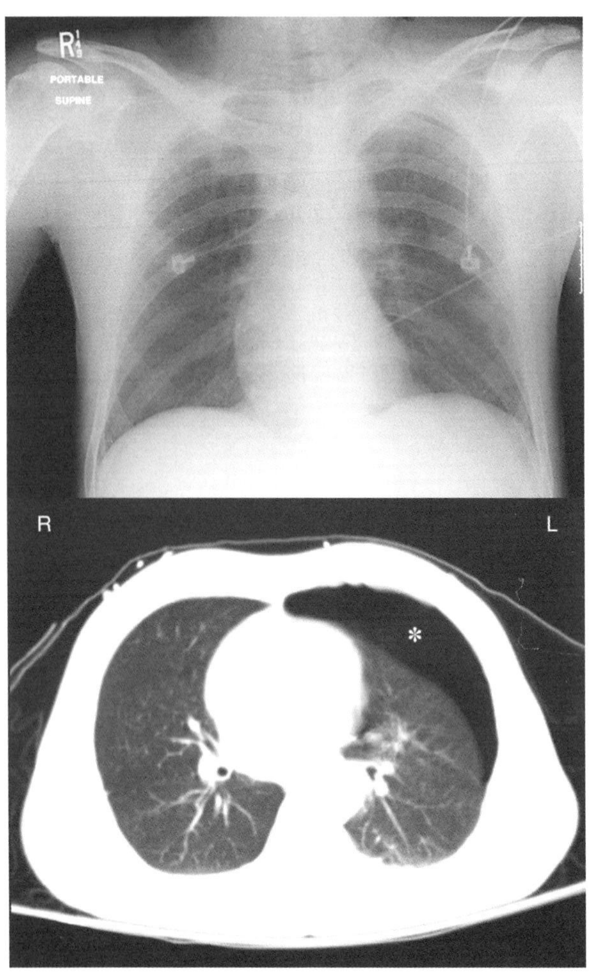

■ 그림 21.3 흉부둔상 (blunt trauma)을 받은 젊은 남자의 이동식 흉부엑스선 사진과 흉부CT 스캔. CT 스캔에는 전방기흉 (anterior pneumothorax)이 보이지만 (별표부분), 이동식 흉부엑스선 사진에는 명확하게 보이지 않는다. 영상제공 Dr. Kennth Sutin, MD.

3. 내장측흉막 (visceral pleura)도 파열되면 공기가 흉강에 모여 기흉 (pneumothorax)을 만든다.
4. 위의 각 상황은 단독으로 또는 다른 상황과 조합하여 발생할 수 있다 (17,18).

B. 기흉 (Pneumothorax)

인공호흡기에 치료중인 환자에서 영상의학적인 증거에 의한 기흉의 빈도는 5-15 %로 보고된다 (20,21). (제17장, II-B 절에 설명된 저용적 폐보호환기 (low-volume, lung protective ventilation)에서는 발병률이 낮을 수 있다.)

1. 임상증상 (Clinical Manifestations)

임상증상은 없을 수도, 미미하거나 또는 비특이적이다. 가장 신뢰할 만한 임상증상은 목 및 흉부위쪽의 피하기종이며, 이는 폐포파열의 질병특유 (pathognomonic)소견이다. 인공호흡기 치료중인 환자의 청진 소견은 인공호흡기 호스에서 전달되는 소리가 환자의 폐음으로 오인될 수 있기 때문에 신뢰할 수 없다.

2. 영상의학적 진단 (Radiographic Detection)

환자가 앙와위 (supine position)인 경우 흉막강내 공기 (pleural air)가 폐첨부 (lung apex)에 모이지 않기 때문에 흉막강내 공기 (pleural air)의 영상의학적 진단이 어려울 수도 있다. 이와 같은 어려움을 그림 21.3에서 보여준다. 이 증례는 외상성기흉인데, 흉부엑스선 사진에서 기흉이 관찰되지 않았지만, CT 에서는 왼쪽의 전방기흉 (anterior pneumothorax)이 관찰된다. 흉막강내 공기 (pleural air)는 한쪽흉관 (hemithorax)의 가장 높은 지역에 모이게 된다; 앙와위 자세에서, 가장 높은 부위는 양측폐의 기저부 바로 앞쪽에 있다. 따라서 *앙와위 상*

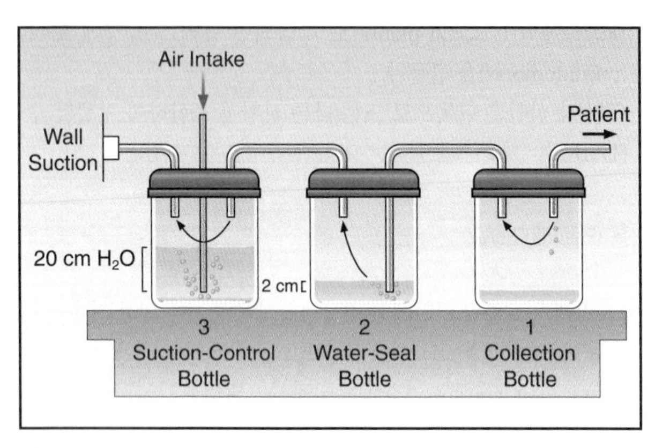

■ 그림 21.4 흉막강에서 공기와 체액을 배액하기 위한 표준 흉막강배액시스템. 자세한 내용은 본문을 참고.

*태에서 기흉의 특징은 공기가 기저부나 폐하부에 모인다 (basilar and subpulmonic collections of air)는 것이 특징*이다 (19).

3. 흉막강내 공기의 제거 (Evacuation of Pleural Air)

흉막강내 공기의 제거 (Evacuation of Pleural Air)는 흉관을 액와중간선 (mid-axillary line)을 따라 제4 또는 제5 늑간을 통해 삽입하여 이루어지며, 전방 및 상방 (앙와위 상태일 때 흉막강내 공기가 모이는 곳)으로 진행한다. 배출시스템 (drainage system)은 **그림 21.4**에 보이는 것과 같은 3병시스템 (three-chamber arrangement)이다 (20).

a. 수집병 (COLLECTION CHAMBER) : 배출시스템의 첫 번째 병은 흉막공간의 흉막액을 모으면서 공기를 다음 병으로 통과시킨다. 이 병의 입구가 유체와 직접 접촉하지 않기 때문에 모아진 흉수는 늑막 공간에 꺼꾸로 압력 (back pressure)을 주지 못한다.
b. 수봉병 (WATERS-SEAL CHAMBER) : 두 번째 병은 흉막공간에

서 공기가 빠져 나오면서 흉막 공간으로 다시 공기가 들어가는 것을 막아주는 일방향밸브 (one-way valve)의 역할을 한다. 이 일방향밸브는 유입튜브 (inlet tube)를 물아래 잠기게 함으로써 만들며, 이때 튜브가 잠긴 깊이와 같은 역압 (back pressure)을 흉막공간에 부과한다. 따라서 흉막공간의 양압 (positive pressure)이 대기중 (압력 =0)의 공기가 흉막공간으로 들어오는 것을 막아준다. 물은 주변환경으로부터 늑막공간을 "봉인" ("seals")한다. 이 수봉압력 (water-seal pressure)은 보통 2 cm H_2O이다.

c. 공기누출감지 (DETECTING AIR LEAKS): 늑막공간에서 빠져나온 공기는 두 번째 병의 물을 통과하며 거품을 일으킨다. 따라서, *수봉병 (waters-seal chamber) 내 기포의 존재는 기관지흉막공기누출 (bronchopleural air leak)의 증거*이다.

d. 흡인조절병 (SUCTION-CONTROL CHAMBER): 배출시스템의 세 번째 병은 흉막공간에 부과 된 흡인압력의 최대한계치를 설정하는데 사용된다. 이 최대압력은 공기흡인튜브의 물기둥 높이에 의해 결정된다. 음압 (벽형 흡인기-wall suction으로부터)은 공기흡인튜브 아래로 물을 끌어 들이고, 음압이 수주 (water column)의 높이를 초과하면 대기로부터 공기가 들어오게 된다. 따라서 흡인조절병의 압력은 공기흡인튜브 (air inlet tube, 일반적으로 20 cm로 설정됨)의 수주 (water column)의 높이보다 절대 낮아질 수 없다. 흡인조절병 (suction control chamber)에서의 공기방울이 보이면 이는 최대흡인압력 (maximum suction pressure)에 도달했음을 의미한다.

4. 흡인의 좋지 못한점 (The Dark Side of Suction)

흉막강내 공기 (pleural air)를 제거하기 위해 흡인을 적용하는 것은 종종 불필요하며 다음에 설명 하는 것처럼 잠재적으로 유해하다.

a. 폐 (기흉으로 허탈된)는 흡인을 하지 않더라도 재팽창 (reinflate)된다.

b. 늑막공간에 음압을 가하면 경폐압 (transpulmonary pressure, 폐포

와 늑막강의 압력차이)이 증가하여 기관지흉막루 (bronchopleural fistula)를 통한 공기흐름을 높이는 추진력으로 작용하게 된다. 이는 *흉막공간에 흡인력을 추가하면 폐에서 새어 나오는 공기의 양이 증가한다는 것을 의미하며 따라서 역효과를 초래하는* 일이다.

c. 흉막공기를 제거하기 위해 일상적으로 흡인이 사용되지만 흉막흡인을 하는데도 공기누출이 계속되면 공기누출을 줄이거나 없애기 위해 흡인을 중단해야 한다.

IV. 내인성 호기말양압 (INTRINSIC PEEP)

18 장, IV 절에서 설명했듯이, 불완전한 호기로 폐포에 남아있는 공기 (dynamic hyperinflation)는 내인성 호기말양압 (intrinsic PEEP)이라 불리는 호기말양압 (PEEP)을 생성한다 (21).

A. 나쁜 이유 (Why Worry?)

1. 통상적인 기계환기 중, 내인성 PEEP은 심한 천식 및 만성폐쇄성폐질환 환자에서 대부분 관찰되며 급성호흡곤란증후군 (ARDS) 환자에서도 흔히 볼 수 있다 (24).
2. 내인성 PEEP은 몇 가지 나쁜 결과를 초래할 수 있으며 (다음 참조), 일상적인 기도압의 감시로는 뚜렷히 보이지 않는다.

B. 부작용 (Adverse Effects)

내인성 PEEP으로 다음과 같은 부작용이 나타날 수 있다 (21).

1. 심장박출양 감소 (평균 흉강압의 증가로 인해).
2. 호흡의 일의 증가 (18장, IV-A-3 장에서 설명함)
3. 폐포과팽창 및 인공호흡기 유발 폐손상의 위험 증가 (폐포내압의 증

가로 인해).

4. 내인성 PEEP이 상대정맥 (superior vena cava)로 전달되어 중심정맥압 (central venous pressure)을 증가시켜 우심실 확장기 혈압 (right ventricular end-diastolic pressure)이 증가되었다는 오해를 일으킬 수 있다.
5. 내인성 PEEP에 의한 흡기말폐포압의 증가는 폐와 흉벽의 유순도 감소로 잘못 해석 될 수 있다 (19장, I-C 절 참조). 주어진 일회호흡량 (VT)에서 흉곽의 유순도 (C)를 계산할 때 PEEP 수준을 흡기말폐포압 (Palv)에서 빼고 계산해야 한다.

$$C = VT / (Palv - PEEP)\ (mL/cm\ H_2O) \qquad (21.1)$$

C. 발견 (Detection)

내인성 PEEP은 쉽게 발견할 수 있지만 계측하기는 어렵다.

1. 동적과팽창 (dynamic hyperinflation 및 내인성 PEEP)의 존재는 호기말에 호기류파형 (expiratory flow waveform)에서 기류 (airflow)가 있는지를 확인하면 발견할 수 있다 **(그림 18.3 참조)**.
2. 호기류파 (expiratory flow waveform)에서 내인성 PEEP이 분명하다면 내인성 PEEP의 정도는 호기 호기말폐쇄법으로 (end-expiratory occlusion method)로 측정할 수 있다 **(그림 18.4 참조)**. 그러나 정확히 측정하기 위해 호기말에 정확히 폐쇄 (occlusion)시켜야 하며, 환자가 자발호흡하는 경우 호기말을 정확하게 맞출 수 없다. 따라서 *호기말폐쇄법 (the end-expiratory occlusion method)은 환자가 기계호흡을 유발하지 않는 제어환기 (controlled ventilation) 중에 가장 잘 시행할 수 있다.*

D. 예방 (Prevention)

동적과팽창 (dynamic hyperinflation)이나 내인성 PEEP을 예방하거나 제한하는 방법은 모두 호기 중 폐포내 공기의 배출을 촉진하는 데 목적이 있다.

이러한 방법은 18장, IV-D 절에 설명되어 있다.

E. PEEP를 추가하여 PEEP 줄이기! (Adding PEEP to Reduce PEEP!)

1. 외부 PEEP (인공호흡기의 PEEP을 설정하여)을 추가하면 호기말에 소기도가 열려 있게 하여 동적과팽창 (및 내인성 PEEP)을 감소시킬 수 있다.
2. 적용된 PEEP의 수준은 소기도의 허탈을 일으키는 압력과 균형을 이룰 수 있을 정도 충분해야하지만, 내인성 PEEP 수준을 넘어서면 안된다 (외부PEEP이 호기량을 억제하지 않도록) (25).
3. 적용된 외부 PEEP에 대한 효과는 호기말에 기류의 존재를 감시하면 평가할 수 있다. 즉, 적용된 PEEP이 호기말 기류를 감소시키거나 없어지게 했다면, 외부 PEEP이 내인성 PEEP을 감소시키거나 없어지게 한 것 이다.
4. 최종적인 결론은 여전히 PEEP이나 (내인성 PEEP 대신 외부 PEEP), 외부 PEEP은 호기말 원위 폐포 (airpaces)의 반복적인 개폐 (opening and closing)로 인한 폐손상 (무기폐손상, atelectrauma)의 위험을 줄이는데 도움이 된다. (17장, II-A-3 절 참조)

참고문헌

1. Gray AW. Endotracheal tubes. Crit Care Clin 2003; 24:379–387.
2. Muscedere J, Rewa O, Mckechnie K, et al. Subglottic secretion drainage for the prevention of ventilator-associated pneumonia: a systematic review and meta-analysis. Crit Care Med 2011; 39:1985–1991.
3. Owen RL, Cheney FW. Endotracheal intubation: a preventable complication. Anesthesiology 1987; 67:255–257.
4. Tadie JM, Behm E, Lecuyer L, et al. Post-intubation laryngeal injuries and extubation failure: a fiberoptic endoscopic study. Intensive Care Med 2010; 36:991–998.

5. Colice GL. Resolution of laryngeal injury following translaryngeal intubation. Am Rev Respir Dis 1992; 145:361-364.
6. Trouillet JL, Luyt CE, Guiguet M, et al. Early percutaneous tracheotomy versus prolonged intubation of mechanically ventilated patients after cardiac surgery: A randomized trial. Ann Intern Med 2011; 154:373-383.
7. Terragni PP, Antonelli M, Fumagalli R, et al. Early vs late tracheotomy for prevention of pneumonia in mechanically ventilated adult ICU patients. JAMA 2010; 303:1483-1489.
8. Freeman BD, Morris PE. Tracheostomy practice in adults with acute respiratory failure. Crit Care Med 2012; 40:2890-2896.
9. Freeman BD, Isabella K, Lin N, Buchman TG. A meta-analysis of prospective trials comparing percutaneous and surgical tracheostomy in critically ill patients. Chest 2000; 118:1412-1418.
10. Tracheotomy: application and timing. Clin Chest Med 2003; 24:389-398.
11. Heffner JE, Hess D. Tracheostomy management in the chronically ventilated patient. Clin Chest Med 2001; 22:5; 10:561-568.
12. Kearl RA, Hooper RG. Massive airway leaks: an analysis of the role of endotracheal tubes. Crit Care Med 1993; 21:518-521.
13. Adair CC, Gorman SP, Feron BM, et al. Implications of endotracheal tube biofilm for ventilator-associated pneumonia. Intensive Care Med 1999; 25:1072-1076.
14. AARC Clinical Practice Guideline. Endotracheal suctioning of mechanically ventilated patients with artificial airways 2010. Respir Care 2010; 55:758-764.
15. Hagler DA, Traver GA. Endotracheal saline and suction catheters: sources of lower airways contamination. Am J Crit Care 1994; 3:444-447.
16. Holdiness MR. Clinical pharmacokinetics of N-acetylcysteine. Clin Pharmacokinet 1991; 20:123-134.
17. Gammon RB, Shin MS, Buchalter SE. Pulmonary barotrauma in mechanical ventilation. Chest 1992; 102:568-572.
18. Marcy TW. Barotrauma: detection, recognition, and management. Chest 1993; 104:578-584.
19. Tocino IM, Miller MH, Fairfax WR. Distribution of pneumothorax in the supine and semirecumbent critically ill adult. Am J Radiol 1985; 144:901-905.
20. Kam AC, O'Brien M, Kam PCA. Pleural drainage systems. Anesthesia 1993; 48:154-161.

21. Marini JJ. Dynamic hyperinflation and auto-positive end expiratory pressure. Am J Respir Crit Care Med 2011; 184:756–762.
22. Blanch L, Bernabe F, Lucangelo U. Measurement of air trapping, intrinsic positive end-expiratory pressure, and dynamic hyperinflation in mechanically ventilated patients. Respir Care 2005;50:110–123.
23. Shapiro JM. Management of respiratory failure in status asthmaticus. Am J Respir Med 2002; 1:409–416.
24. Hough CL, Kallet RH, Ranieri M, et al. Intrinsic positive endexpiratory pressure in Acute Respiratory Distress Syndrome (ARDS) Network subjects. Crit Care Med 2005; 33:527–532.
25. Tobin MJ, Lodato RF. PEEP, auto-PEEP, and waterfalls. Chest 1989; 96:449–451

Chapter 22

기계환기 중단

Discontinuing Mechanical Ventilation

이 장에서는 기계환기에서 환자를 떼어내는 과정 (기계환기로부터의 '이탈, weaning' 이라고도 함)과 보조 없는 자발호흡 (unassisted breathing)으로 전환하는 동안 발생할 수 있는 여러 가지 어려움을 설명한다 (1-4).

I. 준비평가 (READINESS EVALUATION)

인공호흡기에 의존하는 환자의 치료 시 인공호흡기가 더이상 필요 없는 지에 대한 징후를 매일 평가해야 한다. 이 같은 평가항목의 점검 목록은 표 22.1에 나와 있다.

A. 이탈지표 (Weaning Parameters)

1. 표 22.1의 조건을 모두 만족하면 잠시 (1-2분) 환자에게서 인공호흡기에서 제거하여 표 22.2에 나열되어 있는 측정값을 얻는다. 이를 "이탈지표"라고 하며, 보조 없는 자발호흡으로의 전환 성공 또는 실패의 가능성을 예측하는데 사용된다.
2. 표 22.1의 넓은 범위의 가능도 (likelihood)에 주목하자. 이는 각각의 이탈지표가 개별적인 환자에서 예측력이 낮을 수 있음을 나타낸다. 결과적으로, 이뤄지고 있는 합의는 이탈지표는 필요하지 않으며 표 22.1

의 준비평가 기준을 충족하면 자발적이고 보조 없는 자발호흡의 시도를 시작해 볼 수 있다는 것이다.

표 22.1 자발호흡 시도시 점검표

호흡 기준 ☑ PaO_2/FiO_2 〉 150–200 mm Hg with FiO_2 ≤ 50% and PEEP ≤8 cm H_2O ☑ $PaCO_2$ 정상 혹은 기준선 수준 ☑ 환자가 흡기노력을 시작할 수 있다.
심혈관 기준 ☑ 심근 허혈의 단서가 없다. ☑ HR ≤140 회/분 ☑ 혈압상승제를 쓰지 않거나, 최소로 사용하면서 적절한 혈압유지
적절한 의식 수준 ☑ 환자가 각성이 가능하며 글래스고혼수척도 (Glasgow Coma Score) ≥13
수정 가능한 동시이환 질환의 부재 ☑ 발열이나 통제불능의 패혈증이 없다. ☑ 문제가 되는 전해질 이상이 없다.

참고문헌 1과 2 발췌

표 22.2 자발호흡 시도의 성공을 예측하기 위한 지표

지표	성공을 위한 임계점	가능도[†]
일회호흡량 (V_T)	4–6 mL/kg	0.7–3.8
호흡수 (RR)	30–38 bpm	1.0–3.8
RR/ V_T 비	60–105 bpm/L	0.8–4.7
최대흡기압력 (P_{Imax})	−15에서 −30 cm H_2O	0–3.2

[†] 가능도는 지표가 성공을 예측할 가능성을 지표가 실패를 예측할 가능성으로 나눈 값이다. 참고문헌 2 발췌

II. 자발 호흡 시험 (SPONTANEOUS BREATHING TRIAL)

기계호흡을 중단하는 전통적인 접근법은 호흡보조를 점진적으로 감소 (수 시간에서 수 일에 걸친)시키는 방법을 중요시 했으므로 보조 없는 자발호흡이 가능한 환자에서 불필요하게 환기보조를 지연시키는 경우가 발생한다. (이와 같은 점진적인 접근법은 야간에 환자를 "쉬게 하기" 위해 인공호흡기를 원래대로 다시 연결하게 된다.) 대조적으로 자발적호흡시도 (spontaneous breathing trials, SBT)는 기계환기보조 없이 시행되므로 보조 없이 자발호흡이 가능한 환자를 신속하게 확인할 수 있다. SBT를 시행하는 방법은 다음과 같이 두 가지가 있다.

A. 인공호흡기 회로를 이용 (Using the Ventilator Circuit)

SBT는 종종 환자가 인공호흡기 회로를 통해 호흡하는 동안 수행된다.

1. 이 방법의 장점은 환자의 일회호흡량 (VT)과 호흡수 (RR)를 모니터링할 수 있기 때문에 빠르고 얕은 호흡 (rapid, shallow breathing, RR/VT 비율의 증가로 표시)을 조기에 감지할 수 있다는 점이다. 이것은 호흡부전의 징후이다 (5).
2. 이 방법의 단점은 인공호흡기 회로에 의한 기류저항과 산소를 공급받는데 필요한 인공호흡기의 밸브를 여는 노력이 필요하다.
3. 낮은 수준의 압력보조환기 (pressure support ventilation, 5 cm H_2O)는 인공호흡기 회로를 통한 호흡저항을 감소시켜 주지만 환자의 일회호흡량은 증가시키지 못한다. (압력보조환기에 대한 설명은 19장, IV절 참조)

B. 인공호흡기를 끊어 보기 (Disconnecting the Ventilator)

SBT는 환자가 인공호흡기와 분리될 때 시행할 수도 있다.

1. 이 방법은 그림 22.1에 나와있는 간단한 회로설계 (simple circuit design)를 사용한다. O_2공급원 (보통 wall outlet에서)은 빠른 유속 (환자

의 흡기유량보다 높음)으로 환자에게 전달된다.

2. 이 회로의 빠른 유속으로 3가지 목표를 달성한다: (a) 환기요구량이 많은 환자에게 편안한 호흡을 할 수 있도록 도와준다. (b) 환자가 호흡회로 중 호기관 (expiratory limb)의 저농도의 산소를 흡입하는 것을 막아준다. (c) 빠른 유속은 환자가 내쉰 CO_2를 배출하여 CO_2가 재호흡 (rebreathing) 되는 것을 예방한다.
3. 호흡회로에는 T형 어댑터 (T-piece)가 사용되므로 이와 유형의 SBT를 T-piece weaning trial이라고 알려져 있다.
4. T-piece weaning trial의 주된 단점은 환자의 일회호흡량 및 호흡수를 감시할 수 없다는 것이다.

C. 어떤 방법이 바람직 합니까? (Which Method is Preferred?)

어떤 자발호흡법이 더 좋은지에 대한 증거는 없다 (3). 그러나, T-piece weaning trials을 선호하게 되는데 이는 발관 (extubation) 후 상태와 더 유사하기 때문이다 (6).

D. 성공 vs. 실패 (Success vs. Failure)

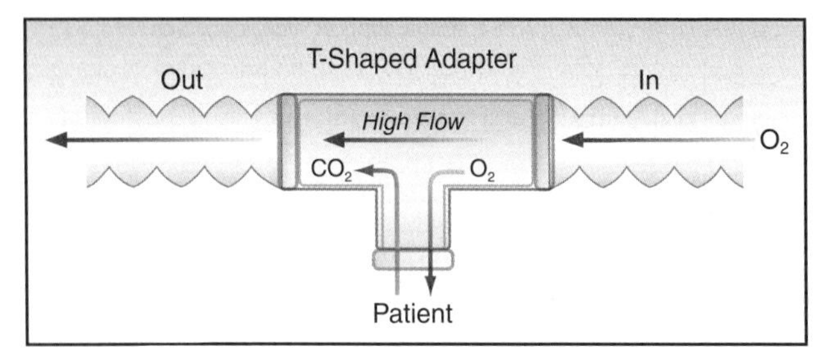

■ 그림 22.1 인공호흡기를 완전히 분리한 동안 자발호흡 시도를 위한 호흡회로의 설계도. 회로에 T자 형태의 어댑터 (T-piece)가 있기 때문에 T-piece 이탈이라고도 한다. 자세한 내용은 본문 참고.

SBT를 2시간 동안 견딜 수 있는 대부분의 환자 (~80%)는 인공호흡기를 영구히 제거 할 수 있다 (1,2). 자발적 호흡을 견디지 못하는 경우는 대개 다음 중 하나 이상의 소견을 통해 알 수 있다. :

1. 호흡곤란 징후; 초조 (agitation), 빈호흡 (rapid breathing) 및 호흡보조근 (accessory muscles of respiration)의 사용.
2. 호흡근의 약화의 증상; 예를 들어, 흡기 중 복벽의 역설적인 내향운동 (paradoxical inward movement).
3. 진행성 저산소혈증 또는 고탄산혈증.

E. 빠른호흡 (Rapid Breathing)

SBT 중 빠른호흡은 호흡부전보다는 불안의 결과일 수 있다 (7). 이것은 SBT를 중단하지 않고 불안을 치료하는 것이 가능하기 때문에 이것을 구분하는 것은 중요하다 (다음을 참고하시오).

1. 일회호흡량 (Tidal Volumes)

일회호흡량을 감시하는 것은 불안과 호흡부전을 구분하는 데 유용할 수 있다. 즉, 불안은 호흡수의 증가와 일회호흡량이 변화 없거나 또는 증가하는 특징을 보이지만 호흡부전인 경우는 전형적으로 빠르고 얕은 호흡과 관련된다 (즉, 호흡수는 증가 하나 일회호흡량은 감소함) (5). 그러므로 일회호흡량이 감소하지 않은 빠른호흡은 불안감을 나타낼 수 있으며 호흡부전은 아니다.

2. 아편제제 사용하기 (Using Opiates)

빠른호흡의 원인으로 불안이 의심되는 경우, SBT를 중단하기보다는 항불안제의 투여를 고려해야 한다. 아편제제 (opiates)는 숨막히는 호흡곤란감 (sensation of dyspnea)을 완화하는데 특히 효과적이기 때문에 특별히 이 같은 상황에서 유용할 수 있다 (8). COPD환자에서 아편제제의 사용에 대한 두려움과는 달리, 호흡곤란을 완화시키기 위해 진행된 COPD환자에서 아편제제를 안전하게 사용되었다 (8).

III. 자발호흡의 실패 (FAILURE OF SPONTANEOUS BREATHING)

자발호흡시도 중 내인성 폐질환 (intrinsic pulmonary disease) 이외에 관여되는 요소 중 중요한 것을 다음에 기술한다.

A. 급성심기능장애 (Acute Cardiac Dysfunction)

1. 자발호흡 시도 중 심기능장애가 발생할 수 있으며 (9), 이로 인해 폐울혈이 촉진되고 횡격막 수축의 강도가 감소하여 이탈 실패에 기여할 수 있다 (10). *이탈시도실패 환자의 40%에서 급성심기능장애가 확인되었다* (11).
2. 이 상황에서 심기능장애의 원인으로는 (a) 자발호흡 중 흡기 시 흉강압이 음압이 되면서 우심실 후부하를 증가시켜서 (b), 빈호흡으로 동적과팽창 및 내인성 PEEP이 발생 우심실 후부하를 증가시며서 (c) 무증상심근허혈 (12).

3. 감시 (Monitoring)

심장초음파 이외에도 다음과 같은 방법을 사용하여 자발호흡시도가 실패한 환자에서 심기능장애를 발견할 수 있다.

a. 정맥산소포화도 (VENOUS O_2 SATURATION) : 혼합정맥산소포화도 (SvO_2)를 감시하는 것은 자발호흡 시도 시 심장박출량의 변화를 감시하는 데 이용되었다 (13). 중심정맥산소포화도 ($ScvO_2$)는 혼합정맥산소포화도 (SvO_2)에 대한 적절한 대안이며 보다 쉽게 감시

할 수 있다. (SvO_2 및 $ScvO_2$는 6 장, I-E 및 I-F절에 설명되어 있다.)

b. β-TYPE NATRIURETIC PEPTIDE (BNP) : 임상연구에 따르면 SBTs 동안 심기능장애가 발생하면 BNP (bat-type natriuretic peptide)의 혈장 수치가 유의하게 증가하고 BNP 수치가 증가하면 자발호흡을 유지하지 못하는 것과 관련이 있는 것으로 나타났다 (14). 따라서 BNP 수치을 감시하는 것은 SBT이 실패할 것 같은 환자에서 유용할 수 있다. (급성심부전에서 혈장 BNP 수치에 대한 더 자세한 정보는 8 장, II-A 절을 참조하시오.)

4. 치료 (Management)

기계환기 이탈시 유발되는 심기능장애는 furosemide (일부 연구에서는 혈장 BNP 수치에 따라 투여), IV nitroglycerin (수축기혈압이 상승 하면) 및 phosphodiesterase 억제제 (enoximone)로 치료하였다 (9). 대부분의 경우, 이 간은 치료로 인공호흡 이탈의 가능성을 높인다 (9).

B. 호흡근의 쇠약 (Respiratory Muscle Weakness)

호흡근의 쇠약은 기계환기에서 반복적으로 이탈실패환자의 공통적인 문제이지만 이탈실패의 원인으로서 호흡근 쇠약의 빈도는 불분명하다.

1. 선행요소 (Predisposing Conditions)

호흡근 쇠약의 잠재적인 원인은 조절기계환기 (특히 신경근마비제 사용 중), 전해질부족 (Mg^{++}와 P^{3-}), 장기적인 스테로이드 투여 및 중증질환신경근증 (critical illness neuromyopathy)을 포함한다. 중증질환신경근증은 전형적으로 패혈성쇼크 (septic shock) 및 다발성장기부전 (multiorgan failure)이 있는 환자에게 나타나는 염증매개성 다발성신경병증 및/또는 근병증 (inflammatory-mediated polyneuropathy and/

or myopathy)이며, 환자의 기계환기 이탈이 실패할 때 발견된다 (15). 이 조건에 대한 자세한 설명은 41장, II-C절에 나와 있다.

2. 감시 (Monitoring)

ICU에서의 표준적인 호흡근력의 측정법은 최대흡기압 (maximum inspiratory pressure, P_{Imax})이다. 폐쇄된 기도에 최대흡기노력을 했을 때 생성된 음압이 최대흡기압 (P_{Imax})이다 (16, 17).

a. P_{Imax}의 정상치는 아주 다양하지만 성인남성과 여성에서는 각각 평균 -120 cm H_2O와 -84 cm H_2O인것으로 보고되었다 (17).
b. P_{Imax}가 -30 cm H_2O 아래로 떨어지면 자발호흡이 어렵고 급성 이산화탄소저류 (CO_2 retention)의 위험이 있다 (표 22.2 참조).

IV. 발관 (EXTUBATION)

기계환기가 더 이상 필요 없다는 증거가 있을 때 다음 단계는 인공기도 (artificial airway)를 제거하는 것이다. 이 섹션에서는 기관내 튜브 제거 (발관)와 발관후 후두부종 (Post extubation Laryngeal Edema)의 문제에 대해 중점적으로 설명한다.

A. 기도보호 (Airway Protection)

발관에 앞서 반드시 구역반사 (gag reflexes)와 기침반사 (cough reflexes)의 강도를 점검하여 환자가 흡인된 분비물과 음식물입자로부터 기도를 보호 할 수 있는 능력이 있는지 확인해야 한다.

1. 기침강도는 기관내 튜브의 끝 1-2 cm 정도의 종이를 잡고 환자에게 기침을 시켜보면 평가할 수 있다. 종이에 습기가 보이면 기침강도가 적절하다고 볼 수 있다 (18).

2. 기침이나 구역반사가 떨어져 있거나 없더라도 발관을 못하는 것은 아니나 흡인을 예방하기 위해 특별한 주의가 필요한 환자를 구별한다.

B. 발관후 후두부종 (Post extubation Laryngeal Edema)

발관 후 10% 정도에서 호흡부전의 징후가 나타나 재삽관 (reintubation)이 필요하다 (19). 대부분의 재삽관은 기관내 튜브로 인해 발생한 외상성 후두부종 (traumatic laryngeal edema) 때문이며, 보고된 발병률은 1.5-26.3%이다 (19). 관여하는 인자로는 어려웠던 삽관 (difficult intubation) 또는 장기간 지속되는 삽관 (prolonged intubation), 기관 내 튜브의 크기 및 자가발관 (self-extubations)이 포함된다.

1. 커프누출검사 (Cuff-Leak Test, CLT)

커프누출검사는 발관 전에 수행되며 발관 후 증상이 있는 후두부종의 위험을 평가하는 데 사용된다.

a. 검사를 수행하기 위해 기관 내 튜브의 커프를 수축시키면서 (흡기 및 호기 일회호흡량을 비교하여) 후두를 통해 누출되는 흡입된 공기의 양을 측정한다. 누출량이 적을수록 발관후 후두부종 (Post extubation Laryngeal Edema)의 위험이 커진다.
b. 커프누출검사의 한 가지 문제점은 발관후 후두부종 (Post extubation Laryngeal Edema)의 위험이 높은 누출량의 기준치 (cutoff value for the leak volume)가 없다는 점이다. 개별적인 연구에서 기준치 (cutoff value)는 90 mL에서 140 mL로 다양하다 (19).
c. 이 검사의 또 다른 문제점은 여러 연구결과에서 15% 미만인 양성예측치이며 (positive predictive value) (19) 이는 *커프누출검사가 발관후 후두부종 (Post extubation Laryngeal Edema)의 위험도가 높은 환자를 식별할 수 없음을 의미*한다.
d. 위와 같은 문제점를 고려할 때, 커프누출검사를 생략하는 것이 적절해 보인다.

2. 스테로이드로 전처치 (Pretreatment with Steroids)

적어도 네가지 임상연구결과에 따르면 발관 12-24시간 전에 스테로이드로 전처치하면 발관 후 임상적으로 유의한 후두부종의 발생률을 줄일 수 있다 (19). 이들 연구 중 두 가지에 효과적으로 사용된 스테로이드 요법을 아래에 열거했다.

a. Methylprednisolone: 발관 12시간 전부터 매 4시간마다 20 mg을 IV투여 (총 4회 주사) (20).

b. Dexamethasone: 발관 24시간 전부터 매 6시간마다 5 mg을 IV투여 (총 4회 주사) (21).

3. 임상진단 (Clinical Detection)

후두부종으로 기도협착이 50%를 초과하면 "시끄러운 호흡" ("noisy breathing", stridor)이 발생한다 (19). 이 소리는 흡기 중에 훨씬 더 뚜렷하다 (흡기 중 음압인 흉강내 압력이 후두에 전달되어 기도가 약간 좁아지기 때문에). 협착음 (stridor)가 발생하는 경우, 발관 (extubation) 후 30 분 이내에 대부분 (80%)의 환자에서 분명히 나타난다 (18).

4. 치료 (Management)

만약 발관후 협착음 (postextubation stridor)이 동반된 호흡부전의 징후가 나타나면 즉시 재삽관이 필요하다. 그렇지 않으면 다음과 같은 치료를 고려할 수 있다.

a. AEROSOLIZED EPINEPHRINE: Epinephrine 에어로졸 (1% 에피네프린 2.5 mL)의 흡입은 혈관수축을 촉진하고 이로 인해 후두부종을 감소시킨다 (19). 그러나 이것은 성인에서는 입증되지 않은 방법이다.

b. 스테로이드: 비록 연구된 바는 없으나 후두부 부종에 대해 발관후

부신피질호르몬이 권장된다 (19). 앞서 언급한 예방적 스테로이드 요법 (예: 6시간마다 dexamethasone, 5 mg IV 24시간 동안)은 이 목적을 위해 제안되었다 (19).

5. 비침습적환기 (Noninvasive Ventilation)

발관후 호흡부전환자 (postextubation respiratory failure)에서 비침습적환기 (noninvasive ventilation, 제20장, II절에서 설명)가 재삽관율을 줄이지 못하므로 (22), 권고되지 않는다 (19).

참고문헌

1. MacIntyre NR, Cook DJ, Ely EW Jr, et al. Evidence-based guidelines for weaning and discontinuing ventilatory support: a collective task force facilitated by the American College of Chest Physicians, the American Association for Respiratory Care, and the American College of Critical Care Medicine. Chest 2001; 120(Suppl):375S–395S.
2. MacIntyre NR. Evidence-based assessments in the ventilator discontinuation process. Respir Care 2012; 57:1611–1618.
3. McConville JF, Kress JP. Weaning patients from the ventilator. New Engl J Med 2012; 367:2233–2239.
4. Thille AW, Cortes-Puch I, Esteban A. Weaning from the ventilator and extubation in ICU. Curr Opin Crit Care 2013; 19:57–64.
5. Kreiger BP, Isber J, Breitenbucher A, et al. Serial measurements of the rapid-shallow breathing index as a predictor of weaning outcome in elderly medical patients. Chest 1997; 112:1029–1034.
6. Perren A, Brochard L. Managing the apparent and hidden difficulties in weaning from mechanical ventilation. Intensive Care Med 2013; 39:1885–1895.
7. Bouley GH, Froman R, Shah H. The experience of dyspnea during weaning. Heart Lung 1992; 21:471–476.
8. Raghavan N, Webb K, Amornputtisathaporn N, O'Donnell DE. Recent advances in pharmacotherapy for dyspnea in COPD. Curr Opin Pharmacol 2011; 11:204–210.
9. Teboul J-L. Weaning-induced cardiac dysfunction: where are we today. Intensive Care Med 2014; 40:1069–1079.

10. Nishimura Y, Maeda H, Tanaka K, et al. Respiratory muscle strength and hemodynamics in heart failure. Chest 1994; 105:355–359.
11. Grasso S, Leone A, De Michele M, et al. Use of N-terminal probrain natriuretic peptide to detect acute cardiac dysfunction during weaning failure in difficult-to-wean patients with chronic obstructive pulmonary disease. Crit Care Med 2007; 35:96–105.
12. Srivastava S, Chatila W, Amoateng-Adjepong Y, et al. Myocardial ischemia and weaning failure in patients with coronary artery disease: an update. Crit Care Med 1999; 27:2109–2112.
13. Jubran A, Mathru M, Dries D, Tobin MJ. Continuous recordings of mixed venous oxygen saturation during weaning from mechanical ventilation and the ramifications thereof. Am Rev Respir Crit Care Med 1998; 158:1763–1769.
14. Zapata L, Vera P, Roglan A, et al. β-type natriuretic peptides for prediction and diagnosis of weaning failure from cardiac origin. Intensive Care Med 2011; 37:477–485.
15. Hudson LD, Lee CM. Neuromuscular sequelae of critical illness. N Engl J Med 2003;348:745–747.
16. Mier-Jedrzejowicz A, Brophy C, Moxham J, Geen M. Assessment of diaphragm weakness. Am Rev Respir Dis 1988; 137:877–883.
17. Bruschi C, Cerveri I, Zoia MC, et al. Reference values for maximum respiratory mouth pressures: A population-based study. Am Rev Respir Dis 1992; 146:790–793.
18. Khamiees M, Raju P, DeGirolamo A, et al. Predictors of extubation outcome in patients who have successfully completed a spontaneous breathing trial. Chest 2001; 120:1262–1270.
19. Pluijms W, van Mook W, Wittekamp B, Bergmans D. Postextubation laryngeal edema and stridor resulting in respiratory failure in critically ill adult patients: updated review. Crit Care 2015; 19:295.
20. François B, Bellisant E, Gissot V, et al, for the Association des Réanimateurs du Centre-Quest (ARCO). 12-h pretreatment with methylprednisolone versus placebo for prevention of postextubation laryngeal oedema: a randomized double-blind trial. Lancet 2007; 369:1083–1089.
21. Lee CH, Peng MJ, Wu CL. Dexamethasone to prevent postextubation airway obstruction in adults: a prospective, randomized, double-blind, placebo-controlled study. Crit Care 2007; 11:R72.
22. Hess D. The role of noninvasive ventilation in the ventilator discontinuation process. Respir Care 2012; 57:1619–1625.

산-염기 분석

Acid-Base Analysis

이번 장은 혈중 pH, PCO_2, HCO_3농도를 이용해 산-염기 장애를 구별하는 방법을 다루고 있다. 여기에는 (a) 1차성, 2차성, 혼합성 산-염기 장애를 확인하는 간단한 규칙, (b) 1차성 산-염기 장애 각각에서 예상 산-염기 변화를 측정하는 공식, 그리고 (c) 음이온 차이 (anion gap)에 대한 설명과 사용 방법 등이 포함된다.

Ⅰ. 산-염기 균형 (ACID-BASE BALANCE)

산-염기 생리학의 보편적 개념에 따르면, 세포외액 (extracellular fluid)의 수소이온 (H^+) 농도는 이산화탄소 분압 (PCO_2)과 중탄산염 (HCO_3)농도 사이의 균형에 따라 결정된다 (1).

$$[H^+] = k \times (PCO_2 / HCO_3) \qquad (23.1)$$

k는 비례상수. 이는 모든 산-염기 장애는 두 가지 변수 PCO_2와 HCO_3로 정의된다는 의미다. 표23.1에 이 내용에 대해 나와있다.

A. 산-염기 장애의 종류 (Types of Acid-Base Disorders)

1. *호흡성 산-염기 장애 (respiratory acid-base disorder)*는 PCO_2 변화로 인

한 [H+] 변화다. 공식23.1에 따르면, PCO_2가 증가하면 [H+]도 증가하여 *호흡성 산증 (respiratory acidosis)이 발생하며*, PCO_2가 감소하면 $[H^+]$도 감소하여 *호흡성 알칼리증 (respiratory alkalosis)*이 발생한다.

2. *대사성 산-염기 장애 (metabolic acid-base disorder)*는 HCO_3 변화로 인한 $[H^+]$ 변화다. 공식23.1에 따르면 HCO_3가 증가하면 $[H^+]$은 감소하여 *대사성 알칼리증 (metabolic alkalosis)이 발생하며*, HCO_3가 감소하면 $[H^+]$은 증가하여 *대사성 산증 (metabolic acidosis)*이 발생한다.
3. 산 염기 장애는 주된 장애로 생기는 1차성 (primary) 혹은 추가 장애로 생기는 2차성 (secondary)으로 나눌 수 있다.

표 23.1 산-염기장애와 보상 반응

$\Delta H^+ = \Delta PCO_2 / \Delta HCO_3$		
산-염기 장애	**일차적 변화**	**보상 반응**
호흡성 산증	(↑ PCO_2)	(↑ HCO_3)
호흡성 알칼리증	(↓ PCO_2)	(↓ HCO_3)
대사성 산증	(↓ HCO_3)	(↓ PCO_2)
대사성 알칼리증	(↑ HCO_3)	(↑ PCO_2)

B. 보상 반응 (Compensatory response)

1. 보상 반응은 1차성 산-염기 장애로 인한 H^+ 농도 변화를 제한하기 위한 반응이다. 이는 표23.1에서 보듯이 2차 변수가 1차 변수와 같은 방향으로 변하면서 이루어진다. 즉, 1차성으로 PCO_2가 증가하면 보상성으로 HCO_3 증가가 뒤따른다.
2. 보상 반응은 1차성 산-염기 장애로 인한 $[H^+]$ 변화를 완벽하게 교정할 수 없다(2).
3. 보상반응의 특수한 양상은 추후 설명한다. 이 반응을 나타낸 공식은 표23.2에 나와있다.

C. 1차성 대사성 장애에 대한 반응 (Responses to Primary Metabolic Disorders)

대사성 산-염기 장애에 대한 반응은 경동맥 소체 (carotid body)에 있는 말초 화학수용기 (peripheral chemoreceptor)가 조정하는 분당 환기량 (minute ventilation) 변화를 수반한다. 경동맥 소체는 목의 경동맥분기 (carotid bifurcation)에 위치하고 있다.

1. 대사성 산증에 대한 반응 (Response to Metabolic Acidosis)

대사성산증에 대한 보상반응은 분당환기량, 즉 일회호흡량 (tidal volume)과 호흡수 증가에 따른 동맥혈 PCO_2 ($PaCO_2$) 감소다. 이 반응은 30-120분 정도에 나타나며, 완료되기까지 12-24시간이 걸린다 (2). 반응의 크기는 아래의 공식으로 정의할 수 있다 (2).

$$\Delta PaCO_2 = 1.2 \times \Delta HCO_3 \qquad (23.2)$$

정상 $PaCO_2$를 40 mm Hg, 정상 HCO_3는 24 mEq/L라고 하면, 위의 공식은 다음과 같이 변경할 수 있다.

$$\text{예상 } PaCO_2 = 40 - [1.2 \times (24 - HCO_3)] \qquad (23.3)$$

a. 예시 (EXAMPLE) : 혈장 HCO_3가 14 mEq/L인 1차성 대사성 산증의 경우, ΔHCO_3는 24 - 14 = 10 mEq/L이며, ΔPCO_2는 1.2 x 10 = 12mmHg가 된다. 예상 $PaCO_2$는 40 - 12 = 28 mmHg가 된다. 측정 $PaCO_2$> 28 mmHg라면, 2차성 호흡성 산증이 있으며, 측정 $PaCO_2$< 28mmHg라면, 2차성 호흡성 알칼리증이 있다.

2. 대사성 알칼리증에 대한 반응 (Response to Metabolic Alkalosis)

대사성 알칼리증에 대한 보상 반응은 분당 환기량 감소에 따른 $PaCO_2$

증가다. 이 반응은 대사성 산증에 대한 반응처럼 활발하게 일어나지는 않는다. 이는 말초 화학수용기의 기준선 활동성 (baseline activity)이 낮아서 억제 (inhibition)보다는 자극 (stimulation)이 쉽기 때문이다. 반응의 크기는 아래의 공식으로 정의할 수 있다(2).

$$\Delta PaCO_2 = 0.7 \times \Delta HCO_3 \tag{23.4}$$

정상 $PaCO_2$는 40 mm Hg, 정상 HCO_3는 24 mEq/L라고 하면, 위의 공식은 다음과 같이 변경할 수 있다.

$$\text{예상 } PaCO_2 = 40 + [0.7 \times (24\text{-}HCO_3)] \tag{23.5}$$

a. 예시 (EXAMPLE) : 혈장 HCO_3가 40 mEq/L인 1차성 대사성 알칼리증의 경우, ΔHCO_3는 40 - 14 = 16 mEq/L이며, ΔPCO_2는 0.7 × 16 = 11 mm Hg가 된다. 예상 $PaCO_2$는 40 +11 = 51 mm Hg가 된다.

표 23.2 1차성 산-염기 장애에서 예상 반응을 계산하는 공식

1차성장애	보상반응
대사성 산증	$\Delta PaCO_2 = 1.2 \times \Delta HCO_3$ 예상 $PaCO_2 = 40 - [1.2 \times (24-HCO_3)]$
대사성 알칼리증	$\Delta PaCO_2 = 0.7 \times \Delta HCO_3$ 예상 $PaCO_2 = 40 + [0.7 \times (HCO_3-24)]$
급성 호흡성 산증	$\Delta HCO_3 = 0.1 \times \Delta PaCO_2$ 예상 $HCO_3 = 24 + [0.1 \times (PaCO_2-40)]$
급성 호흡성 알칼리증	$\Delta HCO_3 = 0.2 \times \Delta PaCO_2$ 예상 $HCO_3 = 24 - [0.2 \times (40-PaCO_2)]$
만성 호흡성 산증	$\Delta HCO_3 = 0.4 \times \Delta PaCO_2$ 예상 $HCO_3 = 24 + [0.4 \times (PaCO_2-40)]$
만성 호흡성 알칼리증	$\Delta HCO_3 = 0.4 \times \Delta PaCO_2$ 예상 $HCO_3 = 24 - [0.4 \times (40-PaCO_2)]$

참고문헌 2 발췌.

D. 1차성 호흡성 장애에 대한 반응 (Responses to Primary Respiratory Disorders)

$PaCO_2$ 변화에 대한 보상 반응은 콩팥에서 일어나며, $PaCO_2$ 변화와 같은 방향으로 혈장 HCO_3에 적절한 변화가 일어날 수 있게 근위세뇨관 (proximal tubule)에서 HCO_3흡수를 조정한다. 이 콩팥 반응은 상대적으로 느리며, 완료되기까지 2일 혹은 3일이 걸린다. 결과적으로, 호흡성 산-염기장애는 급성 장애와 만성 장애로 나뉘게 된다.

1. 급성 호흡성 장애 (Acute Respiratory Disorder)

다음 공식에서 보듯이 $PaCO_2$가 급격히 변해도 혈장 HCO_3는 크게 변하지 않는다(2).

a. 급성 호흡성 산증

$$\Delta HCO_3 = 0.1 \times \Delta PaCO_2 \qquad (23.6)$$

b. 급성 호흡성 알칼리증

$$\Delta HCO_3 = 0.2 \times \Delta PaCO_2 \qquad (23.7)$$

2. 만성 호흡성 장애 (Chronic Respiratory Disorder)

$PaCO_2$가 만성으로 증가하면 콩팥은 근위세뇨관에서 HCO_3 흡수를 늘려 혈장 HCO_3를 증가시킨다. $PaCO_2$가 만성으로 감소하면 콩팥은 HCO_3 흡수를 줄이며, 이로 인해 혈장 HCO_3농도가 낮아진다. 이 반응의 크기는 만성 호흡성 산증과 만성 호흡성 알칼리증 둘 다에서 비슷하기 때문에 예상 변화는 같은 공식을 사용한다.

$$\Delta HCO_3 = 0.4 \times \Delta PaCO_2 \qquad (23.8)$$

정상 $PaCO_2$를 40 mm Hg, 정상 HCO_3는 24 mEq/L라고 하면, 위의 공식은 다음과 같이 변경할 수 있다.

a. 만성 호흡성 산증

$$\text{예상 } \Delta HCO_3 = 24 + [0.4 \times (PaCO_2 - 40)] \quad (23.9)$$

b. 만성 호흡성 알칼리증

$$\text{예상 } \Delta HCO_3 = 24 - [0.4 \times (40 - PaCO_2)] \quad (23.10)$$

II. 산-염기 평가 (ACID-BASE EVALUATION)

다음은 앞에서 설명했던 $[H^+]$, PCO_2 그리고 HCO_3 사이의 관계를 사용한 산-염기 평가에 대한 구조화된, 규칙에 근거한 접근법이다. 이 변수들의 정상범위는 다음과 같다.

$$pH = 7.36\text{-}7.44$$
$$PCO_2 = 36\text{-}44 \text{ mm Hg}$$
$$HCO_3 = 22\text{-}26 \text{ mEq/L}$$

1단계 : 1차성과 혼합성 장애를 확인한다.

평가의 1단계는 1차성과 혼합성 산-염기 장애를 확인하기 위해 PCO_2와 pH에 중점을 둔다.

1. PCO_2와 pH가 둘 다 정상이 아니라면, 변화의 방향을 비교한다.
   a. PCO_2와 pH가 같은 방향으로 변했다면, 1차성 대사장애가 있다. 이 때 pH로 산증과 알칼리증을 구분할 수 있다.
   b. PCO_2와 pH가 서로 반대 방향으로 변했다면, 1차성 호흡장애가 있다.

c. 예시 (EXAMPLE) : 동맥 pH가 7.23, $PaCO_2$가 23 mmHg인 증례를 생각해보자. pH와 $PaCO_2$는 둘 다 감소했기 때문에 1차성 대사장애를 시사하며, pH가 낮기 때문에 산증을 의미한다. 따라서, 이 증례는 1차성 대사성 산증이다.

2. $PaCO_2$와 pH 중 한 가지 변수만 정상이 아니라면 혼합성 대사장애, 그리고 강도 (strength)가 같은 호흡장애가 있다.
   a. $PaCO_2$가 정상이 아니라면, $PaCO_2$의 변화 방향으로 호흡장애의 종류를 구분 할 수 있고, 그 후 반대되는 대사장애를 확인한다.
   b. pH가 정상이 아니라면, pH의 변화 방향으로 대사장애의 종류를 구분 할 수 있다. 예를 들어 pH가 낮으면 대사성 산증이다. 그 후 반대되는 호흡장애를 확인한다.
   c. 예시 (EXAMPLE) : 동맥 pH가 7.38, $PaCO_2$가 55 mmHg인 증례를 생각해보자. 하나의 변수, $PaCO_2$만 정상이 아니며 혼합성 대사장애와 호흡장애를 의미한다. $PaCO_2$가 증가했기 때문에, 호흡성 산증을 나타내며, 반대되는 대사장애는 대사성 알칼리증이 되어야만 한다. 따라서, 이 증례는 혼합성 호흡성 산증과 대사성 알칼리증이다. pH가 정상이기 때문에, 두 가지 장애는 강도가 동일하다.

2단계 : 2차성 장애를 확인한다.

만약 1단계에서 혼합성 장애 대신 1차성 장애를 확인했다면, 다음 단계는 표23.2에 나와있는 공식을 이용한 예상 산-염기 변화에 대한 계산이다. 그 후 예상변화와 실제변화를 비교해서, 이 둘의 차이로 2차성 산-염기 장애를 확인할 수 있다. 이 과정은 다음 예시에 잘 나와있다.

1. 예시 (EXAMPLE) : 동맥혈가스 결과가 다음과 같은 증례를 생각해보자: pH=7.32, $PaCO_2$= 23 mm Hg, HCO_3 = 16 mEq/L
   a. 이 증례는 pH와 $PaCO_2$가 모두 감소했기 때문에 1차성 대사성 산증이다.
   b. 공식23.3을 사용해서 보상반응에 따른 예상 $PaCO_2$를 계산한다. 예

상 $PaCO_2$는 40 - [1.2 × (24-16)] = 30.4 mm Hg가 된다.

c. 그 후 예상 $PaCO_2$와 실제 $PaCO_2$를 비교한다. 실제 $PaCO_2$는 23 mm Hg로 예상 $PaCO_2$ 값인 30.4 mm Hg보다 낮으며, 이는 2차성 호흡성 알칼리증을 시사한다.

d. 따라서, 이 증례는 1차성 대사성 산증과 2차성 호흡성 알칼리증이다.

Ⅲ. 음이온차이 (ANION GAP, AG)

음이온차이는 세포외액에 상대적으로 많은 측정되지 않은 음이온의 지표로, 다음에 설명할 내용처럼 대사성 산증의 평가에 유용하게 사용된다 (6,7).

A. 어원 (Derivation)

전기 화학 균형을 이루기 위해서는 세포외액에 음전하를 띤 음이온 (negatively-charged anion)과 양전하를 띤 양이온 (positively-charged cation)이 동일한 농도로 있어야 한다. 이 균형은 Na^+, CL^-, HCO_3^- 같이 혈장에서 우세한 양이온과 음이온, 그리고 측정되지 않은 양이온 (unmeasured cations, UC), 측정되지 않은 음이온 (unmeasured anion, UA)을 이용해 아래의 공식과 같이 표현할 수 있다.

$$Na + UC = CL + HCO_3 + UA \qquad (23.11)$$

위의 공식을 수정하면 아래와 같이 변경할 수 있다.

$$Na - (CL + HCO_3) = UA - UC \qquad (23.12)$$

1. 측정되지 않은 음이온과 양이온의 차이가 (UA-UC) 음이온차이 (AG)며 공식23.12는 아래와 같이 변경할 수 있다.

$$AG = Na - (CL + HCO_3)\ (mEq/L) \tag{23.13}$$

따라서, AG는 일상적으로 감시하는 전해질을 이용한 매우 간단한 계산식이다.

2. 참고치 (Reference Range)

AG의 참고치는 원래 12±4 mEq/L (8-16 mEq/L)였지만 (7), 자동전해질측정법이 발달함에 따라 7±4 mEq/L (3-11 mEq/L)로 줄어들었다 (8). 불행히도, 아직은 이 변화가 일반적으로 통용되지 않는다.

B. 음이온 차이 적용 (Using the Anion Gap)

대사성 산증이 있을 때, AG가 증가하면 세포외액에 언제든 분리될 수 있는 강산 (strong acid)이 증가했다는 단서가 되며, 정상 AG는 산증의 원인이 HCO_3 손실이라는 의미다. 따라서 대사성 산증의 원인은 표23.3과 같이 AG를 근거로 하여 두 가지로 나뉜다.

1. 음이온 차이가 큰 산증 (High Anion Gap Acidosis)

AG가 큰 대사성 산증의 흔한 원인에는 젖산산증 (lactic acidosis), 케톤산증 (ketoacidosis), 원위세뇨관 (distal renal tubule)에서 H^+ 분비가 소실되는 말기 콩팥부전 (end-stage renal failure) 등이 있다. 주목할 만한 다른 원인은 포름산 (formic acid)을 생성하는 메탄올 (methanol), 옥살산 (oxalic acid)을 생성하는 에틸렌글리콜 (ethylene glycol), 그리고 살리실산 (salicylic acid)를 생성하는 살리실산염 (salicylates) 등의 음독 (toxic ingestion)이 있다 (9).

2. 정상 음이온 차이 산증 (Normal Anion Gap Acidosis)

AG가 정상인 대사성 산증의 흔한 원인에는 설사, 특히 분비성설사 (secretory diarrhea), 등장성식염수 주입 (10장, Ⅰ-B-3절 참고), 그리고 근위세뇨관 (proximal tubule)에서 HCO_3재흡수가 소실되는 초기 콩팥부전 (early renal failure) 등이 있다. 이 상태에서 HCO_3의 손실은 전기중립성을 위해서 CL^-가 대체하며, 이러한 대사성 산증을 표현할 때 고염소혈성 대사성 산증 (hyperchloremic metabolic acidosis)이라는 용어를 쓰기도 한다. AG가 큰 대사성 산증은 산이 분해되어 HCO_3 감소와 균형을 맞춰주는 음이온을 생산하기 때문에 고염소혈증과 관계가 없다.

표 23.3 AG에 따른 대사성산증의 원인

High AG	Normal AG
Lactic Acidosis	Diarrhea
Ketoacidosis	Isotonic saline infusion
End-stage renal failure	Early renal insufficiency
Methanol ingestion	Renal tubular acidosis
Ethylene glycol ingestion	Acetazolamide
Salicylate toxicity	Ureteroenterostomy

AG=anion gap

C. 신뢰도 (Reliability)

강산 탐지에 대한 AG의 신뢰도는 일관성이 없으며, 젖산산증 (10,11) 혹은 케톤산증 환자에서 AG가 정상인 것을 보여주는 연구들이 많다 (24장의 참고문헌21 참고).

1. 수정 가능한 요인 (Correctable Factors)

AG의 민감도 (sensitivity)를 제한하는 두 개의 수정 가능한 요인이 있다.

a. 한 가지는 기존의 넓은 AG 참고치를 계속 사용하는 것이다. 이는 최근의 좁은 참고치와 비교했을 때, 젖산산증 탐지에 대한 AG의 민감도를 실질적으로 감소시켜준다 (12).
b. 다른 요인은 다음에 설명할 AG를 감소시키는 저알부민혈증 (hypoalbuminemia)의 능력이다.

표 23.4 AG의 결정요인

측정되지 않은 음이온	측정되지 않은 양이온
Albumin (15 mEq/L)	Calcium (5 mEq/L)
Organic Acids (5 mEq/L)	Potassium (4.5 mEq/L)
Phosphate (2 mEq/L)	
Sulfate (1 mEq/L)	Magnesium (1.5 mEq/L)
Total UA : (23 mEq/L)	Total UC : (11 mEq/L)
Anion Gap = UA−UC=12 mEq/L	

2. 알부민의 영향 (Influence of Albumin)

정상적으로 AG에 기여하는 측정되지 않은 음이온과 양이온이 표23.4에 나와있다. *알부민이 가장 중요한 측정되지 않은 음이온이며, AG의 중요한 결정요인이라는 점*을 주목한다.

a. 알부민은 약산 (weak acid)으로, 정상 pH에서 혈장알부민 1 g/dL당 AG는 약 3 mEq/L 정도 변한다 (3).
b. 저알부민혈증은 AG를 낮추며, 이는 강산의 축적으로 인한 대사성 산증에서 AG 증가를 저해하거나 막아준다. ICU 환자 중 90% 정도가 저알부민혈증이 있는 것을 고려하면 (13), AG에 대한 알부민의 영향은 무시할 수 없다.

c. AG는 알부민농도가 낮을 때 다음 공식을 통해 조정하여 교정 음이온차이 (corrected anion gaps, AGc)로 표시할 수 있다.

$$AGc = AG + [2.5 \times (4.5 - \text{g/dL 단위의 혈장 알부민})] \quad (23.14)$$

4.5는 혈장알부민의 정상농도를 나타낸 다. 교정 AG는 중환자에서 향상된 진단능력을 보여주었다 (14).

참고문헌

1. Adrogue HJ, Gennari J, Gala JH, Madias NE. Assessing acid-base disorders. Kidney Int 2009; 76:1239-1247.
2. Adrogue HJ, Madias NE. Secondary responses to altered acidbase status: The rules of engagement. J Am Soc Nephrol 2010;21:920-923.
3. Kellum JA. Disorders of acid-base balance. Crit Care Med 2007;35:2630-2636.
4. Whittier WL, Rutecki GW. Primer on clinical acid-base problem solving. Dis Mon 2004; 50:117-162.
5. Fencl V, Leith DE. Stewart's quantitative acid-base chemistry: applications in biology and medicine. Respir Physiol 1993; 91:1-16.
6. Narins RG, Emmett M. Simple and mixed acid-base disorders: a practical approach. Medicine 1980; 59:161-187.
7. Emmet M, Narins RG. Clinical use of the anion gap. Medicine 1977; 56:38-54.
8. Winter SD, Pearson JR, Gabow PA, et al. The fall of the serum anion gap. Arch Intern Med 1990;150:311-313.
9. Judge BS. Metabolic acidosis: differentiating the causes in the poisoned patient. Med Clin N Am 2005; 89:1107-1124.
10. Iberti TS, Liebowitz AB, Papadakos PJ, et al. Low sensitivity of the anion gap as a screen to detect hyperlactatemia in critically ill patients. Crit Care Med 1990; 18:275-277.
11. Schwartz-Goldstein B, Malik AR, Sarwar A, Brandtsetter RD. Lactic acidosis as-

sociated with a normal anion gap. Heart Lung 1996; 25:79-80.

12. Adams BD, Bonzani TA, Hunter CJ. The anion gap does not accurately screen for lactic acidosis in emergency department patients. Emerg Med J 2006; 23:179-182.
13. Figge J, Jabor A, Kazda A, Fencl V. Anion gap and hypoalbuminemia. Crit Care Med 1998; 26:1807-1810.
14. Mallat J, Barrailler S, Lemyze M, et al. Use of sodium chloride difference and corrected anion gap as surrogates of Stewart variables in critically ill patients. PLoS ONE 2013; 8:e56635.

Chapter 24

유기산증

Organic Acidosis

이번 장은 중간대사 (intermediary metabolism)로 과도한 탄소기반 (carbon-based) 유기산을 생성하는 두 가지 임상장애에 대해 다루고 있다. 젖산산증 (lactic acidosis)과 케톤산증 (ketoacidosis), 이 두 가지 장애는 건강한 사람에게는 조정과정일 수도 있지만, ICU 환경에서는 병리과정이다.

I. 젖산산증 (LACTIC ACIDOSIS)

모든 대사성 산증을 통틀어 가장 많은 관심은 아마도 젖산산증이 받고 있을 것이다. 하지만, 관심사는 산증 그 자체가 아니라, 산증을 유발하는 원인이다.

A. 유발원인 (Responsible Conditions)

참고 : 젖산산증에 관련된 문제는 보통 산증 그 자체보다는 젖산 농도와 관련되기 때문에, 젖산산증을 고젖산혈증 (hyperlactatemia)이라는 단어로 교체해서 사용할 것이다. 고젖산혈증을 일으키는 원인은 표24.1에서 보듯이 다양하다. 이 중 가장 흔한 원인은 패혈증과 임상 쇼크 증후군 (clinical shock syndrome)으로 혈량저하성 (hypovolemic) 쇼크, 심인성 (cardiogenic) 쇼크, 그리고 패혈성 쇼크 (septic shock)가 여기에 포함된다.

1. 임상 쇼크 증후군 (Clinical Shock Syndrome)

임상 쇼크 증후군에서 진단에 필요한 고젖산혈증은 공통분모며, 이 상태들의 예후는 젖산농도의 증가 정도 및 젖산 농도가 정상이 되는데 걸리는 시간, 즉 젖산청소율 (lactate clearance)과 관련 있다. 이 관계는 6장의 그림 6.2에 잘 나와있다.

표 24.1 ICU에서 고젖산혈증의 원인

Inflammatory	sepsis
Shock syndrome	hypovolemic, cardiogenic, septic
Drugs	antiretroviral agents, β_2 agonists, epinephrine, linezolid, metformin, nitroprusside, propofol, salicylates
Toxin	carbon monoxide, cyanide, propylene glycol
Nutritional	thiamine deficiency
Others	alkalosis (severe), fulminant hepatic failure. seizure

2. 패혈증 (Sepsis)

혈청 젖산 농도는 쇼크 증후군에서와 마찬가지로 패혈증에서도 진단 및 예후결정에 중요하다. 패혈증에서 젖산 산증은 조직 산소화 (tissue oxygenation)가 부족해서 발생하는 것이 아니며(6장 Ⅲ-F절 참고), 이는 젖산 산증 환자에게 조직 산소화 촉진을 강조하던 관행에 중대한 영향을 미쳤다.

3. 티아민결핍 (Thiamine Deficiency)

혈중 젖산 농도가 증가하는 원인 중에서 티아민 결핍은 자주 간과되는 경향이 있다. 피루브산 탈수소효소 (pyruvate dehydrogenase)는 피루브산을 아세틸 조효소A(acetyl coenzyme A)로 전환하며, 젖산으로의 전환을 억제한다. 티아민은 피루브산 탈수소효소의 보조인자 (cofactor)로, 티아민 결핍은 중증 젖산 산증으로 이어질 수 있다(2). 티아민 결핍에 대한 더 자세한 내용은 36장, Ⅲ-A절에 나와있다.

4. 약물 (Drug)

표 24.1에 나와있듯이, 다양한 약물들이 고젖산혈증을 유발할 수 있다. 대부분은 산화대사 (oxidative metabolism) 장애가 원인이지만, epinephrine과 고용량 β_2-작용제는 피루브산생성 증가가 원인이다 (1).

a. Metformin: Metformin은 경구혈당강하제 (hypoglycemic agent)로 치료용량 (therapeutic dosing)에서 젖산을 생성한다. 기전은 불명확하며, 주로 콩팥부전 환자에서 많이 발생한다 (3). 젖산산증은 치료하지 않을 경우 사망률이 45%를 넘을 정도로 중증일 수도 있다 (3,4). 혈장 metformin 농도는 쉽게 측정할 수 없기 때문에, 진단은 젖산 산증의 다른 원인 배제를 기본으로 한다. 많이 사용하는 치료법은 혈액투석 (hemodialysis)이다 (3,4).

5. 프로필렌 글리콜 (Propylene Glycol)

프로필렌 글리콜은 lorazepam, diazepam, esmolol, nitroglycerin, 그리고 phenytoin의 IV 용매 (solvent)로 사용된다. 프로필렌 글리콜은 1차로 간에서 대사되며, 주요 대사물은 젖산과 피루브산이다 (5).

a. 프로필렌 글리콜 중독 증상인 초조 (agitation), 혼수 (coma), 발작 (seizure), 저혈압 그리고 젖산 산증은 48시간 이상 고용량 IV lorazepam을 투여한 환자 중 19-66%에서 보고되고 있다(5,6).
b. 진단은 어렵다. 혈중 프로필렌 글리콜 농도는 측정할 수 있지만, 허용 범위 (acceptable range)는 정해지지 않았다.
c. Lorazepam은 장기 사용을 피해야 한다. 사실 benzodiazepine 계열

의 약물은 뇌에 축적되어 과도한, 장기간 진정 (sedation)을 유발하기 때문에 장기 사용을 피해야 한다.

6. 기타 주의할 상태 (Other Notable Conditions)

a. 전신발작 (generalized seizure)은 혈청젖산농도를 눈에 띄게 증가시킬 수 있지만, 이는 대사항진효과 (hypermetabolic effect) 때문이며, 발작이 멈추면 빠르게 회복된다 (7).

b. 젖산 제거는 70%가 간에서 일어난다. 고젖산혈증은 급성, 전격성 간부전 (acute, fulminant liver failure)에서는 흔하지만(1), 만성 간부전에서는 패혈증 같이 젖산 생성을 증가시키는 요소가 없다면 쉽게 보기 힘들다 (1).

B. 진단 시 고려사항 (Diagnostic Considerations)

1. 혈청 젖산농도는 쉽게 측정 가능하기 때문에, 음이온차이 (anion gap) 같은 젖산산증에 대한 선별검사 (screening test)는 필요 없을 뿐 아니라 23장 Ⅲ-C절에서 언급한 것처럼 믿을 수도 없다.
2. 젖산 농도는 동맥혈과 정맥혈에서 측정할 수 있으며, 이 둘은 같은 결과를 보여준다(1).
3. 정상 혈청 젖산농도의 상한치 (upper limit)는 연구기관에 따라 1.0에서 2.2 mmol/L까지로 다양하지만 (1), 보통 2 mmol/L를 기준으로 본다. 하지만 젖산 농도가 4 mmol/L 이상으로 상승해야 사망률 증가와 연관되기 때문에(8), 4 mmol/L를 기준으로 잡는 것이 임상적으로 의미있는 고젖산혈증에 더 적합하다.

C. 알칼리 요법 (Akali Therapy)

산증교정을 목표로 하는 치료는 젖산산증 환자의 치료에서는 중요하지 않다. 다음은 젖산산증 치료에 대한 알칼리 요법과 관련된 문제에 대한 간략한 요약이다.

1. 중탄산염 경험 (The Bicarbonate Experience)

수 많은 임상연구들이 탄산수소나트륨 (sodium bicarbonate)주입은 젖산산증에서 혈류역학적 장점도 없고, 생존상에 장점도 없다는 점을 지속해서 보여주었다 (9-11). 게다가, 중탄산염 주입은 동맥혈 PCO_2증가와 생성된 CO_2의 세포 간 이동으로 인한 *세포 내 pH의 역설적 감소 (paradoxical decrease)*를 비롯하여 표 24.2에 나와있는 바람직하지 못한 효과들을 유발한다 (9,12).

표 24.2 중탄산염 보충

7.5% 탄산수소나트륨	바람직하지 못한 효과
Na : 0.9 mEq/L	↑ 동맥혈 PCO_2
HCO_3 : 0.9 mEq/L	↓ 세포내액 pH
PCO_2 〉 200 mmHg	↓ 이온화 Ca^{++}
pH 8.0	↑ 혈청젖산
삼투질농도 : 1461 mosm/kg	

참고문헌 9-12 발췌.

2. 최신 권장사항 (Current Recommendations)

장점 부족과 연관된 위험을 감안하여, 중탄산염 요법은 젖산 산증의 치료 방법으로 권장하지 않는다(9,13). 또한, 중탄산염 요법은 심정지에 대한 ACLS지침에서도 삭제되었다 (14). 그럼에도 불구하고, pH가 7 아래로 떨어지는 심각한 산증에는 중탄산염 요법을 계속 권장하고 있다 (15). 현재의 중탄산염 요법은 대부분 급속하게 악화되는 환자에서 혈압상승제 반응을 회복시키기 위한 "절망적 조치"로만 사용한다.

3. 보충용법 (Replacement Regimen)

많이 사용되는 중탄산염 수액은 7.5% 탄산수소나트륨 용액으로 표 24.2에 수액 성분이 나와있다. 높은 삼투질농도와 극도로 높은 PCO_2를 주목하자. 삼투질농도가 높기 때문에 큰 정맥으로 투여해야 하며, 주입 후 동맥혈 PCO_2 증가는 수액의 높은 PCO_2로 설명할 수 있다.

a. 중탄산염 용량은 다음 공식으로 구한 HCO_3결핍에 따라 결정한다 (15,16).

$$HCO_3\text{결핍} = 0.6 \times \text{wt (kg)} \times (15 - \text{혈장 } HCO_3) \qquad (6.1)$$

wt는 이상체중 (ideal body weight)이며, 15 mEq/L는 적절한 혈장 HCO_3 농도다. 이상체중이 70kg인 성인에서 혈장 HCO_3가 10 mEq/L라면, HCO_3 결핍은 0.6 x 70 x (15-10) = 210 mEq다.

b. HCO_3결핍은 시간당 1 mEq/kg 속도로 보충할 수 있다 (11). 중탄산염 주입 중에는 $PaCO_2$를 감시해야 하며, $PaCO_2$증가분은 분당환기량을 증가시킬 수 있도록 인공호흡기 설정을 조정하여 수정할 수 있다.

c. 몇 시간 후에도 혈류역학적 변화나 임상적 변화가 없다면, 중탄산염 주입을 중단해야 한다.

II. 당뇨병성 케톤산증 (DIABETIC KETOACIDOSIS, DKA)

포도당의 세포 내 이동에 장애가 발생하면, 지방조직은 유리지방산 (free fatty acid)을 분비하며, 이는 간에서 흡수되어 산화연료로 사용되는 케톤 (ketone)으로 대사된다. 이 케톤에는 아세톤 (acetone), 아세토아세테이트

(acetoacetate, AcAc), 그리고 β-하이드록시부틸레이트 (β-hydroxybutyrate, β-OHB) 등이 있다.

A. 케톤산 (Ketoacids)

AcAc와 β-OHB는 강산 (strong acid)이며, 혈중농도가 3 mmol/L 이상이 되면 대사성 산증 (metabolic acidosis)을 유발한다 (17). 그림24.1에서 보는 것처럼 β-OHB는 주요 케톤산 (predominant ketoacid)이며, AcAc보다 3배 정도 많다. 아세톤은 케톤산이 아니지만, 케톤산증 환자가 숨쉴 때 나는 특징적인 "과일냄새"의 원인이다.

1. Nitroprusside반응 (Nitroprusside Reaction)

Nitroprusside반응은 혈액과 요중케톤을 확인하기 위해 흔히 사용하는 비색법 (colorimetric method)을 말한다. 검사는 알약 (Acetest)이나 시

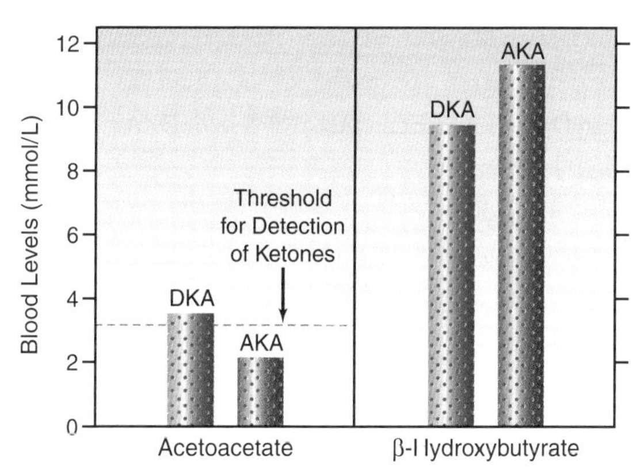

그림 24.1 당뇨병성 케톤산증 (DKA)과 알코올성 케톤산증 (AKA)에서 아세토아세테이트 (acetoacetate, AcAc)와 β-하이드록시부틸레이트 (β-hydroxybutyrate, β-OHB)의 혈중농도. 수평 점선은 Nitroprusside 반응이 양성이 되기 위한 검출 한계점을 나타낸다.

약띠 (reagent strip; Ketostix, Labstix, MUltistix)로 할 수 있다.

a. 문제점 (THE PROBLEM) : Nitroprusside 반응은 한가지 단점이 있다. 즉, 아세톤과 AcAc만 검출할 수 있으며, *혈액 내의 주요 케톤산인 β-OHB는 검출할 수 없다* (17). 이 한계점은 그림 24.1에서 알 수 있다. 알코올성 케톤산증에서, 혈중 케톤산의 총 농도는 13 mmol/L으로 산증을 유발하는 농도보다 약 4배 높지만, AcAc 농도가 검출 한계점인 3 mmol/L보다 낮기 때문에 케톤산은 검출되지 않는다는 점을 주목하자.

2. β-OHB 모니터링 (β-hydroxybutyrate Monitoring)

약 10초만에 손끝 모세혈관 혈액 내의 β-OHB를 측정할 수 있는 이동식 "케톤산 측정기"를 사용할 수 있다 (18). American Diabetes Association은 이를 케톤산증 감시를 위해 많이 사용하는 방법으로 간주하고 있다 (19).

B. 임상양상 (Clinical Features)

1. American Diabetes Association (ADA)에 따르면, DKA는 아래와 같은 특징이 있다 (19).
   a. 혈당 >250 mg/dL
   b. 혈장 HCO_3 <18 mEq/L, 혈장 pH≤7.3
   c. 음이온 차이 (anion gap)의 증가
   d. 혈중 혹은 요중 케톤의 단서

2. 아래는 ADA 기준의 예외사항이다.
   a. DKA사례 중 20% 정도는 혈당 <250 mg/dL 이다.
   b. DKA에서 음이온차이는 정상일수도 있다 (21). 케톤의 콩팥배출 (renal excretion)은 CL^- 재흡수증가를 동반하며, 그 결과인 고염소

혈증 (hyperchloremia)은 음이온 차이의 증가를 제한한다. 음이온 차이에 대한 내용은 23장 Ⅲ절을 참고한다.

3. 주의 깊게 봐야 할 DKA의 다른 임상양상은 아래에 요약되어 있다.
   a. DKA에서 백혈구증가증은 케톤혈증 (ketonemia)이 백혈구증가증을 유발하기 때문에 (19) 신뢰할 만한 감염의 표지가 아니지만 미숙호중구 (band form neutrophil)는 DKA에서 신뢰할 만한 감염의 표지다 (22).
   b. DKA 환자 중 27%에서 급성 관동맥 질환 없이도 트로포닌 I (troponin I) 증가가 보고되었다(23).
   c. 고아밀라아제혈증 (hyperamylasemia)은 DKA에서 흔하게 발생하지만, 아밀라아제는 췌장외부에서 생성된다 (19).
   d. DKA에서 탈수증 (dehydration)은 흔하지만, 이는 혈장 Na^+ 농도에 반영되지 않을 수도 있다. 고혈당증은 세포내액 (intracellular fluid)에서 물을 끌어내어 혈장 Na^+ 농도에 희석성감소 (dilutional decrease)를 유발하고 이 때문에 유리-수분 손실 (free-water loss) 즉, 탈수증이 가려지기 때문이다.
   e. 고혈당증의 희석효과로 인해 혈당이 100 mg/dL 증가할 때마다 혈청 Na^+는 1.6에서 2.4 mEq/L 감소한다 (24,25).

C. 치료 (Management)

여기에 기술되는 DKA의 치료는 ADA 지침을 근거로 하고 있다 (19).

1. Ⅳ 수액 (Intravenous Fluids)

DKA의 Ⅳ 수액요법 프로토콜은 표24.3에 나와있다. 다음은 이 프로토콜의 요점 중 일부다.

표 24.3	당뇨병성 케톤산증의 IV 수액 프로토콜

1. 등장성 식염수를 15–20 mL/kg/hr 속도로 투여한다.
2. 혈압이 안정적이면, 주입속도를 4–14 mL/kg/hr로 줄이고, 교정 Na^+가 정상이거나 높다면 0.45% 식염수를 사용하고, 교정 Na^+가 낮다면 0.9% 식염수를 사용한다.
3. 혈당이 250 mg/dL까지 떨어지면, 5% 포도당을 첨가한 0.45% 식염수 (5% dextrose in 0.45% saline)로 교체하여 주입속도를 150–250 mL/hr로 조절한다.
4. 첫 24시간 이내에 순환혈액량 (volume) 결핍 (50–100 mL/kg)을 보충한다.

American Diabetes Association 지침에서 발췌 (19).

a. DKA의 순환혈액량 (volume) 결핍은 50에서 100 mL/kg이며, 수액요법은 등장성식염수 (0.9% saline)를 시간당 15-20 mL/kg 혹은 1-1.5 L/hr 속도로 환자가 혈류역학적으로 안정 될 때까지 주입한다.
b. 표24.3에서 혈류역학적으로 안정된 후에 적절한 IV 수액을 선택하기 위해서 "보정" 혈청 Na^+을 사용하는 것을 주목한다. 이 "보정"은 앞서 언급했던 혈청 Na^+농도에 대한 고혈당증의 희석효과를 말하는 것으로, 혈청 포도당 농도가 100 mg/dL 증가할 때마다 혈청 Na^+는 1.6에서 2.4 mEq/L 감소한다.
c. 예시 (EXAMPLE) : 2 mEq/L를 보정인자 (correction factor)로 사용한다. Na^+ 농도가 140 mEq/L이며, 혈당이 600 mg/dL이라면 희석효과는 2x5=10 mEq/L이기 때문에, 보정 Na^+ 농도는 140+10=150 mEq/L다.
d. 표 24.3에서 혈당이 250 mg/dL로 떨어지면 IV 수액에 5% 포도당을 첨가하는 점을 주목한다. 이는 식이시작 전까지 저혈당증의 위험을 줄여준다.

2. 인슐린 (Insulin)

DKA에서 인슐린 요법에 대한 프로토콜은 표24.4에 나와있다. 다음은 이 프로토콜의 요점 중 일부다.

a. 환자가 저칼륨혈증 (hypokalemia)인 경우 인슐린을 시작하면 안 된다는 점을 주목한다. 하지만 DKA가 처음 나타날 때 저칼륨혈증은 드물다.

b. 속효성 인슐린 (regular insulin, RI)을 사용하며, 0.15 units/kg를 IV bolus로 투여하고 그 후 0.1 unit/kg/hr 속도로 지속 주입한다. 일부는 IV bolus가 필요 없다고 생각하기도 한다.

c. 케톤산증이 호전되고 경구 식이 섭취가 가능할 때까지 인슐린 투여를 계속한다. 케톤산증의 호전 여부를 아는 방법은 추후 설명한다. 그 후, 표 24.4에서 설명한 것처럼 SC 인슐린을 시작한다.

d. ICU에서는 저혈당증의 위험 때문에 정상혈당 (euglycemia) 유지는 절대로 추천하지 않으며, 혈당조절의 목표는 150-200 mg/dL이다 (26).

표 24.4	당뇨병성 케톤산증의 인슐린 프로토콜

1. 혈청 K^+가 3.3 mEq/L 이상이면 인슐린 요법을 시작한다.
2. 속효성인슐린 (regular insulin, RI)을 사용하며, 0.15 units/kg를 IV bolus로 투여하고 그 후 0.1 unit/kg/hr 속도로 지속 주입한다.
3. 1시간 마다 혈당을 측정한다. 혈당이 1시간 후에도 최소 50 mg/dL 이상 떨어지지 않는다면, 지속주입 속도를 0.2 unit/kg/hr로 두 배 증량한다.
4. 필요한 경우 주입속도를 조절하여, 혈당이 시간당 50-75 mg/dL 감소하도록 한다.
5. 혈당이 250 mg/dL이 되면, 지속주입 속도를 0.05-0.1 unit/kg/hr로 줄이고 5% 포도당을 수액에 추가한다.
6. 혈당은 150-200 mg/dL로 유지한다
7. 케톤산증이 호전되고 경구 식이섭취가 가능하면, 환자가 이전에 병원에서 사용했던 용법을 사용해 SC 인슐린을 시작한다. 인슐린치료를 받은 적이 없는 환자는 하루에 0.5-0.8 units/kg를 나누어서 투여한다.
8. 첫 SC 인슐린 투여 후 몇 시간 정도 인슐린 지속주입을 계속한다.

American Diabetes Association 지침에서 발췌 (19).

3. K^+ (Potassium)

a. DKA에서 K^+ 결핍은 흔한 일이며, 평균 3-5 mEq/kg 정도 부족하다. 하지만, DKA가 있을 때 환자 중 74%는 혈청 K^+이 정상이며 22%는 혈청 K^+이 증가한다.

b. 혈청 K^+은 인슐린 요법 중 세포간 이동 때문에 급격히 떨어질 수 있기 때문에, 가능한 빨리 K^+ 보충을 시작해야 하며, 농도가 안정되기 전까지 혈청 K^+을 1-2시간 간격으로 감시해야 한다. 표24.5처럼 IV 수액에 K^+을 첨가하면 정상칼륨혈증 (normokalemia)을 유지하는데 효과적이다 (19).

표 24.5 당뇨병성 케톤산증의 K^+

초기 혈청 K^+	권장 사항
〈3.3 mEq/L	인슐린을 중단하고 혈청 K^+ 〉3.3 mEq/L까지 시간당 K^+을 40 mEq 투여한다.
3.3–4.9 mEq/L	IV 수액 1L당 K^+을 20–30 mEq 추가하여 혈청 K^+을 4–5 mEq/L로 유지한다.
≥5 mEq/L	혈청 K^+을 2시간 마다 확인한다

American Diabetes Association 지침에서 발췌 (19).

4. 인산염 (Phosphate)

인산염의 상황은 K^+과 매우 유사하다. 즉, 결핍이 흔하지만 DKA가 있을 때 혈청 농도가 낮아지는 일은 거의 없으며, 인슐린 주입 시 혈청 농도가 급감한다. 하지만 한가지 차이가 있다. 일상적인 인산염 보충은 DKA에서 확인된 장점이 없으며, 인산염 농도<1mg/dL 전에는 권장하지 않는다(19,26).

5. 알칼리요법 (Akali Therapy)

DKA에서 중탄산염 보충에 대한 권장사항은 앞서 설명한 젖산산증에서 중탄산염 보충과 거의 동일하다. 즉, 중탄산염 요법은 pH가 6.9-7.1 정도인 심각한 산증이 있는 경우라도 DKA에서 확인된 장점이 없으며, pH가 7.0 이하로 떨어지기 전에는 권장하지 않는다(19).

D. 산-염기 감시 (Acid-Base Monitoring)

1. DKA의 호전은 혈당<200 mg/dL, 혈장 HCO_3≥18 mEq/L, 그리고 정맥혈 pH>7.3으로 정의한다(19).
2. 등장성 식염수(0.9% saline)가 주 소생 수액 (resuscitation fluid)이라면 HCO_3와 pH는 신뢰성이 없다. 등장성 식염수의 높은 CL^- 농도로 인해 고염소혈증 대사성 산증 (hyperchloremic metabolic acidosis)(10장 Ⅰ-B-3절 참고)이 발생하며, 이는 케톤산증 호전으로 증가한 HCO_3 수치에 반대로 작용하기 때문이다.
3. DKA의 호전을 감시하는 데는 음이온 차이가 신뢰할 만한 방법이다.

Ⅲ. 알코올성케톤산증 (ALCOHOLIC KETOACIDOSIS, AKA)

AKA는 가끔씩 발생하는 장애 (sporadic disorder)로 과음한 만성 알코올중독자에게 주로 발생한다 (17,28).

A. 임상양상 (Clinical Features)

임상양상은 과음 후 1-3일 후에 나타난다.

1. 흔한 양상으로는 복통, 구토, 탈수, 그리고 저칼륨혈증, 저마그네슘혈

증, 저혈당증, 저인산혈증 같은 다중 전해질 이상 등이 있다.
2. *AKA 환자 중 10% 이상에서 예상하지 못한 심정지가 발생*하는 이유는 전해질 이상으로 설명할 수 있다 (17).

B. 진단 (Diagnosis)

1. AKA는 진단을 내리기 힘든데, 케톤을 검출하는 nitroprusside 반응이 AKA에서는 음성이기 때문이다. 이는 그림24.1에 나와있다.
2. 그림 24.1은 또한 AKA에서 β-하이드록시부틸레이트 (β-hydroxybutyrate, β-OHB)가 DKA에서 보다 고농도로 존재함을 보여준다. 따라서 혈중 β-OHB 농도 측정은 AKA에서 케톤검출을 위한 민감한 방법 (sensitive method)이 될 수 있다.

C. 치료 (Management)

1. AKA의 치료는 그 단순성을 주목할 만 하다. 즉, 포도당을 함유한 식염수주입이 필요한 모든 것이다. 포도당 주입은 간에서 케톤생성을 느리게 하며, 주입한 수액량은 케톤의 콩팥배출 (renal clearance)을 촉진시킨다.
2. 포도당 투여로 빠듯한 티아민 보유량 (marginal thiamine reserves)이 소진될 수도 있기 때문에 티아민 보충을 권장한다.
3. 케톤산증은 대부분 24시간 내에 호전된다.

참고문헌

1. Kraut JA, Madias NE. Lactic acidosis. N Engl J Med 2014;371:2309–2319.
2. Campbell CH. The severe lactic acidosis of thiamine deficiency: acute, pernicious or fulminating beriberi. Lancet 1984; 1:446–449.
3. Seidowsky A, Nseir S, Houdret N, Fourrier F. Metformin-associated lactic acido-

sis: a prognostic and therapeutic study. Crit Care Med 2009; 37:2191-2196.

4. Perrone J, Phillips C, Gaieski D. Occult metformin toxicity in three patients with profound lactic acidosis. J Emerg Med 2011; 40:271-275.
5. Wilson KC, Reardon C, Theodore AC, Farber HW. Propylene glycol toxicity: a severe iatrogenic illness in ICU patients receiving IV benzodiazepines. Chest 2005; 128:1674-1681.
6. Arroglia A, Shehab N, McCarthy K, Gonzales JP. Relationship of continuous infusion lorazepam to serum propylene glycol concentration in critically ill adults. Crit Care Med 2004;32:1709-1714.
7. Orringer CE, Eusace JC, Wunsch CD, Gardner LB. Natural history of lactic acidosis after grand-mal seizures. A model for the study of anion-gap acidoses not associated with hyperkalemia. N Engl J Med 1977; 297:796-781.
8. Okorie ON, Dellinger P. Lactate: biomarker and potential therapeutic target. Crit Care Clin 2011; 27:299-326.
9. Forsythe SM, Schmidt GA. Sodium bicarbonate for the treatment of lactic acidosis. Chest 2000; 117:260-267
10. Cooper DJ, Walley KR, Wiggs RR, et al. Bicarbonate does not improve hemodynamics in critically ill patients who have lactic acidosis: a prospective, controlled clinical study. Ann Intern Med 1990; 112:492-498.
11. Mathieu D, Neviere R, Billard V, et al. Effects of bicarbonate therapy on hemodynamics and tissue oxygenation in patients with lactic acidosis: A prospective, controlled clinical study. Crit Care Med 1991; 19:1352-1356.
12. Kimmoun A, Novy E, Auchet T, et al. Hemodynamic consequences of severe lactic acidosis in shock states: from bench to bedside. Crit Care 2015; 19:175.
13. Dellinger RP, Levy MM, Rhodes A, et al. Surviving Sepsis Campaign: International guidelines for management of severe sepsis and septic shock, 2012. Intensive Care Med 2013;39:165-228.
14. Link MS, Berkow LC, Kudenchuk PJ, et al. Part 7: Adult advanced cardiovascular life support: 2015 American Heart Association Guidelines Update for Cardiopulmonary Resuscitation and Emergency Cardiovascular Care. Circulation. 2015; 132(Suppl 2):S444 S464.
15. Sabatini S, Kurtzman NA. Bicarbonate therapy in severe metabolic acidosis. J Am Soc Nephrol 2009; 20:692-695.
16. Rose BD, Post TW. Clinical physiology of acid-base and electrolyte disorders. 5th

ed. New York: McGraw-Hill, 2001:630–632.
17. Cartwright MM, Hajja W, Al-Khatib S, et al. Toxigenic and metabolic causes of ketosis and ketoacidotic syndromes. Crit Care Clin 2012; 601–631.
18. Plüdderman A, Hemeghan C, Price C, et al. Point-of-care blood test for ketones in patients with diabetes: primary care diagnostic technology update. Br J Clin Pract 2011; 61:530–531.
19. American Diabetes Association. Hyperglycemic crisis in diabetes. Diabetes Care 2004; 27(Suppl):S94–S102.
20. Charfen MA, Fernandez-Frackelton M. Diabetic ketoacidosis. Emerg Med Clin N Am 2005; 23:609–628.
21. Gamblin GT, Ashburn RW, Kemp DG, Beuttel SC. Diabetic ketoacidosis presenting with a normal anion gap. Am J Med 1986; 80:758–760.
22. Slovis CM, Mork VG, Slovis RJ, Brain RP. Diabetic ketoacidosis and infection: leukocyte count and differential as early predictors of serious infection. Am J Emerg Med 1987; 5:1–5.
23. AlMallah M, Zuberi O, Arida M, Kim HE. Positive troponin in diabetic ketoacidosis without evident acute coronary syndrome predicts adverse cardiac events. Clin Cardiol 2008; 31:67–71.
24. Rose BD, Post TW. Hyperosmolal states: hyperglycemia. In: Clinical physiology of acid-base and electrolyte disorders. 5th ed. New York, NY: McGraw-Hill, 2001; 794–821.
25. Moran SM, Jamison RL. The variable hyponatremic response to hyperglycemia. West J Med 1985; 142:49–53.
26. Westerberg DP. Diabetic ketoacidosis: evaluation and treatment. Am Fam Physician 2013; 87:337–346.
27. Morris LR, Murphy MB, Kitabchi AE. Bicarbonate therapy in severe diabetic ketoacidosis. Ann Intern Med 1986; 105:836–840.
28. McGuire LC, Cruickshank AM, Munro PT. Alcoholic ketoacidosis. Emerg Med J 2006; 23:417–420.

Chapter 25

대사성 알칼리증

Metabolic Alkalosis

대서특필은 항상 대사성 산증이 독차지 하지만, 정작 입원 환자에서 가장 흔한 산-염기 장애는 대사성 알칼리증이다(1-3). 대사성 알칼리증의 유병률은 (a) 이뇨제 요법 같은 흔한 원인 (b) CL^-로 인해 알칼리증이 유지되려는 경향, 그리고 (c) 알칼리증을 유지하는 요인을 밝혀내고 교정하는데 실패라는 3가지 요인에 따라 결정된다.

Ⅰ. 기원 (ORIGINS)

대사성 알칼리증은 고탄산혈증 (hypercapnia)에 대한 적응 반응이 아닌 세포외액, 즉 혈장의 HCO_3 농도 증가로 정의한다. 정상 혈장 HCO_3는 22-26 mEq/L다.

A. 발병기전 (Pathogenesis)

1. 대사성 알칼리증은 대부분 다음 상태 중 하나로 인해 발생한다 (3).
   a. 구토 혹은 비위관 흡인 (nasogastric tube suction)으로 인한 위산 (gastric acid) 소실
   b. 이뇨제 혹은 광질코르티코이드 (mineralocorticoid) 과다로 인한 원위세뇨관 (distal renal tubules)의 수소이온 (H^+)의 과다분비

c. 저칼륨혈증 (hypokalemia)의 결과로 세포간 H^+이동 (transcellular shift)
d. 수축성 알칼리증 (contraction alkalosis)이라고 하는 HCO_3가 없거나 소량 포함된 체액의 소실

2. 대사성알칼리증에 대한 정상적인 반응은 콩팥의 HCO_3 배출증가다. 이 반응은 CL^- 결핍과 저칼륨혈증으로 인해 반대가 되며(3,4), 이는 대사성 알칼리증을 유지할 수 있도록 도와준다.
   a. CL^- 결핍은 원위 세뇨관에서 HCO_3 흡수를 늘리고 분비를 줄여 HCO_3의 콩팥 저류를 촉진시킨다. 두 가지 효과 모두 혈중 CL^- 농도 감소를 매개로 일어난다. *CL^- 결핍에 대한 콩팥의 반응은 대사성 알칼리증이 유지되는 중요한 원인*이라 여겨진다 (3,4).
   b. 저칼륨혈증 또한 기전은 다르지만 CL^- 결핍과 같은 효과를 가진다.

B. 원인 (Etiologies)

대사성 알칼리증을 유지하거나 촉발하는 흔한 상태들은 표 25.1에 각 상태에 따른 기전과 함께 정리되어 있다.

1. 순환혈액량 소실 (Volume Loss)

HCO_3가 없거나 소량 포함된 체액의 소실은 잘 알려진 대사성 알칼리증의 원인이며, 추정되는 기전이 혈장 HCO_3의 농축 효과로 간단하기 때문에 수축성 알칼리증이라 불렸다. 하지만, 체액결핍을 보충해도 CL^- 결핍을 보충하지 않는 이상 알칼리증이 교정되지 않기 때문에, 실제 주범은 CL^- 결핍이라고 할 수 있다 (4).

2. 위분비물 소실 (Loss of Gastric Secretions)

위 분비물에는 H^+(50-100 mEq/L), CL^-(120-160 mEq/L)가 풍부하며

범위를 줄인다면 K^+(10-15 mEq/L)도 풍부하다(5). 따라서, 비위관 등을 통한 위분비물 소실은 대사성 알칼리증의 여러 가지 위험요소, 즉 H^+소실, CL^-소실, K^+소실, 순환혈액량 소실 등을 유발한다.

표 25.1	ICU에서 대사성 알칼리증의 잠재적 원인
상태	**기전**
순환혈액량 소실	• CL^- 결핍
위분비물 소실	• H^+, CL^-, K^+ 소실 • 순환혈액량 소실
이뇨제 †	• H^+, CL^-, K^+ 소실 • 순환혈액량 소실
저칼륨혈증	• 세포간 H^+ 이동 • 소변을 통한 H^+ 소실 증가 • HCO_3 콩팥저류
CL^- 결핍	• HCO_3 콩팥저류
고탄산혈증 후 알칼리증	• 예상보다 낮은 $PaCO_2$
대량 수혈	• HCO_3로 대사되는 구연산염 (citrate) 투여

† Thiazide 및 furosemide 같은 루프이뇨제 (loop diuretics)

3. 이뇨제 (Diuretics)

Thiazide이뇨제와 furosemide 같은 "루프 (loop)"이뇨제는 소변을 통한 H^+, CL^-, K^+ 및 순환혈액량 소실로 인해 대사성 알칼리증을 촉진시킨다 (1-3). 소변을 통한 CL^-소실, 즉 염화물이뇨 (chloruresis)는 나트륨이뇨 (natriuresis)라고도 하는 Na^+손실과 일치하며, 알칼리증을 교정하기 위해서는 반드시 보충해야 한다.

4. 저칼륨혈증 (Hypokalemia)

저칼륨혈증은 세포간 H^+이동을 통해 대사성 알칼리증을 촉발하며, 또한 HCO_3의 콩팥배출을 감소시켜 알칼리증을 유지할 수 있도록 돕는다 (1-3).

5. CL^-결핍 (Chloride Depletion)

언급한 바와 같이 CL^-결핍은 HCO_3의 콩팥 저류를 촉진시켜 대사성 알칼리증이 유지될 수 있도록 돕는다.

6. 고탄산혈증 후 알칼리증 (Posthypercapnic Alkalosis)

만성 CO_2 정체 (retention)는 콩팥의 HCO_3 재흡수 촉진으로 인한 혈장 HCO_3 증가와 연관 있으며, 기계 환기 중인 만성 CO_2 정체 환자는 환기과다 (overventilation)로 인해 동맥혈 PCO_2의 급격한 감소를 경험할 수도 있다. 이 경우 혈장 HCO_3는 증가한 채로 있으며, 대사성알칼리증과 비슷하다. 이 상태는 보통 공존하는 CL^- 결핍 때문에 지속된다 (3).

7. 대량수혈 (Massive Transfusion)

농축 적혈구 (packed red blood cells, PRBC)는 항응고제로 unit당 구연산염 (citrate) 약 17 mEq을 함유하고 있으며, 구연산염이 대사되면 HCO_3가 생성된다. 8 unit 이상의 PRBC를 수혈하면 대사성 알칼리증을 유발할 수 있다 (3).

8. 기타 (Others)

대사성 알칼리증의 다른 원인에는 1차성고알도스테론증 (primary hyperaldosteronism) 같은 광질코르티코이드과다, 고칼슘혈증 (hypercalcemia)과 고칼슘혈증을 촉진하는 탄산칼슘 (calcium carbonate) 함유제산제를 장기간 복용해서 발생하는 밀크-알칼리 증후군 (milk-alkali syndrome), 그리고 변비약남용 (laxative abuse) 등이 있다.

II. 임상양상 (CLINICAL MANIFESTATIONS)

대사성 알칼리증은 부작용이 현저하게 적다.

A. 저환기 (Hypoventilation)

1. 대사성 알칼리증은 호흡억제를 유발하고, 이로 인해 동맥혈 PCO_2 ($PaCO_2$)가 증가한다. 하지만, 이는 대사성 산증으로 인한 호흡자극과는 다르게 *격렬한 반응이 아니다* (6). 반응의 크기는 아래의 공식으로 정의할 수 있다 (7):

$$\Delta PaCO_2 = 0.7 \times \Delta HCO_3 \qquad (25.1)$$

2. 정상 $PaCO_2$를 40 mmHg, 정상 HCO_3는 24 mEq/L라고 하면, 예상 $PaCO_2$는 다음과 같이 계산할 수 있다.

$$\text{예상 } PaCO_2 = 40 + [0.7 \times (\text{혈장 } HCO_3 - 24)] \qquad (25.2)$$

3. 예시 (EXAMPLE) : 혈장 HCO_3가 40 mEq/L인 대사성 알칼리증의 경우, ΔHCO_3는 40 - 24 = 16 mEq/L이며, ΔPCO_2는 0.7 x 16 = 11.2 mm Hg가 된다. 예상 $PaCO_2$는 40 +11.2 = 51.2 mm Hg가 된다. 이 예시는 $PaCO_2$가 50 mm Hg 이상인 의미심장한 고탄산혈증 (hypercapnia)을 만들기 위해서는 혈장 HCO_3가 상당히 증가해야 한다는 점을 보여준다.

B. 산화헤모글로빈 해리 곡선 (Oxyhemoglobin Dissociation Curve)

알칼리증은 보어 (Bohr) 효과로 산화헤모글로빈 해리 곡선을 좌측으로 이동시키며, 이로 인해 헤모글로빈이 조직으로 산소를 방출하는 성향이 줄어든다.

1. 모세혈관 혈액에서 산소 추출이 일정하다면, 산화헤모글로빈 해리곡선이 좌측으로 이동하면 정맥혈 PO_2가 감소하며 (8), 이는 결국 조직의 PO_2 감소를 의미한다. 하지만, 이 효과로 인해 조직산소화가 부족해진다는 증거는 아직 없다.

Ⅲ. 평가 (EVALUATION)

대사성 알칼리증을 유발할 듯한 원인은 대부분 명백하다. 원인이 불확실한 몇몇 드문 사례는 다음에 설명할 요중 CL^- 농도가 유용한 정보를 준다.

A. 요중 CL^- (Urinary Chloride)

요중 CL^- 농도는 대사성 알칼리증을 CL^- 반응성 (chloride-responsive) 혹은 CL^- 저항성 (chloride-resistant)으로 분류할 때 사용할 수 있으며, 각 범주와 관련된 상태는 표 25.2에 나와있다.

표 25.2 대사성 알칼리증의 분류

분류	요중 CL^-	상태
CL^- 반응성	〈15 mEq/L	순환혈액량 소실 구토, 비위관 흡인 루프 이뇨제 저칼륨혈증 CL^- 결핍
CL^- 저항성	〉25 mEq/L	광질코르티코이드 (mineralocorticoid) 과다

1. CL^- 반응성 알칼리증 (Chloride-Responsive Alkalosis)

CL^- 반응성 대사성 알칼리증은 10 mEq/L 미만으로 낮은 요중 CL^- 농도가 특징이며, 이는 CL^- 결핍을 의미한다.

a 이 범주에는 ICU에서 대사성 알칼리증을 유발하는 일반적인 원인이 모두 포함된다.

b. *염화물이뇨* 이뇨제 (chloruretic diuretics)로 치료하는 동안 요중 CL^-는 비정상적으로 높을 수도 있다.

2. CL^- 저항성 알칼리증 (Chloride-Resistant Alkalosis)

CL^- 저항성 대사성 알칼리증은 25 mEq/L 이상으로 높은 요중 CL^- 농도가 특징이다.

a. CL^- 저항성 알칼리증은 대부분 1차성 고알도스테론증 (primary hyperaldosteronism)같은 1차성 광질코르티코이드 (mineralocorticoid) 과다 때문에 생긴다.

b. CL^- 반응성 알칼리증에서는 저칼륨혈증이 흔한 반면, CL^- 저항성 알칼리증에서는 혈량증가증 (hypervolemia)이 흔하다.

Ⅳ. 치료 (MANAGEMENT)

A. 식염수주입 (Saline Infusion)

CL^- 반응성 (chloride-responsive) 대사성 알칼리증을 교정하기 위해 식염수를 주입한다.

1. 앞서 언급한 것처럼, CL^- 결핍을 보충하지 않는 한 순환혈액량 (volume) 주입만으로는 대사성알칼리증을 교정할 수 없다. 따라서, 순환혈액량 주입은 예상되는 CL^- 결핍 (2,9)을 기준으로 등장성식염수를 사용한다.

$$CL^- \text{ 결핍 (mEq)} = 0.2 \times \text{wt (kg)} \times (100 - \text{혈장 } CL^-) \qquad (25.3)$$

wt은 지방을 뺀 체중 (lean body weight)으로 단위는 kg이며, 100은 이상적인 혈장 CL^- 농도 (mEq/L)이다. 필요한 등장성식염수 (0.9% NaCL)의 양은 다음과 같이 결정한다.

$$\text{식염수의 양 (L)} = CL^- \text{ 결핍} / 154 \qquad (25.4)$$

154는 등장성식염수의 CL^- 농도다. 이 방법은 표25.3에 요약되어 있다. 만약 환자가 혈류역학적으로 안정적이라면, 식염수 주입 속도는 시간당 체액손실보다 125-150 mL/hr 이상이어야 한다.

2. 예시 (EXAMPLE) : 장시간 구토로 대사성알칼리증이 생긴 70 kg 성인에서 혈장 CL^-가 80 mEq/L 이라고 하면, CL^-결핍은 0.2 × 70 × (100-80) = 280 mEq/L이다. 이 결핍을 교정하기 위해 필요한 등장성식염수의 양은 280/154=1.8 L다.

표 25.3	대사성알칼리증에서 등장성식염수 주입
1. CL^- 결핍을 추정 CL^- 결핍 (mEq/L) = 0.2 x wt (kg) × (100 − 혈장 CL^-)	
2. 해당하는 등장성식염수의 양을 결정한다. $\text{식염수의 양 (L)} = \dfrac{CL^- \text{ 결핍}}{154}$	

참고문헌 2와 9에서 발췌.

B. 부종상태 (Edematous States)

다음 방법들은 부종환자의 대사성알칼리증을 치료하는데 유용하다.

1. 저칼륨혈증 교정 (Correct Hypokalemia)

저칼륨혈증이 있다면, 28장 Ⅱ-D절에서 설명한 내용처럼 K^+ 보충을 진행한다.

2. Acetazolamide

Acetazolamide (Diamox)는 알칼리증을 교정하면서 이뇨작용을 촉진하기 때문에 부종환자의 대사성 알칼리증 치료에 적합하다.

a. Acetazolamide는 탄산무수화효소 (carbonic anhydrase)를 억제해 요중 HCO_3 배출을 늘린다. 탄산무수화효소는 HCO_3 재흡수와 관련 있는 효소다.
b. HCO_3 배출이 늘면 Na^+ 배출을 동반하기 때문에, 이뇨와 대사성알칼리증 교정이라는 두 가지 장점이 있다.
c. 권장용량은 5-10 mg/kg (경구투여 혹은 IV)며,이 최대효과는 약 15시간 후에 나타난다 (10).

C. 염산 (Hydrochloric Acid, HCL)

HCL IV 주입은 (a) pH>7.6인 중증의, (b) 다른 방법으로는 조절되지 않는, 그리고 (c) 유해성이 보이는 아주 희귀한 대사성 알칼리증을 위해 보류한다.

1. HCL 용량은 다음 공식으로 예측한 수소이온 (H^+) 결핍에 따라 달라진다 (2,9).

$$H^+ \text{ 결핍 (mEq)} = 0.5 \times \text{wt (kg)} \times (\text{혈장 } HCO_3 - 30) \qquad (25.5)$$

wt은 지방을 뺀 체중 (lean body weight)으로 단위는 kg이며, 30은 이상적인 혈장 HCO_3다.

2. 많이 사용하는 IV 주입용 HCL 용액은 0.1N HCL이며, 1 L당 H^+를 100 mEq 함유하고 있다. H^+결핍을 보충하기 위해 필요한 0.1N HCL의 양은 아래와 같이 계산한다.

$$\text{HCL양 (L)} = H^+\text{결핍} / 100 \qquad (25.6)$$

이 방법은 표 25.4에 요약되어 있다.

3. HCL 용액은 극도로 부식성이 강하기 때문에, 혈관외유출 (extravasation)은 생명에 치명적인 조직 괴사를 일으킬 수도 있다 (11). 구경이 큰 중심정맥으로 주입을 추천하며, *주입속도는 0.2 mEq/kg/hr을 초과해서는 안 된다* (9).

4. 예시 (EXAMPLE) : 불응성 (refractory) 대사성 알칼리증이 생긴 70kg 성인에서 혈장 HCO_3가 50 mEq/L 였고 동맥혈 pH가 7.61이었다면, H^+결핍은 0.5 × 70 × (50-30) = 700 mEq이다. 필요한 0.1N HCL의 양은 700/100=7 L며, 최대주입속도는 (0.2 x 70) /100 = 0.14 L/hr (140 mL/hr)가 된다.

표 25.4 HCL 주입

1. H^+결핍을 추정

$$H^+\ \text{결핍 (mEq)} = 0.5 \times \text{wt (kg)} \times (\text{혈장 } HCO_3 - 30)$$

2. 해당하는 0.1N HCL의 양을 결정한다.

$$\text{HCL의 양 (L)} = \frac{H^+\ \text{결핍}}{100}$$

참고문헌 2와 9에서 발췌.

5. H^+결핍을 전부 보충할 필요는 없으며, HCL 주입은 혈장 pH가 7.6 아래로 떨어지면 중단할 수 있다.

참고문헌

1. Laski ME, Sabitini S. Metabolic alkalosis, bedside and bench. Semin Nephrol 2006; 26:404-421.
2. Khanna A, Kurtzman NA. Metabolic alkalosis. Respir Care 2001;46:354-365.
3. Rose BD, Post TW. Metabolic alkalosis. In: Clinical Physiology of Acid-Base and Electrolyte Disorders. 5th ed. New York: McGraw-Hill, 2001:551-577.
4. Luke RG, Galla JH. It is chloride depletion alkalosis, not contraction alkalosis. J Am Soc Nephrol 2012; 23:204-207.
5. Gennari FJ, Weise WJ. Acid-base disturbances in gastrointestinal disease. Clin J Am Soc Nephrol 2008; 3:1861-1868.
6. Javaheri S, Kazemi H. Metabolic alkalosis and hypoventilation in humans. Am Rev Respir Dis 1987; 136:1011-1016.
7. Adrogue HJ, Madias NE. Secondary responses to altered acid-base status: The rules of engagement. J Am Soc Nephrol 2010; 21:920-923.
8. Nunn JF. Nunn's Applied Respiratory Physiology. 4th ed. Oxford: Butterworth-Heinemann Ltd, 1993:275-276.
9. Androgue HJ, Madias N. Management of life-threatening acidbase disorders. Part 2. N Engl J Med 1998; 338:107-111.
10. Marik PE, Kussman BD, Lipman J, Kraus P. Acetazolamide in the treatment of metabolic alkalosis in critically ill patients. Heart Lung 1991; 20:455-458.
11. Buchanan IB, Campbell BT, Peck MD, Cairns BA. Chest wall necrosis and death secondary to hydrochloric acid infusion for metabolic alkalosis. South Med J 2005; 98:822.

Chapter 26

급성 신손상

Acute Kidney Injury

많게는 ICU 환자 70% 정도는 어느 정도 급성신기능장애가 있으며, 약 5% 정도는 신대체요법이 필요하다 (1). 중환자에게 발생한 급성신부전을 급성 신손상 (acute kidney injury)이라고 하며, 이번 장은 이에 관한 진단과 치료 시 고려사항을 다루고 있다.

Ⅰ. 진단 시 고려사항 (DIAGNOSTIC CONSIDERATIONS)

AKI는 임상적으로 중요한, 즉 나쁜 결과가 발생할 수도 있는 48시간 이내의 갑작스러운 신기능 감소로 정의한다 (2).

A. 진단 기준 (Diagnostic Criteria)

Acute Kidney Injury Network는 AKI 진단을 위해 다음의 기준을 제시하고 있다 (2).

1. 48시간 이내에 혈청 크레아티닌 (Creatinine)≥0.3 mg/dL 혹은
2. 48시간 이내에 혈청 크레아티닌≥50% 혹은
3. 6시간 이상 시간당 요배출량<0.5 mL/kg, 즉 핍뇨 (oliguria).
   a. 체중을 기반으로 하는 요배출량측정법에는 이상체중 (ideal body weight) 사용을 권장한다 (3).

B. 원인 (Etiologies)

AKI를 유발하는 흔한 선행요인들은 표 26.1에 나와있다 (1). 이는 콩팥과의 관계를 기준으로 콩팥전 (prerenal), 콩팥 (renal), 콩팥후 (postrenal)로 분류할 수 있다.

표 26.1 급성신손상의 흔한 원인

흔한 원인	기타 원인
Sepsis Major Surgery Hypovolemia Low Cardiac Output Nephrotoxic Agents	Trauma Rhabdomyolysis Abdominal Compartment Syndrome Cardiopulmonary Bypass Hepatorenal Syndrome

참고문헌 1 발췌

1. 콩팥전장애 (Prerenal Disorder)

콩팥전장애는 콩팥외부에서 발생하며, 혈량저하증 (hypovolemia)처럼 신혈류 (renal blood flow)를 감소시켜 AKI를 조장한다. 이러한 장애들을 교정한 뒤 신기능의 호전여부는 신혈류부전의 정도와 기간에 달려있다.

2. 콩팥장애 (Renal Disorder)

AKI를 유발하는 주된 콩팥장애는 *급성세뇨관괴사 (acute tubular necrosis, ATN)와 급성간질성신염 (acute interstitial nephritis, AIN)이다.*

a. ATN은 AKI의 50%이상을 유발하며 (4), 신세뇨관 내측 (lining)의 상피세포손상으로 생긴다. 흔한 유발요인은 패혈성쇼크, 외상, 대수술, 조영제, 신독성제제 (nephrotoxic agents), 그리고 횡문근융해

증 (rhabdomyolysis) 등이 있다.

b. AIN은 신실질 (renal parenchyme)의 염증성손상이며, 이번 장 후반에서 다루고 있다.

3. 콩팥후장애 (Postrenal Disorders)

AKI의 10%는 콩팥후폐쇄 (obstruction)가 원인이다 (4). 폐쇄는 신유두괴사 (papillary necrosis)처럼 콩팥수집관 (renal collecting duct)의 가장 말단부분, 후복막종괴 (retroperitoneal mass)처럼 요관 (ureter), 협착 (stricture)이나 전립선비대 (prostatic enlargement)처럼 요도 (urethra)에서 발생할 수 있다. 폐쇄성 신결석 (obstructing renal calculi)은 기능하는 콩팥이 하나가 아닌 이상 AKI를 유발하지 않는다.

C. 진단적평가 (Diagnostic Evaluation)

AKI의 평가는 수신증 (hydronephrosis)같은 콩팥후폐쇄의 단서를 찾기 위한 콩팥초음파 검사부터 시작한다. 폐쇄가 없다면, *핍뇨 (oliguria)가 있다는 전제하*에서 **표 26.2**의 지표들이 콩팥장애 (renal disorder)와 콩팥전장애 (prerenal disorder)를 구분할 수 있도록 해준다.

표 26.2 핍뇨의 평가를 위한 소변지표

지표	콩팥전장애 (prerenal disorder)	콩팥장애 (renal disorder)
Spot urine sodium	〈 20 mEq/L	〉40 mEq/L
Fractional Excretion of Na	〈 1 %	〉2 %
Fractional Excretion of Urea	〈 35 %	〉50 %
Urine Osmolality	〉500 mosm/kg	300–400 mosm/kg
U/P Osmolality	〉1.5	1–1.3

1. 순간소변 Na^+ (Spot Urine Sodium)

a. 혈량저하증 (hypovolemia)같은 콩팥전장애에서는 신세뇨관의 Na^+ 재흡수가 증가하기 때문에, 요중 Na^+ 농도가 20 mEq/L 이하로 낮게 측정된다.
b. ATN에서 신세뇨관의 기능부전은 Na^+ 재흡수에 문제를 일으키고, 결과적으로 요중 Na^+ 농도가 40 mEq/L 이상으로 높게 측정된다.
c. 예외 (EXCEPTIONS) : 이뇨제치료를 진행 중인 환자나, 소변으로 불가피한 Na^+ 소실이 있는 만성 신질환환자는 콩팥전장애라도 요중 Na^+ 농도가 높을 수도 있다 (5).

2. 나트륨분획배설 (Fractional Excretion of Na^+, FENa)

FENa은 여과된 Na^+ 중 소변으로 배설되는 Na^+의 분획이다. FENa는 아래의 공식과 같이 분획Na 청소율을 분획크레아티닌 (creatinine, Cr) 청소율로 나눈 값과 같다:

$$\text{FENa (\%)} = \frac{\text{U/P [Urea]}}{\text{U/P [Cr]}} \qquad (26.1)$$

U/P는 소변과 혈장 비율을 나타낸다.
a. 콩팥전장애는 FENa<1%이며, 이는 Na^+보존을 반영한다.
b. ATN 같은 콩팥장애는 보통 FENa>2%이며, 소변으로 부적절한 Na^+소실이 있다는 것을 의미한다.
c. 예외 (EXCEPTIONS) : 순간소변 Na^+처럼, FENa는 이뇨제요법과 만성신부전에서 1% 이상으로 증가할 수 있다 (6). 게다가, FENa는 패혈증 (7), 조영제 (8), 그리고 마이오글로빈뇨 (myoglobinuria) (9)로 인해 AKI가 생긴 환자에서 1% 미만으로 부적절하게 낮을 수도 있다.

3. 요소분획배설 (Fractional Excretion of Urea, FEU)

FEU의 개념은 FENa와 유사하다. 하지만, *FEU는 이뇨제에 영향을 받지 않으며* (10), 이는 FENa에 비해 큰 이점으로 작용한다. FEU는 아래의 공식과 같이 분획요소 (urea) 청소율을 분획크레아티닌 청소율로 나눈 값과 같다:

$$FEU\ (\%) = \frac{U/P\ [Urea]}{U/P\ [Cr]} \qquad (26.2)$$

U/P는 소변과 혈장의 비율을 나타낸다. FEU는 콩팥전장애에서는 35% 미만으로 낮으며, 콩팥장애에서는 50% 이상으로 높다.

4. 불확실성 (Uncertainty)

AKI의 콩팥전원인과 콩팥원인을 구별하는 것은 어렵다. 특히 외상에서 혈량저하증과 횡문근융해증 둘 다가 AKI에 영향을 미치는 것처럼 콩팥전요소와 콩팥요소가 동시에 존재하면 더 어려워 진다. 소변이 나오지 않을 때 원인이 확실하지 않다면 수액을 투여해야 한다 (다음 절 참고).

II. 초기치료 (INITIAL MANAGEMENT)

다음은 AKI 환자를 처음 대할 때, 특히 핍뇨 (oliguria)를 동반한 AKI 환자를 처음 대할 때의 권장사항이다.

A. 해야 할 일 (What to Do)

1. 방금 전 언급한 바와 같이, 핍뇨성AKI에서 콩팥전요소의 배제는 일반적으로 어려우며, 원인이 확실하지 않다면 수액을 투여해야 한다 (수

액 투여에 대한 권장사항은 7장 Ⅲ-A절 참고).

2. 혈액량 (volume) 주입의 적응증이 아니거나, 혈액량주입으로 문제가 교정되지 않는다면, 다음과 같이 진행한다.
   a. 가능한 수액투여를 줄인다
   b. 잠재적인 신독성제제 (nephrotoxicity drugs)를 중단한다. 흔한 원인 약제는 표 26.3에 나와있다.
   c. 소변으로 배출되는 제제의 용량을 조절한다.

표 26.3	AKI와 가장 흔하게 관련있는 제제
Intrarenal Hemodynamics	
흔한 원인	Nonsteroidal anti-inflammatory agents (NSAIDs)
기타	ACE inhibitor, angiontensin receptor-blocking drugs, cyclosporine, Tacrolimus
Renal Tubular Injury	
흔한 원인	Aminoglycosides
기타	Amphotericin B, antiretrovirals, Cisplatin
Interstitial Nephritis	
흔한 원인	Antimicrobials (penicillin, cephalosporin, sulfonamides, vancomycin, macrolides, tetracycline, rifampin)
기타	Anticonvulsants (Phenytoin, valproic acid), H_2 blocker, NSAIDs, proton pump inhibitor

참고문헌 11을 보완.

B. 하지 말아야 할 일 (What Not to Do)

1. 핍뇨를 교정하기 위해 furosemide를 투여하지 않는다 (3). Furosemide IV는 AKI에서 신기능을 호전시키지 못하며, 핍뇨성신부전을 비핍뇨성신부전으로 전환시키지도 못한다 (1,3,12). Furosemide는 AKI의 회복기에 요배출량을 증가시킬 수 있으며 (13), 혈액량과다 (volume overload)가 문제될 때 사용할 수 있다.

2. AKI에서 신혈류를 증가시키기 위해 저용량 dopamine을 사용하지 않는다 (3,14,15). 저용량 dopamine은 AKI 환자의 신기능을 호전 시키지 못하며 (14,15), 내장혈류의 감소, T-cell 림프구의기능억제와 같은 나쁜 효과를 일으킬 수 있다 (15).

III. 특수한 상황 (SPECIFIC CONDITIONS)

A. 조영제유발신증 (Contrast-Induced Nephropathy, CIN)

요오드화조영제 (iodinated contrast)는 다방면으로 콩팥에 손상을 유발할 수 있다. 여기에는 직접 신세뇨관독성, 콩팥혈관수축, 그리고 독성산소대사물 생성 등이 있다 (16). CIN의 발생률은 8-9%다 (17). CIN은 조영제 검사 후 72시간 내에 나타나며, 대부분의 경우 신대체요법 없이도 2주 안에 호전된다 (24).

1. 선행질환 (Predisposing Conditions)

CIN의 위험은 당뇨, 탈수증, 신기능장애 (혈청 크레아티닌이 남성에서 1.3 mg/dL 이상, 여성에서 1.0 mg/dL 이상) 그리고 신독성제제 (nephrotoxic drugs)사용 등으로 인해 증가한다 (3).

2. 예방 (Prevention)

a. IV 수분보충 (INTRAVENOUS HYDRATION) : 고위험환자에게 가장 효과적인 예방법은 허용되는 경우에 한해서 *등장성식염수를 시술 시작 3-12시간 전에 100-150 mL 속도로 시작해서 시술 후 6-24시간 동안 유지하는 IV 수분보충*이다 (18). 응급시술에서는 시술 직전에 최소 300-500 mL의 등장성식염수를 투여해야 한다.

b. N-ACETYLCYSTEINE : N-Acetylcysteine (NAC)은 항산화작용을 하는 글루타티온 (glutathione)의 대체제제다. NAC는 CIN의 예방

제로는 다양한 결과를 보여주고 있다 (1). 그럼에도, 16개의 연구결과를 종합해보면 고용량 NAC는 CIN의 위험을 50%감소시켰다 (18). 고용량 NAC 용법은 조영제 시술 바로 전날 밤부터 시작해서 48시간 동안 하루 두 번 1,200 mg 경구복용이다. 응급시술인 경우에는 첫번째 NAC 1,200 mg을 시술 직전에 반드시 투여해야 한다.

B. 급성간질성신염 (Acute Interstitial Nephritis, AIN)

1. AIN은 보통 핍뇨가 없는 AKI로 보이는, 콩팥실질 (parenchyme)을 침범한 염증성질환이다 (20).
2. 대부분의 AIN은 과민성약제반응 (hypersensitivity drug reactions)으로 발생하지만, 바이러스 혹은 비전형병원균 (atypical pathogen)감염으로 발생하기도 한다. 흔히 AIN을 유발하는 제제들은 표 26.3에 나와있다 (11). 항생제, 특히 penicillin 계열이 주범이다.
3. 항상 그런것은 아니지만, 약제유발성 AIN은 보통 과민성반응의 징후, 즉 발열, 발진, 호산구증가증 (eosinophilia)을 동반하기도 한다.
4. 신손상의 시작은 대부분 첫 노출 후 몇 주가 지나서 발생하지만 (11), 두 번째 노출에서는 며칠 내로 시작될 수도 있다. 무균농뇨 (sterile pyuria)와 호산구증가증이 흔히 나타난다 (11). 신생검 (renal biopsy)으로 진단이 가능하지만, 거의 시행하지 않는다.
5. AIN은 보통 원인약제를 중단하면 호전을 보이지만, 회복은 몇 개월이 걸린다.

C. 마이오글로빈뇨성 신손상 (Myoglobinuric Renal Injury)

AKI는 횡문근융해증 (rhabdomyolysis)같은 광범위한 근손상환자의 1/3에서 발생한다 (21,22). 주범은 마이오글로빈 (myoglobin)으로 손상된 근육에서 방출되며 신세뇨관 상피세포를 손상시킬 수 있다.

1. 진단 (Diagnosis)

횡문근융해증에서 광범위한 근세포 손상은 혈중 크레아틴키나아제 (creatine kinase, CK)를 눈에 띄게 증가시킨다. CK 농도 20,000-30,000 U/L정도도 드물지 않다. 하지만, 이 상태에서 AKI의 진단은 어렵다. 손상된 근세포는 혈청 크레아티닌을 증가시키는 크레아틴 (creatine)을 분비하고, 횡문근융해증과 같이 발생하는 혈량저하증 (hypovolemia)의 결과로 핍뇨가 발생할 수도 있기 때문이다.

2. 요중 마이오글로빈 (Myoglobin in Urine)

요중잠혈 (occult blood)을 검출하기 위해 사용하는 헴-결합 철 (heme-bound iron)에 대한 오르토톨리딘 (orthotolidine) 소변반응 (Hemastix)으로 소변에서 마이오글로빈을 검출할 수 있다. 검사가 양성이면, 소변을 원심분리하여 적혈구를 분리하고 상청액 (supernatant)을 세기공필터 (micropore filter)로 여과하여 헤모글로빈을 제거한다. 이 방법들 후에 결과가 양성이라면, 요중 마이오글로빈의 단서가 된다. 소변 침전물에 적혈구가 없는 양성 소변반응검사 또한 마이오글로빈뇨를 지지하는 단서를 제공한다.

a. 소변에 마이오글로빈이 있다고 해서 진단을 확정 지을 수는 없지만, *소변에 마이오글로빈이 없다면 마이오글로빈뇨성 신손상을 배제할 수 있다* (22).

3. 치료 (Management)

마이오글로빈뇨성 신손상을 막거나 제한하기 위해서는 신혈류를 촉진하는 공격적인 혈액량 소생 (volume resuscitation)이 가장 효과적인 방법이다.

D. 복부구획증후군 (Abdominal Compartment Syndrome, ACS)

복강내압 (intra-abdominal pressure, IAP)의 증가는 콩팥관류압과 사구체 (glomerulus)를 가로지르는 총여과압 (net filtration pressure) 모두를 감소시켜 신기능에 악영향을 미친다. 결과적으로, 핍뇨는 복강내 고혈압 (intra-abdominal hypertension, IAH)의 첫 징후 중 하나다 (24). IAH가 장기부전과 연관되면, ACS이라고 한다.

1. 선행요인 (Predisposing Conditions)

ACS는 보편적으로 복부외상과 연관있지만, 수 많은 상태가 IAP를 증가시키며, ACS에 선행한다. 여기에는 위팽만, 장폐색, 장폐색증, 복수, 장벽부종 (bowel wall edema), 간비대, 양압호흡, 직립자세 (upright body position), 비만 등이 있다 (25). 중환자에게는 이 요인들 중 몇 가지가 동시에 존재할 수 있으며, 이는 왜 내과계와 외과계 ICU 환자의 60% 이상에서 IAH가 발견되는지를 설명해준다 (26).

a. 대용량소생 (LARGE VOLUME RESUSCITATION) : 대용량소생은 복부장기, 특히 소장의 부종을 촉진하여 IAP를 증가시킬 수 있다. 24시간 동안 5 L 이상의 양성체액균형 (positive fluid balance)을 시행한 ICU 환자에 대한 연구 결과, 환자 중 85%는 IAH가 있었으며, 25%는 ACS가 있었다 (27).

2. 복강내압측정 (Measuring Intraabdominal Pressure)

IAP는 방광내방법 (intravesicular method), 즉 특수한 방광배액카테터 (Bard Medical, Covington, GA)를 이용하여 감압방광 (decompressed urinary bladder)에 대한 압력으로 측정할 수 있다. 환자는 앙와위로, 복부근육을 수축시키지 않아야 한다. 압력변환기는 중부액와선 (mid-axillary line)에서 0점을 맞춘다. 그 후 호기말 (end of expiration)에 IAP

를 측정한다. 단위는 mmHg다 (24).

3. 진단기준 (Diagnostic Criteria)

a. 정상 IAP는 앙와위에서 5-7 mmHg다.
b. IAP>12 mmHg가 지속되면 IAH라고 정의한다 (24).
c. IAP>20 mmHg이며 급성 장기 부전이 있을 때 ACS라고 정의한다 (24).

4. 치료 (Management)

a. IAP를 감소시키기 위한 일반적인 방법에는 복부 근육 수축을 줄이기 위한 진정, 머리를 수평선보다 20° 이상 올리지 않고 (28), 양성 체액균형을 피하는 것 등이 있다.
b. 원인 질환에 따라 특수한 방법을 써야 할 수도 있으며, 여기에는 위 혹은 소장의 감압, 경피적 복수 배액, 혹은 복부 손상이나 장폐색에 대한 수술 등이 있다.
c. 복부관류압 (ABDOMINAL PERFUSION PRESSURE, APP) : APP는 복부장기와 콩팥 사이의 압력 차이를 말하며, 이는 평균동맥압 (mean arterial pressure, MAP)과 IAP의 차이와 같다.

$$APP = MAP - IAP \tag{26.3}$$

APP를 60 mmHg 이상으로 유지하면 ACS의 결과가 호전을 보인다. 따라서, 이는 치료목표 중 하나이다.

Ⅳ. 신대체요법 (RENAL REPLACEMENT THERAPY, RTT)

RRT는 인공적인 용질제거 (solute clearance) 방법을 말한다. 여러 가지 방

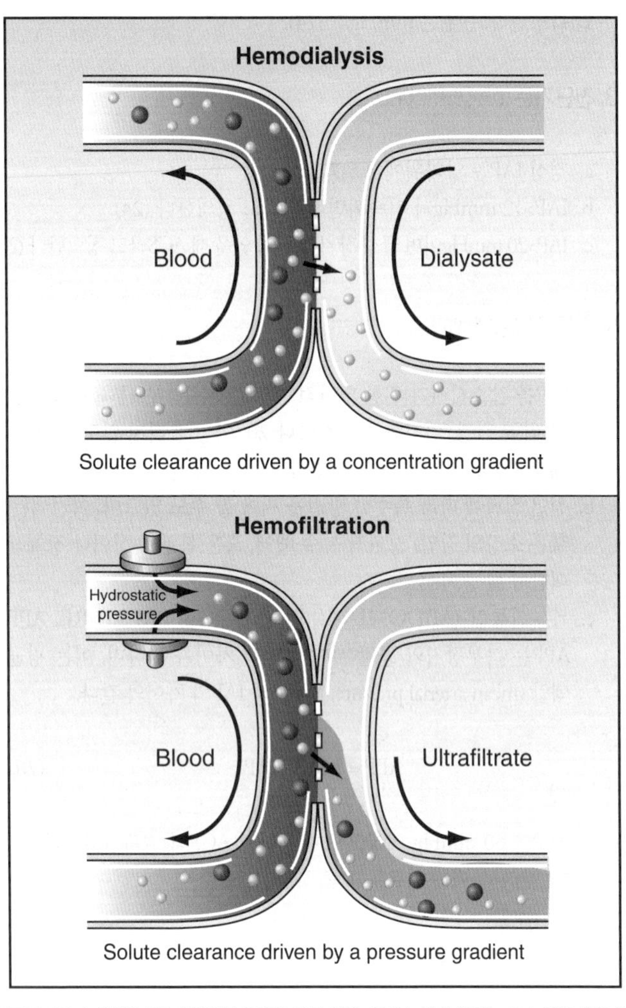

■ 그림 26.1 혈액투석과 혈액여과의 용질 제거 기전. 작은 노란색 입자는 요소 같은 작은 용질을 나타내며, 큰 붉은색 입자는 독소 같은 큰 분자를 나타낸다. 자세한 내용은 본문을 참고.

법을 사용할 수 있으며, 여기에는 혈액투석 (hemodialysis), 혈액여과 (hemofiltration), 혈액투석여과 (hemodiafiltration), 고유량 혈액투석 (high-flux dialysis), 그리고 혈장여과 (plasmafiltration) 등이 있다. 여기서는 가장 흔히 사용하는 처음 두 가지 방법을 다루며, 이 방법들은 그림 26.1에 나와있다.

A. 적응증 (Indications)

1. RRT의 통상적인 적응증은 아래와 같다.
   a. 순환혈액량 (volume) 과다
   b. 생명에 치명적인 고칼륨혈증 (hyperkalemia) 혹은 대사성산증 (metabolic acidosis)
   c. 뇌병증 (encephalopathy)과 같은 요독증 (uremia)의 징후
   d. 에틸렌글리콜 (ethylene glycol)과 같은 독소제거
2. 그 외에는, 급성신부전에서 최적의 RRT 타이밍은 분명하지 않다 (29).

B. 혈액투석 (Hemodialysis)

혈액투석은 반투과성막 사이의 용질농도 경사로 작동하는 분산 (diffusion)을 이용해 용질을 제거한다. 이 농도경사를 유지하기 위해서, 혈액과 투석액은 투석막을 사이에 두고 서로 반대반향으로 움직인다 (그림 26.1 참고). 이 방법을 역류교환 (countercurrent exchange)이라고 한다.

1. 방법 (Method)

응급으로 혈액투석을 하기 위해서는 구경이 큰 이중내관카테터 (double lumen catheter)를 경피적으로 내경정맥이나 대퇴정맥으로 삽입하여 상대성맥 혹은 하대정맥까지 진행시켜야 한다. 혈액투석 카테터의 구경과 유속에 대한 특징은 부록3을 참고한다. 투석기의 펌프로 카테

터내관 중 하나를 통해 정맥혈을 배출하며, 200-300 mL/min 속도로 투석막을 통과한 혈액은 다른 내관을 통해 몸 속으로 돌아가게 된다 (29).

2. 장점 (Advantages)

혈액투석의 중요한 장점은 작은 용질 (solute)을 빠르게 제거할 수 있다는 점이다. 몇 시간의 혈액투석 만으로도 하루치 질소 노폐물을 제거 할 수 있다.

3. 단점 (Disadvantages)

투석관을 통한 혈류속도를 200-300 mL/min로 유지해야 하기 때문에 저혈압의 위험이 있으며, 특히 혈류역학적으로 불안정한 환자에서 더 위험하다. 저혈압은 혈액투석 치료 3건당 1건 정도로 발생한다 (30).

C. 혈액여과 (Hemofiltration)

혈액여과는 용질포함용액을 반투과성막으로 통과시키기 위해 정수압경사 (hydrostatic pressure gradient)를 사용하는 대류 (convection)를 통해 용질을 제거한다. 수액의 대규모 이동이 용질이 막을 통과할 수 있도록 "끌어주기" 때문에, 이 용질 제거 방법을 *용매끌기 (solvent drag)*라고도 한다 (30).

1. 체액 vs. 용질제거 (fluid vs. solute removal)

a. 혈액여과는 시간당 3 L 이상으로 많은 양의 체액을 제거할 수 있지만, 용질의 제거율은 느린 편이며, 효과적인 용질 제거를 위해서는 지속적인 혈액여과가 필요하다.
b. 용질은 물과 같이 제거되기 때문에, 손실된 초미세여과물 (ultrafiltrate)의 일부를 보충하기 위해 용질이 없는 정맥 수액을 주입하지 않

는 한, 제거한 용질 (cleared solutes)의 혈장 농도는 감소하지 않는다.

2. 방법 (Method)

현재 대중적인 방법은 지속적 정정맥혈액여과 (continuous venovenous hemofiltration, CVVHF)로, 혈액투석과 비슷하게 생긴 회로를 가지고 있다. 즉, 구경이 큰 이중내관카테터를 이용해 대정맥 중 하나에 관을 삽입하고, 펌프를 사용해 혈액여과관으로 혈액을 순환시킨다.

3. 장점 (Advantage)

혈액여과에는 두 가지 장점이 있다.

a. 혈액투석에 비해 더 점진적인 체액 제거가 가능하며, 혈류역학적 불안정을 야기할 가능성이 적다.
b. 혈액투석에 비해 큰 분자를 제거하며, 에틸렌글리콜 같은 독소를 제거하는데 더 효과적이다.

4. 단점 (Disadvantage)

혈액여과의 단점은 용질제거가 느리며, 혈중 용질농도를 낮추기 위해서는 용질이 없는 수액 (solute-free fluid)을 주입해야 한다는 점이다. 결과적으로, 혈액여과는 콩팥의 대용이라는 관점에서 혈액투석만큼 효율적이지 못하며, 생명에 치명적인 고칼륨혈증이나 대사성산증의 급속교정에는 권장하지 않는다.

참고문헌

1. Dennen P, Douglas IS, Anderson R. Acute kidney injury in the intensive care unit:

an update and primer for the intensivist. Crit Care Med 2010; 38:261–275.

2. Mehta RL, Kellum JA, Shaw SV, et al. Acute Kidney Injury Network: Report of an initiative to improve outcomes in acute kidney injury. Crit Care 2007; 11:R31.
3. Fliser D, Laville M, Covic A, et al. A European Renal Best Practice (ERBP) Position Statement on Kidney Disease Improving Global Outcomes (KDIGO) clinical practice guidelines on acute kidney injury. Nephrol Dial Transplant 2012, 27:4263–4272.
4. Abernathy VE, Lieberthal W. Acute renal failure in the critically ill patient. Crit Care Clin 2002; 18:203–222.
5. Subramanian S, Ziedalski TM. Oliguria, volume overload, Na+ balance, and diuretics. Crit Care Clin 2005; 21:291–303.
6. Steiner RW. Interpreting the fractional excretion of sodium. Am J Med 1984; 77:699–702.
7. Vaz AJ. Low fractional excretion of urine sodium in acute renal failure due to sepsis. Arch Intern Med 1983; 143:738–739.
8. Fang LST, Sirota RA, Ebert TH, Lichtenstein NS. Low fractional excretion of sodium with contrast media-induced acute renal failure. Arch Intern Med 1980; 140:531–533.
9. Corwin HL, Schreiber MJ, Fang LST. Low fractional excretion of sodium. Occurrence with hemoglobinuric- and myoglobinuricinduced acute renal failure. Arch Intern Med 1984; 144:981–982.
10. Gottfried J, Wiesen J, Raina R, Nally JV Jr. Finding the cause of acute kidney injury: which index of fractional excretion is better? Clev Clin J Med 2012; 79:121–126.
11. Bentley ML, Corwin HL, Dasta J. Drug-induced acute kidney injury in the critically ill adult: Recognition and prevention strategies. Crit Care Med 2010; 38(Suppl):S169–S174.
12. Venkataram R, Kellum JA. The role of diuretic agents in the management of acute renal failure. Contrib Nephrol 2001; 132:158–170.
13. van der Voort PH, Boerma EC, Koopmans M, et al. Furosemide does not improve renal recovery after hemofiltration for acute renal failure in critically ill patients. A double blind randomized controlled trial. Crit Care Med 2009; 37:533–538.
14. Kellum JA, Decker JM. Use of dopamine in acute renal failure: a meta-analysis.

Crit Care Med 2001; 29:1526–1531.
15 Holmes CL, Walley KR. Bad medicine. Low-dose dopamine in the ICU. Chest 2003; 123:1266–1275.
16. Pierson PB, Hansell P, Lias P. Pathophysiology of contrast medium- induced nephropathy. Kidney Int 2005; 68:14–22.
17. Ehrmann S, Badin J, Savath L, et al. Acute kidney injury in the critically ill: Is iodinated contrast medium really harmful? Crit Care Med 2013; 41:1017–1025.
18. McCullough PA, Soman S. Acute kidney injury with iodinated contrast. Crit Care Med 2008; 36(Suppl):S204–S211.
19. Triverdi H, Daram S, Szabo A, et al. High-dose N-acetylcysteine for the prevention of contrast-induced nephropathy. Am J Med 2009; 122:874.e9–15.
20. Ten RM, Torres VE, Millner DS, et al. Acute interstitial nephritis. Mayo Clin Proc 1988; 3:921–930.
21. Beetham R. Biochemical investigation of suspected rhabdomyolysis. Ann Clin Biochem 2000; 37:581–587.
22. Sharp LS, Rozycki GS, Feliciano DV. Rhabdomyolysis and secondary renal failure in critically ill surgical patients. Am J Surg 2004; 188:801–806.
23. Visweswaran P, Guntupalli J. Rhabdomyolysis. Crit Care Clin 1999; 15:415–428.
24. Malbrain MLNG, Cheatham ML, Kirkpatrick A, et al. Results from the International Conference of Experts on Intra-abdominal Hypertension and Abdominal Compartment Syndrome. I. Definitions. Intensive Care Med 2006; 32:1722–1723.
25. Al-Mufarrej F, Abell LM, Chawla LS. Understanding intraabdominal hypertension: from bench to bedside. J Intensive Care Med 2012; 27:145–160.
26. Malbrain ML, Chiumello D, Pelosi P, et al. Prevalence of intraabdominal hypertension in critically ill patients: A multicenter epidemiological study. Intensive Care Med 2004; 30:822–829.
27. Daugherty EL, Hongyan L, Taichman D, et al. Abdominal compartment syndrome is common in medical ICU patients receiving large-volume resuscitation. J Intensive Care Med 2007;22:294–299.
28. Cheatham ML, Malbrain MLNG, Kirkpatrick A, et al. Results from the International Conference of Experts on Intra-abdominal Hypertension and Abdominal Compartment Syndrome. II. Recommendations. Intensive Care Med 2007; 33:951–962.
29. Pannu N, Klarenbach S, Wiebe N, et al. Renal replacement therapy in patients

with acute renal failure. A systematic review. JAMA 2008; 299:793-805.
30. O'Reilly P, Tolwani A. Renal replacement therapy III. IHD, CRRT, SLED. Crit Care Clin 2005; 21:367-378.

Chapter 27

삼투압 장애

Osmotic Disorders

ICU 환자 40% 정도는 세포내액과 세포외액 사이의 삼투균형 (osmotic balance)에 문제가 있다 (1). 이런 문제가 있는 것을 알려주는 신호는 혈장 Na^+ 농도의 변화다. 하지만, 실제적인 문제는 세포용적의 변화며, 이는 중추신경계에서 가장 분명해진다. 이번 장은 세포외액량 (extracellular volume)이라는 한가지 변수를 바탕으로 삼투압장애 (osmotic disorders)에 대한 간단한 접근법을 보여준다.

Ⅰ. 삼투작용 (OSMOTIC ACTIVITY)

용액 (solution)안의 용질 (solute) 농도는 삼투작용 (osmotic activity)이라는 용어로 표현할 수 있다. 삼투작용은 용액 내 용질입자 (solute particle) 수를 반영한다. 측정단위는 오스몰 (osmole, osm)로, 더 이상 분리할 수 없는 물질 (non-dissociable substance) 6×10^{23} 입자, 즉 아보가드로 수 (Avogadro's Number)를 의미한다 (2). 체액구획의 삼투작용이 수분함량을 결정한다.

A. 상대적 삼투작용 (Relative Osmotic Activity)

1. 두 체액구획 (fluid compartment)을 용질이 자유롭게 투과하지 못하는 반투과성막 (semipermeable membrane)으로 나누면 용질은 체액구획

사이에 균등하게 분포할 수 없으며, 이로 인해 한쪽 구획의 삼투작용이 높아진다. 그러면 수분은 낮은 삼투작용을 하는 체액 쪽에서 높은 삼투작용을 하는 체액 쪽으로 이동한다.

2. 체액구획 사이의 삼투작용 차이를 *유효삼투작용 (effective osmotic activity)*이라고 하며, 이는 두 체액구획 사이의 수분이동을 유발하는 힘 (force)이다. 이 힘을 삼투압 (osmotic pressure)이라고도 한다.
3. 높은 삼투작용을 지닌 체액을 *고장성 (hypertonic)*이라고 하며, 낮은 삼투작용을 지닌 체액은 *저장성 (hypotonic)*이라고 한다.
4. 만약 두 체액구획을 세포외액과 세포내액이라고 하면
   a. 세포외액이 고장성이면, 수분은 세포 밖으로 이동한다.
   b. 세포외액이 저장성이면, 수분은 세포 안으로 이동한다.

B. 삼투작용의 단위 (Units of Osmotic Activity)

삼투작용은 용액 (solution)량 혹은 용액 내 수분량과의 관계로 나타낼 수 있다 (3,4).

1. 용액량 당 삼투작용을 *오스몰농도 (osmolarity)*라고 하며, L당 밀리오스몰 (mosm/L)로 표기한다.
2. 수분량 당 삼투작용을 *삼투질농도 (osmolality)*라고 하며, 물 1 kg당 밀리오스몰 (mosm/kgH_2O 혹은 msom/kg)로 표기한다.
3. 혈장은 대부분 (95%)이 물이기 때문에, 삼투질농도는 보통 혈장의 삼투작용을 나타낼 때 사용한다. 혈장의 삼투질농도와 오스몰농도는 미묘하게 차이가 있지만, 두 용어는 흔히 같은 의미로 사용한다 (4).

C. 혈장삼투질농도 (Plasma Osmolality)

혈장의 삼투작용은 측정 혹은 계산 가능하다.

1. 측정 혈장삼투질농도 (Measured Plasma Osmolality)

혈장삼투질농도는 빙점강하법 (freezing point depression)으로 측정할 수 있다. 물의 빙점 0℃는 용질 1오스몰을 물 1 kg 혹은 1 L에 더할 때마다 1.86℃ 내려간다. 따라서, 물에 비례한 수용액 (aqueous solution)의 빙점으로 용액의 삼투작용을 알 수 있다. 이 방법은 혈장 삼투질농도를 측정하는 '표준검사법 (gold standard)'이다.

2. 계산 혈장삼투질농도 (Calculated Plasma Osmolality)

혈장삼투질농도는 혈장 내의 주요용질 (principal solutes)의 농도를 이용해 계산할 수 있다. 주요용질에는 Na^+, CL^-, 포도당 (glucose), 그리고 요소 (urea)가 있다 (3). 즉,

$$\text{Posm} = 2 \times \text{혈장 } Na^+ + \frac{\text{포도당}}{18} + \frac{\text{BUN}}{2.8} \quad (27.1)$$

a. Posm은 혈장삼투질농도로 단위는 mosm/kgH_2O 혹은 mosm/kg로 표기한다.
b. 혈장 Na^+는 mEq/L 단위의 Na^+ 농도며, CL^-의 삼투작용을 더해주기 위해 두 배로 계산한다.
c. 포도당과 BUN은 각각의 혈장농도로 단위는 mg/dL다.
d. 18과 2.8은 포도당과 요소의 분자량 (molecular weight)을 mosm/kg 단위로 표시하기 위해서 10으로 나눈 것이다.
e. 예시 (EXAMPLE) : Na^+ (140 mEq/L), 포도당 (90 mg/dL), 그리고 BUN (14 mg/dL)의 정상 혈장 농도를 사용하면, 혈장삼투질농도는 (2 x 140) + 90/18 + 14/2.8 = 290 mosm/kg이다.

3. 유효 혈장삼투질농도 (Effective Plasma Osmolality)

요소는 세포막을 손쉽게 통과하기 때문에, BUN이 증가해도 혈장의 유

효 혈장삼투질농도는 증가하지 않는다. 즉, 고질소혈증 (azotemia)은 고삼투압성 (hyperosmotic) 상태지만, 고장성 상태는 아니다. 따라서, 유효 혈장삼투질농도의 계산식에는 BUN이 들어가지 않는다.

$$\text{Posm} = 2 \times \text{혈장 } Na^{+} + \frac{\text{포도당}}{18} \quad (27.2)$$

a. 예시 (EXAMPLE) : Na^{+} (140 mEq/L)과 포도당 (90 mg/dL)의 정상 혈장농도를 사용하면, 혈장삼투질농도는 (2 x 140) + 90/18 = 285 mosm/kg 이다

b. 혈장 Na^{+}가 세포외액에서 유효삼투작용 (effective osmotic activity)의 98% (285 mosm/kg 중 280 mosm/kg)를 차지한다는 점을 주목한다. 바꿔 말하면, *혈장 Na^{+}농도는 세포내액과 세포외액 구획에서 총 체액의 분포를 결정하는 주요인이다.*

D. 삼투질농도 차이 (Osmolal Gap)

1. 세포외액 내에는 Na^{+}, CL^{-}, 포도당, 요소 이외의 용질이 존재하기 때문에, 측정 혈장삼투질농도는 계산 혈장삼투질농도보다 높다. 이 삼투질농도 차이는 10 mosm/kg 이하가 정상이다 (3,5).
2. 독소나 약물이 있다면 삼투질농도 차이가 증가한다. 이 때문에, 삼투질농도 차이는 독소에 노출 (toxin exposure)된 경우나 약물과다복용 (drug overdose)이 의심되는 경우에 유용한 측정법이다.

II. 고나트륨혈증 (HYPERNATREMIA)

혈장 Na^{+}의 정상치는 135-145 mEq/L이기 때문에, 고나트륨혈증은 혈장 Na^{+}>145 mEq/L로 정의한다.

A. 세포외액량 (Extracellular Volume, ECV)

3가지 상태가 고나트륨혈증을 유발할 수 있다 (7) :

1. 수분손실이 Na^+손실보다 큰 Na^+와 수분의 손실. 즉, 저장성수액 (hypotonic fluid)의 손실. 이는 ECV의 감소로 이어진다.
2. 수분만 손실 (자유 수분 손실). ECV는 변하지 않는다.
3. Na^+획득이 수분획득보다 높은 Na^+와 수분의 획득. 즉, 고장성 수액 (hypertonic fluid)의 획득. 이는 ECV 증가로 이어진다.

이 상태들은 ECV가 다르기 때문에, ECV에 대한 평가로 고나트륨혈증의 유발원인을 찾을 수 있다. 이는 그림 27.1에 나와있다. ECV에 대

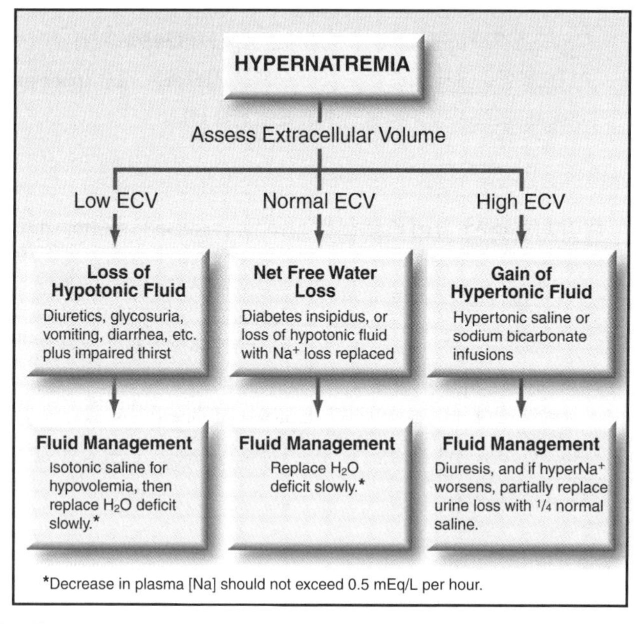

그림 27.1 세포외액량 (ECV)에 근거한 고나트륨혈증의 접근 흐름도

한 평가는 여기서 다루지 않는다. 혈량저하증 (hypovolemia)의 평가에 대해서는 7장을 참고한다.

B. 뇌병증 (Encephalopathy)

고나트륨혈증, 즉 고장성 상태 (hypertonicity)의 임상적인 결말은 인슐린저항성 (insulin resistance), 심기능저하 (cardiac dysfunction), 그리고 뇌병증 (encephalopathy)이 있으며 (1), 마지막에 언급한 뇌병증이 가장 중요하다.

1. 뇌병증은 혈장 Na^+가 급속히 증가할 때 발생하기 쉽다 (8). 가능한 기전으로는 뉴런세포체 (neuronal cell body)의 수축 (8)과 삼투성탈수초 (osmotic demyelination) (9)가 있다.
2. 임상증상은 초조 (agitation)와 기면 (lethargy)부터 혼수 (coma), 전신 혹은 국소발작 (generalized or focal seizure)까지 다양하다 (1).
3. 고나트륨혈증에서 뇌병증은 나쁜 예후를 시사하는 징후 (poor prognostic sign)로, 사망률이 최고 50%에 달한다 (9).

Ⅲ. 혈량저하증성 고나트륨혈증 (HYPOVOLEMIC HYPERNATREMIA)

ECV가 낮은 고나트륨혈증은 저장성체액 (hypotonic fluid), 즉 Na^+ 농도가 135mEq/L 미만인 체액 손실로 인해 발생한다. 저장성체액 손실의 흔한 원인에는 (a) 이뇨제 유발성 소변손실, (b) 당뇨 (glycosuria)로 인한 삼투성이뇨, (c) 구토와 설사, (d) 열관련질환 (heat-related illness)에서 과다한 땀 손실, 그리고 (e) 고령이나 쇠약한 환자에서처럼 Na^+ 혹은 수분 섭취 없는 정상체액손실 등이 있다.

A. 치료 (Management)

치료는 저장성체액손실의 두 가지 결과, (a) ECV를 감소시키는 Na^+ 소실과 (b) 혈장을 고장성 (hypertonic)으로 만드는 Na^+ 과다인 상태에서 수분손실,

즉 자유수분결핍 (free-water deficit) 교정을 목표로 한다.

1. Na^+ 보충 (Sodium Replacement)

Na^+ 손실과 가장 직접적인 문제는 혈량저하증이며, 이는 심장박출량 (cardiac output)을 감소시켜, 조직관류를 손상시킨다. 따라서, 혈량저하증성 고나트륨혈증의 치료는 등장성식염수를 이용한 Na^+ 보충에서 시작한다.

2. 자유수분보충 (Free Water Replacement)

혈량저하증 (hypovolemia)을 교정했다면, 다음 단계는 자유수분결핍 보충이다. 자유수분결핍은 총체액 (total body water, TBW)과 혈장 Na^+농도 (PNa)의 곱은 항상 일정하다 (7)는 가정을 근거로 예측할 수 있다 (7).

$$\text{실제 (TBW} \times \text{PNa)} = \text{정상 (TBW} \times \text{PNa)} \qquad (27.3)$$

정상 PNa를 140 mEq/L로 대체하고 항목을 재배열하면 다음의 관계를 산출할 수 있다.

$$\text{실제 TBW} = \text{정상 TBW} \times (140 \,/\, \text{실제 PNa}) \qquad (27.4)$$

a. 정상 TBW는 대부분의 경우 남성에서는 지방을 뺀 체중 (lean body weight)의 60%이며, 여성에서는 50%이다. 하지만, 수분이 소실된 고나트륨혈증 환자는 정상 TBW의 10% 감소를 제안한다 (10).
b. 고혈당증 환자는 고혈당의 희석 효과를 고려하여 혈장 Na^+을 교정해야만 한다. 이 효과로 인해 혈당이 100 mg/dL 증가할 때마다 Na^+은 평균 2 mEq/L 감소한다 (Ⅴ-A-2절 참고).
c. 실제 TBW를 구하면, 자유수분결핍은 다음과 같이 계산할 수 있다.

$$자유수분결핍 (L) = 정상 TBW - 실제 TBW \quad (27.5)$$

d. 예시 (EXAMPLE) : 지방을 뺀 체중 (lean body weight)이 70 kg인 성인 남성에서 혈장 Na^+가 160 mEq/L이라고 하면, 정상 TBW는 0.6 x 70 = 42 L이며, 실제 TBW는 42 x (140/160) = 36.8 L다. 자유수분결핍은 42-36.8=5.2 L 가 된다.

e. 자유수분결핍은 진행하는 Na^+손실을 보충하기 위해서 0.45% NaCL같은 Na^+함유수액으로 교정한다. 자유수분결핍을 교정하기 위해 필요한 수액량은 다음과 같이 예측할 수 있다 (11):

$$0.45\%\ NaCL의\ 양\ (L) = 자유수분결핍 \times (140/77) \quad (27.6)$$

140은 정상혈장 Na^+농도를 나타내며, 77은 0.45% NaCL 내의 Na^+ 농도다.

3. 혈장 Na^+의 변화속도 (Rate of Change in Plasma Sodium)

뉴론세포는 고장성세포외액에 대한 반응으로 초기에는 수축하지만, 1시간 내로 세포용적이 회복된다. 이는 뇌세포 내부에서 *유기성삼투질 (idiogenic osmoles)*이라고 하는 삼투성활성물질 (osmotically active substance)을 만들기 때문이다. 세포용적이 정상으로 회복되었다면, 자유수분 결핍을 공격적으로 보충할 경우 세포종창 (cell swelling)과 뇌부종 (cerebral edema)을 유발할 수 있다.

a. 뇌부종의 위험을 억제하기 위해서 혈장 Na^+감소는 시간당 0.5 mEq/L을 넘지 않도록 한다 (1,7,8)

Ⅳ. 혈량저하증이 없는 고나트륨혈증
(HYPERNATREMIA WITHOUT HYPOVOLEMIA)

ECV가 정상인 고나트륨혈증은 총 Na^+ 손실 (net Na^+ loss) 없이 자유수분만이 손실되어 생긴다. 이 상태는 고나트륨혈증이 있는 ICU 환자에서 흔하며 (1), 일반적으로 Na^+ 손실을 보충하면서 총 자유수분결핍 (net free water deficit)이 남을 때 발생한다. 다음에 설명할 상태는 아마도 온전한 수분결핍 (pure water deficit)의 가장 좋은 예가 될 것이다.

A. 요붕증 (Diabetes Insipidus, DI)

DI는 콩팥의 수분보존장애며, 용질 (solute)이 전무한 소변손실이 특징이다 (12). DI의 기저에 있는 문제는 원위세뇨관 (distal renal tubule)에서 수분 재흡수를 촉진하는 항이뇨호르몬 (antidiuretic hormone, ADH)과 연관된 결함이다. 요붕증은 ADH와 연관된 두 가지 별개의 결함이 있다.

1. *중추성요붕증 (Central DI)*는 뇌하수체후엽 (posterior pituitary)의 ADH 분비장애가 특징이다 (13). 흔한 원인으로는 뇌손상, 무산소성 뇌병증 (anoxic encephalopathy), 뇌수막염 (meningitis), 그리고 뇌사 등이 있다. 시작은 보통 유발원인이 있은 지 24시간 이내에 분명하게 나타나는 다뇨증 (polyuria)으로 알 수 있다.
2. *콩팥성요붕증 (Nephrogenic DI)*는 ADH에 대한 최종장기의 반응성 손상이 특징이다 (14). 잠재적 원인에는 amphotericin, aminoglycoside, 조영제 (radiocontrast dye), dopamine, lithium, 저칼륨혈증 (hypokalemia), 그리고 급성요세관괴사 (acute tubular necrosis, ATN)의 회복기 (혹은 다뇨기) 등이 있다. 콩팥농축능력의 결함은 중추성요붕증보다 콩팥성요붕증에서 덜 심각하다.

3. 진단 (Diagnosis)

요붕증의 진형적인 특징은 고장성혈장 (hypertonic plasma)에도 불구하고 희석된 소변이다.

a. 중추성요붕증에서는 소변 오스몰농도 (osmolarity)가 흔히 200

mosm/L이하가 되는 반면, 콩팥성 요붕증에서는 소변 오스몰농도가 대부분 200-500 mosm/L다 (15).

b. 수분제한에 대한 소변반응으로 요붕증을 진단할 수 있다. 수분을 완전히 제한한 뒤 첫 몇 시간 동안 소변 오스몰농도가 30 mosm/L 이상 증가하지 않는다면 요붕증으로 진단할 수 있다.

c. 요붕증 진단이 확정되면, vasopressin (5 unit IV)에 대한 반응으로 중추성 요붕증과 콩팥성요붕증을 감별할 수 있다. 중추성요붕증은 vasopressin 투여 후 거의 즉시 소변 오스몰농도가 최소 50% 증가하는 반면, 콩팥성요붕증은 vasopressin 투여 후에도 소변 오스몰농도가 변하지 않는다.

4. 치료 (Management)

요붕증에서 체액손실은 대부분 순수한 물이기 때문에, 보충전략은 공식 27.4-27.6을 이용한 자유수분결핍 보충과 교정속도를 시간당 0.5 mEq/L 이하로 제한 하는 것을 목표로 한다.

VASOPRESSIN : 중추성요붕증에서는 vasopressin 투여가 필요하다. 일반적으로 4-6시간 간격으로 수용성 (aqueous) vasopressin 2-5 unit를 SC로 투여한다 (16). Vasopressin 요법 중에는 수분중독 (water intoxication) 위험이 있기 때문에 반드시 혈청 Na^+를 주의 깊게 감시해야 한다.

B. 혈량증가증성 고나트륨혈증 (Hypervolemic Hypernatremia)

ECV가 높은 고나트륨혈증은 드물며, 대부분은 대사성산증을 교정하기 위해 탄산수소나트륨 (sodium bicarbonate)을 투여해서 발생하거나, 두개내압항진 (intracranial hypertension) 때문에 고장성식염수 (hypertonic saline)를 공격적으로 사용한 경우에 생긴다. 외래환자에서 혈량증가증성고나트륨혈증이 있을 경우 정신질환 (psychiatric disorder)이 있는 여성에서 흔하게 관찰되는 식염 (table salt)의 과도한 섭취를 고려해 보아야 한다 (17).

1. 치료 (Management)

콩팥기능이 정상이라면, 과도한 Na^+와 수분은 급속도로 배출된다. 콩팥 Na^+배출에 문제가 있다면, furosemide같은 이뇨제로 증가시킬 수 있지만, 이뇨 동안 소변 Na^+는 80 mEq/L 정도로 혈장 Na^+보다 낮으며, 이는 고나트륨혈증을 악화시킨다. 따라서, 소변손실은 소변보다 저장성인 수액을 통해 부분적으로 보충해줘야 한다.

V. 고장성 고혈당증 (HYPERTONIC HYPERGLYCEMIA)

심각한 고혈당증은 혈장삼투질농도 (osmolality)에 많은 영향을 끼친다. 예를 들어, 혈당이 600 mg/dL이라면 혈장삼투질농도를 600/18=40 mosm/kg 만큼 증가시킨다.

A. 비케톤성 고혈당증 (Non-Ketotic Hyperglycemia, NKH)

NKH는 케톤산증 (ketoacidosis)이 없는 심각한 고혈당증이 특징이다. 이 상태는 보통 제2형 당뇨병 (type 2 diabetes)이 있는 고령환자에게 나타나며, 외상이나 감염 같은 생리적 스트레스 (physiologic stress)가 촉발시킨다. 혈당치는 일반적으로 600 mg/dL 이상이며, 1000 mg/dL을 초과하기도 한다. 당뇨 (glycosuria)가 뚜렷하며, 그 결과물인 삼투성이뇨 (osmotic diuresis)로 인해 혈량저하증 (hypovolemia)이 생긴다. 고혈당증과 저장성 체액손실의 조합은 혈장 삼투질농도를 상당히 증가시킨다. NKH의 사망률은 5-20%로 1-5%인 당뇨병성 케톤산증 (diabetic ketoacidosis)보다 높다 (18).

1. 임상양상 (Clinical Manifestations)

NKH의 임상양상은 아래와 같다 (18):

a. 혈당치가 일반적으로 600 mg/dL 이상인 심각한 고혈당증

b. 케톤증 (ketosis)는 없거나 경증 (mild)
c. 혈량감소증 (hypovolemia)의 단서
d. 뇌병증 (ENCEPHALOPATHY) : 혈장 삼투질농도가 320 mosm/kg로 증가하면 의식수준이 변하기 시작하며, 340 mosm/kg에 달하면 혼수 (coma)가 발생한다 (18). 전신 및 국소 발작 (generalized and focal seizure)이 발생할 수 있으며, 무도증 (chorea)과 편무도병 (hemiballismus)같은 불수의운동 (involuntary movement)도 발생할 수 있다 (19).

2. 고혈당증과 혈장 Na^+ (Hyperglycemia and Plasma Sodium)

고혈당증은 세포내 공간 (intracellular space)에서 수분을 끌어내어, 혈장 Na^+에 희석효과 (dilutional effect)를 만든다. *혈당이 100 mg/dL 증가할 때마다, 혈장 Na^+은 1.6에서 2.4 mEq/L, 평균 2 mEq/L 감소한다 (20,21).*

a. 예시 (EXAMPLE) : 혈당 100 mg/dL 증가당 2 mEq/L를 보정계수 (correction factor)로 사용하면, 혈장 Na^+ 측정치가 140 mEq/L고 혈당이 800 mg/dL인 경우, 보정혈장 Na^+은 140 + (7x2) = 154 mEq/L가 된다.

3. 수액치료 (Fluid Management)

순환혈액량 (volume) 결핍은 NKH에서 극심할 수 있으며, 등장성식염수 (isotonic saline)로 첫 1시간에 1-2 L를 투여하는 공격적인 혈액량 (volume) 주입이 필요한 경우가 자주 있다. 그 후, 혈액량주입은 혈량감소증 (hypovolemia)의 징후와 보정혈장 Na^+농도를 기준으로 해야 한다.

4. 인슐린요법 (Insulin Therapy)

a. 인슐린은 포도당과 수분 모두를 세포내로 이동시키기 때문에, 인슐린요법은 혈량감소증을 악화시킬 수 있다. 따라서, *인슐린은 혈관내 순환혈액량이 회복되기 전까지는 투여하지 말아야 한다*. NKH 환자들은 보통 약간의 내인성인슐린 (endogenous insulin)을 가지고 있으며, 혈액량 주입은 고장성 (hypertonicity)을 보정하면서 인슐린저항성 (insulin resistance)을 감소시키기 때문에, 위의 방법이 안전하다.

b. 혈량저하증이 교정되었다면, 24장 표24.4에 나와있는 당뇨병성케톤산증의 프로토콜을 이용해서 속효성인슐린 (regular insulin, RI)을 0.1 units/kg/hr로 주입하면서 인슐린요법을 시작할 수 있다. 인슐린 소모량은 고장성상태 (hypertonic condition)가 교정됨에 따라 줄어들 것이다. 따라서, 매 시간 혈당치 감시가 매우 중요하다.

VI. 저나트륨혈증 (HYPONATREMIA)

혈장 Na^+이 135 mEq/L 미만인 저나트륨혈증은 ICU 환자 40-50%에서 보고되고 있으며 (22, 23), 특히 신경외과환자에게 흔하다 (27).

A. 가성저나트륨혈증 (Pseudohyponatremia)

1. 자동화 혈장전해질측정은 혈장의 수성 (aqueous phase)과 소수성 (non-aqueous phase) 둘 다를 대상으로 하지만, 삼투성 (osmotically)으로 중요한 부분은 수성이다. 혈장은 대부분 (95%)이 수분이며, 따라서 측정한 Na^+농도와 수성 Na^+농도의 차이는 보통 무시할 만한 수준이다.
2. 혈장지질 (lipid) 혹은 단백질 (protein) 농도가 극도로 증가하면 혈장의 소수성 (nonaqueous phase)에 더해지며, 이는 수성 Na^+ 농도에 비례해서 측정한 혈장 Na^+을 눈에 띄게 낮출 수 있다. 이 상태를 가성저나트륨혈증이라고 하며, 혈장지질농도가 1,500 mg/dL이상으로 증가

하거나 혈장단백질농도가 12-15 g/dL이상으로 증가하지 않는 한 쉽게 볼 수 없다 (24).

3. 이 상태가 의심된다면, 임상검사실에는 수성 Na^+농도를 측정할 수 있는 이온-특이적 전극 (ion-specific electrode)이 준비되어 있다. 그렇지 않으면, 혈장삼투질농도 (osmolality)를 측정하면 삼투질농도가 정상인 가성저나트륨혈증과 삼투질농도가 감소한 “진성” 저나트륨혈증을 감별할 수 있다.

B. 저장성 저나트륨혈증 (Hypotonic Hyponatremia)

저장성 저나트륨혈증은 세포외액에서 Na^+에 대비해 자유수분이 과도할 때 발생한다. 대부분은 항이뇨호르몬 (antidiuretic hormone, ADH) 분비의 정상적인 조절기전이 사라진다.

1. 비삼투성 ADH분비 (Nonosmotic ADH release)

ADH은 세포외액의 삼투질농도 증가에 반응해 뇌하수체 후엽 (posterior pituitary)에서 분비되며, 원위세뇨관 (distal renal tubules)에서 수분재흡수를 촉진하여 고장성 (hypertonicity)을 억제한다.

a. ADH는 혈압감소나 생리학적 스트레스 (physiological stress) 같은 비삼투성요인 (nonosmotic factor)에 의해서도 분비된다. 혈압감소는 압력수용기 (baroreceptor)를 통해 감지하며, 생리학적 스트레스 (physiological stress)는 뇌하수체전엽 (anterior pituitary)에서 ACTH분비를 자극하는 것과 동일한 스트레스를 의미한다.

b. ADH분비는 보통 혈장 Na^+이 135 mEq/L 이하로 떨어지면 억제된다 (1). 하지만, ADH를 분비시키는 비삼투성자극이 활성화되면, 저나트륨혈증임에도 불구하고 ADH분비가 지속되며, 그 결과 콩팥에서 수분을 재흡수하여 저나트륨혈증을 악화시킨다.

c. *비삼투성 혹은 “부적절한” ADH 분비 (SIADH)는 입원환자에서 지속되는 저나트륨혈증의 중요한 원인이다 (25).*

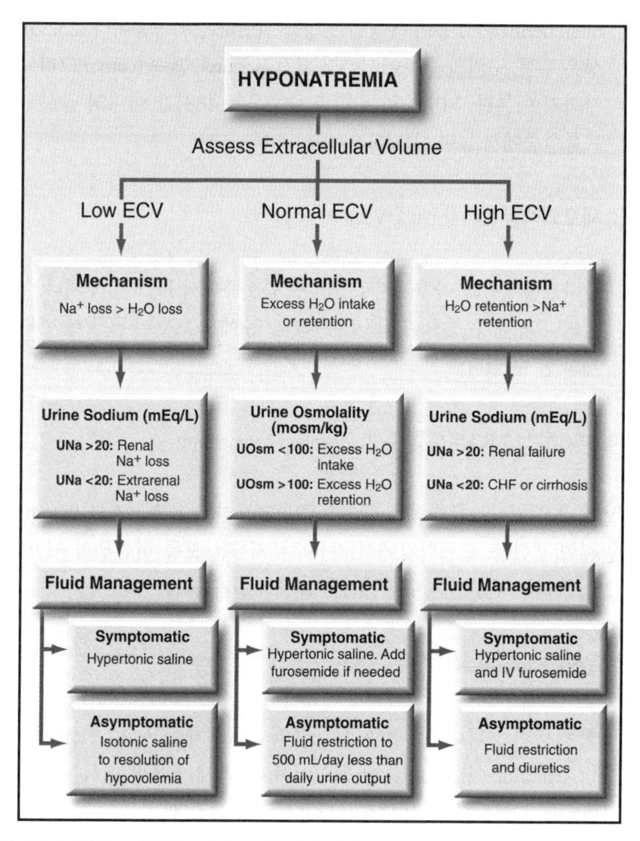

■ 그림 27.2 세포외액량 (ECV)에 근거한 저나트륨혈증의 접근 흐름도

2. 뇌병증 (Encephalopathy)

저장성 저나트륨혈증의 주요 결과는 뇌부종 (cerebral edema), 두개내 압증가 (increased intracranial pressure), 그리고 뇌이탈의 위험 (risk of brain herniation) 등이 특징인 생명을 위협하는 뇌병증이다 (25,26). 증상은 두통, 구역과 구토에서부터 발작 (seizure), 혼수 (coma) 그리고 뇌사까지 이른다. 뇌병증의 위험과 중증도는 48시간 이내의 급성 저나트륨혈증에서 높다 (25,26).

3. 세포외액량 (Extracellular Volume, ECV)

고나트륨혈증과 마찬가지로, 저나트륨혈증에서 ECV는 낮거나, 정상이거나 높을 수 있으며 접근법은 그림27.2에서 보듯이 ECV에 따라 체계화 할 수 있다.

C. 혈량저하성 저나트륨혈증 (Hypovolemic Hyponatremia)

ECV가 낮은 저나트륨혈증은 Na^+ 손실과 과도한 자유수분저류 (retention)로 인해 발생한다. 입원환자에서 자유수분저류는 보통 비삼투성 ADH 분비 (25), 그리고 무분별한 수분섭취가 합쳐진 결과이다.

1. 원인 (Etiologies)

혈량저하성 저나트륨혈증과 관련된 주요상태들은 표27.1에 나와있다. Thiazide 이뇨제가 흔한 원인이며, 이 제제가 콩팥 희석능력 (renal diluting ability)을 손상시키기 때문이라 추정된다.

a. 1차성 부신기능부전증 (PRIMARY ADRENAL INSUFFICIENCY) : 1차성 부신기능부전증은 광질코르티코이드 (mineralocorticoid) 결핍을 동반하며, 이는 콩팥 Na^+ 소모로 이어진다. 반대로 2차성, 즉 시상하부성 (hypothalamic) 부신기능부전증은 주로 당질코르티코이드 (glucocorticoid) 결핍을 동반하며, 콩팥 Na^+ 손실을 조장하지 않는다.
b. 뇌염분소모 (CEREBRAL SALT WASTING) : 뇌염분소모는 외상

성 뇌손상, 지주막하출혈 (subarachnoid hemorrhage), 그리고 신경외과수술에서 발생한다 (23). 콩팥의 Na^+ 소모 기전은 밝혀지지 않았다 (23).

표 27.1 저나트륨혈증의 선행질환

Low ECV †	Normal ECV	High ECV
Renal NA^+ Loss Diuretics Cerebral salt wasting Primary adrenal insufficiency	*ADH-Related* SIADH Physiologic stress Hypothyroidism	Cirrhosis Heart failure Renal failure
Extrarenal NA^+ Loss GI loss	*Not ADH-Related* Primary polydipsia	

†저나트륨혈증을 유발하기 위해서는 반드시 수분저류가 있어야 한다.

2. 진단 시 고려사항 (Diagnostic Considerations)

Na^+ 손실의 원인은 보통은 명확하다. 만약 불확실하다면, 순간소변 Na^+ (spot urine sodium)이 콩팥성 (renal)과 콩팥외성 (extrarenal)을 구분하는데 도움을 줄 수 있다. 즉, 소변 Na^+이 20 mEq/L 이상으로 높다면 콩팥성손실을 시사하며, 소변 Na^+이 20 mEq/L보다 낮다면 콩팥외성손실을 시사한다.

D. 정상혈량성 저나트륨혈증 (Euvolemic Hyponatremia)

1. 원인 (Etiologies)

정상혈량성 저나트륨혈증의 주요한 원인은 다음과 같다.

a. 보통 입원환자에서 보이는 생리학적 스트레스로 인한 비삼투성 ADH 분비 (25)

b. 다양한 악성종양 (malignancy), 감염, 그리고 약물과 연관된 비삼투성 ADH 분비가 특징인 항이뇨호르몬분비이상증후군 (syndrome of inappropriate ADH, SIADH) (25).
c. 1차성 혹은 심인성다음증 (psychogenic polydipsia) 즉, 과도한 수분섭취

2. 진단 시 고려사항 (Diagnostic Considerations)

비삼투성 ADH 분비는 소변 삼투질농도가 100 mosm/kg 이상으로 부적절하게 농축된 소변이 특징인 반면, 과도한 수분섭취는 소변 삼투질농도가 100 mosm/kg 이하인 희석된 소변이 특징이다.

E. 혈량증가성 저나트륨혈증 (Hypervolemic Hyponatremia)

1. 혈량증가성 저나트륨혈증은 Na^+저류와 수분저류 모두로 인해 발생하며, 심부전, 간경화, 그리고 신부전이 진행하면 나타난다.
2. 신부전에서는 소변 Na^+이 20 mEq/L이상으로 높은 반면, 심부전과 간경화에서는 이뇨제를 투여한 경우를 제외하면 소변 Na^+이 20 mEq/L 이하로 낮다.

F. 수액치료 (Fluid Management)

저나트륨혈증의 치료는 ECV와 신경학적 증상의 유무에 따라 결정한다. 증상이 있는 저나트륨혈증은 고장성식염수 (hypertonic saline)를 이용하여 혈장 Na^+ 농도를 빠르게 증가시켜야 하지만, 너무 빠르게 증가하면 다음에 설명하는 내용처럼 오히려 해로울 수 있다.

1. 삼투성탈수초화 (Osmotic Demyelination)

혈장 Na^+를 24시간 이내에 10-12 mEq/L 이상으로 빠르게 교정하면 중심뇌교 수초용해증 (central pontine myelinolysis, CPM)이라고도 불

리는 삼투성 탈수초화 증후군 (osmotic denyelination syndrome)을 유발할 수 있다. 삼투성 탈수초화 증후군의 특징은 구음장애 (dysarthria), 불완전사지마비 (quadriparesis), 그리고 의식소실 등이 있다 (23,25). 만성저나트륨혈증이 48시간 이내의 급성 저나트륨혈증에 비해 위험이 높다. 삼투성탈수초화를 피하기 위해서 다음 방법을 권장한다.

a. 만성저나트륨혈증이라면, 혈장 Na^+은 시간당 0.5 mEq/L 이상 혹은 24시간 동안 10-12 mEq/L이상 빠르게 증가시키지 않아야 한다. 그리고 급속교정기 (rapid correction phase)는 혈장 Na^+이 120 mEq/L가 되면 중단해야 한다 (25).
b. 급성저나트륨혈증이라면, 첫 1-2시간에는 혈장 Na^+을 4-6 mEq/L 속도로 증가시킬 수 있지만 (23), 최종혈장 Na^+은 120 mEq/L을 넘지 않아야 한다.

2. 고장성식염수의 주입속도 (Infusion Rate for Hypertonic Saline)

고장성식염수 (3%NaCL)의 주입속도는 환자의 체중 (kg)과 원하는 혈장 Na^+ 증가속도를 곱하면 추측할 수 있다 (25).

a. 예시 (EXAMPLE) : 환자의 체중이 70 kg이고 원하는 혈장 Na^+ 증가 속도가 시간당 0.5 mEq/L라고 하면, 고장성 식염수 (3% NaCL)의 주입속도는 70 x 0.5= 35 mL/hr 가 된다. 그 후 혈장 Na^+을 일정 간격으로 감시하여 목표혈장 Na^+ 수치인 120 mEq/L에 언제 도달하는지 확인해야 한다.

3. 전략 (Strategies)

다음은 ECV에 근거한 수액 치료의 일반적인 전략이다. 이 내용은 그림27.2에 요약되어 있다.

a. 낮은 ECV (Low ECV) : 증상이 있는 환자는 앞 절에서 언급한 급속교정지침을 이용해 고장성식염수 (3% NaCL)를 주입한다. 증상이 없는 환자는 혈량저하증 (hypovolemia)이 교정될 때까지 등장성식

염수 (isotonic saline)를 주입한다.

b. 정상 ECV (Normal ECV) : 증상이 있는 환자는 앞 절에서 언급한 급속교정지침을 이용해 고장성식염수 (3%NaCL)를 주입한다. 만약 혈액량 (volume) 과다가 걱정된다면, furosemide (20-40 mg IV)를 투여한다 (25). 증상이 없는 환자는 수분섭취를 하루 소변배출량보다 500 mL 작게 제한한다 (25). 수액제한이 효과가 없거나 환자가 힘들어하면, 다음에 언급할 약물요법을 고려해본다.

c. 높은 ECV (High ECV) : 혈량증가성 저나트륨혈증은 치료지침이 없다. 심각한 증상이 있는 환자는 고장성식염수를 주입해 볼 수 있지만, furosemide 이뇨제를 병용해야 한다 (25). 증상이 없는 환자는 수액제한과 furosemide 이뇨제가 표준치료법이다.

G. 약물요법 (Pharmacotherapy)

다음의 제제들은 주로 SIADH와 연관된 만성저나트륨혈증에, 특히 수액제한이 효과가 없거나 환자가 견디기 힘들어 할 때 사용한다.

1. Demeclocycline

Demeclocycline은 tetracycline의 파생물 (derivative)로 신세뇨관에서 ADH 효과를 차단한다. 경구투여하며, 용량은 하루에 600-1200 mg을 나누어 투여한다. 최대효과가 나타나기까지는 며칠이 걸리며, 성공 여부는 다양하다. Demeclocycline은 콩팥독성이 있을 수 있기 때문에, 콩팥기능감시를 추천한다.

2. Vasopressin 길항제 (Vasopressin Antagonist)

Arginine vasopressin (ADH의 다른 말) 수용체차단제에는 두 가지 (conivaptin과 tolvaptan)가 있다 (27,28).

a. CONIVAPTAN : Conivaptan은 콩팥 및 다른 곳에서 vasopressin의

효과를 차단한다. IV로 투여하며, 부하용량 (loading dose)으로 20 mg을 투여한 뒤 96시간 동안 하루에 40 mg 속도로 지속주입 한다 (28). 혈장 Na^+의 증가치는 약 6-7 mEq/L 다 (28).

b. TOLVAPTAN : Tolvaptan은 콩팥에서 vasopressin 효과를 선택적으로 차단한다. 경구투여하며, 하루에 한번 15 mg으로 시작해서 필요한 경우 하루에 최대 60 mg까지 증량할 수 있다. 최대효과는 치료를 시작하고 첫 4일째에 나타나며, 혈장 Na^+이 6-7 mEq/L 증가한다 (27).

c. 이 "vaptan" 제제는 ICU에서 저나트륨혈증의 급성치료에는 장점이 미미하거나 없다.

참고문헌

1. Pokaharel M, Block CA. Dysnatremia in the ICU. Curr Opin Crit Care 2011; 17:581-593.
2. Rose BD, Post TW. The total body water and the plasma sodium concentration. In: Clinical physiology of acid-base and electrolyte disorders. 5th ed. New York, NY: McGraw-Hill, 2001; 241-257.
3. Gennari FJ. Current concepts. Serum osmolality. Uses and limitations. N Engl J Med 1984; 310:102-105.
4. Erstad BL. Osmolality and osmolarity: narrowing the terminology gap. Pharmacother 2003; 23:1085-1086.
5. Turchin A, Seifter JL, Seely EW. Clinical problem-solving. Mind the gap. N Engl J Med 2003; 349:1465-1469.
6. Purssell RA, Lynd LD, Koga Y. The use of the osmole gap as a screening test for the presence of exogenous substances. Toxicol Rev 2004; 23:189-202.
7. Adrogue HJ, Madias NE. Hypernatremia. N Engl J Med 2000;342:1493-1499.
8. Arieff AI, Ayus JC. Strategies for diagnosing and managing hypernatremic encephalopathy. J Crit Illness 1996; 11:720-727.
9. Naik KR, Saroja AO. Seasonal postpartum hypernatremic encephalopathy with osmotic extrapontine myelinolysis and rhabdomyolysis. J Neurol Sci 2010; 291:5-11.
10. Rose BD, Post TW. Hyperosmolal states: hypernatremia. In: Clinical physiology of acid-base and electrolyte disorders. 5th ed. New York, NY: McGraw-Hill, 2001; 746-792.
11. Marino PL, Krasner J, O'Moore P. Fluid and electrolyte expert, Philadelphia, PA:

WB Saunders, 1987.
12. Makaryus AN, McFarlane SI. Diabetes insipidus: diagnosis and treatment of a complex disease. Cleve Clin J Med 2006; 73:65-71.
13. Ghirardello S, Malattia C, Scagnelli P, et al. Current perspective on the pathogenesis of central diabetes insipidus. J Pediatr Endocrinol Metab 2005; 18:631-645.
14. Garofeanu CG, Weir M, Rosas-Arellano MP, et al. Causes of reversible nephrogenic diabetes insipidus: a systematic review. Am J Kidney Dis 2005; 45:626-637.
15. Geheb MA. Clinical approach to the hyperosmolar patient. Crit Care Clin 1987; 3: 797-815.
16. Blevins LS, Jr., Wand GS. Diabetes insipidus. Crit Care Med 1992;20:69-79.
17. Ofran Y, Lavi D, Opher D, et al. Fatal voluntary salt intake resulting in the highest ever documented sodium plasma level in adults (255 mmol/L): a disorder linked to female gender and psychiatric disorders. J Intern Med 2004; 256:525-528.
18. Chaithongdi N, Subauste JS, Koch CA, Geraci SA. Diagnosis and management of hyperglycemic emergencies. Hormones 2011;10:250-260.
19. Awasthi D, Tiwari AK, Upadhyaya A, et al. Ketotic hyperglycemia with movement disorder. J Emerg Trauma Shock 2012;5:90-91.
20. Moran SM, Jamison RL. The variable hyponatremic response to hyperglycemia. West J Med 1985; 142:49-53.
21. Hiller TA, Abbott RD, Barrett EJ. Hyponatremia: evaluating the correction factor for hyperglycemia. Am J Med 1999;106:399-403.
22 Hoorn EJ, Lindemans J, Zietse R. Development of severe hyponatremia in hospitalized patients: treatment-related risk factors and inadequate management. Nephrol Dial Transplant 2006; 21:70-76.
23. Upadhyay UM, Gormley WB. Etiology and management of hyponatremia in neurosurgical patients. J Intensive Care Med 2012; 27:139-144.
24. Weisberg LS. Pseudohyponatremia: A reappraisal. Am J Med 1989; 86:315-318.
25. Verbalis JG, Goldsmith SR, Greenberg A, et al. Hyponatremia treatment guidelines 2007: Expert panel recommendations. Am J Med 2007; 120(Suppl): S1-S21.
26. Arieff AI, Ayus JC. Pathogenesis of hyponatremic encephalopathy. Current concepts. Chest 1993; 103:607-610.
27. Lehrich RW, Greenberg A. Hyponatremia and the use of vasopressin receptor antagonists in critically ill patients. J Intensive Care Med 2012; 27:207-218.
28. Zeltser D, Rosansky S, van Rensburg H, et al. Assessment of efficacy and safety of intravenous conivaptan in euvolemic and hypervolemic hyponatremia. Am J Nephrol 2007; 27:447-457.

Chapter 28

칼륨

Potassium

몸 전체 K^+ 중 1% 미만이 혈장에 존재하기 때문에 (1), 혈장 K^+ 농도로 몸 전체 K^+ 농도를 감시 하는 것은 마치 빙산의 일각으로 빙산의 크기를 가늠하는 것과 같다. 이와 같은 한계점을 염두에 두고, 이번 장은 혈장 K^+ 농도 이상의 원인과 결과를 다룬다 (1-3).

Ⅰ. 기초 (BASICS)

A. K+ 분포 (Potassium Distribution)

1. 세포내부에 K^+이 많은 이유는 세포막에 있는 Na^+-K^+교환펌프가 Na^+은 세포 밖으로 내보내고 K^+을 세포 안으로 이동시키기 때문이다 (1).
2. 건강한 성인은 몸 전체에 K^+이 약 50 mEq/kg있으며, 이 중 2%만이 세포외액에 존재한다 (1). 혈장이 세포외액의 약 20%를 차지하기 때문에, *혈장 K^+ 함유량은 몸 전체에 있는 K^+의 0.4%밖에 되지 않는다.*
   a. 예시 (EXAMPLE) : 70kg 성인은 몸 전체에 K^+이 3,500 mEq 있으며, 이 중 70 mEq이 세포외액에 있고, 혈장에는 극소량인 14 mEq이 있다.

B. 혈장 K^+ (Plasma Potassium)

1. 몸 전체에 있는 K^+ 변화가 혈장 K^+에 미치는 영향은 그림28.1의 곡선

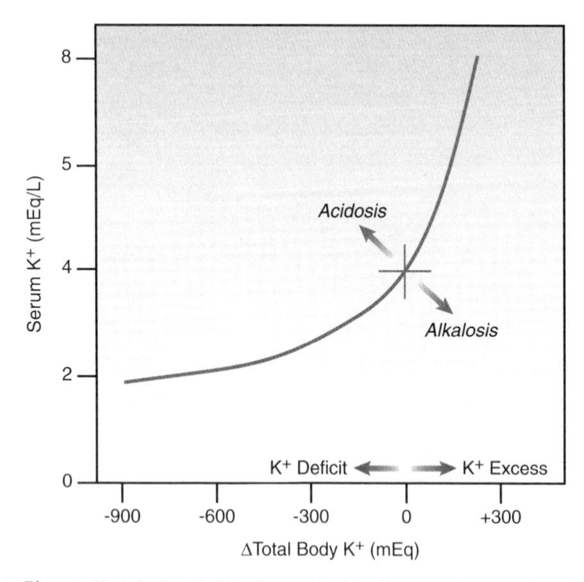

그림 28.1 몸 전체에 있는 K+의 변화와 혈청 K+ 농도 사이의 관계. 참고문헌 4에서 다시 그림.

에 잘 나타나있다 (4). K^+ 결핍지역에서 평평한 부분이 있는 곡선 모양을 주목한다.

2. 혈장 K^+이 정상인 평균적인 몸집을 가진 성인에서, 혈장 K^+을 1 mEq/L 감소시키기 위해서는 몸 전체에 있는 K^+이 200-400 mEq 정도 감소해야 하는 반면, 혈장 K^+을 1 mEq/L 증가시키기 위해서는 몸 전체에 있는 K^+이 100-200 mEq 정도 증가해야 한다 (5). 따라서, *혈청 K^+에 변화가 있을 때, 몸 전체의 K^+ 변화량은 K^+결핍 (저칼륨혈증)이 K^+과잉 (고칼륨혈증)보다 2배 더 많다.*

C. K+ 배출 (Potassium Excretion)

1. 소량의 K^+이 대변 (5-10 mEq/day)과 땀 (0-10 mEq/day)으로 배출되

기는 하지만, K^+ 배출은 대부분 소변을 통해서며, K^+섭취에 따라 40-120 mEq/day까지 달라진다 (1).

2. 콩팥배출 (Renal Excretion)

여과된 K^+은 대부분 근위세뇨관 (proximal renal tubules)에서 재흡수되며, 그 후 원위세뇨관 (distal tubules)과 집합관 (collecting duct)에서 분비된다 (1).

a. 소변을 통한 K^+배출은 주로 말단네프론 (distal nephron)의 K^+분비기능 때문이며, 이는 혈장 K^+과 aldosterone이 조절한다. Aldosterone은 Na^+저류를 촉진시켜 K^+분비를 자극한다.
b. 콩팥기능이 정상이라면, K^+배출 능력은 K^+부하 (loading)가 증가하여 혈장 K^+이 지속적으로 증가하는 상황을 방지할 수 있을 정도로 충분히 높다 (1).

II. 저칼륨혈증 (HYPOKALEMIA)

혈장 K^+이 3.5 mEq/L 이하인 저칼륨혈증은 세포간 이동을 통해 K^+이 세포 안으로 이동하거나, 혹은 K^+소모 등으로 몸 전체의 K^+이 줄어들어서 발생한다 (6).

A. 세포간 이동 (Transcellular Shift)

아래의 상태는 K^+이 세포 안으로 이동해서 발생하는 저칼륨혈증으로 이어질 수 있다.

1. Albuterol 같은 흡입용 β_2-*작용제 기관지확장제 (*β_2*-agonist bronchodilators)*는 치료용량 (therapeutic dose)에서 혈장 K^+을 약간 감소시킨다 (7). 기전은 골격근 (skeletal muscle)의 근세포 (myocyte) 세포막에 있

는 β_2-수용체 (β_2-receptor)자극이다. 흡입용 β_2-작용제를 인슐린 (7) 혹은 이뇨제 (8)와 병용하면 혈장 K^+에 미치는 영향이 커진다.

2. 알칼리증은 세포막의 H^+-K^+ 교환 펌프를 통해 세포내부의 H^+와 교환하여 K+을 세포 내부로 이동시킨다. 하지만, 알칼리증이 혈장 K^+에 미치는 영향은 다양하며 예측이 불가능하다 (9).
3. 저체온증은 혈장 K^+을 일시적으로 떨어뜨리지만, 체온이 올라가면 해결된다 (10).
4. 인슐린은 포도당수송체 (glucose transporter)를 통해 K^+을 세포 안으로 이동시킨다. 효과는 1-2시간 지속된다 (7).

B. K^+ 소모 (Potassium Depletion)

K^+ 소모는 콩팥 혹은 위장관을 통한 K^+소실로 인해 발생한다.

1. 콩팥 K^+소실 (Renal Potassium Loss)

a. Thiazide 혹은 루프 (loop) 이뇨제는 (a) 말단네프론 (distal nephron)으로 Na^+수송 증가와 (b) 순환혈액량 소실 (volume loss)로 인한 aldosteron분비 증가 (6)라는 두 가지 기전을 통해 말단네프론에서 K^+분비를 촉진한다.
b. Mg^{++} 소모는 소변을 통한 K^+ 배출 증가의 원인으로 잘 알려져 있지만, 정확한 기전은 알 수 없다 (6). 저마그네슘혈증 (hypomagnesemia)은 저칼륨혈증 환자의 40%에서 볼 수 있으며 (6), 중환자에서 K^+소모를 촉진하는 중요한 인자로 여겨진다 (11).
c. 위 분비물 소실 (loss of gastric secretion)은 흔히 저칼륨혈증을 동반한다 (11). 위 분비물은 K^+농도가 10-15 mEq/L로 상대적으로 낮지만, 그 결과물인 순환혈액량 소실과 알칼리증은 소변을 통한 K^+ 배출을 촉진시킨다 (12).
d. Amphotericin B는 말단 네프론에서 K^+분비를 촉진하며, 항진균제

로 치료한 환자 중 약 50%에서 저칼륨혈증이 발생한다.

2. 위장관 K^+소실 (GI Potassium Loss)

콩팥외부 (extrarenal) K^+소실의 주원인은 K^+농도가 15-40 mEq/L인 분비성설사 (secretory diarrhea)다 (12). 중증 분비성설사에서는 하루 배변양이 10 L에 육박하며, 그 결과 하루 K^+소실은 400 mEq에 달한다 (12).

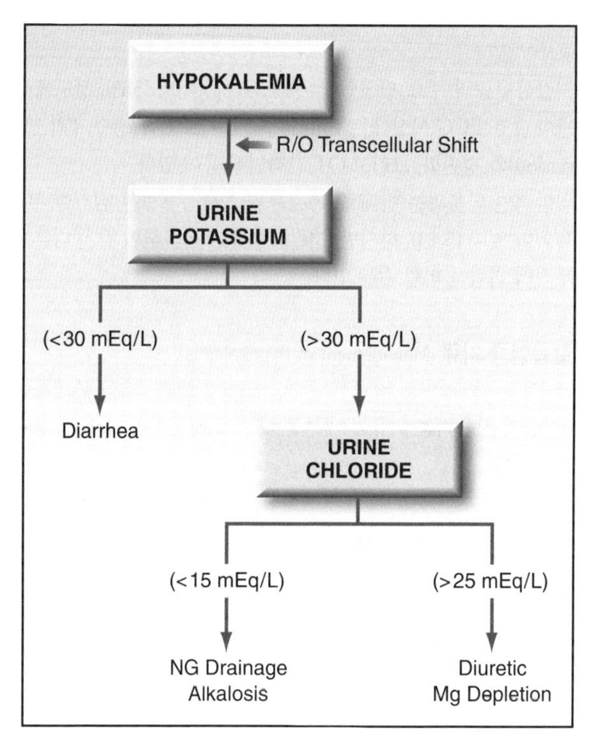

■ 그림 28.2 저칼륨혈증 평가에 대한 알고리즘

3. 진단적 평가 (Diagnostic Evaluation)

K^+ 소실의 원인이 확실하지 않다면, 그림28.2와 같이 소변 K^+와 CL^-농도가 유용하다.

C. 임상양상 (Clinical Manifestations)

혈청 K^+이 2.5 mEq/L 이하인 중증 저칼륨혈증은 광범위한 근력저하 (diffuse muscle weakness)를 유발할 수도 있지만 (3,6), *대부분의 경우 저칼륨혈증은 증상이 없다.*

1. 저칼륨혈증의 주요 임상양상은 ECG 이상이며, 50% 정도에서 나타난다 (13). ECG 이상에는 1 mm 이상 높이로 U파 상승, T파 전위 (inversion)와 평편화, 그리고 QT 간격연장 등이 있다.
2. 일반적인 믿음과는 반대로, *저칼륨혈증 단독으로는 심각한 부정맥의 위험이 없다* (3,13). 하지만, 저칼륨혈증이 심근허혈 같은 다른 상태에 부정맥 위험을 더할 수는 있다.

D. 저칼륨혈증 치료 (Management of Hypokalemia)

저칼륨혈증이 지속되는 이유는 대부분 K^+소모 때문이며, 다음과 같이 K^+을 보충할 수 있다.

1. 보충액 (Replacement Fluids)

보충액은 일반적으로 염화칼륨 (potassium chloride, KCL)이며, 1-2 mEq/mL의 농축용액 형태로 KCL이 10, 20, 30, 그리고 40 mEq 함유된 앰플 (ampules)이 제품으로 나와있다. 2 mEq/mL 용액의 삼투질농도 (osmolality)는 4,000 mosm/kg이며, 극도로 고삼투압성 (extremely hyperosmotic)이기 때문에 이 용액들은 반드시 희석해서 사용해야 한다 (14).

a. mL당 K^+이 4.5 mEq, PO_4 3 mmol이 함유된 인산칼륨 (potassium phosphate)용액도 사용할 수 있다. 케톤산증에서는 PO_4 소모도 흔하기 때문에, 당뇨병성 케톤산증 (diabetic ketoacidosis)에서 K^+을 보충할 때 일부 병원에서는 이 용액을 즐겨 사용한다.

2. 보충속도 (Rate of Replacement)

KCL 20 mEq을 등장성 식염수 (isotonic saline) 100 mL에 희석해서 1시간에 걸쳐 주입하는 방법이 IV K^+ 보충의 표준방법 (standard method)이다 (15).

a. IV K^+ 보충의 표준속도는 20 mEq/hr이지만 (15), K^+이 1.5 mEq/L 이하로 낮은 중증 저칼륨혈증 혹은 고질적인 부정맥에는 40 mEq/hr로 보충이 필요할 수도 있다. *또한 보충속도가 최고 100 mEq/hr에 달해도 안전하게 사용할 수 있었다* (16).

b. 고삼투압성 KCL 용액은 자극성이 있기 때문에, 구경이 큰 중심정맥관으로 주입하는 방법을 많이 사용한다. 하지만, *주입속도가 20 mEq/hr을 넘어선다면 상대정맥으로 주입은 추천하지 않는다*. 문서로 보고된 경우는 거의 없지만, 우심방과 우심실에서 혈장 K^+가 갑자기 증가해서 무수축 (asystole)이 발생할 위험성 때문이다.

3. 반응 (Response)

그림28.1에서 곡선의 평평한 부분으로 예상할 수 있듯이 혈장 K^+은 처음에는 천천히 증가한다. 저칼륨혈증이 K^+보충에 반응하지 않는다면, Mg^{++} 소모를 고려해봐야 한다. Mg^{++}소모가 있으면 Mg^{++}결핍을 보충하지 않는 한, 저칼륨혈증이 K^+보충에 반응하지 않는 경우가 흔하기 때문이다 (17).

Ⅲ. 고칼륨혈증 (HYPERKALEMIA)

저칼륨혈증은 보통 잘 견딜 수 있지만, 혈청 K^+가 5.5 mEq/L이상인 고칼륨혈증은 생명을 위협하는 상태가 되기도 한다.

A. 가성고칼륨혈증 (Pseudohyperkalemia)

1. 몸 밖 (ex vivo)에는 존재하지만, 즉 혈액샘플에는 있지만, 몸 안 (in vivo)에는 존재하지 않는 고칼륨혈증을 가성고칼륨혈증이라고 하며, 고칼륨혈증으로 결과가 나온 혈액샘플 중 20%에서 보고되고 있다 (18).
2. 가성고칼륨혈증의 원인은 다음과 같다 (19):
   a. 혈액샘플을 채취하는 과정에서 생긴 외상성용혈. 가장 흔한 원인이다.
   b. 지혈대정체 (tourniquet stasis) 혹은 근육에서 K^+이 배출되도록 하는 주먹쥐기 (fist clenching)
   c. WBC>50,000/mm^3인 중증 백혈구증가증 (leukocytosis)에서 WBC의 K^+배출 혹은 혈소판>1,000,000/mm^3인 중증 혈소판증가증 (thrombocytosis)에서 혈소판의 K^+배출
   d. 혈병 (blood clot) 생성과정에서 K^+ 배출. 혈청 K^+>혈장 K^+
3. 예상치 못한 고칼륨혈증이 생겼다면, a, b, 혹은 d를 의심해 볼 수 있으며, 혈액채취 중 흡인을 최소화하는 등, 특별히 주의를 기울여 혈액샘플을 다시 채취한다.

B. 세포간 이동 (Transcellular Shift)

고칼륨혈증은 다음 상태로 인해 세포에서 K^+이 배출되어 발생한다.

1. 종양용해증후군 (Tumor Lysis Syndrome)

종양용해증후군은 급성이며, 생명을 위협하는 상태로 급성백혈병 (leukemia)이나 비호지킨림프종 (non-Hodgkin's lymphoma) 같이 선별된 악성 종양에 대한 세포독성요법 (cytotoxic therapy)을 시작하고 7일 이내에 발생한다. 임상양상에는 고칼륨혈증, 고인산혈증 (hyperphosphatemia), 저칼슘혈증 (hypocalcemia), 그리고 고요산혈증 (hyperuricemia) 등이 있으며, 흔히 급성신손상 (acute kidney injury)을 동반한다 (20). 생명에 가장 직접적인 위험은 고칼륨혈증이다.

2. 약물 (Drug)

K^+이 세포 밖으로 이동하는 것을 촉진하는 약물은 표28.1에 나와있다.

a. Digitalis는 세포막 Na^+-K^+교환펌프를 억제한다. 하지만 급성 *Digitalis*중독에서만 고칼륨혈증이 생긴다 (21).

b. 탈분극성신경근육차단제 (depolarizing neuromuscular blocker)인 succinylcholine 또한 세포막 Na^+-K^+ 교환펌프를 억제해서 혈청 K^+을 약간 (<1 mEq/L) 올려주며, 대부분의 경우 5-10분간 지속된다 (22). 하지만, 악성고체온증 (malignant hyperthermia), 골격근근병증 (skeletal muscle myopathy), 혹은 척수손상 (spinal cord injury)같은 골격근신경차단 (denervation)과 연관된 다양한 신경학적 질환이 있는 환자에서는 생명을 위협하는 고칼륨혈증이 발생할 수도 있다.

표 28.1 고칼륨혈증을 촉진하는 제제

세포간 이동	콩팥 배출 손상
β-blocker Digitalis Succinylcholine	ACE inhibitor Angiotensin-receptor blockers K^+-sparing diuretics NSAIDS Heparin Trimethoprim-sulfamethoxazole

3. 산증 (Acidosis)

젖산산증 (lactic acidosis)과 케톤산증 (ketoacidosis) 같은 유기산증 (organic acidosis)은 고칼륨혈증을 촉진하지 않기 때문에, 산증이 세포에서 K^+을 배출해서 고칼륨혈증을 촉진한다는 전통적인 가르침에 의문이 생긴다 (9).

C. 콩팥배출손상 (Impaired Renal Excretion)

1. 콩팥의 K^+ 배출손상으로 인한 고칼륨혈증은 보통 신부전 혹은 표28.1에 나와있는 레닌-안지오텐신-알도스테론 (renin-angiotensin-aldosterone) 체계를 억제하는 약물에 의해 발생한다 (22,23).
2. 부신기능부전증 (adrenal insufficiency)은 콩팥 K^+ 배출을 손상시키지만, *부신기능부전증이 만성일 때만 고칼륨혈증이 생긴다.*
3. 대량수혈 (Massive Transfusion)

보관된 RBCs에서는 K^+이 꾸준히 유출되며, 혈액이 평균적으로 보관되는 기간인 18일 후에는 농축 적혈구 (packed RBCs, PRBC) 1 unit마다 K^+ 부하 (load)가 2-3 mEq 걸린다 (24). 이 K^+ 부하의 중요성은 평균적인 체구를 가진 성인은 혈장에 K^+이 겨우 14-15 mEq밖에 없다는 사실을 생각하면 알 수 있다 (Ⅰ-A절 참고).

a. 수혈혈액의 K^+부하는 정상적이라면 콩팥에서 배출된다. 하지만, 전신혈류가 출혈 등으로 인해 위태로운 상태라면 콩팥 K^+배출이 손상되며, PRBC수혈로 인한 K^+은 축적될 것이다.

b. 한 연구에 따르면, 고칼륨혈증은 PRBC 7 unit를 수혈한 뒤에 발생했다 (25).

D. ECG 이상 (ECG Abnormality)

1. 고칼륨혈증의 주된 위험은 심장에서 자극전달이 느려진다는 점이다.
2. 진행성 고칼륨혈증에서 ECG 변화 양상이 그림28.3에 나와있다. 가

장 먼저 나타나는 변화는 T파 높이가 커지며 (tall), 끝이 뾰족해 (tapering)지는데, 전흉부유도 V_2와 V_3에 가장 잘 나타난다. 고칼륨혈증이 진행함에 따라, P파는 진폭이 감소하며, PR 간격이 연장된다. P파는 결국 사라지며, QRS complex가 넓어진다. 마지막 단계는 심실세동 (ventricular fibrillation) 혹은 무수축 (asystole)이다.

3. ECG 변화는 보통 혈청 K^+이 6-7 mEq/L에 달하면 나타나기 시작하지만 (26), ECG 변화 역치는 다양하다.

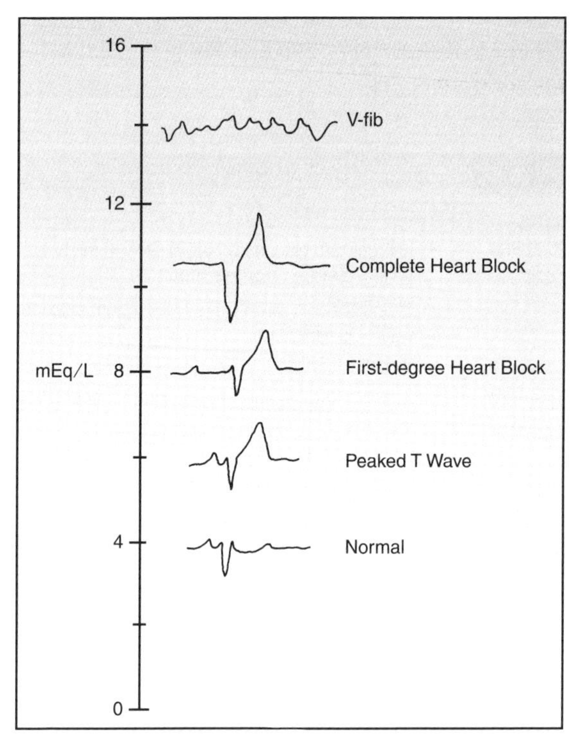

그림 28.3 고칼륨혈증이 진행함에 따른 ECG 이상

E. 중증 고칼륨혈증의 치료 (Management of Severe Hyperkalemia)

중증 고칼륨혈증은 혈청 K^+이 6.5 mEq/L 이상이거나 K^+농도와 관계없이 ECG 변화와 연관될 때로 정의한다 (26).

1. 목표 (Goals)

중증 고칼륨혈증 치료에는 3가지 목표가 있다. 먼저 (a) 고칼륨혈증의 심장효과를 억제하고, (b) K^+을 세포내부로 이동시키며, 그리고 (c) 몸에서 과도한 K^+을 제거하는 것이다. 이 목표를 달성하기 위한 방법은 표28.2에 요약되어있다.

표 28.2 중증 고칼륨혈증의 치료

목표	치료 방법
K^+ 효과를 억제	• 10% calcium gluconate : 3분에 걸쳐 10 mL IV 필요한 경우 5분 간격으로 반복 • 혈류역학적으로 불안정하면 10% calcium chloride 사용 • 효과는 30-60분 지속 • Digitalis 중독에는 Ca^{++}을 사용하지 말 것.
K^+을 세포내로 이동	• 속효성 인슐린 (regular insulin, RI) 10 unit IV Bolus에 추가로 50% 포도당용액 50 mL IV bolus • 최대 효과는 30-60분 • 중탄산염 (bicarbonate)은 사용하지 말 것.
K^+배출 촉진	• Kayexalate (경구투여) : 30 g in 20% sorbitol (50 mL) (Rectal) : 50 g in 20% sorbitol (200 mL) • 활성이 느리다. 2시간에 효과가 나타나기 시작해서 6시간에 최대.

2. K^+ 심독성억제 (Antagonize Potassium Cardiotoxicity)

Ca^{++}은 심근세포벽 (myocardial cell membrane)을 가로지르는 전기전

하 (electrical charge)를 증가시키며, 고칼륨혈증이 유발하는 탈분극 (depolarization)에 대해 반대작용을 한다. ECG 변화와 관계없이 혈청 K^+이 6.5 mEq/L이상인 경우나 K^+농도와 관계없이 ECG 변화가 있는 경우에 Ca^{++} 길항제를 권장한다. *Ca^{++}은 digitalis 중독으로 인한 고칼륨혈증에는 금기다.*

a. CALCIUM GLUCONATE : 많이 사용되는 Ca^{++} 제제는 calcium gluconate며, 표28.2에 있는 용법대로 투여한다. 반응은 30분에서 60분내로 빠르게 사라지기 때문에, K^+을 세포 내부로 이동시키는 노력을 같이 시작해야 한다.

b. CALCIUM CHLORIDE : 혈류역학적으로 불안정한 고칼륨혈증에는 calcium chloride을 더 많이 사용한다. 10% calcium chloride 10 mL 앰플 하나에 포함된 Ca^{++}은 10% calcium gluconate 앰플 하나에 포함된 칼슘에 비해 3배나 많고 (30장 표30.3 참고), 여분의 Ca^{++}은 심장 박출량 (cardiac output)을 촉진하고, 말초 혈관 긴장도 (peripheral vascular tone)를 유지하는 등 잠재적인 장점이 있기 때문이다.

3. K^+을 세포 내부로 이동 (Move Potassium into Cells)

K^+의 세포간 이동 (transcellular movement)에 즐겨 사용되는 방법은 인슐린과 포도당의 조합이다.

a. 인슐린-포도당 (INSULIN-DEXTROSE) : 인슐린은 세포막에 있는 Na^+-K^+ 교환펌프를 활성화시켜 K^+을 골격근세포 내부로 이동시키며 (27), 표28.2의 인슐린-포도당용법은 혈청 K^+을 적어도 0.6 mEq/L 감소시킨다 (26). 고혈당증환자는 포도당 없이 인슐린만 사용할 수 있다 (26). 인슐린효과는 일시적이며, 최대효과가 30분에서 60분이기 때문에 K^+ 배출을 촉진하는 방법을 같이 시작해야 한다.

b. β_2-작용제 (β_2-AGONISTS) : 흡입 β_2-작용제는 치료용량 (therapeutic dose)에서 혈장 K^+을 약간 (<0.5 mEq/L) 감소시킨다. 하지만 혈

청 K^+을 의미 있게 (0.5-1 mEq/L) 감소시키기 위해서는 4배 정도 많은 용량이 필요하며 (26), 이 많은 용량은 빈맥 같이 원하지 않는 부작용을 유발할 수 있다. 따라서, 이 접근법은 적어도 단독 요법으로는 추천하지 않는다.

c. 탄산수소나트륨 (SODIUM BICARBONATE) : 이 상황에서 중탄산염 (bicarbonate)을 피해야 할 두 가지 이유가 있다. 먼저 (a) 최대 4시간 정도의 짧은 기간 동안 탄산수소나트륨을 주입해도 혈청 수치에는 아무런 효과가 없으며 (26), (b) 중탄산염은 칼슘과 복합체를 형성해서 오히려 역효과를 유발하기 때문이다.

4. K^+ 배출 촉진 (Promote Potassium Excretion)

a. 양이온교환수지 (CATION EXCHANGE RESIN) : Sodium polystyrene sulfonate (Kayexalate)는 양이온교환수지로 장 (bowel)을 통한 K^+배출을 촉진한다. 이때 수지 1g은 K^+ 0.65 mEq와 결합한다. 표 28.2의 용법을 이용해 경구투여, 혹은 저류관장 (retention enema)으로 투여할 수 있다. 경구투여가 많이 사용되며, 결석형성 (concretion)을 막기 위해 sorbitol과 혼합해서 사용한다. 최대효과가 나타나기 까지는 최소 6시간이 걸린다. 따라서, 치료는 가능한 빨리 시작해야 한다. Kayexalate와 관련하여, 생명을 위협하는 장의 괴사성병변 (necrotic lesion in the bowel)에 대한 사례보고가 많이 있다 (28).

b. 혈액투석 (HEMODIALYSIS) : K^+제거에 가장 효과적인 방법은 혈액투석이며, 1시간이면 혈청 K^+ 수치가 1 mEq/L 감소하며, 3시간 뒤에는 2 mEq/L 감소한다 (26).

참고문헌

1. Rose BD, Post TW. Potassium homeostasis. In: Clinical physiology of acid-base and electrolyte disorders. 5th ed. New York, NY: McGraw-Hill, 2001; 372–402.

2. Alfonzo AVM, Isles C, Geddes C, Deighan C. Potassium disorders— clinical spectrum and emergency management. Resusc 2006; 70:10 - 25.
3. Schaefer TJ, Wolford RW. Disorders of potassium. Emerg Med Clin North Am 2005; 23:723 - 747.
4. Brown RS. Extrarenal potassium homeostasis. Kidney Int 1986;30:116 - 127.
5. Sterns RH, Cox M, Feig PU, et al. Internal potassium balance and the control of the plasma potassium concentration. Medicine 1981; 60:339 - 354.
6. Rose BD, Post TW. Hypokalemia. In: Clinical Physiology of Acid- Base and Electrolyte Disorders. 5th ed. New York, NY: McGraw- Hill, 2001:836 - 887.
7. Allon M, Copkney C. Albuterol and insulin for treatment of hyperkalemia in hemodialysis patients. Kidney Int 1990; 38:869 - 872.
8. Lipworth BJ, McDevitt DG, Struthers AD. Prior treatment with diuretic augments the hypokalemic and electrocardiographic effects of inhaled albuterol. Am J Med 1989; 86:653 - 657.
9. Adrogue HJ, Madias NE. Changes in plasma potassium concentration during acute acid-base disturbances. Am J Med 1981; 71:456 - 467.
10. Bernard SA, Buist M. Induced hypothermia in critical care medicine: a review. Crit Care Med 2003; 31:2041 - 2051.
11. Salem M, Munoz R, Chernow B. Hypomagnesemia in critical illness. A common and clinically important problem. Crit Care Clin 1991; 7:225 - 252.
12. Gennari FJ, Weise WJ. Acid-base disturbances in gastrointestinal disease. Clin J Am Soc Nephrol 2008; 3:1861 - 1868.
13. Flakeb G, Villarread D, Chapman D. Is hypokalemia a cause of ventricular arrhythmias? J Crit Illness 1986; 1:66 - 74.
14. Trissel LA. Handbook on Injectable Drugs. 13th ed. Bethesda, MD: Amer Soc Health System Pharmcists, 2005; 1230.
15. Kruse JA, Carlson RW. Rapid correction of hypokalemia using concentrated intravenous potassium chloride infusions. Arch Intern Med 1990;150:613 - 617.
16. Kim GH, Han JS. Therapeutic approach to hypokalemia. Nephron 2002;92 Suppl 1:28 - 32.
17. Whang R, Flink EB, Dyckner T, et al. Magnesium depletion as a cause of refractory potassium repletion. Arch Intern Med 1985;145:1686 - 1689.
18. Rimmer JM, Horn JF, Gennari FJ. Hyperkalemia as a complication of drug therapy. Arch Intern Med 1987;147:867 - 869.
19.Wiederkehr MR, Moe OW. Factitious hyperkalemia. Am J Kidney Dis 2000; 36:1049 - 1053. CHAPTER 28 Potassium 499

Chapter 29

마그네슘

Magnesium

Mg^{++}은 세포 내에 두 번째로 많은 양이온 (cation)이며, 유기세상 (organic world)에서 에너지 사용을 위한 필수요소다. 불행히도, K^{+}에 사용된 "빙산의 일각" 추측법은 Mg^{++}에도 적용된다. 즉, 몸 전체의 Mg^{++} 중 극히 일부분 (0.3%) 만이 혈장에 존재하며 (1-3), 혈장 Mg^{++} 수치는 몸전체의 Mg^{++}에 대해 적은 정보만 제공한다.

Ⅰ. 기초 (BASICS)

A. 분포 (Distribution)

1. 평균 체구의 성인은 대략 24 g, 1 mole, 혹은 2,000 mEq의 Mg^{++}을 가지고 있다. 절반이 조금 넘는 양이 뼈에 있으며, 1% 미만이 혈장에 있다 (2).
2. 혈장 농도는 대표성이 없기 때문에, 몸 전체의 Mg^{++} 지표로서 혈장 Mg^{++}이 갖는 의미는 제한적이다. 예를 들어, *몸 전체는 Mg^{++}소모일지라도 혈장 Mg^{++}수치는 정상일 수 있다* (2-3).

B. 혈청Mg^{++} (Serum Magnesium)

1. 혈장샘플에 사용된 항응고제는 구연산 (citrate)이나 Mg^{++}과 결합하는

다른 음이온 (anion)이 섞일 수 있기 때문에, Mg^{++}분석은 혈장보다는 혈청을 많이 사용한다 (2).

2. 미국의 건강한 성인에서 혈청 Mg^{++}의 정상참고치는 표29.1에 나와있다 (4).

표 29.1 마그네슘의 참고치

체액	Traditional Units	SI Units
혈청마그네슘		
전체	1.7–2.4 mg/dL 1.4–2.0 mEq/L	0.7–1.0 mmol/L
이온화	0.8–1.1 mEq/L	0.4–0.6 mmol/L
요중 마그네슘	5–15 mEq/24hr	2.5–7.5 mmol/24hr

참고문헌4 발췌. 환산 : mEq/L = [(mg/dL x 10)/24] x2; mEq/L=mmol/L x 2

C. 이온화 Mg^{++} (Ionized Magnesium)

1. 혈장 내 Mg^{++}중 67%만이 이온화 (활성화)형태로 있으며, 나머지 33%는 혈장단백질과 결합해 있거나 인산염 (phosphate)이나 황산염 (sulfate)과 같은 2가 음이온과 킬레이트화 (chelated)되어 있다 (2).
2. Mg^{++}의 표준분석은 모든 혈장분획 (fraction)을 대상으로 한다. 따라서, 혈청 Mg^{++}이 비정상적으로 낮다면, 이 문제가 이온화 (활성화)분획의 감소로 인한 것인지 저단백혈증 (hypoproteinemia) 같은 결합분획 (bound fraction)의 감소로 인한 것인지 구별은 불가능하다.
3. 혈장 내 총 Mg^{++} 양이 작기 때문에, 이온화Mg^{++}과 결합Mg^{++}의 차이는 임상적인 의미가 있을 정도로 크지 않다.

D. 요중 Mg^{++} (Urinary Magnesium)

1. 요중 Mg^{++} 배출 정상범위는 표 29.1에 나와있다. 요중 Mg^{++} 배출은 Mg^{++} 섭취에 따라 달라진다.

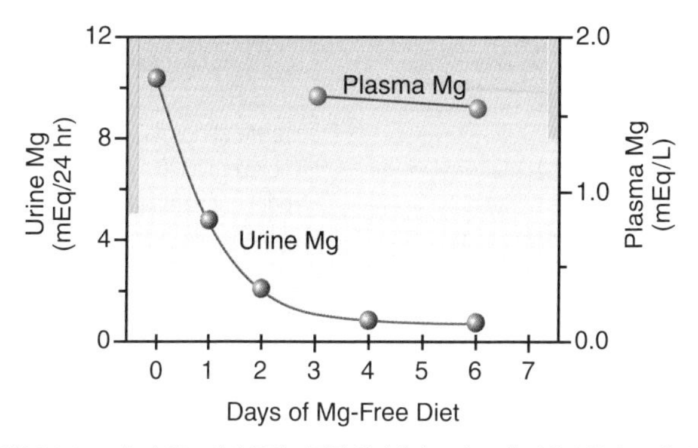

그림 29.1 Mg^{++} 이 없는 식사 중인 건강한 성인에서 소변 Mg^{++} 배출과 혈장 Mg^{++} 수치. 수직 축에 있는 굵은 기둥은 각 변수에 대한 정상범위를 표시한다. Shils ME. Medicine 1969;48:61-82 에서 각색.

2. Mg^{++}섭취가 부족하면, 콩팥은 Mg^{++}을 보존하며 소변Mg^{++}배출이 무시해도 될 정도까지 떨어진다. 이를 그림 29.1에서 볼 수 있다. 1주일 동안 Mg^{++}이 없는 식사를 할때, 혈장 Mg^{++}은 정상범위에 머물고 있지만, 소변 Mg^{++} 배출은 무시해도 될 수준까지 떨어진다는 점을 주목하자. 이는 Mg^{++} 균형을 감시할 때 소변 Mg^{++}배출의 상대적가치를 보여준다.

II. Mg^{++} 결핍 (MAGNESIUM DEFICIENCY)

저마그네슘혈증은 ICU 환자 중 무려 65%에서 보고되며 (1,6), 심지어 Mg^{++} 소모의 발생률은 더 높다. Mg^{++} 결핍이 있는 환자에서 혈청Mg^{++} 은 정상일 수도 있기 때문이다 (2,3).

A. 선행요인 (Predisposing Conditions)

여러 가지 상황이 소모를 촉진하며, 이는 표 29.2에 나와있다.

표 29.2 마그네슘 소모의 원인과 결과

선행 요인	임상 결과
Drug Therapy	Electrolyte abnormalities
Furosemide (50%)	Hypokalemia (40%)
Aminoglycosides (30%)	Hypophosphatemia (30%)
Amphotericin, Pentamidine	Hyponatremia (27%)
Digitalis (20%)	Hypocalcemia (22%)
Cisplatin, cyclosporine	Cardiac manifestations
Diarrhea (secretory)	Arrhythmias
Alcohol abuse (chronic)	Digitalis toxicity
Diabetes mellitus	Reactive CNS Syndrome
Acute MI	

괄호 안의 숫자는 연관된 저마그네슘혈증의 발생률을 나타낸다.

1. 이뇨제요법 (Diuretic Therapy)

이뇨제는 Mg^{++} 결핍의 주원인이다. 이뇨제-유발성 Na^{+}재흡수의 억제는 Mg^{++}재흡수도 방해하기 때문에, 요중 Mg^{++}손실은 요중 Na^{+}손실과 평행선을 그린다.

a. 요중 Mg^{++} 배출은 furosemide 같은 루프이뇨제에서 가장 두드러진다. *Furosemide로 장기간 치료를 받은 환자 중 50%에서 Mg^{++}결핍이 보고되었다* (7).

b. Thiazide 이뇨제 또한 주로 고령 환자에서 Mg^{++} 소모를 촉진한다 (8).

c. Mg^{++}소모는 "K^{+} 보존 (potassium-sparing)" 이뇨제의 합병증이 아니다.

2. 항생제요법 (Antibiotics Therapy)

Mg^{++}소모를 촉진하는 항생제는 aminoglycosides, amphotericin, 그리고 pentamidine이다 (10,11). Aminoglycosides는 헨레고리의 상행각 (ascending loop of Henle)에서 Mg^{++} 재흡수를 차단하며, aminoglycosides

요법을 받은 환자 중 30%에서 저마그네슘혈증이 보고되었다 (11).

3. 기타 약물 (Other Drugs)

양성자펌프억제제 (proton pump inhibitor)의 장기간 사용은 중증 저마그네슘혈증과 연관될 수 있다 (12). Mg^{++}소모와 관련된 다른 약물에는 digitalis와 Mg^{++}를 세포 안으로 이동시키는 epinephrine, 그리고 항암화학요법제 (chemotherapeutic agent)인 cisplatin과 콩팥 Mg^{++} 배출을 촉진시키는 cyclosporine이 있다 (10,13).

4. 알코올 관련질환 (Alcohol-Related Illness)

알코올남용 (alcohol abuse)으로 입원한 환자 중 30%에서, 그리고 알코올 진전섬망 (delirium tremens)으로 입원한 환자 중 85%에서 저마그네슘혈증이 보고되었다 (14). 영양실조와 만성설사도 이러한 상태에서는 Mg^{++} 소모에 한몫한다.

5. 분비성설사 (Secretory Diarrhea)

하부위장관의 분비물은 Mg^{++}이 10-14 mEq/L로 풍부하며 (15), 분비성설사는 극심한 Mg^{++} 소모로 이어진다. 상부위장관의 분비물은 Mg^{++}가 1-2 mEq/L로 풍부하지 못하며, 따라서 구토는 Mg^{++} 소모의 위험요소가 아니다.

6. 당뇨병 (Diabetes Mellitus)

Mg^{++} 소모는 인슐린의존성당뇨병에서 흔히 발생하며, 아마도 당뇨-유발성 요중 Mg^{++} 손실 때문일 것이다. (16). 저마그네슘혈증은 당뇨병성케톤산증 (diabetic ketoacidosis)으로 입원 한 환자 중 단 7%에서만 보

고 되지만, 입원 후 첫 12시간을 넘어가면 발생률이 50%로 증가한다 (17). 아마도 세포 안으로 인슐린-유발성 Mg^{++} 이동 때문일 것이다.

7. 급성 심근경색 (Acute Myocardial Infarction)

저마그네슘혈증은 급성 심근경색 환자 중 무려 80%에서 보고되고 있다 (18). 기전은 확실하지 않지만, 아마도 카테콜라민 (catecholamine) 과잉으로 Mg^{++}이 세포 내로 이동하기 때문일 것이다.

B. 임상양상 (Clinical Manifestations)

Mg^{++} 소모는 특별한 임상양상은 없지만, 다음의 임상결과들로 기저에 있는 Mg^{++} 소모를 추측해 볼 수 있다.

1. 다른 전해질이상 (Other Electrolyte Abnormalities)

Mg^{++} 소모는 흔히 다른 전해질이상을 동반한다 (표29.2 참고)(19) :

a. 저칼륨혈증 (HYPOKALEMIA) : Mg^{++}소모는 콩팥 K^{+}분비를 증강시키며, 저칼륨혈증은 Mg^{++} 소모 환자 중 거의 반수에서 발생한다 (19). *Mg^{++}소모를 동반한 저칼륨혈증은 보통 K^{+} 보충 요법에 반응하지 않기 때문에 저칼륨혈증을 교정하기 전에 Mg^{++}보충이 필요하다* (20).

b. 저칼슘혈증 (HYPOCALCEMIA) : Mg^{++}소모는 부갑상샘 호르몬 (parathyroid hormone) 분비를 손상시키고, 부갑상샘 호르몬에 대한 말단기관 (end-organ)의 반응을 손상시켜 저칼슘혈증을 유발할 수 있다 (21,22). 저칼슘혈증은 Mg^{++}결핍이 교정되고 나면 자연히 해결된다.

c. 저인산혈증 (HYPOPHOSPHATEMIA) : 인산 (phosphate)소모는 Mg^{++}소모의 결과라기 보다는 원인에 가깝다. 기전은 Mg^{++}콩팥 배

출 (renal excretion) 증가다 (23).

2. 부정맥 (Arrhythmias)

a. Mg^{++}소모는 ECG에서 QT간격을 연장시키며 torsade de pointes라 알려진 다형성심실빈맥 (polymorphic ventricular tachycardia)을 유발한다 (13장 Ⅴ-C절 참고).
b. Mg^{++}결핍은 digitalis 심독성 (cardiotoxicity)을 촉진한다. Digitalis와 Mg^{++}결핍은 모두 세포막의 Na^{+}-K^{+}교환펌프를 억제하기 때문이다. IV Mg^{++}은 심지어 혈청Mg^{++}수치가 정상인 경우에도 digitalis 중독으로 인한 부정맥을 억제할 수 있다 (24-25).

3. 신경학적 결과 (Neurologic Findings)

a. Mg^{++}결핍의 신경학적 양상에는 의식변화, 진전 (tremor), 그리고 전신성발작 (generalized seizure)이 있다.
b. *반응성 중추신경계 Mg^{++} 결핍*은 운동실조 (ataxia), 불분명한 발음 (slurred speech), 대사성 산증, 과도한 침분비, 광범위한 근육경련, 전신성발작, 그리고 진행성둔화 (obtundation)를 특징으로 하는 증후군이다 (26). 임상양상은 보통 큰 소음이나 신체접촉을 계기로 나타난다. 치료는 Mg^{++}보충이다.

C. 진단 (Diagnosis)

이번 장을 통해 강조해왔듯이, 혈청 Mg^{++} 농도는 Mg^{++} 소모에 대한 표지 (marker)로는 민감성이 떨어진다. 요중 Mg^{++} 배출이 더 신뢰할 만하며 (그림 29.1 참고), Mg^{++}부하 (loading)에 빈응하는 요중 Mg^{++}배출은 더 뛰어나다. 다음을 참고한다.

1. Mg^{++} 저류검사 (Magnesium Retention Test)

콩팥 세뇨관 (renal tubules)의 Mg^{++} 재흡수는 최대치에 가깝기 때문에 몸 전체의 Mg^{++}저장량이 정상이라면 주입한 Mg^{++}부하는 대부분 소변으로 배출된다. 하지만, Mg^{++}저장량이 부족하다면 Mg^{++}은 콩팥 세뇨관에서 재흡수되며, 주입한 Mg^{++}부하는 일부만 소변으로 배출된다.

a. 표29.3에 나와 있는 Mg^{++}저류검사는 소변으로 배출되는 IV Mg^{++} 부하 분획을 측정한다 (27).

b. 주입한 Mg^{++}중 50% 미만이 소변에서 확인된다면 Mg^{++}결핍 가능성이 있으며, 주입한 Mg^{++}중 80% 이상이 소변으로 배출된다면 Mg^{++}결핍은 가능성이 떨어진다.

c. 이 검사는 콩팥기능이 정상이며, 콩팥이 Mg^{++} 소모를 촉진하는 상황이 없을 때만 신뢰할 수 있다.

표 29.3 콩팥 마그네슘 저류검사
• 적응증 1. 혈청 Mg^{++}은 정상이지만 Mg^{++}결핍이 의심될 때 2. Mg^{++}보충 요법의 종료시점을 결정하기 위해서 • 금기 1. 신부전 혹은 진행하는 콩팥의 Mg^{++}소모 • 프로토콜 1. 250 mL 등장성식염수에 Mg^{++} 24 mmol ($MgSO_4$ 6 g)을 추가하여 1시간에 걸쳐 주입한다. 2. Mg^{++}주입을 시작하면 그때부터 24시간 소변을 수집한다. • 결과 1. 24시간 동안 요중 Mg^{++} 배출이 12 mmol (24 mEq)이하라면, 즉 주입한 Mg^{++}의 50% 이하라면 Mg^{++}소모의 단서가 된다. 2. 24시간 동안 요중 Mg^{++} 배출이 19 mmol (38 mEq)이상이라면, 즉 주입한 Mg^{++}의 80% 이상이라면 Mg^{++}소모의 단서가 아니다.

참고문헌27 발췌.

D. Mg^{++}제제 (Magnesium Preparations)

1. 처방 가능한 경구 혹은 IV 제제는 표29.4에 목록이 나와있다. 경구제제는 정상객체에게 5 mg/kg을 일일 유지용량으로 사용 할 수 있지만, 소장에서 Mg^{++} 흡수가 불규칙 하기 때문에 보충요법으로는 IV Mg^{++}을 더 많이 사용한다.
2. 표준 IV 제제는 magnesium sulfate ($MgSO_4$)다. $MgSO_4$은 1 g당 Mg^{++} 원소8 mEq (4 mmol)가 있다.
3. 50% $MgSO_4$용액 (500 mg/mL)은 오스몰농도 (osmolarity)가 4,000 mosm/L이기 때문에, IV로 사용하기 위해서는 반드시 10% (100 mg/mL) 혹은 20% (200 mg/mL) 용액으로 희석해야 한다. 식염수 용액을 희석제로 사용할 수도 있다. 링거액 (Ringer's solution)은 용액 내 Ca^{++}이 Mg^{++}의 행동을 방해하기 때문에 추천하지 않는다.

표 29.4 PO, 주사 Mg^{++} 제제

제제	원소 마그네슘 함량
경구제제	
Magnesium chloride tablets	64 mg (5.3 mEq)
Magnesium oxide tablets (400 mg)	241 mg (19.8 mEq)
Magnesium oxide tablets (140 mg)	85 mg (6.9 mEq)
Magnesium gluconate tablets (500 mg)	27 mg (2.3 mEq)
주사제제	
Magnesium sulfate (50%)†	500 mg/dL (4 mEq/L)
Magnesium sulfate (12.5%)	120 mg/dL (1 mEq/L)

† IV로 사용하기 위해서는 희석하여 20% 용액으로 만들어야 한다.

E. 보충 프로토콜 (Replacement Protocols)

다음의 Mg^{++} 보충 프로토콜은 신기능이 정상인 환자에게 권장한다 (28).

1. 경도, 증상이 없는 저마그네슘혈증 (Mild, Asymptomatic Hypomagnesemia)

a. 총 Mg^{++} 결핍을 1-2 mEq/kg라고 가정한다
b. 주입한 Mg^{++}중 50%는 소변으로 배출되기 때문에, 총 Mg^{++}요구량은 Mg^{++}결핍의 두 배로 가정한다
c. 첫 24시간 동안 1 mEq/kg를 보충하고, 그 후로 3-5일에 걸쳐 매일 0.5 mEq/kg를 보충한다.

2. 중도 저마그네슘혈증 (Moderate Hypomagnesemia)

다음은 혈청 Mg^{++}이 1 mEq/L 미만이거나, 다른 전해질 이상을 동반한 저마그네슘혈증 환자를 위한 요법이다.
a. 250 mL 혹은 500 mL 등장성식염수 (isotonic saline)에 $MgSO_4$ 6g (48 mEq Mg^{++})을 혼합하여 3시간에 걸쳐 주입한다.
b. 그 후 250 mL 혹은 500 mL 등장성식염수에 $MgSO_4$ 5g (40 mEq Mg^{++})을 혼합하여 6시간에 걸쳐 주입한다.
c. $MgSO_4$ 5g (40 mEq Mg^{++})을 12시간마다 지속주입하며 5일간 유지한다.

3. 생명을 위협하는 저마그네슘혈증 (Life-threatening Hypomagnesemia)

다음은 torsade de pointes같은 심각한 심부정맥을 동반한 저마그네슘혈증이나 전신성발작이 있는 환자에게 권장하는 프로토콜이다.
a. 2-5분 간격으로 $MgSO_4$ 2g (16 mEq Mg^{++})을 IV로 주입한다.
b. 그 후 250 mL 혹은 500 mL 등장성식염수에 $MgSO_4$ 5g (40 mEq Mg^{++})을 혼합하여 6시간에 걸쳐 주입한다.
c. $MgSO_4$ 5g (40 mEq Mg^{++})을 12시간마다 지속주입하며 5일간 유지한다

4. 신부전 (Renal Insufficiency)

신부전이 있는 환자는 표준 보충 프로토콜의 Mg^{++}양보다 50% 이상은 투여하지 말아야 하며 (28), 혈청 Mg^{++}을 주의 깊게 감시해야 한다.

Ⅲ. 고마그네슘혈증 (HYPERMAGNESEMIA)

입원환자중 5%에서 Mg^{++}가 2 mEq/L 이상인 고마그네슘혈증이 보고되었으며 (29), 오로지 신부전 환자에서만 볼 수 있었다.

A. 원인 (Etiologies)

1. 용혈 (Hemolysis)

적혈구의 Mg^{++}농도는 혈청에 비해 거의 3배 정도 높으며, 용혈은 용해된 RBC 250 mL당 혈청 Mg^{++}을 0.1 mEq/L 상승시킨다 (3).

2. 신부전 (Renal Insufficiency)

콩팥 Mg^{++}배출은 크레아티닌 청소율 (creatinine clearance)이 30 mL/minute 이하로 떨어지면 손상된다 (31). 하지만, 고마그네슘혈증은 Mg^{++}섭취가 증가하지 않는 한 신부전의 두드러진 특징이 아니다.

3. 다른 상태 (Other Conditions)

고마그네슘혈증과 연관될 수 있는 다른 상태들에는 일시적인 당뇨병성케톤산증 (transient diabetic ketoacidosis), 부신기능부전증 (adrenal insufficiency), 그리고 lithium 중독 등이 있다 (30). 이 상태에서 고마그네슘혈증은 보통 경증 (mild)이다.

B. 임상양상 (Clinical Manifestations)

1. 진행하는 고마그네슘혈증의 임상적 결과는 아래의 목록에 나와있다 (30).

혈청 Mg^{++}	양상
> 4 mEq/L	반사저하증 (hyporeflexia)
> 5 mEq/L	1° 방실차단 (AV block)
> 10 mEq/L	완전 심차단 (Complete Heart Block)
> 13 mEq/L	심정지 (Cardiac Arrest)

2. 고마그네슘혈증의 심각한 결과는 심혈관계에 대한 Ca^{++}길항작용 (antagonism) 때문이다. 눈에 띄는 효과는 심장의 전도 지연이다. 반면, 수축성과 혈관긴장도 (vascular tone)는 비교적 영향을 받지 않는다.

C. 치료 (Management)

1. 중증 고마그네슘혈증에는 혈액투석 (hemodialysis)이 가장 좋은 치료법이다.
2. 고마그네슘혈증의 심혈관 효과를 억제하기 위해 calcium gluconate를 2-3분에 걸쳐 1g IV 할 수 있지만, 효과는 일시적이며, 혈액투석을 연기해서는 안 된다 (32).
3. 수액투여가 가능하고 신기능이 일부 남아있다면, furosemide와 적극적인 혈액량 (volume) 주입을 동시에 시행하면 많이 진행하지 않은 고마그네슘혈증에서 혈청 Mg^{++}수치를 낮추는데 효과적일 수 있다.

참고문헌

1. Noronha JL, Matuschak GM. Magnesium in critical illness: metabolism, assess-

ment, and treatment. Intensive Care Med 2002; 28:667-679.
2. Elin RJ. Assessment of magnesium status. Clin Chem 1987; 33:1965-1970.
3. Reinhart RA. Magnesium metabolism. A review with special reference to the relationship between intracellular content and serum levels. Arch Intern Med 1988; 148:2415-2420.
4. Lowenstein FW, Stanton MF. Serum magnesium levels in the United States, 1971-1974. J Am Coll Nutr 1986; 5:399-414.
5. Altura BT, Altura BM. A method for distinguishing ionized, complexed and protein-bound Mg in normal and diseased subjects. Scand J Clin Lab Invest 1994; 217:83-87.
6. Tong GM, Rude RK. Magnesium deficiency in critical illness. J Intensive Care Med 2005;20:3-17.
7. Dyckner T, Wester PO. Potassium/magnesium depletion in patients with cardiovascular disease. Am J Med 1987; 82:11-17.
8. Hollifield JW. Thiazide treatment of systemic hypertension: effects on serum magnesium and ventricular ectopic activity. Am J Cardiol 1989; 63:22G-25G.
9. Ryan MP. Diuretics and potassium/magnesium depletion. Directions for treatment. Am J Med 1987; 82:38-47.
10. Atsmon J, Dolev E. Drug-induced hypomagnesaemia : scope and management. Drug Safety 2005; 28:763-788.
11. Zaloga GP, Chernow B, Pock A, et al. Hypomagnesemia is a common complication of aminoglycoside therapy. Surg Gynecol Obstet 1984; 158:561-565.
12. Hess MW, Hoenderop JG, Bindeis RJ, Drenth JP. Systematic review: hypomagnesemia induced by proton pump inhibition. Ailement Pharmacol Ther 2012; 36:405-413.
13. Whang R, Oei TO, Watanabe A. Frequency of hypomagnesemia in hospitalized patients receiving digitalis. Arch Intern Med 1985; 145:655-656.
14. Balesteri FJ. Magnesium metabolism in the critically ill. Crit Care Clin 1985; 5:217-226.
15. Kassirer J, Hricik D, Cohen J. Repairing Body Fluids: Principles and Practice. 1st ed. Philadelphia, PA: WB Saunders, 1989;118-129.
16. Sjogren A, Floren CH, Nilsson A. Magnesium deficiency in IDDM related to level of glycosylated hemoglobin. Diabetes 1986; 35:459-463.
17. Lau K. Magnesium metabolism: normal and abnormal. In: Arieff AI DeFronzo

RA, eds. Fluids, electrolytes, and acid base disorders. New York, NY: Churchill Livingstone, 1985; 575-623.
18. Abraham AS, Rosenmann D, Kramer M, et al. Magnesium in the prevention of lethal arrhythmias in acute myocardial infarction. Arch Intern Med 1987; 147:753-755.
19. Whang R, Oei TO, Aikawa JK, et al. Predictors of clinical hypomagnesemia. Hypokalemia, hypophosphatemia, hyponatremia, and hypocalcemia. Arch Intern Med 1984; 144:1794-1796.
20. Whang R, Flink EB, Dyckner T, et al. Magnesium depletion as a cause of refractory potassium repletion. Arch Intern Med 1985;145:1686-1689.
21. Anast CS, Winnacker JL, Forte LR, et al. Impaired release of parathyroid hormone in magnesium deficiency. J Clin Endocrinol Metab 1976; 42:707-717.
22. Rude RK, Oldham SB, Singer FR. Functional hypoparathyroidism and parathyroid hormone end-organ resistance in human magnesium deficiency. Clin Endocrinol 1976; 5:209-224.
23. Dominguez JH, Gray RW, Lemann J, Jr. Dietary phosphate deprivation in women and men: effects on mineral and acid balances, parathyroid hormone and the metabolism of 25-OH-vitamin D. J Clin Endocrinol Metab 1976; 43:1056 -1068.
24. Cohen L, Kitzes R. Magnesium sulfate and digitalis-toxic arrhythmias. JAMA 1983; 249:2808-2810.
25. French JH, Thomas RG, Siskind AP, et al. Magnesium therapy in massive digoxin intoxication. Ann Emerg Med 1984; 13:562-566.
26. Langley WF, Mann D. Central nervous system magnesium deficiency. Arch Intern Med 1991; 151:593-596.
27. Clague JE, Edwards RH, Jackson MJ. Intravenous magnesium loading in chronic fatigue syndrome. Lancet 1992; 340:124-125.
28. Oster JR, Epstein M. Management of magnesium depletion. Am J Nephrol 1988; 8:349-354.
29. Whang R, Ryder KW. Frequency of hypomagnesemia and hypermagnesemia. Requested vs routine. JAMA 1990; 263:3063-3064.
30. Elin RJ. Magnesium metabolism in health and disease. Dis Mon 1988; 34:161-218.
31. Van Hook JW. Hypermagnesemia. Crit Care Clin 1991;7:215-223.
32. Mordes JP, Wacker WE. Excess magnesium. Pharmacol Rev 1977;29:273-300

Chapter 30

칼슘과 인

Calcium and Phosphorus

Ca^{++}과 P^{3+}은 골격의 결합구조 (integrity)를 유지하는데 있어 중요하다. 비록 이 둘은 연조직 (soft tissue)에는 풍부하지 않지만, 필수세포기능 (vital cell function)에서 중요한 역할을 담당한다. P^{3+}은 에너지 저장과 사용에 관여하며, Ca^{++}은 혈액응고, 신경근 전달, 그리고 평활근수축에 관여한다.

Ⅰ. 혈장 내 Ca^{++} (CALCIUM IN PLASMA)

Ca^{++}은 사람 몸에 가장 풍부한 전해질로 평균적인 성인은 500 g 이상의 Ca^{++}을 가지고 있지만, 99%는 뼈 속에 있다 (1,2).

A. 혈장분획 (Plasma Fractions)

1. 혈장 내 Ca^{++}중 반 정도는 생물학적으로 활성인 이온화 형태며, 나머지 반은 알부민 (albumin)과 결합 (80%)하고 있거나, 인산염 (phosphate) 및 황산염 (sulfate)과 복합체 (complex)를 이루고 (20%) 있다 (1).
2. 혈장 내 총 Ca^{++}농도와 이온화 Ca^{++}농도는 표30.1에 나와있다.
3. 저알부민혈승 (hypoalbumincmia)은 이온화 Ca^{++}은 변화시키지 않으면서 혈장 Ca^{++}을 감소시킨다. 저알부민혈증 환자에서 혈장 총 Ca^{++}을 교정하기 위해 다양한 교정요인 (correction factors)들이 제안되었지만,

어느 것도 신뢰할 수 없었다 (3,4). 하지만, 이온화 Ca^{++}분획은 저알부민혈증으로 인해 변하지 않기 때문에 이러한 교정은 필요하지 않다.

4. 이온화 Ca^{++}은 대다수 임상검사실에서 사용 가능한 이온-특이적 전극 (ion-specific electrode)을 이용해 전혈 (whole blood), 혈장, 혹은 혈청에서 측정할 수 있다.

표 30.1 혈액 속 칼슘과 인의 정상치

혈청전해질	Traditional Units (mg/dL)	Conversion Factor†	SI Units (mmol/L)
총칼슘	9.0–10.0	0.25	2.25–2.50
이온화칼슘	4.6–5.0	0.25	1.15–1.25
인	2.5–5.0	0.32	0.8–1.6

† traditional unit에 conversion factor를 곱하면 SI unit이 되며, Si unit을 conversion factor로 나누면 traditional unit이 된다.

II. 이온화 저칼슘혈증 (IONIZED HYPOCALCEMIA)

이온화 저칼슘혈증은 한 연구에서 발생률이 88%일 정도로 ICU 환자에서 매우 흔하며 (5), 여러 가지 선행요인이 있다.

A. 원인 (Etiologies)

ICU 환자에서 저칼슘혈증을 유발하는 상태들은 표30.2에 나와있다. 갑상샘기능저하증 (hypothyroidism)은 외래 환자에서 저칼슘혈증의 주 원인이지만, 최근에 경부수술 (neck surgery)을 하지 않은 이상, ICU환자에서는 생각할 원인이 아니다.

표 30.2 ICU에서 이온화 저칼슘혈증의 원인	
Alkalosis Blood Transfusions (15%) Drug: Aminoglycosides (40%) Heparin (10%)	Fat embolism Magnesium depletion (70%) Pancreatitis Renal insufficiency (50%) Sepsis (30%)

괄호 안의 숫자는 각 상태에 따른 이온화 저칼슘혈증의 빈도를 나타낸다.

1. *Mg^{++}소모*는 부갑상샘호르몬 (parathormone)분비를 억제하고, 부갑상샘호르몬에 대한 말단-장기 (end-organ) 반응성을 감소시켜 저칼슘혈증을 촉진한다 (29장의 참고문헌 21과 22참고). 이 경우 저칼슘혈증은 Ca^{++} 보충에 반응하지 않으며, 교정하기 위해서는 Mg^{++}보충이 필요하다.
2. *패혈증*은 ICU에서 저칼슘혈증의 흔한 원인이지만 (6,7), 기전은 알려지지 않았다.
3. *알칼리증*은 Ca^{++}과 알부민의 결합을 촉진하며, 이로 인해 혈액 내 이온화 Ca^{++}분획이 감소한다.
4. 이온화 저칼슘혈증은 *수혈*을 받은 환자중 20%에서 보고된다 (6). 주범은 Ca^{++}과 결합하는 저장된 혈액 내에 있는 구연산염 (citrate)이다.
5. 많은 *약제*들이 Ca^{++}과 결합해서 이온화 Ca^{++}수치를 감소시킨다 (6). 여기에는 aminoglycoside, cimetidine, heparin, theophylline 등이 있다.
6. 이온화 저칼슘혈증에서는 인산염저류 (phosphate retention) 및 콩팥에서 비타민 D의 활성화 형태 전환과정이 손상되어 *콩팥부전*이 발생할 수 있다. 치료는 혈중인산염 (phosphate) 농도감소를 목표로 한다.
   a. 콩팥부전에서 산증 (acidosis)은 Ca^{++}과 알부민의 결합을 감소시킬 수 있기 때문에, 콩팥부진에서 혈청 총 Ca^{++}감소가 항상 이온화 저칼슘혈증이 있다는 의미는 아니다.
7. *괴사성췌장염 (necrotizing pancreatitis)*은 여러 가지 기전을 통해 저칼

슘혈증을 유발한다. 췌장염에서 저칼슘혈증이 발생하는 경우에는 예후가 나쁘다 (8).

B. 임상양상 (Clinical Manifestations)

저칼슘혈증의 잠재적인 결과에는 신경과 근육의 흥분성 (excitability) 증가와 심근 및 혈관평활근의 수축력감소가 있다. 하지만, 이온화 저칼슘혈증은 대부분 나쁜 결과가 발생하지 않는다 (5,9).

1. 신경과 근육 (Neuromuscular)

저칼슘혈증은 말초 혹은 후두 (laryngeal) 근육의 테타니 (tetany), 반사항진 (hyperreflexia), 감각이상 (paresthesia), 그리고 발작 (seizure)을 유발하는 것으로 알려져 있다 (10).

a. 크보스테크징후 (Chvostek's sign)와 트루소징후 (Trousseau's sign)는 보통 저칼슘혈증의 양상 목록에 들어가지만, 크보스테크징후는 정상성인의 25%에도 존재하기 때문에 비특이적이며, 트루소징후는 저칼슘혈증의 30% 이상에서 없기 때문에 민감성이 떨어진다 (11).

2. 심혈관 (Cardiovascular)

저칼슘혈증의 심혈관합병증은 중증 이온화 저칼슘혈증 (<0.65 mmol/L)에서만 보고 된다 (6). 여기에는 저혈압, 심장박출량의 감소, 심실이소성활동 (ventricular ectopic activity) 등이 있다.

C. Ca^{++} 보충요법 (Calcium Replacement Therapy)

1. 이온화 저칼슘혈증의 치료는 문제의 기저원인을 목표로 해야 한다. *Ca^{++} 보충은 흔하지 않은 증상이 있는 저칼슘혈증을 위해 보류해야 한다.*

2. 사용 가능한 용액과 권장 보충용법은 표30.3에 나와있다 (6).
   a. Calcium chloride는 calcium gluconate보다 Ca^{++} 원소가 3배 더 많다는 점을 주목한다.
   b. Calcium gluconate은 오스몰농도 (osmolarity)가 낮고, 주사했을 때 자극이 적기 때문에 더 많이 사용한다. 하지만 두 Ca^{++}용액 모두 고삼투성 (hyperosmolar)이기 때문에 가능하다면 큰 중심정맥을 통해 투여해야 한다.

표 30.3 IV 칼슘 보충요법

IV 용액	원소 칼슘	Unit 용량	오스몰농도 (mosm/L)
10% Calcium chloride	27 mg/mL	10 mL	2,000
10% Calcium gluconate	9 mg/mL	10 mL	680
증상이 있는 저칼슘혈증에서 1. 원소 Ca^{++} 200 mg을 등장성 식염수 100 mL에 혼합해 10분에 걸쳐 bolus 주입 2. 그 후 6-12시간 동안 1-2 mg/kg/hr 속도로 지속 정주 3. 첫 몇 시간은 이온화 Ca^{++}수치를 매시간 감시.			

3. 주의 (CAUTION) : IV Ca^{++}은 위험하다. 즉, Ca^{++}주입은 필수장기 (vital organ)의 혈관수축과 허혈을 촉진하며 (12), 세포내 축적은 치명적인 세포손상을 유발할 수 있다 (13). 이 위험들은 저칼슘혈증의 나쁜 영향이 있다는 증거가 없는 이상 Ca^{++}보충요법은 하지 않는 것이 중요하다는 점을 강조한다.

III. 이온화 고칼슘혈증 (IONIZED HYPERCALCEMIA)

한 대규모 조사에 따르면, ICU 환자중 23%는 최소한 한번은 이온화 고칼슘혈증을 경험한다고 한다 (5). ICU에서 고칼슘혈증의 원인은 충분히 연구되지 않았지만, ICU 밖에서 고칼슘혈증의 흔한 원인은 부갑상샘 기능항진증 (hyperparathyroidism)과 악성종양이다 (14-16).

A. 임상양상 (Clinical Manifestations)

1. 고칼슘혈증의 임상양상은 비특이적이며, 다음과 같다 (15):
   a. 위장관계 : 구역, 구토, 변비, 장폐색, 췌장염.
   b. 심혈관계 : 혈량저하증 (hypovolemia), 저혈압, QT간격단축
   c. 콩팥 : 다뇨증, 신석회증 (nephrocalcinosis)
   d. 신경계 : 혼수 (coma)를 비롯한 의식저하와 혼란 (confusion)
2. 이 양상들은 혈청 총 Ca^{++}이 12 mg/dL 이상이거나, 혹은 이온화 Ca^{++}이 3.0 mmol/L 이상이면 단서가 될 수 있으며, 혈청 총 Ca^{++}이 14 mg/dL이상 이거나 이온화 Ca^{++}이 3.5 mmol/L 이상이면 거의 항상 존재한다.

B. 치료 (Management)

고칼슘혈증은 부작용이 발생하거나, 혈청 Ca^{++}이 14 mg/dL 이상 혹은 이온화 Ca^{++}이 3.5 mmol/L 이상인 경우 치료의 적응증이 된다. 중증, 증상이 있는 고칼슘혈성위기 (hypercalcemic crisis)는 대부분 암과 관련 있으며, 치료는 표 30.4에 요약되어 있다 (1,14-16).

1. 식염수 주입 (Saline Infusion)

고칼슘혈증은 고칼슘뇨증 (hypercalciuria)을 동반하며, 이 때문에 삼투성이뇨가 발생한다. 이는 혈량저하증 (hypovolemia)으로 이어져 소변으로 Ca^{++} 배출을 감소시키며, 혈청 Ca^{++}이 빠르게 증가한다.

a. *고칼슘혈증 치료의 첫 번째 목표는 혈량저하증을 교정하고, 콩팥*

Ca^{++}배출을 촉진시키기 위한 순환혈액량 (volume)주입이다.

b. Na^{+} 배설증가는 Ca^{++}배설증가를 촉진하기 때문에, 순환혈액량주입은 등장성식염수 (200-500 mL/hr)를 권장한다 (15).

c. 목표는 소변배출량 100-150 mL/hr이다. (14-16).

d. 식염수 주입은 증례 중 70%이상에서 고칼슘혈증을 완전히 교정하지 못했다 (14).

2. Furosemide

Furosemide (2시간마다 40-80 mg IV)는 요중 Ca^{++}배설을 촉진시키지만, 동시에 역효과를 가져오는 혈량저하증을 촉진한다. 따라서, furosemide는 혈액량과다 (volume overload)인 경우만 추천한다 (14,16)

3. Calcitonin

a. 자연발생 호르몬인 calcitonin은 뼈흡수 (bone resorption)를 억제하며, 연어 calcitonin을 사용할 수 있다. 투여방법은 12시간마다 4 U/kg를 SC하거나 IM한다.

b. 반응은 2시간 이내로 빠르지만, 효과는 보통이다. 혈청농도가 최대 0.5 mmol/L 감소하며 속성내성 (tachyphylaxis)이 흔하다 (14). 따라서, calcitonin은 더 이상 중증 고칼슘혈증 치료에 많이 사용하지 않는다 (14).

표 30.4	중증 고칼슘혈증의 치료
제제	용법 및 해설
Isotonic saline	용법 : 소변 배출량 100-150 mL/hr을 유지하기 위해, 200-500 mL/hr 해설 : 혈청 Ca^{++}을 줄이지만, 대부분 정상으로는 만들지 못한다.
Furosemide	용법 : 소변 배출량 100-150 mL/hr을 유지하기 위해, 2시간마다 40-80 mg IV 해설 : Ca^{++}배출증가를 촉진시키지만, 동시에 역효과를 일으키는 혈량저하증 (hypovolemia)도 촉진한다. 따라서 혈액량과다 (volume overload)인 경우만 추천한다.
Calcitonin	용법 : 12시간마다 4 U/kg를 SC 혹은 IM 해설 : 효과가 보통이며 속발내성 때문에 더는 많이 사용하지 않는다.
Glucocorticoid	용법 : 3-5일간 경구 prednisone은 매일 20-100 mg, IV hydrocortisone은 매일 200-400 mg. 해설 : 림프종 (lymphoma)과 골수종 (myeloma)에 유용하다. 효과가 4일 동안 분명하지 않을 수 있다.
Biphosphonates	용법 : Zoledronate는 15분에 걸쳐 4-8 mg IV Pamidronate는 2시간에 걸쳐 90 mg IV. 10일 후에 반복 가능 해설 : 1차 약제이지만 2일 동안은 효과가 분명하지 않다. zoledronate는 pamidronate보다 효과적이지만, 고용량은 신독성이 있다.

참고문헌, 14-16 발췌.

4. 당질코르티코이드 (Glucocorticoids)

당질코르티코이드는 콩팥 Ca^{++} 배출을 증가시키며, 뼈에서 파골세포 (osteoclast) 활동성을 감소시키며, 림프종 (lymphoma)과 골수종 (myeloma)에서 칼시트리올 (calcitriol)의 콩팥외생성 (extrarenal production)을 감소시킨다 (14). 용법은 표30.4를 참고한다. 이 약제의 단점은 4일간 효과가 분명하지 않을 수 있으며, 종양용해증후군 (tumor lysis syndrome)이 발생할 수 있다는 점이다.

5. Bisphosphate

a. Bisphosphate는 파골세포 활동성을 잠재적으로 억제하며, 중증고칼슘혈증의 *1차 약제*로 여겨진다 (14).
b. 두 가지 제제가 사용 가능하다. Zoledronate는 15분에 걸쳐 4-8 mg을 IV로 투여하며, pamidronate는 2시간에 걸쳐 90 mg을 IV한다. Zoledronate는 pamidronate보다 효과적이지만, 고용량은 신독성이 있다.
c. 두 약제 모두 효과발현은 2-4일로 느린 편이다. 최고효과는 4-7일에 나타나며, 효과는 1-4주간 지속된다 (14).

6. 투석 (Dialysis)

혈액투석과 복막투석은 신부전 환자에서 Ca^{++}을 제거하는데 효과적이다.

Ⅳ. 저인산혈증 (HYPOPHOSPHATEMIA)

무기질인산염 (inorganic phosphate, PO_4)의 정상 혈장농도는 표30.1에 나와있다 (17). 저인산혈증은 혈청 PO_4가 2.5 mg/dL 이하이거나 0.8 mmol/L 이하일 때로 정의하며, 중환자 중 17-28%에서 보고된다 (18,19). 대부분은 세포 내 PO_4 이동이 원인이다. 흔하지 않은 원인으로는 콩팥 PO_4 배출감소, 위상관 PO_4 흡수 감소 등이 있다.

A. 선행요인 (Predisposing Conditions)

1. 포도당부하 (Glucose Loading)

포도당의 세포 내 이동은 유사한 PO_4의 세포 내 이동을 동반한다. 입원 환자에서 저인산혈증의 가장 흔한 원인은 포도당부하이며 (18,20,21), 전형적으로 영양실조 혹은 허약체질 환자에서 급식을 다시 시작할 때 나타난다 (21). 총주사제영양 (total parenteral nutrition, TPN)이 혈청 PO_4에 미치는 영향은 그림 30.1에 나와있다.

a. 인슐린을 투여하는 장기 혹은 중증고혈당증 환자에게 비슷한 효과가 생긴다. 그 예로 당뇨병성 케톤산증 (diabetic ketoacidosis)을 치료하는 과정에서 저인산혈증이 발생하는 것을 들 수 있다 (24장 Ⅱ-C-4절 참고).

2. 호흡성알칼리증 (Respiratory Alkalosis)

호흡성 알칼리증은 세포내 pH를 증가시키며, 이는 포도당분해 (glycolysis)를 가속시킨다. 포도당 이용이 증가하면, 세포 내로 포도당과 PO_4 이동도 증가한다 (22).

3. β-수용체작용제 (β-receptor agonist)

β-교감신경수용체 (β-adrenergic receptor) 자극은 세포 안으로 PO_4를 이동시켜 저인산혈증을 유발한다. 이 효과는 고용량 β-작용기관지확장제로 치료하는 급성천식 (acute asthma) 환자에서 두드러진다 (23).

4. 전신염증 (Systemic Inflammation)

혈청 PO_4와 순환 염증성사이토카인 (inflammatory cytokine) 수치는

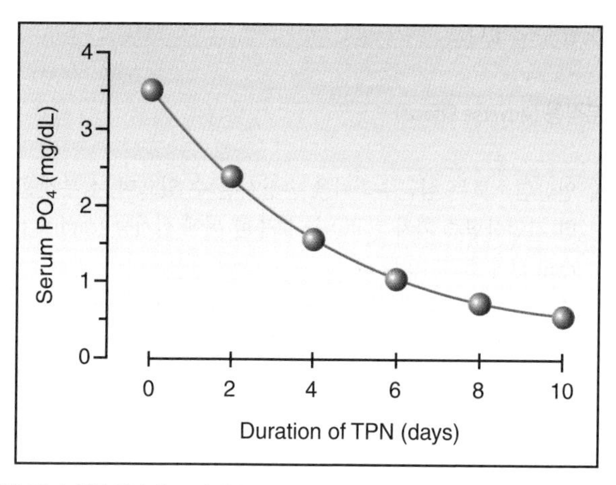

■ 그림 30.1 혈청 인산염농도에 대한 TPN (total parenteral nutrition)의 누적 효과. 참고문헌 20에서 발췌.

반비례 관계에 있다 (24). 이는 활성화호중구 (activated neutrophils)에서 PO_4 이용이 증가하기 때문일 것이다.

5. 인산염 결합 제제 (Phosphate-Binding Agents)

알루미늄 (aluminum)은 PO_4와 결합해 불용성복합체를 만든다. Sucralfate같은 알루미늄이 포함된화합물은 위장관에서 인산염 흡수를 지연시켜 저인산혈증을 유발한다 (25).

B. 임상양상 (Clinical Manifestations)

저인산혈증은 대개, 임상적으로 무증상이다. 예를 들어, 혈청 PO_4가 1 mg/dL 이하인 중증 저인산혈증 환자에 대한 한 연구에 따르면, 어떤 환자에서도 유해성의 증거를 볼 수 없었다 (26). 하지만, 다음의 부작용은 잠재적으

로 해가 될 수도 있다.

1. 부작용 (Adverse Effects)

a. 인산염소모는 심근수축력을 손상시킬 수 있으며, 심부전을 동반한 저인산혈증 환자는 PO_4를 보충한 뒤에 심기능 (cardiac performance)이 호전되었다 (27).
b. 중증 저인산혈증에서는 용혈성빈혈 (hemolytic anemia)이 발생할 수도 있으며 (25), 이는 고에너지인산염복합체 (high-energy phosphate compound, 즉 ATP)의 가용성이 제한됨으로써, RBC의 변형가능성 (deformability)이 줄어들기 때문이다.
c. 인산염소모는 2,3-디포스포글라이세레이트 (2,3-diphosphoglycerate) 소모를 동반하며, 이는 산화헤모글로빈 해리곡선을 왼쪽으로 이동시킨다. 이렇게 되면, 헤모글로빈은 조직에 산소를 더 적게 공급하게 된다.

2. 근력저하 (Muscle Weakness)

중증 저인산혈증 환자에서 호흡근 근력저하로 인한 인공호흡기 이탈실패에 대한 연구가 하나 있다 (28). 하지만, 다른 연구들에서는 저인산혈증과 호흡근 근력저하 사이에 중요한 연결점이 없었다 (29).

C. PO_4 보충 (Phosphate Replacement)

표 30.5 인산염 보충 요법			
용액	함량	기타 함량	
Sodium Phosphate	93 mg (3 mmol)/ml	Na^+ : 4.0 mEq	
Potassium Phosphate	93 mg (3 mmol)/ml	K^+ : 4.3 mEq	
체중에 따른 PO_4 보충 IV †			
혈청 PO_4 (mg/dl)	40–60 kg	61–80 kg	81–120 kg
< 1	30 mmol	40 mmol	50 mmol
1 – 1.7	20 mmol	30 mmol	40 mmol
1.8 – 2.5	10 mmol	15 mmol	20 mmol

† 혈장 K^+이 4mEq/L 이상이라면, sodium phosphate를 사용하고, 혈장 K^+이 4 mEq/L 이하라면 potassium phosphate를 사용한다. 참고문헌 30 발췌.

1. 모든 중증 저인산혈증환자, 즉 혈청 PO_4가 1.0 mg/dL 이하이거나 0.3 mmol/L 이하인 모든 환자와 수축성심부전을 동반한 저인산혈증 환자 같이 일부 선택된 환자에게 IV PO_4 보충을 권장한다. PO_4 용액과 용법은 표30.5에 나와있다 (30).
2. PO_4 일일 유지용량은 1,200 mg PO 혹은 800 mg IV다 (31).

Ⅳ. 고인산혈증 (HYPERPHOSPHATEMIA)

대부분의 고인산혈증은 콩팥 PO_4 배출이 손상되거나 횡문근융해증 (rhabdomyolysis) 혹은 종양용해증후군 (tumor lysis syndrome) 같은 질환에서 파괴된 세포로부터 PO_4가 배출되어서 생긴다.

A. 임상양상 (Clinical Manifestations)

고인산혈증의 임상양상에는 (a) 연조직 (soft tissue)에 침적 (deposition)되는 Ca^{++}-PO_4 불용성 복합체 형성과 (b) 테타니 (tetany)를 동반한 급성 저칼슘혈증 (10) 등이 있다. ICU 환자에서는 이 중 어느 것도 문서화된 위험은 없다.

B. 치료 (Management)

1. 경구 PO_4 섭취가 없더라도 상부위장관에서 PO_4 결합이 많아지면, 혈청 PO_4가 낮아진다. 즉, 위장관투석 (GI dialysis)이 생긴다 (32,33).
   a. Sucralfate나 알루미늄함유제산제 (antacids)를 이 용도로 사용할 수 있다.
   b. 저칼슘혈증 환자는 calcium acetate 정제를 복용하면 혈청 Ca^{++}은 올리면서 혈청 PO_4은 낮출 수 있다. 667 mg calcium acetate 정제 한 알에는 Ca^{++} 원소 8.45 mEq이 들어있다. 권장용량은 하루 2알씩 3번 복용한다.
2. 혈액투석은 신부전환자에서 PO_4 제거를 증가시킬 수 있지만, 대개는 필요하지 않다.

참고문헌

1. Bushinsky DA, Monk RD. Electrolyte quintet: Calcium. Lancet 1998; 352:306-311.
2. Baker SB, Worthley LI. The essentials of calcium, magnesium and phosphate metabolism: part I. Physiology. Crit Care Resusc 2002; 4:301-306.
3. Slomp J, van der Voort PH, Gerritsen RT, et al. Albumin-adjusted calcium is not suitable for diagnosis of hyper- and hypocalcemia in the critically ill. Crit Care Med 2003; 31:1389-1393.
4. Byrnes MC, Huynh K, Helmer SD, et al. A comparison of corrected serum calci-

um levels to ionized calcium levels among critically ill surgical patients. Am J Surg 2005; 189:310-314.

5. Moritoki E, Kim I, Nichol A, et al. Ionized calcium concentration and outcome in critical illness. Crit Care Med 2011; 39:314-321.
6. Zaloga GP. Hypocalcemia in critically ill patients. Crit Care Med 1992; 20:251-262.
7. Burchard KW, Simms HH, Robinson A, et al. Hypocalcemia during sepsis. Relationship to resuscitation and hemodynamics. Arch Surg 1992; 127:265-272.
8. Steinberg W, Tenner S. Acute pancreatitis. N Engl J Med 1994; 330:1198-1210.
9. Aberegg SK. Ionized calcium in the ICU: should it be measured and corrected. Chest 2016; 149:846-855.
10. Baker SB, Worthley LI. The essentials of calcium, magnesium and phosphate metabolism: part II. Disorders. Crit Care Resusc 2002;4:307-315.
11. Zaloga G. Divalent cations: calcium, magnesium, and phosphorus. In Chernow B, ed. The Pharmacologic approach to the critically ill patient. 3rd ed. Baltimore: Williams & Williams, 1994.
12. Shapiro MJ, Mistry B. Calcium regulation and nonprotective properties of calcium in surgical ischemia. New Horiz 1996; 4:134-138.
13. Trump BF, Berezesky IK. Calcium-mediated cell injury and cell death. Faseb J 1995; 9:219-228.
14. McCurdy MT, Shanholtz CB. Oncologic emergencies. Crit Care Med 2012; 40:2212-2222.
15. Stewart AF. Clinical practice. Hypercalcemia associated with cancer. N Engl J Med 2005; 352:373-379.
16. Body JJ. Hypercalcemia of malignancy. Semin Nephrol 2004; 24:48-54.
17. Geerse DA, Bindels AJ, Kuiper MA, et al. Treatment of hypophosphatemia in the intensive care unit: a review. Crit Care 2010; 14:R147.
18. French C, Bellomo R. A rapid intravenous phosphate replacement protocol for critically ill patients. Critical Care Resusc 2004; 6:175-179.
19. Fiaccadori E, Coffrini E, Fracchia C, et al. Hypophosphatemia and phosphorus depletion in respiratory and peripheral muscles of patients with respiratory failure due to COPD. Chest 1994; 105:1392-1398.
20. Knochel JP. The pathophysiology and clinical characteristics of severe hypophosphatemia. Arch Intern Med 1977; 137:203-220.

21. Marinella MA. Refeeding syndrome and hypophosphatemia. J Intensive Care Med 2005; 20:155–159.
22. Paleologos M, Stone E, Braude S. Persistent, progressive hypophosphataemia after voluntary hyperventilation. Clin Sci 2000; 98:619–625.
23. Bodenhamer J, Bergstrom R, Brown D, et al. Frequently nebulized beta-agonists for asthma: effects on serum electrolytes. Ann Emerg Med 1992; 21:1337–1342.
24. Barak V, Schwartz A, Kalickman I, et al. Prevalence of hypophosphatemia in sepsis and infection: the role of cytokines. Am J Med 1998; 104:40–47.
25. Brown GR, Greenwood JK. Drug- and nutrition-induced hypophosphatemia: mechanisms and relevance in the critically ill. Ann Pharmacother 1994; 28:626–632.
26. King AL, Sica DA, Miller G, et al. Severe hypophosphatemia in a general hospital population. South Med J 1987; 80:831–835.
27. Davis SV, Olichwier KK, Chakko SC. Reversible depression of myocardial performance in hypophosphatemia. Am J Med Sci 1988; 295:183–187.
28. Agusti AG, Torres A, Estopa R, et al. Hypophosphatemia as a cause of failed weaning: the importance of metabolic factors. Crit Care Med 1984; 12:142–143.
29. Gravelyn TR, Brophy N, Siegert C, et al. Hypophosphatemiaassociated respiratory muscle weakness in a general inpatient population. Am J Med 1988; 84:870–876.
30. Taylor BE, Huey WY, Buchman TG, et al. Treatment of hypophosphatemia using a protocol based on patient weight and serum phosphorus level in a surgical intensive care unit. J Am Coll Surg 2004; 198:198–204.
31. Knochel JP. Phosphorous. In: Shils ME, et al., eds. Modern nutrition in health and disease. 10th ed. Philadelphia, PA: Lippincott, Williams & Wilkins, 2006; 211–222.
32. Kraft MD, Btaiche IF, Sacks GS, et al. Treatment of electrolyte disorders in adult patients in the intensive care unit. Am J Health Syst Pharm 2005; 62:1663–1682.
33. Lorenzo Sellares V, Torres Ramirez A. Management of hyperphosphataemia in dialysis patients: role of phosphate binders in the elderly. Drugs Aging 2004; 21:153–165.

Chapter 31

췌장염과 간부전

Pancreatitis and Liver Failure

이번 장에서 다루고 있는 질환인 괴사성 췌장염과 간부전은 다음과 같은 공통점이 있다. 먼저 (a) 여러 장기의 손상과 연관 있으며, (b) 원인은 장내에 존재하는 병원균에 의한 감염이며, (c) 두 질환의 치료는 대부분 지지요법이며, 마지막으로 (d) 사망률이 높다.

Ⅰ. 급성췌장염 (ACUTE PANCREATITIS)

A. 분류 (Classification)

급성췌장염에는 두 가지 종류가 있다 (1):

1. 부종성췌장염 (edematous pancreatitis)은 췌장염 중 가장 흔하며, 다른 장기에 침범이 없는 췌장의 염증성침윤이 특징이다. 임상양상은 보통 자기국한 (self-limited)의 복통, 구역, 구토다. 사망률은 2% 미만으로 낮으며 (2), ICU 수준의 치료가 필요한 경우는 드물다.
2. 괴사성췌장염 (necrotizing pancreatitis)은 10-15%에서 발생하며 (1), 췌장의 괴사성파괴 (necrotic destruction) 부위가 특징이다. 보통은 하나 혹은 그 이상의 췌장외장기 (extrapancreatic sites), 예를 들어 폐, 콩팥, 순환기 등에 진행성전신염증과 염증손상을 동반한다 (3). 사망률은 최고 40%로 높으며 (2), ICU 수준의 치료가 필요하다.

B. 원인과 진단 (Etiology and Diagnosis)

1. 췌장염을 유발하는 상태는 표 31.1에 나와있다. 이 중 90%가 담석 (gallstones, 40%), 알코올남용 (30%), 혹은 특발성 (idiopathic, 20%) 때문이다 (2,4,5).
2. 급성췌장염을 진단하기 위해서는 아래의 내용이 필요하다 (1)
   a. 혈청췌장효소 (serum pancreatic enzyme), 즉 아밀라아제 (amylase)와 리파아제 (lipase) 농도가 정상 상한선의 최소 3배 이상 증가해야 한다.
   b. 조영증강 CT에 췌장염의 증거가 있어야 한다.

표 31.1	급성췌장염의 원인
주 원인	
	• 담석 (40%)
	• 알코올 (30%)
	• 특발성 (20%)
기타 원인	
	• 복부외상
	• 혈관염 (vasculitis)
	• 고글리세리드혈증 (hyperglyceridemia)
	• 감염 (HIV, CMV, mycoplasma, legionella)
	• 약물 (acetazolamide, omeprazole, pentamidine, metronidazole, trimethoprim-sulfamethoxazole, furosemide, valproic acid)

참고문헌 2, 4, 5 발췌.

C. 췌장효소 (Pancreatic Enzymes)

1. 아밀라아제 (Amylase)

아밀라아제는 전분 (starch)을 다당류 (polysaccharide)로 분해하는 효소다. 아밀라아제는 주로 췌장, 침샘 (salivary glands), 나팔관 (fallopian tube)에서 분비된다.

a. 혈청 아밀라아제농도는 급성췌장염이 발병하고 6-12시간 후에 증가하기 시작하여, 3-5일이 지나면 정상으로 돌아간다.
b. 혈청 아밀라아제가 정상상한치의 3배 이상 증가 (=급성췌장염의 진단기준)하면, 급성췌장염 진단에서 민감도 (sensitivity)가 90% 이상으로 높지만, 특이도 (specificity)는 70% 정도로 낮다 (6).
c. 혈청 아밀라아제의 낮은 민감도는 표 31.2에 나와있는 것 같은 혈청 아밀라아제를 증가시킬 수 있는 다양한 상태를 반영한 것이다 (7).
d. 참고 : 혈청 아밀라아제의 참고치를 언급하지 않은 이유는 임상검사실마다 참고치가 다양하기 때문이다.

2. 리파아제 (Lipase)

리파아제는 트리글리세리드 (triglyceride)를 글리세롤 (glycerol)과 자유지방산 (free fatty acid)으로 가수분해하는 효소다. 리파아제는 주로 혀, 췌장, 간, 소장, 순환지질단백질 (circulatory lipoprotein)에서 분비된다.

a. 혈청 리파아제농도는 급성췌장염이 발병하고 4-8시간 후에 증가하기 시작하며, 8-14일이 지난 후에도 떨어지지 않는다. 리파아제는 혈청 아밀라아제보다 일찍 증가하기 시작해서 더 오랜 기간 증가해 있다.
b. 아밀라아제처럼 혈청 리파아제를 증가시킬 수 있는 다양한 상태가 표 31.2에 나와있다. 하지만, 아밀라아제와는 다르게 비췌장성상태 (nonpancreatic condition)들이 급성췌장염에서 증가하는 수치 수준으로 리파아제 농도를 높게 증가시키는 경우는 드물다 (8).
c. 혈청 리파아제가 정상상한치의 3배 이상 증가하면, 급성췌장염 진단에서 민감도 (sensitivity)와 특이도 (specificity)가 80-100%다 (6). 따라서, 급성췌장염 진단에서 혈청 아밀라아제보다 혈청 리파아제

쪽이 특이도가 더 높다.

d. 권장사항 (RECOMMANDATION) : 혈청 리파아제는 췌장염의 진단적평가에 단독으로도 사용할 수 있다. 혈청 아밀라아제 농도를 추가 한다고 해서 진단 정확도가 증가하지는 않는다(6).

표 31.2 혈청 아밀라아제와 리파아제의 증가원인	
상태	**약물 및 기타 제제†**
Pancreatitis Cholecystitis Renal Failure Parotitis (amylase) Peptic Ulcer Disease Bowel obstruction or infarction Liver Disease (amylase) Diabetic Ketoacidosis	*Amylase:* Ethanol intoxication Hydroxyethyl starch Histamine H_2 blocker Metoclopramide Opiates *Lipase:* Lipid infusions Methylprednisolone Opiates

†ICU 환자가 경험할 가능성이 있는 약제들만 포함. 더 완벽한 목록은 참고문헌7을 참고.

D. 컴퓨터단층촬영 (Computed Tomography, CT)

조영증강 CT는 급성췌장염에서 가장 믿을 만한 검사법이며, 췌장염의 종류 (부종성 vs. 괴사성)와 감염 같은 국소합병증을 확인할 수 있다.

1. 그림 31.1에 부종성췌장염의 조영증강CT스캔이 나와있다. 췌장은 두꺼워져 있으며 (thickened), 완전히 증강되며 (enhanced completely), 췌장부종의 특징인 흐릿한 경계 (blurred border)를 볼 수 있다.
2. 그림 31.2에 괴사성췌장염의 조영증강CT스캔이 나와있다. 췌장경부와 체부에 있는 조영증강이 되지 않는 넓은 구역을 주목한다. 이는 췌장 괴사를 의미한다. 췌장괴사가 완전히 진행된 소견은 증상발현 1주

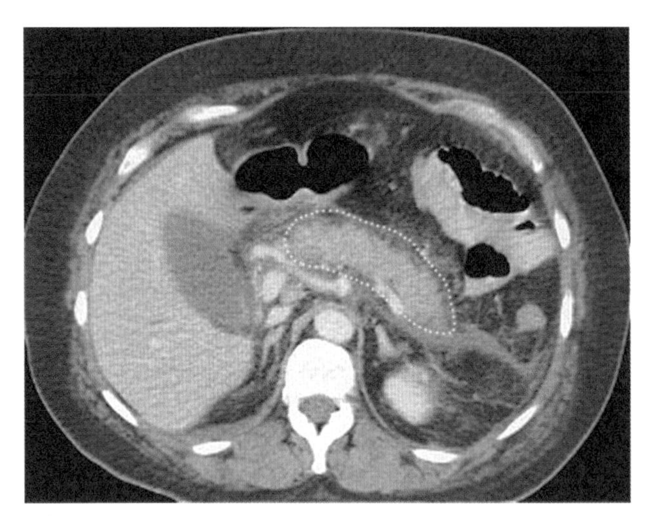

■ 그림 31.1 부종성 췌장염을 보여주는 조영증강CT스캔. 점선으로 둘러 쌓인 췌장은 커져 있으며, 완전히 조영증강 된다. 췌장의 경계는 흐릿하며, 이는 부종이 있을 때의 특징이다.

일 후에 촬영한 CT스캔에서는 보이지 않을 수도 있다(1).

3. IV 조영제를 사용하지 않으면 부종성췌장염과 괴사성췌장염은 CT스캔으로 구별하기 어렵다.

E. 담관평가 (Biliary Evaluation)

미국에서 급성췌장염의 주 원인은 담석 (gallstone)이기 때문에 (4), 모든 급성췌장염환자에게 담낭 (gall bladder)과 담도 (biliary tree)에 대한 평가를 추천한다. 이 평가는 조영증강CT스캔이면 충분하다. 여의치 않다면 초음파검사를 권장한다.

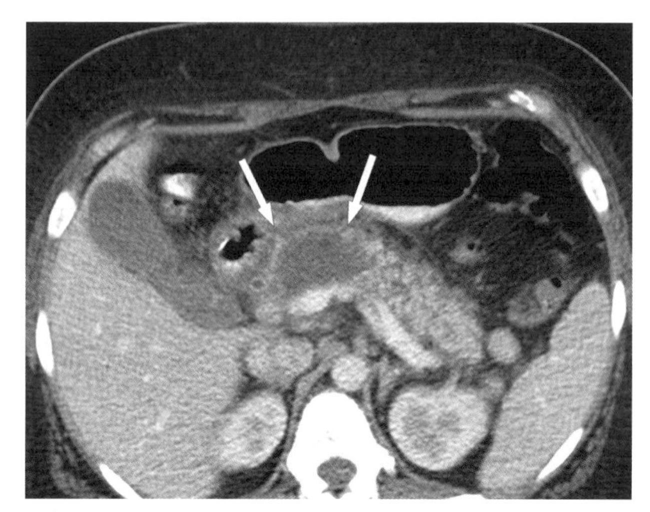

■ 그림 31.2 괴사성췌장염을 보여주는 조영증강CT스캔. 췌장 일부분이 조영되었다. 화살표는 넓은 괴사부위를 표시한다. 참고문헌1에서 발췌.

II. 중증췌장염 (SEVERE PANCREATITIS)

1. 중증 췌장염은 급성, 대부분은 괴사성췌장염이 최소 하나 이상의 다른 장기에 48시간 이상 지속되는 손상을 동반할 때로 정의한다 (1).
2. 췌장외 장기에 발생하는 손상은 염증에서 비롯하며, 전형적으로 폐 (급성호흡곤란증후군), 콩팥 (급성신손상), 그리고 순환계 (저혈압과 순환성쇼크)를 침범하는 경향이 있다.
3. ICU에서 중증 췌장염의 치료에는 (a) 순환보조, (b) 영양보조, 그리고 (c) 감염 같은 복강내 합병증의 치료가 있다.

A. 순환보조 (Circulatory Support)

순환보조에는 순환혈액량소생 (volume resuscitation)이 있으며, 필요한 경우 혈압상승제를 사용할 수 도 있다.

1. 순환혈액량소생 (Volume Resuscitation)

중증췌장염은 유출성전신모세혈관 (leaky systemic capillaries)을 통한 혈관 내 체액 손실을 동반하며, 그 결과물인 혈량저하증 (hypovolemia)은 추가적인 췌장 괴사를 유발할 수 있다. 따라서, 중증 췌장염은 진행과정 초기에 공격적인 순환혈액량 소생을 권장한다 (9). 일반적인 순환혈액량 소생방법은 다음과 같다.

a. 등장성결정질수액 (isotonic crystalloid fluid)을 사용하여, 60-90분에 걸쳐 20 mL/kg, 약 1.5 L를 주입하며 시작한다.
b. 그 후 24-48시간 동안 주입속도를 250 mL/hr로 올려서 평균동맥압 (mean arterial pressure)을 65 mmHg 이상으로, 소변배출량을 0.5 mL/kg/hr 이상으로 유지한다.
c. 주의 (CAUTION) : 공격적인 순환혈액량 주입은 중증췌장염에서 치료결과를 호전시키지 못했다(10). 또한 이 방법은 ARDS와 같은 상태 (17장, Ⅲ-A절 참고)를 악화시킬 수 있는 부종을 형성할 수 있으며, 복부구획증후군 (abdominal compartment syndrome)의 위험 (26장, Ⅲ-D-1절 참고)을 증가시킨다. 따라서, 초기 24-48시간 동안 적극적인 순환혈액량 주입 후에는, 수액의 주입속도를 소변배출량에 맞춰서 줄여야 한다.

2. 혈압상승제요법 (Vasopressor Therapy)

중증췌장염에서 혈압상승제요법에 대한 공식적인 권장사항은 없지만, norepinephrine 2-20 μg/min이 적절한 선택이다. 모든 혈압상승제는 장혈류 (splanchnic blood flow)를 감소시키며, 췌장의 괴사를 악화시킬 수 있다. 따라서, 주입속도를 주의 깊게 조절하며, epinephrine은 사용하지 않을 것을 추천한다.

B. 영양보조 (Nutritional Support)

1. 영양보조는 발병 48시간 이내에, 일찍 시작해야 하며 가능하다면 장관튜브 (enteral tube)를 사용한다.
2. 장관영양 (enteral nutrition)이 많이 사용되는 이유는 튜브급식 (tube feeding)이 장점막에 영양효과 (trophic effect)를 가지기 때문이다 (37장 참고). *장관영양은 중증췌장염 환자에서 TPN (total parenteral nutrition)에 비해 감염이 적으며, 다장기부전이 덜 발생하며, 사망률이 낮다* (12).
3. 튜브급식은 긴 급식튜브를 사용해 공장 (jejunum)으로 투여해야 한다. 급식튜브는 형광투시경 (fluoroscopic)이나 내시경 (endoscopic) 유도를 통해 삽입할 수 있다. 현재는 위내 (intragastric) 급식을 추천하지 않지만, 한 소규모 연구결과, 중증췌장염에서 비위관급식은 뚜렷한 유해성이 없었다 (13).

C. 췌장감염 (Pancreatic Infections)

1. 괴사성췌장염 환자중 약 1/3은 췌장이 괴사한 부위에 감염이 생겼다 (14). 이러한 감염은 보통 질환이 발생하고 7-10일에 나타나며, Gram-negative enteric organism이 원인균이다.
2. 다음 중 한 가지를 만족하면 진단을 확정할 수 있다.
   a. 조영증강 CT 스캔에서 췌장 괴사부위에 기포 (gas bubble)가 있을 때
   b. CT 유도세침흡입 (CT-guided needle aspiration)을 이용한 췌장 괴사부위 배양에서 양성이 나올 때.
3. 이러한 감염은 항생제 요법에 반응하지 않으며, 최선의 치료법은 괴사조직절제술 (necrectomy)이라고도 하는 외과적 변연절제술 (surgical debridement)이다 (14).
4. 예방적 항생제는 췌장감염 발생률을 줄여주지 않는다 (15). 따라서,

괴사성췌장염에 예방적 항생제는 권장하지 않는다 (14).

D. 복부구획증후군 (Abdominal Compartment Syndrome, ACS)

ACS는 중증췌장염 환자중 약 반수 정도에서 보고 된다 (16). ACS는 급성핍뇨성신부전 (acute oliguric renal failure)를 유발하기 때문에, 핍뇨성신부전이 발생한 급성췌장염 환자는 모두 복강내압 (abdominal pressure)을 측정해야 한다. ACS에 대한 더 많은 정보는 26장 Ⅲ-D 절을 참고한다.

Ⅲ. 간부전 (LIVER FAILURE)

A. 분류 (Classification)

간부전에는 (a) 급성 혹은 전격성 (fulminant)간부전과 (b) 만성간부전의 급성악화 (acute-on-chronic liver failure)의 두 종류가 있다.

1. 급성간부전 (Acute Liver Failure)

급성간부전은 기존에 간질환이 없어도 발생할 수 있으며, 연간발생률이 100만 명당 10명 이하로 드문 질환이다. 미국에서 급성간부전의 주원인은 acetaminophen이며, 전체 사례중 40%가 이 때문이다 (17). Acetaminophen 간독성은 46장 Ⅰ 절에서 다루고 있다. 다른 원인에는 바이러스성간염, 허혈성간염, 열사병 (heat stroke), 그리고 cocaine 같은 약물이 있다. 약 20%는 특발성 (idiopathic)으로 발생한다 (17).

2. 만성간부전의 급성악화 (Acute-on-Chronic Liver Failure)

만선 간부전의 급성악화는 대부분 간경화 (cirrhosis) 환자에서 만성간질환이 악화된 것이며, 흔히 감염이나 식도정맥류 출혈 (variceal hemorrhage)로 인해 악화된다 (18).

B. 임상양상 (Clinical Features)

두 가지 간부전 모두 감염 위험증가, 신기능부전, 저알부민혈증 같이 비슷한 양상을 띄지만, 몇 가지 차이점이 있다.

1. 급성간부전은 다음과 같은 특징이 있다(17).
   a. 흔히 다장기부전 (multiorgan failure)을 유발하는 전신염증 (systemic inflammation)과 연관 있다.
   b. 지배적인 특징은 간성뇌병증 (hepatic encephalopathy)으로 증상발현으로부터 8주 내에 발생하며, 두개내압 (intracranial pressure)을 증가시킬 수 있다.
   c. 간문맥고혈압 (portal hypertension)은 두드러지지 않으며, 뚜렷한 출혈이 있는 경우는 드물다.
   d. Acetaminophen과 관련 없는 급성간부전이라도 N-acetylcysteine으로 회복할 기회가 있다 (17).
2. 만성간부전의 급성악화 혹은 간경화는 다음과 같은 차이점이 있다.
   a. 간문맥고혈압이 두드러지며, 식도정맥류 출혈이 흔하다
   b. 복수 (ascites)가 두드러지며, SBP와 간콩팥증후군 (hepatorenal syndrome)의 위험성이 있다 (다음 절 참고).

C. 자발성세균성복막염 (Spontaneous Bacterial Peritonitis, SBP)

복수 (ascites)가 있는 만성간부전의 급성악화환자 중 10-27%는 복막염의 증거가 있다 (19). 이 상태를 SBP라고 하며, 추정기전은 소장점막을 통과한 장내병원균 (enteric pathogen)의 복막파종 (peritoneal seeding)이다. 원인균은 75%가 gram-negative aerobic bacilli이며, 25%는 gram-positive aerobic cocci, 특히 streptococci이다 (19).

1. 환자 중 최소 50% 이상은 임상 양상으로 발열, 복통, 그리고 반동 압통 (rebound tenderness)을 가지고 있지만, 약 1/3은 증상이 없을 수도 있다 (19).
2. SBP의 진단적평가를 위해서는 복막액배양이 필요하다. 복막액의 절대호중구수 (absolute neutrophil count)가 250 cells/mm^3 이상이면 감염의 추정증거가 되며, 경험적항균요법을 시작하는 적응증이 된다. 많이 사용되는 항생제는 cefotaxime 혹은 다른 3세대 cephalosporin이다 (19-21). Cefotaxime은 2 g을 8시간 간격으로 IV 한다.
3. 충분한 항생제치료에도 불구하고 SBP는 사망률이 30-40%에 이른다 (20). SBP 환자 중 약 1/3에서 간콩팥증후군이 발생하며 (21), 이를 통해 사망률이 높은 이유를 설명할 수 있다 (다음 절 참고).

D. 간콩팥증후군 (Hepatorenal syndrome, HRS)

HRS는 내인성 (intrinsic) 콩팥질환 없이 발생하는 기능성 신부전으로 간경화나 복수를 동반한 환자, 특히 SBP 혹은 다른 원인으로 인한 패혈증 환자에서 발생한다(22). HRS는 간이식 이외에는 치료법이 없는 치명적인 질환이다(22,23).

1. 병인 (Pathogenesis)

HRS의 원인은 내장순환 (splanchnic circulation)과 콩팥순환의 혈류역학적 변질이다. 간경화는 내장의 혈관확장을 유발하며, 이 혈관확장에 대한 신경호르몬 (neurohumoral) 반응, 즉 레닌시스템 (renin system) 반응의 결과로 콩팥 혈관이 수축한다 (22). 이 혈관수축 때문에 심장박출량이 조금만 줄어도 사구체여과율 (glomerular filtration rate)이 쉽게 손상 받게 된다.

2. 진단 (Diagnosis)

HRS의 진단기준은 표 31.3에 나와있다. 이 기준을 만족하기 위해서는 (a) 급성신손상 (acute kidney injury)의 증거, 즉 알부민주입 혹은 순환혈액량소생 (volume resuscitation)에도 반응하지 않는 48시간 이내에 혈청크레아티닌 (creatinine)≥0.3 mg/dL증가와 (b) 순환성쇼크 혹은 신독성제제 같은 다른 원인으로 인한 급성콩팥손상의 증거가 없어야 한다(22, 24).

표 31.3 간콩팥 증후군에 대한 임상적접근

진단 기준	치료
1. 복수를 동반한 간경화 2. 48시간 이내에 혈청크레아티닌이 0.3 mg/dL 이상 증가 3. 2일간 이뇨제 없이 알부민투여 (1 g/kg/day, 최대 100 g/day)에도 호전을 보이지 않는 콩팥 기능 4. 쇼크, 신독성약제 같은 급성신손상의 다른 원인이 없을 때.	1. Terlipressin : 4–6시간 간격으로 1–2 mg IV Albumin : 첫 날에 1 g/kg (100 mg 까지), 그 후 20–40 g/day † 2. 간이식을 위한 평가

† 혈청알부민이 4.5 이상이면 중단한다. 참고문헌22-24 발췌.

3. 치료 (Management)

HRS의 급성치료는 vasopressin 유사체인 terlipressin과 알부민 같은 순환혈액량 (volume)확장제를 같이 사용한다. Terlipressin은 내장혈관수축제며, 혈류 방향을 콩팥으로 돌려준다. 용법은 표 31.3에 나와있다. HRS 환자 50% 이상이 표 31.3에 나와있는 용법으로 신기능에 호전을 보였다 (22,23). 하지만, 반응은 일시적이며, 장기생존에는 간이식이 필요하다 (23).

Ⅳ. 간성뇌병증 (HEPATIC ENCEPHALOPATHY, HE)

간부전의 진행단계에서 볼 수 있는 전형적인 양상은 뇌부종 (cerebral edema)과 두개내압 (intracranial pressure) 증가를 특징으로 하는 뇌병증 (encephalopathy)이다. 암모니아 (ammonia, NH_3)는 HE의 병인에서 중요한 요인으로 알려져 있다(25-28).

A. 병인 (Pathogenesis)

간기능이 정상인 경우 NH_3는 간에서 요소 (urea)로 전환되어 제거되지만, 간부전에서는 이 과정이 손상을 받기 때문에 혈장 NH_3가 증가하게 되며, 이는 뇌에 NH_3을 축적시킨다. 뇌에서는 성상세포 (astrocyte)가 NH_3를 흡수하여 글루탄산염 (glutamate)을 글루타민 (glutamine)으로 전환할 때 사용한다. 즉

$$\text{glutamate} + NH_3 + \text{ATP} \rightarrow \text{glutamine} + \text{ADP} \qquad (31.1)$$

글루타민이 세포 내에 축적되면 성상세포 안으로 수분을 끌어당기는 삼투력 (osmotic force)이 생성되며, 이는 뇌부종 (cerebral edema)을 촉진한다 (25).

B. 임상양상 (Clinical Features)

진행성 HE의 주요 양상은 표 31.4에 나와있다 (27).

1. 뇌병증의 초기징후에는 성격변화 (personality change), 인지변화 (altered cognition), 그리고 손목의 지속적인 손등굽힘 (dorsiflexion)으로 인한 불규칙한 움직임인 고정자세불능증 (asterixis)이 있다. 뇌병증이 진행하면 의식서하 (depressed consciousness)와 지남력장애 (disorientation)가 두드러진다.
2. HE에서는 경직 (rigidity), 파킨슨수전증 (parkinsonian tremor) 같은 추체외로 (extrapyramidal) 징후가 흔하며, 바빈스키 반사 (Babinski

sign)가 양성을 보인다 (27).

3. HE에서 국소신경학적 결핍 (focal neurological deficits)과 발작 (seizure)은 드물다 (27).

표 31.4 간성뇌병증의 진행단계

단계	특징
0 단계	• 뇌병증 없음
1 단계	• 주의력 부재 (short attention span) • 행복감 (euphoria) 혹은 우울증 (depression) • 고정자세불능증 (asterixis)이 있을 수 있음
2 단계	• 기면 (lethargy) 혹은 냉담 (apathy) • 지남력장애 (disorientation) • 대개는 고정자세불능증이 있음
3 단계	• 비몽사몽 (somnolent) 하지만, 구두 명령에 반응함 • 중증 지남력장애 • 고정자세불능증이 없음
4 단계	• 혼수 (coma)

참고문헌27의 "West Haven Criteria"

C. 진단적평가 (Diagnostic Evaluation)

HE의 임상 양상인 고정자세불능증은 대사성뇌병증과 약물과다복용에서도 볼 수 있다. 이처럼 HE의 임상양상은 비특이적이며 진단은 의식변화의 다른 원인을 배제하는 것으로 내릴 수 있다.

1. 혈청 암모니아 (Serum Ammonia)

HE의 병인에서 NH_3가 가지는 중요함에도 불구하고, 혈청NH_3농도

감시는 HE에서 역할이 제한된다.

a. 혈청NH_3 농도는 NH_3농도와 HE의 존재 및 중증도 사이에 좋은 연관관계를 보이는 급성간부전에서 주된 역할을 한다 (26-28).

b. 간경화환자에서, 혈청NH_3농도는 HE의 발견과 중증도 결정 양쪽 모두에서 신뢰할 수 없다 (27,28). 이는 HE를 동반한 간경화 환자 중 50% 이상에서 NH_3농도가 정상이었다는 점을 보여주는 한 연구를 통해 잘 드러난다 (28).

D. 암모니아 부담 줄이기 (Reducing the Ammonia Burden)

NH_3는 주로 하부위장관에서 생성된다. NH_3은 단백질분해의 부산물이며, 요소 가수분해효소 (urease)를 생성하는 장내미생물 (guts microbes)은 요소 (urea)를 분해하여 추가적인 NH_3생성을 촉진한다. 다음 방법들은 장에서 NH_3부하를 줄 일 때 사용한다.

1. Lactulose

Lactulose는 비흡수성이당류 (disaccharide)로 장내미생물의 대사작용으로 단쇄지방산 (short-chain fatty acid)이 되며, 이로 인해 장내강 (bowel lumen)이 산성화 (acidification) 되면 두 가지 장점이 있다. 먼저 (a) NH_3가 장에서 잘 흡수되지 않는 NH_4 (ammonium)로 전환되도록 해주며, (b) 요소 가수분해효소를 생성하는 장내미생물을 제거해준다 (27,29). 산성 pH의 살균활동은 그림3.1에 나와있다. Lactulose의 권장용법은 표 31.5에 나와있다. Lactulose는 HE의 치료에서 1차약제로 여겨진다 (27,29).

표 31.5	간성뇌병증에서 암모니아 부담 감소법
Lactulose	
경구투여 용법 :	변이 나올 때까지 1 시간마다 20–30 g 혹은 30–45 mL을 복용한다. 그 후 6시간마다 20 g 혹은 30 mL으로 감량한다.
저류 관장 :	700 mL 수돗물에 200 g 혹은 300 mL을 섞는다. 직장 관장으로 투여해서 1시간 동안 유지하며 4–6시간마다 반복한다.
Neomycin :	1–2주간 8시간마다 1–2 g 경구투여
Rifaximin :	10–21일간 8시간마다 400 mg 경구투여

참고문헌 27, 29 발췌

2. 비흡수성항생제 (Nonabsorbable Antibiotics)

비흡수성 항생제는 장 내부에서 요소 가수분해효소를 분비하는 세균을 제거하기 위해 사용한다. 이와같은 목적으로 aminoglycoside 계열의 neomycin과 rifampin 유사체인 rifaximin 두 가지 항생제를 사용할 수 있다. 각각의 용법은 표 31.5에 나와있다.

a. Neomycin은 HE에서 이득은 없는 반면 이독성 (ototoxicity)과 신독성 (nephrotoxicity)의 위험성이 약간 있다 (29). 따라서, HE에서는 rifaximin을 더 많이 사용한다 (27,29,30).

b. Rifaximin은 lactulose에 추가하는 약제로 사용하며, 단독으로는 사용하지 않는다.

E. 두개내압감소 (Reducing Intracranial Pressure)

1. 두개내압증가는 급성 간부전에서 두드러지게 보이며, 이는 불길한 징조다 (17).
2. 혈청NH_3수치가 지속적으로 150 μmol/L 이상 혹은 255 μg/dL 이상

으로 증가하면, 두개내압항진 (intracranial hypertension)의 위험성이 높으며 (17), 두개내압 (ICP)감시의 적응증이 된다. ICP를 낮추기 위해 다음 중 하나의 방법을 권장한다 (17).

a. 고장성식염수 (HYPERTONIC SALINE) : 30% NaCL 20 mL 혹은 3% NaCL 200 mL을 IV bolus 투여하고, 혈청 Na^+을 150 mEq/L 이하로 유지한다.
b. MANNITOL : 20%용액을 사용해서 2 mL/kg만큼 투여하며, 혈청 삼투질농도 (osmolality)를 320 mosm/kg H_2O 이하로 유지한다.

F. 단백질섭취유지 (Maintaining Protein Intake)

단백질섭취를 제한하면 장에서 NH_3부담을 줄일 수는 있지만, 단백질제한은 HE를 빠르게 호전시킬 수 없으며, 근육파괴를 조장한다 (31). 따라서, HE환자에게는 모든 중증환자에게 권장하는 표준 단백질섭취량 (1.2-2 g/kg/day)을 제공해야 한다.

G. 향후치료? (The Future?)

진행된 간부전 환자 중 일부에게는 간이식이 치료법 중 한 가지가 될 수도 있지만, 전격성간부전환자 중 10%만 간이식을 받았다 (17). 간이식을 대체하거나 간이식까지의 가교 (bridging)역할을 하는 다른 치료법들이 나오고 있으며, 이 중 가장 유망한 방법은 고용량혈장교환술 (high-volume plasma exchange)로 NH_3와 다른 독소들을 혈류에서 제거해 준다. 예비연구 (preliminary studies)에 의하면 이와 같은 방법으로 이식 없이도 생존율 (transplant-free survival)이 향상되었다 (32).

참고문헌

1. Banks PA, Bollen TL, Dervenis C, et al. Classification of acute pancreatitis—2012: revision of the Atlanta classification and definitions by international consensus. Gut 2012; 62:102-111.
2. Cavallini G, Frulloni L, Bassi C, et al. Prospective multicentre survey on acute pancreatitis in Italy (Proinf-AISP). Dig Liver Dis 2004; 36:205-211.
3. Greer SE, Burchard KW. Acute pancreatitis and critical illness. A pancreatic tale of hypoperfusion and inflammation. Chest 2009;136:1413-1419.
4. Forsmark CE, Baille J. AGA Institute technical review on acute pancreatitis. Gastroenterol 2007; 132:2022-2044.
5. Yang AL, Vadhavkar S, Singh G, Omary MB. Epidemiology of alcohol-related liver and pancreatic disease in the United States. Arch Intern Med 2008; 168:649-656.
6. Yadav D, Agarwal N, Pitchumoni CS. A critical evaluation of laboratory tests in acute pancreatitis. Am J Gastroenterol 2002; 97:1309-1318.
7. Gelrud D, Gress FG. Elevated serum amylase and lipase. UpToDate (accessed on July 26, 2016).
8. Gumaste VV, Roditis N, Mehta D, Dave PB. Serum lipase levels in nonpancreatic abdominal pain versus acute pancreatitis. Am J Gastroenterol 1993; 88:2051-2055.
9. Tenner S. Initial management of acute pancreatitis: critical issues in the first 72 hours. Am J Gastroenterol 2004; 99:2489-2494.
10. Haydock MD, Mittal A, Wilms HR, et al. Fluid therapy in acute pancreatitis: anybody's guess. Ann Surg 2013; 257:182-188.
11. Parrish CR, Krenitsky J, McClave SA. Pancreatitis. 2012 A.S.P.E.N. Nutrition Support Core Curriculum. Silver Spring, MD: American Society of Parenteral and Enteral Nutrition, 2012:472-490.
12. Al-Omran M, AlBalawi ZH, Tashkandi MF, Al-Ansary LA. Enteral versus parenteral nutrition for acute pancreatitis. Cochrane Database Syst Rev 2010:CD002837.
13. Eatock FC, Chong P, Menezes N, et al. A randomized study of early nasogastric versus nasojejunal feeding in severe acute pancreatitis. Am J Gastroenterol 2005; 100:432-439.
14. Banks PA, Freeman ML, Practice Parameters Committee of the American College

of Gastroenterology. Practice guidelines in acute pancreatitis. Am J Gastroenterol 2006; 101:2379-2400.
15. Hart PA, Bechtold ML, Marshall JB, et al. Prophylactic antibiotics in necrotizing pancreatitis: a meta-analysis. South Med J 2008;101:1126-1131.
16. Al-Bahrani AZ, Abid GH, Holt A, et al. Clinical relevance of intra-abdominal hypertension in patients with severe acute pancreatitis. Pancreas 2008; 36:39-43.
17. Bernal W, Wendon J. Acute liver failure. N Engl J Med 2013;369:2525-2534.
18. Olson JC, Kamath PS. Acute-on-chronic liver failure: concept, natural history, and prognosis. Curr Opin Crit Care 2011; 17:165-169.
19. Gilbert JA, Kamath PS. Spontaneous bacterial peritonitis: an update. Mayo Clin Proc 1995; 70:365-370.
20. Runyon BA. Management of adult patients with ascites caused by cirrhosis. Hepatology 1998; 27:264-272.
21. Moore CM, van Thiel DH. Cirrhotic ascites review: pathophysiology, diagnosis, and management. World J Hepatol 2013; 5:251-263.
22. Dalerno F, Gerbes A, Gines P, et al. Diagnosis, prevention and treatment of hepatorenal syndrome in cirrhosis. Gut 2007; 56:131-1318.
23. Rajekar H, Chawla Y. Terlipressin in hepatorenal syndrome: evidence for present indications. J Gastroenterol Hepatol 2011; 26(Suppl):109-114.
24. Wong F. The evolving concept of acute kidney injury in patients with cirrhosis. Nat Rev Gastroenterol Hepatol 2015; 12:711-719.
25. Clay AS, Hainline BE. Hyperammonemia in the ICU. Chest 2007;132:1368-1378.
26. Ferenci P, Lockwood A, Mullen K, et al. Hepatic encephalopathy— definition, nomenclature, diagnosis and quantification: Final report of the Working Party at the 11th World Congress of Gastroenterology, Vienna, 1998. Hepatol 2002; 55:716-721.
27. Vilstrup H, Amodio P, Bajaj J, et al. Hepatic encephalopathy in chronic liver disease: 2014 practice guideline by the American Association for the Study of Liver Diseases and the European Association for the Study of the Liver. Hepatology 2014; 60:715-735.
28. Kundra A, Jain A, Banga A, et al. Evaluation of plasma ammonia levels in patients with acute liver failure and chronic liver disease and its correlation with the severity of hepatic encephalopathy and clinical features of raised intracranial pressure. Clin Biochem 2006; 38:696-699.

29. Leise MD, Poterucha JJ, Kamath PS, Kim WR. Management of hepatic encephalopathy in the hospital. Mayo Clin Proc 2014;89:241-253.
30. Lawrence KR, Klee JA. Rifaximin for the treatment of hepatic encephalopathy. Pharmacotherapy 2008; 28:1019-1032.
31. Cordoba J, Lopez-Hellin J, Planas M, et al. Normal protein diet for episodic hepatic encephalopathy: results of a randomized trial. J Hepatol 2004; 41:38-43.
32. Karvellas CJ, Subramanian RM. Current evidence for extracorporeal liver support systems in acute liver failure and acute-onchronic liver failure. Crit Care Clin 2016; 32:439-451.

Chapter 32

복부감염

Abdominal Infections

이번 장은 ICU에서 경험할 가능성이 높은 복부감염인 담도계 (biliary tree)에 발생하는 무결석담낭염 (acalculous cholecystitis), 창자에 발생하는 clostridium difficile 감염, 복강 (peritoneal cavity)에 발생하는 수술 후 감염 등을 다루고 있다.

Ⅰ. 무결석담낭염 (ACALCULOUS CHOLECYSTITIS)

무결석담낭염은 급성담낭염중 15% 미만에서 발생하지만 (1), 중환자에서 더 흔하게 발생하며 패혈성쇼크와 비슷한 사망률 (45%)을 보인다 (1,2).

A. 선행요인 (Predisposing Conditions)

1. 무결석담낭염과 연관된 일반적인 상태에는 수술후기간 (postoperative period), 외상, 순환성쇼크, 4주 이상의 장기간 내장휴식 (bowel rest) 등이 있다 (1,2).
2. TPN 동안 내장휴식 기간은 보통 4주 이내이며, 따라서 TPN은 무결석담낭염의 위험요인이 아니다 (3) .
3. 가능한 기전에는 저관류, 수축력 감소로 인한 담낭팽만 (gall bladder distension), 그리고 담즙 구성성분 변화 등이 있다.

B. 임상양상 (Clinical Features)

1. 우상복부 (right upper quadrant, RUQ) 통증 및 압통이 흔하지만, *무결석 담낭염 환자중 1/3은 이 증상이 없었다(4).*
2. 그외 흔한 증상으로는 발열 (100%), 빌리루빈 (bilirubin)농도상승 (90%), 저혈압 (90%), 그리고 다장기부전 (65-80%) 등이 있다. (1,2)
3. 환자중 90%가 혈액배양양성이었으며 (4), 대부분 gram negative aerobic bacilli가 동정되었다.

C. 진단 (Diagnosis)

1. 무결석 담낭염의 진단을 위한 검사는 초음파를 많이 사용한다.
2. 초음파소견은 *벽두께증가>3 mm*, 단축단층도 (short-axis view)에서 지름>40 mm인 *담낭팽만*, 그리고 담즙에서 침전된 부유물질 (particulate matter)의 혼합체인 *담즙찌꺼기 (sludge)* 등이 있다 (5). 이 양상들은 그림 32.1에 나와있다. 담즙찌꺼기 *(sludge)*는 비특이적이므로, 담낭염이 없는 중환자에서도 볼 수 있다.
3. 초음파는 숙련자가 시행했을 때 진단성공률이 최고 95%에 달한다 (5). 초음파가 도움이 되지 않을 때는 핵의학영상 (nuclear medicine imaging)을 고려해 볼 수도 있지만, 중환자에서는 진단 성공률이 낮다 (5).

D. 치료 (Management)

1. 확진이 되면 가능한 빠르게 경험적 항생제치료를 시작해야 한다. 권장하는 항생제는 piperacillin-tazobactam 혹은 carbapenems (meropenem)이다 (2). 권장용량에 대해서는 44장 Ⅲ절과 Ⅳ절을 참고한다.
2. 임상적으로 안정적인 (non-ICU) 환자는 복강경담낭절제술 (laparoscopic cholecystectomy)을 많이 시행하지만, 중환자는 경피적담낭조

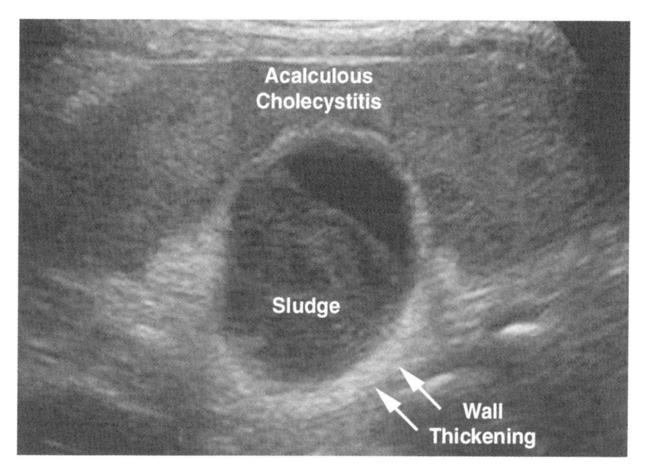

그림 32.1 무결석담낭염 환자에서 담낭의 단축단층도 (short-axis view)를 보여주는 초음파 영상. 자세한 내용은 본문을 참고.

루술 (percutaneous cholecystostomy)이 가장 안전하고 성공률이 높은 중재법 (intervention)이다 (7).

II. CLOSTRIDIUM DIFFICILE INFECTIONS (CDI)

CDI은 미국에서 가장 흔한 의료관련감염 (healthcare associated infections)이며, 전 세계적으로 병원내 설사 (nosocomial diarrhea)의 주 원인이다 (8). CDI의 발생률은 과거 10년간 거의 2배가 되었다 (9).

A. 병인 (Pathogenesis)

1. *C. difficile*는 포자를 형성하며 독소를 생성하는 gram-negative anaerobic bacillus다. *C. difficile*는 건강한 사람의 창자에는 없지만, 항생제치

료 등으로 정상미생물상 (normal microflora)에 변화가 발생하면 내장에 집락을 형성한다.

2. CDI는 분변-구강경로 (fecal-oral route)를 통해 전파되며, 환자 간의 전파는 주로 의료인의 손을 통해서 일어난다. 환자와 접촉할 때 일회용장갑을 사용하면 CDI 전파를 줄일 수 있다 (10).
3. *C. difficile*는 침습적유기체 (invasive organism)는 아니지만, 장점막을 손상시키는 독소를 분비한다. 이는 장벽의 염증성침윤 (inflammatory infiltration)과 분비성설사 (secretory diarrhea)로 이어진다. 중증염증은 장 점막표면에 높은 판같은 병변 (raised, plaque-like lesion)을 생성한다. 이를 위막 (pseudomembrane)이라고 하며, 이 상태를 *위막성대장염 (pseudomembranous colitis)*이라고 한다.
4. 항생제사용은 CDI의 가장 주목할만한 위험요인이지만, 위산억제 (gastric acid suppression)가 *C. difficile*의 분변-구강 전파를 촉진하기 때문에, 중요한 위험요인으로 대두되고 있다 (다음 절 참고).

5. 위산억제 (Gastric Acid Suppression)

위산 (gastric acidity)은 상부위장관을 침범한 미생물을 제거하는데 중요한 역할을 하며 (3장 Ⅰ-C-3절, 그림3.1참고), 많은 연구들에서 위산억제제, 특히 양성자펌프억제제 (proton pump inhibitor, PPI) 사용이 CDI발생률 증가와 연관되었음을 보여준다 (11-13). 사실, 앞서 언급한 CDI발생률이 놀랄만큼 증가한 것은 스트레스성궤양 출혈예방을 위한 PPI 사용이 현저히 증가한 것과 일치한다. *최근의 CDI 빈도와 심각성 급증은 입원환자의 PPI 사용 증가를 반영하는 것일 수도 있다 (14).*

B. 임상양상 (Clinical Features)

CDI의 임상양상은 표 32.1에 있다. 이 표의 내용은 최신 CDI 임상진료지침에서 직접 가져왔다 (15). 다음의 요점은 언급할 만한 가치가 있다.

1. CDI의 설사는 수성설사 (watery diarrhea)며, 육안적으로 붉은 색을 띄지 않으며 보통 역겨운 냄새가 난다.
2. 독성거대결장 (toxic megacolon)은 CDI 때문에 발생하는 생명을 위협하는 합병증이다. 임상양상은 갑작스러운 장폐색과 눈에 띄는 복부팽만, 순환성쇼크로 급속진행 (rapid progression) 등이 있다. 외과적 응급 중재가 필수적이며, 많이 시행하는 수술법은 부분 결장절제술 (subtotal colectomy)이다 (8).

표 32.1 CDI의 임상양상
경도에서 중도 CDI 설사 단독 혹은 다른 분류에서 나타나지 않는 양상을 동반 (예를 들어 발열이 38.4℃ 등)
고도 CDI 설사 + 혈청알부민 〈3 g/dL 그리고 다음 중 하나 WBC ≥ 15,000/mm^3 혹은 복부압통 (abdominal tenderness)
합병증을 동반한 고도 CDI 설사 + CDI로 인한 아래의 양상 중 하나 • ICU 입실 • WBC ≥ 35,000/mm^3 혹은 WBC ≤ 2,000/mm^3 • 저혈압 • 중대한 복부팽만 혹은 장폐색 • 체온 〉38.5℃ • 혈청 젖산 〉2.2 mmol/L • 의식수준 변화 • 주요 장기 하나의 부전 (폐, 콩팥 등)
재발성 CDI 치료완료 후 8주 이내에 재발

참고문헌 15의 임상술기지침에서 발췌

C. 진단적평가 (Diagnostic Evaluation)

CDI를 진단하기 위해서는 대변 내에 *C. difficile* 세포독소 (cytotoxin)의 증거가 있거나 대변 속에 *C. difficile*의 독소생성균주 (strains)가 있어야 한다. 대변배양에서 *C. difficile*가 자라는 것으로는 독소를 생성하는 균주와 독소를 생성하지 않는 균주를 구별할 수 없기 때문에 신뢰할 수 없다.

1. 독소분석 (Toxin Assay)

CDI의 진단은 대변에서 *C. difficile* 독소A와 B의 검출을 근거로 하고 있다. 양측 모두가 검출되어야 양성으로 판정한다. 독소분석은 CDI 진단에서 민감도가 75-95%이며, 특이도는 83-98%다 (15). 독소분석의 민감도는 수준 이하로 여겨지며 (15), 다음에 설명할 유전자표적검사 (gene-targeting testing)로 대체되고 있다.

2. 유전자표적검사 (Gene-Targeted Testing)

CDI의 새로운 진단 검사법은 *C. difficile* 안의 독소생성유전자를 탐지하기 위해서 중합효소연쇄반응 (polymerase chain reaction, PCR)과 유사한 핵산증폭기술을 사용한다. PCR기반 검사법은 *C. difficile*의 독소생성균주를 확인하는데 민감도가 높은 방법이며, 이제는 CDI에서 *많이 사용하는 진단검사법*이 되었다 (15).
주의 (CAVEAT) : PCR을 기반으로 한 최근 검사법은 위양성 비율이 높았다 (16). 따라서, 독소 분석을 아예 배제하는 것은 아직 시기 상조다.

3. 대장내시경 (Colonoscopy)

대장 점막 표면의 위막을 직접 확인하면 CDI의 확정 증거가 될 수도 있지만, 이것이 필요한 경우는 거의 없다.

D. 항생제 치료 (Antibiotic Treatment)

CDI에 추천하는 항생제용법은 표 32.1과 동일한 중증도 분류를 사용한 표 32.2에 나와있다.

표 32.2 CDI에 대한 항생제 치료
경도에서 중도 CDI 많이 사용하는 방법 : 10일간 8시간마다 metronidazole 500 mg 경구투여 그 외 방법 : 10일간 6시간마다 vancomycin 125 mg 경구투여
고도 CDI 많이 사용하는 방법 : 10일간 6시간마다 vancomycin 125 mg 경구투여
합병증을 동반한 고도 CDI 많이 사용하는 방법 : 10일간 6시간마다 vancomycin 500 mg 경구투여 혹은 직장으로 투여와 동시에 8시간마다 metronidazole 500 mg IV 장폐색인 경우 : 6시간마다 vancomycin 500 mg을 경구와 직장으로 동시에 투여, 동시에 위와 같이 metronidazole IV
재발성 CDI 첫 번째 재발 : 초기와 동일한 용법을 사용 두 번째 재발 : 10–14일간 6시간 마다 vancomycin 125 mg 경구투여 세 번째 재발 : 분변미생물총이식 (fecal microbiota transplantation)과 동시에 vancomycin

참고문헌 15의 임상술기지침에서 발췌

1. 적절한 항생제반응의 특징은 발열이 있었다면 24-48시간 내에 사라지며, 4-5일 내에 설사가 사라지는 것이다 (17).
2. 설사를 조절하기 위해 항연동운동제 (anti-peristalsis agents)를 사용하면 점막염증을 악화시킬 잠재성이 있기 때문에 제한하거나, 혹은 피해야 한다 (15).
3. 경도에서 중도 (mild to moderate) CDI에 가장 많이 사용되는 항생제

는 metronidazole이지만, 다음과 같은 상황에서는 vancomycin을 더 많이 사용한다 (15):

a. 환자가 metronidazole을 힘들어하거나 알레르기가 있을 때.

b. 환자가 임신 중이거나 모유 수유 중일 때

c. Metronidazole 반응이 5-7일 후에도 충분하지 못할 때.

4. Fidaxomicin (10일간 200 mg 경구투여 BID)은 CDI제거에 vancomycin과 동등한 효과가 있으며, 재발률은 더 작다 (15). 현재 경도에서 중도 CDI에서 metronidazole의 추가 대용품으로 승인받았지만, 비싸기 때문에 현재의 CDI 지침에서는 인기가 없는 편이다 (15).
5. 고도 (severe) CDI 환자에서 vancomycin의 대체약으로 확인된 것은 없다. Vancomycin에 잘 반응하지 않는 환자는 다음 두 가지 대체법을 고려해 볼 수 있다 (18).

a. Vancomycin을 6시간 마다 500 mg 경구투여로 증량한다.

b. Fidaxomicin (10일간 200 mg 경구투여 BID)으로 변경한다.

6. CDI의 재발률은 첫 발병 후에는 10-20%이며, 두 번째 발병 후에는 40-65%이다 (15). 재발은 치료가 종결되고 8주 이내에 나타나며, 아마도 저항균 때문이라기 보다는 지속되는 장내미생물무리의 변화로 인한 것이라 생각된다. 이는 이어서 설명할 재집락형성 (recolonization) 노력의 근거가 된다.

E. 재집락형성 (Recolonization)

정상미생물무리 (normal microflora)로 창자를 재집락형성하는 것은 일차적으로 CDI의 재발을 막기 위한 방법이다. 재집락형성에는 probiotics의 섭취와 분변이식 (fecal transplantation) 두 가지 방법이 있다.

1. Probiotics

Probiotics는 비병원성유기체 (nonpathogenic organism)로 장의 상피

세포와 결합하며, *C. difficile*의 집락형성을 방해한다. 이 유기체들은 알약이나 캡슐형태로 복용할 수 있으며, CDI에 대한 항생제 치료를 시작할 때 같이 시작하며, 3-4주간 지속한다. 간헐적으로 probiotics요법에 의해 CDI재발이 감소했다는 보고가 있으나, probiotics에 대한 축적된 경험을 바탕으로 메타분석을 시행한 결과, 치료효과에 대한 확실한 증거는 찾을 수 없었다 (19). 결과적으로, 현재의 CDI 지침은 probiotics 사용을 지지하지 않는다 (15).

2. 분변미생물총이식 (Fecal Microbiota Transplantation)

건강한 기증자 (donor)의 대변액체제제를 비위관 (nasogastric tube), 저류관장 (retention enema), 혹은 대장내시경을 통해 주입하면 90%에서 CDI 재발을 막을 수 있다 (15). 분변미생물총 이식 (fecal microbiota transplantation)은 현재 3번 이상 CDI가 재발한 환자에게 권장한다 **(표 32.2 참고)**

a. 분변이식은 생명을 위협하는 CDI 사례들에서 놀라운 성공을 이뤄냈다. 이 유망한 치료법에 대한 더 많은 내용은 참고문헌 20을 참고한다.

III. 수술 후 감염 (POSTOPERATIVE INFECTIONS)

수술 후 복부감염은 복강 내에 위치하며, 술기 중 복막파종 (peritoneal seeding), 문합부위 (anastomosis site) 혹은 발견하지 못한 장 손상부위로 부터 장 내용물이 누출되어 발생한다. 이 감염은 광범위한 복막염 (diffuse peritonitis) 혹은 복부 농양 (abdominal abscess) 양상을 띈다.

A. 복막염 (Peritonitis)

범복막염 (generalized peritonitis)은 수술 후 감염의 흔한 양상이 아니며,

대부분 문합부위 누출이나 장의 우연한 찢김 (accidental tear)으로 인해 발생한다.

1. 임상양상 (Clinical Features)

누출이 작으면 대개 비특이적 복통 양상을 보이며, 누출의 첫 번째 신호는 횡격막 아래에 있는 공기가 될 수도 있다. 이는 복강경 중에 주입한 CO_2가 수 일간 횡격막 아래에 잔여공기를 만들기도 하기 때문에 복강경수술을 한 경우는 유용한 소견이 아니다. 누출이 지속되면 결국 반동압통 (rebound tenderness)과 같은 복막자극 증상이 발생하며, 발열, 백혈구증가증 (leukocytosis) 같은 전신적 염증반응을 유발한다. 순환성쇼크로 진행은 빠른 편이다.

2. 치료 (Management)

광범위한 복막염의 징후가 있다면 즉시 외과적탐색술 (surgical exploration)을 시행한다. 초기 치료에는 다음 방법들이 포함된다.

a. 수액 (FLUIDS) : 복막염으로 인해 복막강 내부로 많은 양의 체액이 손실될 수 있으며, 혈량저하증 (hypovolemia)의 혈류역학적 결과는 진행하는 패혈증과 외과적 탐색술을 위한 전신마취로 인해 더 악화될 것이다. 따라서, 수액요구량에 집중하는 것은 필수다.

b. 항생제 (ANTIBIOTICS) : 경험적 항생제치료는 가능한 빨리 시작해야 하며, 표 32.3에 나와있는 흔히 동정되는 균들에 대해 효과가 있는 항생제를 사용한다. Piperacillin-tazobactam 혹은 carbapenems (meropenem)을 이용한 단독제제치료를 권장한다 (4). 이 항생제들의 권장용량에 대해서는 44장 Ⅲ절과 Ⅳ절을 참고한다.

c. 칸디다증 (CANDIDIASIS) : 모든 수술 후 복강내감염에서 칸디다증에 대한 경험적치료를 권장한다 (21). 이 경우 가장 애용되는 항진균제는 caspofungin 같은 echinocandins다 (21). 이 제제들의 권장

용량에 대해서는 44장 Ⅱ-C절을 참고한다.

표 32.3 복잡한 복부감염과 관계있는 병원균들

병원균	환자 (%)
Gram-negative Bacilli	
Escherichia coli	71%
Klebsiella spp	14%
Pseudomonas aeruginosa	14%
Gram-Positive Cocci	
Streptococci	38%
Enterococci	23%
Staphylococcus aureus	4%
Anaerobes	
Bacteroides fragilis	35%
Other anaerobes	55%

참고문헌 4에서 발췌

B. 복부농양 (Abdominal Abscess)

복부농양은 일상적인 이학적 검사 (physical examination)에서 발견하기 어려우며, 패혈증의 숨겨진 원인인 경우가 많다.

1. 임상양상 (Clinical Features)

발열은 거의 항상 존재하지만 (22), 60%는 국소복부압통 (localized abdominal tenderness)이 없을 수도 있으며, 10% 미만에서 촉진 가능한 복부종괴가 있다 (22,23).

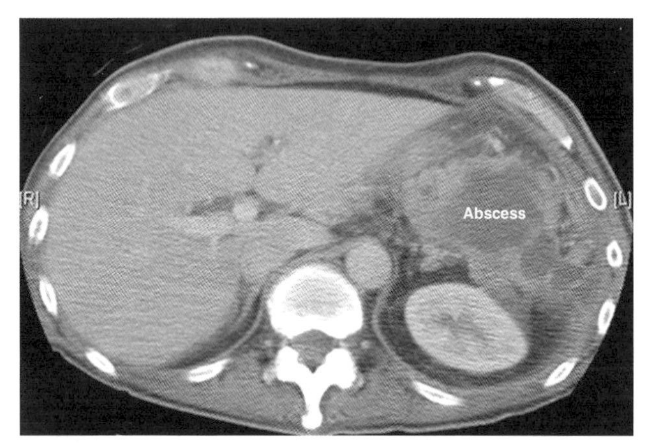

■ 그림 32.2 비장절제술을 시행한 환자에서 좌상복부에 다방성 (multiloculated) 농양이 있는 것을 보여주는 복부CT스캔

2. 컴퓨터단층촬영 (Computed Tomography, CT)

CT는 복부농양을 발견하는데 가장 신뢰도가 높은 방법으로 민감도와 특이도가 90% 이상이다 (23). 하지만, 수술 후 첫 주의 CT스캔은 복강내의 세척액 (irrigant solutions)이나 혈액이 모여있는 것을 농양으로 잘못 해석할 수 있기 때문에 오해의 소지가 있다 (23). 복부농양의 CT는 **그림 32.2**에 있다.

3. 치료 (Management)

즉각적인 배농 (drainage)이 필요하며, 보통 CT-유도배액관 (CT-guided drainage catheters)을 통해 시행한다 (22). 복막염에서 언급했던 것과 동일한 약제를 사용한 경험적 항생제와 항진균제 치료가 필요하다.

참고문헌

1. McChesney JA, Northrup PG, Bickston SJ. Acute acalculous cholecystitis associated with systemic sepsis and visceral arterial hypoperfusion. A case series and review of pathophysiology. Dig Dis Sci 2003; 48:1960-1967.
2. Laurila J, Syrjälä H, Laurila PA, et al. Acute acalculous cholecystitis in critically ill patients. Acta Anesthesiol Scand 2004; 48:986-991.
3. Messing B, Bories C, Kuntslinger C. Does parenteral nutrition induce gallbladder sludge formation and lithiasis? Gastroenterology 1983; 84:1012-1019.
4. Solomkin JS, Mazuski JE, Bradley JS, et al. Diagnosis and management of complicated intra-abdominal infection in adults and children: guidelines by the Surgical Infection Society and the Infectious Disease Society of America. Clin Infect Dis 2010;50:133-164.
5. Frankel HL, Kirkpatrick AW, Elbarbary M, et al. Guidelines for the appropriate use of bedside general and cardiac ultrasonography in the evaluation of critically ill patients—Part I: General ultrasonography. Crit Care Med 2015; 43:2479-2502.
6. Puc MM, Tran HS, Wry PW, Ross SE. Ultrasound is not a useful screening tool for acalculous cholecystitis in critically ill trauma patients. Am Surg 2002; 68:65-69.
7. Treinen C, Lomelin D, Krause C, et al. Acute acalculous cholecystitis in the critically ill: risk factors and surgical strategies. Langenbacks Arch Surg 2015; 400:421-427.
8. Ofosu A. Clostridium difficile infection: a review of current and emerging therapies. Ann Gastroenterol 2016; 29:147-154.
9. Reveles KR, Lee GC, Boyd NK, Frei CR. The rise in Clostridium difficile infection incidence among hospitalized adults in the United States: 2001-2010. Am J Infect Control 2014; 42:1028-1032.
10. Johnson S, Gerding DN, Olson MM, et al. Prospective, controlled study of vinyl glove use to interrupt Clostridium difficile nosocomial transmission. Am J Med 1990; 88:137-140.
11. Dial S, Alrasadi K, Manoukian C, et. al. Risk of Clostridium-difficile diarrhea among hospitalized patients prescribed proton pump inhibitors: cohort and case-control studies. Canad Med Assoc J 2004; 171:33-38.
12. Dial S, Delaney JA, Barkun AN, Suissa S. Use of gastric acid-suppressing agents

and the risk of community-acquired Clostridium difficile-associated disease. JAMA 2005; 294:2989–2995.
13. Aseri M, Schroeder T, Kramer J, Kackula R. Gastric acid suppression by proton pump inhibitors as a risk factor for Clostridium difficile- associated diarrhea in hospitalized patients. Am J Gastroenterol 2008; 103:2308–2313.
14. Cunningham R, Dial S. Is over-use of proton pump inhibitors fueling the current epidemic of Clostridium-difficile-associated diarrhea? J Hosp Infect 2008; 70:1–6.
15. Surawicz CM, Brandt LJ, Binion DG, et al. Guidelines for diagnosis, treatment, and prevention of Clostridium difficile infections. Am J Gastroenterol 2013; 108:478–498.
16. Polage CR, Gyorke CE, Kennedy MA, et al. Overdiagnosis of Clostridium difficile infection in the molecular test era. JAMA Intern Med 2015; 175:1792–1801.
17. Bartlett JG. Antibiotic-associated diarrhea. N Engl J Med 2002;346:334–339.
18. Ofosu A. Clostridium difficile infection: a review of current and emerging therapies. Ann Gastroenterol 2016; 29:147–154.
19. Pillai A, Nelson RL. Probiotics for treatment of Clostridium difficile- associated colitis in adults. Cochrane Database Syst Rev 2008; 1:CD004611.
20. Bakken JS, Borody T, Brandt LJ, et al. Fecal Microbiota Transplantation (FMT) Workgroup. Treating Clostridium difficile infection with fecal microbiota transplantation. Clin Gastroenterol Hepatol 2011; 9:1044–1049.
21. Pappas PG, Kauffman CA, Andes DR, et al. Clinical practice guideline for the management of candidiasis: 2016 update by the Infectious Disease Society of America. Clin Infect Dis 2016;62:e1–e50.
22. Khurrum Baig M, Hua Zao R, Batista O, et al. Percutaneous postoperative intra-abdominal abscess drainage after elective colorectal surgery. Tech Coloproctol 2002; 6:159–164.
23. Fry DE. Noninvasive imaging tests in the diagnosis and treatment of intra-abdominal abscesses in the postoperative patient. Surg Clin North Am 1994; 74:693–709.

Chapter 33

요로감염

Urinary Tract Infections, UTI

미국에서 방광배뇨카테터 (bladder drainage catheter)와 관련된 UTI는 병원-획득성감염 (hospital-acquired infection)중 40%를 차지하지만 (1), 이러한 감염중 대다수는 무증상세균뇨 (asymptomatic bacteriuria)며, 항균요법이 필요 없다. 이번 장은 *증상이 있는* 카테터-관련성 UTI의 진단과 치료를 다루고 있다.

Ⅰ. 세균성감염 (BACTERIAL INFECTIONS)

A. 병인 (Pathogenesis)

1. 요도카테터가 있으면 의미 있는 세균뇨 (≥10^5 Colony Forming Units/mL)가 발생할 확률이 *매일 3-8%가 된다*. 이는 세균이 카테터 외부표면을 따라 방광까지 이동하기 때문이라 추정된다.
2. 또한, 세균은 요도카테터의 외부표면과 내부표면에 생물막 (biofilm)을 형성하며 (2), 이 생물막을 근원으로 삼아 방광에 지속적으로 미생물집락을 형성한다.
3. 건강한 사람의 방광에 병원균을 직접 주입한다고 해서 UTI가 발병하지는 않기 때문에, 세균의 이동과 생물막형성이 발병기전의 전부는 아니다 (3). 방광의 상피세포는 비병원성균 (nonpathogenic organism)

으로 덮여 있어 (4) 병원균의 부착을 방지하며 (5), 세균부착성 (bacterial adherence)의 변화가 UTI의 전주곡이 될 수 있다.

B. 원인균 (Microbiology)

1. 카테터관련세균뇨 (catheter-associated bacteriuria)에서 동정된 병원균이 표 33.1에 나와있다 (6).

표 33.1 카테터관련세균뇨에서 동정된 병원균

병원균	감염 확률 (%)	
	병원	ICU
Escherichia Coli	21.4	22.3
Enterococci	15.5	15.8
Candida albicans	14.5	15.3
Other Candida species	6.5	9.5
Pseudomonas aeruginosa	10.0	13.3
Klebsiella pneumoniae	7.7	7.5
Enterobacter species	4.1	5.5
Coag-neg staphylococci	2.5	4.6
Staphylococcus aureus	2.2	2.5
Acinetobacter baumannii	1.2	1.5

참고문헌 6에서 수정. 일부 %는 중간값 (median values)을 의미함.

2. 유력한 병원균은 gram-negative aerobic bacilli, 그 중에서도 특히 Escherichia coli와 Enterococci, 그리고 Candida species이며, Staphylococci는 잘 동정되지 않는다.

3. 30일 미만의 단기간 도뇨관거치와 관련된 세균뇨에서는 단일미생물이 우세하였지만, 30일 이상의 장기간 도뇨관거치와 관련된 세균뇨에서는 보통 여러 가지 균이 동정되었다.

C. 예방 (Prevention)

1. 카테터관련감염의 위험성은 1차적으로 카테터 유치기간에 따라 달라진다 (1). 따라서, 카테터관련감염의 *가장 효과적인 예방법은 단 한가지, 필요하지 않은 경우 카테터를 제거하는 것이다.*
2. 은합금 (silver alloy)이나 nitrofurazone 같은 항균제가 함유된 요로카테터는 1주일 이내로 단기간 카테터 거치 시에 무증상세균뇨 발생을 감소시킬 수 있지만 (7), 증상이 있는 요로감염을 방지하는데 효과가 있는지는 불투명하다 (1).
3. 다음 처치는 권장하지 않는다 (1).
   a. 소독제, 항생제크림 혹은 비누와 물로 카테터 삽입부위를 매일 깨끗이 하는 것. 이는 오히려 세균뇨의 위험을 증가시킨다.
   b. 전신항생제로 예방하기

D. 진단 (Diagnosis)

카테터-관련 요로감염 (catheter-associated urinary tract infection, CAUTI)의 진단기준은 표 33.2에 정리되어 있다 (8).

1. 카테터 거치 환자에서 의미 있는 세균뇨는 소변배양에서 10^5 집락형성단위 (colony forming unit, CFU)/mL 이상이 자라는 것으로 정의한다 (1). 하지만, 의미 있는 세균뇨가 관찰되는 환자 중 90% 이상은 감염의 다른 증거가 없다 (9). 이를 무증상세균뇨라고 한다.
2. CAUTI의 진단에는 의미 있는 세균뇨와 새로 생긴 발열 같은 감염의 증거가 필요하다. UTI의 흔한 증상인 배뇨곤란과 빈뇨는 카테터를 가진 환자에서는 의미가 없다.

3. 농뇨 (pyuria), 즉 소변에 백혈구가 있다고 해서 CAUTI를 예측할 수는 없지만, 농뇨가 없다면 CAUTI의 진단을 배제하는 근거로 사용할 수 있다 (1).

표 33.2 카테터-관련 요로감염의 진단기준

CAUTI를 진단하기 위해서는 아래의 3가지 항목을 모두 만족해야 한다

1. 소변배양에서 2가지 이하의 미생물이 자라며, 하나는 10^5CFU/mL 이상 자라야 한다.
2. 요도카테터는 증상이 있기 최소 2일 전에 거치되어야 한다.
3. 다음 증상 중 하나가 있어야 한다.
   a. 발열 (> 38℃ 혹은 >100.4°F)
   b. 치골상부 (suprapubic)의 통증 혹은 압통
   c. 늑골척추 (costovertebral)의 통증 혹은 압통

참고문헌8 발췌

E. 치료 (Treatment)

1. 비뇨의학적 시술 (urologic procedure)이 예정되어 있지 않는 한, 무증상세균뇨에는 항생제요법을 추천하지 않는다 (10).
2. CAUTI가 의심되는 환자에게는 경험적항생제를 권장한다. Piperacillin-tazobactam (용법에 대한 자세한 내용은 44장 Ⅵ-A절 참고)이나 carbapenems (용법에 대한 자세한 내용은 표44.3 참고)을 이용한 단일제제요법을 권장한다 (11).
3. 소변배양으로 CAUTI를 진단했다면, 결과에 따라 항생제요법을 적용해야 하며, 2주 이상 거치한 카테터는 교체해야 한다.
4. CAUTI의 항생제요법에 적절히 반응하는 환자는 7일간 사용하며, 반응이 더딘 환자는 10-14일간 사용한다.

II. 칸디다뇨증 (CANDIDURIA)

소변에 Candida spp이 있는 칸디다뇨증은 대개는 유치요로카테터를 가진 환자에서 집락형성 (colonization)을 의미하지만, 파종성칸디다증 (disseminated candidiasis)의 징후 일 수도 있다. 즉, 칸디다뇨증은 파종성칸디다증의 원인이 아니라 결과다.

A. 원인균 (Microbiology)

1. 가장 흔하게 동정되는 균은 *Candida albicans*로 50% 정도에서 동정되며, 그 뒤로 15% 정도에서 동정되는 *Candida glabrata*가 있다 (12). 후자는 항진균제 fluconazole에 내성이 있다.
2. 칸디다뇨증에서, 집락수 (colony count)는 콩팥칸디다증 (renal candidiasis) 혹은 파종성칸디다증을 진단하는데 있어 예측적 가치가 없다. (12).

B. 무증상 칸디다뇨증 (Asymptomatic Candiduria)

1. 무증상칸디다뇨증은 환자가 호중구감소증 (neutropenic)이거나 비뇨의학적 시술 (urologic manipulation)을 할 예정이 아닌 이상 치료가 필요 없다 (13).
   a. 호중구감소증 환자는 echinocandins을 사용해야 한다. 약제와 용량에 대한 권장사항은 44장 Ⅱ-C-2절을 참고한다.
   b. 비뇨의학적 시술을 할 예정인 환자는 시술 전 후로 수 일간 매일 fluconazole 400 mg을 경구복용하거나 매일 amphotericin B 0.3-0.6 mg/kg를 IV투여한다 (13).
2. 가능하다면 카테디 제거를 추천한다 (13).
3. 소변배양은 반복을 권장하며, 호중구감소증 환자에서 칸디다뇨증이 지속된다면 혈액배양과 콩팥영상검사를 통한 평가가 필요하다.

C. 증상이 있는 칸디다뇨증 (Symptomatic Candiduria)

발열, 치골상부 압통 (suprapubic tenderness) 등의 증상이 있는 칸디다뇨증은 혈액배양과 콩팥농양 (renal abscess) 혹은 요로폐색 (urinary tract obstruction) 등을 찾기 위한 콩팥 영상검사 (초음파 혹은 CT)가 필요하다. 다음의 항진균요법에 대한 권장사항은 칸디다증 치료에 대한 2016년 지침에서 따온 것이다.

1. 방광염 (Cystitis)

a. Fluconazole에 감수성이 있는 유기체라면, fluconazole을 하루에 200 mg 2주간 경구투여한다.
b. Fluconazole에 내성이 있는 *C. glabrata*에는 *flucytosine*을 25 mg/kg, 하루에 4번 7-10일간 투여한다.
c. *C. krusei*에는 amphotericin B를 하루에 0.3-0.6 mg/kg, 최대 7일까지 투여한다.

2. 신우신염 (Pyelonephritis)

a. Fluconazole에 감수성이 있는 유기체라면, fluconazole을 하루에 200-400 mg 2주간 경구투여한다.
b. Fluconazole에 내성이 있는 *C. glabrata*에는 amphotericin B를 매일 0.3-0.6 mg/kg, 최대 7일까지 투여하며, 여기에 flucytosine을 25 mg/kg, 하루에 4번 추가할 수도 있다.
c. *C. krusei*에는 amphotericin B를 하루에 0.3-0.6 mg/kg, 7일간 투여한다.

3. Fluconazole

Fluconazole은 소변에서 농축되며, 감수성 있는 유기체로 인한 Candida UTI의 치료에 적절하다. 크레아티닌 청소율 (creatinine clearance)이 50 mL/min 이하일 때 일반적으로는 fluconazole 감량을 권장하지만 Candida UTI에는 권장하지 않는다. 그 이유는 소변내 fluconazole 농도가 치료수준보다 아래 (subtherapeutic level)로 감소하기 때문이다 (14). Fluconazole에 대한 더 많은 정보는 44장 Ⅱ-B절을 참고한다.

참고문헌

1. Hooton TM, Bradley SF, Cardenas DD, et al. Diagnosis, prevention, and treatment of catheter-associated urinary tract infections in adults: 2009 international clinical practice guidelines from the Infectious Disease Society of America. Clin Infect Dis 2010;50:625–663.
2. Ganderton L, Chawla J, Winters C, et al. Scanning electron microscopy of bacterial biofilms on indwelling bladder catheters. Eur J Clin Microbiol Infect Dis 1992;11:789–796.
3. Howard RJ. Host defense against infection—Part 1. Curr Probl Surg 1980;27:267–316.
4. Sobel JD. Pathogenesis of urinary tract infections: host defenses. Infect Dis Clin North Am 1987; 1:751–772.
5. Daifuku R, Stamm WE. Bacterial adherence to bladder uroepithelial cells in catheter-associated urinary tract infection. N Engl J Med 1986; 314:1208–1213.
6. Shuman EK, Chenoweth CE. Recognition and prevention of healthcare-associated urinary tract infections in the intensive care unit. Crit Care Med 2010; 38(Suppl):S373–S379.
7. Schumm K, Lam TB. Types of urethral catheters for management of short-term voiding problems in hospitalized adults. Cochrane Database Syst Rev 2008:CD004013.
8. Centers for Disease Control and Prevention. Urinary tract infection (catheter-associated urinary tract infection [CAUTI] and noncatheter-associated urinary tract infection [UTI]) and other urinary system infection events. January 2016. Accessed August, 2016 at http://www.cdc.gov/nhsn/pdfs/pscmanual/ 7psccauticurrent.pdf

9. Tambyah PA, Maki DG. Catheter-associated urinary tract infection is rarely symptomatic. Arch Intern Med 2000; 160:678–682.
10. Nicolle LE, Bradley S, Colgan R, et al. Infectious Disease Society of America guidelines for the diagnosis and treatment of asymptomatic bacteriuria in adults. Clin Infect Dis 2005; 40:643–654.
11. Gilbert DN, Moellering RC, Eliopoulis, et al, eds. The Sanford guide to antimicrobial therapy, 2009. 39th ed. Sperryville, VA: Antimicrobial Therapy, Inc, 2009:31.
12. Hollenbach E. To treat or not to treat—critically ill patients with candiduria. Mycoses 2008; 51(Suppl 2):12–24.
13. Pappas PG, Kauffman CA, Andes DR, et al. Clinical practice guidelines for the management of candidiasis: 2016 update by the Infectious Disease Society of America. Clin Infect Dis 2016;62:e1–50.
14. Fisher JF, Sobel JD, Kauffman CA, Newman CA. Candida urinary tract infections—treatment. Clin Infect Dis 2011; 52(Suppl 6):S457–S466.

Chapter 34

체온조절 장애

Thermoregulatory Disorders

인간의 체온조절시스템은 체온의 하루 변화량을 ±0.6℃로 제한한다 (1). 이번 장은 이 체온조절시스템이 작동하지 않아서 체온이 위험한 수준으로 올라가거나 내려가면 어떤 일이 발생하는지에 대해 다루고 있다.

Ⅰ. 열사병 (HEAT STROKE)

A. 임상양상 (Clinical Features)

열사병은 생명을 위협하는 상태로, 주변의 온도로 인한 고전적열사병 (classic heat stroke)과 과격한 운동으로 인한 운동성열사병 (exertional heat stroke)이 있다. 임상양상은 아래와 같다 (2-4).

1. 체온>40℃ (104℉)
2. 섬망 (delirium), 혼수 (coma) 같은 의식수준 변화와 발작 (seizures)
3. 저혈압을 동반한 중증 혈액량소실
4. 다장기침범, 여기에는 횡문근융해증 (rhabdomyolysis), 급성신손상, 급성간부전, 그리고 파종성 혈관내응고병증 (disseminated intravascular coagulopathy, DIC) 등이 포함된다.
5. 무한증 (anhidrosis) 즉, 땀을 생성하지 못하는 것이 전형적인 특징이지만, 모두에게 나타나지는 않는다.

B. 치료 (Management)

열사병의 치료는 혈액량 (volume) 소실을 보충하고, 횡문근융해증에 의한 마이오글로빈뇨성신손상 (myoglobinuric kidney injury)이 발생할 위험을 줄이기 위한 순환혈액량소생 (volume resuscitation)과 *중심체온 (core temperature)*을 *38℃ (100.4℉)*로 낮추기 위한 냉각대책이 있다. 중심체온감시는 온도센서 (thermistor)가 장착된 방광카테터를 이용한다.

1. *외부냉각 (external cooling)*은 빠르고 쉽게 체온을 낮추는 방법이다. 구체적으로는 사타구니와 겨드랑이에 얼음팩을 두고 흉부상부와 목을 얼음으로 덮은 다음, 몸 전체에 걸쳐 냉각담요 (cooling blanket)를 덮어준다.
2. *증발냉각 (evaporative cooling)*은 외부냉각법 중 가장 효과적이며 (3,4), 임상에서 흔히 사용하는 방법이다. 피부에 물을 분무하고 팬을 이용해 수분증발을 촉진시킨다. 피부의 수분이 증발하기 위해서는 증발열이라고 하는 체열이 필요하다. 이는 발한이 체온을 감소시키는 원리다. 이 방법은 체온을 분당 0.31℃ (0.56℉) 속도로 낮출 수 있다 (3).
3. 외부냉각의 주요 문제점은 체온을 증가시키는 떨림 (shivering)이 발생할 수 있다는 점이다.
4. 내부냉각은 차가운 IV 수액 혹은 상온의 IV 수액을 주입함으로써 쉽게 달성할 수 있다. 차가운 물로 위나 방광을 세척하는 방법은 대부분 필요 없으며, 차가운 물로 복강을 세척하는 영웅적 처치는 거의 필요하지 않다.

C. 횡문근융해증 (Rhabdomyolysis)

1. 횡문근융해증, 즉 골격근손상은 약물유발성 고체온증 (drug-induced hyperthermia) (추후 설명) 과 열사병을 포함한 고체온증후군 (hyperthermia syndrome)의 흔한 합병증이다.

2. 골격근의 근세포가 파괴되면 혈류 속으로 크레아틴키나아제 (creatine kinase, CK)를 분비한다. 횡문근융해증을 진단하기 위한 표준 혈장 CK농도는 없지만, 횡문근융해증에 대한 임상연구들은 정상농도인 약 1,000 units/L보다 5배 증가한 CK 농도를 진단기준으로 사용해 왔다 (5).
3. 또한 골격근손상은 혈류로 마이오글로빈을 방출한다. 이는 콩팥의 세뇨관을 손상시킬 수 있으며, 급성신손상 (acute kidney injury)을 유발한다 (5). 이 상태에 대해서는 26장 Ⅲ-C절에서 다루고 있다.

II. 악성고체온증 (MALIGNANT HYPERTHERMIA, MH)

MH는 유전성 장애며, isoflurane 같은 할로겐화흡입마취제와 succinylcholine에 반응하여 골격근의 근소포체 (sarcoplasmic reticulum)에서 Ca^{++}을 과다하게 분비하는 것이 특징이다. 유전적유병률은 약 2,000명 중에 1명이며, 여자보다 남자에게 많다. MH의 발생률은 흡입마취에 노출된 5,000명 중에 1명에서 100,000명 중에 1명까지 다양하다 (6).

A. 임상양상 (Clinical Features)

MH의 임상양상은 표 34.1에 정리되어 있다 (6).

1. MH의 첫 징후로 대사항진 (hypermetabolism)으로 인한 갑작스러운, 예상치 못한 호기말PCO_2 (end-tidal PCO_2, ETCO2) 증가가 발생할 수 있다. 이후 수 분에서 수 시간 내로 전신근육경직 (generalized muscle rigidity)과 횡문근융해증 (rhabdomyolysis)이 뒤따른다.
2. Succinylcholine으로 인한 MH의 첫 번째 징후는 입벌림장애 (trismus)인 경우가 많다.
3. 근육경직으로 생성된 열이 MH후기에 나타나는 체온상승의 원인이다. 체온은 보통 40℃ (104℉) 이상까지 상승한다.

4. 자율신경불안증 (autonomic instability)은 부정맥과 저혈압으로 이어지기도 한다.
5. MH는 치료하지 않았을 때 사망률이 70-80%에 달한다 (6).

표 34.1 악성고체온증의 임상 양상

초기	후기
저작근경련 (masseter spasm)	고체온증
근육경직	횡문근융해증
고탄산혈증	급성신손상
젖산산증	저혈압
빈맥	부정맥

참고문헌6 발췌

B. 치료 (Management)

MH가 의심되면 즉시 흡입마취를 중단하고, 다음 제제를 투여한다.

1. Dantrolene

Dantrolene sodium은 근이완제며 근소포체의 Ca^{++}분비를 차단한다. MH 초기에 투여하면, 사망률이 5%까지 낮아진다 (6).

a. 용법은 2 mg/kg IV bolus로 투여하며, 필요한 경우 5분 간격으로 투여할 수 있고, 최대용량은 20 mg/kg이다 (6). 일부는 재발을 방지하기 위한 유지 용량으로 3일간 1 mg/kg 혹은 2 mg/kg IV 또는 경구복용을 권장한다 (7).
b. Dantrolene은 간독성이 있기 때문에, 진행된 간질환 환자 (advanced liver disease)에게는 추천하지 않지만, 이는 장기간 사용하는 경우에 해당한다.
c. Dantrolene의 부작용은 단기간 사용 시에는 흔하지 않으며, 여기에

는 혈관외유출 (extravasation)로 인한 조직괴사, 근육약화, 두통, 구토 등이 있다 (6).

2. 다른 방법 (Other Measures)

a. 호기말 PCO_2를 정상범위로 유지하기 위해서 인공호흡기를 조절하여 분당환기량 (minute ventilation)을 증가시켜야 한다.
b. 저혈압을 방지하고, 마이오글로빈뇨성 신손상 (myoglobinuric kidney injury)의 위험을 줄이기 위해 대부분은 순환혈액량소생 (volume resuscitation)이 필요하다. 혈압상승제 (vasopressor) 보조가 필요한 경우도 있다.
c. 젖산, K^+, 크레아티닌, 그리고 크레아티닌키나아제 (creatine kinase, CK)의 혈장농도를 감시해야 한다.
d. 근육경직이 조절되었다면, 냉각대책 (cooling measures)은 필요 없을 수도 있다.

C. 후속조치 (Follow-up)

MH에서 생존한 모든 환자들은 이들이 MH에 감수성이 있다는 것을 알려줄 수 있는 의료용 팔찌를 착용해야 한다. 직계가족들 또한 MH 유발유전자를 갖고 있는지를 확인하는 검사를 받아야 한다.

III. 신경이완제악성증후군 (NEUROLEPTIC MALIGNANT SYNDROME, NMS)

NMS은 고체온증, 근육경직, 의식수준 변화, 자율신경불안증 (autonomic instability)을 특징으로 하는 약물유발성장애라는 점이 악성고체온증 (malignant hyperthermia)과 유사하다 (8).

A. 병인 (Pathogenesis)

1. NMS은 일반적으로 뇌에서 도파민을 통한 시냅스전달 (dopamine-mediated synaptic transmission)에 영향을 미치는 약제와 관련 있다.
2. 표 34.2에서 보듯이, NMS은 대부분 도파민성전달 (dopaminergic transmission)을 억제하는 약에 의해 발생하거나, 혹은 도파민성전달을 용이하게 하는 약을 중단하는 경우 발생할 수 있다.
3. 신경이완제 투여 중 NMS 발생률은 0.2%에서 1.9%며 (9), 가장 흔히 연루되는 약물은 haloperidol과 fluphenazine (8)이다.
4. 약물요법의 기간과 강도는 NMS의 위험과 아무런 연관이 없다 (8).

표 34.2 신경이완제악성증후군과 관련된 약제들

도파민성 전달을 억제하는 제제	
신경이완제 :	Haloperidol과 같은 butyrophenones, phenothiazines, clozapine, olanzapin, respiradone
Antimimetics :	metaclopramide, droperidol, prochlorperazine
CNS 자극제 :	amphetamines, cocaine
기타 :	lithium, tricyclic antidepressants (과다복용)
도파민성 전달을 용이하게 하는 제제의 중단	
도파민성 :	amantidine, bromocriptine, levodopa

B. 임상양상 (Clinical Features)

1. NMS는 대부분 약물투여를 시작하고 24-72시간 후부터 나타나기 시작하며, 거의 대부분 약물요법을 시작하고 첫 2주 이내에 명확해진다. 시작은 대개 점진적이며, 완전히 발전하기까지 며칠이 걸릴 수도 있다.
2. 초기양상은 80%가 근육경직 혹은 의식수준 변화였다 (8). 떨림 (tremulousness)과 연관된 경직인 톱니바퀴경직 (cogwheel rigidity)과 구분하

기 위해서 근육경직은 납관경직 (lead-pipe rigidity)으로 묘사한다.

3. NMS를 진단하기 위해서는 체온이 40℃ (104°F) 이상이어야 하지만 (8), 근육경직이 시작된 후 8-10시간 정도 지연될 수도 있다 (10).
4. 자율신경불안증은 저혈압과 부정맥을 유발할 수도 있다.

C. 검사실검사 (Laboratory Studies)

1. 신경이완제에 대한 근긴장이상반응 (dystonic reaction)은 NMS의 근육경직과 구별하기 힘들다. 이 점에서 혈장 크레아틴키나아제 (creatine kinase, CK) 치가 도움이 되기도 한다. 혈청 CK농도는 근긴장이상반응에서는 아주 약간만 증가하는 반면, NMS에서는 1,000 unit/L 이상으로 높기 때문이다 (9).
2. NMS에서 혈중백혈구 수는 40,000/μL까지 증가할 수 있으며, 미성숙호중구 (immature neutrophils) 증가를 동반한다. 따라서, 발열, 백혈구증가증, 의식수준변화 같은 NMS의 임상양상을 패혈증으로 착각할 수 있다.

D. 치료 (Management)

원인 약제의 중단 혹은 재시작이 필수다. 그 외의 치료에는 저혈압에 대한 순환혈액량소생 (volume resuscitation), 냉각대책 같은 일반적인 지지방법과 다음과 같은 약제들이 있다.

1. Dantrolene

근육경직이 중증인 경우 MH 치료에 사용한 것과 같은 근이완제인 dantrolene을 IV 할 수 있다. 최적 용량은 명확하게 정해지지 않았지만, 아래에 한가지 제안이 나와있다.

a. 용법 (DOSING REGIMEN) : 2 mg/kg IV bolus. 필요한 경우 반복.

최대용량은 10 mg/kg. 이 후에는 경구제로 하루에 50-200 mg을 3-4회에 걸쳐 나눠서 복용한다 (8,11).

2. Bromocriptine

Bromocriptine mesylate는 dopamine 작용제 (agonist)며, 경구투여로 2.5-10 mg을 하루에 3번 복용했을 때 성공적으로 NMS를 치료할 수 있었다 (11). 몇 시간 내로 근육경직이 개선되지만, 반응이 완전히 나타나기 까지는 며칠이 걸리는 경우가 많다. Dantrolene은 장기간 사용하면 간독성이 있기 때문에 간질환이 진행한 환자 (advanced liver disease)를 제외하면, *bromocriptine은 dantrolene에 비해 장점이 없다.*

3. 치료기간 (Duration of Treatment)

많은 신경이완제들이 제거에 시간이 걸리기 때문에, NMS 치료는 임상적으로 해결된 뒤로도 약 10일간 지속해야 한다. 디폿제제 (depot preparation; 디폿은 약물분자를 연속적으로 서서히 방출하는 약물저장소)을 사용했다면, 임상증상이 호전된 뒤로도 2-3주간 치료를 지속해야 한다 (8).

Ⅳ. 세로토닌증후군 (SEROTONIN SYNDROME, SS)

중추신경계에서 세로토닌수용체의 과잉자극은 의식수준 변화, 교감신경과활성, 그리고 신경근이상 같은 조합을 유발하며 이를 SS이라고 한다 (12).

A. 병인 (Pathogenesis)

세로토닌은 수면-각성 주기, 기분, 체온조절을 관여하는 신경전달 물질이다. 다양한 제제들이 세로토닌신경전달을 증강시켜 SS를 일으키며, 이러한 제제들의 목록은 표 34.3에 나와있다 (12,13). 보통 한 개 이상의 약물이 관여하는 경우가 많다.

표 34.3 세로토닌 증후군을 유발하는 약물

세로토닌에 대한 효과	약물
합성 증가	L-tryptophan
분비 증가	amphetamines, MDMA (ecstasy), cocaine, fenfluramine
파괴 감소	linezolid를 비롯한 MAO inhibitors, ritonavir
재흡수 감소	SSRIs, TCAs, dextromethorphan, meperidine, tramadol
수용체 자극	lithium, sumitriptan, buspirone, LSD

MDMA=methylenedioxy-methamphetamine; MAO=monoamine oxidase; SSRIs=selective serotonin reuptake inhibitors; TCAs=tricyclic antidepressants.

B. 임상양상 (Clinical Features)

1. SS는 NMS와는 반대로 보통 갑작스럽게 시작하며, 반이상이 관련 약물을 복용한 후 6시간 이내에 뚜렷해졌다 (12).
2. 임상양상에는 혼란, 섬망, 혼수 같은 의식수준 변화, 동공산대, 빈맥, 고혈압 같은 교감신경 과활성화, 운동과잉증 (hyperkinesis), 간대성경련 (clonus), 근육경직 (muscle rigidity) 같은 신경근 이상, 고체온증 등이 있다.
3. 생명을 위협하는 경우는 횡문근융해증 (rhabdomyolysis), 신부전, 대사성산증, 저혈압이 특징이다 (12).
4. 임상양상은 다양하게 나다난다. 고체온증과 근육경직은 경증 (mild case)에는 없을 수도 있다. SS와 다른 약물유발성 고체온증후군을 구별하는 가장 두드러지는 양상은 운동과잉증과 간대성경련이며 후

자의 경우 유발성 (inducible), 자발성 (spontaneous), 혹은 수평안구간대성경련 (horizontal ocular clonus) 양상으로 나타난다 (12). 유발성 간대성경련 (inducible clonus)은 슬개골심부건반사 (patellar deep-tendon reflex)에서 가장 확실히 나타난다.

C. 치료 (Management)

원인 약물 중단이 필수다.

1. SS에서 초조 (agitation)를 조절하기 위해 *benzodiazapines*을 사용한 진정을 권장한다 (8). *benzodiazepine*의 용량에 관한 정보는 43장 Ⅱ-B절과 표43.5를 참고한다.
2. 세로토닌길항제인 *cyproheptadine*은 중증 SS의 경우 투여해 볼 수 있다 (14). 이 약은 경구투여만 가능하지만, 정제를 갈아서 비위관을 통해 투여할 수도 있다. 초기용량은 12 mg이며, 증상이 지속되면 2시간 간격으로 2 mg을 추가할 수 있다 (14). 유지용량은 6시간마다 8 mg이다.
3. 다른 방법으로는 저혈압과 마이오글로빈뇨성 신손상 (myoglobinuric kidney injury)의 위험을 줄이기 위한 순환혈액량소생 (volume resuscitation)과 40℃이상 지속되는 고열에 대해서는 열사병에서도 언급한 냉각방법 등이 있다.
4. 중증 SS에서는 근육경직과 체온이 41℃ 이상으로 극도로 상승하는 것을 조절하기 위해 신경근마비 (neuromuscular paralysis)가 필요할 수도 있다. 근육마비를 위해 vecuronium같은 비탈분극성 제제 (nondepolarizing agent)를 사용한다(12).
5. 대부분의 SS는 치료를 시작하고 24시간 이내에 해결되지만, 약물반감기가 긴 세로토닌제제 (serotonergic drug)는 장기간 중독증후군 (toxidrome)을 유발하기도 한다.

V. 저체온증 (HYPOTHERMIA)

체온이 35℃ 이하 혹은 95℉ 이하인 저체온증은 환경노출, 대사장애, 치료적중재 등으로 인해 발생할 수 있다. 이번 절은 환경성 혹은 돌발성저체온에 중점을 두고 있다.

A. 선행요인 (Predisposing Conditions)

환경성저체온 (environmental hypothermia)은 다음과 같은 상황에서 발생할 가능성이 높다 (15).

1. 장기간 차가운 물에 침수되거나 장기간 찬바람에 노출되었을 때. 차가운 물로의 열이동은 차가운 공기로의 열이동보다 훨씬 일어나기 쉬우며, 찬바람에 노출된 경우 대류 (convection)에 의해 열손실이 촉진된다
2. 추위에 대한 생리학적 반응이 손상되었을 때, 예를 들어 알코올섭취로 인해 추위에 대한 혈관수축반응이 손상되었을 때, 혹은 추위에 대한 행동반응이 손상되었을 때, 예를 들어 혼란 혹은 중독된 사람은 추위를 피할 피신처를 찾을 수 없을 것이다.

B. 임상양상 (Clinical Features)

진행성 저체온증의 결과는 **표 34.4**에 요약되어있다.

1. 경도 저체온증 (32-35℃ 혹은 90-95℉) : 환자는 흔히 혼란스러우며 (confused), 빠르게 몸을 떨며, 피부의 혈관수축으로 차갑고 창백한 피부를 보이는 등 추위에 대한 적응징후를 보인다. 심박수는 대개 빠르다.
2. 중도 저체온증 (28-31.9℃ 혹은 82-89.9℉) : 환자는 기면 (lethargic) 상태며, 떨림 (shivering)은 없을 수도 있다. 서맥과 호흡수 감소가 두드러지며, 동공 빛 반사가 없을 수 있다.
3. 고도 저체온증 (<28℃ 혹은 <90℉) : 환자는 대개 모든 기능이 둔감해지거나 (obtunded) 혹은 혼수상태며, 동공이 열리고 고정 (dilated,

fixed pupil)된다. 하지만 이 상황에서 이는 뇌사의 징후가 아니다. 추가적인 양상에는 저혈압, 중증 서맥, 핍뇨 (oliguria) 그리고 전신부종이 있다. 체온이 25℃ (77°F)밑으로 내려가면 무호흡 (apnea)과 무수축 (asystole)이 예상된다.

표 34.4 진행성 저체온증의 양상

중증도	체온	임상 양상
경도	32-35℃ 90-95°F	혼란, 차갑고 창백한 피부, 떨림, 빈맥
중도	28-31.9℃ 82-89.9°F	기면, 떨림이 감소하거나 없음, 서맥, 느린 호흡
고도	〈28℃ 〈90°F	둔감 혹은 혼수, 떨림 없음, 부종, 동공이 열리고 고정, 서맥, 저혈압, 핍뇨
치명적	〈2 ℃ 〈77°F	무호흡, 무수축

C. 심전도 (Electrocardiogram)

1. 저체온증 환자중 80%는 심전도의 QRS-ST절에 두드러지는 J파 (wave)가 있다 (그림 34.1 참고). 오스본파 (Osborn wave)라고도 하는 이 파형은 저체온증에 특이적인 것은 아니며, 고칼슘혈증 (hypercalcemia), 지주막하출혈 (subarachnoid hemorrhage), 뇌 손상 (cerebral injury), 심근허혈 (myocardial ischemia)에서도 발생할 수 있다 (16). 드높은 악명에도 불구하고, 이 파형은 체온으로 진단하는 저체온증에서는 진단적 가치가 없다.
2. 저체온증에서는 다양한 부정맥이 발생할 수 있으며, 여기에는 1°, 2°, 3° 방실차단 (heart block), 동성 (sinus) 혹은 접합부서맥 (junctional bradycardia), 심실고유율동 (idioventricular rhythm), 심방조기박동 (premature atrial beats)과 심실조기박동 (premature ventricular beats),

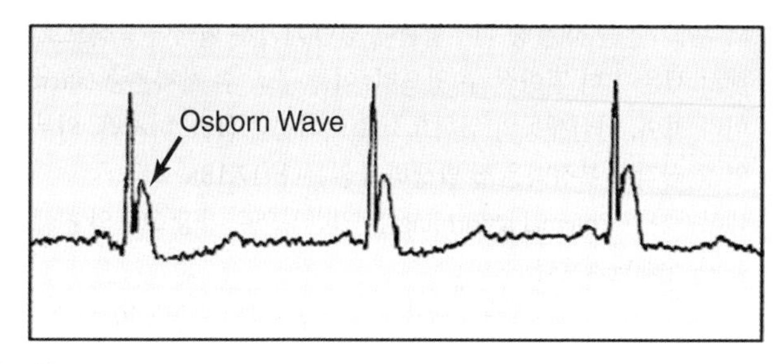

■ 그림 34.1 (과장된) 오스본 파 (Osborn wave)

심방세동 (atrial fibrillation)과 심실세동 (ventricular fibrillation) 등이 있다 (16).

D. 검사실 검사 (Laboratory Tests)

1. 저체온증에서는 INR증가와 PTT연장을 동반한 일반적인 응고장애가 흔하지만 (15), 응고프로파일 (coagulation profile)을 정상체온에서 시행한다면 응고장애가 명백하지 않을 수도 있다.
2. 정상체온에서 시행하는 동맥혈가스검사에서 호흡성산증 혹은 대사성산증이 있을 수 있다.
3. 떨림 (shivering)이나 횡문근융해증으로 인한 골격근의 K^+방출 때문에 혈청전해질 검사에는 고칼륨혈증 (hyperkalemia)이 나타난다.
4. 혈청크레아티닌 (creatinine)은 횡문근융해증, 급성신부전, 혹은 신세뇨관 (renal tubules)의 항이뇨호르몬 (antidiuretic hormone)에 대한 반응감소 때문에 발생하는 농축능력감소 이뇨 (cold diuresis)로 인해 상승할 수 있다.

E. 재가열 (Rewarming)

1. 저체온증은 대부분 외부재가열 (external rewarming)로 충분하다 (17).

외부재가열을 하는 중 피부혈관에 있던 차가운 혈액이 중심으로 이동해서 체온이 더 떨어질 수 있으며, 이를 구조 후 저체온증 (afterdrop)이라 하며, 심실세동의 위험요소로 여겨진다 (18). 하지만, 외부재가열 중 심각한 부정맥은 잘 발생하지 않는다 (17,18).

2. 내부재가열 (internal rewarming)은 일반적으로 가장 고도의 저체온증을 대비해 남겨둔다.
   a. 가장 쉬운 내부 재가열 방법은 흡입공기의 온도를 40-45℃ (104-113°F)로 높이는 것이며, 이는 기도삽관 중인 환자에서 중심체온을 시간당 2.5℃ 올릴 수 있다 (15).
   b. 다른 내부 재가열 방법에는 따뜻한 수액을 이용한 복강세척 (15), 체외혈액재가열 (19), 그리고 따뜻한 정맥수액 등이 있다. 따뜻한 수액을 이용한 위세척은 효과가 없다 (15).
3. 중도에서 고도저체온증에서 재가열을 하면 흔히 재가열쇼크라고 하는 저혈압이 발생하는데, 이는 심근억제 (myocardial depression), 혈관확장, 농축능력감소 이뇨로 인한 혈량저하증 (hypovolemia) 같은 요소들의 조합으로 발생한다 (17,18).
   a. 순환혈액량 (volume) 주입은 이 문제를 완화하는데 도움을 주지만, 상온 (21℃ 혹은 70°F)의 수액을 주입하면 저체온증을 악화시킬 수도 있다. 따라서, 주입할 수액은 따뜻하게 만들어야 한다.
   b. 중증 저체온증 환자중 절반 가량은 혈압상승제 (vasopressor)가 필요하며, 이는 나쁜 예후를 시사한다 (18).

참고문헌

1. Guyton AC, Hall JE. Body temperature, temperature regulation, and fever. In: Medical Physiology, 10th ed. Philadelphia, WB Saunders, 2000: 822-833.
2. Lugo-Amador NM, Rothenhaus T, Moyer P. Heat-related illness. Emerg Med Clin N Am 2004; 22:315-327.
3. Hadad E, Rav-Acha M, Heled Y, et al. Heat stroke: a review of cooling methods.

Sports Med 2004; 34:501-511.

4. Glazer JL. Management of heat stroke and heat exhaustion. Am Fam Physician 2005; 71:2133-2142.
5. Ward MM. Factors predictive of acute renal failure in rhabdomyolysis. Arch Intern Med 1988; 148:1553-1557.
6. Schneiderbanger D, Johannsen S, Roewer N, Schuster F. Management of malignant hyperthermia: diagnosis and treatment. Ther Clin Risk Manag 2014; 10:355-362.
7. McEvoy GK, ed. AHFS Drug Information, 2014. Bethesda, MD: American Society of Health-System Pharmacists, 2014:1439-1442.
8. Bhanushali NJ, Tuite PJ. The evaluation and management of patients with neuroleptic malignant syndrome. Neurol Clin N Am 2004; 22:389-411.
9. Khaldarov V. Benzodiazepines for treatment of neuroleptic malignant syndrome. Hosp Physician, 2003 (Sept): 51-55.
10. Lev R, Clark RF. Neuroleptic malignant syndrome presenting without fever: case report and review of the literature. J Emerg Med 1996; 12:49-55.
11. Guze BH, Baxter LR. Neuroleptic malignant syndrome. N Engl J Med 1985; 13:163-166.
12. Boyer EH, Shannon M. The serotonin syndrome. N Engl J Med 2005; 352:1112-1120.
13. Demirkiran M, Jankivic J, Dean JM. Ecstacy intoxication: an overlap between serotonin syndrome and neuroleptic malignant syndrome. Clin Neuropharmacol 1996; 19:157-164.
14. Graudins A, Stearman A, Chan B. Treatment of serotonin syndrome with cyproheptadine. J Emerg Med 1998; 16:615-619.
15. Hanania NA, Zimmerman NA. Accidental hypothermia. Crit Care Clin 1999; 15: 235-249.
16. Aslam AF, Aslam AK, Vasavada BC, Khan IA. Hypothermia: evaluation, electrocardiographic manifestations, and management. Am J Med 2006; 119:297-301.
17. Cornell HM. Hot topics in cold medicine: controversies in accidental hypothermia. Clin Ped Emerg Med 2001; 2:179-191.
18. Vassal T, Bernoit-Gonin B, Carrat F, et al. Severe accidental hypothermia treated in an ICU. Chest 2001; 120:1998-2003.

19. Ireland AJ, Pathi VL, Crawford R, et al. Back from the dead: Extracorporeal re-warming of severe accidental hypothermia victims in accidental emergency. J Accid Emerg Med 1997; 14:255–303.
20. Handrigen MT, Wright RO, Becker BM, et al. Factors and methodology in achieving ideal delivery temperatures for intravenous and lavage fluid in hypothermia. Am J Emerg Med 1997; 15:350–359.

Chapter 35

ICU에서의 발열

Fever in the ICU

입원 환자에게 없었던 발열이 발생하면 항상 걱정거리다. 이번 장은 ICU 환자에게 새로 나타난 발열에 대해서 발열의 잠재적 원인, 경험적 항생제치료, 해열요법의 장점과 유해성을 비롯한 일반적인 고려사항을 다루고 있다 (1).

Ⅰ. 발열 (FEVER)

A. ICU에서의 발열 (Fever in the ICU)

ICU 환자에서 발생한 발열에 대한 최신지침에는 다음과 같은 권장사항들이 있다 (1).

1. 체온≥38.3℃ (101°F)을 발열이라 하며, 면역억제환자, 특히 호중구감소증 (neutropenia) 환자에게는 좀 더 낮은 38℃ (100.4°F)를 기준으로 사용할 수 있다.
2. 중심체온 (core body temperature)을 가장 정확하게 측정하는 방법은 온도센서를 장착한 카테터로 폐동맥, 식도, 혹은 방광에서 측정하는 것이다. 덜 정확한 방법은 직장, 구강, 고막의 순서로 온도를 측정하는 것이다. 겨드랑이와 관자동맥 (temporal artery) 부위의 체온측정은 권장하지 않는다.
3. 해설 : 온도센서를 장착한 방광카테터는 방광카테터가 필요한 환자에

서 체온감시에 이상적이다. ICU 환자는 대부분 방광카테터가 필요하다. 이 장치는 중심체온측정에서 믿을 만할 뿐만 아니라, 주기적인 체온측정에 비해 명백한 장점을 가진 지속적인 체온측정을 가능하게 해준다.

B. 염증 vs. 감염 (Inflammation vs. Infection)

발열은 *내인성발열원 (endogenous pyrogens)*이라고도 하는 염증성사이토카인 (inflammatory cytokines)의 결과다. 염증성사이토카인은 시상하부 (hypothalamus)에 작용하여 체온을 증가시킨다. 어떤 상태라도 전신염증반응 (systemic inflammatory response)이 작동하면, 열이 발생한다.

1. 따라서 발열은 감염이 아닌 염증의 징후며, 발열이 발생한 ICU 환자 중 50%가량은 명백한 감염이 없다 (2,3)
2. 발열의 중증도는 감염의 존재나 중증도와 연관성이 없다. 고열은 약물열 (drug fever)같은 비감염성 상태 때문에도 발생할 수 있으며 (추후 설명), 반대로 생명을 위협하는 감염에서 열이 없거나 최소한일 수도 있다 (1).
3. 염증과 감염을 구분하는 것은 발열의 평가뿐 아니라, 발열을 치료하기 위해서 항생제를 사용하는 "자동반사 (knee jerk response)"를 줄이는데도 중요한 일이다.

II. 비감염성 원인 (NONINFECTIOUS SOURCES)

ICU에서 발열의 비감염성 원인에는 대수술, 수혈, 정맥혈전 색전증, 약물 등이 있다.

A. 수술 후 초기발열 (Early Postoperative Fever)

대수술 후에 수술 후 첫째 날에 발열이 발생할 확률은 15-40%가량 되며, 대부분은 명백한 감염이 없다 (3-5). 이 발열은 보통 24시간에서 48시간 내에 해결되며, 수술과정 중 지속된 조직 손상에 대한 염증 반응을 의미할 가능성이 높다.

1. 무기폐는 발열을 일으키지 않는다 (Atelectasis Does Not Cause Fever)

무기폐는 수술 후 초기에 발열의 흔한 원인이라는 오래된 오해가 있다. 이러한 오해가 발생한 한가지 가능성 있는 원인은 수술 후 발열이 있는 환자에서 무기폐의 발생률이 높았다는 것이다. 이는 **그림 35.1** (5)의 왼쪽그래프에서 볼 수 있으며, 수술 후 첫 날에 발열이 발생한 환자중 90%에 가까운 수가 무기폐의 방사선학적 증거를 가지고 있었다. 하지만, 이는 동일한 연구에서 나온 오른쪽에 있는 그래프로 확인할 수 있듯이 무기폐가 발열의 원인이라는 증거가 아니다. 오른쪽 그래프는 무

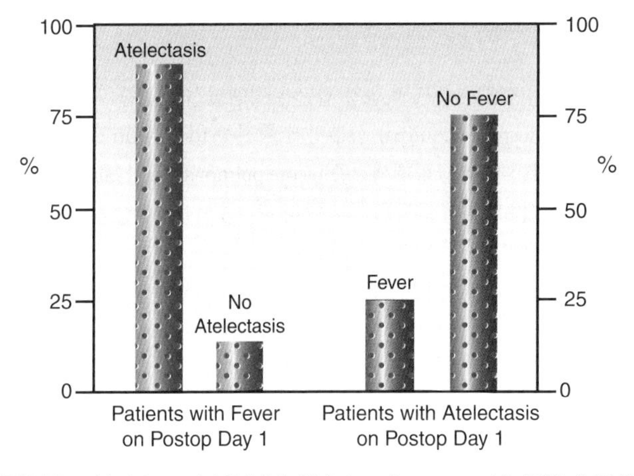

그림 35.1 연속적인 100명의 환자에서 개심술 (open heart surgery)을 시행한 후 첫날에 발열과 무기폐사이의 관계. 왼쪽의 그래프는 발열이 있는 환자는 대부분 무기폐가 있었다는 것을 보여주지만, 오른쪽의 그래프는 무기폐가 있는 환자에서 대부분 발열이 없었다는 것을 보여준다. 참고문헌5의 자료.

기폐가 있는 환자 대부분(75%)은 발열이 없다는 것을 보여준다.

a. 무기폐와 발열 사이에 연관관계가 없는 점은 65년 이상 전에 시행한 동물실험에 잘 나타나있다. 이 실험은 주 기관지 (mainstem bronchus)를 결찰 (ligation)하여 엽무기폐 (lobar atelectasis)를 만들더라도 발열이 없었음을 보여준다 (6).

2. 악성고체온증 (Malignant Hyperthermia)

수술이 끝난 직후에 체온이 증가하는, 흔하지는 않지만 치료가 가능한 원인으로 악성고체온증이 있다. 악성고체온증은 할로겐화 흡입마취제에 반응하여 근육경직 (muscle rigidity), 초고열 (hyperpyrexia) (>40℃ 혹은 >104℉), 그리고 횡문근융해증 (rhabdomyolysis)이 발생하는 유전장애다. 이 장애에 대해서는 34장 II절에서 다루고 있다.

B. 정맥혈전색전증 (Venous Thromboembolism)

4장 I절에서 설명했듯이, 몇몇 환자 집단은 정맥혈전 색전증의 위험이 있다. 병원획득성 (hospital-acquired) 심부정맥 혈전증 (deep vein thrombosis)은 대부분 무증상이지만, 급성폐색전증 (acute pulmonary embolism)은 일주일까지도 지속되는 발열을 유발하기도 한다 (7). 급성폐색전증의 진단적 평가에 대해서는 4장 III절에서 다루고 있다.

C. 수혈 (Blood Transfusions)

열성비용혈성 (febrile non-hemolytic) 수혈반응의 발생률은 적혈구는 수혈 200건당 1건 (표11.3 참고), 혈소판은 수혈 14건당 1건이다 (표12.4참고). 이로 인한 발열은 수혈 중 혹은 수혈 후 6시간까지 나타난다.

D. 약물열 (Drug Fever)

어떤 약물이라도 과민반응으로 발열을 촉진할 수 있지만, 일반적으로 약물열과 관계 있는 약들을 표 35.1에 열거해 두었다.

1. 약물열에 대해서는 잘 알려진 바가 없다. 약물열중 75% 이상은 과민반응의 단서가 없었다 (8).
2. 발열 시점은 약물요법을 시작한 뒤로 몇 시간에서 3주 이상까지 다양하다 (1).
3. 약물열은 단독소견으로도 혹은 표 35.1에 열거된 다른 양상들을 동반해서도 발생할 수 있다 (8). 이러한 양상들은 *약물열이 심각한, 생명을 위협하는 질병으로 나타날 수도 있다*는 점을 시사한다.
4. 약물열에 대한 의심은 보통 발열의 가능성 있는 다른 원인이 없을 때 시작된다. 의심이 든다면, 발열의 가능성이 있는 약은 즉시 중단해야 한다. 발열은 2-3일 내에 사라지기도 하지만, 7일까지 지속될 수도 있다 (9).

표 35.1 ICU에서 약물 관련 발열

흔한 원인	흔하지 않은 원인	임상 소견
Amphotericin	Cimetidine	오한 (53%)
Cephalosporin	Carbamazepine	근육통 (25%)
Penicillin	Hydralazine	백혈구증가증 (22%)
Phenytoin	Rifampin	호산구증가증 (22%)
Procainamide	Streptokinase	발진 (18%)
Quinidine	Vancomycin	저혈압 (18%)

참고문헌8 발췌

E. 의인성발열 (Iatrogenic Fever)

온수매트리스나 에어로졸가습기의 온도조절기가 고장 나면 전이 (transference)에 의한 발열을 유발할 수 있다. 온수매트리스나 인공호흡기의 온도설정을 확인하는 데는 불과 몇 분 밖에 걸리지 않는다. 하지만, 왜 발열의 이런 간단한 원인을 간과하는지에 대해 설명하려면 훨씬 많은 시간이 걸린다.

Ⅲ. 병원내 감염 (NOSOCOMIAL INFECTIONS)

외과계와 내과계 ICU 환자에서 ICU 획득성감염의 발생률이 표 35.2에 나와있다 (11). 4가지 감염이 전체 감염의 3/4 가량을 차지한다. 여기에는 폐렴 (대부분 인공호흡기관련폐렴), 요로감염, 혈류감염 (대부분 카테터 유발성 감염), 그리고 수술부위 감염이 있다. 이 감염 중 3가지는 이 책의 다른 곳에서 설명했었다.

1. 인공호흡기관련폐렴은 16장에서 설명했으며,
2. 요로감염은 33장에서,
3. 카테터유발성감염은 2장 Ⅲ절에서 설명했다.

아래의 내용은 마지막으로 남은 병원내 감염이며, 관심을 가져볼 만하다.

표 35.2 외과계와 내과계 ICU 환자에서 병원내 감염

감염	% 총 감염	
	내과계 ICU	외과계 ICU
폐렴	30%	33%
요로감염	30%	18%
혈류감염	16%	13%
수술부위감염	–	14%
기타	24%	22%

참고문헌11 발췌.

A. 수술부위감염 (Surgical Site Infections, SSI)

1. SSI은 전형적으로 5-7일째에 나타나며, 피부와 피하조직을 포함하는 표재성 (superficial) 혹은 근막, 근육까지 확장된 심부 (deep)로 구분할 수 있다. 발열과 연관 있는 것은 후자뿐이다 (12).
2. 심부 SSI의 치료는 배액 (drainage), 변연절제술 (debridement), 그리고 항생제의 조합이다. SSI와 연관된 병원균은 다양하다. 예를 들어 개심술 (open heart surgery) 후의 SSI은 *Staph epidermidis*가 주된 병원균이지만, 장 수술 후의 SSI는 일반적으로 gram-negative aerobic bacilli와 Anaerobes가 관련 있다 (1).
3. 괴사성창상감염 (necrotizing wound infections)은 수술 후 며칠 내로 나타나며, *Clostridium species*나 *β-hemolytic streptococci*가 원인균이다 (1). 흔히 절개부위 주변으로 뚜렷한 부종과 체액이 찬 물집 (fluid-filled bullae)을 볼 수 있으며, 마찰음 (crepitus)이 있을 수도 있다. 빠르게 심부구조로 퍼지며, 횡문근융해증과 마이오글로빈뇨성 (myoglobinuric) 신부전으로 이어진다. 치료는 IV penicillin과 광범위변연절제술이다. 치료가 지연되면 사망률이 60% 이상으로 높다.

B. 부비동염 (Paranasal Sinusitis)

부비동염은 부비동을 배출하는 구멍을 막을 수 있는 비위관이나 기관내삽관을 시행중인 ICU환자에서 과소평가되는 발열의 원인이다. 경구기관튜브 (orotracheal tube)로 기관내삽관을 시행한 환자에서 원인불명의 발열에 대한 한 연구결과, 42%는 배양확진된 부비동염이 있었다 (14).

1. 진단은 부비동염의 방사선학적 증거 즉, 침범된 부비동의 혼탁화 (opacification) 혹은 공기-액체층 (air-fluid level)을 통해 의심하며, 그 후 침범된 부비동에서 재취힌 흡인물의 배양결과가 양성이면 확진할 수 있다 (14,15).
2. CT스캔은 부비동염을 확인하는데 최적이지만, 병상에서 촬영할 수

있는 이동식부비동영상 (portable sinus films)으로도 충분하다 (14). 거의 대부분 침범되는 상악동 (maxillary sinus)은 그림 35.2에서 처럼 "후두비부방향촬영법 (waters view)"라고 하는 후두비경영상 (occipitomental view)으로 볼 수 있다.

3. ICU 획득부비동염에서 가장 흔히 동정되는 균은 60%에서 동정되는 gram-negative aerobic bacilli, 그 다음으로 30%에서 동정되는 gram-positive aerobic cocci 특히, Staph aureus와 Staph epidermidis, 마지막

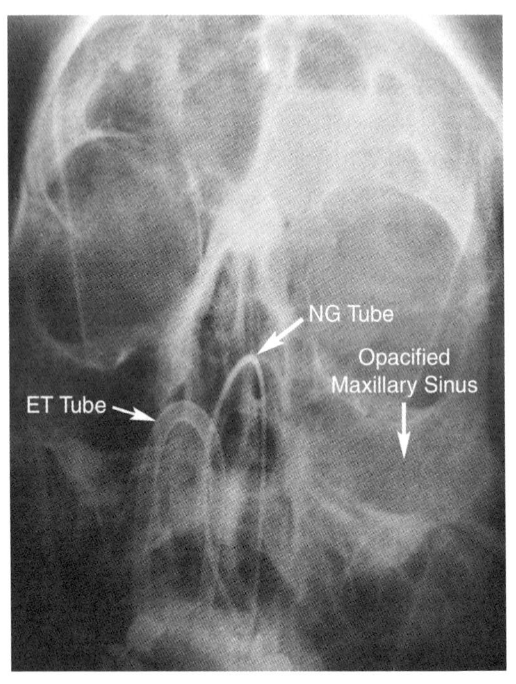

■ 그림 35.2 기관내관 (ET)과 비위관 (NG)을 갖고 있는 환자에서 좌측상악동과 전두동의 혼탁화 (opacification)를 보여주는 이동식부비동영상. 후두비부방향촬영법 (Waters view)

으로 5-10%를 차지하는 효모균 (yeast)이며, 대부분은 Candida albicans이다 (1).

4. 부비강흡인물을 그람염색 (gram stain)하여 이를 바탕으로 경험적 항생제를 결정해야 한다. 부비동염의 방사선학적 증거가 있는 환자 30%는 무균성 부비동 흡인물 (sterile sinus aspirates)이 있기 때문에, 감염을 뒷받침하기 위해서는 침범된 부비동의 흡인이 필요하다 (15).

C. *Clostridium difficile* 감염

새로 발생한 설사와 관련된 ICU획득성발열은 항상 *Clostridium difficile* 소장결장염 (enterocolitis)을 의심해봐야 한다. 이 질환의 진단과 치료는 32장 Ⅱ절에서 다루고 있다.

D. 침습적칸디다증 (Invasive Candidiasis)

1. ICU 환자의 감염 중 15%는 *Candida spp* 때문이다 (17). 위험요인에는 중심정맥관유치, 복부수술, 그리고 최근의 광범위항생제 사용이 있다 (18).
2. 침습적 칸디다증은 혈액배양의 30%에서 80%가 무균이기 때문에 보통은 발견되지 않고 진행한다 (18). 중합효소연쇄반응 (polymerase chain reaction, PCR) 같이 탐지를 위한 더 민감한 방법이 개발되었지만, 아직 연구 중이다.
3. 칸디다증은 3일간 광범위항생제요법 후에도 발열이 지속되는 고위험군 환자에서 의심해 볼 수 있다.

E. 환자-특이적 감염 (Patient-Specific Infections)

특정한 환자 군에서 고려해 볼만한 병원내 감염에는 (a) 복부대수술을 받은 환자에서 복부농양 (32장 Ⅱ-B절 참고) (b) 신경외과환자의 뇌수막염 (meningitis), 그리고 (c) 인공판막을 가지고 있거나 판막이 손상된 환자의 심내막염 (endocarditis)이 있다.

Ⅳ. 고려 사항 (CONSIDERATIONS)

A. 혈액배양 (Blood Cultures)

혈액배양은 비감염성 원인이 적은 모든 ICU유발성발열에 권장한다 (1). 혈액배양의 결과는 혈액 배양의 양과 정맥천자부위 (venipuncture site)의 숫자에 달려있다.

1. 혈액배양의 결과는 각각의 정맥천자부위에서 20-30 mL의 혈액을 채취하면 이상적이다 (1). 표준술기는 정맥천자부위에서 혈액 20 mL를 채취한 뒤 혈액배양세트의 호기성배양액과 혐기성배양액에 각각 10 mL를 주입한다. 혈액채취량을 20 mL에서 30 mL로 증량하면 혈액배양의 결과가 10% 정도 증가한다 (19).
2. 균혈증의 90% 이상은 24시간 동안 3회 혈액배양으로 발견할 수 있으며, 심내막염 (endocarditis)의 경우 24시간 동안 2회 혈액배양을 하면 균혈증의 90% 이상을 발견할 수 있다 (20). 이때 1회의 혈액배양이란 하나의 정맥천자부위를 의미한다.

B. 프로칼시토닌? (Procalcitonin?)

프로칼시토닌 (procalcitonin, PCT)은 중환자에서 패혈증 표지자 (marker)로 제안되었으며, **표 35.3**에서 열성ICU환자의 감염발견에서 PCT수치의 예측치를 보여준다 (21). 정상치보다 높은 PCT농도 (>0.5 ng/mL)는 백혈구증가증과 유사한 예측치를 가지고, C-반응성 단백 (C-reactive protein)보다 더 높은 예측치를 가지지만, 높은 절단값 (cutoff value) (1 ng/mL)을 사용하면 PCT 수치 증가는 감염 예측률이 높다. 이러한 결과는 발열이 있는 ICU

환자에서 경험적항생제 치료를 결정할 때 PCT의 잠재적 역할을 시사한다.

표 35.3	열성ICU환자에서 감염표지자		
표지자	PPV	NPV	PLR
WBC 〉12,000/mm^3	76%	62%	2.7
CRP〉100 mg/dL	62%	54%	1.4
PCT〉0.5 ng/dL	75%	68%	2.6
PCT〉1.0 ng/dL	90%	72%	8.1

CRP=C-reactive protein; PCT=procalcitonin; PPV=positive predictive ratio; NPV=negative predictive ratio; PLR=positive likelihood ratio.
참고문헌 21 발췌.

C. 경험적 항균제요법 (Empiric Antimicrobial Therapy)

경험적 항생제요법은 감염성 원인의 가능성이 높은, 발열이 있는 모든 ICU 환자에게 권장한다. 경험적치료는 즉시 시작해야 하며, 특히 단 몇 시간만 지연되도 결과에 나쁜 영향을 미칠 수 있는 호중구감소증 (neutropenia, 절대 호중구 수치<500) 환자에서는 더욱 그렇다 (22). 그러나, 가능하다면 항생제투여 전에 적절한 배양을 시행해야 한다.

1. 북미의 ICU감염에서 가장 자주 동정되는 병원균이 표 35.4에 나와있다. 경험적 항생제치료는 이 표에 있는 세균성병원균 (bacterial pathogen)을 포함해야 한다.
2. 경험적치료시 권장하는 항생제는 cefepime, carbapenems (meropenem 혹은 imipenem-cilastatin), 혹은 piperacillin/tazobactam, 여기에 추가로 MRSA (methicillin-resistant staph aureus)가 잠재적인 병원균이라면 vancomycin 등이 있다 (22).
   a. 권장용량에 대해서는 carbapenems은 표44.3, cefepime은 표44.4, piperacillin/tazobactam은 44장 Ⅵ-A절, 그리고 vancomycin은 44장

Ⅶ-B절을 참고한다.

표 35.4 ICU 감염에서 흔히 동정되는 균

Gram-Positive (55%)	Gram-Negative (50%)
Staph aureus (27%) MRSA (18%) *Staph epidermidis* (9%)	*Escherichia coli* (14%) *Pseudomonas spp* (13%) *Klebsiella spp* (9%)

북미 607개 ICU의 자료

3. *항진균제*는 항생제를 투여하고 3일 이상 설명할 수 없는 발열이 지속될 때, 특히 앞서 언급한 침습성칸디다증의 위험요소가 있는 환자라면 고려해야 한다. *Candida spp*에 대한 광범위활동성을 지닌 echinocandins (caspofungin, micafungin, anidulafungin)가 많이 사용된다 (22). 이 약제들에 대한 권장용량은 44장 Ⅱ-C-2절에 나와있다.

V. 해열요법 (ANTIPYRETIC THERAPY)

발열을 억제해야 하는 질병으로 인식하는 일반적인 인식은 *발열 공포증 (fever phobia)*으로 알려진 발열에 대한 부모의 오해에 뿌리를 두고 있다 (23). *사실, 발열은 감염을 제거하는 능력을 증강시켜주는 정상적인 적응반응이다* (24). 발열의 장점과 유해성에 대해 지속되는 논쟁에 대한 검토는 이 책의 범위를 벗어나지만, 다음 정보들은 언급할만한 가치가 있다.

A. 숙주방어기전으로서의 발열 (Fever as a Host Defense Mechanism)

1. 발열은 34장의 장애와 같이 비정상적인 체온조절의 결과가 아니라 더 높은 설정점 (set point)에서 작동하는 정상적인 체온조절시스템의 일

부다 (25).

2. 발열은 항체와 사이토카인 (cytokines) 생성을 증가시키고, T-림프구를 활성화하며, 호중구 (neutrophil)와 대식세포 (macrophage)의 포식작용 (phagocytosis)을 증강시켜 면역기능을 강화한다 (26).
3. 또한 체온이 증가하면 그림 35.3에서 볼 수 있듯이 세균성장과 바이러스복제 (viral replication)를 억제한다 (27).

B. 발열은 해로운가? (Is Fever Harmful?)

1. 발열의 부작용 중 하나는 빈맥이며 심장질환환자에게 바람직하지 않다. 하지만 발열과 빈맥 사이의 연관성은 패혈증의 동물모델에서 규명되었으며, 빈맥은 발열 특유의 효과라기 보다는 패혈증에 대한 염증반응의 일부로 봐야 한다.
2. 심정지 (15장 Ⅲ-B절 참고)와 허혈성뇌졸중 (ischemic stroke) (42장 Ⅳ-B절 참고) 후에 체온이 상승하면 허혈성 뇌손상을 악화시킨다는 확

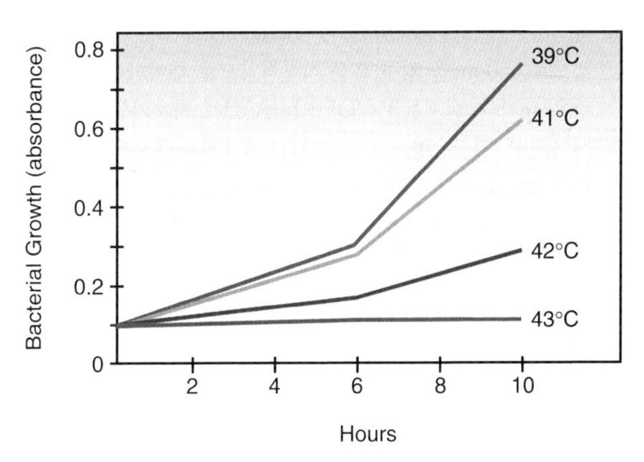

■ 그림 35.3 감염된 실험동물의 혈액배양에서 체온이 Pasteurella multocida의 증식에 미치는 영향. 그림의 온도범위는 실험동물 (토끼)의 열성체온범위와 일치한다. 참고문헌27의 자료.

실한 증거가 있다. 하지만, 발열이 정상뇌 (non-ischemic brain)에 손상을 입힌다는 증거는 없다.

C. 해열제 (Antipyretic Drugs)

프로스타글란딘 (prostaglandin) E는 열성반응을 내인성발열원 (endogenous pyrogens)에 전달하며, 프로스타글란딘E 합성을 방해하는 약제는 발열을 줄이는데 효과적이다 (28). 이러한 약제에는 aspirin, acetaminophen, NSAID (nonsteroid antiinflammatory drug)가 있다. ICU에서 발열을 억제하는 데는 acetaminophen과 NSIAD만 사용한다.

1. Acetaminophen

Acetaminophen은 미국에서 급성간부전의 주요원인임에도 불구하고 (46장 I 절 참고) 흔히 사용되는 해열제다. 이 약은 간기능이 저하된 환자에게는 금기다.

a. 용법 (DOSING REGIMEN) : Acetaminophen은 보통 4-6시간 간격으로 650 mg을 경구 혹은 직장좌약으로 투여하며, 하루 최대용량은 4g이다. 현재는 IV (OFIRMEV)로도 사용가능하며, 50 kg이상 성인의 권장용량은 4시간 간격으로 650 mg 혹은 6시간 간격으로 1,000 mg이며 일일 최대용량은 4 g이다 (29).

b. IV acetaminophen은 약값이 고가이나, 경구용 acetaminophen보다 더 효과적이지는 않다 (30).

2. NSAIDs

a. Ibuprofen은 (10 mg/kg, 최대 800 mg. 48시간 동안 6시간 간격으로 투여) 처방전 없이도 구입 가능한 유명한 NSAID로 패혈성ICU환자에게 IV로 투여가능하며, 만족할 만한 결과를 보여준다 (31).

b. Ketorolac은 IV NSAID로 보통 아편유사진통제의 대체약제 (opioid-sparing analgesic) (43장, I-E절 참고)로 사용하지만, 0.5 mg/kg 1회 투여로 발열을 억제하는 효과가 있다 (32). 신독성과 위장관출혈의 발생위험을 억제하기 위해 이 약의 사용은 보통 수 일 내로 제한한다.

D. 외부냉각 (External Cooling)

비록 열성반응이 추운 환경에 대한 생리반응과 비슷하지만, 패혈성 쇼크 환자에게는 외부 냉각을 효과적인 단기간(48시간) 발열 억제법으로 사용할 수 있다 (33). 체온을 37℃ 혹은 98.6 ℉ 정도로 유지하기 위한 외부냉각이 더 지속적으로 체온을 조절해주며, 또 해열제부작용의 위험을 피할 수 있기 때문에, 해열제보다 더 많이 사용되기도 한다.

참고문헌

1. O'Grady NP, Barie PS, Bartlett J, et al. Guidelines for the evaluation of new fever in critically ill adult patients: 2008 update from the American College of Critical Care Medicine and the Infectious Disease Society of America. Crit Care Med 2008; 36:1330-1349.
2. Commichau C, Scarmeas N, Mayer SA. Risk factors for fever in the intensive care unit. Neurology 2003; 60:837-841.
3. Peres Bota D, Lopes Ferriera F, Melot C, et al. Body temperature alterations in the critically ill. Intensive Care Med 2004; 30:811-816.
4. Freischlag J, Busuttil RW. The value of postoperative fever evaluation. Surgery 1983; 94:358-363.
5. Engoren M. Lack of association between atelectasis and fever. Chest 1995; 107:81-84.
6. Shelds RT. Pathogenesis of postoperative pulmonary atelectasis: an experimental study. Arch Surg 1949; 48:489-503.

7. Murray HW, Ellis GC, Blumenthal DS, et al. Fever and pulmonary thrombo-embolism. Am J Med 1979; 67:232–235.
8. Mackowiak PA, LeMaistre CF. Drug fever: a critical appraisal of conventional concepts. Ann Intern Med 1987; 106:728–733.
9. Cunha B. Drug fever: The importance of recognition. Postgrad Med 1986; 80:123–129.
10. Gonzalez EB, Suarez L, Magee S. Nosocomial (water bed) fever. Arch Intern Med 1990; 150:687 (letter).
11. Richards MJ, Edwards JR, Culver DH, Gaynes RP. The National Nosocomial Infections Surveillance System. Nosocomial infections in combined medical-surgical intensive care units in the United States. Infect Control Hosp Epidemiol 2000; 21:510–515.
12. Horan TC, Andrus M, Dudeck MA. CDC/NHSN surveillance definition of healthcare-associated infection and criteria for specific types of infections in the acute care setting. Am J Infect Control 2008; 36:309–332.
13. Gudbjartsson T, Jeppson A, Sjogren J, et al. Sternal wound infections following open heart surgery—a review. Scand Cardiovasc J 2016; May 20:1–8.
14. van Zanten ARH, Dixon JM, Nipshagen MD, et al. Hospitalacquired sinusitis as a common cause of fever of unknown origin in orotracheally intubated critically ill patients. Crit Care 2005 9:R583–R590.
15. Holzapfel L, Chevret S, Madinier G, et al. Influence of long-term oro- or nasotracheal intubation on nosocomial maxillary sinusitis and pneumonia: results of a prospective, randomized, clinical trial. Crit Care Med 1993; 21:1132–1138.
16. Diagnosing sinusitis by x-ray: is a single Waters view adequate? J Gen Intern Med 1992; 7:481–485.
17. Vincent J-L, Rello J, Marshall J, et al. International study of the prevalence and outcomes of infection in intensive care units. JAMA 2009; 302:2323–2329.
18. Kullberg BJ, Arendrup MC. Invasive candidiasis. N Engl J Med 2015; 373:1445–1456.
19. Patel R, Vetter EA, Harmsen WS, et al. Optimized pathogen detection with 30- compared to 20-milliliter blood culture draws. J Clin Microbiol 2011; 49:4047–4051.
20. Cockerill FR, Wilson JW, Vetter EA, et al. Optimal testing parameters for blood cultures. Clin Infect Dis 2004; 38:1724–1730.

21. Tsangaris I, Plachouras D, Kavatha D, et al. Diagnostic and prognostic value of procalcitonin among febrile critically ill patients with prolonged ICU stay. BMC Infect Dis 2009; 9:213.
22. Freifeld AG, Bow EJ, Sepkowitz KA, et al. Clinical practice guidelines for the use of antimicrobial agents in neutropenic patients with cancer. 2010 update by the Infectious Diseases Society of America. Clin Infect Dis 2011; 52:e56-e93.
23. Schmitt BD. Fever phobia: misconceptions of parents about fevers. Am J Dis Child 1980; 134:176-181.
24. Kluger MJ, Kozak W, Conn CA, et al. The adaptive value of fever. Infect Dis Clin North Am 1996; 10:1-20.
25. Saper CB, Breder CB. The neurologic basis of fever. N Engl J Med 1994; 330:1880-1886.
26. van Oss CJ, Absolom DR, Moore LL, et al. Effect of temperature on the chemotaxis, phagocytic engulfment, digestion, and O2 consumption of human polymorphonuclear leukocytes. J Reticuloendothel Soc 1980; 27:5610565.
27. Small PM, Tauber MG, Hackbarth CJ, Sande MA. Influence of body temperature on bacterial growth rates in experimental pneumococcal meningitis in rabbits. Infect Immun 1986; 52:484-487.
28. Plaisance KI, Mackowiak PA. Antipyretic therapy. Physiologic rationale, diagnostic implications, and clinical consequences. Arch Intern Med 2000; 160:449-456.
29. OFIRMEV package insert, Cadence Pharmaceuticals, 2010.
30. Peacock WF, Breitmeyer JB, Pan C, et al. A randomized study of the efficacy and safety of intravenous acetaminophen compared to oral acetaminophen for the treatment of fever. Acad Emerg Med 2011; 18:360-366.
31. Bernard GR, Wheeler AP, Russell JA, et al. The effects of ibuprofen on the physiology and survival of patients with sepsis. N Engl J Med 1997; 336:912-918.
32. Gerhardt RT, Gerharst DM. Intravenous ketorolac in the treatment of fever. Am J Emerg Med 2000; 18:500-501 (Letter).
33. Schortgen F, Clabault K, Katashian S, et al. Fever control using external cooling in septic shock. Am J Respir Crit Care Med 2012;185:1088 -1095.

Chapter 36

영양 요구량

Nutritional Requirements

영양보조의 근본적인 목적은 각각의 환자에게 매일 필요한 영양소와 에너지 제공이다. 이번 장은 중환자에게 매일 필요한 영양소와 에너지를 어떻게 결정하는지에 대해 다룰 것이다.

Ⅰ. 열량요구량 (CALORIE REQUIREMENTS)

A. 영양소연료의 산화 (Oxidation of Nutrient Fuels)

산화대사는 영양소연료 (탄수화물, 지질, 단백질)에 저장된 에너지를 확보해서 이 에너지로 생명을 유지한다. 이 과정은 O_2를 소모하고 CO_2, H_2O, 열을 생성한다. 각 영양소연료의 산화과정에 포함되는 양은 **표 36.1**에서 볼 수 있다.

1. 영양소연료가 완전히 산화되며 생성되는 열을 그 연료의 에너지수율 (energy yield, kcal/g)이라고 한다. 지질은 에너지수율이 9.1 kcal/g으로 가장 높으며, 포도당은 에너지수율이 3.7 kcal/g으로 가장 낮다.
2. 3대 영양소연료 (탄수화물, 지질, 단백질)의 산화대사 총합이 주어진 기간 동안의 전신의 O_2소모 (VO_2), CO_2생성 (VCO_2), 그리고 열생성을 결정한다. *kcal 단위로 표현되는 24시간열생성 (일일 에너지 소비)은 영양공급를 통해서 매일 얼마나 많은 열량을 공급해야 하는지를 결정한다*. 일일에너지소비는 다음에 설명하는 것처럼 (간접적으로) 측정하거나 추측할 수 있다.

표 36.1	영양소연료의 산화		
연료	O_2 소비	CO_2 생성	열 생성†
포도당	0.74 L/g	0.74 L/g	3.7 kcal/g
지질	2.00 L/g	1.40 L/g	9.1 kcal/g
단백질	0.96 L/g	0.78 L/g	4.0 kcal/g

†각 영양소 연료의 에너지 생산

B. 간접열량측정법 (Indirect Calorimetry)

1. 원리 (The Principle)

대사를 통한 열생성측정은 입원환자에서 불가능하다. 따라서, 일일에너지소비 (daily energy expenditure)는 전신O_2소모 (VO_2)와 CO_2생성 (VCO_2), 그리고 표 36.1의 관계를 이용해 간접적으로 알 수 있다. 이것이 간접열량측정법의 원리이며, 아래의 관계를 이용해 안정 시 에너지소비 (resting energy expenditure, REE)를 kcal/min 단위로 측정한다 (2).

$$REE = (3.6 \times VO_2) + (1.1 \times VCO_2) - 61 \text{ (kcal/min)} \qquad (36.1)$$

2. 방법 (Method)

간접열량측정법은 보통 기관삽관 중인 환자에서 흡기와 호기시의 O_2와 CO_2 농도를 측정해서 병상에서 전신VO_2와 VCO_2를 산출하는 "대사카트 (metabolic carts)"를 이용해 검사한다. REE (kcal/min)를 결정하기 위한 안정상태 (steady-state) 측정은 15-30분이 걸리며, 그 후 24시간을 분으로 환산하기 위해 1,440 (24x60)을 곱하여 일일에너지소비 (kcal/24hr)를 계산할 수 있다 (3).

3. 많은 ICU에서 간접열량측정법을 쉽게 사용할 수 없기 때문에 일일에

너지소비는 보통 다음에 설명하는 방법으로 예측한다.

C. 간단한 방법 (The Simple Way)

1. 일일에너지요구를 예측하는 방법에는 200개 이상의 복잡한 공식이 존재하지만 (1), 아래의 간단한 관계식보다 더 정확한 것은 없다 (1,4):

$$REE\ (kcal/day) = 25 \times \text{체중}\ (kg) \quad (36.2)$$

2. 비만환자는 체중보정이 필요하다는 의견도 있지만 (5), 현재의 영양보조지침에서는 권장하고 있지 않다 (1).

표 36.2 ICU 비만 환자에 대한 열량제한, 고단백급식
1. 간접열량측정법을 사용할 수 있다면, REE를 측정하고, 일일열량요구량의 70%를 공급한다
2. 간접열량측정법을 사용할 수 없다면, 환자의 BMI (body mass index, kg/m^2)를 측정하여 일일 열량 및 단백질요구량을 결정한다.
3. 일일열량섭취량은 BMI 30-50에서는 11-14 kcal/kg (실제체중)이며 BMI 50 이상에서는 22-25 kcal/kg (이상체중)이다.
4. 일일단백질섭취량은 BMI 30-40에서는 2 g/kg (이상체중)이며, BMI 40 이상에서는 2.5 g/kg (이상체중)이다

참고문헌1의 임상술기지침에서 발췌

D. 열량제한 (Calorie Restriction)

1. 열량제한은 몇 가지 잠재적 장점이 있으며, 여기에는 O_2소비감소로 인한 심장박출량에 대한 요구 감소, 인공호흡기의존 환자에게 도움이 되는 CO_2생성감소, 혈당조절 개선 등이 있다.
2. 최소 6개의 연구결과, 단백질섭취는 유지하면서 일일열량섭취를 약 50%까지 줄여도 명백한 유해성은 없었다 (6).

3. ICU에서의 영양보조에 대한 현재 지침은 비만환자에게 열량제한을 권장하고 있다 (1). 이 권장 내용은 **표 36.2**에 요약하였다.

II. 기질요구량 (SUBSTRATE REQUIREMENTS)

일일에너지요구량은 비단백질열량 (탄수화물과 지질)으로 공급해야 하며, 단백질섭취는 다른 곳 보다는 지방을 뺀 체중 (lean body mass)을 유지하는데 사용된다.

표 36.3 건강한 성인의 내인성 연료저장량

연료근원	양 (kg)	에너지 생산 (Kcal)
지방조직 지방	15.0	141,000
근육 단백질	6.0	24,000
총 글리코겐	0.09	900
		총합: 165,900

Cahill GF, Jr N Eng J Med 1970; 282:668-675. 발췌

A. 탄수화물 (Carbohydrates)

표준영양요법은 비단백질열량의 약 70%를 제공하기 위해 탄수화물 (dextrose)을 이용한다. 인간의 몸에는 탄수화물저장량이 제한되어 있으며 **(표 36.3의 글리코겐저장량 참고)**, 영양소연료 중에 포도당에 많은 양을 의존하는 뇌의 적절한 기능을 위해서 매일 탄수화물 섭취는 필수다.

B. 지질 (Lipid)

지질은 비단백질열량의 30%를 제공하기 위해 사용한다. 언급한 바와 같이 지질은 3가지 영양소 연료 중에 가장 높은 에너지를 생산하며 **(표 36.1참**

고), 지방세포의 지질저장량은 건강한 성인에서 주요한 내인성연료의 근원 (endogenous fuel source)이다 **(표 36.3참고)**.

1. 리놀레산 (Linoleic Acid)

식이지질은 트리글리세리드 (triglyceride)를 말하며, 이는 3개의 지방산 (fatty acid)과 연결된 글리세롤 (glycerol) 분자로 구성된다. 식이로 섭취해야 하는 필수적인, 즉 식단에 반드시 공급해야 하는 지방산은 장쇄고도불포화지방산 (long chain polyunsaturated fatty acid)인 리놀레산이다.

a. 리놀레산 섭취결핍은 비늘 같은 피부병 (scaly dermopathy), 심기능장애 (cardiac dysfunction), 감염에 대한 감수성증가를 특징으로 하는 임상질환을 유발한다 (7). 이 장애는 식이지방산의 0.5%를 리놀레산으로 공급하면 예방할 수 있다.
b. 대부분의 영양요법에서 리놀레산 공급을 위해 홍화유 (safflower oil)를 사용한다.

2. Propofol

Propofol은 ICU에서 단기간 진정을 위해 사용하는 유명한 약물이며, 1.1 kcal/mL를 공급하는 10% 지방유액 (lipid emulsion)에 혼합하여 투여한다. 결과적으로, *영양보조요법에서 비단백질열량을 결정할 때 propofol주입으로 공급되는 열량을 반드시 고려해야 한다* (1).

C. 단백질 (Protein)

1. 난백질은 창상치유 (healing wound), 면역기능보조, 지방을 뺀 체중유지에 가장 중요한 영양소 기질이다 (1).
2. 정상 일일단백질섭취량은 0.8-1 g/kg (실제체중)이지만, ICU 환자의 일일단백질섭취량은 중환자의 대사항진증 (hypercatabolism)을 보상

하기 위해 이보다 높은 1.2-2 g/kg으로 계산한다 (1).

3. 단백질유래질소 (protein-derived nitrogen)의 섭취량과 배설량의 차이인 질소평형 (nitrogen balance) 혹은 알부민 (albumin)이나 알부민전구체 (prealbumin) 같은 혈장단백질수치로 단백질 섭취의 적절성을 감시하는 방법은 중환자에서는 신뢰할 수 없으며, 권장하지도 않는다 (1).

III. 비타민요구량 (VITAMIN REQUIREMENTS)

14가지 비타민이 매일 식이에 필수요소라 여겨지며, *건강한 성인*의 일일비타민요구량은 표 36.4에 나와있다. 중환자의 비타민요구량은 아직 정해지지 않았으며, 임상양상이 계속 변하기 때문에 아마도 정하기 힘들 것이다. 비타민결핍은 중환자에게 나타날 가능성이 있으며, 다음과 같은 결핍은 언급할 필요가 있다.

A. 티아민결핍 (Thiamine Deficiency)

티아민 (vitamin B_1)은 탄수화물대사에서 필수적인 역할을 하며, 티아민파이로인산염 (thiamine pyrophosphate, TPP)이라고 하는 피루브산탈수소효소 (pyruvate dehydrogenase)의 조효소 (coenzyme)로 작용한다. 피루브산탈수소효소는 피루브산을 미토콘드리아로 이동시켜서 고에너지 ATP 분자를 생성하는데 작용하는 효소다. 티아민결핍은 세포에너지대사에 나쁜 영향을 미치며, 특히 포도당대사에 많이 의존하는 중추신경계에 나쁜 영향을 미친다.

1. 선행요인 (Predisposing Factors)

ICU 환자에게 흔한 티아민결핍은 다양한 요인들이 촉진시킨다. 여기에는 알코올중독, 외상과 같은 대사항진증 (hypermetabolism) (8), furosemide에 의한 요중 티아민배출증가 (9), Mg^{++} 소모 (10) 등이 있다. 또한 티아민은 정맥영양용액 (parenteral nutrition solutions)의 보존제로 사용하는 아황산염 (sulfite)에 의해 분해된다 (11).

2. 임상양상 (Clinical Features)

티아민결핍에는 4가지 임상양상이 있다 (12). 여기에는 안구진탕 (nystagmus), 외측주시마비 (lateral gaze palsy), 운동실조 (ataxia), 혼란 (confusion)을 특징으로 하는 *베르니케뇌병증 (Wernicke encephalopathy)*, 습성각기병 (wet beriberi) 양상의 *심근증 (cardiomyopathy)*, 건성각기병 (dry beriberi) 양상의 *말초신경병증 (peripheral neuropathy)*, 마지막으로 *젖산산증 (lactic acidosis)*이 있다 (12).

표 36.4 비타민의 식이요법

비타민	일일 권장섭취량	일일 최대섭취량
Vitamin A	900 μg	3,000 μg
Vitamin B_{12}	2 μg	5 μg
Vitamin C	90 mg	2,000 mg
Vitamin D	15 μg	100 μg
Vitamin E	15 mg	1,000 mg
Vitamin K	120 μg	ND
Thiamine (B_1)	1 mg	ND
Riboflavin (B_2)	1 mg	ND
Niacin (B_3)	16 mg	35 mg
Pyridoxine (B_6)	2 mg	100 mg
Pantothenic acid (B_1)	5 mg	ND
Biotin	30 μg	ND
Folate	400 μg	1,000 μg
Choline	500 mg	ND

51-70세 성인 남성의 섭취량. Food & Nutrition Board, Institute of Medicine에서 차용. Food and Nutrition Information Center에서 사용가능 (http://fnic.nal.usda.gov). 2016년 8월 접속. 용량은 가장 가까운 정수로 반올림 함. ND=not determined.

3. 진단 (Diagnosis)

a. 혈장 티아민농도를 측정한다. 참고치는 5.3-7.9 μg/dL이다 (13). 티아민보충을 시작하고 24시간 이내에 혈장농도가 교정된다 (13).
b. 가장 믿을만한 티아민저장량 측정법은 적혈구트랜스케톨라아제 분석 (erythrocyte transketolase assay) 이며 (14), 환자의 적혈구에 있는 TPP 보충에 반응하는 TPP의존성 트랜스케톨라아제효소의 활성도를 측정한다. 효소활성도가 25% 이상 증가하면 티아민소모의 단서가 된다.

4. 치료 (Treatment)

성인은 하루에 최소 1 mg의 티아민섭취를 권장한다 (12). 증상이 있는 티아민결핍의 치료는 7-14일간 매일 50-100 mg을 IV 혹은 IM으로 투여하고 그 후 상태가 좋아질 때까지 매일 10 mg을 경구복용한다 (12).

B. 비타민D결핍? (Vitamin D Deficiency?)

1. 비타민D결핍은 일반 성인인구의 50% 가량에서 발견되며 (15), 따라서 ICU환자에서도 매우 흔하다. 한 연구에 따르면 환자 중 5%만이 혈중비타민D수치가 정상이었다 (16). 여기서 문제는 비타민D결핍이 아니라 진단기준일지도 모른다.
2. 비타민D결핍의 진단은 전적으로 비타민D의 대사물인 혈장25-하이드록시비타민D (25-hydroxyvitamin D) 농도가 50 nmol/L (20 ng/mL) 이하로 내려가는 것에 의존한다 (17). 증상의 유무는 필요하지 않으며, 사실상 거의 모든 환자가 무증상이다. 따라서, *ICU 환자의 비타민D결핍은 건강한 성인에서 기대하는 범위를 벗어난 검사실 값이다.* 비타민D결핍의 임상적 중요성은 아직 알려지지 않았다.
3. 비타민D결핍이 ICU 환자에서 감염의 위험증가와 관련이 있다는 몇

가지 증거가 있지만 (18), 그 위험율 (1.4-1.5)은 전혀 설득력이 없다.

4. 25(OH)비타민D농도의 일상적인 감시는 고가의 검사비용 때문에 권장하지 않으며, ICU 환자에서 비타민D결핍은 무증상이기 때문에, 비타민D결핍의 진단을 꼭 내려야 할 현실적인 적응증이 없다.
5. 그럼에도 불구하고, 혈중 25(OH)비타민D수치가 낮은 상황이라면, cholecalciferol 150,000 IU을 1회 IM하면 환자중 80%는 혈중농도를 교정할 수 있다 (19).
6. 성인의 비타민D 일일 권장섭취량은 70세까지는 600 IU이며, 70세 이상은 800 IU다.

Ⅳ. 필수미량원소 (ESSENTIAL TRACE ELEMENTS)

미량원소는 신체조직 1 g당 50 mg 미만으로 몸 속에 존재하는 물질이다 (20). 결핍증후군과 관련 있는 7개의 미량원소가 인간에게 필수라 여겨지며, 이 미량원소의 목록은 건강한 성인의 일일요구량과 함께 표 36.5에 나와 있다. 비타민과 유사하게, 중환자에서 필수미량원소의 일일요구량은 정해지지 않았으며, 아마도 정할 수 없을 것이다. 다음의 미량원소는 산화제세포손상 (oxidant cell injury)과 관련 있기 때문에 언급할 필요가 있다.

A. 철분 (Iron)

정상성인은 약 4.5 g의 철분을 가지고 있지만, 사실상 혈장에는 자유철분 (free iron)이 없다 (28). 대부분의 철분은 헤모글로빈과 결합하고 있으며, 나머지는 조직의 페리틴 (ferritin) 및 혈장의 트랜스페린 (transferrin)과 결합하고 있다. 자유철분이 없는 것은 다음에 설명하는 것처럼 조직을 산화제손상으로부터 보호하는 방어기전이라고 볼 수 있다 (21,22).

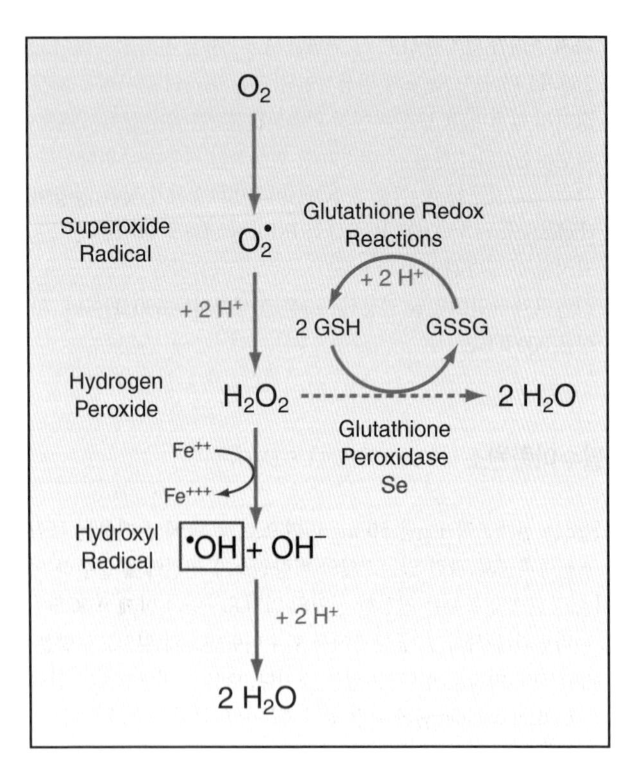

■ **그림 36.1** 산소분자가 물로 대사되는 과정과 글루타티온 산화환원반응 (glutathione redox reaction)의 작용. 점선으로 표시된 기호는 자유라디칼 (free radical)이다. 자세한 내용은 본문을 참고. Fe++=환원철 (reduced iron), Fe+++=산화철 (oxidized iron), Se=셀레늄 (selenium), GSH=환원글루타티온 (reduced glutathione), GSSG=산화글루타티온 (oxidized glutathione) (이황화물 다리로 연결된 디텝타이드)

표 36.5 필수미량원소의 식이요법

미량 원소	일일 권장 섭취량	일일 최대 섭취량
Chromium	30 μg	ND
Cooper	900 μg	10,000 μg
Iodine	150 μg	1,100 μg
Iron	8 mg	45 mg
Manganese	2.3 mg	11 mg
Selenium	55 μg	200 μg
Zinc	11 mg	40 mg

51-79세 성인 남성의 권장량. Food & Nutrition Board, Institute of Medicine에서 차용. Food and Nutrition Information Center에서 사용가능 (http://fnic.nal.usda.gov). 2016년 8월 접속. ND=not determined.

1. 철분과 산화제손상 (Iron and Oxidant Injury)

그림 36.1에 나와있는 산소가 물로 대사되는 과정은 고반응성중간체 (highly-reactive intermediates)를 발생시키는 일련의 단일전자감소 (single-electron reduction) 반응으로 발생한다. 이들은 그림 36.1에서 과산화기 (superoxide radical), 과산화수소 (hydrogen peroxide), 수산기 (hydroxyl radical)로 확인할 수 있다. 라디칼 (radical)은 외부궤도에 쌍을 이루지 않은 전자를 가진 원자 또는 분자를 말한다. 이러한 산소 대사물은 강력한 산화제로, 세포막을 손상시키거나 핵DNA (nuclear DNA)를 파쇄시킬 수 있다. 수산기는 가장 반응성이 큰 대사물이며 동시에 생화학에서 알려진 가장 강력한 산화제로, 그림 36.1에서 볼 수 있듯이 수산기를 형성하기 위해서는 환원철 (reduced iron) 형태로 있는 철분이 필수다. 다음 문장들은 강조할 필요가 있다.

a. 철분은 산화제세포손상의 주요위험을 의미하며, 특히 중환자처럼 혈중트랜스페린농도가 낮아진 경우 더욱 그렇다.

b. 이러한 위험 때문에, 철결핍빈혈 (iron-deficiency anemia)과 관계없다면 ICU환자에서 저철혈증 (hypoferremia)을 교정하기 위해 철분을 투여하는 방법은 그만두어만 한다.

B. 셀레늄 (Selenium)

셀레늄은 가장 최근에 필수미량원소에 추가되었으며, 건강한 성인에서 권장식이요법은 55 μg이다 (**표 36.5참고**). 셀레늄 요구량은 급성질환에서 증가한다 (23). 따라서, 중환자에서는 일일요구량이 더 많아질 수 있다.

1. 항산화제로서의 셀레늄 (Selenium as an Antioxidant)

그림 36.1을 보면 과산화수소는 셀레늄을 보조인자 (cofactor)로 사용하는 효소인 글루타티온과산화효소 (glutathione peroxidase), 그리고 환원글루타티온 (reduced glutathione, GSH)의 도움을 받아 직접 환원되어 물이 될 수 있다. 따라서 수산기형성을 우회할 수 있다. 글루타티온산화환원 반응 (glutathione redox reaction)은 세포내 항산화시스템에서 주된 역할을 하기 때문에, 셀레늄은 내인성항산화작용을 촉진하는데 있어 중요한 역할을 한다.

2. 패혈증에서의 셀레늄 (Selenium in Sepsis)

중증패혈증환자에서 셀레늄의 혈장농도 감소는 흔한 일이며, 셀레늄을 보충하면 사망률이 낮아진다 (24). 따라서, 중증패혈증환자에서 혈중셀레늄농도 감시는 정당해 보인다. 정상 혈장셀레늄농도는 89-113 μg/L다 (25). 셀레늄은 IV로 보충할 수 있으며, 일일최대용량은 200 μg이다.

참고문헌

1. Taylor BE, McClave SA, Martindale RG, et al. Guidelines for the provision and assessment of nutrition support therapy in the adult critically ill patient: Society of Critical Care Medicine (SCCM) and American Society for Parenteral and Enteral Nutrition (A.S.P.E.N.). Crit Care Med 2016; 44:390-438.
2. Bursztein S, Saphar P, Singer P, et al. A mathematical analysis of indirect calorimetry measurements in acutely ill patients. Am J Clin Nutr 1989; 50:227-230.
3. Lev S, Cohen J, Singer P. Indirect calorimetry measurements in the ventilated critically ill patient: facts and controversies—the heat is on. Crit Care Clin 2010; 26:e1-e9.
4. Paauw JD, McCamish MA, Dean RE, et al. Assessment of caloric needs in stressed patients. J Am Coll Nutr 1984; 3:51-59.
5. Krenitsky J. Adjusted body weight, pro: Evidence to support the use of adjusted body weight in calculating calorie requirements. Nutr Clin Pract 2005; 20:468-473.
6. Marik PE, Hooper MH. Normocaloric versus hypocaloric feeding: a systematic review and meta-analysis. Intensive Care Med 2016; 42:316-323.
7. Jones PJH, Kubow S. Lipids, Sterols, and Their Metabolites. In: Shils ME, et al., eds. Modern nutrition in health and disease. 10th ed. Philadelphia, PA: Lippincott Williams & Wilkins, 2006; 92-121.
8. McConachie I, Haskew A. Thiamine status after major trauma. Intensive Care Med 1988; 14:628-631.
9. Seligmann H, Halkin H, Rauchfleisch S, et al. Thiamine deficiency in patients with congestive heart failure receiving long-term furosemide therapy: a pilot study. Am J Med 1991; 91:151-155.
10. Dyckner T, Ek B, Nyhlin H, et al. Aggravation of thiamine deficiency by magnesium depletion. A case report. Acta Med Scand 1985; 218:129-131.
11. Scheiner JM, Araujo MM, DeRitter E. Thiamine destruction by sodium bisulfite in infusion solutions. Am J Hosp Pharm 1981; 38:1911-1916.
12. Butterworth RF. Thiamine. In: Shils ME, et al., eds. Modern nutrition in health and disease. 10th ed. Philadelphia, PA: Lippincott Williams & Wilkins, 2006; 426-433.
13. Wallach J. Interpretation of diagnostic tests. 8th ed. Philadelphia: Lippincott Wil-

liams & Wilkins, 2007:580.

14. Boni L, Kieckens L, Hendrikx A. An evaluation of a modified erythrocyte transketolase assay for assessing thiamine nutritional adequacy. J Nutr Sci Vitaminol (Tokyo) 1980; 26:507–514.
15. Kennel KA, Drake MT, Hurley DL. Vitamin D deficiency in adults: when to test and how to treat. Mayo Clin Proc 2010; 85:752–758.
16. Venkatram S, Chilimuri S, Adrish M, et al. Vitamin D deficiency is associated with mortality in the medical intensive care unit. Crit Care 2011; 15:R292.
17. Holick MF, Binkley NC, Bischoff-Ferrari HA, et al. Endocrine Society: Evaluation, treatment, and prevention of vitamin D deficiency: An Endocrine Society clinical practice guideline. J Clin Endocrinol Metab 2011; 96:1911–1930.
18. de Haan K, Groeneveld ABJ, de Geus HRH, et al. Vitamin D deficiency as a risk factor for infection, sepsis and mortality in the critically ill: systematic review and meta-analysis. Crit Care 2014; 18:660.
19. Nair P, Venkatesh B, Lee P, et al. A randomized study if a single dose of intramuscular cholecalciferol in critically ill adults. Crit Care Med 2015; 43:2313–2320.
20. Fleming CR. Trace element metabolism in adult patients requiring total parenteral nutrition. Am J Clin Nutr 1989; 49:573–579.
21. Halliwell B, Gutteridge JM. Role of free radicals and catalytic metal ions in human disease: an overview. Methods Enzymol 1990;186:1–85.
22. Herbert V, Shaw S, Jayatilleke E, et al. Most free-radical injury is iron-related: it is promoted by iron, hemin, holoferritin and vitamin C, and inhibited by desferoxamine and apoferritin. Stem Cells 1994; 12:289–303.
23. Hawker FH, Stewart PM, Snitch PJ. Effects of acute illness on selenium homeostasis. Crit Care Medicine 1990; 18:442–446.
24. Alhazzani W, Jacobi J, Sindi A, et al. The effect of selenium therapy on mortality in patients with sepsis syndrome. Crit Care Med 2013; 41:1555–1564.
25. Geoghegan M, McAuley D, Eaton S, et al. Selenium in critical illness. Curr Opin Crit Care 2006; 12:136–141.

Chapter 37

장관튜브 급식

Enteral Tube Feeding

경구섭취가 불가능할 때 많이 사용하는 영양보조방법은 액체급식처방 (liquid feeding formulas)을 위나 소장으로 주입하는 것으로, 이를 장관튜브급식이라고 한다. 이번 장은 장관튜브급식을 통한 영양보조의 핵심을 다루고 있으며, 개별환자를 위한 튜브급식의 처방 작성법을 보여줄 것이다.

Ⅰ. 일반적 고려사항 (GENERAL CONSIDERATIONS)

A. 영양효과 (Trophic Effects)

정맥영양 (parenteral nutrition) 보다 장관영양 (enteral nutrition)을 많이 쓰는 이유는 장관영양이 장관유래 (bowel origin) 감염의 감소와 연관되었다는 것을 보여주는 수많은 연구들에 근거를 두고 있다 (1-3). 이는 다음 문장에 요약되어있는 장관영양의 영양효과 (trophic effects)와 관련이 있다.

1. 장 내강에 음식물이나 튜브급식 (tube feedings)이 존재하면 점막의 구조건전성 (structural integrity)을 유지하고 (4), 장 점막에 병원균이 부착되는 것을 막아주는 면역글로불린A (immunoglobulin A)의 생성과 같은 장의 면역방어를 지원하는 영양효과 (trophic effects)를 가져온다 (5).
2. 이러한 영양효과는 장의 장벽기능 (barrier function)을 유지하며, 이는

*전이 (translocation)*라고 알려진 현상 (phenomenon)을 통한 장내병원균의 침입을 방어한다 (6).

3. (음식물을 섭취하지 않아) 장이 쉬게 되면 (bowel rest) 장점막의 진행성위축 (atrophy)이 발생하며 (4), 이로 인한 장내병원균의 전이 및 전신확산이 발생할 수 있다. 정맥영양은 장이 쉬게 되어 발생하는 해로운 효과를 막을 수 없다 (7).

B. 적응증 & 금기증 (Indications & Contraindications)

먹을 수 없으나 금기증이 없는 환자는 장관튜브영양법의 후보자다.

1. 앞서 설명한 튜브급식의 보호효과를 보려면 튜브급식은 ICU 입실 후 24-48시간 이내에 시작해야 한다 (1). 신속한 장관튜브급식 시행이 패혈성 합병증의 감소와 입원기간 단축과 관련 있다는 증거가 있다 (8).
2. 장관튜브급식을 시작하기 위해 장음 (bowel sound)이 꼭 있을 필요는 없다 (1).
3. 장관튜브급식의 절대적 금기증에는 완전장폐색, 장허혈, 장폐색증, 고용량 혈압상승제가 필요한 순환성쇼크 등이 있다 (1). 저용량 혈압상승제를 사용하고 있는 안정적인 환자에게 튜브급식을 시도해볼 수도 있지만 (1), 환자가 잘 견디지 못한다는 징후가 하나라도 보인다면 즉시 급식을 중단해야 한다.

C. 영양 vs. 완전급식 (Trophic vs. Full Feedings)

1. 영양급식 (10-20 kcal/hr, 최대 500 kcal/day)은 수술 후 환자와 같이 영양실조가 아니며, 심각한 질환이 없는 환자에게 첫 일주일간 사용할 수 있다 (1).
2. 영양실조 혹은 심각한 질환이 있는 환자는 튜브급식을 시작하고 몇 시간 내로 완전영양보조 (full nutritional support)를 시행해야 한다 (1).

II. 급식처방 (FEEDING FORMULAS)

상업적으로 사용 가능한 처방은 최소한 200개 이상이 있으며, 다음은 여러 종류의 급식처방에 대한 간략한 설명이다. 표 37.1부터 표 37.3에 예시가 나와있다.

표 37.1 표준, 단백질이 풍부한, 그리고 고열량 급식처방				
처방	Kcal/mL	비단백질 kcal (%)	단백질 (g/L)	오스몰랄 농도 (mosm/kg)
표준				
Osmolite	1	86 %	37	300
Isocal	1	87 %	34	300
단백질 풍부한				
Replete	1	75 %	63	375
Promote	1	75 %	63	340
고 열량 밀도				
Nutren 2.0	2	64 %	80	745
Twocal HN	2	83 %	84	725
Resource 2.0	2	82 %	90	790

A. 열량밀도 (Caloric Density)

급식처방은 열량밀도 1 kcal/mL, 1.5 kcal/mL, 2 kcal/mL를 사용할 수 있다 (표 37.1 참고). 표준튜브 급식요법은 1 kcal/mL 처방을 이용한다. 고열량처방 (2 kcal/mL)은 심각한 생리학적 스트레스를 받는 환자들을 대상으로 하며, 순환혈액량제한 (volume restriction)을 우선적으로 시행해야 하는 경우 흔히 사용한다 (9).

1. 비단백질 열량 (Nonprotein Calories)

급식처방의 열량밀도는 단백질과 비단백질의 두 가지 열량이 포함되지만, *일일열량요구량은 비단백질 열량으로 제공해야만 한다*. 표준급식처방에서 비단백질 열량은 전체 열량의 약 85%를 차지한다 **(표 37.1 참고)**

2. 삼투질농도 (Osmolality)

급식처방의 삼투질농도는 주로 열량밀도에 따라 결정된다. 1 kcal/mL의 표준급식처방은 혈장과 유사한 삼투질농도 (280-300 mosm/kg)를 지닌다. 고장성급식 (hypertonic feeding)은 설사를 유발할 수도 있지만, 이러한 위험은 다량의 위분비물 (gastric secretion)이 삼투질농도를 희석해주는 위내급식 (intragastric feeding)을 하면 최소화할 수 있다.

B. 단백질함량 (Protein Content)

표준급식처방은 리터 당 단백질 35-40 g을 제공한다. 고단백처방은 표준처방보다 단백질을 약 20% 더 제공하며 **(표 37.1참고)**, 일반적으로 창상치유를 촉진하는데 사용된다 (9).

1. 순수 vs. 가수분해단백질 (Intact vs. Hydrolyzed Protein)

a. 장관영양처방은 대부분 상부위장관에서 아미노산 (amino acid)으로 분해되는 순수단백질 (intact protein)을 함유하고 있다. 이를 *중합체처방 (polymeric formulas)*이라 한다.
b. 순수단백질보다 더 쉽게 흡수되는 작은 펩타이드를 함유하고 있는 준성분처방 (semi-elemental formulas)과 개별 아미노산을 함유하고 있는 성분처방 (elemental formulas)도 사용할 수 있다. 이러한 처방들은 장에서 수분 재흡수를 촉진시키며, 증명되지는 않았지만 고질적인 설사환자에게 이득이 될 수도 있다. 준성분처방과 성분처방에는 *optimental, peptamen, perative, vivonex T.E.N.* 등이 있다.

C. 탄수화물함량 (Carbohydrate Content)

탄수화물은 일반적으로 다당류 (polysaccharide)이며, 대부분의 급식처방에서 총열량의 40-70%를 제공한다. 열량의 30-40%를 탄수화물로 제공하는 탄수화물 감량처방은 당뇨환자에게 사용할 수 있다 (표 37.2 참고). 이러한 처방은 일반적으로 섬유질을 함유하고 있다.

표 37.2 섬유질이 풍부한 급식처방

처방	Kcal/mL	CHO kcal (%)	섬유질 (g/L)	오스몰랄농도 (mosm/kg)
표준탄수화물				
Jevity 1 Cal	1	51 %	14	300
Promote with fiber	1	50 %	14	380
탄수화물감량				
Glucerna	1	34 %	14	355
Resource Diabetic	1	36 %	15	400

CHO = carbohydrate.

D. 섬유질 (Fiber)

섬유질이라는 용어는 인간이 소화시킬 수 없는 식물성다당류를 말한다. 섬유질은 발효성 (fermentable)과 비발효성 (nonfermentable)으로 나눌 수 있다.

1. *발효성섬유질*은 장내미생물에 의해 분해되어 대장점막의 중요한 에너지원 (energy source)인 단쇄지방산 (short-chain fatty acid)이 된다 (13). *즉, 발효성섬유질은 대장에서 점막의 생존력을 향상시킨다* (1). 이러한 지방산 섭취는 Na^+과 수분 흡수를 촉진하며, 대변 수분함유량을 줄여 설사의 위험을 감소시킨다 (1).
2. *비발효성섬유질*은 장내세균에 의해 분해되지 않는다. 이 형태의 섬유질은 장내로 수분을 끌어내며, *설사의 위험을 증가시킨다.*

3. 섬유질이 풍부한 급식처방은 표 37.2에 나와있다. 대부분의 급식처방에 있는 섬유질은 발효성과 비발효성 섬유질이 혼합되어 있으며, 따라서 혼합섬유질 처방이 설사에 미치는 효과가 일관성이 없는 것은 그렇게 놀랄 만한 일이 아니다 (1).
4. 영양보조에 대한 현재의 지침은 다음 사항을 권고한다 (1)
   a. 환자가 설사를 하면 프락토올리고당 (fructo-oligosaccharides) 같은 발효성섬유질을 급식요법에 매일 10-20 g 추가해야 한다.
   b. 장허혈의 위험이나 심각한 장운동장애가 있는 환자는 장폐색이 발생할 수 있기 때문에 혼합 섬유질 급식처방을 사용하면 안 된다.

E. 지질함량 (Lipid Content)

1. 표준급식처방은 식물기름 (vegetable oil)에서 추출한 고도불포화지방산 (polyunsaturated fatty acid, PUFA)을 함유하고 있으며, 이는 염증성 세포손상을 촉진할 수 있는 염증매개체 중 하나인 eicosanoids의 전구체로 작용한다.

표 37.3 면역조절 급식처방

급식처방	Kcal/mL	ω-3 FAs (g/LL)	아르기닌 (g/L)	항산화제
Impact	1	1.7	13	Selenium β-carotene
Optimental	1	2.3	6	Vitamins C & E, β-carotene
Oxepa	1.5	4.6	0	Vitamins C & E, β-carotene

ω-3 FAs = omega-3 fatty acids.

2. 생선기름 (fish oil)에서 추출한 PUFA, 즉 오메가-3 지방산 (omega-3

fatty acids)은 염증성매개체를 생성하지 않으며, 표 37.3에는 이러한 지방산이 풍부한 급식처방의 일부가 나와있다. 염증성반응에 영향을 미치는 급식처방을 사용 하는 것을 *면역영양치료 (immunonutrition)*라고 한다 (10).

3. 임상연구결과, 급성호흡부전증후군 (ARDS) 환자에게 오메가-3 지방산과 항산화제가 풍부한 급식을 처방하면 인공호흡기 의존기간 감소를 비롯한 약간의 효과를 볼 수 있었다 (15). 그러나, 효과가 미미하기 때문에 ARDS 환자에게 일반적으로 이러한 급식처방을 사용하는 것은 망설이게 된다 (1).

F. 아르기닌 (Arginine)

1. 아르기닌은 손상된 근육에 많이 사용되는 대사기질 (metabolic substrate)이며, 다발성외상 같은 상황에서 부족할 수도 있다 (12). 또한 아르기닌은 창상치유를 촉진하며, 산화질소 (nitric oxide)의 전구체다 (12).
2. 최소 8개의 장관영양처방이 아르기닌을 6-19 g/L 함유하고 있다. 이러한 처방은 수술 후 환자 (1,10), 심각한 외상 혹은 외상성 뇌손상 환자에게 권장한다 (1).
3. 주의 : 아르기닌이 풍부한 급식을 중증패혈증환자에게 처방하면 사망률 증가와 연관 있다는 보고가 있다 (1,13). 추정되는 기전은 아르기닌에 의해 유도된 산화질소의 생성과 그에 따른 혈관확장 및 저혈압이다.

G. 권장사항 (Recommendation)

사용 가능한 급식처방이 많음에도 불구하고, 영양보조에 대한 현재의 지침은 (1) 대부분의 ICU 환자에게 특별하지 않은, 표준급식처방을 권장한다.

Ⅲ. 영양요법작성법 (CREATING A FEEDING REGIMEN)

이번 절은 표 37.4에 요약되어 있는 튜브영양요법을 작성하는 간단한 방법에 대해 설명하고 있다. 이 방법은 4단계로 이루어진다.

표 37.4 튜브영양요법 작성법
1 단계 : 일일열량과 단백질요구량을 추정한다. Calories (kcal/day) = 25 x wt (kg) Protein (g/day) = 1.2–2.0 x wt (kg)
2 단계 : 급식처방을 선택한다.
3 단계 : 바람직한 주입속도를 계산한다. $\text{Feeding volume (mL)} = \dfrac{\text{kcal/day required}}{\text{kcal/mL in feeding formula}}$ $\text{Infusion rate (mL/hr)} = \dfrac{\text{Feeding volume (mL)}}{\text{Feeding time (hrs)}}$
4 단계 : 필요한 경우, 단백질섭취량를 조정한다. a. 예상단백질섭취량 (g/day)을 다음과 같이 계산한다. Feeding volume (L/day) x Protein (g/L) in feedings b. 예상섭취량이 바람직한 섭취량보다 작은 경우, 그 차이를 교정하기 위해 급식요법에 단백질파우더를 추가한다.

1단계. 일일열량과 단백질요구량을 추정한다.

1. 먼저 일일열량과 단백질요구량을 표 37.4에 나와있는 간단한 공식으로 추정한다 (1). 실제체중을 사용한다..
2. BMI (body mass index)가 30 kg/m² 이상인 비만환자는 표 36.2에 나와있는 열량-제한, 고단백질 급식에서 계산한 열량과 단백질 요구량을 사용한다.

2 단계 : 급식처방을 선택한다.

앞서 언급했듯이, 대부분의 환자는 열량밀도가 1 kcal/mL인 표준급식처방이면 충분하다.

3 단계 : 바람직한 주입 속도를 계산한다

급식을 위한 바람직한 주입속도를 결정하기 위해서는

1. 먼저 표 37.4에 나와있는 것처럼 일일 열량요구량에 따라 주입해야 하는 급식처방량을 계산한다.
2. 그 후 급식양을 매일 급식처방이 주입되는 시간으로 나누어준다.
3. 만약 propofol 을 주입 중이라면, 일일 열량요구량에서 propofol이 공급하는 열량 (1 kcal/mL)을 빼준다.
4. 하루 에너지요구량은 비단백질열량으로 공급할 것을 권장하고 있지만, 튜브급식요법에서는 바람직한 양과 주입속도를 결정하기 위해 급식처방의 총 열량을 사용한다. 표준급식처방에서 비단백질열량은 전체 열량의 85%를 차지한다.

4 단계 : 필요한 경우, 단백질섭취를 조정한다.

급식요법이 1단계의 일일단백질 요구를 만족할 만큼 충분한 단백질을 제공하는지를 결정하는 마지막 단계. 예상 단백질섭취는 간단하게 일일급식량에 급식처방의 단백질농도를 곱하면 구할 수 있다. 예상섭취량이 적절한 섭취량보다 작은 경우, 그 차이를 교정하기 위해 급식요법에 단백질 파우더를 추가한다.

Ⅳ. 튜브급식개시 (INITIATING TUBE FEEDINGS)

A. 급식튜브거치 (Feeding Tube Placement)

1. 급식튜브는 코를 통해 삽입하여 보지 않고 위나 십이지장까지 진행시킨다. 위까지의 거리는 코끝에서 귓볼 (earlobe), 그 후 검상돌기 (xiphoid process)까지의 거리를 통해 추정할 수 있으며, 일반적으로 50-60 cm이다 (16).
2. 위급식과 십이지장급식의 흡인 (aspiration) 위험은 차이가 없기 때문에 (17), 대부분의 환자는 급식튜브의 끝부분을 십이지장 안까지 진행시킬 필요가 없다 (1).
3. 급식처방을 주입하기 전에 튜브의 위치가 적절한지 확인하기 위해 이동식 흉부엑스선 사진을 촬영한다. 기도말단 (distal airway)이나 흉막강 (pleural space) 내부로 잘못 삽입한 튜브에서 나오는 소리가 상복부로 전파될 수 있기 때문에, 흔한 술기인 *"공기를 주입해서 장음 (bowel sound)을 듣는 것으로 튜브거치를 평가하는 방법"은 신뢰할 수 없다* (18,19).
4. 급식튜브를 삽입한 환자 중 1%는 급식튜브가 기관 (trachea)에 위치하게 된다 (2). 기도삽관 중인 환자는 급식튜브가 기도로 들어가도 건강한 사람과는 달리 기침을 하지 않는다. 따라서, 어떤 경고 징후도 없이 급식튜브가 폐 깊숙한 곳까지 진행할 수 있으며, 내장측 흉막 (visceral pleura)을 뚫고 기흉 (pneumothorax)을 만들 수도 있다 (18,19). 그림 37.1의 이동식 흉부엑스선 사진은 급식튜브를 삽입하는 중에 어떤 괴로움의 징후도 없었던 환자에서 급식튜브가 거의 우측 폐의 가장자리까지 진행한 것을 보여준다.

B. 처음 시작할 때 방법 (Starter Regimens)

1. 보편적인 방법은 튜브급식을 처음에는 10-20 mL/hr의 저속으로 주입

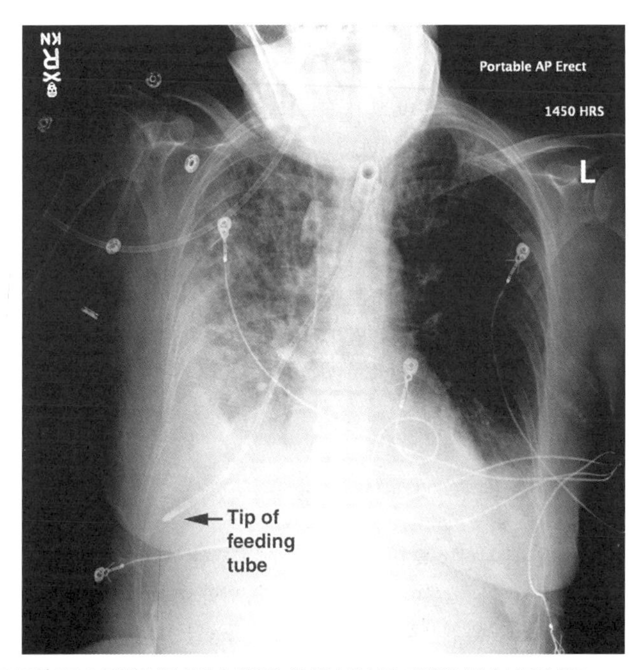

■ 그림 37.1 급식튜브를 삽입 후 촬영한 흉부엑스선 사진. 자세한 내용은 본문을 참고.

하며, 그 후 6-8시간에 걸쳐 점차적으로 목표 주입속도까지 증가시킨다. 하지만, 위급식 (gastric feeding)은 대부분의 환자에서 구토나 흡인의 위험 없이 바람직한 (목표) 속도로 시작할 수 있다 (21).

2. 소장은 저장용량 (reservoir capacity)이 제한적이기 때문에 처음 시작할 때의 방법 (starter regimens)은 소장급식, 특히 공장 (jejunum) 급식 시에 더 적절하다.

V. 합병증 (COMPLICATIONS)

장관튜브급식과 연관된 합병증에는 급식튜브의 폐쇄, 급식처방이 입과 기도로 역류, 그리고 설사 등이 있다.

A. 급식튜브 폐쇄 (Occlusion of Feeding Tubes)

내강이 좁은 급식튜브는 급식튜브로 역류해서 올라오는 산성 위분비물을 만나 형성되는 단백질 침전물로 인해 막힐 수 도 있다 (22). 표준예방책은 4시간 마다 급식튜브를 물 30 mL로 세척하고, 약제를 투여 한 뒤에는 물 10 mL로 세척하는 것이다.

1. 개방성회복 (Restoring Patency)

급식튜브를 통한 흐름 (flow)이 느릴 때, 따뜻한 물로 튜브를 씻어내면 증례 중 30%는 흐름이 회복되었다 (22). 만약 이 방법이 효과가 없다면, Viokase같은 췌장효소를 다음과 같이 사용할 수 있다 (23).

a. 용법 (REGIMEN) : Viokase 한알과 탄산나트륨 (sodium carbonate) 한알 (324 mg)을 물 5 mL에 녹인다. 이 혼합물을 급식튜브에 주입하고 5분간 잠가둔다. 그 후 따뜻한 물로 씻어낸다. 이 방법은 증례 중 75%에서 폐색을 해소하였다 (23).

b. 만약, 튜브가 완전히 막혔다면, 유연한 카테터나 Drum-Cartridge™ 카테터를 급식튜브로 진입시켜 막힌 것을 뚫어본다. 이 방법이 성공하지 못했다면, 지체하지 말고 급식튜브를 교체한다.

B. 역류/흡인 (Regurgitation/Aspiration)

장관튜브급식의 가장 무서운 합병증은 급식처방의 역류와 뒤따르는 폐흡인 (pulmonary aspiration)이다.

1. 역류와 폐흡인의 위험을 감소시키기 위해 다음 방법을 권장한다 (1).
   a. 침대머리를 수평면에서 30-45° 상승시킨다.
   b. Chlorhexidine으로 구강을 관리한다.
   c. 가능하다면 진정수준을 낮춘다.
   d. 혼수상태 혹은 연하기능에 이상이 있는 등 흡인 위험이 높은 환자는 공장급식 (jejunal feeding)과 위장관운동촉진제 (prokinetic agents)를 고려한다.
2. 잔유량과 폐렴 (24), 역류, 혹은 흡인 (25)은 관계가 없기 때문에, 위잔유량 (gastric residual volume) 감시는 권장하지 않는다 (1).

3. 위장관운동 촉진요법 (Prokinetic Therapy)

위장관운동 촉진제와 권장용량은 **표 37.5**에 나와있다. 위장관운동 촉진요법은 위의 운동성을 단기간 개선시키는 효과가 있지만, 이 효과의 임상적 중요성은 설명하기 어렵다 (26).

a. ERYTHROMYCIN : Erythromycin은 위장관의 모틸린수용체 (motilin receptor)를 자극해서 위배출 (gastric emptying)을 촉진시킨다 (27). 12시간 간격으로 200 mg을 IV하면 24시간 후 위잔유량 (gastric residual volume)이 60%까지 감소하지만, 이 효과는 며칠이 지나면 금방 사라져버린다 (28). Erythromycin은 metoclopramide와 조합하면 더 효과적이다 (29).

b. METOCLOPRAMIDE : Metoclopramide는 위장관의 dopamine 활동을 억제하여 위배출을 촉진시킨다. 6시간 간격으로 10 mg을 IV 하면 24시간 후에 위 잔유량이 30%까지 감소하지만, 효과는 빠르게 사라진다 (28). Metoclopramide도 erythromycin과 조합하면 더 효과적이다 (29).

표 37.5 위장관운동 촉진제	
제제	용법 및 해설
Metoclopramide	용량 : 6시간 간격 10 mg IV 해설 : 며칠 내로 효과가 사라진다. Erythromycin과 조합하면 더 효과적이다
Erythromycin	용량 : 12시간 간격 200 mg IV 해설 : 며칠 내로 효과가 사라진다. Metoclopramide와 조합하면 더 효과적이다

참고문헌 28, 29 발췌.

C. 설사 (Diarrhea)

설사는 튜브급식환자에게 흔하며, 보통 여러 가지 급식처방의 높은 삼투질농도 때문에 생긴다. 하지만, 항생제-관련설사 (antibiotic-associated diarrhea), clostridium difficile 감염 (32장 Ⅱ 절 참고), 그리고 대다수의 경우에서 원인인 액체약물제제 (30) 등과 같이 다른 원인들도 중요한 역할을 할 수 있다 (30).

1. 액체약물제제 (Liquid Drug Preparations)

급식튜브를 통해 투약 시 많이 사용되는 액체약물제제는 설사의 위험을 높이는 두 가지 특성이 있다 (31). 먼저 (a) 극도로 고삼투압성이며 (≥3,000 mosm/kg), 다음으로 (b) 장내관으로 물을 끌어 당기는, 잘 알려진 변비약인 sorbitol이 들어있는 경우가 많다.

a. 표 37.6에 튜브급식 중인 ICU 환자에서 주로 사용되는 설사를 유발하기 쉬운 액체제제의 목록이 나와있다. 튜브급식 중 원인이 불확실한 설사가 생긴 환자는 이 제제들을 중단해야 한다.

표 37.6 설사를 유발하는 액체약물제제

≥3,000 mosm/kg	Sorbitol 함유
Acetaminophen elixir	Acetaminophen liquid
Dexamethasone solution	Cimetidine solution
Ferrous sulfate liquid	Isoniazid syrup
Hydroxazine syrup	Lithium syrup
Metoclopramide syrup	Metoclopramide syrup
Multivitamin liquid	Theophylline solution
Potassium chloride liquid	Tetracycline suspension
Promethazine syrup	
Sodium phosphate liquid	

참고문헌 31 발췌.

참고문헌

1. Taylor BE, McClave SA, Martindale RG, et al. Guidelines for the provision and assessment of nutrition support therapy in the adult critically ill patient: Society of Critical Care Medicine (SCCM) and American Society for Parenteral and Enteral Nutrition (A.S.P.E.N.). Crit Care Med 2016; 44:390-438.
2. Simpson F, Doig GS. Parenteral vs enteral nutrition in the critically ill patient: a meta-analysis of trials using the intention to treat principle. Intensive Care Med 2005; 31:12-23.
3. Moore FA, Feliciano DV, Andrassay RJ, et al. Early enteral feeding, compared with parenteral, reduces postoperative septic complications: the results of a meta-analysis. Ann Surg 1992; 216:172-183.
4. Alpers DH. Enteral feeding and gut atrophy. Curr Opin Clin Nutr Metab Care 2002; 5:679-683.
5. Ohta K, Omura K, Hirano K, et al. The effect of an additive small amount of a low residue diet against total parenteral nutritioninduced gut mucosal barrier. Am J Surg 2003; 185:79-85.

6. Wiest R, Rath HC. Gastrointestinal disorders of the critically ill. Bacterial translocation in the gut. Best Pract Res Clin Gastroenterol 2003; 17:397-425.
7. Alverdy JC, Moss GS. Total parenteral nutrition promotes bacterial translocation from the gut. Surgery 1988; 104:185-190.
8. Marik PE, Zaloga GP. Early enteral nutrition in acutely ill patients: a systematic review. Crit Care Med 2001; 29:2264-2270.
9. Lefton J, Esper DH, Kochevar M. Enteral formulations. In: The A.S.P.E.N. Nutrition Support Core Curriculum. Silver Spring, MD: American Society for Parenteral and Enteral Nutrition, 2007:209-232.
10. Heyland DK, Novak F, Drover JW, et al. Should immunonutrition become routine in critically ill patients? JAMA 2007; 286:944-953.
11. Singer P, Theilla M, Fisher H, et al. Benefit of an enteral diet enriched with eicosapentanoic acid and gamma-linolenic acid in ventilated patients with acute lung injury. Crit Care Med 2006; 34:1033-1038.
12. Kirk SJ, Barbul A. Role of arginine in trauma, sepsis, and immunity. J Parenter Ent Nutr 1990; 14(Suppl):226S-228S.
13. Bertolini G, Iapichino G, Radrizzani D, et al. Early enteral immunonutrition in patients with severe sepsis: results of an interim analysis of a randomized multicentre clinical trial. Intensive Care Med 2003; 29:834-840.
14. Rebouche CJ. Carnitine. In: Shils ME, et al., eds. Modern nutrition in health and disease. 10th ed. Philadelphia, PA: Lippincott Williams & Wilkins, 2006; 537-544.
15. Karlic H, Lohninger A. Supplementation of L-carnitine in athletes: does it make sense? Nutrition (Burbank, CA) 2004; 20:709-715.
16. Stroud M, Duncan H, Nightingale J. Guidelines for enteral feeding in adult hospital patients. Gut 2003; 52 Suppl 7:vii1-vii12.
17. Marik PE, Zaloga GP. Gastric versus post-pyloric feeding: a systematic review. Crit Care 2003; 7:R46-R51.
18. Kolbitsch C, Pomaroli A, Lorenz I, et al. Pneumothorax following nasogastric feeding tube insertion in a tracheostomized patient after bilateral lung transplantation. Intensive Care Med 1997; 23:440-442.
19. Fisman DN, Ward ME. Intrapleural placement of a nasogastric tube: an unusual complication of nasotracheal intubation. Can J Anaesth 1996; 43:1252-1256.
20. Baskin WN. Acute complications associated with bedside placement of feeding

tubes. Nutr Clin Pract 2006; 21:40 – 55.
21. Mizock BA. Avoiding common errors in nutritional management. J Crit Illness 1993; 10:1116 – 1127.
22. Marcuard SP, Perkins AM. Clogging of feeding tubes. J Parenter Enteral Nutr 1988; 12:403 – 405.
23. Marcuard SP, Stegall KS. Unclogging feeding tubes with pancreatic enzyme. J Parenter Enteral Nutr 1990; 14:198 – 200.
24. Reignier K, Mercier E, Le Gouge A, et al. Effect of not monitoring residual gastric volume on risk of ventilator-associated pneumonia in adults receiving mechanical ventilation and early enteral feeding. JAMA 2013; 309:249 – 256.
25. McClave SA, DeMeo MT, DeLegge MH, et al. North American Summit on Aspiration in the Critically Ill Patient: a consensus statement. JPEN: J Parenter Enteral Nutr 2002; 26:S80 – S85.
26. Booth CM, Heyland DK, Paterson WG. Gastrointestinal promotility drugs in the critical care setting: a systematic review of the evidence. Crit Care Med 2002; 30:1429 – 1435.
27. Hawkyard CV, Koerner RJ. The use of erythromycin as a gastrointestinal prokinetic agent in adult critical care: benefits and risks. J Antimicrob Chemother 2007; 59:347 – 358.
28. Nguyen NO, Chapman MJ, Fraser RJ, et al. Erythromycin is more effective than metoclopramide in the treatment of feed intolerance in critical illness. Crit Care Med 2007; 35:483 – 489.
29. Nguyen NO, Chapman M, Fraser RJ, et al. Prokinetic therapy for feed intolerance in critical illness: one drug or two? Crit Care Med 2007; 35:2561 – 2567.
30. Edes TE, Walk BE, Austin JL. Diarrhea in tube-fed patients: feeding formula not necessarily the cause. Am J Med 1990; 88:91 – 93.
31. Williams NT. Medication administration through enteral feeding tubes. Am J Heath-Sys Pharm 2008; 65:2347 – 2357.

정맥 영양

Parenteral Nutrition, PN

소화관을 통해 완전한 영양보조가 불가능한 경우, 영양공급을 위해서 정맥경로 (intravenous route)를 사용할 수 있다. 이번 장은 정맥영양보조의 기본특징과 개별환자의 필요에 따른 정맥영양처방 작성법을 다루고 있다.

I. 기질용액 (SUBSTRATE SOLUTIONS)

A. 포도당용액 (Dextrose Solutions)

1. 탄수화물은 정맥영양 (parenteral nutrition, PN)에서 비단백질열량의 주 공급원이며, 포도당은 PN에서 탄수화물의 주 공급원이다. 사용 가능한 포도당용액은 표 38.1에 나와있다.

표 38.1 IV 포도당용액

농도 (%)	농도 (g/L)	에너지 생산 (Kcal/L)†	오스몰농도 (mosm/L)
5%	50	170	253
10%	100	340	505
20%	200	680	1,080
50%	500	1,700	2,525
70%	700	2,380	3,530

†포도당의 산화에너지 생산=3.4 kcal/g

2. 포도당이 생산하는 에너지 (3.4 kcal/g)는 상대적으로 작기 때문에, 일일 요구량을 만족시킬 만큼 충분한 열량을 제공하기 위해서는 포도당 용액을 농축해야만 한다. 표준용액은 50% 포도당, 혹은 D_{50}이다. PN에 사용되는 용액은 고삼투압성 (hyperosmolar)이기 때문에, 반드시 큰중심정맥으로 주입해야만 한다.

B. 아미노산용액 (Amino Acid Solutions)

단백질은 9가지의 필수 (essential), 4가지의 준필수 (semi-essential), 10가지의 비필수 (nonessential) 아미노산이 다양하게 혼합된 아미노산용액으로 공급한다. 이 용액들은 포도당용액과 1:1 비율로 혼합한다. 표준 아미노산용액과 특수 아미노산용액의 예가 **표 38.2**에 나와있다.

표 38.2 표준 아미노산용액과 특수 아미노산용액

	Aminosyn	Aminosyn-HBC	Aminosyn RF
농도	3.5%, 5%, 7%, 8.5%, 10%	7%	5.2%
적응증	표준 TPN	대사항진증	신부전
% EAA	50%	63%	89%
% BCAA	25%	46%	33%

EAA=essential amino acids; BCAA=branched chain amino acids.

1. 표준용액 (Standard Solutions)

표 38.2의 aminosyn 같은 표준 아미노산용액은 필수아미노산 50%와 비필수와 준필수아미노산 50% 혼합으로 구성된다. 사용 가능한 농도는 3.5%에서 10%까지 다양하지만, 7% (70 g/L)를 가장 많이 사용한다.

2. 특수용액 (Specialty Solutions)

다발성 외상이나 화상 같이 심각한 대사성스트레스를 받는 환자와 간부전, 신부전 환자들에게는 특별히 고안된 아미노산용액을 사용 할 수 있다.

a. 표 38.2의 aminosyn-HBC처럼 대사성스트레스를 위해 고안된 용액은 대사성손상이 클 때 골격근이 주로 사용하는 연료인 아이소류신 (isoleucine), 류신 (leucine), 발린 (valine) 같은 분지사슬아미노산 (branched chain amino acid)이 풍부하다.
b. 표 38.2의 aminosyn RF같은 신부전용액은 필수아미노산이 풍부한데, 필수아미노산의 질소가 부분적으로 재활용되어 비필수아미노산을 생성하기 때문에 비필수아미노산이 분해될 때에 비해 BUN이 적게 증가하기 때문이다.
c. HepaticAid처럼 간부전을 위해 고안된 용액은 분지사슬아미노산이 풍부한데, 간성뇌증과 연루된 방향족아미노산 (aromatic amino acid)이 혈액뇌장벽 (blood-brain barrier, BBB)을 가로질러 이동하는 것을 분지사슬아미노산들이 차단하기 때문이다.
d. *이렇게 특수하게 고안된 처방들 중 어느 하나도 해당장애의 결과를 개선할 수 없었다*는 *점*은 눈 여겨 볼만 하다 (3).

3. 글루타민 (Glutamine)

글루타민은 내장상피세포나 혈관 내피세포 같이 빠르게 분열하는 세포의 주요 대사연료다 (4). 하지만, 글루타민을 IV한 환자들에서 사망률이 증가하는 것을 보여주는 5개의 다기관연구에 대한 메타분석을 근거로 (1), 영양보조에 대한 최신지침에서는 PN 용법에 IV 글루타민을 권장하지 않는다.

C. 지질유탁액 (Lipid Emulsion)

1. 지질은 콜레스테롤 (cholesterol), 인지질 (phospholipid), 트리글리세리드 (triglyceride)로 구성된 유탁액으로 공급한다 (5). 트리글리세리드는 식물성지방 (홍화유 혹은 콩기름)에서 추출하며, 필수 지방산인 리

놀레산 (linoleic acid)이 풍부하다 (6).

2. 지질은 일일열량요구량의 30%를 공급하며, 필수지방산 결핍을 방지하기 위해 일일열량의 4%는 리놀레산으로 공급해야 한다 (7).

표 38.3 임상에서 사용 가능한 IV 지질유탁액

특징	Intralipid		Liposyn II	
	10%	20%	10%	20%
열량 (kcal/mL)	1.1	2	1.1	2
EFA (리놀레산)의 열량비중	50%	50%	66%	66%
콜레스테롤 (mg/dL)	250-300	250-300	13-22	13-22
오스몰농도 (mosm/L)	260	260	276	258
단위용량 (mL)	50 100 250 500	50 100 250 500	100 200 500	200 500

EFA=essential fatty acid

3. 표 38.3에서 보듯이 지질유탁액은 10%와 20%농도를 사용할 수 있다. 10%유탁액은 약 1 kcal/mL를 제공하며 20%유탁액은 2 kcal/mL를 제공한다. 고장성인 포도당용액과는 반대로 지질유탁액은 혈장과 거의 비슷한 등장성이며, 따라서 말초정맥으로 주입할 수 있다.

4. 지질유탁액은 단위용량 50 mL에서 500 mL까지 사용할 수 있으며, 최대 50 mL/hr 속도로 단독으로 주입 하거나 혹은 포도당과 아미노산 혼합물에 추가하여 주입할 수도 있다. 주입한 트리글리세리드는 8-10 시간 동안 제거되지 않으며, 이 때문에 지질을 주입하면 혈장이 일시적으로 유백색을 띄게 된다.

II. 첨가제 (ADDITIVES)

상품으로 나와있는 전해질, 비타민, 미량원소혼합액을 직접 포도당과 아미노산혼합물에 추가할 수 있다.

A. 전해질 (Electrolytes)

전해질 상품은 15가지 이상이 있다. 대부분은 용량이 20 mL이며, Na^+, CL^-, K^+, Mg^{++}을 함유하고 있다. 전해질을 추가하기 위해서는 각 병원에서 사용하는 혼합물을 확인해야 한다. TPN (total parenteral nutrition) 처방에서 K^+ 혹은 다른 전해질의 추가 요구량을 지정해 줄 수도 있다.

B. 비타민 (Vitamin)

수용성 복합비타민제제를 포도당과 아미노산 혼합물에 추가한다. 표준 복합비타민제제 1 vial은 건강한 성인에게 거의 모든 비타민의 정상 일일요구량을 공급할 수 있다 (표 36.4 참고). ICU환자의 일일 비타민요구량은 알 수 없지만, 그리고 아마도 각 환자마다 다양하겠지만 ICU 환자는 정상 일일 비타민요구량을 공급함에도 불구하고 비타민결핍이 흔하다. 비타민D결핍에 대해서는 36장 Ⅲ-B절을 참고한다.

C. 미량원소 (Trace Elements)

1. 다양한 미량원소첨가제가 있으며, 이 중 하나인 Multitrace-5 Concentrated가 표 38.4에 미량원소의 권장 일일 요구량과 함께 나와있다. 일일 요구량과 미량원소함량 사이의 나쁜 상관관계를 주목한다.
2. 미량 원소 혼합제에 철분 (iron)과 요오드 (iodine)는 들어있지 않으며, 일부 제제는 셀레늄 (selenium)이 없다. 철분은 산화촉진효과 (pro-oxidant effect) 때문에 위험할 수도 있지만 (36장 Ⅳ-A절 참고), 셀레늄은 항신화제로서 중요한 역할을 하기 때문에 (36장 Ⅳ-B절 참고) 중환자에게는 매일 공급해야 한다.

표 38.4 임상용 IV 지질유탁액

미량 원소	일일 요구량[†]	Multitrace-5 Concentrated[ξ]
Chromium	30 μg	10 μg
Copper	900 μg	1 mg
Iodine	150 μg	–
Iron	8 mg	–
Manganese	2.3 mg	0.5 mg
Selenium	55 μg	60 μg
Zinc	11 mg	5 mg

[†] Food and Nutrition Information Center에서 발췌 (http://fnic.nal.usda.gov). 2016년 8월 접속. [ξ] 제품설명, America Reagent, Inc.

Ⅲ. PN처방 작성법 (CREATING A PN REGIMEN)

A. PN 시작시기 (When to Start PN)

PN은 장관튜브급식에서 설명한 내용과 동일한 장점은 제공하지 못하며 (37장, I절 참고), 영양 상태가 양호한 환자는 7일 동안 시작하지 않을 수도 있다 (1). 영양실조이면서 튜브급식을 할 수 없는 환자는 ICU 입실 후 24시간 이내에 PN을 시작해야 한다.

B. PN처방 작성법 (Creating a PN Regimen)

아래 내용은 표준PN처방을 작성하는 단계적 접근법이다. 각 단계는 접근법을 어떻게 사용하는지 알 수 있도록 동일한 환자를 이용하여 예를 들고 있다.

1. 1단계 (STEP 1) : 가장 먼저 할 일은 열량과 단백질 일일 요구량을 결

정하는 것이다. 다음과 같은 간단한 근사치를 사용할 수 있다.

$$\text{일일 열량} = 25 \times \text{체중 (kg)} \quad (38.1)$$

$$\text{일일 단백질} = 1.2 - 2\ \text{g/kg/day} \quad (38.2)$$

이 공식에는 실제체중 (actual weight) 혹은 건조체중 (dry body weight)을 사용한다. 비만환자는 **표 36.2**의 권장영양요구량을 참고한다.

a. 예시 (EXAMPLE) : 건조체중이 70 kg인 성인은 일일 열량요구량이25x70=1,750 kcal/day이다. 단백질요구량 1.4 g/kg/day를 적용하면, 일일 단백질요구량은 1.4 x 70=98 g/day가 된다.

b. 참고 : 진정을 위해 propofol을 사용 중이라면, propofol은 열량밀도가 약 1 kcal/mL인 지질유탁액을 통해 주입하기 때문에 일일 열량요구량을 반드시 교정해야 한다.

2. 2단계 (STEP 2) : 10% 아미노산 500 mL와 50% 포도당 500 mL를 혼합한 표준용액을 사용하는 경우, 다음 단계는 추정 일일 단백질요구량을 공급할 $A_{10}D_{50}$ 혼합용액의 양과 속도 결정이다. 필요한 주입량은 일일 단백질요구량을 $A_{10}D_{50}$ 혼합용액의 단백질농도 (50 g/L)로 나눈 값이다.

$$A_{10}D_{50}\ \text{용량 (L)} = \text{단백질 요구량 (g/day)} / 50\ \text{(g/L)} \quad (38.3)$$

그러면 주입 속도는

$$\text{주입 속도} = A_{10}D_{50}\ \text{용량 (L)} / 24\text{hrs} \quad (38.4)$$

a. 예시 (EXAMPLE) : 1단계에서 계산한 예측 일일 단백질요구량 98 g/day를 투여하기 위한 $A_{10}D_{50}$ 혼합용액의 필요량은 98/50= 1.9 L이며, 이상적인 주입속도는 1,900 mL/24hr=81 mL/hr가 된다.

3. 3단계 (STEP 3) : 마지막 단계는 하루에 투여할 지질양 결정이다. 이는 주입한 $A_{10}D_{50}$혼합용액에서 포도당이 공급하는 열량에 따라 달라진다. 탄수화물 (CHO)열량은 다음과 같이 결정한다.

$$\text{CHO열량} = 250\ (\text{g/L}) \times A_{10}D_{50}\ \text{용량}\ (\text{L}) \times 3.4\ (\text{kcal/g}) \quad (38.5)$$

250 g/L은 $A_{10}D_{50}$의 포도당농도를 나타내며, 3.4 kcal/g은 포도당의 에너지수율을 의미한다. 일일 열량요구량에서 나머지 부분은 지질로 공급한다.

$$\text{지질열량} = \text{일일열량} - \text{CHO열량} \quad (38.5)$$

지질열량을 공급하기 위해 10% Intralipid (1 kcal/mL)를 사용한다면, 필요 지질열량은 mL 단위의 용량과 동일한 값을 가진다.

a. 예시 (EXAMPLE) : 앞선 예제에서 하루에 단백질 98 g을 공급하기 위해서는 $A_{10}D_{50}$ 1.9 L가 필요했으며, 여기서 탄수화물열량은 250 x 1.9 x 3.4 = 1,615 kcal가 되며, 일일 열량요구량은 1,750 kcal이기 때문에 지질로 공급할 열량은 1,750-1,615=135 kcal가 된다. 지질유탁액은 50 mL 단위로 제품이 나오기 때문에, 낭비를 피하기 위해서 10% Intralipid 150 mL (150 kcal)를 사용 해 지질열량을 제공한다. 최대주입속도는 50 mL/hr다.

b. PN ORDERS : 여기서 예를 든 PN처방은 다음과 같이 쓸 수 있다.
   1) $A_{10}D_{50}$ 주입속도 81 mL/hr
   2) 3시간에 걸쳐 10% Intralipid 150 mL 주입
   3) 표준전해질, 복합비타민, 미량원소 추가
   PN처방은 매일 다시 작성한다.

Ⅳ. 합병증 (COMPLICATIONS)

A. 카테터유발성합병증 (Catheter-Related Complications)

앞서 언급한 바와 같이, 포도당용액과 아미노산용액은 오스몰농도가 높기 때문에 큰 정맥을 통해 주입해야만 한다. 따라서, 중심정맥관 혹은 PICC (peripherally inserted central catheter)가 필요하다. 이러한 카테터삽입에 의한 합병증은 1장 Ⅳ절에 나와있으며, 유치혈관카테터의 비감염성합병증은 2장 Ⅱ 절에, 카테터유발성감염은 2장 Ⅲ 절에 나와있다.

1. 잘못된 방향으로 들어간 카테터 (Misdirected Catheter)

쇄골하카테터 (subclavian catheter)와 PICC를 삽입할 때 종종 그림 38.1과 같이 카테터가 내경정맥 (jugular vein)으로 진입할 수도 있다. 한 연구에 따르면 (8) 쇄골하정맥삽관, 특히 우측삽관중 10%는 내경정맥안에 잘못 위치하고 있다고 한다. 표준권장사항은 이러한 카테터로 인

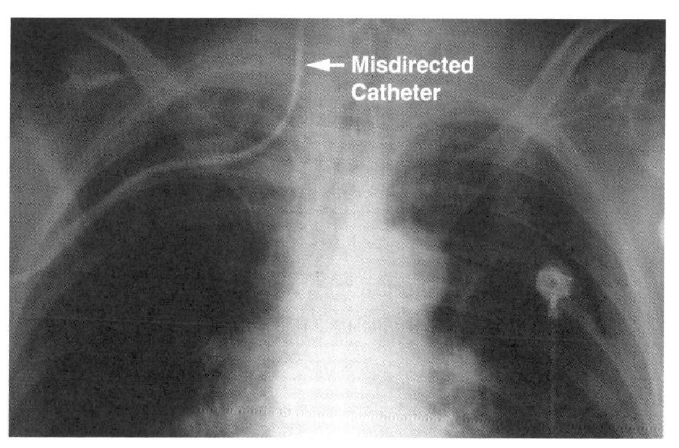

■ 그림 38.1 이동식 흉부엑스선 사진에서 내경정맥 안으로 잘못 진입한 카테터를 볼 수 있다. 디지털방식으로 증강한 영상.

한 혈전의 위험성을 감안한 카테터 위치 변경이지만 (8), 이 주장을 뒷받침하는 근거는 없다.

B. 탄수화물합병증 (Carbohydrate Complications)

1. 고혈당증 (Hyperglycemia)

PN 중 고혈당증은 흔히 발생하지만, 중환자에서는 고혈당보다 더 해로운 저혈당의 위험을 감안하여 엄격한 혈당조절은 권장하지 않는다 (9,10).

a. 영양보조 지침의 최신 권장사항에 따르면 일반적인 ICU 환자는 혈장포도당 목표범위가 140-180 mg/dL다 (1).
b. 심정지 후 급성뇌손상, 허혈성뇌졸중, 혹은 두개내출혈 (intracranial hemorrhage) 환자는 고혈당증이 뇌손상을 악화시킬 수 있기 때문에 엄격한 혈당관리를 권장한다.

2. 인슐린 (Insulin)

a. 인슐린요법이 필요한 경우, 불안정한 환자나 1형당뇨병이 있는 환자는 속효성인슐린 (regular insulin, RI) 지속주입 (1 unit/mL)을 많이 사용한다 (10). 이는 TPN용액에 인슐린을 혼합하여 시행한다.
b. 인슐린은 IV수액세트의 플라스틱내관에 흡착될 수 있기 때문에, 인슐린을 주입할 때 속효성 인슐린 1 unit/mL이 함유된 식염수용액 20 mL로 전처치 (priming)를 해야 한다 (10). 이 전처치 과정은 IV 수액세트를 교체할 때마다 시행한다 (10).
c. 임상적으로 안정적이며, 혈압상승제를 사용하지 않고, 시술 등을 위해 영양요법을 중단할 예정이 없는 환자는 프로토콜에 따른 (protocol-driven) SC인슐린요법으로 이행할 수도 있다 (1). SC인슐린으로 이행은 인슐린주입을 중단하기 전에 시작해야 한다 (10).

d. 최종 SC인슐린요법은 개별환자에 따라 다양하지만, 입원환자는 일반적으로 중간형 (intermediate-acting)인슐린 혹은 지속형 (long-acting)인슐린과 필요한 경우 초속효성 (rapid-acting)인슐린의 조합을 사용한다. 표 38.5에 다양한 인슐린제제들이 나와있다 (11).

3. 저인산혈증 (Hypophosphatemia)

포도당의 세포 내 이동은 유사한 인산염 (phosphate)의 세포 내 이동과 연관 있으며, PN을 시작하고 나면 혈장 인산염수치는 보통 지속해서 감소한다 (그림30.1 참고).

4. 저칼륨혈증 (Hypokalemia)

또한 포도당의 세포 내 이동은 K^+의 세포 내 이동을 동반하며, PN동안 포도당을 계속 주입하면 저칼륨혈증이 지속될 수도 있다.

표 38.5 인슐린 제제

Type	Name	Onset	Peak	Duration
초속효성	Aspart	10–20 min	1–3 hr	3–5 hr
초속효성	Glulisine	25 min	45–50 min	4–5 hr
초속효성	Lispro	15–30 min	0.5–2.5 hr	3–6 hr
속효성	Regular	30–60 min	1–5 hr	6–10 hr
중간형	NPH	1–2 hr	6–14 hr	16–24 hr
지속형	Glargine	1hr	2–20 hr	24 hr

참고문헌 11 발췌.

C. 지질합병증 (Lipid Complications)

1. 지질을 과다공급하면 지방간 (hepatic steatosis)이 발생할 수도 있다 (추후 설명).
2. 지질주입 시 자주 간과하는 지질의 특성은 *염증유발* 잠재력이다. PN 요법에 사용되는 지질유탁액은 산화 가능한 지질 (oxidizable lipids)이 풍부하며 (12), 주입한 지질이 산화하면 염증반응의 계기가 된다. 사실, PN속 지질중 하나인 올레산 (oleic acid)주입은 실험동물에서 급성호흡곤란증후군 (ARDS)을 유발하는 표준방법이며 (13), 이를 통해 왜 *지질 주입이 산소화장애 및 장기간호흡 부전과 연관* 될 수 있는지를 설명할 수 있다 (14,15). 산화유발손상을 촉진하는 과정에서 지질주입이 어떤 역할을 하는지에 대해서는 더 많은 관심을 기울여야 한다.

D. 간담도계합병증 (Hepatobiliary Complications)

1. 지방간 (Hepatic Steatosis)

간에 지방이 축적되어 발생하는 지방간은 장기간 PN을 받는 환자에게 흔하며, 만성적인 탄수화물과 지방 과다섭취로 인한 것이라 생각된다. 지방간이 있으면 간효소가 증가하지만 (16), 병리적 범주에는 들어가지 않는다.

2. 담즙정체 (Cholestasis)

근위부소장 (proximal small bowel) 안에 지질이 없으면, 이는 콜레시스토키닌 (cholecystokinin)매개성 담낭수축을 억제한다. 이는 담즙의 정체와 담낭내부의 찌꺼기누적으로 이어지며, PN을 4주 이상 지속하는 경우, 무결석담낭염 (acalculous cholecystitis)을 유발할 수도 있다 (32장 Ⅰ-A절 참고).

E. 장패혈증 (Bowel Sepsis)

PN으로 장이 쉬면 (bowel rest) 장점막 위축을 유발하고, 장관련면역 (bowel-associated immunity)장애가 생긴다. 그리고 이러한 변화는 장내병원균의 전신확산으로 이어질 수도 있다 (37장 Ⅰ-A절 참고).

Ⅴ. 말초정맥영양 (PERIPHERAL PARENTERAL NUTRITION, PPN)

PPN은 PN의 간소형으로, 에너지공급을 위해 단백질을 분해 (근육량감소) 하는 것을 방지할 수 있을 정도의 비단백질열량을 제공하는데 사용한다. 즉, 단백질보존 영양보조라고 볼 수 있다 (17,18).

1. PPN은 수술 후 환자와 같이 단기간 영양이 부족한 환자에게 단백질 보존전략으로 사용하며, 완전한 영양보조가 필요한 대사항진증 (hypercatabolic)이나 영양실조 (malnourished) 환자를 위해 고안된 것은 아니다.
2. 말초정맥주입물의 오스몰농도는 카테터를 삽입한 혈관에 삼투성손상이 발생할 위험성을 억제하기 위해 900 mosm/L 이하로 유지해야 한다.

A. 용법 (Regimen)

1. 일반적인 PPN용액은 아미노산 3%와 포도당 20% 혼합물로, 최종 농도는 1.5% 아미노산과 10% 포도당이다. 이 용액의 오스몰농도는 500 mosm/L이다. 포도당은 340 kcal/L를 제공하며, 따라서 혼합물 2.5 L는 850 kcal를 제공한다.
2. 20% Intralipid 250 mL을 이 용액에 추가하면, 즉 500 kcal를 추가하면, 총 비단백질열량은 1,350 kcal/day가 되므로 스트레스가 없는 평균 체구성인의 비단백질 열량요구량인 20 kcal/kg/day에 거의 근접한다.

참고문헌

1. Taylor BE, McClave SA, Martindale RG, et al. Guidelines for the provision and assessment of nutrition support therapy in the adult critically ill patient: Society of Critical Care Medicine (SCCM) and American Society for Parenteral and Enteral Nutrition (A.S.P.E.N.). Crit Care Med 2016; 44:390-438.
2. Singer P, Berger MM, Van den Berghe G, et al. ESPN guidelines on parenteral nutrition: Intensive care. Clin Nutr 2009; 387-400.
3. Andris DA, Krzywda EA. Nutrition support in specific diseases: back to basics. Nutr Clin Pract 1994; 9:28-32.
4. Souba WW, Klimberg VS, Plumley DA, et al. The role of glutamine in maintaining a healthy gut and supporting the metabolic response to injury and infection. J Surg Res 1990; 48:383-391.
5. Driscoll DF. Compounding TPN admixtures: then and now. J Parenter Enteral Nutr 2003; 27:433-438.
6. Warshawsky KY. Intravenous fat emulsions in clinical practice. Nutr Clin Pract 1992; 7:187-196.
7. Barr LH, Dunn GD, Brennan MF. Essential fatty acid deficiency during total parenteral nutrition. Ann Surg 1981; 193:304-311.
8. Padberg FT, Jr., Ruggiero J, Blackburn GL, et al. Central venous catheterization for parenteral nutrition. Ann Surg 1981;193:264-270.
9. Marik PE, Preiser J-C. Toward understanding tight glycemic control in the ICU. Chest 2010; 137:544-551.
10. Jacobi J, Bircher N, Krinsley J, et al. Guidelines for the use of an insulin infusion for the management of hyperglycemia in critically ill patients. Crit Care Med 2012; 40:3251-3276.
11. Insulins. In McEvoy GK, ed. AHFS Drug Information, 2014. Bethesda, MD: American Society of Heath System Pharmacists, 2014:3228.
12. Carpentier YA, Dupont IE. Advances in intravenous lipid emulsions. World J Surg 2000; 24:1493-1497.
13. Schuster DP. ARDS: clinical lessons from the oleic acid model of acute lung injury. Am J Respir Crit Care Med 1994; 149:245-260.
14. Suchner U, Katz DP, Furst P, et al. Effects of intravenous fat emulsions on lung function in patients with acute respiratory distress syndrome or sepsis. Crit Care

Med 2001; 29:1569-1574.
15. Battistella FD, Widergren JT, Anderson JT, et al. A prospective, randomized trial of intravenous fat emulsion administration in trauma victims requiring total parenteral nutrition. J Trauma 1997; 43:52-58.
16. Freund HR. Abnormalities of liver function and hepatic damage associated with total parenteral nutrition. Nutrition 1991; 7:1-5.
17. Culebras JM, Martin-Pena G, Garcia-de-Lorenzo A, et al. Practical aspects of peripheral parenteral nutrition. Curr Opin Clin Nutr Metab Care 2004; 7:303-307.
18. Anderson AD, Palmer D, MacFie J. Peripheral parenteral nutrition. Br J Surg 2003; 90:1048-1054.

부신과 갑상샘 기능장애

Adrenal and Thyroid Dysfunction

이번 장은 중환자에서 부신과 갑상샘기능장애의 범주, 그리고 이러한 장애를 확인하고 치료하는 방법에 대해 다루고 있다.

Ⅰ. 부신기능부전증 (ADRENAL INSUFFICIENCY)

A. 중증질환에서 부신억제 (Adrenal Suppression in Critical Illness)

1. 부신기능부전증은 중환자에서 흔하다. 전체발생률은 10-20%이지만 (1), 중증패혈증이나 패혈성쇼크환자는 발생률이 최고 60%까지도 보고되고 있다 (2).
2. 중환자의 부신억제는 보통 가역적이며, 중증질환-관련코르티코스테로이드부전증 (critical illness-related corticosteroid insufficiency, CIRCI)라고 한다 (3).
3. CIRCI는 기전이 복잡하며, 완전히 규명되지 않았다. 그림 39.1에 알려진 기전 몇 가지가 나와있다 (1-4). 그림에서 시사하는 것처럼, CIRCI에서는 전신염증반응이 중요한 역할을 한다.
4. 전신패혈증과 패혈성쇼크는 중환자에서 부신억제의 주원인이며, 대부분은 시상하부-뇌하수체 수준 (hypothalamic-pituitary level)에서 억제가 일어난다 (2).

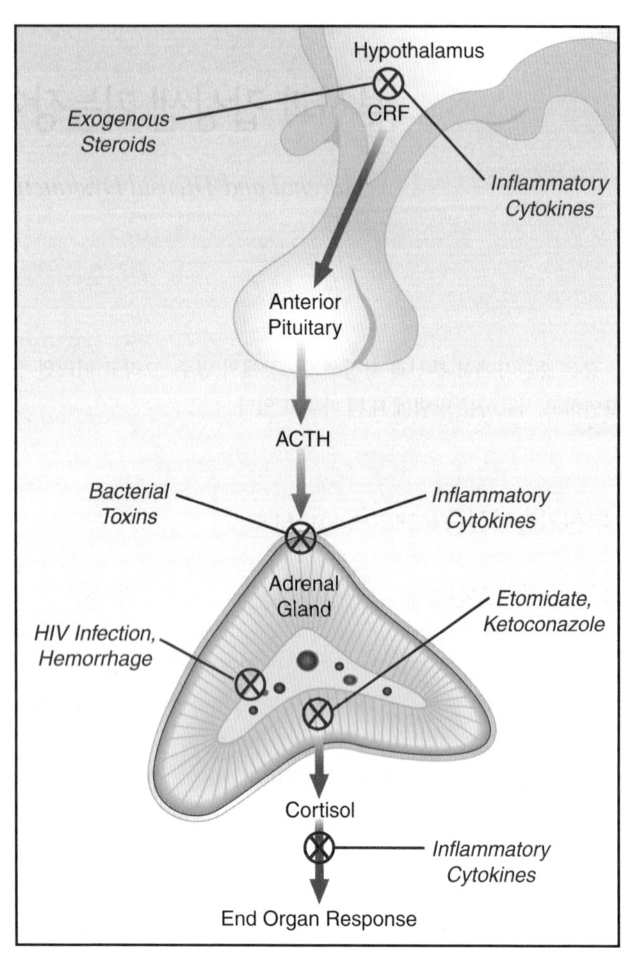

■ 그림 39.1 ICU환자에서 부신억제의 원인과 부위. CRF=corticotrophin-releasing factor, ACTH=adrenocorticotrophic hormone.

B. 임상양상 (Clinical Manifestations)

1. CIRCI의 주 양상은 순환혈액량소생 (volume resuscitation)에 반응하지 않는 저혈압이다 (1-3).
2. 저나트륨혈증이나 고칼륨혈증 같은 부신기능부전의 전형적인 전해질 이상은 CIRCI에서는 드물다.

C. 진단 (Diagnosis)

1. 설명할 수 없는 저혈압이나 불응성저혈압이 있는 중환자에서 부신억제를 의심해 봐야 한다.
2. 중환자 혹은 스트레스를 받은 환자에서 무작위혈장코르티솔 (random plasma cortisol)수치가 35 μg/dL 이상이면 부신기능은 정상이라는 근거이며, 무작위혈장코르티솔 수치가 10 μg/dL 이하이면 부신기능부전의 근거가 된다 (1,3).
3. 만약 무작위혈장코르티솔 수치가 10-34 μg/dL로 애매하다면, 급속 ACTH자극검사 (rapid ACTH stimulation test)를 해볼 수 있다. 기준상태 (baseline)에서 혈액을 채취하여 혈장코르티솔 농도를 측정하고, 환자에게 합성ACTH 250 μg을 IV한 후 60분 뒤에 혈장코르티솔농도를 다시 측정한다.
   a. 혈장코르티솔농도 증가량이 9 μg/dL 이하면, 이는 1차성부신기능부전의 단서가 된다 (1,3)
   b. 하지만, 혈장코르티솔농도가 9 μg/dL 이상 현저히 증가하면, 앞서 말한 것처럼 패혈성쇼크에서 흔한 시상하부-뇌하수체기능장애에 의한 2차성 부신기능부전의 가능성을 배제할 수 없다.
4. 패혈성쇼크환자에서 코르티코스테로이드요법 (corticosteroid therapy)으로 혜택을 볼 수 있는 환자인지를 확인하기 위해 혈장코르티솔 농도를 측정할 필요는 없다. 이 같은 환자들에서 저혈압이 순환혈액량소생에 반응하지 않고, 혈압상승제가 필요한 경우 코르티코스테로

이드요법을 시행한다. 패혈성쇼크의 스테로이드요법에 대한 더 많은 정보는 9장 Ⅱ-D절을 참고한다.

D. 치료 (Treatment)

1. CIRCI의 치료는 IV hydrocortisone이다. 매일 200-300 mg을 3회로 나누어 투여하거나 (1), 패혈성쇼크 환자라면 지속적으로 주입한다.
2. Hydrocortisone은 뛰어난 광질코르티코이드 (mineralocorticoid)활동성이 있으므로, fludrocortisone (매일 50 μg 경구투여)같은 광질코르티코이드는 선택사항이다 (1).
3. 선행요인들이 만족할 만큼 회복된다면 hydrocortisone을 중단할 수 있다. 만약 hydrocortisone 요법을 시행한지 7-10일을 넘어섰다면, 용량을 점차적으로 줄여나갈 것을 권장한다 (1).

Ⅱ. 갑상샘기능평가 (EVALUATION OF THYOID FUNCTION)

중환자에서 갑상샘기능의 검사실 결과는 최대 90%까지 비정상이다 (6). 대부분의 경우, 이 비정상은 비-갑상샘 질환, 즉 정상갑상선중증질환증후군 (euthyroid sick syndrome)으로 인해 발생하며, 갑상샘질환의 징후가 아니다 (6,7). 이번 절은 갑상샘기능의 검사실평가, 그리고 갑상샘질환과 비갑상샘 질환을 구별하는 방법을 다루고 있다.

A. 티록신과 트리요오드티로닌 (Thyroxine and Triiodothyronine)

1. 티록신 (thyroxine, T_4)은 갑상샘에서 분비되는 주호르몬이지만, 활성화형은 갑상샘외부조직 (extrathyroidal tissue)에서 티록신의 탈요오드화로 생성되는 트리요오드티로닌 (triiodothyronine, T_3)이다.
2. T_3와 T_4는 대부분이 혈장단백질과 결합하고 있으며, 각 호르몬은 1%

미만이 자유 (free) 혹은 생물학적 활성형태로 존재한다 (8).

3. 급성질환에서 혈장단백질 및 단백질결합이 변화할 잠재성 때문에, 급성질환환자에서는 갑상샘 기능을 평가하기 위해 자유T_4농도를 사용한다. 자유T_3농도는 쉽게 구할 수 없다.

B. 갑상샘자극호르몬 (Thyroid-Stimulating Hormone, TSH)

1. TSH의 혈장수치는 갑상샘기능에 대한 가장 믿을만한 검사라 여겨진다. 이는 비갑상샘질환을 구별하고, 1차성 및 2차성 갑상샘질환을 구별하는데 사용된다.
   a. 혈장TSH농도는 정상갑상선중증질환증후군환자의 대부분에서 정상이다 (6). 하지만, TSH분비는 패혈증, 코르티코스테로이드 (corticosteroid), dopamine주입 등으로 억제될 수 있다 (9).
   b. 갑상샘저하증 (hypothyroidism)환자에서 혈장TSH농도가 상승하면 1차성 갑상샘저하증의 증거가 되며, THS농도가 감소하면 시상하부-뇌하수체기능장애 (hypothalamic-pituitary dysfunction)로 인한 2차성 갑상샘저하증의 증거가 된다.
2. 혈장TSH농도는 늦은 오후에 가장 낮고 수면시간 근처에서 가장 높은 일중변화 (diurnal variation)가 있으며, 24시간 동안 최대 40%까지도 변할 수 있다 (10). 혈장THS농도를 해석할 때, 반드시 이와 같은 일중변화를 고려해야 한다.

C. 비정상 갑상샘기능검사 (Abnormal Thyroid Function Tests)

표 39.1에 특정한 상태에 따른 혈장 자유 T_4와 TSH의 추정변화가 나와있다.

표 39.1 비정상 갑상샘기능검사의 패턴		
상태	자유 T4	TSH
정상갑상선중증질환증후군	NL or ↓	NL
1차성 갑상샘저하증	↓	↑
2차성 갑상샘저하증	↓	↓
1차성 갑상샘과다증	↑	↓

1. 급성, 비갑상샘질환은 비갑상샘조직에서 T_4가 T_3로 전환되지 않아 혈장자유T_3농도가 낮아진다 (6). 질환의 중증도가 증가하면 자유T_3와 자유T_4수치가 모두 감소하며, 이는 ICU 환자 중 30-50%에서 볼 수 있는 형태다 (6,7). 앞서 언급한 것처럼, 정상갑상선중증질환증후군 환자는 대부분 혈장TSH농도가 정상이다.
2. 1차성 갑상샘저하증은 자유T_4농도와 TSH농도가 상반되게 변하는 것이 특징인 반면, 시상하부-뇌하수체기능장애로 인한 2차성 갑상샘저하증은 자유T_4농도와 TSH농도가 모두 감소한다.

Ⅲ. 갑상샘항진증 (THYROTOXICOSIS)

갑상샘항진증은 거의 대부분 1차성 갑상샘과다증 (hyperthyroidism) 때문이다. 주목할 만한 원인에는 자가면역성갑상샘염 (autoimmune thyroiditis)과 장기간 amiodarone치료 등이 있다.

A. 임상양상 (Clinical Manifestations)

1. 갑상샘항진증의 주증상은 초조 (agitation), 심방세동 (atrial fibrillation)을 비롯한 빈맥, 미세떨림 (fine tremor)이다.

2. 갑상샘과다증이 있는 고령환자는 초조보다는 기면 (lethargic)을 보이는 경우가 많다. 이 상태를 무감각갑상샘항진증 (apathetic thyrotoxicosis)이라 한다. 무감각갑상샘항진증이 있는 노인에서 기면과 심방세동의 조합은 흔히 발견되는 양상이다.
3. 갑상샘발작 (thyroid storm)은 흔하지 않지만, 심각한 형태의 갑상샘과다증으로, 급성질환이나 수술로 인해 유발될 수 있다.
   a. 이 상태는 초고열 (hyperpyrexia), 심각한 초조 혹은 섬망 (delirium), 그리고 고박출심부전 (high-output heart failure)을 동반한 빈맥이 특징이다. 이 상태가 진행하면 둔감 (obtundation) 혹은 혼수, 전신발작, 그리고 혈류역학적 불안정을 초래한다.
   b. 치료하지 않을 경우 결과는 치명적이다 (11).

B. 진단 (Diagnosis)

1. 혈장TSH농도는 갑상샘과다증에서 가장 민감도와 특이도가 높은 진단검사법이다 (11).
2. 경도 갑상샘과다증에서 TSH농도는 0.01 mU/dL 이하며, 대부분의 확실한 갑상샘항진증에서는 TSH농도가 낮아 측정되지 않는다 (11).
3. TSH농도가 정상이라면 진단에서 갑상샘과다증을 배제할 수 있다 (11).

C. 치료 (Management)

갑상샘항진증과 갑상샘발작의 급성기 약물치료는 표 39.2에 요약되어있다.

1. β-수용체길항제 (β-Receptor Antagonists)

β-수용체길항제는 갑상샘항진증의 빈맥, 초조, 그리고 미세떨림을 완화시켜준다.

a. Propranolol은 갑상샘과다증에 가장 많이 사용하는 β-수용체길항

제이지만, 비선택적 β-수용체길항제이므로, 천식이나 수축성심부전환자에게는 이상적이지 못하다.

b. 갑상샘항진증에는 metoprolol (4시간마다 25-50 mg 경구투여)과 같은 선택적 β-수용체길항제를 사용할 수 있지만, 갑상샘발작에는 여전히 propranolol이 최선의 약제다 (11).
c. 초초속효성 (ultra-rapid-acting)약제인 esmolol은 갑상샘과다증과 관련된 심방세동의 급성기 심박수조절에 매력적인 선택이다. 권장용량은 표13.1을 참고한다.

2. 항갑상샘제 (Antithyroid Drugs)

*Methimazole*과 *propylthiouracil* (PTU), 두 가지 약제가 티록신 (thyroxine)생성 억제를 위해 사용된다. 두 약제 모두 경구투여한다.

a. *Methimazole*은 갑상샘항진증 치료에 많이 사용되며, PTU는 갑상샘발작 치료에 많이 사용된다.
b. 드물지만 심각한 부작용으로는 methimazole에서 담즙정체성황달 (cholestatic jaundice), PTU에서 전격성간괴사 (fulminant hepatic necrosis) 혹은 무과립구증 (agranulocytosis)이 있다 (11).

3. 무기요오드 (Inorganic Iodine)

중증 갑상샘과다증에서는 항갑상샘제요법 (antithyroid drugs therapy)으로 T_4 합성과 분비를 차단하는 요오드를 추가할 수도 있다. 요오드는 포화칼륨아이오딘용액 (saturated potassium iodine solution), 즉 루골용액 (Lugol's solution)을 경구투여할 수 있다. 요오드알레르기가 있는 환자는 대체제로 lithium (8시간마다 300 mg 경구투여)을 사용할 수 있다 (12).

4. 갑상샘발작에서 특별한 우려 (Special Concern in Thyroid Storm)

a. 갑상샘발작에서는 구토, 설사, 불감성 수분소실증가 때문에 공격적인 순환혈액량소생 (volume resuscitation)이 필요한 경우가 많다.

표 39.2 갑상샘항진증과 갑상샘발작의 약물요법

약제	용법과 해설
Propranolol	용법 : 갑상샘항진증은 10-40 mg을 TID 혹은 QID로 경구투여 갑상샘발작은 4시간마다 60-80 mg을 경구투여 해설 : 고용량에서 T_4가 T_3로 전환되는 것을 차단 수축성 심부전 환자에서는 주의깊게 사용. 천식환자는 선택적 β-차단제를 사용
Methimazole	용법 : 갑상샘항진증은 하루 한번 10-20 mg을 경구투여 갑상샘발작은 하루 한번 60-80 mg을 경구투여 해설 : T_4 합성을 차단. 갑상샘항진증에는 Methimazole을 많이 사용하고 갑상샘발작에는 PTU를 많이 사용
Propylthiouracil	용법 : 갑상샘항진증은 50-150 mg을 TID로 경구투여 갑상샘발작은 500-1000 mg 을 부하용량 (loading dose)으로 경구투여 후 4시간 마다 250mg을 경구투여 해설 : T_4 합성과 T_4가 T_3로 전환되는 것을 모두 차단. 갑상샘항진증에는 methimazole을 많이 사용하고 갑상샘발작에는 PTU를 많이 사용한다.
Iodine	용법 : 심각한 갑상샘항진증 혹은 갑상샘발작에서 6시간 간격으로 Lugol's solution 50 방울 경구투여 해설 : T_4 합성과 분비를 차단 항갑상샘제와 조합하여 사용
Hydrocortisone	용법 : 갑상샘발작에서만 300 mg IV 부하용량 후 8시간 간격으로 100 mg IV 해설 : 갑상샘발작에서 상대적 부신기능부전에 대한 예방

참고문헌11에서 용법 발췌.

b. 갑상샘발작은 당질코르티코이드 (glucocorticoid)대사를 가속화시키며, 상대적 부신기능부전증 (relative adrenal insufficiency)을 유발할 수도 있다. 따라서, 예방적 hydrocortisone을 권장한다 (11). 용법은 부하용량 (loading dose) 300 mg을 IV로 투여한 뒤 8시간 간격으로 100 mg을 IV로 투여한다.

Ⅳ. 갑상샘저하증 (HYPOTHYROIDISM)

증상이 있는 갑상샘저하증은 일반인구에서 발생률이 0.3%로 매우 드물다 (13). 대부분은 만성자가면역성갑상샘염, 즉 하시모토갑상샘염 (Hashimoto's thyroiditis)으로 인해 발생하며, 드문 원인에는 갑상샘과다증의 방사선요오드 (radioiodine) 혹은 외과적 치료, 시한증후군 (Sheehan's syndrome)과 같은 출혈성괴사와 종양으로 인한 시상하부-뇌하수체기능장애 (hypothalamic-pituitary dysfunction), 약물 (lithium, amiodarone) 등이 있다.

A. 임상양상 (Clinical Manifestations)

1. 갑상샘저하증의 임상양상은 보통은 알기 어려우며, 피부건조증, 피로감, 근육경련 (muscle cramps), 변비 등이 있을 수 있다. 질환이 진행하면 저나트륨혈증과 크레아틴키나아제 (creatine kinase, CK) 및 알도레이즈 (aldolase) 같은 근육효소증가를 동반한 골격근근육병증 (skeletal muscle myopathy), 신기능부전이 없음에도 골격근에서 크레아틴이 분비되어 혈청크레아티닌 (creatinine)이 상승하는 양상이 나타날 수 있다 (14).
2. 일반적인 생각과는 반대로, 갑상샘저하증 때문에 비만이 생기지는 않는다 (13).
3. 갑상샘저하증은 흉수 (pleural effusion) 및 심낭삼출 (pericardial effusion)과 관련 있다. 기전은 모세혈관의 투과성 증가며, 삼출액 (exu-

date) 양상이다.

a. 심낭삼출은 갑상샘저하증 환자에서 심장음영 (cardiac silhouette)확장의 가장 흔한 원인이다 (15). 이러한 유출액 (effusion)은 일반적으로 천천히 축적되며, 심장 눌림증 (cardiac tamponade)을 일으키지 않는다.

4. 갑상샘저하증이 진행하면 *점액수종 (myxedema)*이라고 하는 부종형태를 동반한다. 이 상태는 부종이라고 오해할 수 있지만, 피부 안에 단백질이 축적되어 생긴다 (16). 점액수종은 저체온증과 의식수준 저하와도 관련 있다. 의식수준 저하의 경우 반응이 완전히 없는 일은 거의 없음에도 불구하고 점액수종혼수 (myxedema coma)라 부른다 (16).

B. 진단 (Diagnosis)

갑상샘저하증 (hypothyroidism)에서 자유T_4농도와 TSH 농도 변화는 표 39.1에 나와있다.

1. 갑상샘저하증에서 혈청T_3농도는 정상일 수도 있지만, 자유T_4농도는 항상 감소한다 (13).
2. 혈장TSH농도는 1차성 갑상샘저하증에서는 증가하며, 시상하부-뇌하수체기능장애로 인한 2차성 갑상샘저하증에서는 감소한다.

C. 갑상샘보충요법 (Thyroid Replacement Therapy)

1. 경도에서 중도 갑상샘저하증에서는, levothyroxine (T_4)을 하루에 한번 50-200 μg을 경구투여한다 (17). 초기용량은 보통 50 μg/day이며, 3-4주 간격으로 50 μg/day 단위로 증량한다. 1차성 갑상샘저하증에서 이상적인 보충용량은 혈장TSH농도 정상화를 통해 알 수 있다.
2. 고도 갑상샘저하증에서는 위장관운동성이 손상될 수 있기 때문에 초기에는 IV levothyroxine을 많이 사용한다. 한 가지 추천하는 방법은 초기에 250 μg을 IV하고, 다음 날 100 μg을 IV, 그 후로는 매일 50 μg

을 IV로 투여한다 (17). 티록신 (thyroxine)의 유효 IV 용량은 유효경구 용량의 약 절반이다.

2. 중환자에서는 T_4가 T_3로 전환되는 것이 억제될 수도 있기 때문에 (16), 티록신 (T_4)보충을 보조하기 위해서 경구용 T_3 (12시간 간격으로 25 μg)를 투여할 수도 있다 (18). T_3는 필요한 경우 비위관을 통해 투여할 수도 있다. T_3 보충의 이점을 평가하는 연구들은 결과가 다양했다 (13).

참고문헌

1. Marik PE, Pastores SM, Annane D, et al. Recommendations for the diagnosis and management of corticosteroid insufficiency in critically ill adult patients: consensus statement from an international task force by the American College of Critical Care Medicine. Crit Care Med 2008; 36:1937-1949.
2. Annane D, Maxime V, Ibrahim F, et al. Diagnosis of adrenal insufficiency in severe sepsis and septic shock. Am J Respir Crit Care Med 2006; 174:1319-1326.
3. Marik PE. Critical illness-related corticosteroid insufficiency. Chest 2009; 135:181-193.
4. Bornstein SR. Predisposing factors for adrenal insufficiency. N Engl J Med 2009; 360:2328-2339.
5. Dellinger RP, Levy MM, Rhodes A, et al. Surviving Sepsis Campaign: International guidelines for management of severe sepsis and septic shock, 2012. Intensive Care Med 2013;39:165-228.
6. Umpierrez GE. Euthyroid sick syndrome. South Med J 2002;95:506-513.
7. Peeters RP, Debaveye Y, Fliers E, et al. Changes within the thyroid axis during critical illness. Crit Care Clin 2006; 22:41-55.
8. Dayan CM. Interpretation of thyroid function tests. Lancet 2001;357:619-624.
9. Burman KD, Wartofsky L. Thyroid function in the intensive care unit setting. Crit Care Clin 2001;17:43-57.
10. Karmisholt J, Andersen S, Laurberg P. Variation in thyroid function tests in patients with stable untreated subclinical hypothyroidism. Thyroid 2008; 18:303-308.

11. Bahn RS, Burch HB, Cooper DS, et al. Hyperthyroidism and other causes of thyrotoxicosis: Management guidelines of the American Thyroid Association and the American Association of Clinical Endocrinologists. Thyroid 2011; 21:593-646.
12. Migneco A, Ojetti V, Testa A, et al. Management of thyrotoxic crisis. Eur Rev Med Pharmacol Sci 2005; 9:69-74.
13. Garber JR, Cobin RH, Gharib H, et al. Clinical practice guidelines for hypothyroidism in adults. Endocr Pract 2012; 18:988-1028.
14. Lafayette RA, Costa ME, King AJ. Increased serum creatinine in the absence of renal failure in profound hypothyroidism. Am J Med 1994; 96:298-299.
15. Ladenson PW. Recognition and management of cardiovascular disease related to thyroid dysfunction. Am J Med 1990;88:638-641.
16. Myers L, Hays J. Myxedema coma. Crit Care Clin 1991; 7:43-56.
17. Toft AD. Thyroxine therapy. New Engl J Med 1994; 331:174-180.
18. McCulloch W, Price P, Hinds CJ, et al. Effects of low dose oral triiodothyronine in myxoedema coma. Intensive Care Med 1985;11:259-262.

Chapter 40

의식 장애

Disorders of Consciousness

주변환경을 인식하고 상호작용하는 능력, 즉 의식은 인생을 경험하기 위한 필수사항이며, 이 능력의 손실은 생명을 위협하는 질병의 주요 징후 중 하나다. 이번 장은 주요 의식장애를 다루고 있으며, 그 중 섬망 (delirium), 혼수 (coma), 그리고 뇌사 (brain death)에 중점을 두고 있다.

Ⅰ. 의식변화 (ALTERED CONSCIOUSNESS)

A. 의식 (Consciousness)

의식은 각성 (arousal)과 인식 (awareness) 두 가지로 구성된다.

1. 각성은 주변환경을 느낄 수 있는 능력이다.
2. 인식은 주변환경과의 관계를 이해하는 능력이다.
3. 이 두 가지 구성요소는 다음에 설명할 의식의 변화상태를 판별하기 위해 사용한다.

B. 의식의 변화상태 (Altered States of Consciousness)

1. *불안 (anxiety)*과 *기면 (lethargy)*은 각성과 인식은 온전하지만, 주의력 (attentiveness)에 변화가 있다. 다른 말로, 인식의 정도에 변화가 있다.

2. *Lock-in state*는 각성과 인식은 정상인 상태이지만, 운동반응성이 거의 없다. 이 상태는 뇌교복부 (ventral pons)에 있는 운동경로의 양측성 손상으로 발생하며, 눈동자의 위아래 이동과 눈꺼풀 깜빡임을 제외한 모든 수의 운동 (voluntary movement)을 방해한다 (1).
3. *섬망 (delirium)*과 *치매 (dementia)*는 각성은 정상이지만, 인식이 변한 상태다. 인식의 변화는 섬망처럼 변동성일 수도 있고 혹은 치매처럼 느린 진행성일 수도 있다.
4. *식물인간상태 (vegetative state)*는 눈을 뜰 수 있는 등 약간의 각성이 있지만, 인식이 없는 상태다. 자발적 움직임과 심부통증 (deep pain)에 대한 반응이 있을 수도 있지만, 이 움직임은 아무런 목적이 없다. 한 달이 경과하면, 이 상태를 *지속적 식물인간상태*라고 한다 (2).
5. *혼수 (coma)*는 각성과 인식이 모두 없는 상태다. 자발적 움직임과 심부통증에 대한 반응이 있을 수 있지만, 이 움직임은 아무런 목적이 없다.
6. *뇌사 (brain death)*는 각성과 인식이 모두 없다는 점에서 혼수와 비슷하지만, 혼수와는 두 가지 차이점이 있다. 먼저 (a) 뇌신경 활동성 (cranial nerve activity)과 자발호흡을 포함한 모든 뇌간기능 (brainstem function)이 사라지며, (b) 항상 비가역적 (irreversible)이다.

C. 의식변화의 원인 (Sources of Altered Consciousness)

판별 가능한 의식변화의 원인이 그림 40.1에 나와있다. 내과계 ICU에서 시행한 신경학적합병증에 대한 전향적 연구결과 (3), 허혈성뇌졸중 (ischemic stroke)이 ICU 입실 당시 발생한 의식변화의 가장 흔한 원인이었으며, 패혈성뇌병증 (septic encephalopathy)은 ICU 입실 후 발생한 의식변화의 가장 흔한 원인이었다.

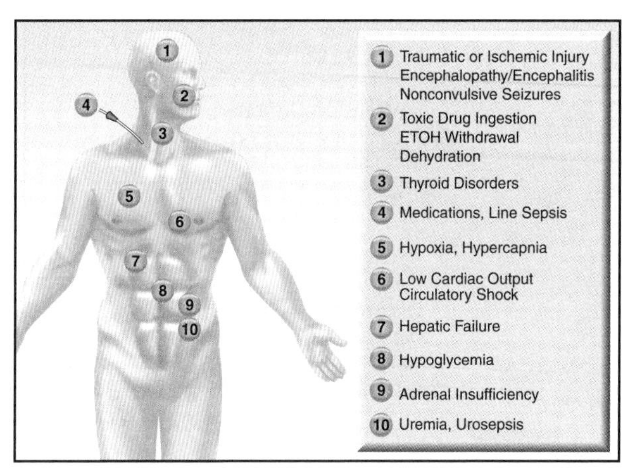

그림 40.1 의식 변화의 흔한 원인

II. ICU 관련 섬망 (ICU-RELATED DELIRIUM)

섬망은 ICU 환자 중 16-89%에서 발생하며 (4), 결과에 악영향을 미친다 (5).

A. 임상양상 (Clinical Features)

섬망의 임상양상은 그림 40.2에 요약되어 있다 (4,6).

1. 섬망은 주의력 결핍, 혼란한 생각, 변동성전개 (fluctuating course)를 동반한 급성혼란상태다. 행동의 변동성은 24시간에 걸쳐 나타난다.
2. 섬망이 있는 입원환자 중 40% 이상은 환시 (visual hallucination) 같은 정신증상을 보인다 (7). 따라서, 섬망을 흔히 "ICU정신병증 (psychosis)"이라고 잘못 부르기도 한다 (8).

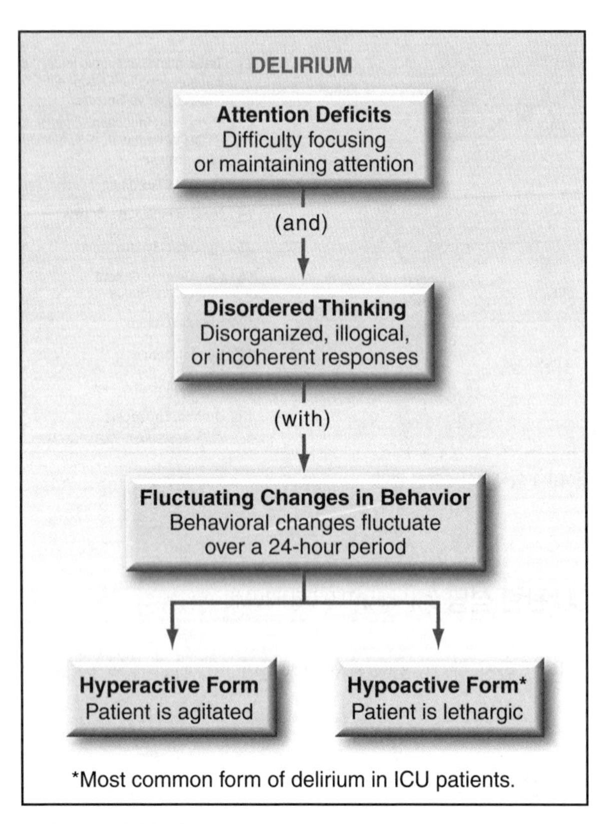

■ 그림 40.2 섬망의 임상 양상

3. 아형 (Subtype)

다음과 같은 섬망의 아형이 알려져 있다.

a. 과다활동섬망 (*hyperactive delirium*)은 끊임없는 초조 (agitation)가 특징이다. 이 형태의 섬망은 알코올 금단에서는 흔하지만, 병원획

득성 섬망에서는 드물며, 전체 사례 중 2% 혹은 그 미만이 여기에 해당한다.

b. 저활동섬망 (hypoactive delirium)은 기면 (lethargy)과 경면 (somnolence)이 특징이다. 이는 병원획득성 섬망에서 가장 흔한 형태며, 전체사례 중 45-64%가 여기에 해당한다 (4). 이런 형태의 섬망은 보통 모르고 넘어갈 수 있으며, 섬망의 진단을 종종 놓치는 이유에 대한 설명이 될 수 있다.

c. 혼합형섬망 (mixed delirium)은 과다활동섬망과 저활동섬망이 번갈아 발생하는 상태다. 이런 형태의 섬망은 병원획득성 섬망환자 중 6-55%에서 보고되고 있다 (4).

4. 섬망 vs. 치매 (Delirium vs. Dementia)

섬망과 치매는 구별되는 정신장애로 중복되는 임상양상, 즉 주의력결핍과 혼란한 생각이 있어 흔히들 헷갈려 한다. *치매와 구별되는 섬망의 주요특징은 갑작스러운 시작과 변동성전개 (fluctuating course)이다.*

B. 선행 요인 (Predisposing Conditions)

여러 가지 요인들이 입원환자에서 섬망을 촉진한다. 여기에는 (a) 고령, (b) 수면박탈, (c) 지속되는 통증, (d) 장기간 침상 안정, (e) 대수술, (f) 뇌증, (g) 약물(다음을 참고) 등이 있다 (4,9,10).

1. 섬망유발약제 (Deliriogenic Drugs)

섬망을 유발하는 약제에는 (a) 항콜린성 약제, (b) dopamine성 약제, (c) serotonin성 약제, (d) benzodiazepines이 있다 (10,11). *ICU 환자에서 섬망을 유발하는 주된 약물은 benzodiazepine이다. (11).*

C. 예방법 (Preventive Measures)

섬망의 위험을 감소시키기 위해 권장하는 방법에는 (a) 적절한 통증치료, (b) 일정한 수면-각성 주기 (sleep-wake cycle) 유지, (c) 침상에서 벗어나기, (d) 가족과의 만남을 권장, (e) 가능하다면 섬망유발약제의 사용제한 등이 있다 (4,11).

1. Dexmedetomidine

Dexmedetomidine을 사용한 진정은 benzodiazepine을 사용한 진정보다 섬망이 적게 발생했다 (12,13). 이 약제는 섬망의 위험이 있는 ICU 환자에게 진정이 필요할 때 benzodiazepine을 대체할 수 있다. Dexmedetomidine에 대한 더 많은 정보는 43장 Ⅱ-D절을 참고한다.

D. 진단 (Diagnosis)

초조와 섬망치료에 대한 최신지침에서는 (11) CAM-ICU (confusion Assessment Method for the ICU) 같이 검증된 선별검사도구를 이용해 섬망에 대한 주기적인 검사를 권장한다 (6). CAM-ICU는 www.icudelirium.org에서 구할 수 있다.

E. 치료 (Management)

병원획득성 섬망에 대해 보편적으로 승인된 약물요법은 없다.

1. ICU환자의 진정에 대한 최신지침은 (11) 알코올 혹은 benzodiazepine 금단과 관계가 없는 섬망 치료에는 benzodiazepine보다 *dexmedetomidine*을 권장하고 있다. 하지만, 이를 뒷받침할 증거는 없다 (11).
2. *Haloperidol*은 섬망치료에 널리 쓰이는 약이다 (11). 하지만, 이를 뒷받침 하거나 반대할 증거는 없다. Haloperidol 사용에 대한 더 많은 정보는 43장 Ⅱ-E절을 참고한다.

3. Quetiapine, olanzapine, risperidone 같은 "비전형적 항정신병제제 (atypical antipsychotics)"를 통한 섬망치료가 성공적이었다는 몇 가지 단서가 있다 (14). 이 제제들은 haloperidol과 연관된 추체외로 (extrapyramidal)부작용이 발생할 위험이 없다. 하지만, 이 약들에 대한 권고를 보장할 증거는 충분하지 않다 (11).

Ⅲ. 알코올금단섬망 (ALCOHOL WITHDRAWAL DELIRIUM)

알코올금단섬망은 운동활동성 증가, EEG (electroencephalogram)에서 활동성 (activity) 증가가 특징이다. 반면 병원획득성 섬망은 운동활동성 감소와 EEG에서 느린 활동성 (slowing activity)이 특징이다 (4).

A. 임상양상 (Clinical Features)

알코올금단의 임상양상은 표44.1에 요약되어 있다.

1. 진전섬망 (Delirium Tremens, DTs)

알코올금단이 있는 환자 중 약 5%는 DTs가 발생하며, 초조섬망 (agitated delirium), 환각, 발열, 빈맥, 고혈압, 탈수증 등이 특징이다. 또한 발작 및 여러 가지 전해질이상, 특히 저칼륨혈증과 저마그네슘혈증이 발생할 수도 있다 (15). 시작은 일반적으로 마지막 음주 후 2일 후 정도로 지연되며, 증후군은 5일 이상 지속될 수 있다. 사망률은 5-15%로 알려져 있다 (15).

2. 베르니케뇌병증 (Wernicke Encephalopathy)

티아민 (thiamine)저장량이 낮은 경계선상태로 입원한 알코올 환자에게

IV로 포도당을 주입하게 되면 티아민결핍으로 인해 급성베르니케뇌병증이 발생할 수도 있다 (18). 입원 후 며칠 내로 의식수준의 급격한 변화가 발생할 수도 있으며, 알코올금단섬망 (alcohol withdrawal delirium)과 혼동될 수도 있다. 안구진탕 (nystagmus)과 외측주시마비 (lateral gaze paralysis)가 있으면 베르니케뇌병증을 판별하는데 도움이 된다. 티아민부족에 대한 더 많은 정보는 36장 Ⅲ-A절을 참고한다.

표 40.1 알코올금단의 임상양상

양상	마지막 음주 후 발병까지	지속 기간
초기금단 불안 떨림 구역	6 – 8 시간	1 – 2 일
전신발작	6 – 48 시간	2 – 3 일
환각 환시 환청 환촉	12 – 48 시간	1 – 2 일
진전섬망 †	48 – 96 시간	1 – 5 일

† 초조섬망 (agitated delirium), 환각, 발열, 빈맥, 고혈압, 탈수증, 발작 및 여러 가지 전해질 이상.
참고문헌15에서 개정.

B. 치료 (Treatment)

1. 에탄올 (ethanol)의 중추신경계 억제효과는 뇌의 주요 억제경로 (inhibitory pathway)인 GABA (gamma-aminobutyric acid)수용체를 부분적으로 자극한 결과다. 또한 이는 benzodiazepine의 작용기전이기도 하기 때문에, *알코올금단의 초조와 섬망치료에 가장 좋은 약으로 benzodiazepine을 사용하는 근거가 된다* (17). Benzodiazepine의 또 다른 장점은 전신발작 (generalized seizure)이 발생하지 않도록 보호해 준

다는 점이다.

2. 용법 (REGIMEN) : ICU입실이 필요한 환자에서 DTs치료를 위한 적절한 선택은 IV lorazepam이다 (17). 초기조절을 위해서 환자가 조용해질 때까지 5-10분 간격으로 2-4 mg을 IV 한다. 그 후, IV lorazepam을 안정을 유지할 수 있는 용량으로 1-2 시간 간격으로 투여하거나, 지속 주입한다. 기관내삽관과 기계환기가 필요할 수도 있다.
   a. Benzodiazepine은 축적되어 장기간 진정 및 장기간 ICU입실을 유발하기 때문에 가능한 빨리 점감 (tapering) 하는 것이 중요하다.
   b. 장기간 IV lorazepam과 관련된 추가적인 우려에는 프로필렌글리콜 중독 (propylene glycol toxicity)이 있다 (24장 Ⅰ-A-5절 참고).
3. Benzodiazepine에 관한 더 많은 정보는 43장 Ⅱ-B절을 참고한다.
4. 앞서 언급한 티아민결핍의 위험성 때문에, DTs 환자에게는 일상적으로 티아민을 투여한다. 일반적인 용량은 하루에 50-100 mg이며, 특별한 부작용 없이 IV로 투여할 수 있다.

Ⅳ. 혼수 (COMA)

지속되는 혼수는 중환자의학에서 가장 어려운 상태 중 하나이며, 환자뿐 아니라 환자의 가족과 친지에 대해서도 주의를 기울여야 한다.

A. 병인 (Etiologies)

혼수는 아래의 상태 중 어느 하나의 결과로 발생할 수 있다.

1. 광범위한 허혈성뇌손상
2. 약물과다를 비롯한 중독 혹은 대사성뇌병증
3. 경천막뇌탈출 (transtentorial herniation)을 동반한 천막상 (supratentorial)종괴 혹은 후두와 (posterior fossa) 종괴의 뇌간 (brainstem)압박
4. 비경련성간질중첩증 (nonconvulsive status epilepticus)

5. 명백한 혼수, 즉 locked-in state, 히스테리성반응 (hysterical reaction)
6. 참고 : 정중선전위 (midline shift)를 동반한 편측성종괴효과 (unilateral mass effect)가 있거나, 반대측 뇌반구 (hemisphere)의 압박이 있거나 혹은 뇌간이 침범되지 않는 한 허혈성뇌졸중 (ischemic stroke)은 혼수로 이어지지 않는다.

B. 침상평가 (Bedside Evaluation)

혼수의 침상평가에는 뇌신경반사, 자발적 안구 및 신체움직임, 운동반사에 대한 평가 등이 있다 (18,19). 다음에 나오는 평가 요소들은 언급할 가치가 있다.

1. 운동 반응 (Motor Responses)

a. 불규칙적으로 움찔거리는 움직임을 (jerking movement) 의미하는 자발성근육간대경련 (spontaneous myoclonus)은 광범위한 뇌기능장애의 비특이적 징후가 될 수 있으며, 근육간대경련성발작 (myoclonic seizure)처럼 발작반응을 의미하기도 한다. 반면 이완된 (flaccid) 사지는 광범위한 뇌손상 혹은 뇌간손상 (brainstem injury)을 시사한다.
b. 손이나 발의 굴곡 (flexion)으로 발생하는 간대성움직임 (clonic movement), 즉 고정자세불능증 (asterixis)는 광범위한 대사성뇌병증의 징후다 (20).
c. 시상 (thalamus)에 손상이 있으면, 통증성자극은 상지의 굴곡을 유발한다. 이를 피질박리자세 (decorticate posturing)라고 한다.
d. 중뇌 (midbrain)와 상부뇌교 (upper pons)에 손상이 있으면, 상지와 하지는 통증에 반응하여 신전 (extension) 및 회내 (pronation)한다. 이를 제뇌자세 (decerebrate posturing)라고 한다.
e. 마지막으로 뇌간 (brainstem) 아래 부분에 손상이 있으면, 통증성 자극에도 사지가 이완된 (flaccid) 채로 있다.

2. 동공검사 (Examination of Pupils)

동공의 크기와 빛 반사에 영향을 끼치는 상태들이 표 40.2에 나와있다 (18,19,21). 동공소견은 다음과 같이 요약할 수 있다.

표 40.2 동공의 크기와 반응성을 변화시키는 상태

동공 크기와 반응성	관련 있는 상태
 (+) (+)	Atropine, anticholinergic toxicity, adrenergic agonist (e.g., dopamine), stimulant drugs (e.g., amphetamines), or nonconvulsive seizures
 (−) (−)	Diffuse brain injury, hypothermia (<28℃), intracranial hypertension, or brainstem compression from an expanding intracranial mass
 (−) (−)	Expanding intracranial mass (e.g., uncal herniation), ocular trauma or surgery, or focal seizure
 (+) (+)	Toxic/metabolic encephalopathy, sedative overdose, or neuromuscular blockade
 (−) (−)	Acute liver failure, postanoxic encephalopathy, or brain death
 (+) (+)	Horner's Syndrome
 (+) (+)	Opiate overdose, toxic/metabolic encephalopathy
 (−) (−)	Brainstem (pontine) injury

(+)와 (-)는 각각 반응성과 비반응성 동공을 의미한다. 참고문헌 18, 19, 21 발췌.

a. 확장 (dilated)되고 반응성 (reactive)이 있는 동공은 항콜린제 (anti-cholinergics)같은 약물이나 비경련성 발작으로 인해 발생할 수 있으며, 확장되고 반응성이 없는 동공은 광범위한 뇌손상, 두개내압항진, 혹은 두개내종양의 팽창에 의한 뇌간압박 등으로 인해 발생할 수 있다
b. 편측성으로 확장되고 고정된 동공은 안구외상, 최근의 안구수술, 혹은 두개내종양의 팽창으로 인한 제3뇌신경기능부전 등으로 인해 발생할 수 있다
c. 중간위치의, 반응성 동공은 대사성뇌병증, 진정제과다복용, 혹은 신경근차단제 때문에 발생할 수 있으며, 중간위치의 비반응성 동공은 급성간부전, 무산소뇌병증 (postanoxic encephalopathy), 혹은 뇌사 (brain death) 등으로 인해 발생할 수 있다.
d. 작고 반응성이 있는 동공은 대사성뇌증의 결과로 발생할 수 있으며, 핀포인트 동공 (pinpoint pupil)은 아편제과다복용 (반응성 동공) 혹은 뇌교손상 (비반응성 동공) 때문에 발생할 수 있다.

3. 안구운동성 (Ocular Motility)

혼수상태에서 자발적 안구이동은 비특이적 징후지만, 시선이 고정되는 경우가 많다면 높은 확률로 종양병변 (mass lesion)이나 발작활동성을 암시한다.

4. 안구반사 (Ocular Reflexes)

안구반사는 뇌간하부의 기능적 건전성 (functional integrity)을 평가하기 위해 사용한다 (19). 이 반사는 **그림 40.3**에 묘사되어 있다.

a. 안구두부반사 (OCULOCEPHALIC REFLEX) : 안구두부반사는 머리를 한쪽에서 반대쪽으로 이동시켜서 확인할 수 있다. 뇌반구에는 손상이 있지만 뇌간하부 (lower brainstem)가 정상이라면 눈은

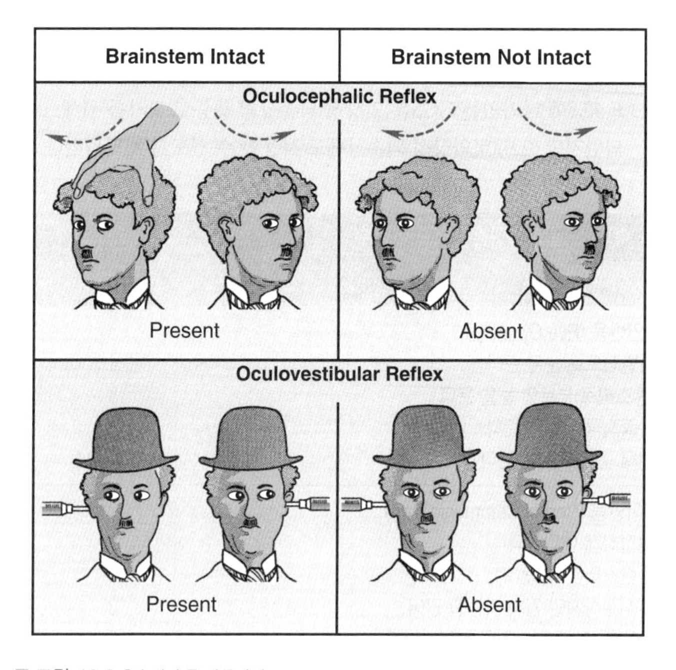

■ 그림 40.3 혼수평가 중 안구반사

고개를 돌리는 방향에서 벗어나 정면을 유지한다. 뇌간하부에 손상이 있다면, 눈은 고개를 돌리는 방향으로 따라간다.

b. 안구전정반사 (OCULOVESTIBULAR REFLEX) : 안구전정반사는 양쪽 귀의 외이도에 차가운 식염수 50 mL을 주입해서 확인한다. 뇌간기능이 정상이라면, 양쪽 눈은 천천히 식염수를 주입한 귀 쪽으로 돌아간다. 이러한 안구의 동향이동 (conjugate eye movement)은 뇌간하부가 손상되면 사라진다.

C. 글래스고혼수척도 (Glasgow Coma Scale, GCS)

1. 표 40.3에 나와있는 GCS는 외상성 뇌손상의 중증도 평가를 위해 고안되었지만 (22), 비외상성 뇌손상에도 사용할 수 있도록 채택되었다.

표 40.3 글래스고혼수척도와 점수

	점수
개안반응 (Eye Opening)	
자발적으로 눈을 뜬다	4
큰 소리로 부르면 눈을 뜬다	3
통증자극에 눈을 뜬다	2
전혀 눈을 뜨지 않는다	1 □점
언어반응 (Verbal Communication)	
적절하게 대답한다	5
혼란스러운 대화	4
부적절하지만 인식 가능한 단어	3
이해할 수 없는 소리를 낸다	2
전혀 소리를 내지 않는다.	1 □점
운동반응 (Motor Response)	
명령에 따라 움직인다	6
통증부위 인식가능	5
통증자극을 회피	4
이상굴곡 (피질박리자세)	3
이상신전 (제뇌자세)	2
전혀 움직임이 없다.	1 □점
글래스고혼수척도 (3개 척도의 종합)†	□점

† 최저 3점, 최고 15점. 기관내 삽관 환자는 최고 11점.

2. 척도는 언어 혹은 유해한 자극에 대한 1) 안구반응, 2) 언어반응, 그리고 3) 운동반응 3개 요소로 구성된다. GCS는 이 3가지 구성요소의 합이며, 최저점수인 3점은 인식 (awareness)과 반응성 (responsiveness)이 완전히 없음을 시사하며, 최대 점수인 15점은 정상을 의미한다.

3. 혼수는 GCS ≤8으로 정의한다.

4. GCS의 중대한 단점 중 하나는 기관삽관 중인 환자에서 언어반응을 평가할 수 없다는 점이다. 이 환자들은 언어반응에 "가짜점수"인 1점을 배당한다. 따라서 GCS최고 점은 11점이다. 또한 GCS는 마비된 환자나, 심하게 진정된 환자 혹은 저혈압환자에서는 신뢰할 수 없다.

D. 뇌파검사 (Electroencephalography, EEG)

1. 비경련성 간질중첩증 (nonconvulsive status epilepticus)은 혼수의 숨은 원인일 수 있다. 즉, 한 연구에 따르면, 혼수증례 중 8%에서 이 질환이 원인이었다 (23).
2. EEG는 설명할 수 없거나 지속되는 혼수에 추천한다.

V. 뇌사 (BRAIN DEATH)

사망판정법안 (Uniform Determination of Death Act, UDDA)은 "1) 순환기능과 호흡기능의 비가역적인 중단 혹은 2) 뇌간을 포함한 뇌 전체에서 모든 기능의 비가역적인 중단이 지속되는 사람은 죽은 사람이다 (24)" 라고 명시하고 있다. 두 번째 상태가 이번에 설명할 뇌사판정의 목적이다.

표 40.4 성인의 뇌사 판정 점검표	
지침 : 1-4 단계가 확정되면 환자를 법률상 사망이라 선언할 수 있다.	확정되면 항목에 표시 (✓)
1 단계 : 판정 전 전제조건 뇌사 평가를 시작하기 전 아래 상태를 모두 만족해야 한다. • 수축기 혈압 ≥ 100 mmHg • 체온 〉36℃ 혹은 96.8°F • 정상 갑상샘 기능 및 부신 기능 • 정상 혈당 • CNS 억제 약물을 사용 중이 아님 • 신경근차단제를 사용 중이 아님	□
2 단계 : 혼수의 원인을 평가 혼수의 원인이 있으며, 비가역적 뇌사를 설명할 수 있어야 한다.	□
3 단계 : 피질 기능 및 뇌간 기능 부재 A. 환자는 혼수상태 B. 유해자극에 대해 얼굴 찡그림이 없음 C. 다음의 뇌간 반사가 없음 • 빛에 대한 동공반응 부재 • 각막 반사 부재 • 구역 반사 및 기침 반사 부재 • 안구두부 반사 부재 • 안구전정 반사 부재	□ □ □
4 단계 : 자발 호흡 노력 부재 동맥혈 PCO_2가 기준선으로부터 20 mmHg 증가해도 자발 호흡 노력이 없다.	□

참고문헌25의 임상술기지침에서 발췌.

A. 판정 (The Determination)

성인에서 뇌사진단을 위한 점검목록이 표 40.4에 나와있다 (25). 뇌사판정의 소소한 부분 (minor aspects)에 대해서는 아직 합의가 이뤄지지 않았지만, 필수적인 요소들은 다음과 같다.

1. 비가역적인 혼수 (coma)
2. 뇌간반사 (brainstem reflexs)의 부재
3. 무호흡검사 중 자발호흡 (spontanesou respiration)의 부재
4. 뇌사판정은 반드시 다음과 같은 상태에서 시행해야 한다.
   a. 수축기혈압≥100 mmHg, 체온>36.5℃
   b. 진정제 혹은 신경근차단제를 사용하고 있지 않다.
   c. 정상혈당, 정상갑상샘기능
5. 대부분의 주 (state)에서는 뇌사를 진단하기 위한 신경학적 검사는 한번이면 충분하지만, 일부 주에서는 두번이 필요하다.

B. 무호흡검사 (The Apnea Test)

동맥혈 PCO_2 ($PaCO_2$)가 급격히 증가함에도 불구하고 자발호흡노력이 없다면 뇌사를 확정할 수 있다. 이는 환자를 인공호흡기에서 이탈시키고 $PaCO_2$ 증가에 따른 자발호흡노력을 관찰하는 무호흡검사로 평가한다. 무호흡검사는 다음의 단계를 따라 진행한다 (25).

1. 시험전에 환자에게 100% O_2를 최소 10분간 공급한다. 인공호흡기는 호흡수를 10회/분으로 줄이고, PEEP은 5 cmH_2O로 줄인다. 맥박산소측정 (pulse oxymetry)을 통한 산소포화도 (SpO_2)가 >95%라면, 기준선 (baseline) $PaCO_2$를 측정하기 위해 동맥혈가스 (arterial blood gas)를 채취한다.
2. 환자를 인공호흡기에서 이탈시키고, 기관내관 (endotracheal tube)에 연결된 관을 통해 기도에 100% O_2를 공급한다. 이 과정을 무호흡산소공급 (apneic oxygenation)이라고 한다.

3. 무호흡검사의 목표는 $PaCO_2$가 기준선보다 20 mmHg 이상 증가하도록 하는 것이다. 정상체온인 경우, 무호흡상태에서 $PaCO_2$는 1분에 3 mmHg 정도 증가한다. 따라서 목표 $PaCO_2$를 달성하기 위한 시험시간은 6-7분이면 충분하다. 시험시간 끝날 무렵에 다시 동맥혈가스를 채취하고 환자를 인공호흡기에 연결한다.
4. $PaCO_2$ 증가≥ 20 mmHg에도 무호흡이 지속된다면, 뇌사진단을 확정할 수 있다.
5. 다음 중 한 가지가 나타나면 무호흡시험을 중단해야 한다.
   a. 수축기 혈압이 90 mmHg로 떨어진다
   b. SpO_2가 30초 이상 85% 밑으로 떨어진다.

C. 보조검사 (Ancillary Test)

1. 뇌사진단을 위한 보조검사에는 MRI와 MRA, CTA, 체성감각유발전위검사 (somatosensory evoked potential) 등이 있다.
2. 이 검사들은 일반적으로 신경학적 검사가 애매하거나 무호흡검사를 안전하게 시행할 수 없을 때 사용한다.
3. 하지만, 보조검사가 뇌사를 확실하게 식별 할 수 있는지를 결정하기에는 증거가 불충분하며 (25), 뇌사결정에 대한 최신지침은 의사들이 이러한 검사법을 사용하는 것에 대해 경고하고 있다 (25).

D. Lazarus' Sign

1. 뇌사환자는 머리, 몸통, 혹은 상지의 간단한 자발적인 움직임을 의미하는 Lazarus' sign을 보일 수 있는데, 특히 인공호흡기에서 이탈한 후에 더 많이 나타난다 (27).
2. 이러한 움직임은 아마도 저산소혈증에 반응하여 경부척수에서 뉴런이 방전 (discharge)되기 때문일 것이다.

E. 잠재적장기기증자 (Potential Organ Donor)

장기기증은 뇌사판정과정의 필수적인 구성요소다. 이 주제는 이 책의 범위를 벗어나지만, ICU에서의 장기구득 (organ procurement)에 대한 최근에 발표된 지침이 (28) 이번 장 마지막의 참고문헌에 실려있다.

참고문헌

1. Leon-Carrion J, van Eeckhout P, Dominguez-Morales Mdel R. The locked-in syndrome: a syndrome looking for a therapy. Brain Inj 2002; 16:555–569.
2. The Multi-Society Task Force on PVS. Medical aspects of the persistent vegetative state (Part 1). N Engl J Med 1994; 330:1499–1508.
3. Bleck TP, Smith MC, Pierre-Louis SJ, et al. Neurologic complications of critical medical illnesses. Crit Care Med 1993; 21:98–103.
4. Zaal IJ, Slooter AJC. Delirium in critically ill patients: epidemiology, pathophysiology, diagnosis and management. Drugs 2012;72:1457–1471.
5. Ely EW, Shintani A, Truman B, et al. Delirium as a predictor of mortality in mechanically ventilated patients in the intensive care unit. JAMA 2004; 291:1753–1762.
6. Ely EW, Margolin R, Francis J, et al. Evaluation of delirium in critically ill patients: validation of the Confusion Assessment Method for the Intensive Care Unit (CAM-ICU). Crit Care Med2001; 29:1370–1379.
7. Webster R, Holroyd S. Prevalence of psychotic symptoms in delirium. Psychosomatics 2000; 41:519–522.
8. McGuire BE, Basten CJ, Ryan CJ, et al. Intensive care unit syndrome: a dangerous misnomer. Arch Intern Med 2000;160:906–909.
9. Inouye SK. Delirium in older persons. N Engl J Med 2006;354:1157–1165.
10. Reade MC, Finfer S. Sedation and delirium in the intensive care unit. N Engl J Med 2014; 370:444–454.
11. Barr J, Fraser GL, Puntillo K, et al. Clinical practice guidelines for the management of pain, agitation, and delirium in adult patients in the intensive care unit. Crit Care Med 2013; 41:263–306.

12. Pandharipande PP, Pun BT, Herr DL, et al. Effect of sedation with dexmedetomidine vs lorazepam on acute brain dysfunction on mechanically ventilated patients: the MENDS randomized controlled trial. JAMA 2007; 298:2644–2653.
13. Riker RR, Shehabi Y, Bokesch PM, et al. Dexmedetomidine vs midazolam for sedation of critically ill patients: a randomized trial. JAMA 2009; 301:489–499.
14. Gilchrist NA, Asoh I, Greenberg B. Atypical antipsychotics for the treatment of ICU delirium. J Intensive Care Med 2012; 27:354–361.
15. Tetrault JM, O'Connor PG. Substance abuse and withdrawal in the critical care setting. Crit Care Clin 2008; 24:767–788.
16. Attard O, Dietermann JL, Diemunsch P, et al. Wernicke encephalopathy: a complication of parenteral nutrition diagnosed by magnetic resonance imaging. Anesthesiology 2006; 105:847–848.
17. Mayo-Smith MF, Beecher LH, Fischer TL, et al. Management of alcohol withdrawal delirium: an evidence-based practice guideline. Arch Intern Med 2004; 164:1405–1412.
18. Stevens RD, Bhardwaj A. Approach to the comatose patient. Crit Care Med 2006; 34:31–41.
19. Bateman DE. Neurological assessment of coma. J Neurol Neurosurg Psychiatry 2001; 71:i13–17.
20. Kunze K. Metabolic encephalopathies. J Neurol 2002; 249:1150–1159.
21.Wijdicks EFM. Neurologic manifestations of pharmacologic agents commonly used in the intensive care unit. In: Neurology of critical illness. Philadelphia: F.A. Davis, Co., 1995:3–17.
22. Teasdale G, Jennett B. Assessment of coma and impaired consciousness. A practical scale. Lancet 1974; 2:81–84.
23. Towne AR, Waterhouse EJ, Boggs JG, et al. Prevalence of nonconvulsive status epilepticus in comatose patients. Neurology 2000;54:340–345.
24. National Conference of Commissioners on Uniform State Laws. Uniform Determination of Death Act. Approved July, 1980.
25. Wijdicks EFM, Varelas PNV, Gronseth GS, Greer DM. Evidencebased guideline update: determining brain-death in adults. Report of the Quality Standards Subcommittee of the American Academy of Neurology. Neurology 2010; 74:1911–1918.
26. Dominguez-Roldan JM, Barrera-Chacon JM, Murillo-Cabezas F, et al. Clinical

factors influencing the increment of blood carbon dioxide during the apnea test for the diagnosis of brain death. Transplant Proc 1999; 31:2599-2600.
27. Ropper AH. Unusual spontaneous movements in brain-dead patients. Neurology 1984; 34:1089-1092.
28. Kotloff RM, Blosser S, Fulda GJ, et al. Management of the potential organ donor in the ICU: Society of Critical Care Medicine/ American College of Chest Physicians/Association of Organ Procurement Organizations Consensus Statement. Crit Care Med 2015; 43:1291-1325.

Chapter 41

운동 장애

Disorders of Movement

이번 장은 (a) 불수의적 운동, 즉 발작 (seizure), (b) 약하거나 효과적이지 않은 운동, 즉 신경근약화 (neuromuscular weakness), 그리고 (c) 움직임 없음, 즉 약물유발성마비 (drug-induced paralysis)라는 3가지 유형의 운동장애를 다루고 있다.

Ⅰ. 발작 (SEIZURES)

A. 발작의 유형 (Types of Seizures)

발작은 뇌침범의 범위 (전신 vs. 국소발작), 이상운동의 유무 (경련성 vs. 비경련성발작), 그리고 운동이상의 유형 (긴장성, 간대성 등)에 따라 분류한다.

1. 이상운동 (Abnormal Movements)

발작에 의한 운동은 근수축이 지속되는 긴장성 (tonic), 규칙적인 진폭과 빈도를 가진 리듬운동인 간대성 (clonic), 혹은 빠르고 불규칙적인 운동인 근육간대경련성 (myoclonic)이 있다 (1). 일부 운동은 무언가를 씹는 것처럼 익숙하며 반복적인데, 이를 자동증 (automatisms)이라고 한다.

2. 전신발작 (Generalized Seizures)

전신발작은 대부분의 뇌피질을 침범하는 동조화된, 율동적인 전기방출에서 발생하며, 항상 의식상실 (loss of consciousness)을 동반한다. 이 발작은 일반적으로 사지의 긴장성-간대성 (tonic-clonic)움직임을 유발하지만, 전신비경련성발작 (generalized nonconvulsive seizure)처럼 이상운동 없이도 나타날 수 있다 (2).

3. 부분발작 (Partial Seizures)

부분발작은 광범위 혹은 국소 (localized) 율동적 방출에서 발생하며, 임상양상은 다음 두 가지 예시가 보여주는 것처럼 다양하다.

a. *부분복합발작 (partial complex seizure)*은 비경련성발작으로 행동변화를 유발하며, 반복적으로 무언가를 씹는 행동이나 혀를 차는 행동, 즉 자동증을 동반할 수 있다. 이러한 발작은 비경련성 간질중첩증 (nonconvulsive status epilepticus)의 흔한 원인이지만, 중환자에서 처음 (de novo) 발생하지는 않는다 (2).
b. *지속성부분간질 (epilepsia partialis continua)*은 경련성발작으로 몸 한쪽 면의 안면과 사지근육의 지속적인 긴장성-간대성 움직임이 특징이다.

4. 근육간대경련 (Myoclonus)

사지의 불규칙적이고 움찔거리는 움직임 (jerking movement)을 의미하는 근육간대경련은 자발적으로, 혹은 통증성 자극, 놀람 근육간대경련 (startle myoclonus) 처럼 큰 소음에 대한 반응으로 발생할 수 있다. 이러한 운동은 대사성 혹은 허혈성 등 모든 유형의 뇌병증 (encephalopathy)에서 나타날 수 있다. 근육간대경련 (myoclonus)은 EEG상의 율동적인 방출과 관계없기 때문에, 보편적으로 발작이라 여기지 않는다 (3).

B. 간질중첩증 (Status Epilepticus)

간질중첩증은 연속되는 발작활동이 5분간 지속되거나 혹은 의식 회복 없이 발작이 두번 이어서 발생하는 것으로 정의한다 (4). 이는 모든 형태의 발작을 포함하며, 이상운동과 연관된 "경련성"일수도 또는 이상운동과 연관이 없는 "비경련성" 일수도 있다.

1. 비경련성 간질중첩증 (Nonconvulsive Status Epilepticus, NSE)

대부분의 NSE는 ICU환자에게는 흔하지 않은 부분복합발작을 수반하지만, 전신발작 중 무려 25%는 비경련성일 수 있다 (5).

a. 전신NSE는 의식상실을 동반하며, ICU환자에서 혼수의 숨은 원인일 수도 있다 (40장 Ⅳ-D절 참고).

C. 선행요인 (Predisposing Conditions)

다양한 요인들이 중환자에게 처음 생긴 발작을 유발할 수 있다. 한 연구에 따르면, 가장 흔한 선행요인은 약물 중독, 약물 금단, 저혈당증이었다 (6). 다른 선행요인으로는 간부전, 요독증 (uremia) 으로 인한 대사성뇌병증 (metabolic encephalopathy), 허혈성 및 외상성뇌손상, 두개내종양, 수막뇌염 (meningoencephalitis) 등이 있다.

D. 급성기치료 (Acute Management)

아래의 내용은 특별한 언급이 없는 한 American Epilepsy Society의 경련성 간질중첩증 (convulsive status epilepticus, CSE)에 대한 가장 최신 지침에 기재된 권장 사항이다 (7).

1. 손가락 간이혈당검사 (Fingerstick Blood Glucose)

가장 먼저 해야할 일은 혈당검사다. 혈당이 <60 mg/dL라면, D_{50} 50 mL와 티아민 100 mg을 IV bolus로 투여한다.

2. 1단계 약제 (Stage 1 Drugs)

CSE를 신속히 끝내기 위해 가장 효과적인 약물은 benzodiazepine이며 60-80%에서 효과가 있다.

a. LORAZEPAM : CSE 종료에 최선의 약제는 IV lorazepam (2분에 걸쳐 4 mg IV)이다. 작용발현은 2분 이내며, 필요한 경우 5-10분 후에 4 mg을 반복투여 할 수 있다.

b. MIDAZOLAM : Midazolam의 장점은 IM으로 투여했을 때 흡수가 빠르다는 점이다. IV 접근이 힘든 경우, midazolam 10 mg을 IM 할 수 있다. CSE종료에 대한 효율은 IV lorazepam과 동등하며, 작용발현시간이 IV lorazepam보다 약간 늦을 뿐이다. 예를 들어, 한 연구에 따르면 IM midazolam의 작용발현시간은 평균 3.3분이었고, IV lorazepam의 작용발현시간은 평균 1.6분이었다 (8).

3. 2단계 약제 (Stage 2 Drugs)

2단계 약제는 benzodiazepine에 반응하지 않는 발작이나 24시간 이내에 재발할 가능성이 높은 발작에 사용한다. 이 약제에는 phenytoin, fosphenytoin, valproic acid, 그리고 levetiracetam이 있다.

a. PHENYTOIN : Phenytoin의 IV 용량은 20 mg/kg, 혹은 최대 1,500 mg이다. Phenytoin은 심억제 (cardiac depression) 및 저혈압의 위험이 있기 때문에 50 mg/min보다 빠르게 투여하면 안 된다.

b. FOSPHENYTOIN : Fosphenytoin은 수용성 phenytoin 유사체로 심억제가 덜하고 phenytoin보다 3배 빠른 150 mg/min 속도로 투여할

수 있다 (12). Phenytoin만큼 효과적이며, 저혈압의 위험이 적기 때문에 더 많이 쓰인다 (7).

c. VALPROIC ACID : Valproic acid의 IV 용량은 40 mg/kg 혹은 최대 3,000 mg이다. 효능은 phenytoin과 동등한 효과를 보인다고 여겨지지만 (7), 최근의 메타분석에 의하면 benzodiazepine내성CSE를 종료시키는데 있어서 valproic acid가 phenytoin보다 우수하다 (9).

d. LEVETIRACETAM : CSE에 대한 최신 항경련제는 levetiracetam으로 1회 투여하며, 용량은 IV 60 mg/kg 혹은 최대 4,500 mg이다. 이 약 또한 효능면에서 phenytoin과 동등한 효과를 보인다고 여겨지지만 (7), 최근의 메타분석에 의하면, benzodiazepine내성CSE를 종료시키는데 있어서 levetiracetam이 phenytoin보다 우수하다 (9).

표 41.1 경련중첩증의 약물 용법

약물	용법과 해설
1단계 약물	
Lorazepam	용법 : 2분에 걸쳐 4 mg IV. 필요한 경우 5-10분 간격으로 반복 해설 : 초기에 가장 좋은 치료법. 작용 발현은 일반적으로 〈2분
Midazolam	용법 : 10 mg IM 해설 : IV lorazepam만큼 효과적. IV 접근이 힘들 때 많이 사용
2단계 약물	
Phenytoin	용법 : 20 mg/kg IV, 최대 1회 IV용량 1,500 mg 해설 : 심억제와 저혈압 유발
Fosphenytoin	용법 : Phenytoin과 동일 해설 : Phenytoin과 효과가 동등하지만, 더 유리한 안전 프로필.
Valproic Acid	용법 : 40 mg/kg IV, 최대 1회 IV용량 3,000 mg 해설 : 효능 면에서 phenytoin과 동등하다고 여겨짐
Levetiracetam	용법 : 60 mg/kg IV, 최대 1회 IV용량 4,500 mg 해설 : 효능면에서 phenytoin과 동등하다고 여겨짐

참고문헌7 발췌.

4. 불응성 간질중첩증 (Refractory Status Epilepticus)

CSE환자중 10%는 1, 2단계 약제에 반응하지 않는다 (5). 이 경우 권장하는 치료법은 표 41.2에 있는 약제들의 마취용량 사용이다. 이 단계에서는 신경과전문의의 협진과 연속적인 EEG 감시가 최고의 선택이다.

표 41.2 불응성 경련중첩증의 약물용법

약제	용법
Pentobarbital	1시간에 걸쳐 부하용량 (loading dose) 5–15 mg/kg IV. 그 후 0.5–1 mg/kg/hr 주입. 필요한 경우 주입 속도를 최대 3 mg/kg/hr까지 증량.
Thiopental	IV bolus 3–5 mg/kg로 시작. 발작이 멈출 때까지 2–3분 간격으로 1–2 mg/kg IV. 그 후 24시간 동안 3–7 mg/kg/hr 속도로 주입.
Midazolam	부하용량 0.2 mg/kg IV. 그 후 4–10 mg/kg/hr 속도로 주입.
Propofol	IV bolus 2–3 mg/kg로 시작. 발작이 멈출 때까지 필요한 경우 추가 bolus 1–2 mg/kg. 그 후 24시간 동안 4–10 mg/kg/hr 속도로 주입.

용법은 참고문헌 3에서 발췌.

II. 신경근쇠약증후군 (NEUROMUSCULAR WEAKNESS SYNDROMES)

주의 해야할 신경근쇠약증후군에는 중증근무력증 (myasthenia gravis), 길랭-바레증후군 (Guillain-Barré syndrome), 그리고 중증질환 신경근병증 (critical illness neuromyopathy)이 있다.

A. 중증근무력증 (Myasthenia Gravis, MG)

MG는 신경근 접합부 (neuromuscular junction)의 시냅스후부위 (postsyn-aptic side)에 있는 아세틸콜린수용체 (acetylcholine receptors)가 항체-매개성 (antibody-mediated)으로 파괴되어 발생하는 자가면역 질환이다 (10).

1. 선행 요인 (Predisposing Conditions)

MG는 대수술 혹은 동반된 질환이 계기가 될 수 있다. 흉선종 (thymic tumor)이 전체 증례중 최대 20%를 차지한다 (10). 여러 약제들이 MG를 촉발시키거나 악화시킬 수 있다. 주로 aminoglycoside, ciprofloxacin 같은 항생제와 β-adrenergic blocker, lidocaine, procainamide, quinidine 같은 심혈관계 약제다.

2. 임상양상 (Clinical Feature)

MG의 근육약화는 다음과 같은 양상을 띈다.

a. 약화는 활동을 하면 악화되고 휴식을 취하면 호전된다.
b. 약화는 처음에는 눈꺼풀과 외안근 (extraocular muscle)에서 나타나며, 85%는 사지약화가 뒤따른다 (12).
c. 진행성약화는 흔히 흉벽과 횡격막을 침범하며, 빠르게 진행하는 호흡부전을 "근무력증위기" (myasthenia crisis)라고 하는데 환자 중 15-20%에서 발생한다.
d. 장애는 전적으로 운동기능에만 있으며, 심부건반사 (deep tendon reflex)는 보존된다 (표 41.3 참고).

3. 진단 (Diagnosis)

MG의 진단은 반복적으로 사용하면 악화되는 눈꺼풀과 외안근의 약화로 의심해볼 수 있다. 진단은 다음으로 확정한다.

a. Acetylcholinesterase inhibitor인 edrophonium (tensilon)을 투여한 뒤에 증가하는 근육강도
b. MG 환자 중 85%에 존재하는 혈중 아세틸콜린수용체항체검사 양성 (10).

4. 치료 (Treatment)

a. 1차 치료는 pyridostigmine (mestinon)같은 acetylcholinesterase inhibitor며, 초기에 6시간 간격으로 60 mg을 경구투여하며 필요한 경우 6시간 간격으로 120 mg까지 증량할 수 있다 (13,14). Pyridostigmine은 "근무력증위기"를 치료하기 위해 IV로도 투여할 수 있다. IV 용량은 경구투여 용량의 1/30이다 (12,13).
b. 필요한 경우 prednisone (1-1.5 mg/kg/day), azathioprine (1-3 mg/kg/day), cyclosporine (2.5 mg/kg 하루 두 번) 중 하나를 사용한 면역요법 (immunotherapy)을 추가한다 (14). 장기간 면역억제요법의 필요성을 줄이기 위해, 60세 이하의 환자에게는 보통 외과적흉선절제술 (surgical thymectomy)을 권장한다 (14).

5. 진행된 증례 (Advanced Cases)

기계환기가 필요할 정도로 진행된 증례에는 두 가지 치료 방법이 있다.

a. 혈류에서 병적항체를 제거하기 위한 혈장교환술 (plasmapheresis)
b. 병적항체를 중화하기 위한 IV 면역글로불린G (2-5일간 0.4-2 g/kg/day)
c. 두 가지 치료법은 동일한 효과를 보이지만 (14), 혈장교환술이 더 빠른 반응을 보인다.

표 41.3 길랑-바레증후군과 중증근무력증의 양상 비교

양상	중증근무력증	길랑-바레증후군
Ocular weakness	Yes	No
Fluctuating weakness	Yes	No
Bulbar weakness	Yes	No
Deep tendon reflexes	Intact	Depressed
Autonomic instability	No	Yes
Nerve conduction	Normal	Slowed

B. 길랑-바레증후군 (Guillain-Barré syndrome, GBS)

GBS는 아급성염증탈수초다발신경병 (subacute inflammatory demyelinating polyneuropathy)으로 보통 급성감염성질환이 발생한 후 1-3주 뒤에 나타난다 (15,16). 면역성원인이 의심된다.

1. 임상양상 (Clinical Features)

a. 수 일에서 수 주에 걸쳐 점차 진행하는 말단감각이상 (distal paresthesia)과 대칭적인 사지약화가 나타난다.
b. 25%가 호흡부전으로 진행하며 (15), 자율신경불안증 (autonomic instability)은 진행된 증례 (advanced cases)에서 나타날 수 있다 (17).
c. 약 80%가 자연히 회복되지만, 신경학적결손 (neurological deficits)이 남는 경우가 흔하다 (15).

2. 진단 (Diagnosis)

GBS의 진단은 임상양상 (지각이상과 대칭적인 사지약화), 신경전도

검사 (느린전도), 그리고 뇌척수액검사 (80%에서 단백질수치 상승)를 기반으로 한다 (15). GBS와 중증근무력증을 구별하는 특징은 표 41.3에 나와있다.

3. 치료 (Treatment)

치료는 대부분 지지요법이지만, 병이 진행하여 호흡부전이 동반되는 경우, 혈장교환술 혹은 IV 면역글로불린G (5일간 0.4/kg/day)가 단기 호전에 동등한 효과를 보인다 (16). 면역글로불린이 시행하기 쉽기 때문에 더 많이 사용된다.

C. 중증질환 신경근병증 (Critical Illness Neuromyopathy)

진행성 전신염증환자에게는 중증질환 다발성신경병증 (critical illness polyneuropathy, CIP)과 중증질환 근병증 (critical illness myopathy, CIM)이라는 두 가지 신경근장애가 발생할 수 있다 (18). 두 장애는 보통 한 환자에게 동시에 존재하며, 환자가 인공호흡기 이탈에 실패할 때 명확하게 드러난다.

1. 다발성신경병증 (Polyneuropathy)

CIP는 광범위한 감각 및 운동축삭 (axonal) 신경병증으로 중증패혈증이나 패혈성쇼크 환자중 반 이상이 가지고 있다 (18-20). 시작은 다양하며, 패혈증이 시작되고 2일 뒤부터 몇 주 뒤까지도 나타날 수 있다.

2. 근병증 (Myopathy)

CIM은 광범위한 염증성근병증으로, 양쪽사지와 몸통근육을 침범한다 (21). 중증패혈증과 패혈성 쇼크에 추가로, CIM은 장기간의 약물유발성신경근마비와도 관계 있으며, 특히 고용량 코르티코스테로이드 (corticosteroid)요법을 동시에 사용한 경우 (18,19,21) 혹은 고용량 코르티코스테로이드로 천식지속상태 (status asthmaticus)를 치료한 경우와 관계 있다 (21).

3. 임상양상 (Clinical Features)

앞서 언급한 바와 같이, CIP와 CIM은 설명할 수 없는 인공호흡기 이탈실패가 있기 전에는 발견되지 않고 진행한다. 그 후 이학적 검사를 하면 반사저하증 (hyporeflexia)이나 무반사증 (areflexia)을 동반한 이완성 불완전사지마비 (flaccid quadriparesis)를 확인할 수 있다.

4. 진단 (Diagnosis)

a. CIP의 진단은 신경전도검사로 확정하며, 감각 및 운동섬유에서 느린전도 (slowed conduction)를 볼 수 있다 (20).
b. CIM의 진단은 근전도에서 근병성변화 (myopathic changes)가 있으며, 근생검에서 염증성침윤과 미오신필라멘트 (myosin filaments) 소실이 있으면 확정할 수 있다 (21).

5. 결과 (Outcome)

CIP와 CIM은 특별한 치료법이 없다. 약 50%는 완전한 회복을 기대해볼 수도 있지만 (20), 회복되기까지는 수 개월이 걸릴 수도 있다.

Ⅲ. 신경근차단 (NEUROMUSCULAR BLOCKADE)

1. 약물로 인한 신경근차단은 기관내삽관 (endotracheal intubation)을 위해서, 의도적인 저체온 (induced hypothermia) 동안 떨림 (shivering)을

방지하기 위해서, 그리고 심각한 불안증으로 환기가 힘든 환자에게 기계환기를 하기 위해서 사용한다 (22).

2. 신경근차단 제제는 시냅스후막 (post synaptic membrane)에 있는 아세틸콜린수용체 (acetylcholine receptor)와 결합하여 효과를 나타낸다. 효과를 나타내는 방식은 두 가지가 있다.
   a. *탈분극제제 (depolarizing agents)*는 아세틸콜린처럼 작용하며, 시냅스후막의 지속적인 탈분극을 유발한다. Succinylcholine은 임상적으로 사용 가능한 유일한 탈분극제제다.
   b. 비탈분극제제 (non-depolarizing agents)는 시냅스후막에서 탈분극을 억제한다. 이러한 제제에는 pancuronium, vecuronium, rocuronium, atracurium, cisatracurium 등이 있다.

A. 선택적신경근차단제 (Selective Neuromuscular Blockers)

흔히 사용하는 3가지 신경근차단제의 특성을 비교한 내용이 표 41.4에 나와 있다 (23).

표 41.4 흔히 사용하는 신경근 차단제의 특성

	Succinylcholine	Rocuronium	Cisatracurium
IV bolus용량	1 mg/kg	0.6 mg/kg	0.15 mg/kg
발현시간	1-1.5분	1.5-3분	5-7분
회복시간	10-12분	30-40분	40-50분
주입속도	-	5-10 mg/kg/min	1-3 mg/kg/min
심혈관효과	서맥	없음	없음
금기	여러 가지†	없음	없음

† 고칼륨혈증, 악성고열 (malignant hyperthermia), 횡문근융해 (rhabdomyolysis), 화상, 근이영양증 (muscular dystrophy), 척수손상. 참고문헌23에서 각색.

1. Succinylcholine

Succinylcholine은 탈분극제제로 발현시간이 빠르며 (60-90초), 회복시간도 빠르다 (10-12분). 이런 특징 때문에, succinylcholine은 기관내삽관 시에 사용한다.

a. 부작용 (SIDE EFFECT) : Succinylcholine 유발성 골격근탈분극은 근육세포에서 K^+유출을 유발하며, 이는 고칼륨혈증, 악성고열 (malignant hyperthermia), 횡문근융해 (rhabdomyolysis), 화상, 근이영양증 (muscular dystrophy), 척수손상 같은 상황에서 문제가 될 수 있다. 또한 succinylcholine은 서맥을 유발한다.

2. Rocuronium

Rocuronium은 비탈분극제제로 발현시간이 빠르며 (1.5-3분), 중간정도의 회복시간 (30-40분)을 가진다. 발현시간이 빠르기 때문에, succinylcholine을 사용할 수 없지만 기관내삽관을 시행해야 할 경우 rocuronium이 적합하다. 이 약은 대부분의 환자가 잘 견디며, 심혈관계 부작용이 없다.

3. Cisatracurium

Cisatracurium은 비탈분극제제로 발현시간이 길며 (5-7분), 중간정도의 회복기간을 가진다. 이 제제는 atracurium의 이성질체 (isomer)로 atracurium과 관련된 히스타민 (histamine)분비의 위험이 없다. 이 약은 rocuronium처럼 대부분의 환자가 잘 견디며, 심혈관계 부작용이 없다.

B. 감시 (Monitoring)

약물-유발성마비에 대한 표준 감시방법은 연속된 4번의 저주파 (low-frequency, 2 Hz)전기자극을 상완의 척골신경에 가한 뒤, 엄지손가락의 내전 (adduction) 여부를 관찰한다. 엄지손가락 내전이 전혀 없으면 과도한 차단의 단서가 된다. 신경근차단제의 이상적인 차단목표는 눈에 보이는 내전 (adduction)이 한 두번 정도 있는 것이며, 약물주입속도도 이 목표에 맞추어 조절한다 (23).

C. 합병증 (Complications)

신경근마비 동안 진정의 적정성을 감시하는 것은 불가능하며, 마비된 동안 의식이 깨어있으면 공포스러우면서 동시에 고통스럽다 (24). 장기간 신경근마비의 다른 합병증은 다음과 같다.

1. 앞서 언급한 중증질환 근병증 (critical illness myopathy)
2. 호흡기분비물이 폐의 아래쪽 구역에 모여서 발생하는 "침하성" 폐렴 (hypostatic pneumonia)
3. 정맥혈전색전증
4. 피부 욕창

참고문헌

1. Chabolla DR. Characteristics of the epilepsies. Mayo Clin Proc 2002; 77:981-990.
2. Holtkamp M, Meierkord H. Nonconvulsive status epilepticus: a diagnostic and therapeutic challenge in the intensive care setting. Ther Adv Neurol Disorders 2011; 4:169-181.
3. Meierkord H, Boon P, Engelsen B, et al. EFNS guideline on the management of status epilepticus in adults. Eur J Neurol 2010; 17:348-355.
4. Brophy GM, Bell R, Claassen J, et al. Guidelines for the evaluation and management of status epilepticus. Neurocrit Care 2012; 17:3-23.
5. Marik PE, Varon J. The management of status epilepticus. Chest 2004; 126:582-591.
6. Wijdicks EF, Sharbrough FW. New-onset seizures in critically ill patients. Neurol-

ogy 1993; 43:1042-1044.
7. Glauser T, Shinnar S, Gloss D. Evidence-based guideline: Treatment of convulsive status epilepticus in children and adults: Report of the Guideline Committee of the American Epilepsy Society. Epilepsy Currents 2016; 16:48-61.
8. Silbergleit R, Durkalski V, Lowenstein D, et al. for the NETT Investigators. Intramuscular vs intravenous therapy for prehospital status epilepticus. N Engl J Med 2012; 366:591-600.
9. Yasiry Z, Shorvon SD. The relative effectiveness of five antiepileptic drugs in the treatment of benzodiazepine-resistant convulsive status epilepticus: a meta-analysis of published studies. Seizure 2014; 23:167-174.
10. Vincent A, Palace J, Hilton-Jones D. Myasthenia gravis. Lancet 2001; 357:2122-2128.
11. Wittbrodt ET. Drugs and myasthenia gravis. An update. Arch Intern Med 1997; 157:399-408.
12. Drachman DB. Myasthenia gravis. N Engl J Med 1994; 330:1797-1810.
13. Berrouschot J, Baumann I, Kalischewski P, et al. Therapy of myasthenic crisis. Crit Care Med 1997; 25:1228-1235.
14. Saperstein DS, Barohn RJ. Management of myasthenia gravis. Semin Neurol 2004; 24:41-48.
15. Hughes RA, Cornblath DR. Guillain-Barré syndrome. Lancet 2005; 366:1653-1666.
16. Hund EF, Borel CO, Cornblath DR, et al. Intensive management and treatment of severe Guillain-Barré syndrome. Crit Care Med 1993; 21:433-446.
17. Pfeiffer G, Schiller B, Kruse J, et al. Indicators of dysautonomia in severe Guillain-Barré syndrome. J Neurol 1999; 246:1015-1022.
18. Hund E. Neurological complications of sepsis: critical illness polyneuropathy and myopathy. J Neurol 2001; 248:929-934.
19. Bolton CF. Neuromuscular manifestations of critical illness. Muscle & Nerve 2005; 32:140-163.
20. van Mook WN, Hulsewe-Evers RP. Critical illness polyneuropathy. Curr Opin Crit Care 2002; 8:302-310.
21. Lacomis D. Critical illness myopathy. Curr Rheumatol Rep 2002;4:403-408.
22. Murray MJ, Cowen J, DeBlock H, et al. Clinical practice guidelines for sustained neuromuscular blockade in the adult critically ill patient. Crit Care Med 2002;

30:142-156.

23. Brull SJ, Claudius C. Neuromuscular blocking agents. In: Barash PG, Cullen BF, Stoelting RK, et al, eds. Clinical Anesthesia Fundamentals. Philadelphia: Wolters Kluwer Health, 2015:185-207.
24. Parker MM, Schubert W, Shelhamer JH, et al. Perceptions of a critically ill patient experiencing therapeutic paralysis in an ICU. Crit Care Med 1984; 12:69-71.

Chapter 42

급성 뇌졸중

Acute Stroke

이번 장은 급성뇌졸중의 초기평가 및 치료를 다루고 있으며, 이 중 혈전용해요법의 활용 및 급성 뇌졸중에 대한 최신 임상술기지침의 권장사항에 중점을 두고 있다 (1).

Ⅰ. 정의 (DEFINITIONS)

1. 뇌졸중은 "혈관에서 유래하고 (vascular origin) 24시간 이상 지속되는, 신경학적 기능부전 (neurological dysfunction)을 동반한 급성뇌장애 (acute brain disorder)"로 정의한다 (2).
2. 뇌졸중은 근본적인 기전에 따라 분류한다.
   a. 허혈성뇌졸중 (ischemic stroke)은 뇌졸중 중 87%를 차지한다 (3). 허혈성뇌졸중 중 80%는 *혈전성 (thrombotic)뇌졸중*이며, 20%는 *색전성 (embolic)뇌졸중*이다. 대부분의 색전은 좌측심장의 혈전에서 유래하지만, 일부는 하지정맥의 색전이 열려있는 난원공 (patent foramen ovale)을 통해 뇌에 도달하기도 한다 (4).
   b. 출혈성뇌졸중은 뇌졸중 중 13%를 차지한다. 출혈성뇌졸중 중 97%는 뇌내출혈 (intracerebral hemorrhage)을 수반하며, 3%는 지주막하 출혈 (subarachnoid hemorrhage)로 인해 생긴다 (3). 경막하혈종 (subdural hematoma)과 경막외혈종 (epidural hematoma)은 뇌졸중으로 여기지 않는다 (2).
3. 일과성허혈발작 (transient ischemic attack, TIA)은 24시간 미만 동안

지속되는 뇌기능의 국소적 소실 (focal loss)을 동반한 급성허혈 (acute ischemia)이다 (2). TIA를 뇌졸중과 구별하는 특성은 *임상증상의 가역성 (reversibility)*이다. 이는 뇌손상의 가역성은 적용되지 않는다. TIA의 1/3은 뇌 경색 (cerebral infarction)이 있기 때문이다 (5,6).

II. 초기평가 (INITIAL EVALUATION)

급성뇌졸중이 의심되는 환자는 평가를 신속히 진행해야 한다. 즉, 뇌경색 후 1분이 지날 때마다 190만 개의 신경세포 (neuron)와 수초화신경 (myelinated nerves) 12 km가 파괴된다 (7).

A. 침상평가 (Bedside Evaluation)

급성뇌졸중의 임상양상은 **그림 42.1**에 나와있는 것처럼 손상 받은 뇌 영역에 따라 달라진다.

1. 정신상태 (Mental Status)

a. 대부분의 뇌경색은 편측성이며, 의식상실로 이어지지 않는다 (8).
b. 국소 신경학적결핍 (focal neurological deficits)과 혼수 (coma)가 같이 생겼다면, 가장 가능성 높은 상태는 뇌내출혈, 뇌간경색 (brainstem infarction), 혹은 비경련성발작 (nonconvulsive seizure)이다.

2. 실어증 (Aphasia)

인구 90%에서 언어우세반구 (dominant hemisphere)인 좌측 뇌반구에 손상이 있으면 언어의 이해와 표현 혹은 그 중 하나에 장애가 발생하는 실어증을 유발한다. 실어증에는 언어이해에 어려움이 있는 *수용성 언어상실증 (receptive aphasia)*, 언어표현에 어려움이 있는 *표현언어상*

실증 (expressive aphasia), 혹은 둘 다에 어려움이 있는 *완전언어상실증 (global aphasia)*이 있다.

3. 감각운동상실 (Sensorimotor Loss)

뇌반구 하나를 침범하는 손상은 신체 반대편 혹은 대측성부위의 약화, 즉, 편측마비 (hemiparesis)로 이어진다. 편측마비는 간성뇌병증 (hepatic encephalopathy) 혹은 패혈성뇌병증 (septic encephalopathy) 환자에서도 발생할 수 있다 (9,10).

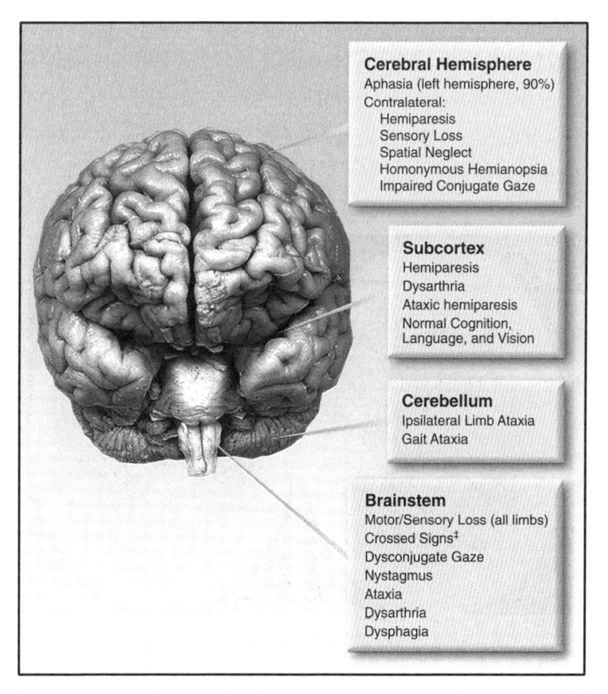

■ 그림 42.1 뇌손상 부위와 상응하는 신경학적 이상. ‡는 안면의 동일측과 몸의 반대측을 침범하는 결손을 나타낸다.

4. 뇌졸중유사증상 (Stroke Mimics)

임상소견에 근거한 뇌졸중 추정환자 중 무려 30%는 급성뇌졸중과 유사한 다른질환을 가지고 있다 (11). 가장 흔한 뇌졸중유사증상은 순서대로 비경련성발작, 패혈증, 대사성뇌병증, 공간점유병변 (space-occupying lesion)이다 (11).

5. NIH뇌졸중척도 (NIH Stroke Scale)

급성뇌졸중 평가를 표준화하기 위해 임상점수체계 (clinical scoring system) 사용을 권장하며 (1), 가장 적절한 점수체계는 NIH뇌졸중척도 (NIH Stroke Scale, NIHSS)다. NIHSS는 11개의 서로 다른 능력을 평가하며, 총합은 최고능력인 0에서부터 최저능력인 41까지다. 점수가 22점 이상이면 일반적으로 나쁜예후를 시사한다. NIHSS는 https://stroke.nih.gov/resources/scale.htm 에서 PDF 파일로 다운로드 할 수 있다.

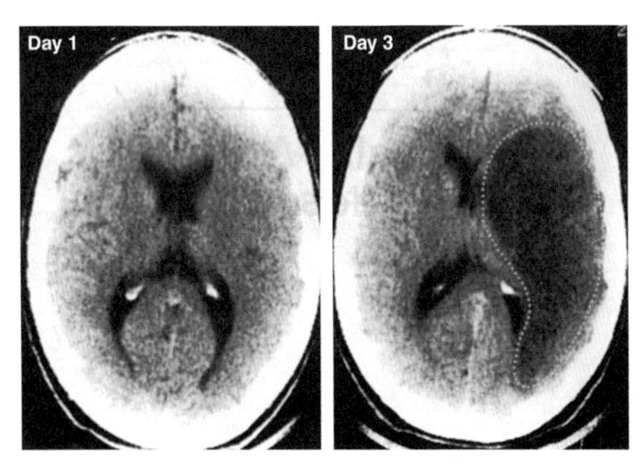

■ 그림 42.2 허혈성뇌졸중의 첫째 날과 셋째 날에 촬영한 비조영CT. 첫째 날 영상에서는 보이지 않지만, 셋째 날 영상에서는 점선으로 표시된 종양효과 (mass effect)를 동반한 넓은 저밀도영역을 볼 수 있다. 이는 뇌내부종을 동반한 광범위한 조직파괴를 의미한다. 참고문헌13에서 발췌한 사진.

B. 컴퓨터단층촬영 (Computed Tomography, CT)

비조영제컴퓨터단층촬영 (noncontrast computed tomography, NCCT)은 일반적으로 급성뇌졸중이 의심되는 경우에 시행하는 첫 번째 진단적검사다.

1. NCCT는 뇌내출혈 발견에 100%에 가까운 민감도를 보이며 (5), NCCT 결과는 혈전용해요법 시행여부를 결정하는데 필수다.
2. NCCT는 허혈성변화를 시각화하는 점에서는 신뢰할 수 없다. 허혈성뇌졸중 중 50%는 NCCT에서 명확하지 않으며 (12), 심지어 급성뇌졸중 후 첫 24시간 내의 진단율은 더 나쁘다 (13). 경색초기에 CT스캔은 가치가 없다는 점이 그림 42.2에 잘 나와있다 (13). 셋째 날 CT는 종양효과 (mass effect)를 동반한 넓은 경색부위를 보여주고 있으며, 이 소견은 뇌졸중이 발병한 첫째 날 CT에서는 명확하지 않다.

C. 자기공명영상 (Magnetic Resonance Imaging, MRI)

1. 확산강조영상 (diffusion-weighted imaging) MRI는 허혈성뇌졸중 진단에서 민감도와 특이도가 가장 높은 방법이다 (1). 조직을 통한 물의

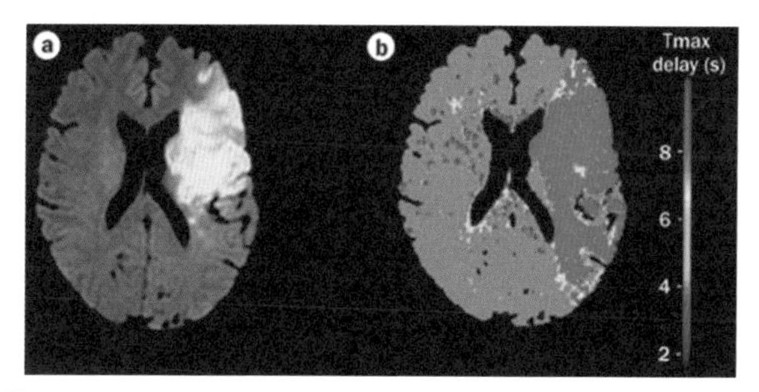

■ 그림 42.3 확산상소영상MRI에서 허혈성번회의 범위를 볼 수 있다 (왼쪽사진) 오른쪽의 색이 있는 영상은 붉은색과 노란색으로 저관류부위를 보여준다. 오른쪽의 저관류부위에서 왼쪽의 허혈성부위를 디지털 감산하면 절박경색 (threatened infarction) 부위를 알 수 있다. 참고문헌15에서 발췌한 사진.

이동에 기반을 둔 이 기법은 발병 후 5-10분 내의 허혈성 변화 (ischemic change)도 탐지할 수 있으며 (14), 뇌졸중 발병 후 초기기간에 허혈성뇌졸중 진단에 대한 민감도가 90%다 (5).

2. 허혈성뇌졸중의 확산강조MRI영상은 **그림 42.3**에 나와있다 (15). 왼쪽영상에서 허혈성변화를 의미하는 넓은, 고밀도부위를 볼 수 있다. 이 점이 허혈성변화가 저밀도부위로 보이는 CT와 다르다. 오른쪽의 영상은 옆에 있는 색상파레트를 이용해 저관류부위 (hypoperfusion regions)를 탐지하는 시간-지연기법이다.
3. 오른쪽의 저관류부위에서 왼쪽의 허혈성부위를 디지털 감산하면, 남아있는 색상영역은 절박경색 (threatened infarction) 부위를 나타낸다. 이는 급성허혈성뇌졸중 환자에서 연속된 위험을 평가할 수 있게 해준다.

D. 심초음파 (Echocardiography)

심초음파는 급성뇌졸중에서 두 가지 진단적 역할이 있다.

1. 허혈성뇌졸중이 심방세동 (atrial fibrillation), 급성심근경색, 혹은 좌측편심내막염 (left-sided endocarditis)과 연관 있을 때 뇌색전 (cerebral emboli)의 원인을 찾을 수 있다.
2. 최근 혹은 이전에 혈전색전증 (thromboembolism)이 있었던 허혈성뇌졸중 환자에서 난원공개존 (patent foramen ovale) 여부를 확인할 수 있다.

III. 혈전용해요법 (THROMBOLYTIC THERAPY)

초기평가로 급성뇌졸중이 의심되는 환자를 진단했다면, 다음 단계는 환자가 혈전용해요법의 대상자인지 여부를 결정해야 한다.

A. 선택 기준 (Selection Criteria)

허혈성뇌졸중에서 혈전용해요법의 선택기준은 점검표 형식으로 **표 42.1**에 나와있다. 다음 내용은 강조할 가치가 있다.

1. 혈전용해요법은 증상발현 후 4.5 시간 내에 시작할 수 있을 때만 사용할 수 있다 (1).

표 42.1 허혈성 뇌졸중 시 혈전용해요법에 대한 점검표
1단계 : 선택 기준 ☐ 증상 발현 시간을 정확히 알고 있다. ☐ 혈전 용해요법을 증상 발현 후 4.5시간 내에 시작할 수 있다. 두 조건 모두를 만족한다면, 2단계로 진행한다.
2단계 : 배제 기준 ☐ 급성 출혈의 단서 ☐ 수축기 혈압 ≥ 185 mmHg 혹은 확장기 혈압 ≥ 110 mmHg ☐ 두개내 출혈의 병력 ☐ 두개내 악성종양, 동맥류, 혹은 동정맥기형 (AV malformation) ☐ 3개월 내의 두개내/척추내 수술, 중증 두부 외상, 혹은 뇌졸중 ☐ 2일 이내의 트롬빈 억제제 혹은 인자 Xa 억제제 투여 ☐ 응고병증의 검사실 증거 (예를 들어 혈소판 수치 <100,000/μL) ☐ 혈당 <50 mg/dL (2.7 mmol/L) ☐ CT스캔에 다엽성 경색 (저밀도 영역>⅓뇌반구) 모든 상자에 표시가 없다면 3단계로 진행한다.
3단계 : 상대적 배제 기준 ☐ 14일 이내의 대수술 혹은 중증 외상 ☐ 21일 이내의 위장관 혹은 요로 출혈 ☐ 3개월 이내의 급성 심근경색 ☐ 발작 후 상태가 지속되는 와중에 시작된 발작 증상 발현 3-4.5시간인 경우의 혈전용해요법의 추가 선택 기준 ☐ 나이 > 80세 ☐ INR과 상관없이 경구 항응고요법 ☐ 중증 뇌졸중 ☐ 당뇨병이 있으며 이전의 뇌졸중병력 (NIHSS>25) 상자 표시 여부와 상관없이 4단계로 진행한다. 장단점을 따져보았을 때 혈전용해요법의 장점이 더 많다.
4단계 : 혈전용해요법 (즉시 시작)

참고문헌 1 발췌.

2. 혈전용해요법은 시간제한 때문에 정확한 증상발현 시간 확인이 필수지만, 이는 어렵다.
3. 혈전용해요법의 배제기준 중 하나는 수축기혈압≥185 mmHg 혹은 확장기혈압≥110 mmHg이다. 환자가 그 외에는 혈전용해요법의 대상자라면, 표 42.2에 나와있는 약물용법을 사용해 혈전용해요법을 받을 수 있도록 혈압을 낮출 수 있다 (1). 혈전용해요법 후에는 며칠간 두개내출혈 (intracranial hemorrhage)의 위험을 제한하기 위해서 혈압을 180/105 mmHg 아래로 유지해야 한다.

표 42.2 급성뇌졸중에서 혈압조절

계기	약제와 용법
† SBP 〉185 mmHg 혹은 DBP 〉110 mmHg	Labetalol : 1-2분에 걸쳐 10-20 mg IV. 10분 후에 한번 더 반복 가능 Nicardipine : 5 mg/hr로 주입. 필요한 경우 5-15분 간격으로 2.5 mg/hr 단위로 증량. 최대 15 mg/hr.
SBP 〉220 mmHg 혹은 DBP 〉120 mmHg	Labetalol : 10 mg IV bolus. 그 후 2-8 mg/min으로 주입 Nicardipine : 5 mg/hr로 주입. 필요한 경우 5-15분 간격으로 2.5 mg/hr 단위로 증량. 최대 15 mg/hr.
DBP 〉140 mmHg	Nitroprusside : 0.2 μg/kg/min 속도로 주입. 효과에 따라 적정.

† 혈전용해요법을 진행 할 수 있도록 혈압을 낮춰야 한다. 참고문헌1에서 각색.

B. 혈전용해용법 (Thrombolytic Regimen)

1. 혈전용해요법은 시작이 빠르면 결과가 좋기 때문에 가능한 빠르게 시작해야 한다 (1).
2. 재조합조직플라스미노겐활성제 (recombinant tissue plasminogen activator, rtPA)는 급성뇌졸중에 사용허가를 받은 유일한 혈전용해제다.
3. 용법 : rtPA 용량은 0.9 mg/kg으로, 최대 90 mg이다. 10%를 1-2분에

걸쳐 IV bolus하고, 나머지는 60분에 걸쳐 주입한다 (1).

4. 신경학적 상태의 악화, 갑작스러운 혈압상승, 혹은 두통호소 등 뇌내 출혈 (intracerebral hemorrhage) 가능성을 의미하는 징후가 있다면 주입을 멈춰야 한다.
5. 혈전용해요법 후 첫 24시간 동안은 항응고제나 항혈소판제 투여가 금기다.

C. 항혈전요법 (Antithrombotic Therapy)

1. 여러 연구들이 허혈성뇌졸중에서 헤파린항응고요법 (heparin anticoagulation)의 유익한 효과를 증명하는데 실패했다 (1). 따라서, 헤파린 항응고요법은 허혈성뇌졸중에서 권장하지 않는다 (1). 하지만, 저용량헤파린 (low-dose heparin)은 혈전예방요법으로 권장한다 (4장 Ⅱ절 참고).
2. 허혈성뇌졸중에서 aspirin요법은 명백한 장점이 없지만, 그럼에도 불구하고 일상적인 처방으로 권장한다 (1). 초기용량 325 mg를 뇌졸중 발현 혹은 혈전용해요법 후 24-48시간 후에 경구투여하며, 일일 유지용량은 75-150 mg이다 (1).

D. 물리적혈전제거술 (Mechanical Thrombectomy)

1. 여러 (N=8) 임상연구결과, 혈관내 (endovascular)혈전제거술은 중뇌혈관 (middle cerebral artery)과 내경동맥 (internal carotid artery)의 근위부폐쇄 (proximal occlusion)로 인한 급성허혈성뇌졸중에서 혈전용해요법보다 성적이 우수했다 (16).
2. 대부분의 임상연구에서 혈전제거술은 증상발현 후 8시간 이내에 시행했었다.
3. 혈전용해요법의 대상자라면, 혈관내 혈전제거술을 받아도 초기에 혈전용해요법을 시행할 수 있다.

Ⅳ. 보호대책 (PROTECTIVE MEASURES)

이번 절에서 다루고 있는 방법들은 급성뇌졸중에서 허혈성뇌손상의 범위를 제한하기 위해 고안되었다.

A. 산소 (Oxygen)

1. 산소흡입은 허혈성뇌졸중 환자에서 동맥산소화가 충분 할 때에도 시행하는 일상적인 처방이었다. 이 방법은 증명된 장점이 없고 (17), 활성산소대사물 (reactive oxygen metabolites) (그림36.1 참고)이 뇌에 재관류손상을 유발할 수 있다는 가능성을 간과하고 있다. 더구나, *산소는 뇌혈관수축을 유발하므로* (18), 허혈성뇌졸중에 역효과를 나타낸다.
2. 뇌졸중치료에 대한 최신지침은 무분별한 O_2사용의 잠재적 유해성을 인지하고, 동맥산소포화도가 94% 미만일 때만 보충적인 산소공급을 권장하고 있다 (1).

B. 해열요법 (Antipyretic Therapy)

1. 급성뇌졸중환자 중 30%는 48시간 이내에 발열이 발생하며, 발열은 급성뇌졸중환자에서 허혈성손상 범위를 넓혀 임상결과에 나쁜 영향을 미친다 (19). 따라서, 급성뇌졸중 환자에게는 발열 조절을 위한 공격적인 조치를 권장한다.
2. 해열요법은 35장 Ⅴ절에서 다루고 있다.
3. 뇌졸중 후 발열은 일반적으로 조직손상 때문에 발생하지만, 몇몇 연구에서 뇌졸중-연관성 발열이 있는 환자의 대부분에서 감염을 발견했다 (20). 따라서, 해열요법은 감염 여부 확인과 병행해야 한다.

C. 혈당조절 (Glycemic Control)

1. 고혈당증은 급성뇌졸중 후에 흔히 나타나며 (21), 고혈당증이 허혈성뇌손상을 악화시키고 치료결과에 악영향을 미친다는 증거가 있다 (22). 고혈당증 방지가 임상적으로 장점이 있다는 증거는 없지만 (21), 뇌졸중 후 환자에서 혈당조절에 주의를 기울이는 것은 타당해 보인다.
2. 최신지침은 ICU환자의 목표 혈당범위를 140-180 mg/dL로 권장한다 (38장 참고문헌1 참고). 역시나 뇌손상을 악화시킬 수도 있는 저혈당증의 위험 때문에, 엄격한 혈당조절은 오히려 해로울 수 있다.

D. 고혈압 (Hypertension)

1. 고혈압은 급성뇌졸중 환자 중 50% 이상에서 나타나며 (23), 혈압은 일반적으로 2-3일 안에 기준선수치 (baseline level)로 돌아간다.
2. 급성뇌졸중 후 초기기간에 혈압 강하를 권장하는 것은 경색주변부위 (peri-infarct area)에 혈류를 억제하여 허혈성뇌손상을 확장시킬 위험이 있기 때문에 꺼려진다.
3. 뇌졸중치료에 대한 최신지침에서는 (1) 뇌졸중 후 첫 24시간 내의 혈압강하는 심부전과 같은 고혈압의 명백한 합병증이 없는 한, 그리고 앞서 언급한 것처럼 혈전용해요법을 사용하지 않는 한, 수축기혈압이 220 mmHg을 초과하거나 확장기혈압이 120 mmHg를 초과할 때만 권장한다.
4. 혈압을 신속히 낮춰야 한다면, 표 42.2에 나와있는 약물용법을 권장한다 (1).

참고문헌

1. Jauch EC, Saver JL, Adams HP, et al. Guidelines for the early management of patients with acute ischemic stroke. A guideline for healthcare professionals from The American Heart Association/ American Stroke Association. Stroke 2013; 44:1-78.
2. Special report from the National Institute of Neurological Disorders and Stroke. Classification of cerebrovascular diseases III. Stroke 1990; 21:637-676.
3. Go AS, Mozaffarian D, Roger VL, et al. Heart disease and stroke statistics—2013 update: A report from the American Heart Association. Circulation 2013; 127:e6-e245.
4. Kizer JR, Devereux RB. Clinical practice. Patent foramen ovale in young adults with unexplained stroke. N Engl J Med 2005; 353:2361-2372.
5. Culebras A, Kase CS, Masdeu JC, et al. Practice guidelines for the use of imaging in transient ischemic attacks and acute stroke. A report of the Stroke Council, American Heart Association. Stroke 1997; 28:1480-1497.
6. Ovbiagele B, Kidwell CS, Saver JL. Epidemiological impact in the United States of a tissue-based definition of transient ischemic attack. Stroke 2003; 34:919-924.
7. Saver JL. Time is brain—quantified. Stroke 2006; 37:263-266.
8. Bamford J. Clinical examination in diagnosis and subclassification of stroke. Lancet 1992; 339:400-402.
9. Atchison JW, Pellegrino M, Herbers P, et al. Hepatic encephalopathy mimicking stroke. A case report. Am J Phys Med Rehabil 1992; 71:114-118.
10. Maher J, Young GB. Septic encephalopathy. Intensive Care Med 1993; 8:177-187.
11. Hand PJ, Kwan J, Lindley RI, et al. Distinguishing between stroke and mimic at the bedside: the brain attack study. Stroke 2006; 37:769-775.
12. Warlow C, Sudlow C, Dennis M, et al. Stroke. Lancet 2003; 362:1211-1224.
13. Graves VB, Partington VB. Imaging evaluation of acute neurologic disease. In: Goodman LR Putman CE, eds. Critical care imaging. 3rd ed. Philadelphia: W.B. Saunders, Co., 1993; 391-409.
14. Moseley ME, Cohen Y, Mintorovich J, et al. Early detection of regional cerebral ischemia in cats: comparison of diffusion- and T2-weighted MRI and spectroscopy. Magn Reson Med 1990; 14:330-346.
15. Asdaghi N, Coutts SB. Neuroimaging in acute stroke—where does MRI fit in?

Nature Rev Neurol 2011; 7:6-7.

16. Chen CJ, Starke RM, Mehndiratta P, et al. Endovascular vs medical management of acute ischemic stroke. Neurology 2015; 85:1980-1990.
17. Ronning OM, Guldvog B. Should stroke victims routinely receive supplemental oxygen: A quasi-randomized controlled trial. Stroke 1999; 30:2033-2037.
18. Kety SS, Schmidt CF. The effects of altered tensions of carbon dioxide and oxygen on cerebral blood flow and cerebral oxygen consumption of normal young men. J Clin Invest 1984; 27:484-492.
19. Reith J, Jorgensen HS, Pedersen PM, et al. Body temperature in acute stroke: relation to stroke severity, infarct size, mortality, and outcome. Lancet 1996; 347:422-425.
20. Grau AJ, Buggle F, Schnitzler P, et al. Fever and infection early after ischemic stroke. J Neurol Sci 1999; 171:115-120.
21. Radermecker RP, Scheen AJ. Management of blood glucose in patients with stroke. Diabetes Metab 2010; 36(Suppl 3):S94-S99.
22. Baird TA, Parsons MW, Phanh T, et al. Persistent poststroke hyperglycemia is independently associated with infarct expansion and worse clinical outcome. Stroke 2003; 34:2208-2214.
23. Qureshi AI, Ezzeddine MA, Nasar A, et al. Prevalence of elevated blood pressure in 563,704 adult patients with stroke presenting to the ED in the United States. Am J Emerg Med 2007; 25:32-38.

Chapter 43

진통과 진정

Analgesia & Sedation

환자를 돌볼 때 모든 생명을 구하는 것은 불가능하므로, 우리의 근본역할은 생명을 구하는 것이라기 보다는 *통증과 고통을 덜어주는* 것이다. 이번 장에서 다루고 있는 진통제와 진정제요법은 이 역할을 수행할 수 있도록 해 줄 것이다.

Ⅰ. 진통 (ANALGESIA)

A. 통증감시 (Monitoring Pain)

1. 중환자의 통증조절에는 통증해소의 적정성을 평가하기 위해 믿을 만한 통증평가도구가 필요하다 (1).
   a. 수평적인 NRS (numeric rating scale)은 스스로 말할 수 없는 기관삽관 중인 환자에게 사용할 수 있다 (1). 이 척도에는 10개의 균등하게 분할된 격자표시가 있으며, 통증이 없음을 의미하는 1부터 최대 통증을 의미하는 10까지의 숫자가 적혀있다. 환자는 통증의 정도를 알려주기 위해서 숫자표시 중 하나를 가리킨다. 3점 이하는 통증조절이 충분하다는 의미다.
   b. 환자기 스스로 의사를 표현하지 못하는 경우, 침상에서 신뢰할만한 도구는 표 43.1에 나와있는 행동통증척도 (behavior pain scale, BPS)다 (2).

c. 심박수 같은 *활력징후 (vital sign)는 환자가 알려주는 통증의 강도와 연관이 없으며*, 따라서 통증평가방법으로는 권장하지 않는다 (1,3).

표 43.1 행동통증척도 (BPS)

항목	세부 내용	점수
Facial Expression	Relaxed Partially tightened Fully tightened Grimacing	1 2 3 4
Upper Limbs	No movement Partially bent Fully bent, finger flexed Permanently retracted	1 2 3 4
Compliance with Ventilation	Tolerating ventilator Coughing, but tolerating ventilator Fighting ventilator Unable to control ventilator	1 2 3 4
	Total Score	
	Score　Interpretation 1　No pain 1–5　Acceptable pain control 12　Maximal pain	

참고문헌2 발췌.

B. 아편유사진통제 (Opioid Analgesia)

ICU 환자의 통증 완화는 거의 대부분 아편유사진통제 (opioid analgesia)를 통해 이루어지며, 아편유사진통제는 중추신경계에 있는 별도의 아편계수용체 (opioid receptor)를 자극해서 효과를 나타내는 아편의 천연유도체다. 아편계수용체 자극은 여러 가지 유익한 효과를 나타낼 수 있는데, 여기에는 진통 (analgesia), 진정 (sedation), 행복감 (euphoria) 등이 있으나, 기억상실 (amnesia)은 유발하지 않는다 (4-6). 가장 많이 사용하는 IV 아편유사진통제는 morphine, hydromorphone, 그리고 fentanyl이다. 표 43.2에 이 제제들의 특징이 나와있다.

표 43.2 흔히 사용하는 IV 아편유사진통제

	Morphine	Hydromorphone	Fentanyl
Onset	5–10 min	5–10 min	1–2 min
Bolus Dosing	2–4 mg q 1–2 hr	0.3–0.6 mg q 1–2 hr	0.35–0.5 μg/kg q 0.5–1 hr
Infusion Rate	2–30 mg/hr	0.5–3mg/hr	0.5–2 μg/hr
PCA Demand (bolus) Lockout interval	 0.5–3 mg 10–20 min	 0.1–0.5 mg 5–15 min	 15–75 μg 3–10 min
Lipid Solubility	x	0.2x	600x
Active Metabolites	Yes	No	No
Histamine Release	Yes	No	No
Dose Adjustment for Renal Failure	↓ 50%	None	None
Analgesic Potency	x	7x	100x

참고문헌 1의 권장 용법

1. Fentanyl

a. Fentanyl은 ICU에서 가장 많이 사용하는 아편유사진통제다 (7).

b. Morphine과 비교했을 때, fentanyl의 장점은 지질용해도가 600배 높기 때문에 작용 시간이 빠르며, 히스타민 (histamine)을 분비하지 않기 때문에 저혈압의 위험이 적으며, 활성화대사물이 없는 점 등이 있다.

c. Fentanyl의 주요문제점은 지질용해도가 높기 때문에 장기간사용시 약물이 뇌에 축적되는 경향이 있다는 점이다.

2. Hydromorphone

a. Hydromorphone은 morphine 유도체로, morphine에 비해 더 효과적인 진통작용이 있다 (8,9).
b. Hydromorphone의 추가적인 장점은 활성화대사물이 없으며, 신부전에서 용량조절이 필요 없다는 점이다.

3. Morphine

a. Morphine은 신부전에서 축적될 수도 있는 여러 가지 활성화대사물이 있다. 몰핀3-글루쿠로나이드 (morphine 3-glucuronide)라는 한 대사물은 근육간대경련 (myoclonus)과 발작 (seizure)을 동반한 중추신경계 흥분을 유발할 수 있는 반면 (10), 몰핀6-글루쿠로나이드 (morphine 6-glucuronide)라는 다른 대사물은 morphine보다 더 강력한 진통 효과를 나타낸다 (5).
b. 이러한 대사물이 축적되는 것을 막기 위해서, *신부전환자는 morphine의 유지용량을 50% 감량해야 한다* (11).
c. 또한 morphine은 히스타민분비를 촉진하며, 이는 전신혈관확장을 유발해 혈압을 감소시킨다 (5).

4. Remifentanil

a. Remifentanil은 초속효성 아편유사진통제로 아래의 용법을 사용하여 IV로 지속주입한다 (19).
용법 : 부하용량으로 1.5 μg/kg을 투여하고, 그 후 0.5-15 μg/kg/hr로 지속주입한다 (1).

b. 혈장에스테라제 (esterases)가 remifentanil을 분해하기 때문에 진통 효과는 주입을 멈추고 8-10분 뒤면 사라진다.
c. 간부전 혹은 신부전환자에서 용량 조절이 필요없다.
d. Remifentanil의 짧은 작용기간은 외상성 뇌손상과 같이 뇌기능평가를 자주해야 하는 상태에서 장점을 가진다. 아편유사제를 갑자기 중단하면 금단현상을 유발할 수 있기 때문에, 이를 방지하기 위해서 remifentanil과 작용기간이 긴 아편유사제를 병용한다.

C. 아편유사 진통제의 부작용 (Adverse Effects of Opioids)

1. 호흡억제 (Respiratory Depression)

a. 아편유사제는 중추매개성 (centrally-mediated), 용량의존적 (dose-dependent)으로 호흡수와 일회호흡량 감소를 유발하지만, 일반적인 용량을 투여한 경우 호흡억제와 저산소혈증은 드물다 (12,13). 각성장애가 있을 정도의 아편유사제용량은 환기 또한 방해하며 이로 인해 고탄산혈증 (hypercapnia)을 유발한다 (12).
b. 수면무호흡증후군 (sleep apnea syndrome) 혹은 만성고탄산혈증 환자는 특히 아편유사제로 인한 호흡억제에 취약하다.

2. 심혈관계효과 (Cardiovascular Effects)

a. 아편유사진통제는 흔히 혈압과 심박수감소를 동반하는데, 이는 교감신경활동이 감소하고 부교감신경활동이 증가한 결과다. 적어도 앙와위에서는 이러한 효과들이 대부분 경미하며, 환자가 잘 견딘다 (14).
b. 혈압감소는 기저교감신경활성도 (baseline sympathetic tone)가 증가하는 혈량저하증환자, 심부전환자, 혹은 아편유사제를 benzodiazepine과 병용투여할 때 확연해진다 (27). 아편유사제-유발성저혈압은 조직관류에 영향을 미치는 일이 거의 없으며, 혈압은 IV수액

이나 소량의 혈압상승제를 bolus 투여하면 반응한다.

3. 소장운동성 (Intestinal Motility)

a. 아편유사제는 위장관의 아편계수용체 활성을 통해 장운동성을 감소시킨다. 위장관운동성이 저하되면 경장관급식이 구강인두 (oropharynx)로 역류하며, 이로 인해 흡인성폐장염 (aspiration pneumonitis)이 발생할 위험이 있다.
b. 경장naloxone (6시간마다 8 mg)이나 naltrexone (하루에 한번 50 mg 경구투여)을 투여하면 아편유사제 진통에는 영향을 미치지 않으면서 아편유사제 유발성 장 저운동성 (hypomotility)을 부분적으로 반전시킬 수 있다.

4. 구역과 구토 (Nausea and Vomiting)

a. 아편유사제는 하부뇌간 (lower brainstem)의 화학수용체유발지역 (chemoreceptor trigger zone, CTZ)을 자극해서 구토를 유발한다 (12). 모든 아편유사제는 구토를 유발하는 능력이 동등하지만, 한 아편유사제로 유발된 구토는 가끔 다른 아편유사제를 투여하면 사라지기도 한다.

D. 자가조절진통 (Patient-Controlled Analgesia, PCA)

1. 깨어있고, 자가투여가 가능한 환자는 PCA가 효과적인 통증조절방법이 될 수 있다. 그리고 아마도 PCA가 간헐적인 아편유사진통제 투여법보다 더 우수할 지도 모른다.
2. PCA방법은 환자가 가동시킬 수 있는 전기주입펌프를 사용한다. 통증이 느껴지면, 환자는 펌프와 연결된 버튼을 눌러, 소량의 IV bolus 약제를 투여한다. 각 bolus 후에는 과다복용을 방지하기 위해서 일정시

간 동안 펌프를 사용할 수 없는데, 이를 폐쇄시간 (lockout interval)이 라고 한다.

3. PCA용 아편유사제용량은 표 43.2에 나와있다. 최소폐쇄시간은 약물의 최대효과를 달성하기 위한 시간적 기능이다 (22).

E. 비아편유사진통제 (Non-Opioid Analgesia)

비아편유사진통제는 여러 종류가 있지만, 이 중 몇 가지 약제만 IV로 투여할 수 있다. 이러한 약제들 대부분은 수술 후 초기에 사용한다. 경한 통증에는 단독으로 사용할 수도 있지만, 중도나 고도 통증에는 흔히 아편유사진통제와 병용한다. 비아편유사진통제의 용법은 표 43.3에 나와있다.

1. Ketorolac

a. Ketorolac은 비스테로이드성항염증제 (nonsteroid anti-inflammatory drug, NSAIDs)로 아스피린보다 진통효과가 350배 강하다 (16). 호흡억제는 유발하지 않지만, 다른 중독효과 때문에 사용을 제한한다. 주로 아편유사진통제에 추가로 투여하며, *아편유사진통제-절약효과 (opioid-sparing effect)*가 있다.

b. Ketorolac은 IM 하면 혈종이 발생할 수 있기 때문에 (16), IV bolus를 많이 사용한다.

c. Ketorolac과 다른 NSAIDs의 유익한 효과는 프로스타글란딘 (prostagladin) 생성 억제로 인한 것이지만, 이는 동시에 위점막 손상, 상부 위장관 출혈, 그리고 신기능 손상 같은 부작용이 발생할 위험도 동반한다 (16). 이 약제들은 사용을 5일로 제한하면 이러한 부작용은 드물다 (16).

d. Ketorolac은 혈소판응집을 방해하기 때문에 출혈 위험이 높은 환자에게는 사용하지 말아야 한다.

2. Ibuprofen

a. Ibuprofen은 IV로 투여하며, 아편유사진통제절약효과가 있으며, 단기간 통증조절에 사용할 시 안전성 등이 ketorolac과 거의 유사한 NSAIDs다 (17).

b. Ketorolac과는 다르게, ibuprofen은 치료기간에 제한이 없다. IV Ibuprofen에 대한 임상시험은 일반적으로 치료기간을 24-48시간으로 잡고 있는데, 이 기간 동안에는 심각한 부작용이 거의 없었다.

표 43.3 IV 비아편유사진통제

제제	용법과 해설
Ketorolac	용법 : 6시간 간격으로 30 mg IV 혹은 IM. 최대 5일간 사용 65세 이상이거나 체중 50 kg 이하에서는 용량을 50% 감량 해설 : Ketorolac은 NSAIDs로 항염증효과와 해열효과가 있다. 치료기간을 5일로 제한하면 심각한 부작용은 드물다.
Ibuprofen	용법 : 6시간 간격으로 400–800 mg IV 해설 : Ibuprofen은 ketorolac과 유사한 NSAIDs이지만, 치료기간에 제한이 없다.
Acetaminophen	용법 : 6시간 간격으로 1 g IV. 1일 최대용량은 4 g을 넘지 않아야 한다. 해설 : 항염증효과가 없기 때문에 중환자에게 중대한 약점으로 작용한다.
Ketamine	용법 : 0.1–0.5 mg/kg IV 부하용량 (loading dose). 그 후 0.05–0.4 mg/kg/hr 지속주입 해설 : 아편유사진통제에 대한 급성내성 발생을 약하게 한다. 환각, 정신장애, 타액분비과다를 유발할 수 있다.

참고문헌 1의 권장용량에서 발췌.

3. Acetaminophen

a. Acetaminophen은 2010년에 IV사용이 승인되었으며, acetaminophen을 경구 혹은 직장 (rectal)으로 투여할 수 없는 수술 후 환자에게 단기간의 통증과 발열치료를 위해 고안되었다 (18).

b. Acetaminophen은 수술 후 환자에서 아편유사진통제-절약효과를 가진다.

c. Acetaminophen은 항염증작용이 없다. 이는 전신 혹은 국소염증의 결과로 통증이 발생하는 일이 많은 중환자에게는 중대한 약점으로 작용한다. 게다가, *간독성을 피하기 위해 일일투여량을 4 g으로 제한하지만, 중환자의 중독량 (toxic dose)은 아직 평가되지 않았다.*

4. 신경병증성통증에 대한 경구제제 (Oral agents for neuropathic pain)

a. 신경병증성통증, 예를 들어 당뇨병성신경병증에는 보통 비아편유사진통제가 필요하며, 이러한 유형의 통증에 권장하는 약제에는 gabapentin, pregabalin, carbamazepine 등이 있다 (1).

b. 유효용량은 환자에 따라 다르지만, gabapentin은 일반적으로 8시간 간격으로 600 mg에서 800 mg이며, pregabalin은 8시간 간격으로 50-100 mg, carbamazepine 내복현탁액 (oral suspension)은 6시간 간격으로 100 mg이다 (1).

5. Ketamine

a. Ketamine은 해리성마취상태 (dissociative state of anesthesia)를 유발하지만, 동시에 강력한 진통효과도 지닌다 (19).

b. Ketamine은 저용량으로 사용하면 수술 후 2차성 통각과민증 (secondary hyperalgesia)과 만성 통증을 예방하는 효과가 있다 (19).

c. Ketamine은 흔히 아편유사진통제의 용량을 늘려도 반응하지 않는 환자 즉, 아편유사진통제를 사용한 환자에게 보조 진통제로 사용한다.

d. 혈류역학적 및 호흡계부작용이 없기 때문에 ketamine은 진통제 보조와 진정 양쪽에 모두 바람직한 약제다.

e. Ketamine은 유효용량이 확실하지 않고, 장기적인 안전여부는 알려진 바가 없다. 추정용법은 표 43.3에 나와있다.

II. 진정 (SEDATION)

불안 (anxiety) 및 이와 연관된 초조 (agitation)나 섬망 (delirium) 같은 장애들은 ICU 환자 중 최대 85%에서 관찰 할 수 있다 (20). 이러한 장애들의 공통분모는 행복감 부재다. 이러한 장애들은 다음과 같이 정의할 수 있다.

1. 불안은 외적사건 (external events)보다는 내적기전 (internal mechanism)에 의해 유지되는 공포 (fear)와 우려 (apprehension)에 대한 과장된 감정이 특징이다.
2. 초조 (agitation)는 운동활동 (motor activity) 증가를 동반한 불안 (anxiety)상태다.
3. 섬망 (delirium)은 급성혼란상태 (acute confusional state)로 그 구성요소로 초조가 있을 수도, 없을 수도 있다. 섬망을 흔히 초조와 동일시하지만, 기면 (lethargy)이 특징인 저활동성형태 (hypoactive form)의 섬망도 있다. 섬망에 대해서는 40장에서 더 자세하게 설명하고 있다.

A. 진정평가 (Assessment of Sedation)

1. ICU에서 효과적인 진정을 달성하기 위해서는 일상적인 진정척도 활용이 중요하다 (1). ICU환자에게 가장 믿을만한 진정척도는 SAS (Sedation-agitation scale)와 RASS (Richmond Agitation-Sedation Scale)이다 (1). 표 43.4에 후자가 나와있다 (20).
   a. RASS의 추가적인 장점은 환자의 의식상태가 연속해서 변하는 것을 감시 할 수 있다는 점이다 (21). 이 특징으로 인해 RASS score를 진정약제요법의 종점 (end point)으로 사용한다. 진정약제 주입을 약한 진정상태를 의미하는 RASS score -1에서 -2를 유지할 수 있도록 적정 (titrate)할 수 있다.

표 43.4	RASS (Richmmond Agitation-Sedation Scale)	
점수	용어	설명
+4	공격적	전적으로 공격적 혹은 파괴적 또는 의료인에 직접위협
+3	심한 격앙	관, 카테터를 잡아당기거나 제거하려 함 또는 공격적인 행동
+2	격앙	흔한 목적 없는 행동 또는 환자-기계환기 부조화
+1	편하지 않음	불안 또는 걱정 그러나 행동이 과도하거나 과격하지 않음
0		의식명료, 온화함
-1	졸음	의식명료하지 않음, 그러나 시선 마주친 상태의 음성에 10초 이상 깨어있음
-2	경한 진정	시선 마주친 상태의 음성에 10초 이하의 짧은 깨어남
-3	보통 진정	음성에 움직임 그러나 시선 마주침 없음
-4	깊은 진정	음성에 반응 없음, 그러나 육체적자극에 움직임
-5	각성 없음	음성 혹은 육체적자극에 무반응

다음과 같이 RASS를 결정

1단계 관찰 : 상호작용을 하지 않고 환자를 관찰한다.
만약 환자의 의식이 명료하다면, 0에서 +4까지 적절한 점수를 배치한다
만약 환자의 의식이 명료하지 않다면, 2단계로 진행한다.

2단계 음성자극 : 환자의 이름을 큰소리로 부르며 당신을 보라고 말한다. 필요한 경우 한 차례 반복할 수 있다. 만약 환자가 음성에 반응한다면, -1에서 -3까지 적절한 점수를 배치한다. 만약 환자가 반응이 없다면 3단계로 진행한다.

3단계 물리적자극 : 환자의 어깨를 흔들어본다. 만약 반응이 없다면, 흉골을 힘주어 밀어본다. -4혹은 -5 중 적절한 점수를 배치한다

참고문헌21 발췌. *Am J Respir Crit Care Med. 2002; 166:1338-1344*에서 각색

표 43.5 IV benzodiazepine을 통한 진정		
특징	Midazolam	Lorazepam
부하용량	0.01–0.05 mg/kg	0.02–0.04 mg/kg (최대 2 mg)
발현시간	2–5 min	5–20 min
효과지속시간	1–2 hrs	2–6 hrs
지속주입	0.02–0.1 mg/kg/hr	0.01–0.1 mg/kg/hr (최대 10 mg/hr)
간헐적 bolus용량	–	0.02–0.06 mg/kg, 2–6시간 간격, prn
친유성 (lipophilicity)	+++	++
특정한 우려	활성대사물[†]	프로필렌글리콜 독성[§]

[†]활성대사물은 특히 신부전에서 진정을 연장시킨다
[§]Lorazepam (2 mg/mL)은 용매 (solvent)로 프로필렌글리콜 (propylene glycol, 830 mg/mL)을 함유하고 있다.
참고문헌1의 권장용량에서 발췌

B. Benzodiazepines

한 때 ICU에서 가장 많이 사용하던 진정제였던 benzodiazepine은 약제축적과 진정연장경향 때문에 점차 사용이 줄어들고 있다. ICU에서는 진정목적으로 두 가지 benzodiazepine 제제, 즉 midazolam과 lorazepam을 사용한다. Diazepam은 장기사용 시 과도한 진정을 유발하기 때문에 더이상 사용하지 않는다. 두 약제는 IV로 투여하며, 각 약제의 간략한 특징은 표 43.5에 나와있다.

1. Midazolam

a. Midazolam (Versed)은 높은 지질용해성에 의한 초속효성 약제다. 진정효과는 IV bolus 후 1-2분이면 명백하게 나타난다.
b. 조직이 midazolam을 활발하게 흡수하기 때문에 혈류에서 빠르게 제거되며, 이로 인해 지속시간이 짧다 (22).

c. 효과지속시간이 1-2 시간으로 짧기 때문에, 장기간진정이 필요한 경우는 midazolam을 지속주입한다. 하지만, 짧은 약효시간은 몸에서 약제가 제거된다기 보다는 조직의 활발한 흡수로 인한 것이기 때문에, midazolam 지속주입은 약제가 점차적으로 조직 내에 축적되게 한다. 약제축적으로 인한 과도한진정을 피하기 위해서, midazolam 주입은 48시간 이내로 제한해야 한다 (22).
d. Midazolam은 시토크롬P450 (cytochrome P450) 효소시스템에서 대사되기 때문에, diltiazem이나 erythromycin 같이 이 효소시스템을 방해하는 약제는 midazolam대사를 억제하고 효과를 증대시킬 수 있다.
e. Midazolam은 콩팥에서 제거되는 활성화대사물이 하나 있으며, 따라서 신기능의 변화는 midazolam 용량에 영향을 끼친다.

2. Lorazepam

a. Lorazepam (Ativan)은 midazolam보다 작용기간이 길며, 한 차례 IV bolus로 최대 6시간까지 효과가 지속된다 (1).
b. Lorazepam은 간헐적 IV로 투여할 수도 있고, 지속주입으로 투여할 수도 있다.
c. Lorazepam IV제제는 혈장에서 약제용해도를 증가시키기 위한 용매로 프로필렌글리콜 (propylene glycol)을 함유하고 있다. 이 용매는 부작용이 있으며 (추후 설명), 이 때문에 lorazepam은 최대허용량이 정해져 있다. Lorazepam은 bolus로 2 mg, 지속 주입으로는 10 mg/hr이 최대허용량이다.
d. Lorazepam은 활성화대사물이 없다.

3. Benzodiazepine의 장점 (Advantages of Benzodiazepines)

a. Benzodiazepine은 용량의존성 기억상실효과가 있으며, 이는 진정효과와는 다르다. 이 효과는 진정기간을 넘어서 연장된다. 이를 전

향성기억상실 (antegrade amnesia)이라고 한다.

b. Benzodiazepine은 항경련효과가 있다 (41장 참고).

c. Benzodiazepine은 알코올, 아편, 그리고 놀랍게도 benzodiazepine 금단을 비롯한 약물금단현상에서 가장 좋은 진정제 (sedatives of choice)이다.

4. Benzodiazepine의 단점 (Disadvantages of Benzodiazepines)

a. 장기간진정 (PROLONGED SEDATION) : Midazolam과 lorazepam은 모두 장기간 사용시 조직에 축적되며, 이는 진정수준을 깊게 만들고 약을 중단했을 때 각성에 걸리는 시간을 연장시킨다. 장기간진정은 midazolam에서 더 큰 문제인데, 높은 지질용해성과 활성화대사물의 축적 때문이다.

1) 매일 환자가 깨기 전까지 benzodiazepine 주입을 중단하면 약제 축적을 줄여주며, 기계 환기에서 빠르게 이탈할 수 있도록 해준다 (23).

2) 경한 진정을 유지하기 위해 SAS나 RASS 같은 진정척도의 일상 감시를 통한 benzodiazepine 주입량 조절은 ICU 진정에 대한 가장 최신지침에서 제안하는 내용이다. (3).

b. 섬망 (DERILIUM) : Benzodiazepine은 뇌의 주요 억제신경전달물질 (inhibitory neurotransmitter)인 GABA (gamma aminobutyric acid) 수용체에 결합하여 효과를 나타내며, GABA-매개성신경전달은 섬망 발병에 관여한다 (24). ICU 환자에서 GABA수용체에 관여하지 않는 약제를 통한 진정은 섬망과 연관된 경우가 작았다 (1).

c. 프로필렌글리콜 독성 (PROPYLENE GLYCOL TOXICITY) : Lorazepam IV 제제는 혈장에서 약제용해도를 증가시키기 위한 용매로 lorazepam 2 mg/mL (1 vial)에 프로필렌글리콜을 830 mg/mL를 함유하고 있다. 프로필렌 글리콜은 간에서 젖산으로 전환되며, 프로필렌글리콜을 다량 흡수하게 되면 젖산산증, 대사성산증, 환각을

동반한 섬망 (delirium with hallucination), 저혈압, 그리고 심각한 경우 다장기부전을 특징으로 하는 중독증후군 (toxidrome)을 유발할 수도 있다.

1) Lorazepam을 장기간 주입하는 중 설명할 수 없는 대사성산증이 생겼다면, 혈청젖산농도를 측정해야 하며, 젖산농도가 증가했다면 프로필렌글리콜중독을 의심해 볼 만하다.
2) 프로필렌글리콜의 혈장농도는 측정할 수 있지만, 결과는 바로 나오지 않을 수도 있다. 이런 경우라면, 삼투질농도차이 (osmolal gap)가 증가하면 프로필렌글리콜 축적의 표지 (marker)가 될 수도 있다. 삼투질농도차이는 27장 Ⅰ-D절에서 다루고 있다.

d. 금단증후군 (WITHDRAWAL SYNDROME) : Benzodiazepine을 장기간 주입하다가 갑자기 중단하면 초조, 지남력장애, 환각, 발작을 특징으로 하는 금단증후군을 유발할 수 있다 (25). 하지만, 이는 ICU에서 benzodiazepine을 사용하는 경우에는 잘 발생하지 않는다.

C. Propofol

Propofol은 초속효성 전신마취제로, 억제신경전달물질 GABA와 상호작용을 통해 효과를 나타낸다 (26).

1. 작용과 용도 (Actions and Use)

a. Propofol은 진정과 기억상실 효과가 있지만, 진통효과는 없다 (26).
b. 작용기간이 짧기 때문에, propofol은 지속주입으로 투여한다. 투여를 중단하면 장기간 주입 했더라도, 10-15분이 지나면 깨어난다 (26).
c. Propofol은 두개내압을 줄여주며 (26), 빠른 각성 덕분에 의식수준을 자주 평가할 수 있기 때문에 두부손상이나 신경외과 환자에게 유용하다.

2. 제제와 용량 (Preparation and Dosage)

a. Propofol은 혈장에서 용해도를 높이기 위해 10% 지질유액 (lipid emulsion)에 녹인다. 지질유액은 정맥영양처방 (parenteral nutrition formula)에 사용하는 10% intralipid와 거의 동일하며, 열량밀도가 1 kcal/mL다. 이 열량밀도는 일일열량섭취에 포함시켜야 한다.
b. Propofol의 권장용량은 표 43.6에 나와있다. 용량은 실제체중 (actual body weight)보다는 이상체중 (ideal body weight)을 기반으로 하며, 신부전이나 간부전이 있어도 용량 조절이 필요없다 (26). 혈류역학적으로 불안정한 환자는 저혈압의 위험이 있기 때문에 부하용량 (loading dose)을 추천하지 않는다 (1).
c. Propofol주입 중에 때때로 무해한 페놀대사물 (phenolic metabolites)로 인해 소변이 녹색으로 변하기도 한다 (26).

3. 부작용 (Adverse Effects)

a. Propofol은 호흡억제제며, 기계환기 중에만 사용해야 한다.
b. Propofol유발성 저혈압은 전신혈관확장 때문에 발생하며 (22), 전신혈관수축으로 혈압을 유지하고 있는 혈량저하증 (hypovolemia)이나 심부전과 같은 상황에서 더욱 두드러질 수 있다.
c. Propofol에 대한 아나필락시스 유사반응은 드물지만, 생긴다면 심각할 수 있다 (26).
d. Propofol제제의 지질유액은 고중성지방혈증 (hypertriglyceridemia)을 유발할 수 있다. 하지만, ICU 환자에서 고중성지방혈증은 흔하지만 나쁜 결과와는 관계 없다 (27).
e. Propofol주입증후군은 갑작스러운 서맥성심부전, 젖산산증, 횡문근융해증, 그리고 급성신부전이 특징으로, 잘 발생하지 않으며 알려진 바도 적은 상태다 (28).

1) 이 증후군은 거의 항상 propofol을 장기간, 고용량(4-6 mg/kg/hr 이상으로 24-48시간 이상 사용했을 때)으로 주입할 때 나타난다 (28).
2) 사망률은 30%이다 (28).
3) 이 상태가 발생할 위험을 줄이기 위해서 propofol 주입 속도는 5 mg/kg/hr을 넘지 않도록 하며, 48시간 이상 사용하지 않을 것을 권장한다 (28).

D. Dexmedetomidine

1. 작용과 용도 (Actions and Uses)

a. Dexmedetomidine은 선택적 α-2 아드레날린작용제로 진정, 기억상실, 그리고 경한 진통효과를 가지고 있지만 환기는 억제하지 않는다. 이 약의 간략한 내용이 표 43.6에 나와있다.
b. Dexmedetomidine으로 인한 진정은 독특한데, 깊은수준의 진정에도 불구하고 각성 (arousal)은 유지된다. 환자는 약제주입을 중단하지 않고도 진정에서 각성할 수 있으며, 깨어난 경우, 환자는 의사소통이 가능하며 지시에 따를 수도 있다. 각성이 더 이상 필요하지 않다면, 환자를 다시 이전의 진정 상태로 되돌릴 수 있다. 이 특징으로 인해 dexmedetomidine은 기계환기에서 이탈이 예정된 환자에게 매력적인 진정제가 되었다.
c. 임상연구들에 따르면, midazolam대신에 dexmedetomidine으로 진정을 유도한 환자에서 섬망 발생률이 낮았으며, 이 연구들에 근거하여, *ICU획득성섬망 (ICU-acquired delirium) 환자의 진정에는 benzodiazepine보다 dexmedetomidine을 권장한다* (1).

표 43.6 급속각성약제를 통한 진정		
특징	Propofol	Dexmedetomidine
부하용량	5분에 걸쳐 25 μg/kg †	10분에 걸쳐 1 μg/kg †
발현시간	1분 미만	1-3분
유지주입속도	5-50 μg/kg/min	0.2-0.7 μg/kg/minξ
각성까지의 시간	10-15분	6-10분
호흡억제	있다	없다
부작용	저혈압 고지질혈증 Propofol주입증후군	저혈압 서맥 교감신경반동 (sympathetic rebound)

† 부하용량은 혈류역학적으로 안정적인 환자에게만 사용한다.
ξ 환자가 잘 견딘다면 주입속도를 1.5 mg/kg/hr까지 증가시킬 수도 있다.
참고문헌 1의 권장용량에서 발췌.

2. 용량 (Dosage)

a. 권장용량은 **표 43.6**에 요약되어 있다. 24시간 이상 장기간주입은 권장용량보다 높은 최대 1.5 μg/kg/min에서도 각성에 악영향을 주지 않는다 (1).

3. 부작용 (Adverse Effects)

a. Dexmedetomidine의 가장 흔한 부작용은 저혈압과 교감신경차단효과 (sympatholytic effect)로 인한 서맥이다 (1,29). 저혈압은 혈량저하증이나 심부전환자에서 가장 두드러진다.

b. 부하용량 투여 후 고혈압과 저혈압이 관찰되었다. 고혈압은 혈관수축을 유발하는 말초 α-2b 수용체 (peripheral α-2b receptor) 활성에 의한 것이며, 저혈압은 혈관확장을 유발하는 중추 α-2a 수용체 (central α-2a receptor) 활성에 의한 것이다 (30).

E. Haloperidol

1. 작용과 용도 (Actions and Uses)

a. Haloperidol (Haldol)은 1세대 항정신병약제로 초조와 섬망 치료에 있어 오랜 역사를 가지고 있다 (31).

b. Haloperidol은 중추신경계의 dopamine 수용체를 차단해서 효과를 나타낸다.

c. IV bolus 후에 진정은 10-20분 후에 명확해지며, 효과는 3-4시간 지속된다. *Haloperidol은 발현시간이 느리기 때문에 신속한 진정이 필요한 경우에는 적합하지 않다.*

d. 호흡억제가 없기 때문에 haloperidol은 기계환기에서 이탈하는 동안의 진정에 적합한 약제다 (31). 혈량저하증이 없다면 저혈압은 드물다.

2. 용량 (Dosing)

a. IV Haloperidol의 권장용량은 표 43.7에 나와있다.

표 43.7 불안환자에 대한 IV haloperidol

불안의 중증도	용량
경도	0.5–2 mg
중도	5–10 mg
고도	10–20 mg

1. IV push로 용량투여
2. 10–20분간 반응을 기다린다
3. 만약 반응이 없다면, 용량을 두 배로 올리거나 lorazepam 1 mg을 추가한다.
4. 여전히 반응이 없다면, 다른 진정제로 변경한다.
5. 진정유지를 위해서 6시간 간격으로 부하용량의 1/4을 투여한다.

참고문헌 1과 31에서 각색

b. Haloperidol을 일정량 투여했을 때, 개별 환자들의 혈청약물농도는 변화 폭이 넓다 (1,31). 따라서, 10-20분 후에 진정반응이 없다면, 용량을 두 배로 증량한다. 부분적인 반응이 있다면, 두 번째 용량은 lorazepam 1 mg과 동시에 투여한다. Midazolam보다 작용기간이 길기 때문에 lorazepam을 더 많이 사용한다 (31).

c. 두 번째 용량에도 반응이 없다면 다른 진정제로 변경해야 한다.

3. 부작용 (Adverse Effects)

a. 경직 (rigidity)이나 경련성운동 (spasmodic movement) 같은 추체외로반응 (extrapyramidal reactions)은 haloperidol의 용량의존성부작용이며, *이유는 알 수 없지만, IV로 투여했을 때는 잘 발생하지 않는다* (31).

b. 34장에서 다루고 있는 악성신경이완증후군 (neuroleptic malignant syndrome)은 haloperidol과 같은 신경이완제에 대한 특이반응 (idiosyncratic reaction)이며, 초고열, 심각한 근육강직, 횡문근 융해증이 나타난다. 이 상태는 IV haloperidol에서 보고되고 있으며 (31), haloperidol을 투여한 환자에서 설명할 수 없는 발열이 발생하는 경우에 의심해 봐야 한다.

c. QT간격연장은 다형성심실빈맥 (polymorphic ventricular tachycardia)의 계기가 될 수 있으며, IV haloperidol을 투여한 환자중 최대 3.5%에서 보고되고 있다 (31).

참고문헌

1. Barr J, Fraser GL, Puntillo K, et al. Clinical practice guidelines for the management of pain, agitation, and delirium in adult patients in the intensive care unit. Crit Care Med 2013; 41(1):263-306.
2. Chanques G, Sebbane M, Barbotte E, et al. A prospective study of pain at rest: in-

cidence and characteristics of an unrecognized symptom in surgical and trauma versus medical intensive care unit patients. Anesthesiology 2007; 107:858-860.
3. Jacobi J, Fraser GL, Coursin DB, et al. Clinical practice guidelines for the sustained use of sedatives and analgesics in the critically ill adult. Crit Care Med 2002; 30:119-141.
4. Murray MJ, Plevak DJ. Analgesia in the critically ill patient. New Horizons 1994; 2:56-63.
5. Pasternak GW. Pharmacological mechanisms of opioid analgesics. Clin Neuropharmacol 1993; 16:1-18.
6. Veselis RA, Reinsel RA, Feshchenko VA, et al. The comparative amnestic effects of midazolam, propofol, thiopental, and fentanyl at equisedative concentrations. Anesthesiology 1997; 87:749-764.
7. Payen J-F, Chanques G, Mantz J, et al, for the DOLOREA Investigators. Current practices in sedation and analgesia for mechanically ventilated critically ill patients. Anesthesiology 2007; 106:687-695.
8. Quigley C. A systematic review of hydromorphone in acute and chronic pain. J Pain Symptom Manag 2003; 25:169-178.
9. Felden L, Walter C, Harder S, et al. Comparative clinical effects of hydromorphone and morphine: a meta-analysis. Br J Anesth 2011; 107:319-328.
10. Smith MT. Neuroexcitatory effects of morphine and hydromorphone: evidence implicating the 3-glucuronide metabolites. Clin Exp Pharmacol Physiol 2000; 27:524-528.
11. Aronoff GR, Berns JS, Brier ME, et al. Drug Prescribing in Renal Failure: Dosing Guidelines for Adults. 4th ed. Philadelphia: American College of Physicians, 1999.
12. Bowdle TA. Adverse effects of opioid agonists and agonistantagonists in anaesthesia. Drug Safety 1998; 19:173-189.
13. Bailey PL. The use of opioids in anesthesia is not especially associated with nor predictive of postoperative hypoxemia. Anesthesiology 1992; 77:1235.
14. Schug SA, Zech D, Grond S. Adverse effects of systemic opioid analgesics. Drug Safety 1992; 7:200-213.
15. Meissner W, Dohrn B, Reinhart K. Enteral naloxone reduces gastric tube reflux and frequency of pneumonia in critical care patients during opioid analgesia. Crit Care Med 2003; 31:776-780.
16. Ketorolac Tromethamine. In: McEvoy GK, ed. AHFS Drug Information, 2012.

Bethesda: American Society of Health System Pharmacists, 2012:2139-2148.
17. Scott LJ. Intravenous ibuprofen. Drugs 2012; 72:1099-1109.
18. Yeh YC, Reddy P. Clinical and economic evidence for intravenous acetaminophen. Pharmacother 2012; 32:559-579.
19. Parashchanka A, Schelfout S, Coppens M. Role of novel drugs in sedation outside the operating room: dexmedetomidine, ketamine, and remifentanil. Curr Opin Anesthesiol 2014; 27(4):442-447.
20. Ely EW, Inouye SK, Bernard GR, et al. Delirium in mechanically ventilated patients: validity and reliability of the confusion assessment method for the intensive care unit (CAM-ICU). JAMA 2001; 286:2703-2710.
21. Ely EW, Truman B, Shintani A, et al. Monitoring sedation status over time in ICU patients: reliability and validity of the Richmond Agitation-Sedation Scale (RASS). JAMA 2003;289:2983-2991.
22. Devlin JW, Roberts RJ. Pharmacology of commonly used analgesics and sedatives in the ICU: benzodiazepines, propofol, and opioids. Crit Care Clin 2009; 25:431-449.
23. Kress JP, Pohlman AS, O'Connor MF, et al. Daily interruption of sedative infusions in critically ill patients undergoing mechanical ventilation. N Engl J Med 2000; 342:1471-1477.
24. Zaal IJ, Slooter AJC. Delirium in critically ill patients: epidemiology, pathophysiology diagnosis and management. Drugs, 2012;72:1457-1471.
25. Shafer A. Complications of sedation with midazolam in the intensive care unit and a comparison with other sedative regimens. Crit Care Med 1998; 26:947-956.
26. McKeage K, Perry CM. Propofol: a review of its use in intensive care sedation of adults. CNS drugs 2003; 17:235-272.
27. Devaud JC, Berger MM, Pannatier A. Hypertriglyceridemia: a potential side effect of propofol sedation in critical illness. Intensive Care Med 2012; 38:1990-1998.
28. Fodale V, LaMonaca E. Propofol infusion syndrome: an overview of a perplexing disease. Drug Saf 2008; 31:293-303.
29. Parashchanka A, Schelfout S, Coppens M. Role of novel drugs in sedation outside the operating room: dexmedetomidine, ketamine, and remifentanil. Curr Opin Anesthesiol 2014; 27(4):442-447.
30. Carollo DS, Nossaman BD, Ramadhyani U. Dexmedetomidine: a review of clini-

cal applications. Curr Opin Anaesthesiol 2008; 21:457–461.
31. Haloperidol. In: McEvoy GK, ed. AHFS Drug Information, 2012. Bethesda: American Society of Health System Pharmacists, 2012:2542–2547.

Chapter 44

항균 요법

Antimicrobial Therapy

이번 장은 ICU에서 가장 흔히 사용하는 IV 항생제를 언급한다. 각각의 항생제는 아래의 순서대로 다루고 있다.

1. Aminoglycoside (gentamicin, tobramycin, amikacin)
2. Antifungal agents (amphotericin B, fluconazole, echinocandins)
3. Carbapenems (imipenem, meropenem)
4. Cephalosporins (ceftriaxone, ceftazidime, cefepime)
5. Fluoroquinolones (ciprofloxacin, levofloxacin, moxifloxacin)
6. Penicillins (piperacillin-tazobactam)
7. Vancomycin and alternatives (linezolid, tigecycline, daptomycin)

Ⅰ. AMINOGLYCOSIDES

Gentamicin, tobramycin, amikacin을 비롯한 aminoglycoside는 한 때 중환자 치료 항생제로 총애를 받았지만, 신독성 때문에 인기가 떨어졌다.

A. 작용 & 임상 용도 (Activity & Clinical Use)

1. Aminoglycoside는 staphylococci와 Pseudomonas aeruginosa를 비롯한 gram-negative aerobic bacilli에 효과가 있다 (1). Amikacin이 aminogly-

coside 중에서 가장 항균작용이 크며, 표 44.1에서 볼 수 있듯이, 현재 Pseudomonas aeruginosa에 대해 가장 효과적인 항생제다 (2).

2. Aminoglycoside는 gram-negative bacilli로 인한 중증 감염에 대해서 어떤 경우라도 치료목적으로 사용할 수 있다. 그러나, 신독성 때문에, P. aeruginosa가 관계된 생명을 위협하는 감염을 대비해 남겨 놓는다.
3. 호중구감소증 (neutropenia)이나 패혈성쇼크를 동반한 gram-negative 균혈증에서 gram-negative bacilli에 효과적인 다른 약제를 투여하면서 aminoglycoside를 추가했을 때, 경험적 항생제요법이 더 효과적이라는 증거가 있다(3).

표 44.1 미국 ICU에서 가장 흔히 동정되는 Gram-negative organism에 대한 항생제감수성

항생제	E. Coli	Klebsiella spp	P. aeruginosa
Amikacin	100%	95%	97%
Tobramycin	86%	89%	89%
Imipenem	100%	96%	72%
Meropenem	100%	95%	73%
Cefepime	91%	88%	76%
Ceftazidime	91%	88%	76%
Ciprofloxacin	65%	87%	71%
Levofloxacin	65%	89%	67%
Piperacillin / Tazobactam	91%	86%	71%

참고문헌2 발췌. 2년(2009-2011)에 걸쳐 수집한 65개 병원의 자료를 포함. 표에 나와있는 3가지 유기체는 전체 gram-negative 동정균(3,946) 중 57%를 차지한다.

B. 용량 (Dosage)

Aminoglycoside 용량은 체중과 신기능을 근거로 정한다.

1. Aminoglycoside 용량은 *이상체중 (ideal body weight)*을 기반으로 정한다. 이상체중에 대해서는 부록2의 표를 참고한다.

2. 체중이 이상체중의 20%를 초과하는 비만 환자는 보정체중에 근거하여 용량을 정한다. 보정체중은 이상체중에 실체체중 (actual body weight, ABW)과 이상체중 (ideal body weight, IBW)의 차이에 45%를 곱한 값을 더해서 산출한다 (1). 즉,

$$\text{보정 체중} = \text{IBW} + 0.45\ (\text{ABW} - \text{IBW}) \tag{44.1}$$

3. Aminoglycoside의 권장용량은 표 44.2에 나와있다 (1).
   a. Aminoglycoside의 표준용량은 중환자에서 흔히 치료농도보다 낮은 약물농도 (subtherapeutic drug level)를 초래하는 경우가 많기 때문에 (4), ICU환자에게는 최소한 처음에라도 고용량을 권장한다.
   b. Aminoglycoside는 권장용량을 하루 한번에 투여하는 방법을 많이 사용하는데, 결과에 나쁜 영향을 주지 않으며, 신독성 발현을 늦출 수 있기 때문이다 (1).
   c. 신기능이 손상 받았다면 용량감량이 필요하다 (1). 이는 투여간격을 늘리고 동시에 투여하는 용량을 줄이거나 혹은 둘 중 한 가지 방법을 통해서 시행할 수 있다.

C. 약물농도 (Drug Levels)

혈청약물 농도 감시는 aminoglycoside의 최적용량산출에 필수며, 특히 신기능부전 환자에서는더 필수다.

1. 복용량을 투여하고 1시간 뒤에 측정한 최대약물농도를 치료효과의 지침으로 사용한다. 하루 한번 투여하며 목표 최대농도는 amikacin은 56-64 μg/mL, gentamicin과 tobramycin은 16-24 μg/mL다 (5).
2. 병원균이 동정되고 최소저지농도 (minimum inhibitory concentration, MIC)를 사용할 수 있다면, MIC에 대한 최대약물농도 (Cmax)의 비가 더 믿을만한 치료효과의 지표다. Aminoglycoside는 Cmax/MIC 비가 8-10일 때 가장 효과가 크다 (4).

표 44.2 Aminoglycoside 권장용량

Creatine Clearance (mL/min)	Gentamicin Tobramycin (mg/kg)	Amikacin (mg/kg)	Dosing Interval
≥ 80	7	20	24 hr
60–79	5	15	24 hr
40–59	4	12	24 hr
20–39	4	12	48 hr
10–19	3	10	48 hr
<10	2.5	7.5	48 hr

참고문헌 1 발췌.

D. 부작용 (Adverse Effects)

1. 신독성 (Nephrotoxicity)

a. Aminoglycoside는 결국 모든 환자에서 신손상이 발생하기 때문에, 절대적 콩팥독소로 여겨 진다. 일반적으로 치료 일주일 후에 혈청 크레아티닌 (creatinine)이 증가한다 (9).
b. 기전은 신세뇨관에 aminoglycoside가 축적 되는 것이며, 이는 치명적인 세포손상과 급성세뇨관괴사 (acute tubular necrosis, ATN)로 이어진다 (1).
c. 신독성 효과는 혈량저하증 (hypovolemia), 콩팥질환, 저칼륨혈증, 루프이뇨제, vancomycin 등에 의해 더 높아진다 (1,6).

2. 덜 흔한 독성 (Less Frequent Toxicities)

a. Aminoglycoside는 비가역적인 청력손실과 전정손상 (vestibular

damage)을 유발할 수 있다 (1). 이독성 (ototoxicity)의 발생률은 불확실하지만, gentamicin을 투여한 환자 중 13%에서 저주파수청력 손실 (low-frequency hearing loss)이 보고되었다 (7). Aminoglycoside 용량과 이독성 사이에는 명확한 관계가 없다.

b. Aminoglycoside는 시냅스전 신경말단 (presynaptic nerve terminal)에서 아세틸콜린 (acetylcholine) 분비를 억제할 수 있지만 (8), 임상적으로 명확한 근육약화는 중증근무력증환자에서 아주 드물게 보고된다 (9).

II. 항진균제 (ANTIFUNGAL AGENTS)

중환자에서 중요한 병원성 진균류는 대부분 Candida albicans로, Candida 종이기 때문에, 항진균제에 대한 설명은 Candida 감염치료의 역할로 제한한다.

A. Amphotericin B

1. 작용 & 임상 용도 (Activity & Clinical Use)

Amphotericin B (AmB)는 드문 병원균인 C. lusitaniae를 제외한 모든 Candida 종에 대해서 효과가 있지만 (10), 부작용의 위험 때문에 Candida 감염 치료에 많이 사용하지 않는다. 대신, AmB는 다른 항진균제에 저항이 발생하거나 환자가 잘 견디지 못하는 경우를 대비해 남겨 놓는다 (11).

2. 용량 (Dosage)

a. 주입관련정맥염 (infusion-related phlebitis)의 위험을 줄이기 위해서 AmB 주입은 중심정맥관을 많이 사용한다 (10).

b. AmB는 하루에 한번 IV로 0.5-1 mg/kg 투여한다 (10,12). 전체용량은 일반적으로 4시간에 걸쳐 투여하지만, 환자가 잘 견딘다면 1시간 동안 투여할 수도 있다.
c. 총 AmB 용량은 0.5-4 g이며, 진균감염의 유형과 중증도에 따라 결정한다.

3. 부작용 (Adverse Effects)

a. 전신염증반응 (SYSTEMIC INFLAMMATORY RESPONSE) : AmB를 투여할 때 약 70%는 발열, 오한, 경직 (rigor)을 동반한다 (12). 이 반응은 처음 주입 시 가장 두드러지며, 주입을 반복하면 강도가 약해진다. 다음 방법은 이 반응의 중증도를 줄이는데 도움이 된다 (12).
   1) 주입 30분 전에 acetaminophen (10-15 mg/kg을 경구투여)과 diphenhydramine (25 mg IV 혹은 경구투여)을 투여한다.
   2) 경직이 문제라면, meperidine (25 mg IV)을 투여한다.
   3) 상기 방법들이 충분한 효과가 없다면, AmB주입액에 hydrocortisone (0.1 mg/mL)을 추가한다.
b. 신독성 (NEPHROTOXICITY) : AmB는 신세뇨관을 손상시키고 K^+와 Mg^{++}의 요배출량 증가를 동반한 원위형 (distal type) 신세뇨관산증 (renal tubular acidosis, RTA)을 유발할 수 있다 (13). 그 결과 저칼륨혈증과 저마그네슘혈증이 흔하다.
   1) AmB투여 2-3주 후에 환자 중 30%는 혈청크레아티닌 (creatinine)이 2.5 mg/dL이상으로 상승하며, 이 중 15%는 결국 투석이 필요할 수도 있다 (14). 따라서, AmB 요법 중 혈청크레아티닌이 2.5 mg/dL이상으로 상승한다면 투약을 며칠간 중단하거나 지질 AmB제제 (lipd AmB preparation)로 변경한다 (추후 설명).

4. 지질제제 (Lipid Preparations)

AmB이 동물세포 (mammalian cell)에 결합하는 것을 줄이면, 이를 통해 신손상의 위험이 줄어든다.이 목적을 위해 특수지질AmB제제가 고안되었다. Liposomal AmB와 AmB lipid complex 두 가지 지질제제를 사용할 수 있으며, 두 제제 모두 용량은 하루에 3-5 mg/kg다 (10). 비교연구결과, liposomal AmB 제제 사용시 신손상이 발생할 확률이 줄어들었다 (13).

B. Fluconazole

Fluconazole은 itraconazole과 voriconazole같은 azole계 항진균제로 1990년에 첫 경구용항진균제로 도입 되었다.

1. 작용 & 임상 용도 (Activity & Clinical Use)

a. Fluconazole은 Candida albicans, C. tropicalis, 그리고 C. parapsilosis에 효과가 있지만, C. krusei와 C. glabrata에는 효과가 없다 (10).
b. 칸디다증 (candidiasis) 치료에 대한 2016년 지침에 따르면 (11), fluconazole은 감수성 있는 병원균을 동반한 침습성칸디다증 (invasive candidiasis)에 대한 2차약제이며, 심하게 아프지 않은 환자 (즉 중환자가 아닌)와 이전에 azole계 약제를 사용한 경험이 없었던 환자에게 적합하다.
c. Fluconazole은 감수성 있는 병원균을 동반한 증상이 있는 요로감염과 C. parapsilosis를 동반한 감염에 많이 사용되는 제제이다 (11).

2. 용량 (Dosage)

a. Fluconazole은 동일한 용량을 IV 혹은 경구투여할 수 있다.

b. 침습성칸디다증에 대한 용량은 초기에 800 mg IV, 그 후 매일 400 mg IV다 (11).
c. 크레아티닌 청소율 (creatinine clearance) <50 mL/min이라면 50% 감량을 권장한다 (10).

3. 부작용 (Adverse Effects)

a. Fluconazole은 강력한 시토크롬P450동종효소 (cytochrome P450 isoenzyme)억제제이며, 같은 P450동종효소에 의해 대사되는 약제들은 fluconazole을 사용하는 동안 축적된다. 여기에 해당하는 약제에는 cispride, erythromycin, quinidine 같이 QT간격을 연장시키는 약제, carbamazepine, phenytoin, haloperidol, benzodiazepines, opiate 같은 CNS약제들, coumadin, 그리고 theophylline이 있다. Fluconazole 과 cisapride를 동시에 투여하는 것은 금기이나 (10), 용량 감량 여부를 결정할 수 있도록 혈청 약물 농도를 이용한다면, 상호 작용을 하는 다른 약제와는 병용 요법을 지속할 수도 있다.
b. Fluconazole은 HIV 환자에게 심각한, 심지어 치명적일 수도 있는 간손상을 유발한다 (16).

C. Echinocandins

Echinocandins는 fluconazole보다 넓은 작용범위를 가진 항진균제다. 이 범주에는 caspofungin, micafungin, anidulafungin 3가지 약제가 있다. 초기 임상경험은 대부분 caspofungin을 통해 이루어졌다.

1. 작용 & 임상 용도 (Activity & Clinical Use)

a. Echinocandins는 모든 Candida 종에 대해 효과를 보이지만, C. parapsilosis에 대해서는 효과가 감소한다 (17).

b. Echinocandins은 C. parapsilosis가 원인균인 경우를 제외하고는 패혈성쇼크나 호중구감소증 (neutropenia)을 동반한 환자를 포함한 침습성칸디다증 치료에 가장 많이 사용되는 항진균제다 (11). 이렇게 많이 사용되는 이유는 침습성칸디다증을 다른 항진균제 대신 echinocandins로 치료한 경우 생존이득이 있다는 확실한 증거 때문이다 (11,18).

2. 용량 (Dosage)

Echinocandins은 하루 한번 IV로 투여한다. 침습성칸디다증에 대한 용량은 아래에 나와있다. 신 기능 부전에서도 용량 조절은 필요 없다.

a. Caspofungin : 초기 70 mg IV, 그 후 매일 50 mg IV
b. Micafungin : 매일 100 mg IV
c. Anidulafungin : 초기 200 mg IV, 그 후 매일 100 mg IV

3. 부작용 (Adverse Effects)

Echinocandins은 곤란한 부작용에서 상대적으로 자유로운 편이다. 일시적으로 간효소가 상승할 수 있으며 (17), 가역적인 혈소판감소증 (thrombocytopenia)이 보고되기도 했다 (5).

Ⅲ. CARBAPENEMS

Carbapenem은 모든 항생제 중에서 작용범위가 가장 넓다. Carbapenem에는 imipenem, meropenem, doripenem, ertapenem 4가지 종류가 있지만, 임상경험은 대부분 imipenem과 meropenem을 통해 이루어졌다.

A. 작용 (Activity)

1. Imipenem과 meropenem은 다음 병원균에 대해 효과가 있다 (5).
   a. Pseudomonas aeruginosa를 포함한 모든 aerobic gram-negative bacilli
   b. Strep pneumoniae, methicillin-sensitive staph aureus (MSSA), Staph epidermidis를 포함한 모든 aerobic gram-positive cocci.
   c. Enterococcus faecalis와 Bacteroide fragilis를 포함한 모든 gram-positive 및 gram-negative anaerobic organism.
2. Carbapenem은 methicillin-resistant Staph. aureus (MRSA)와 vancomycin-resistant enterococci (VRE)에는 효과가 없다. 표 44.1에 나와있는 것처럼 P. aeruginosa에 대한 효과도 최근 감소하는 추세이다.

B. 임상 용도 (Clinical Use)

1. Carbapenem은 항생범위가 광범위하기 때문에 발열이 생긴 중환자나 호중구감소증 (neutropenia) 환자의 경험적 항생제치료로 인기가 많다 (24).
2. Carbapenem은 경험적 항생제치료 목적으로 단독 사용시에 효과가 좋지만 (24), MRSA나 다제내성 (multidrug resistance) 균이 많은 ICU에서는 2차 항생제가 필요하다.
3. Meropenem은 혈액뇌장벽 (blood-brain barrier)을 통과할 수 있기 때문에, gram-negative 뇌수막염 (meningitis)에 사용할 수 있다.

C. 용량 (Dosage)

Imipenem과 meropenem의 권장용량은 표 43.3에 요약되어 있다. 신기능이 손상된 환자는 용량감량이 필요하다.

D. 부작용 (Adverse Effects)

1. Carbapenem으로 치료한 환자는 발작 (seizure)의 위험이 증가하지만, 위험자체는 환자 1,000명당 2건으로 작다 (22). 신기능부전에서 carbapenem을 감량하지 않은 경우 신기능악화에 기여하는요소가 될 수도 있다. Meropenem이 imipenem보다 간질유발성 (epileptogenic)이 적다는 초기주장에도 불구하고 21개 임상연구를 종합한 결과, imipenem과 meropenem은 발작위험성에 차이가 없었다 (22).

표 44.3 Carbapenem의 권장용량

Imipenem 1. Pseudomonas 감염에 대한 일반적인 용량은 6시간 간격으로 500 mg 혹은 1 g IV다. 2. 크레아티닌 청소율 (creatinine clearance)<70 mL/min인 경우 감량이 필요하다. CrCl (mL/min) : 51–70 : 8시간 간격 500–750 mg 21–50 : 6시간 간격 250–500 mg 6–20 : 12시간 간격 250–500 mg < 6 : 12시간 간격 250–500 mg 추가로 48시간 마다 투석
Meropenem 1. 뇌수막염에 대한 일반적인 용량은 8시간 간격으로 1g 혹은 2g IV다. 2. 크레아티닌 청소율<50 mL/min인 경우 감량이 필요하다. CrCl (mL/min) : 26–50 : 12시간 간격으로 일반 용량 10–25 : 12시간 간격으로 일반 용량의 1/2 <10 : 24시간 간격으로 일반 용량의 1/2

참고문헌5와 19 발췌.

2. Meropenem은 발프로산 (valproic acid)의 혈청농도를 낮출 수 있으며, 이는 간접적으로 발작을 촉발시킨다 (23).
3. Penicillin에 과민반응이 있는 환자는 때때로 carbapenem에 과민반응을 보이기도 한다. 이 반응은 일반적으로 발진과 두드러기를 동반하며, 드물게 생명을 위협하기도 한다 (24).

Ⅳ. CEPHALOSPORINS

임상에서 사용 가능한 cephalosporins은 25종 이상이 있지만, ICU에서는 ceftriaxone, ceftazidime, 그리고 cefepime 단 3가지만 가끔 사용된다.

표 44.4 Cephalosporins의 권장용량

Ceftriaxone

1. 일반적인 용량은 매일 1 g IV 혹은 뇌수막염에서는 12시간 간격으로 2 g IV다.
2. 신기능부전에도 용량조절은 필요 없다.

Ceftazidime

1. 생명을 위협하는 감염, 발열을 동반한 호중구감소증 환자에서 경험적요법으로 사용시 일반적인 용량은 8시간 간격으로 2 g IV다.
2. 크레아티닌 청소율 (creatinine clearance)〈80 mL/min인 경우 감량이 필요하다. 이 경우 초기 용량으로 2 g을 투여하고 그 후 아래와 같이 투여한다.
   CrCl (mL/min) : 30-80: 12-24시간 간격으로 2 g IV
   10-29: 24-36시간 간격으로 2 g IV
   〈10: 36-48시간 간격으로 2 g IV

Cefepime

1. 생명을 위협하는 감염에 일반적인 용량은 12시간 간격으로 1-2 g IV이며, 발열을 동반한 호중구감소증 환자에서 경험적요법으로 사용시 일반적인 용량은 8시간 간격으로 2 g IV다.
2. 크레아티닌 청소율〈60 mL/min인 경우 감량이 필요하다.
   a. 신 용량의 경우 초기 용량은 일반 용량 (1-2 g)과 동일하다. 그 후 아래와 같이 투여한다.
   CrCl (mL/min) : 30-60: 24시간 간격으로 일반 용량
   11-29: 24시간 간격으로 일반 용량의 1/2
   〈11: 24시간 간격으로 일반 용량의 1/4
   b. 발열을 동반한 호중구감소증 환자에서 경험적요법으로 사용시 초기용량은 2 g이며, 그 후 아래와 같이 투여한다.
   CrCl (mL/min) : 30-60 : 12시간 간격으로 2 g
   11-29 : 24시간 간격으로 2 g
   〈11 : 24시간 간격으로 1 g

참고문헌 26 발췌.

A. Ceftriaxone

1. Ceftriaxone (Rocephin)은 Pseudomonas spp를 제외한 gram-negative bacilli, MRSA와 staph epidermidis를 제외한 gram-positive cocci, 그리고 Hemophilus influenza에 효과가 있다.
2. Ceftriaxone은 주로 입원 혹은 ICU입실이 필요한 지역사회획득폐렴 (community-acquired pneumonia)에 사용된다 (25). Macrolide (azythromycin)와 병용요법을 권장한다 (25). Ceftriaxone을 사용하는 이유는 예후가 나쁜 penicillin-resistant pneumococci에 대한 효과 때문이다.
3. Ceftriaxone은 pneumococcal 뇌수막염 (meningitis)에도 많이 사용되는 약제며, meningococcal 뇌수막염의 경우 penicillin G의 적절한 대체제가 될 수 있다 (26).
4. Ceftriaxone에 대한 권장용량은 표 44.4에 나와있다 (26).

B. Ceftazidime

1. Ceftazidime (Ceftaz)은 P. aeruginosa를 비롯한 gram-negative bacilli에 대해 효과가 있지만, gram-positive organism에 대해서는 효과가 제한된다.
2. Ceftazidime은 Pseudomonas 감염에서 aminoglycosides를 대체할 수 있는 첫 번째 비독성약제였다. 하지만, 이 인기는 Pseudomonas의 저항이 증가하면서 그리고, 광범위효과를 가진 cefepime (추후 설명)과 같은 항녹농균제제 (antipseudomonal agents)가 도입되면서 점차 사라졌다.
3. Ceftazidime에 대한 권장용량은 표 44.4에 나와있다 (26).

C. Cefepime

1. Cefepime (maxipime)은 P. aeruginosa를 비롯한 gram-negative bacilli에

대해 효과가 있으며, 추가로 MRSA를 제외한 gram-positive cocci에 대해서도 효과를 보인다.

2. Cefepime은 패혈증이 의심되는 ICU환자에게 경험적요법으로 많이 사용되며, 발열이 있는 호중구감소증 (neutropenia) 환자에서도 많이 사용되는 약제 중 하나다 (24).
3. Cefepime에 대한 권장용량은 표 44.4에 나와있다 (26).

D. 부작용 (Adverse Effects)

1. Cephalosporins제제에 대한 부작용은 드물며 발진, 설사 같이 비특이적이다.
2. Penicillin에 교차항원성 (cross antigenicity)이 발생할 확률은 5-15%이며 (26), penicillin에 심각한 아나필락시스반응이 있었던 환자는 cephalosporin을 피해야 한다.

V. FLUOROQUINOLONES

Fluoroquinolone 항생제에는 ciprofloxacin, levofloxacin, moxifloxacin이 있다.

A. 작용 & 임상 용도 (Activity & Clinical Use)

1. Fluoroquinolone은 Pseudomonas aeruginosa를 비롯한 aerobic gram-negative bacilli에 효과가 있다. 하지만, ICU에서 흔한 병원균에 대한 효과는 최근에는 상대적으로 약한 편이다 (표 44.1참고). 따라서, fluoroquinolone은 ICU 환자의 심각한 gram-negative감염에 많이 사용되지 않는다.
2. 신형 fluoroquinolone, 즉 levofloxacin과 moxifloxacin은 Penicillin-resistant 균주를 비롯한 Strep. pneumonia, Mycoplasma pneumonias,

Hemophilus influenza, 그리고 Legionella species 같은 호흡기병원균에 대해서도 추가로 효과가 있다 (27).

3. ICU에서 신형 fluoroquinolone은 주로 지역사회획득성폐렴 (community-acquired pneumonia) (25)과 만성폐쇄성폐질환 (chronic obstructive lung disease, COPD)의 악화 시에 사용한다.

B. 용량 (Dosage)

표 44.5에 Quinolone제제의 권장용량이 나와있다 (27). 이 제제들은 동일한 용량을 경구 및 IV로 투여할 수 있지만, ICU 환자에게는 최소한 첫 번째 투여만이라도 IV투여를 권장한다. 신형약제는 ciprofloxacin보다 반감기가 길기 때문에 하루에 한번만 투여하면 된다.

표 44.5 Quinolones의 권장용량
Ciprofloxacin 1. 심각한 감염에 일반적인 용량은 12시간 간격으로 400 mg IV다. 2. 크레아티닌 청소율 (creatinine clearance)〈30 mL/min인 경우 18-24시간마다 200-400 mg IV로 용량감량이 필요하다.
Levofloxacin 1. 지역사회획득성폐렴에 대한 일반적인 용량은 24시간 간격 750 mg IV 혹은 경구투여다. 2. 크레아티닌 청소율〈50 mL/min인 경우 감량이 필요하다. CrCl (mL/min) : 20-49 : 48시간 간격으로 750 mg IV 10-19 : 처음에 750 mg을 투여하고 그 후 48시간 간격으로 500 mg IV
Moxifloxacin 1. 일반적인 용량은 24시간 간격으로 400 mg IV 혹은 경구투여다. 2. 신기능부전에서 용량조절이 필요 없다.

참고문헌27 발췌

C. 부작용 (Adverse Effects)

1. Ciprofloxacin은 theophylline과 warfarin의 간대사에 간섭하며, 두 약제의 효과를 더 강하게 할 수 있다 (27). 신형 fluoroquinolone은 이러한 약제상호작용이 없다.
2. Quinolone을 투여한 환자 중 1-2%에서 혼란, 환각, 발작 같은 신경독성 반응이 보고되었다 (28).
3. QT간격연장과 다형성심실빈맥 (polymorphic ventricular tachycardia), Torse de pointes가 moxifloxacin을 제외한 모든 quinolone제제와 관계 있다는 보고가 있다. 하지만, 이는 매우 드문 일이다 (29).
4. Quinolone은 중증근무력증 (myasthenia gravis) 환자에서 근육약화를 악화시킬 수도 있다 (27).
5. 모든 quinolone은 아편에 대한 소변약물선별검사 (urine drug screen)에서 위양성 (false-positive)이 나올 수 있다 (5).

VI. THE PENICILLINS

ICU에서 Penicillin 사용은 주로 carboxypenicillin (carbenicillin, ticarcillin)과 ureidopenicillins (azlocillin, mezlocillin, piperacillin)를 비롯한 항녹농균 (antipseudomonal) penicillin에 제한된다 (30). 이 중에서 중환자에게는 piperacillin이 압도적으로 많이 사용된다.

A. Piperacillin-Tazobactam

1. Piperacillin은 광범위 효과를 보이는데, 여기에는 Streptococci, Enterococci, Methicillin-sensitive staphylococci (MRSA는 제외), Staph epidermidis, 그리고 P. aeruginosa를 비롯한 aerobic gram-negative baciili가 포함된다. 이 범주에는 MRSA를 제외한 대부분의 병원 내 세균성

병원균이 포함되지만, P. aeruginosa에 대한 효과는 감소하는 추세이다 (표 44.1참고).

2. IV piperacillin 제제는 piperacillin과 상승작용을 가지는 β-락타마제 (β-lactamase) 억제제인 tazobactam을 포함하고 있다 (39).
3. 광범위 효과 때문에, piperacillin-tazobactam (Pip-Tazo)은 중환자나 호중구감소증 환자에게 경험적항생제 치료로 많이 사용되는 제제다 (24). 하지만, 잠재적병원균이 MRSA인 경우는 단독으로 사용하면 안 된다.
4. 중환자에서 pip-tazo의 일반적인 용량은 6시간 간격으로 3.375 g (piperacillin 3 g, tazobactam 0.375 g) IV다 (31).
5. 크레아티닌 청소율 (creatinine clearance, CrCL)≤40 mL/min인 경우 용량감량이 필요하다 (31). CrCL=20-40 mL/min 이라면 6시간 간격으로 2.25 g을 투여하며, CrCL<20 mL/min이라면 8시간 간격으로 2.25 g을 투여한다 (31).

VII. VANCOMYCIN

Vancomycin은 ICU에서 가장 흔하게 사용되는 항생제이지만, 새롭게 생겨나는 저항균에 대한 우려 때문에 그 사용을 제한하자는 의견이 나오고 있다.

A. 작용 & 임상 용도 (Activity & Clinical Use)

1. Vancomycin은 모든 Staphylococcus aureus 균주 (coagulase-positive, coagulase-negative, methicillin-sensitive, methicillin-resistant)를 비롯한 전체 gram-positive cocci, 그리고 Pneumococci와 Enterococci를 포함하는 aerobic and anaerobic streptococci에 효과가 있다 (32).
2. Vancomycin은 methicillin-resistant staph aureus (MRSA), Staph epidermidis, Enterococcus faecalis, 그리고 Penicillin-resistant pneumo-

cocci에 의한 감염에 가장 좋은 약이다.

3. ICU에서 vancomycin 사용의 약 2/3는 병원균-특이감염 (pathogen-specific infection)의 치료보다는 경험적항생제 요법이 차지한다 (33).

B. 용량 (Dosage)

1. Vancomycin은 체중기반용량을 권장한다 (34). 체중이 이상체중보다 20% 이상 높은 비만이 아닌 이상 실제체중을 사용하며, 비만인 경우 공식44.1을 이용하여 계산한 보정체중을 사용한다.
2. 표준부하용량 (loading dose)은 15-20 mg/kg이지만, 중환자에게는 25-30 mg/kg으로 더 높은 부하용량을 권장한다 (34).
3. 유지용량은 체중, 신기능, 그리고 vancomycin 최저 (trough) 혈중 농도에 따라 달라진다. 이러한 변수에 근거한 vancomycin 용량계산도표 (nomogram)가 **표 44.6**에 나와있다. 이 계산도표에서 목표로 하는 vancomycin 최저 농도는 10-20 mg/L라는 점을 주목한다.
4. 심각한 감염을 치료하기 위해 사용하는 경우, 혈중 vancomycin 농도 감시를 권장한다. 일반적으로 4번째 투여 후에 안정상태 (steady-state) 농도에 도달할 수 있다 (42). 최저혈중농도는 내성균이 발생하는 것을 방지하기 위해서 >10 mg/L이어야 한다. 심한 감염에서는, 최저혈중농도 15-20 mg/L를 권장한다 (34).

C. 부작용 (Adverse Effects)

1. Red Man Syndrome

Vancomycin을 급속주입하면 비만세포 (mast cell)의 히스타민 (histamine)분비로 인해 red man syndrome이라고 하는 혈관확장, 안면홍조, 저혈압을 동반할 수 있다 (32). 일반적으로 주입속도를 10 mg/min 아래로 하면 이 문제를 예방할 수 있다.

표 44.6 Vancomycin 용량 계산도표[†]

Creatinine Clearance (mL/min)	체중 (kg)			
	60–69	70–79	80–89	90–99
〉80	1,000 mg q12hr	1,250 mg q12hr	1,250 mg q12hr	1,500 mg q12hr
70–79	1,000 mg q12hr	1,250 mg q12hr	1,250 mg q12hr	1,250 mg q12hr
60–69	750 mg q12hr	1,000 mg q12hr	1,000 mg q12hr	1,250 mg q12hr
50–59	1,000 mg q18hr	1,000 mg q18hr	1,250 mg q18hr	1,250 mg q18hr
40–49	750 mg q18hr	1,000 mg q18hr	1,250 mg q18hr	1,250 mg q18hr
30–39	750 mg q24hr	1,000 mg q24hr	1,250 mg q24hr	1,250 mg q24hr
20–29	750 mg q24hr	1,000 mg q36hr	1,250 mg q36hr	1,250 mg q36hr
10–19	1,000 mg q48hr	1,000 mg q48hr	1,250 mg q48hr	1,250 mg q48hr
〈10	Spot[ξ] serum Vancomycin 〈20 mg/L일 때 반복 투여			

UpToDate (www.uptodate.com)에서 발췌. 2016년 1월 접속.

[†] 목표 Vancomycin 최저 농도 10-20 mg/L을 기반으로 함.

[ξ] Dried Blood Spot (DBS) test

2. 이독성 (Ototoxicity)

Vancomycin은 혈청약물농도가 40 mg/dL를 넘어가면 고주파수음역대 (high-frequency sounds)에 가역적청력손실을 유발할 수 있으며, 혈청약물농도가 80 mg/dL를 초과했을 때 영구적인 청각소실 (deafness)이 보고되었다.

3. 신독성 (Nephrotoxicity)

일부 연구에서는 vancomycin 단독 사용시 신독성을 관찰할 수 없었지만 (32), vancomycin을 투여한 환자에서 신기능부전이 보고되고 있다 (36).

4. 혈액학적 효과 (Hematologic Effects)

Vancomycin을 투여한 환자 중 20%는 면역매개성혈소판감소증이 보고되고 있으며 (37), 7일 이상 투약한 환자 중 2-12%에서는 호중구감소증이 보고되고 있다 (38).

D. Vancomycin 대체재 (Alternatives to Vancomycin)

중환자치료 항생제로서 vancomycin은 여전히 신뢰할 수 있는 약제이지만, vancomycin-resistance enterococci (VRE)와 vancomycin을 잘 견디지 못하는 MRSA감염환자에 대해서는 대체항생제가 필요하다. 다음은 vancomycin의 대체재로 제안된 약제 중 몇 가지에 대한 설명이다.

1. Linezolid

a. Linezolid (Zyvox)는 MRSA를 비롯한 균에 대해 vancomycin과 동일한 효과범위를 지닌 합성항생제이지만, VRE에도 효과를 보인다 (32).
b. 용량은 12시간 간격으로 600 mg IV다.
c. Linezolid는 vancomycin에 비해 폐분비물 (lung secretion)로 더 많이 침투하지만, MRSA폐렴에서 linezolid가 치료결과를 향상시켰다는 독창적인 연구는 확인되지 않았다 (39).
d. Linezolid로 인한 부작용에는 장기간 사용시 혈소판감소증 (throm-

bocytopenia) (32), 드물게 발생하는 일부 가역적인 시신경병증 (optic neuropathy) (40), 그리고 세로토닌증후군 (serotonin syndrome)이 있다.

2. Daptomycin

a. Daptomycin (Cubicin)은 MRSA와 VRE를 비롯한 gram-positive cocci에 효과가 있는 자연발생 항생제다 (32,41).
b. 권장용량은 하루 한번 4-6 mg/kg IV다. 크레아티닌청소율 (creatinine clearance)<30 mL/min에서는 용량감량을 추천한다 (41).
c. Daptomycin은 연조직감염 (soft tissue infection)이나 MRSA 및 VRE와 연관된 균혈증 치료에 사용한다 (32). 하지만, 약제가 폐의 계면활성제로 인해 비활성화 되기 때문에 *폐렴치료에는 사용할 수 없다* (41).
d. 주요 부작용은 골격근근병증 (skeletal muscle myopathy)이며, daptomycin 투여 중에는 혈청 CPK농도를 감시해야 한다 (41).

3. Tigecycline

a. Tigecycline (Tygacil)은 tetracycline유도체로 MRSA, VRE, *Acinetobacter baumannii*, 그리고 광범위 β-락타마제 (β-lactamase)를 생성하는 gram-negative bacilli 같이 치료하기 어려운 병원균에 효과를 보인다 (42).
b. 일반적인 용량은 12시간 간격으로 50 mg IV이며, 신기능부전에서 용량조절은 필요하지 않다.
c. Tigecycline에 대한 주요 관심사는 이 약과 연관하여 *사망률이 증가*하는 것을 보여주는 13개 임상시험의 메타분석 (meta-analysis)이다 (43). 이 사망률 증가에 대한 이유는 불확실하지만, FDA는 tigecycline에 대해 강력한 복약주의 경고문 (a black box warning)을

발표했으며 (FDA MedWatch, Sept 27, 2013, https://www.fda.gov/drugs/drugsafety/ucm369580.htm), 현재의 권장사항에 따르면, 이 제제는 대체요법이 적절하지 않은 경우를 위해 남겨두어야 한다.

참고문헌

1. Craig WA. Optimizing aminoglycoside use. Crit Care Clin 2011;27:107–111.
2. Sader HS, Farrell DJ, Flamm RK, Jones RN. Antimicrobial susceptibility of Gram-negative organisms isolated from patients hospitalized in intensive care units in United States and European hospitals (2009-2111). Diagn Microbiol Infect Dis 2014; 78:443–448.
3. Martinez JA, Cobos-Triqueros N, Soriano A, et al. Influence of empiric therapy with a beta-lactam alone or combined with an aminoglycoside on prognosis of bacteremia due to gram-negative organisms. Antimicrob Agents Chemother 2010; 54:3590–3596.
4. Matthaiou DK, Waele JD, Dimopoulos G. What is new in the use of amino-glycosides in critically ill patients? Intensive Care Med 2014; 40:1553–1555.
5. Gilber DN, Chambers HF, Eliopoulos GM, et al. (eds). The Sanford Guide to Antimicrobial Therapy, 45th ed. Sperryville, VA: Antimicrobial Therapy, Inc, 2015:96–111.
6. Wilson SE. Aminoglycosides: assessing the potential for nephrotoxicity. Surg Gynecol Obstet 1986; 171(Suppl):24–30.
7. Sha S-H, Qiu J-H, Schacht J. Aspirin to prevent gentamicininduced hearing loss. N Engl J Med 2006; 354:1856–1857.
8. Lippmann M, Yang E, Au E, Lee C. Neuromuscular blocking effects of tobramycin, gentamicin, and cefazolin. Anesth Analg 1982; 61:767–770.
9. Drachman DB. Myasthenia gravis. N Engl J Med 1994; 330:179–1810.
10. Groll AH, Gea-Banacloche JC, Glasmacher A, et al. Clinical pharmacology of antifungal compounds. Infect Dis Clin N Am 2003; 17:159–191.
11. Pappas PG, Kauffman CA, Andes DR, et al. Clinical practice guideline for the management of candidiasis: 2016 update by the Infectious Disease Society of America. Clin Infect Dis 2016; 62:e1–50.

12. Bult J, Franklin CM. Using amphotericin B in the critically ill: a new look at an old drug. J Crit Illness 1996; 11:577-585.
13. Carlson MA, Condon RE. Nephrotoxicity of amphotericin B. J Am Coll Surg 1994; 179:361-381.
14. Wingard JR, Kublis P, Lee L, et al. Clinical significance of nephrotoxicity in patients treated with amphotericin B for suspected or proven aspergillosis. Clin Infect Dis 1999; 29:1402-1407.
15. Wade WL, Chaudhari P, Naroli JL, et al. Nephrotoxicity and other adverse events among inpatients receiving liposomal amphotericin B and amphotericin B lipid complex. Diag Microbiol Infect Dis 2013; 76:361-367.
16. Gearhart MO. Worsening of liver function with fluconazole and a review of azole antifungal hepatotoxicity. Ann Pharmacother 1994; 28:1177-1181.
17. Echinocandins. In: McEvoy GK, ed. AHFS Drug Information,2014. Bethesda: American Society of Health-System Pharmacists, 2014:511-521.
18. Andes DR, Safdar N, Baddley JW, et al. Impact of treatment strategy on outcomes in patients with candidemia or other forms of invasive candidiasis: A patient-level quantitative review of randomized trials. Clin Infect Dis 2012; 54:1110-1122.
19. Carbapenems. In: McEvoy GK, ed. AHFS Drug Information,2014. Bethesda: American Society of Health-System Pharmacists, 2014:143-160.
20. Freifeld AG, Bow EJ, Sepkowitz KA, et al. Clinical practice guideline for the use of antimicrobial agents in neutropenic patients with cancer: 2010 update by the Infectious Disease Society of America. Clin Infect Dis 2011; 52:e56-e93.
21. Golightly LK, Teitelbaum I, Kiser TH, et al. (eds). Renal pharmacotherapy: Dosage adjustment of medications eliminated by the kidneys. New York: Springer, 2013.
22. Cannon JP, Lee TA, Clatk NM, et al. The risk of seizures among the carbapenems: a meta-analysis. J Antimicrob Chemother 2014;69:2043-2055.
23. Baughman RP. The use of carbapenems in the treatment of serious infections. J Intensive Care Med 2009; 24:230-241.
24. Asbel LE, Levison ME. Cephalosporins, carbapenems, and monobactams. Infect Dis Clin N Am 2000; 14:1-10.
25. Mandell LA, Wunderink RG, Anzueto A, et al. Infectious Diseases Society/American Thoracic Society consensus guide-lines on the management of community-acquired pneumonia in adults. Clin Infect Dis 2007; 44:S27-S72.

26. Third and fourth generation cephalosporins. In: McEvoy GK, ed. AHFS Drug Information, 2014. Bethesda: American Society of Health-System Pharmacists, 2014:82–140.
27. Quinolones. In: McEvoy GK, ed. AHFS Drug Information, 2014. Bethesda: American Society of Health-System Pharmacists, 2014:329–390.
28. Finch C, Self T. Quinolones: recognizing the potential for neurotoxicity. J Crit Illness 2000; 15:656–657.
29. Frothingham R. Rates of torsade de pointes associated with ciprofloxacin, ofloxacin, levofloxacin, gatifloxacin, and moxifloxacin. Pharmacother 2001; 21:1468–1472.
30. Wright AJ. The penicillins. Mayo Clin Proc 1999; 74:290–307.
31. Piperacillin and Tazobactam. In: McEvoy GK, ed. AHFS drug information, 2014. Bethesda: American Society of Hospital Pharmacists, 2014:319–324.
32. Nailor MD, Sobel JD. Antibiotics for gram-positive bacterial infections: vancomycin, teicoplanin, quinupristin/dalfopristin, oxazolidinones, daptomycin, dalbavancin, and telavancin. Infect Dis Clin N Am 2009; 23:965–982.
33. Ena J, Dick RW, Jones RN. The epidemiology of intravenous vancomycin usage in a university hospital. JAMA 1993; 269:598–605.
34. Rybak M, Lomaestro B, Rotschafer JC, et al. Therapeutic monitoring of vancomycin in adult patients: A consensus review of the American Society of Health System Pharmacists, the Infectious Disease Society of America, and the Society of Infectious Diseases Pharmacists. Am J Heath-Syst Pharm 2009; 66:82–98.
35. Saunders NJ. Why monitor peak vancomycin concentrations? Lancet 1994; 344: 1748–1750.
36. Hanrahan TP, Harlow G, Hutchinson J, et al. Vancomycin-associated nephrotoxicity in the critically ill: A retrospective multivariate regression analysis. Crit Care Med 2014; 42: 2527–2536.
37. Von Drygalski A, Curtis B, Bougie DW, et al. Vancomycin-induced immune thrombocytopenia. N Engl J Med 2007; 356:904–910.
38. Black E, Lau TT, Ensom MHH. Vancomycin-induced neutropenia. Is it dose- or duration-related? Ann Pharmacother 2011; 45:629–638.
39. Kali AC, Murthy MH, Hermsen ED, et al. Linezolid versus vancomycin or teicoplanin for nosocomial pneumonia: A systematic review and meta-analysis. Crit Care Med 2010; 38:1802–1808.

40. Rucker JC, Hamilton SR, Bardenstein D, et al. Linezolid-associated toxic optic neuropathy. Neurology 2006; 66:595–598.
41. Daptomycin. In: McEvoy GK, ed. AHFS drug information, 2012. Bethesda: American Society of Hospital Pharmacists, 2012:454–457.
42. Stein GE, Babinchak T. Tigecycline: an update. Diagn Microbiol Infect Dis 2013; 75(4):331–6.
43. Prasad P, Sun J, Danner RL, Natanson C. Excess deaths associated with tigecycline after approval based on noninferiority trials. Clin Infect Dis 2012; 54:1699–1709.

Chapter 45

혈류역학 약물

Hemodynamic Drugs

이번 장은 혈압과 혈류를 조절하기 위해 IV로 투여하는 약물에 중점을 두고 있다. 설명하는 약제는 dobutamine, dopamine, epinephrine, nicardipine, nitroglycerin, nitroprusside, norepinephrine, phenylephrine이다. 각 약제는 알파벳순으로 나열하였다.

I. DOBUTAMINE

Dobutamine은 양성수축력 (positive inotropic)효과와 혈관확장 (vasodilator)효과를 동시에 가지는, 즉 심장수축-혈관확장제 (inodilator)효과를 가지는 합성카테콜라민 (catecholamine)이다.

A. 효과 (Actions)

1. Dobutamine은 β-아드레날린수용체작용제며, β_1 및 β_2 수용체에 3:1 비율로 결합한다(**표 45.1참고**)(1,2). 심근에 있는 β_1-수용체 활성은 양성수축력 (positive inotropic)효과와 심박수변동 (chronotropic)효과 를 유발하며, 혈관평활근에 있는 β_2-수용체 활성은 혈관확장을 유발한다.
2. Dobutamine의 주된 역할은 다음과 같다.(1,2)
   a. 심박수 증가보다는 일회박출량 (stroke volume) 증가로 인한 용량

의존성 심장박출량 (cardiac output)증가

b. 심실충만압 감소

c. 전신혈관저항 감소

d. 혈압은 일회박출량 과 전신혈관저항 변화량의 균형에 따라 증가할 수도, 그대로일 수도, 감소할 수도 있다.

표 45.1 Catecholamine 약제의 용량과 수용체결합 친화력

약제	일반적 용량 범위	아드레날린 수용체		
		α_1	β_1	β_2
Dobutamine	3–20 µg/kg/min	—	+++++	++
Dopamine	3–10 µg/kg/min 11–20 µg/kg/min	— +++	++++ ++++	++ ++
Epinephrine	1–15 µg/min	+++++	++++	+++
Norepinephrine	2–20 µg/min	+++++	+++	++
Phenylephrine	0.1–0.2 mg/min	+++++	—	—

B. 임상 용도 (Clinical Use)

1. 심부전치료에 대한 American Heart Association 지침에 따르면 (3), dobutamine은 심인성쇼크 (cardiogenic shock)나 임박쇼크 (impending shock)로 진행하는 중증 수축기부전을 대비해 남겨두어야 한다. Dobutamine은 혈압을 확실하게 상승시키지 못하기 때문에, 저혈압은 dobutamine을 주입하기 전에 혈압상승제를 이용해 교정해야 한다.
2. 중증패혈증과 패혈성쇼크에 대한 surviving sepsis campaign지침은 (4) 수액과 혈압상승제로 중심정맥산소 포화도 (central venous O_2 saturation)가 정상화되지 않는 경우에 dobutamine을 권장하고 있다 (9장 참고).
3. Dobutamine은 심실충만 장애로 발생한 심부전, 즉 "확장기" 심부전

의 치료에는 적합하지 않다.

C. 약물투여 (Drug Administration)

1. Dobutamine은 초기부하용량 (loading dose)없이 지속 IV주입으로 투여한다.
2. 초기투여속도는 3-5 μg/kg/min이며, 필요한 경우 3-5 μg/kg/min 단위로 증량할 수 있다. 투여 속도가 20 μg/kg/min 이상이 되면, 부작용의 위험이 장점보다 크다 (3,4).

D. 부작용 (Adverse Effects)

Dobutamine의 부작용은 심장자극과 관련 있다.

1. Dobutamine 주입으로 보통 경한 심박수증가 (10-15회/분)를 나타나지만, 환자개인에 따라 심박수증가가 높은경우 (≥30회/분)도 있다 (2). Dobutamine 주입 중 악성빈맥부정맥 (malignant tachyarrhythmia) 발생은 드물다.
2. Dobutamine은 심근산소소모량을 증가시키며, 이로인해 기능부전에 빠진 심근에 저장된 에너지가 더 빠르게 소모될 수도 있다. 이러한 우려가 dobutamine을 72시간 이내의 단기간 치료제로 권장하는 이유 중 하나다 (3).

II. DOPAMINE

Dopamine은 신경전달물질 (neurotransmitter)과 norepinephrine 합성의 전구제로 작용하는 내인성카테콜라민 (endogenous catecholamine)이다. Dopamine용량중 약 25%는 아드레날린성신경 말단 (adrenergic nerve terminals)에 흡수되어 norepinephrine으로 대사된다 (5).

A. 작용 (Activity)

1. 저용량 주입속도 (Low Dose Rates)

저용량 주입속도 (<3 μg/kg/min)에서 dopamine은 콩팥과 내장순환에 있는 dopamine 특이적 수용체를 선택적으로 활성화시키며, 이는 혈관 확장을 유발하여 이 부위에 혈류를 증가시킨다 (5). 급성신부전환자에게는 저용량도파민의 콩팥효과 (renal effect)는 미미하거나 없다 (6).

2. 중간용량 주입속도 (Intermediate Dose Rates)

중간용량 주입속도 (3-10 μg/kg/min)에서 dopamine은 심장과 전신순환에 있는 β-수용체를 자극하며, dobutamine에서 설명한 내용과 매우 유사한 심혈관계 변화를 유발한다.

3. 고용량 주입속도 (High Dose Rates)

고용량 주입속도 (>10 μg/kg/min)에서 dopamine은 α-수용체의 용량 의존성 활성을 유발하며, 광범위혈관수축과 지속적인 혈압상승으로 이어진다.

B. 임상 용도 (Clinical Use)

번거로운 빈맥성부정맥 (tachyarrhythmia)과 dopamine과 관련된 사망률 증가에 대한 보고들로 인해 혈류역학지지약물로서 dopamine의 인기는 최근 들어 상당히 줄어들었다 (7). Dopamine 사용에 관련된 문제는 아래에 요약되어 있다.

1. 저용량 dopamine은 한 때 급성신부전환자에서 사구체여과율 (glomerular filtration rate, GFR)을 증가시킬 목적으로 사용했으나, 이 방

법은 콩팥회복을 촉진할 수 없으며 (6), 더 이상 권장하지 않는다.

2. Dopamine은 더 이상 패혈성쇼크에 많이 사용되는 혈압상승제가 아니며, 상대적 혹은 절대적인 서맥환자와 빈맥성부정맥 (tachyarrhythmia)의 위험이 최소화된 환자에서만 권장한다 (4).
3. Dopamine은 심인성쇼크 (cardiogenic shock)에서 고려해 볼 만하다. α-와 β-작용제효과가 합쳐져 혈압을 상승시키고, 동시에 양성수축력 (positive inotropic) 효과를 제공하기 때문이다.

C. 약물투여 (Drug Administration)

1. 모든 혈압상승제들과 같이, dopamine은 혈관외유출 (extravasation)이 발생할 경우 광범위한 조직괴사를 일으킬 수 있다. 따라서, 약물은 큰 중심정맥을 통해 투여해야 한다.
2. Dopamine은 초기부하용량 (loading dose)없이 지속 IV 주입으로 투여한다.
   a. 초기투여속도는 3-5 μg/kg/min이며, 필요한 경우 원하는 효과가 나타날 때까지 몇 분 간격으로 용량을 조절할 수 있다.
   b. 투여속도 3-10 μg/kg/min이 심장박출량을 증가시키기에 최적이다.
   c. 투여속도>10 μg/kg/min은 보통 혈압을 상승시키기 위해 필요하다.
   d. 최대투여속도는 20 μg/kg/min이다. 고용량 주입속도는 혈관수축에 추가적인 효과는 없지만, 바람직하지 못한 수준의 빈맥을 흔히 유발한다.

D. 부작용 (Adverse Effects)

1. 빈맥성부정맥이 가장 흔한 부작용이다. Dopamine을 주입한 환자 중 25%에서 동성빈맥과 심방 세동이 보고되고 있다 (7).
2. Dopamine의 다른 부작용에는 손가락괴저 (gangrene) (5), 내장저관류 (5), 안압증가 (9), 그리고 위배출지연 (10)이 있다.

Ⅲ. EPINEPHRINE

Epinephrine은 생리적스트레스에 반응해서 부신수질에서 분비되는 내인성 카테콜라민 (endogenous catecholamine)이다. Epinephrine은 가장 강력한 자연발생 β-작용제다.

A. 작용 (Activity)

1. Epinephrine은 비선택적 α-와 β-수용체작용제며, 용량에 따라 심박수, 일회박출량, 혈압을 증가시킨다 (11,12).
2. α-수용체자극은 비균일성말초혈관수축을 일으키며, 피하, 콩팥, 내장 순환에서 가장 효과가 두드러진다. Epinephrine 투여 시 주요 관심사 중 하나는 내장허혈의 위험이다 (12).
3. Epinephrine은 다음과 같은 대사효과가 있다 (11,12)
   a. β-수용체활성은 지방분해와 포도당분해를 촉진하며, 젖산생성을 증가시킨다. 후자의 효과는 흔히 고젖산혈증을 유발한다. 이러한 효과들은 다른, 약한 β-작용제에서는 눈에 잘 띄지 않는다.
   b. α-수용체 자극은 인슐린분비를 억제하며, 고혈당증을 촉진한다.

B. 임상 용도 (Clinical Use)

1. Epinephrine은 심정지 시 소생 및 아나필락시스쇼크 시의 1차 약제다 (9장, 15장 참고).
2. Epinephrine은 심폐우회술 이후 수술직후 기간에 일반적인 혈류역학적 지지약물이다.
3. 부작용의 위험에 대한 관심이 높아짐에 따라,패혈성쇼크에서 혈압상승제로서 epinephrine이 누리던 인기는 감소했으며, 일반적으로 norepinephrine같은 보편적인 혈압상승제에 반응하지 않는 경우를 위해 남겨두게 되었다 (12).

C. 약물투여 (Drug Administration)

1. 혈관수축효과가 있기 때문에, epinephrine은 큰 중심정맥으로 투여해야 한다.
2. 순환지지를 위한 epinephrine용법은 다음과 같다 (11).
   a. 심정지 (CARDIAC ARREST): 자발순환이 회복 (ROSC) 될 때까지 3-5분 간격으로 1 mg IV bolus.
   b. 아나필락시스쇼크 (ANAPHYLATIC SHOCK) : 5 μg/min으로 주입을 시작하며, 목표혈압에 도달할 때까지, 필요한 경우 2-5 μg/min 단위로 주입속도를 증량한다. 일반적인 용량범위는 5-15 μg/min이다.
   c. 패혈성쇼크 혹은 심폐우회술 후 순환지지 (SEPTIC SHOCK OR POST-BYPASS CIRCULATORY SUPPORT) : 1-2 μg/min으로 주입을 시작하며, 원하는 혈압에 도달할 때까지, 필요한 경우, 1-2 μg/min 단위로 주입속도를 증량한다. 일반적인 용량범위는 1-10 μg/min이다.

D. 부작용 (Adverse Effects)

1. Epinephrine의 부작용에는 다른 카테콜라민제제보다 위험성이 높은 빈맥성부정맥 (tachyarrhythmia), 고혈당증, 전신산소소모증가를 동반한 대사항진, 내장허혈이 있다 (11,12).
2. Epinephrine과 관련된 고젖산혈증은 조직저산소증을 반영하는 것이 아니라 포도당분해증가를 반영하는 것이며, 젖산은 코리회로 (Cori Cycle)을 통해 간의 포도당신생에 사용되기 때문에 부작용으로 여기지 않는다.

Ⅳ. NICARDIPINE

Nicardipine은 항고혈압제제로 작용하는 Ca^{++} 통로차단제 (calcium channel blocker)다.

A. 작용 (Activity)

1. Nicardipine은 혈관평활근으로 Ca^{++} 유입을 억제하여 혈관확장을 촉진한다 (13).
2. 혈관확장효과는 균일하지 않으며, 뇌순환에서 가장 효과가 크다 (13,14)
3. Nicardipine은 음성수축력 (negative inotropic) 효과가 있지만, 동방결절 (SA node)이나 방실결절 (AV node) 기능에는 영향을 미치지 않는다 (14).

표 45.2 지속 주입 혈관확장 요법

혈관확장제	약제 투여
Nicardipine	용량 : 5 mg/hr로 주입을 시작하며 필요한 경우 5–15분 간격으로 2.5 mg/hr 단위로 증량한다. 최대용량은 15 mg/hr이다. 해설 : 고혈압성 응급에 일반적인 약제다.
Nitroglycerin	용량 : 5–10 μg/min로 주입을 시작하며, 원하는 효과가 나타날 때까지 5분 간격으로 5–10 μg/min 증량한다. 효과 용량은 일반적으로 ≤100 μg/min이다. 해설 : 고용량으로 장기간 사용 시 프로필렌글리콜 중독 및 질산염 내성의 위험이 있다.
Nitroprusside	용량 : 0.2–0.3 μg/kg/min로 주입을 시작하며, 필요한 경우 몇 분 간격으로 점차적으로 증량한다. 최대 용량은 3 μg/kg/min이다. 신부전이 있는 환자는 1 μg/kg/min이다. 해설 : 시안화물 축적의 위험을 제한하기 위해 주입액에 티오황산염을 추가한다.

B. 임상 용도 (Clinical Use)

1. Nicardipine은 수술 후 고혈압 (15)과 고혈압성 응급 (16)을 비롯한 골치 아픈 고혈압의 급성 조절에 사용한다. 혈전용해요법을 진행하기 위해 긴급히 혈압을 낮춰야 하는 급성허혈성뇌졸중에 1차약제이기도 하다 (17).

C. 약물투여 (Drug Administration)

1. Nicardipine은 경구제제로 사용할 수도 있지만, 급속 혈압조절에는 지속 IV주입으로 투여한다. 이 약은 말초정맥으로도 안전하게 투여할 수 있다.
2. 초기주입속도는 5 mg/hr이며, 필요한 경우, 5-15분 간격으로 2.5 mg/hr 단위로 증량한다. 최대용량은 15 mg/hr이다 (18).
3. Nicardipine은 간에서 대사되어 소변으로 배출되기는 하지만, 간부전 혹은 신부전에서 용량조절이 필요하지 않다 (18).

D. 부작용 (Adverse Effects)

1. 자주 보고되는 부작용에는 두통, 안면홍조, 저혈압, 반사성빈맥이 있다 (16,18).
2. Nicardipine은 대동맥판막협착증이 진행된 경우에 현저한 저혈압을 유발할 수 있기 때문에, 이 질환에서는 금기다 (18).

V. NITROGLYCERIN

Nitroglycerin (NTG)은 삼질산글리세릴 (glyceryl trinitrate), 즉 유기질산염 (organic nitrate)이며 혈관확장, 항혈소판, 항협심증 (antianginal) 효과가 있다.

A. 작용 (Activity)

1. 혈관확장 효과 (Vasodilator Effects)

a. NTG는 산화질소 (nitric oxide, NO)로 전환되어 혈관확장제로서 작용하며, 혈관평활근이완을 촉진한다 (19) .
b. NTG의 혈관확장효과는 용량에 따라 다르며, 동맥과 정맥 모두에 영향을 미친다. 저용량주입속도 (<50 μg/min)에서는 정맥확장효과가 두드러지며, 고용량주입속도에서는 동맥확장 효과가 두드러진다 (20,21).
c. 저용량주입속도에서, NTG는 심장박출량에 변화를 주지는 않으면서, 또는 미세한 변화만 주면서 심장충만압 (caridiac filling pressure)을 감소시킨다 (20). 주입속도가 증가함에 따라, 동맥확장효과로 인해 심장박출량이 증가하기 시작한다. 초기에는 혈압이 변하지 않을 수도 있지만, 주입속도가 증가함에 따라 결국에는 혈압이 내려간다.

2. 항혈소판효과 (Antiplatelet Effects)

NTG가 NO로 전환되면 혈소판응집억제효과가 나타나며, 이 효과가 아마도 NTG가 항협심증효과를 나타내는 기전일 것이다 (22).

B. 임상 용도 (Clinical Use)

1. NTG는 중환자에게 3가지 주된 용도가 있다.

a. 급성 대상부전심부전 (acute decompensated heart failure) 환자에서 심장박출량을 증가시킨다.
b. 불안정협심증환자에서 흉통을 해소한다.
c. 고혈압성 응급을 치료한다.

C. 약물투여 (Drug Administration)

1. 플라스틱에 흡수 (Absorption to Plastic)

a. 수액에 있는 NTG 중 무려 80%는 표준 IV수액세트에 있는 PVC에 흡수되어 소실된다 (21).
b. NTG는 유리나 PET같이 단단한 플라스틱과는 결합하지 않기 때문에, 흡수로 인한 약물 소실은 유리병이나 PET수액세트를 사용하면 없앨 수 있다.

2. 용량 (Dosing)

a. NTG는 5-10 μg/min 속도로 주입을 시작한다. 그 후 원하는 효과가 나타날 때까지 5분 간격으로 5-10 μg/min 단위로 증량한다.
b. 효과 용량은 일반적으로 ≤100 μg/min이다.

D. 부작용 (Adverse Effects)

1. 혈류역학적 부작용 (Adverse Hemodynamic Effects)

a. NTG 유발성 정맥확장은 혈량저하증 (hypovolemia)이나 우심부전 환자에서 저혈압을 유발할 수 있다. 이 두 경우는 모두 NTG 주입 전에 순환혈액량부하 (volume loading)가 필요하다.
b. 또한 NTG는 24시간 이내에 발기부전치료를 위해 phosphodiesterase inhibitor를 복용한 환자에게 갑작스러운 혈압저하를 유발할 수 있다 (20).
c. NTG 유발성 뇌혈류증가는 두개내압 (intracranial pressure) 증가로 이어질 수 있다 (23).
d. ARDS 환자에서, NTG의 폐혈관확장효과는 폐내단락 (intrapul-

monary shunt) 분획증가와 그 결과로 인한 동맥산소화 (arterial oxygenation) 감소로 이어질 수 있다 (24).

2. 메트헤모글로빈혈증 (Methemoglobinemia)

NTG의 대사는 무기아질산염 (inorganic nitrite)을 생성하며, 이는 헤모글로빈에 있는 철부분을 산화시켜 메트헤모글로빈혈증을 유발할 수 있다. 하지만, 명백한 메트헤모글로빈혈증은 NTG주입의 흔한 합병증이 아니며, 고용량주입속도로 장기간 사용한 경우에만 나타난다 (23).

3. 용매중독 (Solvent Toxicity)

NTG는 수용성용액에는 쉽게 용해되지 않으며, 용액 내에 약물을 유지하기 위해서 에탄올 (ethanol)과 프로필렌글리콜 (propylene glycol) 같은 비극성용매 (nonpolar solvent)가 필요하다. 이러한 용매는 장기간 주입 시 축적될 수 있다.

a. NTG 주입으로 인한 에탄올중독 (25)과 프로필렌글리콜 중독 (26) 두 가지 모두가 보고되었다.
b. 프로필렌글리콜중독은 일부 NTG제제의 구성성분 중 30-50%를 차지하기 때문에 특별한 관심사다 (23). 프로필렌글리콜 중독은 24장 I-A-5절에서 설명하고 있다.

E. 질산염내성 (Nitrate Tolerance)

1. NTG의 혈관확장 및 항혈소판효과에 대한 내성은 약물을 지속투여하고 24시간이 지나야만 비로소 나타난다 (23,27). 잠재적인 기전은 아마도 산화유발성 내피기능부전 (oxidation induced endothelial dysfunction)일 것이다 (27).
2. 질산염내성을 예방하거나 혹은 반전시키기 위한 가장 효과적인 방법

은 하루에 최소 6시간의 약물중단시간을 가지는 것이다 (23).

VI. NITROPRUSSIDE

Nitroprusside (NTP)는 초속효성 혈관확장제로 시안화물 (cyanide, CN) 축적을 촉진하는 위험한 성향을 가지고 있다.

A. 작용 (Activity)

1. NTP의 혈관확장효과는 nitroglycerin (NTG)과 유사하게 산화질소 (nitric oxide, NO)를 매개로 하여 나타난다 (19). NTP는 동맥과 정맥 모두를 확장시키지만, 정맥확장은 NTG에 비해 효과적이지 못하고, 동맥확장 (arterial vasodilator)은 더 효과적이다.
2. NTP는 정상 심기능환자에서 심장박출량에 다양한 효과를 나타내지만 (28), 대상부전심부전환자에서는 심장박출량을 증가시킨다 (29).

B. 시안화물부담 (Cyanide Burden)

1. NTP분자는 페리시안화물복합체 (ferricyanide complex)로 산화철을 중심으로 결합하고 있는 CN 원자 (atom) 5개를 가지고 있으며, NTP가 혈관확장효과를 나타낼 때 이 CN부분이 혈류로 방출된다.
2. CN제거를 촉진하는 기전은 47장에서 다루고 있다. 공식47.1과 47.2를 참고한다.
   a. CN제거의 주요기전은 다음과 같다. 티오황산염 (thiosulfate, S_2O_3)에서 CN으로 황산이온 (sulfate ion)이 이동하여 티오시안산염 (thiocyanate, SCN)을 생성하고, 이는 그 후 콩팥에서 제거된다. 건강한 성인에게는 NTP 68 mg을 해독할 수 있는 충분한 내인성티오황산염이 있다 (23). 80 kg 성인에게 NTP를 2 μg/kg/min (치료범

위의 상한선) 속도로 주입하면 NTP 68 mg을 해독하는 능력은 단 500분 (8.3시간)이면 사라진다.

b. CN제거의 2차 혹은 부수적인 기전은 메트헤모글로빈 (methemoglobin)과 CN이 결합하여 시안화메트헤모글로빈 (cyanomethemoglobin)을 형성하는 것이다.

C. 임상 용도 (Clinical Use)

1. NTP는 혈압을 급속도로 낮출 필요가 있는 경우, 예를 들어 고혈압성 응급이나 급성대동맥박리 같은 경우에 주로 사용한다.
2. NTP는 또한 급성대상부전심부전의 단기치료에도 사용된다 (29).
3. 혈관확장제로서 NTP의 검증된 효율에도 불구하고, 시안화물중독의 잠재성으로 인해 NTP의 인기는 많이 줄어들었다 (30).

D. 약물투여 (Drug Administration)

1. CN축적을 제한하기 위해서 NTP주입액에는 티오황산염을 추가해야만 한다. NTP 50 mg당 티오황산염 500 mg을 더해준다 (31).
2. NTP주입은 0.2-0.3 μg/kg/min으로 시작하고, 원하는 결과를 달성 할 때까지 몇 분 간격으로 점차적으로 양을 늘려간다. CN축적을 제한하기 위해 주입속도는 3 μg/kg/min을 넘지 않아야 한다 (31).
3. 신부전의 경우, 티오시안산염중독의 위험을 제한하기 위해 주입속도는 1 μg/kg/min을 넘지 않아야 한다 (31).

E. 시안화물중독 (Cyanide Toxicity)

1. CN중독의 임상양상과 치료는 47장에서 다루고 있다. Ⅱ 절과 표47.1을 참고한다.
2. NTP주입 중 CN중독의 초기징후 중 하나는 지속적으로 증가하는 NTP

요구량, 즉 속성내성 (tachyphylaxis)이다 (23). 젖산산증 같은 산소활용 장애의 징후는 CN중독 말기가 되기 전에는 나타나지 않는다 (31).

F. 티오시안산염중독 (Thiocyanate Toxicity)

1. 신기능이 손상되면, 티오시안산염이 축적될 수 있고 초조, 환각, 전신발작, 이명, 동공축소를 특징으로 하는 신경독성증후군을 야기할 수 있다 (32). 이 임상양상은 CN중독과 구별하기 어려울 수도 있다. 하지만, 티오시안산염중독은 CN중독의 특징인 대사성산증이 나타나지 않는다.
2. 진단은 혈청 티오시안산염농도로 확정할 수 있다. 정상농도는 10 mg/L 이하이며, 농도가 100 mg/L 이상이면 임상적 중독과 관련이 있다 (32).
3. 티오시안산염중독은 혈액투석으로 치료할 수 있다.

Ⅶ. NOREPINEPHRINE

Norepinephrine은 흥분성신경전달물질 (excitatory neurotransmitter)로 작용하는 내인성카테콜라민 (endogenous catecholamine)이다. 임상약제로서 norepinephrine은 광범위한 혈관수축을 촉진하기 위해 사용한다.

A. 작용 (Activity)

1. Norepinephrine은 강력한 α-수용체작용제이며, 동시에 약한 β_1-수용체작용제다. 종합적인 효과는 전신혈관수축이며, 심장박출량에는 다양한 효과를 나타낸다 (33).
2. Norepinephrine에 대한 혈관수축반응은 일반적으로 신혈류 감소를 동반한다 (33). 이는 norepinephrine 주입 중 신혈류가 보존되거나 약간 증가하는 패혈성쇼크에는 해당되지 않는다 (34,35).

B. 임상 용도 (Clinical Use)

현재 norepinephrine은 패혈성쇼크에서 혈압상승제로 dopamine 보다 더 많이 사용된다 (36). 이러한 선호도는 패혈성쇼크에서 dopamine 대신에 norepinephrine을 사용했을 때 부작용이 작았고 (7), 사망률이 낮았음 (4,36)을 보여주는 연구결과를 근거로 하고 있다.

C. 약물투여 (Drug Administration)

1. 모든 혈압상승제와 동일하게, norepinephrine은 큰 중심정맥으로 투여해야 한다.
2. Norepinephrine은 부하용량 (loading dose) 없이 지속주입으로 투여한다. 초기용량은 2-3 μg/min이며, 필요한 경우, 원하는 반응을 달성할 때까지 몇 분 간격으로 2-3 μg/min 단위로 증량할 수 있다.
3. 효과용량은 개별환자에 따라 매우 다양하다. 일반적인 용량범위는 2-20 μg/min이며, 40 μg/min을 넘어서는 주입속도는 추천하지 않는다 (33).

D. 부작용 (Adverse Effects)

Norepinephrine의 부작용은 주로 과도한 혈관수축과 관련 있으며, 이는 필수장기 (vital organ), 특히 장과 콩팥에 저관류를 야기할 수 있으며 또한 반사성서맥 (reflex bradycardia)을 유발할 수 있다. 이러한 부작용은 혈량저하증 (hypovolemia)에서 더 커진다.

Ⅷ. PHENYLEPHRINE

Phenylephrine은 다른 혈압상승제와 비교했을 때 장점은 몇 가지 없으면서 단점은 많은 잠재적 혈압상승제다.

A. 작용 (Activity)

Phenylephrine은 순수한 α-수용체작용제며 강력하고 광범위한 혈관수축을 야기한다. 이 효과는 일반적으로 반사성서맥 (reflex bradycardia)과 심장박출량 감소를 동반한다 (37).

B. 임상 용도 (Clinical Use)

1. Phenylephrine의 주된 용도는 척추마취로 인한 저혈압의 반전이다. 하지만, 척추마취로 인한 심장박출량 감소를 악화시킬 수 있기 때문에, 보편적으로 순수한 α-수용체작용제는 이 상황에 많이 사용하지 않는다 (37).
2. Phenylephrine은 심장박출량과 콩팥관류에 대한 유해한 효과로 인해 패혈성쇼크에서 혈압상승제를 지원하는 목적으로는 권장하지 않는다 (4).

C. 약물 투여 (Drug Administration)

1. Phenylephrine은 IV로 천천히 주입할 수 있다. 초기 용량은 0.2 mg (200 μg)이며, 5-10분 간격으로 0.1 mg 단위로 증량하며 반복 투여 할 수 있다. 최대 용량은 0.5 mg이다 (37).
2. Phenylephrine은 0.1-0.2 mg/min로도 주입할 수 있지만, 가능한 빨리 *감량*해야 한다 (37).

D. 부작용 (Adverse Effects)

Phenylephrine의 부작용은 과도한 혈관수축과 관련되며, 여기에는 반사성서맥, 심장박출량 감소, 필수장기 (vital organ)의 전반적인 저관류가 있다.

이러한 부작용은 혈량저하증 (hypovolemia)에서 더 커진다.

참고문헌

1. Overgaard CB, Dzavik V. Inotropes and vasopressors: review of physiology and clinical use in cardiovascular disease. Circulation 2008; 118:1047 - 1056.
2. Dobutamine hydrochloride. In McEvoy GK, ed. AHFS Drug Information, 2014. Bethesda: American Society of Health-System Pharmacists, 2014:1350 - 1352.
3. Yancy CW, Jessup M, Bozkurt B, et al. 2013 ACCF/AHA guideline for the management of heart failure: a report of the American College of Cardiology Foundation/American Heart Association Task Force on Practice Guidelines. J Am Coll Cardiol 2013; 62:e147 - e239.
4. Dellinger RP, Levy MM, Rhodes A, et al. Surviving Sepsis Campaign: International guidelines for management of severe sepsis and septic shock. Crit Care Med 2013; 41:580 - 637.
5. Dopamine Hydrochloride. In McEvoy GK, ed. AHFS Drug Information, 2014. Bethesda: American Society of Health-System Pharmacists, 2014:1352 - 1356.
6. Kellum JA, Decker JM. Use of dopamine in acute renal failure: A meta-analysis. Crit Care Med 2001; 29:1526 - 1531.
7. De Backer D, Biston P, Devriendt J, et al. Comparison of dopamine and norepinephrine in the treatment of shock. N Engl J Med 2010; 362:779 - 789.
8. Ellender TJ, Skinner JC. The use of vasopressors and inotropes in the emergency medical treatment of shock. Emerg Med Clin N Am 2008; 26:759 - 786.
9. Brath PC, MacGregor DA, Ford JG, Prielipp RC. Dopamine and intraocular pressure in critically ill patients. Anesthesiology 2000; 93:1398 - 1400.
10. Johnson AG. Source of infection in nosocomial pneumonia. Lancet 1993; 341:1368 (Letter).
11. Epinephrine. In McEvoy GK, ed. AHFS Drug Information, 2014. Bethesda: American Society of Health-System Pharmacists, 2014:1402 - 1408.
12. Levy B. Bench-to-bedside review: Is there a place for epinephrine in septic shock? Crit Care 2005; 9:561 - 565.
13. Amenta F, Tomassoni D, Traini E, et al. Nicardipine: a hypotensive dihydropyri-

dine-type calcium antagonist with a peculiar cerebrovascular profile. Clinical and Experimental Hypertension 2008; 30:808-826.
14. Struyker-Boudier HAJ, Smits JFM, De Mey JGR. The pharmacology of calcium antagonists: a review. J Cardiovasc Pharmacol 1990; 15 (Suppl. 4):S1-S10.
15. Kaplan JA. Clinical considerations for the use of intravenous nicardipine in the treatment of postoperative hypertension. Am Heart J 1990; 119:443-6.
16. Peacock WF, Hilleman DE, Levy PD, et al. A systematic review of nicardipine vs. labetalol for the management of hypertensive crises. Am J Emerg Med 2012; 30:981-993.
17. Ayagari V, Gorelick PB. Management of blood pressure for acute and recurrent stroke. Stroke 2009; 40:2251-2256.
18. Nicardipine hydrochloride [package insert]. Bedminster, NJ: EKR Therapeutics, Inc., 2010.
19. Anderson TJ, Meredith IT, Ganz P, et al. Nitric oxide and nitrovasodilators: similarities, differences and potential interactions. J Am Coll Cardiol 1994; 24:555-566.
20. Nitroglycerin. In: McEvoy GK, ed. AHFS Drug Information, 2014. Bethesda: American Society of Health System Pharmacists, 2014:1860-1863.
21. Elkayam U. Nitrates in heart failure. Cardiol Clin 1994; 12:73-85.
22. Stamler JS, Loscalzo J. The antiplatelet effects of organic nitrates and related nitroso compounds in vitro and in vivo and their relevance to cardiovascular disorders. J Am Coll Cardiol 1991; 18:1529-1536.
23. Curry SC, Arnold-Cappell P. Nitroprusside, nitroglycerin, and angiotensin-converting enzyme inhibitors. In: Blumer JL, Bond GR, eds. Toxic effects of drugs used in the ICU. Crit Care Clin 1991; 7:555-582.
24. Radermacher P, Santak B, Becker H, Falke KJ. Prostaglandin F1 and nitroglycerin reduce pulmonary capillary pressure but worsen ventilation-perfusion distribution in patients with adult respiratory distress syndrome. Anesthesiology 1989; 70:601-606.
25. Korn SH, Comer JB. Intravenous nitroglycerin and ethanol intoxication. Ann Intern Med 1985; 102:274.
26. Demey HE, Daelemans RA, Verpooten GA, et al. Propylene glycol- induced side effects during intravenous nitroglycerin therapy. Intensive Care Med 1988; 14:221-226.

27. Münzel T, Gori T. Nitrate therapy and nitrate tolerance in patients with coronary artery disease. Curr Opin Pharmacol 2013; 13:251-259.
28. Sodium Nitroprusside. In: McEvoy GK, ed. AHFS Drug Information, 2014. Bethesda: American Society of Health System Pharmacists, 2014:1848-1851.
29. Guiha NH, Cohn JN, Mikulic E, et al. Treatment of refractory heart failure with infusion of nitroprusside. New Engl J Med 1974; 291:587-592.
30. Robin ED, McCauley R. Nitroprusside-related cyanide poisoning. Time (long past due) for urgent, effective interventions. Chest 1992; 102:1842-1845.
31. Hall VA, Guest JM. Sodium nitroprusside-induced cyanide intoxication and prevention with sodium thiosulfate prophylaxis. Am J Crit Care 1992; 2:19-27.
32. Apple FS, Lowe MC, Googins MK, Kloss J. Serum thiocyanate concentrations in patients with normal or impaired renal function receiving nitroprusside. Clin Chem 1996; 42:1878-1879.
33. Norepinephrine Bitartrate. In: McEvoy GK, ed. AHFS Drug Information, 2014. Bethesda: American Society of Health System Pharmacists, 2014:1410-1413.
34. Bellomo R, Wan L, May C. Vasoactive drugs and acute kidney injury. Crit Care Med 2008; 36(Suppl):S179-S186.
35. Desairs P, Pinaud M, Bugnon D, Tasseau F. Norepinephrine therapy has no deleterious renal effects in human septic shock. Crit Care Med 1989; 17:426-429.
36. Fawzy A, Evans SR, Walkey AJ. Practice patterns and outcomes associated with choice of initial vasopressor therapy for septic shock. Crit Care Med 2015; 43:2141-2146.
37. Phenylephrine Hydrochloride. In: McEvoy GK, ed. AHFS Drug Information, 2014. Bethesda: American Society of Health System Pharmacists, 2014:1342-1347.

Chapter 46

약물 과다복용

Pharmaceutical Drug Overdoses

이번 장은 다음 약제들을 과다복용 했을 때의 양상과 치료를 다루고 있다. 설명하는 약제는 acetaminophen, benzodiazepines, β-수용체길항제 (β-receptor antagonist), 아편유사제 (opioids), 그리고 살리실산염 (salicylates)이다. 각 약제는 알파벳순으로 나열하였다.

Ⅰ. ACETAMINOPHEN

Acetaminophen은 아주 흔한 진통해열제로, 판매 중인 600가지가 넘는 약제에 포함되어 있다. Acetaminophen은 간독소이며, *미국에서 급성간부전의 가장 흔한 원인*이다(1). Acetaminophen 과다복용은 미국에서 급성간부전의 원인 중 절반을 차지하며, 과다복용 중 절반은 의도치 않게 발생한다 (2).

A. 병태생리 (Pathophysiology)

Acetaminophen 독성은 간에서의 대사와 관계가 있다 (1).

1. Acetaminophen 중 일부분 (5-15%)은 대사를 통해 독성대사물을 생성하며, 이는 간세포에 산화제손상 (oxidant injury)을 유발한다. 이 대사물은 정상적인 경우 세포내 항산화제인 글루타티온 (glutathione)과 결합하여 비활성화된다.

2. Acetaminophen 과다복용으로 인한 대사부담 (metabolic burden)은 간의 글루타티온 보유량을 고갈 시킬 수 있다. 이러한 상황이 되면, 독성대사물이 축적되어 간세포 손상을 유발한다.

3. 중독량 (Toxic Dose)

a. Acetaminophen의 일일 최대권장량은 3-4 g이다 (1).
b. 중독량은 개별환자에 따라 다양하지만, 대부분의 성인은 일반적으로 7.5 g에서 15 g 사이가 된다.
c. 영양실조, 에탄올남용, 만성질환은 acetaminophen독성에 대한 감수성을 증가시킬 수 있다. 이러한 상태에서 4 g을 바로 복용하면 간손상이 발생할 수 있다 (1).

B. 임상양상 (Clinical Features)

1. 독소를 복용하고 첫 24시간 동안에는 증상이 없거나 구역, 구토 같은 비특이적 증상이 나타난다.
2. 복용 후 24-36시간이 지나기 전까지는 간효소가 증가하지 않는다 (3).
   a. AST (aspartate aminotransferase) 상승은 acetaminophen중독의 가장 민감한 표지다. AST 상승은 간부전보다 먼저 나타나며, 보통 72-96시간에 최고치에 달한다.
3. 간 손상의 단서는 간 효소의 지속적인 상승, 황달, 응고장애 등으로 복용 24-48시간 후에 나타나기 시작한다.
4. 간손상은 독소복용 후 3-5일째에 절정에 달한다. 이 기간 동안에 간성뇌병증, 급성빈뇨성신부전, 젖산산증이 나타난다.

C. 예측계산도표 (Predictive Nomogram)

처음 환자와의 대면은 보통 명백한 간손상이 발현하기 전인, 약물복용

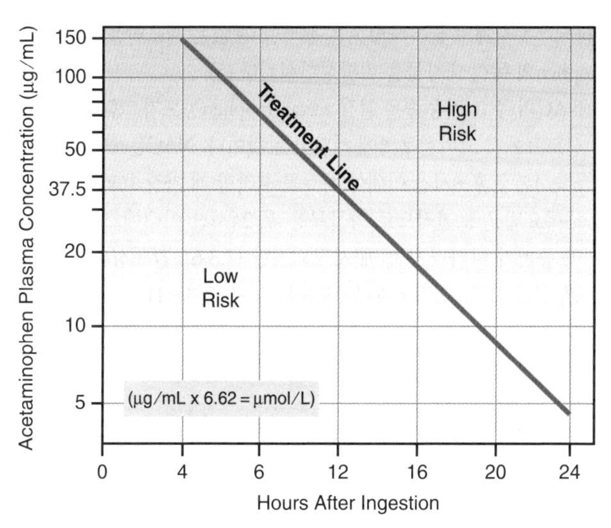

■ 그림 46.1 Acetaminophen 간독성의 위험을 예측하는 계산도표. 참고문헌4 발췌.

후 24시간 이내에 하게 된다. 이러한 상황이라면 약물복용 후 4시간에서 24시간 사이에 채취한 혈장 acetaminophen농도를 근거로 간손상의 위험을 예측하는 계산도표 (그림 46.1참고)를 사용해 볼 수 있다 (4).

1. 이 계산도표는 약물복용시간을 정확히 알고 있으며, 복용 후 4시간에서 24시간 사이에 혈장 약물농도를 측정할 수 있는 경우만 유용하다 (4).
2. 혈장 농도가 계산도표에서 고위험 (high-risk) 구역에 속한다면, 간독성이 발생할 위험은 60% 이상이며, 해독요법의 적응이 된다 (다음 절 참고).
3. 혈장 농도가 계산도표에서 저위험 (low-risk) 구역에 속한다면, 간독성이 발생할 위험은 단 1-3%며, 해독요법은 필요하지 않다.

D. 해독제 N-Acetylcysteine (Antidote N-Acetylcysteine)

Acetaminophen 간독성의 해독제는 N-acetylcysteine (NAC)이다. NAC는

글루타티온유사체로 글루타티온은 통과할 수 없는 세포막을 가로질러 acetaminophen의 독성 대사물을 비활성화시킨다 (5).

1. NAC의 주요 적응증은 혈장 acetaminophen농도가 **그림 46.1**의 예측계산도표에서 고위험구역에 해당하는 것이다. NAC는 약물 (acetaminophen)복용 후 8시간 이내에 치료를 시작할 때 가장 효과적이다 (1).
2. 해독요법은 보편적으로 약물복용 후 24시간 이내에 시작, 즉 간손상의 증거가 나타나기 전에 시작되지만 (1,3,6), *간독성의 증거가 있다면, 복용 후 24시간이 지나서도 시작할 수 있다* (1).

3. 용법 (Dosing Regimens)

a. NAC는 **표 46.1**에 나와있는 용법을 사용해 IV 혹은 경구투여할 수 있다 (7-9). 두 방법은 동등한 효과를 보인다고 여겨지지만 (8), IV 투여시에 약물공급이 좀 더 안정적이며, 부작용이 작기 때문에 IV를 더 많이 사용한다.

b. 표준치료기간은 IV 용법은 21시간, 경구용법은 72시간이다. 명백하게 간손상이 나타난 뒤에 NAC를 시작한다면, 해독요법은 간효소수치가 감소하기 시작하고 INR이 <1.3이 될 때까지, 표준치료기간보다 더 길게 지속할 수 있다 (1).

4. 부작용 (Adverse Effects)

a. IV NAC는 아나필락시스유사반응 (anaphylactoid reaction)을 일으킬 수 있으며, 천식환자에서 치명적인 반응이 보고된 적이 있다 (10).

b. 경구 NAC 제제는 유황성분 (sulfur content) 때문에 매우 불쾌한 맛을 내며, 보통 구역과 구토를 유발한다. 경구 NAC 제제는 환자 중 약 50%에서 설사를 유발하지만, 치료를 지속하면 보통 사라진다 (11).

표 46.1	N-acetylcysteine (NAC)을 이용한 acetaminophen 과다복용 치료
IV 용법 아래의 용법 각각에 20% NAC (200 mg/mL)를 사용하며, 순서대로 주입한다. 1. 60분에 걸쳐 150 mg/kg in 200 mL D_5W 2. 4시간에 걸쳐 50 mg/kg in 500 mL D_5W 3. 16시간에 걸쳐 100 mg/kg in 1000 mL D_5W 총용량 : 21시간에 걸쳐 300 mg/kg	
경구 투여 용법 10% NAC (100 mg/mL)를 사용하며 물이나 주스에 2:1로 희석하여 5% 용액 (50 mg/ml)을 만든다. 초기 용량 : 140 mg/kg 유지 용량 : 4시간 간격으로 70 mg/kg, 17번 투여. 총용량 : 72시간에 걸쳐 1,330 mg/kg	

참고문헌9 발췌

E. 활성탄 (Activated Charcoal)

1. Acetaminophen은 위장관으로 쉽게 흡수되며, 약물복용 후 4시간 이내라면 활성탄 (1 g/kg)을 권장한다 (12).
2. 약물을 대량으로 복용한 경우라면, 활성탄은 복용 후 16시간이 지나서 사용하더라도 효과를 볼 수 있다 (1).
3. 활성탄은 경구 NAC 제제의 효율에 영향을 미치지 않는다 (1).

F. 간이식 (Liver Transplantation)

고도 혹은 불응성 acetaminophen 간독성에는 간이식이 필요할 수도 있다 (13).

II. BENZODIAZEPINES

Benzodiazepine은 아편에 이어 두 번째로 약물 관련 사망과 관련이 많은 약물이다 (14). 하지만, 단독으로 복용했을 때는 치명적인 경우가 드물며 (15), benzodiazepine 관련 사망자는 거의 항상 아편 같은 다른 호흡억제제를 같이 복용했었다 (14).

A. 임상양상 (Clinical Features)

Benzodiazepine 과다복용 시에는 흔히 다른 약물을 같이 복용하기 때문에, 임상양상은 같이 복용한 다른 약물에 따라 다양하게 나타날 수 있다.

1. 순수하게 benzodiazepine만을 과다복용 한 경우, 깊은 진정 (deep sedation)을 야기하지만, 혼수로 이어지는 일은 거의 없다.
2. Benzodiazepine 과다복용은 환각을 동반한 섬망의 초조상태 (agitated state of delirium)를 촉진할 수 있으며, 이를 알코올금단으로 오해할 수도 있다 (15).
3. 순수하게 benzodiazepine만 과다복용 한 경우에 드문 부작용으로 호흡억제 (2-12%), 서맥 (1-2%), 저혈압 (5-7%)이 있다 (15).
4. 요중benzodiazepine정성시험 (qualitative test)은 탐지범위가 제한되기 때문에 신뢰할 수 없다 (16). benzodiazepine 중독의 진단은 주로 임상병력 (clinical history)을 근거로 한다.

B. 해독제 Flumazenil (Antidote Flumazenil)

Benzodiazepine 과다복용의 해독제는 flumazenil이며, benzodiazepine수용체와 결합하지만 작용제효과 (agonist action)는 없는 순수한 길항제다. Flumazenil은 benzodiazepine으로 인한 진정을 반전시키는데 효과적이지만, benzodiazepine으로 인한 호흡억제를 반전시키는 데는 일관성이 없다 (18).

1. 약물투여 (Drug Administration)

a. Flumazenil은 0.2 mg을 IV bolus하며 필요한 경우 1-6분 간격으로 반복할 수 있다. 최대용량은 1 mg이다 (17).
b. 효과는 1-2분 이내로, 빠른 반응을 보이며, 최대효과는 6-10분에 나타난다 (19). 효과는 1시간가량 지속된다.
c. Flumazenil은 작용시간이 benzodiazepine보다 짧기 때문에, 다시 진정상태로 돌아가는 (recurrence of sedation) 경우가 흔하다. 이러한 위험을 피하기 위해서, flumazenil을 bolus 투여 후에 0.3-0.4 mg/hr로 지속주입 할 수도 있다 (20).

2. 부작용 (Adverse Effects)

a. Flumazenil은 benzodiazepine을 장기간 사용한 환자에서 금단증상을 촉진할 수도 있지만, 드물게 발생한다 (21).
b. 발작 조절을 위해 benzodiazepine을 투여한 환자 혹은 benzodiazepine과 삼환계항우울제 (tricyclic antidepressant)를 동시에 과다복용 한 환자에서 flumazenil은 발작을 촉진할 수 있다 (22).

III. β-수용체길항제 (β-RECEPTOR ANTAGONISTS)

의도적인 β-차단제과다복용은 드물지만, 생명을 위협할 수 있다. 고혈압, 빈맥성부정맥 (tachyarrhythmia), 그리고 급성관동맥증후군을 비롯한 다양한 상태를 치료하기 위해 β-차단제를 사용하는 ICU에서는 비의도적인 β-차단제중독이 더 흔한 관심사다.

A. 임상중독 (Clinical Toxicity)

1. β-차단제과다복용의 가장 흔한 양상은 서맥과 저혈압이다 (23).
   a. 서맥은 보통 동성서맥 (sinus bradycardia)으로, 증상이 없는 경우가 많다.
   b. 저혈압은 레닌 (renin)차단으로 인한 말초혈관확장, 혹은 β-수용체차단에 의한 심장박출량 감소로 발생할 수 있다. 갑작스러운 저혈압이나 불응성저혈압은 대개 심장박출량 감소를 반영한 것이며, 불길한 징후다.
2. β-차단제는 β-수용체차단과는 무관한 세포막 안정효과를 통해서 방실전도를 연장시킬 수 있다. 이로 인해 완전심차단 (complete heart block)이 나타날 수 있다 (24).
3. β-차단제과다복용은 흔히 기면 (lethargy), 의식저하, 전신발작 같은 신경학적 증상을 동반한다 (25). 이는 β-수용체차단으로 인한 것이 아니며, 세포막 안정효과와 관련 있을 것이다 (25).

B. 글루카곤 (Glucagon)

글루카곤은 β-수용체와 동일한 작용기전을 가지는 심근의 글루카곤수용체를 통해서 β-차단제의 심혈관효과를 길항할 수 있다. 이를 통해 글루카곤은 β-수용체차단과는 무관한 β-유사효과 (β-like effect)를 만든다.

1. 적응증 (Indications)

a. 글루카곤의 적응증은 β-차단제중독과 연관된 *증상이 있는* 서맥 및 저혈압의 치료다.
b. β-차단제과다복용으로 인한 방실전도연장 혹은 신경학적양상은 β-수용체차단으로 인한 것이 아니기 때문에, 이에 대한 반전은 글루카곤의 적응증이 아니다.

표 46.2	해독제로서의 글루카곤
적응증	**용법**
β-수용체 차단제 혹은 Ca^{++} 통로 차단제가 다음으로 이어질 때. 1. 저혈압 혹은 2. 증상이 있는 서맥	1. 시작은 50 μg/kg 혹은 3 mg을 IV bolus 2. 만족할만한 반응을 보이지 않는 경우, 70 μg/kg 혹은 5 mg으로 두 번째 IV bolus 3. 만족할만한 반응을 보인 경우 70 μg/kg/hr 혹은 5 mg/hr로 지속주입

참고문헌 26, 27 발췌

2. 투약 시 고려사항 (Dosing Considerations)

a. 글루카곤의 용법은 표 46.2에 나와있다 (26,27). IV bolus에 대한 만족할 만한 반응은 지속시간이 5분 정도로 짧기 때문에, 지속주입 (5 mg/hr)이 뒤따라야 한다.

b. 적절한 용량으로 사용한 경우 글루카곤은 환자 중 90%에서 3분 내에 만족할 만한 반응이 일어난다 (26). 글루카곤에 의한 심박동수 변동반응 (chronotropic response)은 혈장이온화 Ca^{++}이 정상일 때 가장 좋다 (28).

3. 부작용 (Adverse Effect)

a. 글루카곤 용량이 5 mg/hr를 넘어서면 구역과 구토가 흔하다.

b. 글루카곤유발글리코겐분해 (glucagon induced glycogenolysis)로 인해 경한 고혈당증이 흔히 발생한다. 고혈당증에 반응하는 인슐린은 K^{+}을 세포 안으로 이동시키며, 저칼륨혈증을 유발할 수 있다.

c. 글루카곤은 또한 부신수질에서 카테콜라민 (catecholamine) 분비를 자극하며, 이는 기존의 고혈압을 악화시킬 수 있다.

4. Ca^{++} 길항제과다복용 (Calcium Antagonist Overdose)

글루카곤은 Ca^{++} 통로차단제 효과도 길항할 수 있지만 (27), Ca^{++}길항제 과다복용으로 인한 심억제 (cardiac depression)를 반전시키는 데는 효과가 떨어진다.

C. 추가요법 (Adjunctive Therapy)

Milrinone 같은 phosphodiesterase는 β-차단상황에서 심장박출량을 증가시킬 수 있으며 (29), 이는 글루카곤의 길항효과에 추가할 수 있다. 하지만, 이 약물들은 혈관확장제며, 바람직하지 못한 혈압강하를 유발할 수 있다. 결과적으로, 이러한 약제들은 글루카곤에 반응하지 않는 β-차단제중독을 대비해 남겨둔다.

Ⅳ. 아편유사제 (OPIOIDS)

아편유사제는 미국에서 치명적 약물과다복용의 75%와 연관 있으며, 아편유사제남용이 널리 퍼짐에 따라 (30), 아편유사제과다복용은 ICU치료가 필요한 가장 흔한 과다복용 중 하나가 될 가능성이 있다.

A. 임상양상 (Clinical Features)

1. 아편유사제 중독에 대한 고전적인 설명은 혼미 (stupor), 핀포인트동공, 느린호흡이 있는 환자이지만, 이러한 소견은 비특이적이며 없을 수도 있다. 따라서, 임상양상을 근거로 아편유사제 과다복용을 판별하는 것은 대부분 불가능하다 (30). 아편유사제의 부작용에 대한 더 많은 정보는 43장 Ⅰ-C절을 참고한다.
2. 아편유사제길항제 (opioid antagonist)인 naloxone에 대한 반응이 아마도 아편유사제 과다복용을 판별하는 가장 믿을 만한 방법일 것이다.

B. 해독제 Naloxone (Antidote Naloxone)

아편유사제중독의 해독제는 naloxone으로, 내인성아편유사제수용체 (endogenous opioid receptor)와 결합하지만 작용제 효과는 나타내지 않는 순수한 아편유사제길항제다. Naloxone은 진통, 행복감, 호흡억제의 원인인 아편유사제 수용체차단에 가장 효과적이다 (30,31).

1. 투약경로 (Route of Administration)

Naloxone은 일반적으로 IV bolus로 투여하며, 3분 내에 반응이 나타난다. 다른 투약경로로는 IM (15분 내에 발현), IO (intraosseous) 혹은 설내주사 (intralingual injection), 그리고 기관내점적이 있다 (32).

2. 투약 시 고려사항 (Dosing Considerations)

Naloxone의 권장용법은 표 46.3에 나와있다. 아편유사제의 진정효과를 반전시키기 위해 필요한 용량은 호흡억제를 반전시키기 위해 필요한 용량보다 작다.

표 46.3 Naloxone 용법

의식저하	호흡억제
1. 시작은 0.4 mg IV bolus 2. 2-3분 내에 반응이 없다면 한 번 더 0.4 mg IV bolus 3. 2-3분 내에 반응이 없다면 2 mg IV bolus 4. 2-3분 내에 반응이 없다면 중단 후 재평가	1. 시작은 2 mg IV bolus 2. 2-3분 내에 반응이 없다면 4 mg IV bolus 3. 2-3분 내에 반응이 없다면 10 mg IV bolus 4. 2-3분 내에 반응이 없다면 15 mg IV bolus 5. 2-3분 내에 반응이 없다면 중단 후 재평가

참고문헌21과 30에서 발췌.

a. 의식저하는 있지만, 호흡억제는 없는 환자라면 naloxone의 초기용량은 0.4 mg IV bolus다. 필요한 경우 2분 후에 반복할 수 있다. 아편유사제로 인한 의식수준 변화를 반전시키는 데는 총 용량 0.8 mg으로 효과를 볼 수 있다 (21).
b. 고탄산혈증 같이 호흡억제가 있는 환자라면 naloxone의 초기용량은 2 mg IV bolus다. 2-3분 내에 반응이 없다면 초기용량의 두 배를 투여한다. 필요한 경우, 용량이 15 mg이 될 때까지 증량해서 줄 수 있다 (30). Naloxone 15 mg에 반응하지 않는다면 호흡억제의 원인이 아편유사제일 가능성은 낮다.
c. Naloxone의 효과는 60-90분 정도 지속되지만, 이는 아편유사제의 지속시간보다 짧은 경우가 많다. 따라서, naloxone에 대해 순조로운 반응을 유도하려면 1시간 간격으로 반복해서 투여하거나 지속주입이 뒤따라야 한다.
d. Naloxone을 지속주입할 경우, 시간당 naloxone 투여량은 효과적인 bolus 용량의 2/3가 되어야 하며, 등장성식염수 250-500 mL로 희석하여 6시간에 걸쳐 주입한다 (33). 주입초기에 안정상태 (steady state) 약물농도를 달성하려면, 주입을 시작하고 30분 후에 두 번째 bolus를 투여한다. 이때 용량은 첫 bolus 용량의 1/2이다. 치료기간은 복용한 약과 용량에 따라 다양하지만, 평균 10시간이다 (21).

3. 부작용 (Adverse Effect)

Naloxone은 부작용이 많지 않다. 가장 흔한 부작용은 불안 (anxiety), 경련성복통, 구토, 털세움 (piloerection) 같은 아편유사제 금단증후군이다. 주로 수술직후 기간에 naloxone 투여 후 급성폐 부종과 전신발작에 대한 증례보고가 있기는 하나 (21), 이는 드문 경우다.

4. 경험적 요법 (Empiric Therapy)

Naloxone을 통한 경험적 요법 (0.2-8 mg IV bolus)은 의식변화가 있는 환자에게 잠복아편유사제 과다복용을 판별하기 위해 사용해왔다. 하지만 이 방법은 사례 중 5% 미만에서만 아편유사제 과다복용을 판별할 수 있었다 (34). *경험적 naloxone 요법은 핀포인트동공이며, 주사자국 같은 아편유사제남용의 정황증거가 있는 환자만 적응증*으로 하자는 대안이 제안되었다 (21,34). 이 방법으로 naloxone을 사용한다면, 환자 중 약 90%에서 만족할 만한 반응을 기대할 수 있다 (34).

V. 살리실산염 (SALICYLATES)

발병률이 꾸준히 감소하고는 있지만, 살리실산염 (Salicylate)중독은 미국에서 약물유발성 사망의 주요원인 중 14번째로 남아있다 (35).

A. 병태생리 (Pathophysiology)

Aspirin 10-30 g (150 mg/kg)을 복용하면 치명적인 결과로 이어질 수 있다. 복용 후, acetylsalicylic acid (Aspirin)은 즉시 활성화형태인 살리실산 (salicylic acid)으로 전환된다. 살리실산은 위장관에서 쉽게 흡수되며, 간에서 대사된다. 대부분의 약은 복용 후 첫 2시간 내에 제거된다.

1. 호흡성알칼리증 (Respiratory Alkalosis)

Aspirin 과다복용 후 1시간 이내에, 호흡 수와 일회호흡량 증가가 나타난다. 이는 살리실산이 뇌간의 호흡뉴론 (brainstem respiratory neuron)을 직접 자극한 결과며, 이로 인한 분당환기량의 증가는 동맥 PCO_2 감소, 즉 급성호흡성알칼리증으로 이어진다.

2. 대사성산증 (Metabolic acidosis)

살리실산은 쉽게 분리되지 않는 약산 (weak acid)이기 때문에, 대사성산증을 유발하지 못한다. 하지만, 살리실산은 미토콘드리아에 있는 산화인산화 (oxidative phosphorylation)를 분리시키는 단백질을 활성화시키며, 이 때문에 살리실산염중독에서 대사성산증의 주 원인이 되는 혐기성젖산 생성이 눈에 띄게 증가한다.

B. 임상양상 (Clinical Features)

1. 살리실산염중독의 초기증상은 구역, 구토, 빈호흡, 이명, 불안이 특징이다.
2. 중독증후군이 진행하면 섬망, 발작, 혼수상태로 진행 같은 신경학적 변화와 산화인산화 (oxidative phosphorylation)분리로 인한 발열, 급성호흡부전증후군 (ARDS)이 나타난다.
3. 살리실산염중독의 전형적인 특징은 *호흡성알칼리증과 대사성(젖산) 산증의 조합*이다. 이는 동맥혈 PCO_2감소와 혈청중탄산염 (bicarbonate) 농도감소로 이어진다. 동맥혈 pH는 처음에는 정상범위에 머무르지만, 젖산산증이 진행함에 따라 감소한다. 낮은 동맥혈 pH, 즉 산증은 좋지 않은 예후를 의미하는 징조다 (36).

C. 진단 (Diagnosis)

1. 살리실산염중독의 진단을 확정 혹은 배제하기 위해서 과다복용 후 대개 4-6시간이 지나면 증가하는 혈장 살리실산염 농도를 사용한다.
2. 혈장 살리실산염의 치료범위 (therapeutic range)는 10-30 mg/L (0.7-2.2 mmol/L)이며, 혈장농도 >40 mg/L (2.9 mmol/L)는 중독으로 간주한다 (36).

D. 치료 (Management)

1. 살리실산염 복용 후 2-3시간 이내에 시작할 수 있다면, 2시간 간격으로 25 g, 총 3회 정도로 여러 번의 활성탄을 권장한다.
2. 소변알칼리화 (Urine Alkalinization)
   a. 소변알칼리화는 살리실산염중독 치료의 기본이다. 알칼리성 pH는 살리실산의 분리를 촉진하며, 이는 근본적으로 신세뇨관에 살리실산을 "끌어 모으게" 된다. 살리실산은 신세뇨관에서 소변으로 배출된다.
   b. 표 46.4에 소변 pH를 상승시키기 위한 중탄산염 주입용법이 나와 있다.

표 46.4	소변 알칼리화를 위한 프로토콜
	1. 중탄산염 부하용량 1–2 mEq/kg로 시작한다. 2. D_5W 1 L에 $NaHCO_3$ 3앰플을 섞어 중탄산염용액을 만들고, 이를 2–3 mL/kg/hr 속도로 주입한다. 3. 소변 배출량을 1–2 mL/kg/hr로 유지하며, 소변 pH≥7.5를 유지한다.

참고문헌 34 발췌

   c. 중탄산염주입은 K^+을 세포 내로 이동시켜 저칼륨혈증을 유발하며, 이는 원위세뇨관에서 K^+ 대신에 H^+ 배출을 촉진하기 때문에 소변알칼리화를 방해한다. 따라서, 저칼륨혈증의 위험을 줄이기 위해서 중탄산염용액에 K^+ (40 mEq/L)를 추가해야 한다.

3. 혈액투석 (Hemodialysis)

혈액투석은 체내에서 살리실산염을 제거하는 가장 효과적인 방법이다 (37).

a. 투석의 적응증에는 혈청살리실산염 농도 >100 mg/L, 신부전 혹은 ARDS가 있을 때, 알칼리요법에도 불구하고 병 (대사성산증 등)이 진행하는 경우 등이 있다 (35).

참고문헌

1. Hodgman M, Garrard AR. A review of acetaminophen poisoning. Crit Care Clin 2012; 28(4):499–516.
2. Larson AM, Polson J, Fontana RJ, et al. Acetaminophen-induced acute liver failure: results of a United States multicenter, prospective study. Hepatology 2005; 42:1364–1372.
3. Hendrickson RG, Bizovi KE. Acetaminophen. In: Flomenbaum NE, et al., eds. Goldfrank's Toxicologic Emergencies. 8th ed. New York: McGraw-Hill, 2006; 523 –543.
4. Rumack BH. Acetaminophen hepatotoxicity: the first 35 years. J Toxicol Clin Toxicol 2002; 40:3–20.
5. Holdiness MR. Clinical pharmacokinetics of N-acetylcysteine. Clin Pharmacokinet 1991; 20:123–134.
6. Rumack BH, Peterson RC, Koch GG, et al. Acetaminophen overdose. 662 cases with evaluation of oral acetylcysteine treatment. Arch Int Med 1981; 141:380–385.
7. Howland MA. Flumazenil. In: Flomenbaum NE, et al., eds. Goldfrank's Toxicologic Emergencies. 8th ed. New York: McGraw- Hill, 2006; 1112–1117.
8. Buckley NA, Whyte IM, O'Connell DL, et al. Oral or intravenous N-acetylcysteine: which is the treatment of choice for acetaminophen (paracetamol) poisoning? J Toxicol Clin Toxicol 1999;37:759–767.
9. Temple AR, Bagish JS. Guideline for the Management of Acetaminophen Overdose. Camp Hill, PA: McNeil Consumer & Specialty Pharmaceuticals, 2005.
10. Appelboam AV, Dargan PI, Knighton J. Fatal anaphylactoid reaction to N-acetylcysteine: caution in patients with asthma. Emerg Med J 2002; 19:594–595.
11. Miller LF, Rumack BH. Clinical safety of high oral doses of acetylcysteine. Semin Oncol 1983; 10:76–85.
12. Spiller HA, Krenzelok EP, Grande GA, et al. A prospective evaluation of the effect

of activated charcoal before oral N-acetylcysteine in acetaminophen overdose. Ann Emerg Med 1994; 23:519–523.

13. Lopez AM, Hendrickson RG. Toxin-induced hepatic injury. Emerg Med Clin North Am 2014; 32(1):103–25.
14. Centers for Disease Control and Prevention. National Vital Statistics System. 2010 Multiple Cause of Death File. Hyattsville, MD: US Department of Health and Human Services, Centers for Disease Control and Prevention; 2012.
15. Gaudreault P, Guay J, Thivierge RL, Verdy I. Benzodiazepine poisoning. Drug Saf 1991; 6:247–265.
16. Wu AH, McCay C, Broussard LA, et al. National Academy of Clinical Biochemistry laboratory medicine practice guidelines: Recommendations for the use of laboratory tests to support poisoned patients who present to the emergency department. Clin Chem 2003; 49:357–379.
17. Howland MA. Flumazenil. In: Flomenbaum NE, et al., eds. Goldfrank's Toxicologic Emergencies. 8th ed. New York: McGraw-Hill, 2006; 1112–1117.
18. Shalansky SJ, Naumann TL, Englander FA. Effect of flumazenil on benzodiazepine-induced respiratory depression. Clin Pharm 1993; 12:483–487.
19. Roche Laboratories. Romazicon (flumazenil) package insert. 2004.
20. Bodenham A, Park GR. Reversal of prolonged sedation using flumazenil in critically ill patients. Anaesthesia 1989; 44:603–605.
21. Doyon S, Roberts JR. Reappraisal of the "coma cocktail". Dextrose, flumazenil, naloxone, and thiamine. Emerg Med Clin North Am 1994; 12:301–316.
22. Haverkos GP, DiSalvo RP, Imhoff TE. Fatal seizures after flumazenil administration in a patient with mixed overdose. Ann Pharmacother 1994; 28:1347–1349.
23. Newton CR, Delgado JH, Gomez HF. Calcium and beta receptor antagonist overdose: a review and update of pharmacological principles and management. Semin Respir Crit Care Med 2002;23:19–25.
24. Henry JA, Cassidy SL. Membrane stabilising activity: a major cause of fatal poisoning. Lancet 1986; 1:1414–1417.
25. Weinstein RS. Recognition and management of poisoning with beta-adrenergic blocking agents. Ann Emerg Med 1984;13:1123–1131.
26. Kerns W, 2nd, Kline J, Ford MD. Beta-blocker and calcium channel blocker toxicity. Emerg Med Clin North Am 1994; 12:365–390.
27. Howland MA. Glucagon. In: Flomenbaum NE, et al., eds. Goldfrank's Toxico-

logic Emergencies. 8th ed. New York: McGraw- Hill, 2006:942-945.
28. Chernow B, Zaloga GP, Malcolm D, et al. Glucagon's chronotropic action is calcium dependent. J Pharmacol Exp Ther 1987; 241:833-837.
29. Travill CM, Pugh S, Noblr MI. The inotropic and hemodynamic effects of intravenous milrinone when reflex adrenergic stimulation is suppressed by beta adrenergic blockade. Clin Ther 1994;16:783-792.
30. Boyer EW. Management of opioid analgesic overdose. N Engl J Med 2012; 367:146-155.
31. Handal KA, Schauben JL, Salamone FR. Naloxone. Ann Emerg Med 1983; 12:438-445.
32. Naloxone hydrochloride. In: McEvoy GK, ed. AHFS Drug Information, 2012. Bethesda: American Society of Hospital Systems Pharmacists, 2012:2236-2239.
33. Goldfrank L, Weisman RS, Errick JK, et al. A dosing nomogram for continuous infusion intravenous naloxone. Ann Emerg Med 1986; 15:566-570.
34. Hoffman JR, Schriger DL, Luo JS. The empiric use of naloxone in patients with altered mental status: a reappraisal. Ann Emerg Med 1991; 20:246-252.
35. Bronstein AC, Spyker DA, Cantilena LR, et al. 2011 Annual Report of the American Association of Poison Control Centers' National Poison Data System (NPDS): 29th Annual Report. Clin Toxicol 2012; 50:911-1164.
36. O'Malley GF. Emergency department management of the salicylate- poisoned patient. Emerg Med Clin N Am 2007; 25:333-346.
37. Fertel BS, Nelson LS, Goldfarb DS. The underutilization of hemodialysis in patients with salicylate poisoning. Kidney Int 2009; 75:1349-1353.

Chapter 47

비약물성 중독증후군

Nonpharmaceutical Toxidromes

이번 장은 약물 이외의 원인으로 인한 중독증후군을 다루고 있으며, 여기에는 일산화탄소 (carbon monoxide)중독, 시안화물 (cyanide)중독, 메탄올 (methanol)과 에틸렌글리콜 (ethylene glycol) 같은 독성알코올 (toxic alcohol)중독, 마지막으로 유기인산염 (organophosphates)중독이 있다.

Ⅰ. 일산화탄소 (CARBON MONOXIDE, CO)

CO는 유기물이 불완전산화 할 때 발생하는 가스형태의 최종산물이다. CO 중독의 주 원인은 건물 화재시 연기흡인이다. 드문 원인에는 고장난 보일러, 실제로 불꽃이 발생하는 열원 (연탄, 장작불, 모닥불 등)을 사용할 때 충분하지 않은 환기, 그리고 탄화수소엔진의 배기가스 등이 있다 (1).

A. 병태생리 (Pathophysiology)

1. CO는 O_2와 마찬가지로 헤모글로빈 (Hb)의 헴 (heme) 부분에 결합하여 일산화탄소헤모글로빈 (COHb)을 만든다. Hb와 결합하려는 CO의 친화력은 O_2의 친화력보다 200-300배 크다 (1,2).
2. COHb가 지속적으로 증가하면 동맥혈 O_2함량은 이에 비례하여 줄어든다. 심한 경우, 이는 부적절한 조직산소화와 호기성에너지 생산 장애로 이어질 수 있다 (1-3).

3. COHb가 조직산소화에 미치는 해로운 효과에 추가적으로, CO중독은 다음과 같은 과정을 통해서 세포손상을 촉진할 수 있다.
   a. 추가로 산화적 ATP생성을 손상시키는 시토크롬 (cytochrome)산화효소 억제
   b. 광범위한 세포손상을 일으킬 수 있는 잠재적 산화제인 과산화질산염 (peroxynitrite) 생성
   c. 호중구 (neutrophil)에 의한 지질과산화 증가와 이로 인한 세포와 미토콘드리아 막손상.

B. 임상양상 (Clinical Features)

CO중독의 진단은 최근 CO노출의 병력, 증상의 존재, 그리고 COHb농도의 증가를 근거로 한다 (4).

1. CO중독의 진단을 확정 혹은 배제할 수 있는 증상의 조합은 없다. COHb농도는 CO중독의 임상 양상과는 연관이 없다 (1,4).
2. 주로 전두부의 두통 (85%)과 현기증 (90%)이 CO중독에서 가장 먼저 나타나는 증상이며, 동시에 가장 흔한 증상이다 (1).
3. CO에 점진적으로 노출되면 운동실조 (ataxia), 혼란 (confusion), 섬망 (delirium), 전신발작 (generalized seizure), 혼수 (coma)를 유발할 수 있다 (1).
4. CO중독의 심장효과에는 일시적인 좌심실 수축기기능부전과 관상동맥조영은 정상임에도 상승하는 심장생체표지자 (cardiac biomarker) 등이 있다 (5).
5. CO중독이 진행하면 횡문근융해증 (rhabdomyolysis), 젖산산증 (lactic acidosis), 그리고 급성호흡부전증후군 (ARDS)을 유발할 수 있다 (1).
6. CO중독에 대한 고전적인 기술에 등장하는 COHb가 헤모글로빈보다 밝은 빨강색이기 때문에 발생하는 "다홍색 (cherry red)" 피부색상은 드문 소견이다 (4).
7. 약 1년 이내에 지연성신경학적후유증이 발생할 수도 있으며, 대부분

은 경증인 경우 혼란에서 중증인 경우 치매까지 이를 수 있는 인지결함 (cognitive deficit)과 파킨슨증 (parkinsonism)으로 구성된다 (1,4,6). 이는 CO에 24시간 이상 장기간 노출된 환자, 의식상실이 있었던 환자, 혹은 COHb 농도가 25% 이상인 환자에서 더 자주 발생한다 (4).

C. 진단 (Diagnosis)

Hb은 결합된 물질에 따라 산화Hb (oxygenated Hb), 탈산화Hb (deoxygenated Hb), 메트헤모글로빈 (methemoglobin), 일산화탄소헤모글로빈 (COHb)로 나뉜다. 다양한 형태의 Hb를 측정하는 방법은 빛 흡수를 기반으로 한다. 즉, 각각의 Hb은 특정파장의 빛을 반사하는 점을 이용한다. 이러한 방법을 분광측광법 (spectrophotometry)이라고 하며, 분광측광법을 Hb에 적용했을 때, 이를 산소측정법 (oximetry)이라고 한다. 다음 내용은 혈중 COHb농도를 측정하기 위해 산소측정법을 사용하는 방법을 요약하고 있다.

1. 맥박산소측정법 (pulse oximetry)의 COHb측정은 믿을 수 없다. 맥박산소측정법은 혈중 산화Hb와 탈산화Hb를 측정하기 위해 두 가지 빛 파장을 사용한다. 이 중 한가지 파장 (660 nm)에 대한 빛 흡수는 산화Hb와 COHb가 매우 유사하다. 따라서, COHb는 맥박산소측정법에서 산화 Hb로 측정될 수 있으며, 이로 인해 산소포화도가 실제와는 다르게 높게 측정될 수 있다 (4).
2. COHb 측정에는 혈중 4가지 Hb의 상대존재비 (relative abundance)를 측정할 수 있는 8 파장 일산화탄소측정기 (CO-oximeter)가 필요하다.
3. COHb 농도는 건강한 비흡연자에서 1% 미만으로 무시해도 좋을 만한 수치이지만, 흡연자는 COHB 농도가 3-5%이며, 더 높을 수도 있다 (4). COHb농도상승에 대한 역치는 비흡연자는 3-4%, 흡연자는 10%다 (4).

D. 치료 (Treatment)

1. CO중독의 주된 치료는 100% 산소흡입이다. COHb의 제거반감기는 실내공기에서 320분이지만, 100% 산소를 흡입한다면 74분이다 (1,4). 따라서, COHb농도를 정상 (<3%)으로 돌리기 위해서는 단지 몇 시간만 100% 산소를 흡입하면 된다.
2. 심각한 신경학적 양상을 보이는 환자는 지연성신경학적 후유증의 위험과 중증도를 감소시키기 위해 고압산소를 사용한다 (1,7). 결과는 다양하다.

II. 시안화물 (CYANIDE, CN)

CN중독의 주원인은 가정 화제가 발생했을 때 흡입하는 시안화수소 (hydrogen cyanide)가스다 (8,9). 혈관확장제 nitroprusside 주입은 ICU 환자에서 CN중독의 추가적인 원인이다 (45장 참고).

A. 병태생리 (Pathophysiology)

1. 시안화물 이온 (cyanide ion)은 금속단백질 (metalloprotein)에 높은 친화력을 가지고 있으며, 그 중에서도 주목할 만한 것이 시토크롬 (cytochrome) 산화효소에 있는 산화철 (Fe3+)이다. 시토크롬 산화효소는 ATP 생성과정에서 발생한 전자 (electron)가 O_2를 H_2O로 환원시키기 위해 사용되는 미토콘드리아내부의 전자전달계 (electron transport system)에 있는 최종효소시스템이다.
2. CN유발성시토크롬산화효소억제는 미토콘드리아의 산화대사과정을 중단시키며, 이는 미토콘드리아 내부로 피루브산 (pyruvate)이 흡수되는 것을 중단시켜 젖산과다생산으로 이어진다. 혈장에 젖산이 축적되면 *점진적인 대사성산증을 유발하며, 이는 CN중독의 특징 중 하나다.*

3. 시안화물제거 (Cyanide Clearance)

체내의 CN제거에는 두 가지 기전이 있다.

a. 주요 제거기전은 황전환반응 (transsulfuration reaction)으로, 유황(sulfur)이 티오황산염 (thiosulfate, S_2O_3)에서 CN으로 이동하여 티오시안산염 (thiocyanate, SCN)을 형성한다.

$$S_2O_3 + CN \rightarrow SCN + SO_3 \qquad (47.1)$$

티오시안산염은 콩팥에서 제거된다. 신부전환자에서는 축적될 수 있으며, 급성정신병 (acute psychosis)을 촉발할 수도 있다 (10).

b. 두 번째 혹은 부수적인 CN 제거기전은 CN이 메트헤모글로빈 (methemoglobin, Hb-Fe^{3+})과 반응하여 시안메트헤모글로빈 (cyanomethemoglobin)을 형성하는 것이다.

$$Hb\text{-}Fe^{3+} + CN \rightarrow Hb\text{-}Fe^{2+}\text{-}CN \qquad (47.2)$$

c. 이 두 가지 제거기전은 쉽게 약화되며 특히 티오황산염 결핍 상황에서, 예를 들면 흡연자에서 약화되기 쉽다.

B. 임상양상 (Clinical Features)

1. CN중독의 초기징후에는 초조 (agitation), 빈맥, 빈호흡이 있다. 점진적인 CN축적은 결국 의식 소실, 서맥, 저혈압, 심정지로 이어진다.
2. 일반적으로 혈장젖산농도가 증가하며 (>10 mmol/L), 조직의 산소활용이 상당히 감소하기 때문에 정맥혈이 "동맥혈"처럼 보일 수 있다.
3. 연기를 흡입한 환자가 중증대사성산증 (pH<7.2) 혹은 뚜렷한 젖산농도 상승을 보인다면 CN중독을 강력하게 의심한다. 연기흡입 후 증상발현까지의 시간은 빠른 편이며, 5분 내에 심정지로 진행할 수도 있다 (8).

C. 진단 (Diagnosis)

1. CN중독은 임상진단이다. 전혈CN농도는 문서화목적으로는 유용하지만, 일반적으로 쉽게 구할 수 없다. 중독이 의심된다면 CN해독제를 경험적으로 빠르게 투여해야만 한다. CN중독의 임상양상 중 많은 수가 CO중독과 구분하기 어렵기 때문에 진단이 어려울 수 있다.
2. 경험에 따르면, 연기를 흡입한 환자에서 CN중독과 CO중독을 구분하는 임상양상은 중증대사성 혹은 젖산산증과 혈류역학적 불안정성이다 (8,9).

D. 치료 (Treatment)

CN중독이 의심된다면 즉시 해독요법을 시작해야 한다. CN중독의 해독제는 표 47.1에 나와있다.

1. Hydroxocobalamin

a. CN중독에 가장 좋은 해독제는 hydroxocobalamin이며, 이는 코발트 (cobalt)를 함유한 비타민 B_{12}의 전구체로 CN과 결합하여 시아노코발라민 (cyanocobalamin)을 형성하고 그 후 소변으로 배출된다. 권장용량은 IV bolus로 5 g이다. 심정지환자는 추가로 5 g IV bolus를 권장한다 (8).
b. Hydroxocobalamin은 상대적으로 안전하게 사용할 수 있는 약이다. 소변과 다른 체액이 며칠 동안 붉은색으로 변할 수 있다.

2. Sodium Thiosulfate

a. Sodium thiosulfate는 CN을 티오시안산염으로 전환하며 (공식47.1 참고), hydroxocobalamin과 조합해서 사용한다. 권장용량은 12.5 g IV bolus다.

b. 티오시안산염은 신부전에서 축적되어 급성정신병을 촉발할 수도 있기 때문에 (10), thiosulfate는 신부전 환자에게는 사용하면 안된다. 신부전의 단서를 확인하기 전에 thiosulfate를 투여했다면, 티오시안산염중독의 징후를 관찰해야 한다. 티오시안산염중독에는 혈액투석이 필요하다.

3. 질산염 (Nitrate)

a. 질산염 (Nitrate)은 메트헤모글로빈형성을 촉진해서 CN제거를 빠르게 한다 (공식47.2 참고).
b. 질산염 (Nitrate)은 연기흡인에서는 금기이다. 산화헤모글로빈해리곡선을 좌측으로 이동시키며, 이는 일산화탄소 (carbon monoxide)와 유사한 효과를 악화시킬 수 있기 때문이다.
c. CN중독에서 질산염 (Nitrate)의 유일한 역할은 IV 접근이 불가능할 때, 일시적인 방법으로 흡입제인 amyl Nitrate를 사용하는 것이다. 용법은 표 47.1을 참고한다.

표 47.1 시안화물 중독에 대한 해독제

제제	용법과 해설
Hydroxocobalamin	용법 : 5 g IV bolus, 심정지시는 10 g IV bolus 해설 : CN중독에 가장 좋은 해독제. 소변이 붉게 변할 수 있다.
Sodium Thiosulfate (25%)	용법 : 50 mL (12.5 g) IV bolus 해설 : Hydroxocobalamin과 조합해서 사용. 가능하다면 신부전 환자에서는 피한다.
Amyl Nitrate Inhalant	용법 : 매 분 마다 30초간 최대 5분까지 흡입한다. 해설 : IV 접근이 불가능 할 때 일시적 해소를 위해서만 사용한다. 연기 흡입 시에는 금기다.

참고문헌8과 9 발췌

4. 시안화물해독키트 (Cyanide Antidote Kits)

a. 시안화물중독에는 Akorn Cyanide Antidote Kit 같은 특수한 해독 키트가 존재한다. 여기에는 흡입용 amyl nitrate, sodium nitrite (300 mg in 10 mL) IV 주사제, 그리고 sodium thiosulfate (12.5g in 50 mL) IV 주사제가 들어있다.
b. 이러한 키트는 thiosulfate의 공급원으로 사용할 수 있지만, 여기에는 최소한 이 책을 쓰는 시점까지는 hydroxocobalamin이 들어있지 않기 때문에, CN중독 치료에 단독으로는 사용하지 말아야 한다.

Ⅲ. 독성알코올 (TOXIC ALCOHOL)

에틸렌글리콜 (ethylene glycol)과 메탄올 (methanol)은 가정, 자동차, 그리고 산업상품들에 흔히 포함되어 있으며, 이러한 알코올을 복용하게 되면 여러가지 양상을 공유하는 중독증후군 (toxidrome)을 유발한다 **(표 47.2 참고)**.

A. 에틸렌글리콜 (Ethylene Glycol)

에틸렌글리콜은 수많은 차량용 부동액제품의 주재료다. 에틸렌글리콜은 달콤하며, 기분좋은 맛이 나기 때문에, 자살시도법으로 인기가 높다.

1. 병태생리 (Pathophysiology)

a. 에틸렌글리콜은 위장관에서 쉽게 흡수되며, 복용량의 80%가 간에서 대사된다.
b. 에틸렌글리콜의 대사는 알코올탈수소효소 (alcohol dehydrogenase)와 젖산탈수소효소가 참여하는 일련의 산 (acid) 생성을 포함하며, 옥살산 (oxalic acid) 생성으로 종료된다 **(그림 47.1참고)** (12). 각각의

중간반응에서 NAD가 NADH로 전환되며, 이는 피루브산 (pyruvate)이 젖산 (lactate)으로 전환되는 것을 촉진한다. 결과적으로, 에틸렌글리콜 중독에서는 혈청젖산농도가 증가한다 (12).

c. 에틸렌글리콜 대사에서 각각의 산 중간생성물 (acid intermediates)은 쉽게 해리되는 강산 (strong acid)이며, 높은 음이온차이 (high anion gap)로 인해 대사성산증에 기여할 수 있다.

표 47.2 독성알코올 중독에 대한 비교양상

양상	에틸렌글리콜	메탄올
산-염기	대사성산증	대사성산증
음이온 차이	증가	증가
오스몰농도차이	증가	정상† / 증가
기타 소견	결정뇨 (crystalluria)	시각 장애 (visual impairment)
일차치료제	Fomepizole 혈액투석	Fomepizole 혈액투석
추가치료제	Thiamine Pyridoxine	Folinic Acid

† 오스몰농도차이 (osmolar gap)는 질환의 후기에는 정상일 수도 있다.

2. 임상양상 (Clinical Features)

a. 에틸렌글리콜의 초기징후에는 구역, 구토, 명백한 만취상태 (inebriation)가 있다. 에틸렌글리콜은 무취이기 때문에, 호흡 시 알코올 냄새가 나지 않는다.

b. 중증인 경우는 의식 저하, 혼수, 전신 발작, 신부전, 폐부종, 심혈관계 허탈을 동반한다 (12). 신부전은 복용 24시간 후에 나타나는 후기소견일 수 있다.

c. 에틸렌글리콜 대사과정에서 생성되는 옥살산은 Ca^{++}과 결합하여 불용성인 옥살산칼슘 결정을 만들며, 이는 여러 조직, 그 중에서도

신세뇨관에 침전된다. 이러한 결정은 신세뇨관 손상의 원인이 되며, 요검경검사 (urine microscopy)에서 확인할 수 있다. 결정의 모양, 즉 상자형태의 이수화물결정 (dihydrate crystal)과는 대조적으로 얇은 일수화물결정 (monohydrate crystal) 모양은 에틸렌글리콜 중독에서 가장 특이적인 양상이다 (12).

3. 치료 (Treatment)

a. *Fomepizole*

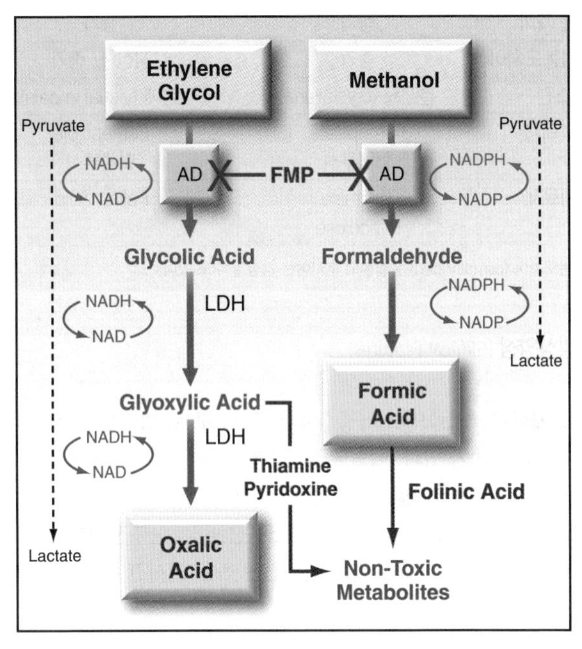

■ 그림 47.1 간에서 에틸렌글리콜과 메탄올의 대사. AD=alcohol dehydrogenase, LDH=lactate dehydrogenase, FMP=Fomepizole.

Fomepizole은 에틸렌글리콜 대사의 첫 단계에 관여하는 알코올탈수소효소를 억제한다 (그림 47.1 참고). 에틸렌글리콜중독과 메탄올중독 양쪽에 대한 용법은 표 47.3에 나와있다. 최적의 결과를 얻기 위해서 복용 후 4시간 이내에 치료를 시작해야 한다.

표 47.3 Fomepizole 용법

1. IV 부하용량 (loading dose) 15 mg/kg로 시작한다.
2. 그 후 12시간 간격으로 10 mg/kg IV를 총 4번 투여한다.
3. 그 후 12시간 마다 용량을 15 mg/kg IV 만큼 증량하며[†],
   다음의 종료 지점에 도달할 때까지 지속한다.
   (a) 혈장독소농도 <20 mg/dL
   (b) 혈장 pH 정상
   (c) 환자가 무증상
4. 혈액투석이 1차례 이상 필요하다면, 혈액투석이 필요 없을 때까지 4시간 간격으로 15 mg/kg로 용량을 변경한다.

[†] 증가하는 용량은 약물유발성대사 증가에 대한 보상이다. 참고문헌 12 발췌.

b. *혈액투석 (Hemodialysis)*
에틸렌글리콜과 그 모든 대사물은 혈액투석을 통해 더 효과적으로 제거할 수 있다. 응급혈액투석의 적응증에는 혼수, 발작, 신기능부전 같은 중요한 말단장기손상의 증거와 중증산증 (pH<7.1)이 있다 (12). 여러 차례의 혈액투석이 필요할 수도 있으며, 혈액투석을 지속한다면 fomepizole 용량을 조절해야 한다 (표 47.3 참고).

c. *추가치료제 (Adjuncts)*
글리옥실산 (glyoxylic acid)을 비독성대사물로 돌리기 위해서 thiamine (하루 한번 100 mg IV)과 pyridoxine (하루 한번 100 mg IV)을 권장한다 (그림 47.1참고).

B. 메탄올 (Methanol)

처음에 나무에서 증류했기 때문에 나무 알코올이라고도 하는 메탄올은 천연수지, 바니쉬, 차량용 워셔액, 요리용 고체연료의 흔한 재료다 (12).

1. 병태생리 (Pathophysiology)

a. 에틸렌글리콜 처럼 메탄올도 상부위장관에서 쉽게 흡수되며, 간에서 알코올탈수소효소에 의해 대사된다 **(그림 47.1 참고)**.
b. 주요 대사물은 포름산 (formic acid)이며, 이는 강산 (strong acid)으로 쉽게 해리되어 높은음이온차이 (high anion gap)를 만들어 대사성산증을 유발한다. 포름산은 시토크롬 (cytochrome)산화효소를 억제하여 산화에너지생산을 차단하는 미토콘드리아독소이기도 하다. 손상에 특히 민감한 조직은 망막, 시신경, 그리고 기저핵 (basal ganglia)이다 (12).
c. 메탄올대사는 에틸렌글리콜 대사에서 설명한 것과 동일한 방법으로 피루브산이 젖산으로 전환되는 것을 촉진하며, 젖산생산은 포름산의 독소효과로 인해 더 커진다 **(그림 47.1 참고)**.

2. 임상양상 (Clinical Features)

a. 초기양상에는 숨쉴 때 알코올 냄새가 나지 않지만, 명백한 만취의 징후가 있다.
b. 복용 6-24시간 후에 나타나는 후기징후에는 암점 (scotoma), 흐린 시야, 완전실명 같은 시각장애, 의식 저하, 혼수, 마지막으로 전신발작이 있다 (12).
c. 시각장애는 메탄올중독의 특징이며, 에틸렌글리콜 중독의 양상은 아니다. 망막검사에서 시신경 유두부종 (papilledema)과 전반적인 망막부종을 볼 수 있다.

3. 검사실소견 (Laboratory Findings)

a. 검사실 소견에는 에틸렌글리콜중독과 유사한 높은음이온차이 (high anion gap)를 동반한 대사성산증이 있다. 하지만, 메탄올중독은 결정뇨가 없다.

b. 메탄올에 대한 혈장분석을 사용할 수 있으며, 농도가 20 mg/dL를 넘어서면 중독으로 간주한다. 하지만, 혈장분석결과는 바로 나오지 않기 때문에, 초기치료방향을 결정할 때는 사용하지 않는다.

4. 치료 (Treatment)

메탄올중독의 치료는 다음 내용을 제외하고는 에틸렌글리콜 중독에서 설명한 것과 동일하다.

a. 시각장애는 투석의 적응증이 된다.

b. Folinic acid는 메탄올중독에서 thiamine과 pyridoxine 대신에 추가 치료제로 사용할 수 있다. Folinic acid (Leucovorin)은 포름산을 비독성대사물로 전환시킬 수 있다. 권장용량은 1 mg/kg IV로 최대 50 mg을 4시간 간격으로 투여할 수 있다 (12). Folinic acid를 사용할 수 없다면, folic acid를 사용할 수 있다.

Ⅳ. 유기인산염 (ORGANOPHOSPHATES, OPs)

살충제에 들어있는 파라티온 (parathion)같은 유기인복합체에 노출되면, 다른 어떤 생체 외 이물질보다 매년 전세계적으로 더 많은 사망자가 발생할 수 있으며 (13), 신경작용제 (nerve agents)에 들어있는 사린 (sarin) 같은 유기인산염 (organophosphates)에 노출되면 그 위협이 더 증가한다. OPs중독의 사망률은 10-40%이다 (13-15).

A. 병태생리 (Pathophysiology)

1. OPs은 폐, 위장관, 구강점막을 통해 쉽게 흡수된다. 손상되지 않은 피부를 통해서는 잘 흡수되지 않지만, 광범위한 노출 시에는 피부를 통한 흡수가 두드러질 수 있다 (13).
2. OPs의 주요작용은 아세틸콜린가수분해효소 (acetylcholinesterase)의 억제며 그 후로 신경과 근육 조직에 있는 무스카린 (muscarinic)수용체와 니코틴 (nicotinic)수용체 같은 콜린성 (cholinergic) 수용체에 아세틸콜린 (acetylcholine, Ach)이 축적된다. 그 결과로 인한 콜린성활성화는 콜린성증후군 (cholinergic syndrome) 혹은 중증인 경우 콜린성위기 (cholinergic crisis)라고도 하는 OPs 중독의 임상양상을 유발한다.

B. 임상양상 (Clinical Features)

1. OPs중독의 특징적인 양상은 아래에 요약되어 있다 (13,14)
   a. *중추신경계 (CNS)* - 초조 (agitation)와 혼란이 초기에 나타나며, 빠르게 기면 (lethargy)과 혼수 (coma)로 진행한다. 살충제노출로 인한 발작은 드물지만, 신경작용제는 간질중첩증 (status epilepticus)을 촉발할 수 있다 (14).
   b. *동공 (Pupils)* - 동공수축은 OPs 중독에서 콜린성활성화로 발생하는 가장 일관되는 증상 중 하나다.
   c. *근육 (Muscle)* - 니코틴수용체자극은 근섬유다발수축을 유발하며, 지속되는 수용체자극은 하향조절 (downregulation)과 뒤이은 근육약화로 이어진다 (후기 소견) (14).
   d. *외분비선 (Exocrine Glands)* - 콜린성활성화는 외분비선의 과다분비를 촉진하여, 발한, 눈물, 침, 기관지분비물 분비로 이어진다.
   e. *호흡기 (Respiratory)* - OPs에 노출되면 언제든지 급성호흡부전이 발생할 수 있다. 여기에 기여하는 요인에는 기관지분비물, 호흡근약화 (14), 뇌간 때문에 발생하는 저환기 등이 있다 (15).

f. *소화기 (GI)* - 구토와 설사는 OPs 중독에서 두드러지는 양상이며, 외분비선의 과다분비와 위장관 체액손실이 합쳐져 현저한 혈량저하증 (hypovolemia)이 발생한다.

g. *요로 (Urinary Tract)* - 콜린성활성화로 인해 흔히 방광강직과 요실금이 생긴다.

2. OPs중독의 주요양상은 연상기호 SLUDGEM으로 요약할 수 있다. Salivation, Lacrimation, Urination, Diarrhea, Gastrointestinal upset, Emesis, and Miosis.

C. 치료 (Treatment)

1. Atropine

a. Atropine은 무스카린 수용체를 차단하며, OPs 중독 치료의 1차 약제다 (13,14,16)

b. 초기용량은 2 mg IV 혹은 IM이다. 증상이 심각하다면, 추가로 10분 간격으로 두 번 더 투여할 수 있다 (13). 처음 봤을 때부터 증상이 심각하다면, 간격을 두지 않고 2 mg을 추가로 투여할 수 있다.

c. Atropine은 니코틴수용체는 차단하지 못하며, 따라서 OPs중독의 근육관련 증상을 막을 수 없다.

2. Glycopyrrolate

a. Glycopyrrolate는 atropine처럼 무스카린수용체를 차단하지만, atropine과는 다르게 혈액뇌장벽 (blood brain barrier, BBB)을 통과하지 못한다. 따라서, OPs중독의 CNS양상을 차단하지 못한다 (13).

b. 이 제제는 atropine이 항무스카린성 (antimuscarinic) CNS 중독을 야기할 때 atropine과 조합해서 사용할 수 있지만, 말초무스카린수용체자극 효과를 완벽하게 반전시키지는 못한다.

c. Glycopyrrolate의 일반적인 용량은 1-2 mg IV이며, 필요한 경우 증상이 가라앉을 때까지 반복 투여할 수 있다 (10). 중증인 경우 고용량이 필요할 수도 있다 (10).

3. Pralidoxime (2-PAM)

a. 2-PAM은 OP 분자와 결합하여 인산화 아세틸콜린에스테라아제 (phosphorylated acetylcholinesterase)를 재활성화시킨다 (16). 이 제제는 아세틸콜린에스테라아제의 에이징 (acetylcholinesterase ageing) 때문에, OPs 중독초기에 사용해야만 효과가 있다 (14).
b. 2-PAM에 대한 권장용법 중 한 가지는 콜린성징후와 증상이 반전될 때까지 4시간 간격으로 1시간에 걸쳐 1 g을 투여하는 것이다 (14). 다른방법으로는 1 g/hr의 고용량지속주입으로 2-PAM을 투여할 수도 있다 (17).
c. 치료는 며칠이 걸릴 수도 있다 (14).

4. Benzodiazepines

Midazolam, lorazepam 같은 benzodiazepine은 OPs유발성 초조와 발작 치료에 많이 사용 된다. Benzodiazepine의 용량에 대한 정보는 표43.5를 참고한다.

5. 소화기오염제거 (GI Decontamination)

a. OPs중독이 의심되는 환자에게는 활성탄 (activated charcoal)을 권장한다. 하지만, OPs에 노출된 후 첫 1시간 이내에 투여가 가능할 때만 권장한다 (14).
b. 활성탄 투여 전에 위세척을 고려해 볼 수도 있지만, 기관삽관을 시행한 환자에서만 고려한다(14).

6. 피부오염제거 (Skin Decontamination)

피부를 통한 OPs흡수는 다양하지만, 노출된 환자를 탈의 및 세척하는 것은 의료진들의 OPs노출을 억제하고 의료진들 사이에 OPs전염을 예방하기 위한 합리적인 조치다 (14). 이는 ICU에 입실하기 전에 빠르게 시행해야 한다. 오염제거과정에는 장갑, 가운, 그리고 눈보호구가 필수다.

참고문헌

1. Guzman JA. Carbon monoxide poisoning. Crit Care Clin 2012;28:537-548.
2. Hall JE. Medical Physiology, 12th ed. Philadelphia: Elsevier, W.B. Saunders, Co, 2011:495-504.
3. Lumb AB. Nunn's Applied Respiratory Physiology. 7th ed. Philadelphia: Elsevier, 2010:179-215.
4. Hampson NB, Piantadosi CA, Thom SR, Weaver LK. Practice recommendations in the diagnosis, management, and prevention of carbon monoxide poisoning. Am J Resp Crit Care Med 2012;186:1095-1101.
5. Kalay N, Ozdogru I, Cetinkaya Y, et al. Cardiovascular effects of carbon monoxide poisoning. Am J Cardiol 2007; 99:322-324.
6. Choi IS. Delayed neurologic sequelae in carbon monoxide intoxication. Arch Neurol 1983; 40:433-435.
7. Buckley NA, Juurlick DN, Isbister G, et al. Hyperbaric oxygen for carbon monoxide poisoning. Cochrane Database Syst Rev 2011; 4:CD002041.
8. Anseeuw K, Delvau N, Burill-Putze G, et al. Cyanide poisoning by fire smoke inhalation: a European expert consensus. Eur J Emerg Med 2013; 20:2-9.
9. Baud FJ. Cyanide: critical issues in diagnosis and treatment. Hum Exp Toxicol 2007.
10. Weiner SW. Toxic alcohols. In: Nelson LS, Lewin NA, Howland MA, et al., eds. Goldfrank's Toxicologic Emergencies. 9th ed. New York: McGraw-Hill, 2011:1400-1410.

11. Bronstein AC, Spyker DA, Cantilena LR, Jr, et al. 2011 Annual Report of the American Association of Poison Control Centers' National Poison Data System (NPDS): 29th Annual Report. Clin Toxicol 2012; 50:911-1164.
12. Kruse PA. Methanol and ethylene glycol intoxication. Crit Care Clin 2012; 28:661-711.
13. Eddlestrom M, Clark, RF. Insecticides: Organic Phosphorus compounds and Carbamates. In: Nelson LS, Lewin NA, Howland MA, Hoffman RS, Goldfrank LR, Flomenbaum NE, eds. Goldfrank's Toxicologic Emergencies. 9th ed. New York: McGraw-Hill, 2011:1450-1466.
14. Blain PG. Organophosphorus poisoning (acute). Clinical Evidence 2011; 05:2102.
15. Carey JL, Dunn C, Gaspari RJ. Central respiratory failure during acute organophosphate poisoning. Respiratory Physiology Neurobiology 2013; 189:403-10.
16. Weissman BA, Raveh L. Multifunctional drugs as novel antidotes for organophosphates' poisoning. Toxicology 2011; 149-155.
17. Pawar KS, Bhoite RR, Pillay CP, et al. Continuous Pralidoxime infusion versus repeated bolus injection to treat organophosphorus pesticide poisoning: a randomized controlled trial. Lancet 2006; 368:2136-2141.

Units and Conversions

Units of Measurement in the Système Internationale (SI)		
Parameter	**Basic SI Unit (Symbol)**	**Useful Conversions**
Length	Meter (m)	1 meter = 3.28 feet 2.54 cm = 1 inch
Area	Square meter (m^2)	1 m^2 = 10.76 square feet
Volume	Cubic meter (m^3)	1 m^3 = 1,000 liters 1 cm^3 =1 mL
Mass	Kilogram (kg)	1 kg = 2.2 lbs
Density	Kilogram per cubic meter (kg/m^3)	1 kg/m^3 = density of H_2O
Velocity	Meters per second (m/sec)	1 m/sec = 3.28 feet/sec = 2.23 miles/hr
Force	Newton (N) = kg x (m/sec^2)	1 dyne = 10−5 N
Pressure	Pascal (Pa) = N/m^2	1 kPa = 7.5 mm Hg = 10.2 cm H_2O
Heat	Joule (J) = N x m	1 kcal = 4,184 J
Viscosity	Newton x second per square meter (N • sec/m^2)	1 N • sec/m^2 = 10−3 Centipoise (cP)
Amount of a substance	Mole (mol) = molecular weight in grams	mol x valence = Equivalent (Eq)

Part 1	Converting Units of Solute Concentration

1. For ions that exist freely in an aqueous solution, the concentration is expressed as milliequivalents per liter (mEq/L). To convert to mil- limoles per liter (mmol/L):

$$\frac{\text{mEq/L}}{\text{valence}} = \text{mmol/L}$$

a. For a univalent ion like potassium (K^+), the concentration in mmol/L is the same as the concentration in mEq/L.

b. For a divalent ion like magnesium (Mg^{++}), the concentration in mmol/L is one-half the concentration in mEq/L.

2. For ions that are partially bound or complexed to other molecules (e.g., plasma Ca^{++}), the concentration is usually expressed as mil- ligrams per deciliter (mg/dL). To convert to mEq/L:

$$\frac{\text{mg/dL}}{\text{mol wt}} \times 10 \times \text{valence} = \text{mEq/L}$$

where mol wt is molecular weight, and the factor 10 is used to convert decili-ters (100 mL) to liters.

EXAMPLE: Ca^{++} has a molecular weight of 40 and a valence of 2, so a plasma Ca^{++} concentration of 8 mg/dL is equivalent to:

$$(8 \times 10/40) \times 2 = 4 \text{ mEq/L}$$

3. The concentration of uncharged molecules (e.g., glucose) is also ex-pressed as milligrams per deciliter (mg/dL). To convert to (mmol/L):

$$\frac{\text{mg/dL}}{\text{mol wt}} \times 10 = \text{mmol/L}$$

EXAMPLE:

Glucose has a molecular weight of 180, so a plasma glucose con- centration of 90 mg/dL is equivalent to: (90 x 10/180) = 5 mmol/L.

Part 2 Converting Units of Solute Concentration

4. The concentration of solutes can also be expressed in terms of osmotic pressure, which determines the distribution of water in different fluid compartments. Osmotic activity in aqueous solutions (called osmolality) is expressed as milliosmoles per kg water (mosm/kg H_2O or mosm/kg).
   The following formulas can be used to express the osmolality of solute concentrations (n is the number of nondissociable particles per molecule).

$$\text{mmol/L} \times n = \text{mosm/kg}$$

$$\frac{\text{mEq/L}}{\text{valence}} \times n = \text{mosm/kg}$$

$$\frac{\text{mg/dL} \times 10}{\text{mol wt}} \times n = \text{mosm/kg}$$

EXAMPLE:

a. A plasma Na^+ concentration of 140 mEq/L has the following osmolality:

$$\frac{140}{1} \times 1 = 140 \text{ mosm/kg}$$

b. A plasma glucose concentration of 90 mg/dL has the following osmolality:

$$\frac{90 \times 10}{180} \times 1 = 5 \text{ mosm/kg}$$

The sodium in plasma has a much greater osmotic activity than the glucose in plasma because osmotic activity is determined by the number of particles in solution, and is independent of the size of the particles (i.e., one sodium ion has the same osmotic activity as one glucose molecule).

Temperature Conversions			
℃	℉	℃	℉
41	105.8	35	95
40	104	34	93.2
39	102.2	33	91.4
38	100.4	32	89.6
37	98.6	31	87.8
36	96.8	30	86
℉ = (9/5 ℃) + 32		℃ = 5/9 (℉ − 32)	

Apothecary and Household Conversions	
Apothecary	**Household**
1 grain=60 mg 1 ounce=30 mg 1 fluid ounce=30 mL 1 pint=500 mL 1 quart=947 mL	1 teaspoonful=5 mL 1 tablespoonful=15 mL 1 wineglassful=60 mL 1 teacupful=120 mL

Pressure Conversions					
mm Hg	kPa	mm Hg	kPa	mm Hg	kPa
41	5.45	61	8.11	81	10.77
42	5.59	62	8.25	82	10.91
43	5.72	63	8.38	83	11.04
44	5.85	64	8.51	84	11.17
45	5.99	65	8.65	85	11.31
46	6.12	66	8.78	86	11.44
47	6.25	67	8.91	87	11.57
48	6.38	68	9.04	88	11.70
49	6.52	69	9.18	89	11.84
50	6.65	70	9.31	90	11.97
51	6.78	71	9.44	91	12.10
52	6.92	72	9.58	92	12.24
53	7.05	73	9.71	93	12.37
54	7.18	74	9.84	94	12.50
55	7.32	75	9.98	95	12.64
56	7.45	76	10.11	96	12.77
57	7.58	77	10.24	97	12.90
58	7.71	78	10.37	98	13.03
59	7.85	79	10.51	99	13.17
60	7.98	80	10.64	100	13.90

Kilopascal (kPa) = 0.133 x mm Hg; mm Hg = 7.5 x kPa

Measures of Body Size

Measures of Body Size
Ideal Body Weight *   Males: IBW (kg) = 50 + 2.3 (Ht in inches − 60)   Females: IBW (kg) = 45.5 + 2.3 (Ht in inches − 60)
Body Mass Index † $BMI = \frac{Wt\ (in\ lbs)}{Ht\ (in\ inches)2 \times 703}$
Body Surface Area   Dubois Formula ‡ $BSA\ (m^2) = Ht\ (in\ cm) + Wt\ (in\ kg)0.425 \times 0.007184$ Jacobson Formula § $BSA\ (m^2) = \frac{Ht\ (in\ cm) + Wt\ (in\ kg) - 60}{100}$

* Devine BJ. Drug Intell Clin Pharm 1974; 8:650.
† Matz R. Ann Intern Med 1993; 118:232.
‡ Dubois EF. Basal metabolism in health and disease. Philadelphia: Lea & Febiger, 1936.
§ Jacobson B. Medicine and clinical engineering. Englewood Cliffs, NJ:Prentice-Hall, 1977.

Ideal Body Weights (in lbs.) for Adult Males *				
Height		Small Frame	Medium Frame	Large Frame
Feet	Inches			
5	2	128 - 134	131 - 141	138 - 150
5	3	130 - 136	133 - 143	140 - 153
5	4	132 - 138	135 - 145	142 - 156
5	5	134 - 140	137 - 148	144 - 160
5	6	136 - 142	139 - 151	146 - 164
5	7	138 - 145	142 - 154	149 - 168
5	8	140 - 148	145 - 157	152 - 172
5	9	142 - 151	148 - 160	155 - 176
5	10	144 - 154	151 - 163	158 - 180
5	11	146 - 157	154 - 166	161 - 184
6	0	149 - 160	157 - 170	164 - 188
6	1	152 - 164	160 - 174	168 - 192
6	2	155 - 168	164 - 178	172 - 197
6	3	158 - 172	167 - 182	172 - 202
6	4	162 - 176	171 - 187	181 - 207

*Unclothed weights associated with the highest life expectancies. From the statistics bureau of Metropolitan Life Insurance Company, 1983.

Ideal Body Weights (in lbs.) for Adult Females *				
Height		Small Frame	Medium Frame	Large Frame
Feet	Inches			
4	10	102 - 111	109-121	112 - 131
4	11	103 - 113	111-123	120 - 134
5	0	104 - 115	113-126	122 - 137
5	1	106 - 118	115-129	125 - 140
5	2	108 - 121	118-132	128 - 143
5	3	111 - 124	121 - 135	131 - 147
5	4	114 - 127	124 -138	134 - 151
5	5	117 - 130	127 - 141	137 - 155
5	6	120 - 133	130 - 144	140 - 159
5	7	123 - 136	133 - 147	143 - 163
5	8	126 - 139	136 - 150	146 - 167
5	9	129 - 142	139 - 153	149 - 170
5	10	132 - 145	142 - 156	152 - 173
5	11	135 - 148	145 - 159	155 - 176
6	1	138- 151	148- 162	158 - 179

*Unclothed weights associated with the highest life expectancies. From the statistics bureau of Metropolitan Life Insurance Company, 1983.

Predicted Body Weight (PBW)/Tidal Volume Chart for Males							
Height		PBW	mL/kg				
Feet	Inches		4	5	6	7	8
4'10"	58	45.4	180	230	270	320	360
4'11"	59	47.7	190	240	290	330	380
5' 0"	60	50.0	200	250	300	350	400
5' 1"	61	52.3	210	260	310	370	420
5' 2"	62	54.6	220	270	330	380	440
5' 3"	63	56.9	230	280	340	400	460
5' 4"	64	59.2	240	300	360	410	470
5' 5"	65	61.5	250	310	370	430	490
5' 6"	66	63.8	260	320	380	450	510
5' 7"	67	66.1	260	330	400	460	530
5' 8"	68	68.4	270	340	410	480	550
5' 9"	69	70.7	280	350	420	490	570
5'10"	70	73.0	290	370	440	510	580
5'11"	71	75.3	300	380	450	530	600
6' 0"	72	77.6	310	390	470	540	620
6' 1"	73	79.9	320	400	480	560	640
6' 2"	74	82.2	330	410	490	580	660
6' 3"	75	84.5	340	420	510	590	680
6' 4"	76	86.8	350	430	520	610	690
6' 5"	77	89.1	360	450	530	620	710
6' 6"	78	91.4	370	460	550	640	730

Predicted Body Weight (PBW)/Tidal Volume Chart for Females							
Height		PBW	mL/kg				
Feet	Inches		4	5	6	7	8
4' 7"	55	34.0	140	170	200	240	270
4' 8"	56	36.3	150	180	220	250	290
4' 9"	57	38.6	150	190	230	270	310
4'10"	58	40.9	160	200	250	290	330
4'11"	59	43.2	170	220	260	300	350
5' 0"	60	45.5	180	230	270	320	360
5' 1"	61	47.8	190	240	290	330	380
5' 2"	62	50.1	200	250	300	350	400
5' 3"	63	52.4	210	260	310	370	420
5' 4"	64	54.7	220	270	330	380	440
5' 5"	65	57.0	230	290	340	400	460
5' 6"	66	59.3	240	300	360	420	470
5' 7"	67	61.6	250	310	370	430	490
5' 8"	68	63.9	260	320	380	450	510
5' 9"	69	66.2	260	330	400	460	530
5'10"	70	68.5	270	340	410	480	550
5'11"	71	70.6	280	350	420	500	570
6' 0"	72	73.1	290	370	440	510	580
6' 1"	73	75.4	300	380	450	530	600
6' 2"	74	77.7	310	390	470	540	620
6' 3"	75	80.0	320	400	480	560	640

Body Mass Index

Underweight / Healthy / Overweight / Obese / Extremely Obese

HEIGHT in	cm	100	105	110	115	120	125	130	135	140	146	150	155	160	165	170	175	180	185	190	195	200	205	210	215
WEIGHT	lbs / kg	45.5	47.7	50.0	52.3	54.5	56.8	59.1	61.4	63.6	65.9	68.2	70.5	72.7	75.0	77.3	79.5	81.8	84.1	86.4	88.6	90.9	93.2	95.5	97.7
5.'0"	– 152.4	19	20	21	22	23	24	25	26	27	28	29	30	31	32	33	34	35	36	37	38	39	40	41	42
5.'1"	– 154.9	18	19	20	21	22	23	24	25	26	27	28	29	30	31	32	33	34	35	36	36	37	38	39	40
5.'2"	– 157.4	18	19	20	21	22	22	23	24	25	26	27	28	29	30	31	32	33	33	34	35	36	37	38	39
5.'3"	– 160.0	17	18	19	20	21	22	23	24	24	25	26	27	28	29	30	31	32	32	33	34	35	36	37	38
5.'4"	– 162.5	17	18	18	19	20	21	22	23	24	24	25	26	27	28	29	30	31	31	32	33	34	35	36	37
5.'5"	– 165.1	16	17	18	19	20	20	21	22	23	24	25	25	26	27	28	29	30	30	31	32	33	34	35	35
5.'6"	– 167.6	16	17	17	18	19	20	21	21	22	23	24	25	25	26	27	28	29	29	30	31	32	33	34	34
5.'7"	– 170.1	15	16	17	18	18	19	20	21	22	22	23	24	25	25	26	27	28	29	29	30	31	32	33	33
5.'8	– 172.7	15	16	16	17	18	19	19	20	21	22	22	23	24	25	25	26	27	28	28	29	30	31	32	32
5.'9"	– 175.2	14	15	16	17	17	18	19	20	20	21	22	22	23	24	25	25	26	27	28	28	29	30	31	31
5.'10" –	177.8	14	15	15	16	17	18	18	19	20	20	21	22	23	23	24	25	25	26	27	28	28	29	30	30
5.'11" –	180.3	14	14	15	16	16	17	18	18	19	20	21	21	22	23	23	24	25	25	26	27	28	28	29	30
6.'0"	– 182.8	13	14	14	15	16	17	17	18	19	19	20	21	21	22	23	23	24	25	25	26	27	27	28	29
6.'1"	– 185.4	13	13	14	15	15	16	17	17	18	19	19	20	21	21	22	23	23	24	25	25	26	27	27	28
6.'2"	– 187.9	12	13	14	14	15	16	16	17	18	18	19	19	20	21	21	22	23	23	24	25	25	26	27	27
6.'3"	– 190.5	12	13	13	14	15	15	16	16	17	18	18	19	20	20	21	21	22	23	23	24	25	25	26	26
6.'4"	– 193.0	12	12	13	14	14	15	15	16	17	17	18	18	19	20	20	21	22	22	23	23	24	25	25	26

Needles and Catheters

Gauge Sizes		
Gauge Size	Outside Diameter*	
	Inches	mm
26	0.018	0.45
25	0.020	0.50
24	0.022	0.56
23	0.024	0.61
22	0.028	0.71
21	0.032	0.81
20	0.036	0.91
19	0.040	1.02
18	0.048	1.22
16	0.040	1.62
14	0.080	2.03
12	0.104	2.64

*Diameters can vary with manufacturers.

French Sizes		
French Size	Outside Diameter*	
	Inches	mm
1	0.01	0.3
4	0.05	1.3
8	0.10	2.6
10	0.13	3.3
12	0.16	4.0
14	0.18	4.6
16	0.21	5.3
18	0.23	6.0
20	0.26	6.6
22	0.28	7.3
24	0.31	8.0
26	0.34	8.6
28	0.36	9.3
30	0.39	10.0
32	0.41	10.6
34	0.44	11.3
36	0.47	12.0
38	0.50	12.6

*Diameters can vary with manufacturers. However, a useful rule of thumb is OD (mm) x 3 = French size.

Flow Rates in Peripheral Venous Catheters		
Gauge Size	**Length**	**Flow Rate (L/hr)**
16	30 mm (1.2 in)	13.2
18	30 mm (1.2 in)	6.0
	50 mm (2 in)	3.6
20	30 mm (1.2 in)	3.6

From Ann Emerg Med 1983; 12:149, and Emergency Medicine Updates (emupdates.com). Flow rates are for the gravity-driven flow of water.

Flow Rates in Triple-Lumen Central Venous Catheters				
French Size	**Length**	**Lumens**	**Lumen Size**	**Flow Rate (L/h)**
7	16 cm (6 in)	Distal	16 ga	3.4
		Medial	18 ga	1.8
		Proximal	18 ga	1.9
7	20 cm (8 in)	Distal	16 ga	3.1
		Medial	18 ga	1.5
		Proximal	18 ga	1.6
7	30 cm (12 in)	Distal	16 ga	2.3
		Medial	18 ga	1.0
		Proximal	18 ga	1.1

Flow rates are for the gravity-driven flow of saline from a height of 40 inches above the catheter. From Arrow International. ga = gauge size.

Flow Rates in Triple-Lumen Central Venous Catheters				
French Size	Length	Lumens	Lumen Size	Flow Rate (L/h)
5	50 cm (19.5 in)	Single	16 ga	1.75
5	70 cm (27.5 in)	Single	16 ga	1.30
5	50 cm (19.5 in)	Distal Proximal	18 ga 20 ga	0.58 0.16
5	70 cm (27.5 in)	Distal Proximal	18 ga 20 ga	0.44 0.12

Flow rates are for the gravity-driven flow of saline from a height of 40 inches above the catheter. From Arrow International. ga = gauge size.

Flow Rates in Triple-Lumen Central Venous Catheters				
French Size	Length	Lumens	Lumen Size	Flow Rate (L/h)
12	16 cm (6 in)	Proximal Distal	12 ga 12 ga	23.7 17.4
12	20 cm (8 in)	Proximal Distal	12 ga 12 ga	19.8 15.5

Flow rates are for the gravity-driven flow of saline from a height of 40 inches above the catheter. From Arrow International. ga = gauge size.

Miscellany

Sequential Organ Failure Assessment (SOFA)					
Parameter	Score				
	0	1	2	3	4
PaO_2/FIO_2 (mm Hg)	≥400	〈400	〈300	〈200	〈100
				with respiratory support	
Platelets (10^3/μL)	≥150	〈150	〈100	〈50	〈20
Bilirubin (mg/dL)	〈1.2	1.2–1.9	2–5.9	6–11.9	〉12
MAP (mm Hg)	〉70	〈70	dopa (〈5) or dobutamine (any dose) †	dopa (5–15) or epi (≤0.1) or norepi (≤0.1)†	dopa (〉15) or epi (〉0.1) or norepi (〉0.1)†
Glasgow Coma Score	15	13–14	10–12	6–9	〈6
Creatinine (mg/dL) or Urine Output (ml /d)	〈1.2	1.2–1.9	2–3.4	3.5–4.9 or 〈500	≥5 or 〈200

Adapted from Vincent et al, Intensive Care Med 1996; 22:707-710.
Abbreviations: MAP = mean arterial pressure; dopa = dopamine; epi = epinephrine; norepi = norepinephrine. †Catecholamine doses are in μg/kg/min.

The CHA2DS2-VASc Score and the Risk of Stroke in Patients with Nonvalvular Atrial Fibrillation		
Risk Factor (Points)	**To tal Score**	**Stroke Rate (% per year)**
CHF (1)	0	0.0
Hypertension (1)	1	1.3
	2	2.2
Age ≥75 yrs (2)	3	3.2
Diabetes (1)	4	4.0
Stroke/TIA/TE (2)	5	6.7
Vascular Disease (1) (Prior MI, PAD)	6	9.8
	7	9.6
Age 65 – 74 yrs (1)	8	6.7
Female Sex (1)	9	15.20

CHA2DS2-VASc = Congestive heart failure, Hypertension, Age ≥75 yrs (doubled),
Diabetes mellitus, prior Stroke, TIA or thromboembolism (doubled),
Vascular disease, Age 65-74 yrs, Sex category (female sex).
From Circulation 2014; 130:e199.

Measures of Test Performance

	Disease is Present	Disease is Not Present
Positive Test	True Positive a	False Positive c
Negative Test	False Negative b	True Negative d

Parameter	Derivation	Definition
Sensitivity	$\frac{a}{a+b}$	The percentage of patients with the disease who have a positive test result.
Specificity	$\frac{d}{c+d}$	The percentage of patients without the disease who have a negative test result.
Positive Predictive Value	$\frac{a}{a+c}$	The percentage of patients with a positive test result who have the disease.
Negative Predictive Value	$\frac{d}{b+d}$	The percentage of patients with a negative test result who do not have the disease.

Index

※ 참고 : 번호 뒤의 f는 그림 t는 표를 의미

한글

※ 참고 : 번호 뒤의 f는 그림 t는 표를 의미

영문